『十四五』时期国家重点图书出版专项规划

中国考古发掘报告提要

魏晋南北朝卷

刘庆柱◎总主编

丁晓山◎主编

中国文史出版社

序

记得是在 2013 年初夏的一天，首都师范大学丁晓山先生因公事到六里桥中华书局来找我。办完公事后我们就坐在中华书局一楼大厅里聊了会儿天，晓山先生告诉我，他想编《中国考古发掘报告提要》。我深表赞同，但又觉得兹事体大，任务繁重，恐怕会和许多听上去不错的想法一样，最终也只能停留在策划阶段，无疾自终。没有想到时隔不到两年，晓山先生竟抱着十几册书稿来找我写序了。按说考古方面的著述本不该由我来写序的，但我首先是被晓山先生的实干精神所感动，感到没有理由拒绝如此埋头苦干的后辈学者；其次从考古与文献的结合角度，也还确实有些话想说，便欣然答应了下来。

夜深人静，我翻阅着堆满了小半个书桌的书稿，当然最先翻看的是我比较感兴趣的隋唐五代卷。真的是如入宝库，目不暇接。记得曾有学者讲过，考古是坐在前排看戏。的确如此，考古是跟古人直接对话，你会看到古人穿着什么样的盛装出现在社交场合，你会触摸到古人曾经喝过酒的酒盏，你会站立在当年宫女们居住的寝室，你甚至会行走在一千年前古人曾经走过的街道上……借用时下流行的词语讲，真的是让人有"穿越"之感了。这是阅读古代文献很难获得的一种体验。

正是因为考古资料如此无可替代，20 世纪 20 年代王国维先生就提出了"二重证据法"，以考古资料与传世文献相印证，并将此提高到了方法论的高度。20 世纪 60 年代，沈从文先生甚至说过要想做好学问，最好"老老实实去故宫各库房学三五年文物"①的话。然而，结果又如何呢？约 30 年前，张光直先生就指出："考古学与历史学不能打成两截，那种考古归考古，历史归历史，搞考古的不懂历史，搞历史的不懂考古的现象，是一种不应有的奇怪现象，说明了认识观的落后。"②李学勤先

---

① 沈从文：《花花朵朵坛坛罐罐——沈从文文物与艺术研究文集》，外文出版社，1994 年版，第 76 页。
② 见《中国社会科学》杂志社编《未定稿》，1988 年第 4 期。

生在约 20 年前讲："我们学术界的习惯，是把历史学和考古学截然分开。""学历史的专搞文献，学考古的专做田野，井水不犯河水，大多不相往来。我看这对历史学、考古学双方都没有好处。"① 10 年前，石兴邦先生还引用张光直先生的话讲："中国古史研究与考古学的发现成果的间距，比海峡两岸的距离还远。"② 时至今日，这一状况应该说，有所改观，但恐怕还不好说已有了实质性的改观。

那么，怎么才能让历史学、考古学双方都有好处呢？这就需要沟通。而考古发掘报告，恰恰是双方有望沟通的一个很好的现实选择。从考古学来说，考古发掘报告是发现、发掘、整理、研究这一系列考古活动的最后结晶，是考古发掘过程中必不可少的关键一环。从历史学的角度看，考古发掘报告几乎是认识考古发掘的唯一文字凭证，历史学者不可能老是如同考古学者一样坐在前排看戏，他们在绝大多数情况下，只能通过发掘报告，来了解他们关心的考古事实（或许以后还可以通过网播、专题片等视频来了解）。应该说，考古界、史学界双方都很重视考古发掘报告。

然而，考古发掘报告似乎并不是准备给考古圈以外的人看的，专业词汇触目皆是，叙述过程长篇大论。不用说厚度令人生畏的考古详报，就是所谓考古发掘简报，也是动辄几十页，简报不"简"，难以卒读。李学勤先生曾谈到，早在 1955 年《考古》杂志开第一次编委会时，夏鼐先生就郑重其事地提出办刊的四项任务。头一条任务居然是"普及"③。我理解这个"普及"，不仅仅是向群众普及考古知识，提高文物意识，也理应包括向非考古专业的其他学科学者，介绍考古成果，传播相关信息。也早有学者呼吁，考古发掘报告专业性太强，必须加以改进，"使学科内、学科外的读者都可以直接阅读和使用可靠资料"④。也曾有学者强调"考古界应该更快地从迷恋于资料信息的占有，转入对资料信息的共享、共商、共研"⑤，而《中国考古发掘报告提要》所做的，不正是这样一种"普及"和改进工作吗？不正是这样一种"共享、共商、共研"吗？

说实话，如果说考古学和中国传统的金石学还勉强沾上点边的话，那么考古发掘报告，可就是完完全全、百分之百的舶来品了。中国传统文献里没有这种写法，也难怪国人读起来不太熟悉。而提要，则是我们十分熟悉的写法了，姚名达先生甚至说中国古代目录"优于西洋目录者，仅恃解题一宗"⑥。打个比方，如果说考古发

① 李学勤：《走出疑古时代》，辽宁大学出版社，1994 年版，第 62 页。
② 张得水：《"文明探源：考古与历史的整合"学术研讨会综述》，《中原文物》2006 年第 1 期。
③ 《〈考古〉50 年笔谈》，《考古》2005 年第 4 期。
④ 谢尧亭：《从〈天马——曲村〉谈考古资料的整理和报告的编写》，《考古》2005 年第 3 期。
⑤ 张忠培：《中国考古学：九十年代的思考》，文物出版社，2005 年版，第 5 页。
⑥ 《中国目录学史》，上海古籍出版社，2002 年版，第 346 页。

掘报告是道洋味扑鼻的"西餐"，而"提要"则有如"西餐中做"。《中国考古发掘报告提要》煌煌十卷本，收录自1928年至2015年80多年间出版和专业刊物上的考古发掘报告13000多种，超过《四库全书总目》收书10000出头的规模了。而每种发掘报告，又力求用最简洁的语言，讲清楚发现、发掘的时间、地点，发现的过程，发掘出什么，属于什么时代或年代，墓主身份，遗址的性质，遗物的价值等。其实非专业学者，也许只需要了解这些基本信息就够了。其写法，又像是《四库全书简明目录》的路数。考古发掘报告这道"西餐"，经过中国传统目录学的改造，终于比较适合国人的胃口，能够满足读者的初步诉求了。

翻阅一过，却又感到《中国考古发掘报告提要》所包含的信息十分丰富。如编者比较注重趣味，一般人感兴趣的信息会予以收录。编者比较注重考证，凡有通过与文献对读并由此得出结论的部分，大多予以保留。编者还比较注重信息，尽可能多地提供了一些相关学术信息。在细节上，有些地方也做得很好。如某篇发掘报告是否有照片（彩照还是黑白照片）、拓片，如出土有墓志等是否转录全文，都一一予以交代。这些都是做得不错的地方，是为本书加分的地方。

说完为本书加分的地方，也应说说为本书减分的地方。主要是工程浩大，书出众手，各人取舍标准有宽严之别，难免会出现漏收、误收现象；对内容的把握有高下之分，也会有该"提"的"要"而未"提"或错"提"的情况。至于录校方面的漏网之鱼、分卷方面的可议之处等等，还在其次。但扪心自问，不论是谁来编纂这样一部大书，上述问题几乎可以说是在所难免。

当然，学术型工具书也如同学术专著一样，最大的"加分"还在创新。如《中国丛书综录》（上海古籍出版社1959年版、1982年版），收录丛书2797种，遗漏错讹甚多，以至有阳海清先生的《中国丛书综录补正》（广陵书社1984年版）问世。日后又扩充成《中国丛书广录》（湖北人民出版社1999年版）上、下两册，声称收录《综录》未收或与《综录》有所不同的丛书3279种。施廷镛先生的《中国丛书知见录》（北京图书馆出版社2005年版）6册，共收丛书近2000种，据称其中700种是《综录》失收的。当然这几部书是"知见"性质，与《综录》是依托图书馆藏书的"目睹"性质有所不同。尽管《中国丛书综录》有着种种不足和缺憾，甚至被人讥笑为"大跃进"的产物。但效果如何呢？公道自在人心。可以说，《中国丛书综录》的问世，极大改变了丛书的利用状况。以往即便是学问大家，都很少利用丛书；而此后哪怕是一篇普普通通的毕业论文，都会用到丛书。因为要用什么丛书，一查便知，十分方便。晓山先生和我讲过一个观点，我很赞同。他说学术积累到一定程度，会促使相关工具书的出现；而一部优秀的学术工具书，反过来又会促进学术的发展。

丛书的利用是如此，考古发掘报告呢？我们期待也是如此。

《中国考古发掘报告提要》的创新之处，在我看来，主要就在为中国考古发掘报告算了次总账。台湾"中央研究院"院士周法高先生讲，他研究学问，用的是"结账式的研究方法"。周先生所编《金文诂林》《金文诂林补》和《金文诂林附录》计22册，500万字，就是将容庚《金文编》所收18000多个例字原来的出处——查出，并登录原出处的句子、器名和器号。这是非常费时劳神的工作，等于是替金文研究贡献了一部"算总账"式的著述，且已成为研究金文不可或缺的工具书。据悉已有数位博士、硕士生以此为题来作学位论文。一部工具书居然有人来写学位论文，可见内涵十分丰富。事实上，各个学科、各个门类都应有这种"算总账"的著述才好。而《中国考古发掘报告提要》，不正是在这一领域的一部"算总账"式的工具书吗？

在开学术会议时，我私下曾请教过考古界的朋友：已发表的考古发掘报告到底有多少？结果说法不一，相差甚远，从几千到上万个都有。而《中国考古发掘报告提要》却首次给出了一个数字，这个答案当然还不能说是标准答案，但至少是向最终答案"逼近"和"靠拢"了一大步。在这一点上，编者是有首创之功的。季羡林先生曾讲过："专就学术界而言，编纂目录或者索引，就是积累功德。"①在我看来，这种花了大力气的"算总账"式的工具书，可真是积了大功德了。

对于这部功惠学界的书应如何利用呢？除了通常的查阅和翻阅外，我想至少还有以下几种读法。

其一，通读。即老老实实、认认真真地一本一本、一篇一篇地把《中国考古发掘报告提要》通读一过，这当然要费上一番功夫，花上一点时间。但这么读下来，对全国从史前到明清的主要考古发掘成果都会大致有个印象，这不也算是前辈学者提到的"遇到问题会冒出来"的底子吗？晓山先生有一比，他说《中国考古发掘报告提要》，就好比是地下的《四库全书总目》提要。我倒是很欣赏这个提法。其实，不要说《四库全书总目》提要，如果能够认认真真地把《四库全书简明目录》通读一过，脑子里不就有了3000多种书的信息吗？如果再把《中国考古发掘报告提要》通读一过，脑子里不就又有了13000多条考古信息了吗？二者相加，差不多是小20000条信息了，"存储量"不可谓不大。遇到什么问题，"数据库"里总会调出几条相关信息。这也应算是一种学术功底吧。

其二，对读。所谓的"对读"，当然是指传世文献与考古材料的对读。但以往似乎是以传世文献为本的成果多一些，王国维先生的大作、陈直先生的《汉书新证》，

---

① 季羡林：《西文中国学研究图书目录·序》，王树英编。《季羡林序跋集》，新世界出版社，2008年版，第757页。

都是如此。如果把考古材料比作"六经"，把传世文献比作"我"，以往大多是"六经注我"。我们在这里提倡的"对读"，是"我注六经"，即用文献来诠释、印证考古材料。或许还可以借用陈佩斯、朱时茂的小品《主角与配角》来打比方：以往我们一般是以传世文献来充当主角，以考古资料来当配角；而今应该倒过来，让考古资料来当主角，以传世文献来当配角，以传世文献来诠注考古资料。而欲这么做，考古资料总得有个文字凭证才行，而这个文字的凭证，只能是考古发掘报告。

其三，核读。"核"是核校的意思。我们可以拿考古发掘报告原文，甚至用出土遗物原件来核校，我们还可以用其他考古研究成果来核校。攻其过，补其阙。最终也形成如同余嘉锡先生的《四库提要辨证》，胡玉缙、王大隆先生的《四库全书总目提要补正》那样的成果，使《中国考古发掘报告提要》更趋完善。当然在这个过程中，自己的学术水平也终会得到提高。

其四，译读。现在不少青年学子都很重视英语。眼下考古发掘报告，往往都有英文书名或刊名，甚至还有英文的内容简介。这样我们不妨通过译读，一方面学习考古知识，一方面提高英语水平。即一边读一边将书名、篇名和内容译成英语，再与专家译的进行比较，在比较中看到自己的不足，达到学习考古、英文的双重目的。据说英国考古学家格林·丹尼尔（Glyn Daniel）讲过"未来的世界考古学要看中国"[①]一类的话，中国青年学子要向世界介绍中国考古学成果，当然免不了要谈到考古发掘报告。

其五，解读。《中国考古发掘报告提要》已尽量少用隐晦难懂的专业词汇，但仍然难免有一些词语非专业读者难辨其意。如青铜器名称、墓葬形制等，这就需要解读。可以上网搜一搜图片；还不清楚，有条件的话可以上博物馆看一看实物；如果有点绘画基础的话，可以试着自己画一画复原图、示意图。一个难点一个难点地去克服，一个词语一个词语地去弄懂。学问也会在这个过程中一点一滴地积累起来了。

其六，走读。这个"走读"，不是指改革开放之初"走读大学"那个"走读"，而是指依照《中国考古发掘报告提要》的方位指引，实地去踏察一番。考古仅仅坐在家里是不行的，一定要走出书斋。何况有些事情真的是只可意会无法言传，写得再好的报告，也无从传达。只有去实地看一看，才能更多地理解先民传递给我们的信息。

其七，群读。可以通过兴趣小组、QQ、微信群等方式组织起来，一起来攻读某一类、

某一地甚至某一篇考古发掘报告。这也可以说是一种集体研读。好处是可以互相学习，相互激励。

行文至此，我想到了一个词：落地。考古与文献相结合说得很不少了，历史与文物相对应也喊了很多年了，大方向当然是没有问题的，但为什么一直效果不是那么明显呢？原因之一，恐怕就在于缺少一个"抓手"，而《中国考古发掘报告提要》，不正是这样一个"抓手"吗？它有助于将考古与文献相结合，扎扎实实地落到实处。当然，这还仅是第一步，甚盼日后有《中国考古发掘报告提要补正》《中国考古发掘报告提要·补编》《中国考古发掘报告提要·续编》等陆续推出，如同《四库提要》一样形成一个系列。这就需要众人拾遗补阙，共襄盛举。

最后想到的一个词，在文章开始时已提到过，那就是：感动。这部书的篇幅不小，隐藏在其后的工作量更大。听晓山先生介绍，每篇考古发掘报告，要经过初选、确认、撰写、审定、分卷和汇总共 6 道程序。一篇报告，要翻来覆去地看好几遍，阅读量之大，可以想见。更难能可贵的是，晓山先生没有申报任何一级课题，而是不等不靠，先干起来再说。近日偶然读到兰州大学历史系赵俪生先生的集子，赵先生说："我们这些干了一辈子的人的眼睛是比较清楚的，知道谁在搞腐败，谁在规规矩矩地干活计。"[1]的确，我们这些人是知道的。

拉杂写来，暂且就说这些，是以为序。

傅璇琮[2]

2015 年 1 月于北京

---

[1] 赵俪生：《赵俪生文集》第一卷，兰州大学出版社，2002 年版，第 119 页。

[2] 傅璇琮（1933 – 2016），浙江宁波人，历任中华书局总编辑、国务院古籍整理出版规划小组秘书长、副组长，清华大学古典文献研究中心主任等职，博士生导师。

本书说明

一、编纂《中国考古发掘报告提要》的目的，在于为读者提供了解中国考古成果的简便途径。从这一意义上讲，或可视其为"地下的《四库全书总目》提要"（见本书"序"）。

二、《中国考古发掘报告提要》，收录20世纪20年代至2015年1月在中国大陆正式出版的考古详报和考古专业核心期刊登载的考古简报，共计收书1008部、文12242篇，合计13250种。

三、考古发掘报告，包括以书籍形式出版的考古详报，以文章形式发表的考古简报。仅限中文报告，外文报告不收；仅限中国境内，涉及外国不收；仅限出土文物，征集、捐献等无明确出土地点的不收。

四、每一报告，给出作者、出处（出版社及出版年、刊物名称、期数），述其所在地点、发现经过、发掘时间、主要发现、重大价值等。

五、《中国考古发掘报告提要》共计10卷：

史前卷

夏商西周卷

春秋战国卷

汉代卷

魏晋南北朝卷

隋唐五代卷

宋·西夏卷

辽金元卷

明清卷

综合卷

六、涉及两个或两个以上时代内容的报告，收入"综合卷"。

七、另有《总目》一册，包括目录汇总、参考文献和后记等内容。

八、详情请参阅各卷前的"本卷说明"。

本卷说明

一、此卷为《中国考古发掘报告提要》中的魏晋南北朝卷，共收录以书籍形式出版的考古详报 36 部，以文章形式发表的考古简报 955 篇，二者合计 991 种。

二、本卷分为上、下编，上编收录考古详报，下编收录考古简报。

三、上编下依 34 个省级行政区排列，省级行政区下依出版年为序。同一出版年的，依文物出版社、科学出版社、中国大百科全书出版社及其他出版社的顺序排列。涉及两个或两个以上省市自治区的考古详报，列于 34 个省级行政区之前。

四、下编下依 34 个省级行政区排列，每一省、自治区下再列地级市（州、盟）及省、自治区直管市。涉及两个或两个以上地级市（州、盟）的考古简报，列于该省、自治区之前。

五、其他相关事宜，请参阅"本书说明"。

目录

上编　考古详报

北京市

天津市

河北省

山西省

内蒙古自治区

辽宁省

吉林省

黑龙江省

上海市

江苏省

浙江省

安徽省

福建省

江西省

山东省

河南省

湖北省

湖南省

广东省

广西壮族自治区

海南省

重庆市

四川省

贵州省

云南省

西藏自治区

陕西省

甘肃省

青海省

宁夏回族自治区

新疆维吾尔自治区

香港特别行政区、澳门特别行政区、台湾省

下编　考古简报

北京市

天津市

河北省

张家口市

承德市

沧州市

廊坊市

衡水市

山西省

太原市

大同市

内蒙古自治区

辽宁省

沈阳市

大连市

吉林省

黑龙江省

绥化市

大兴安岭地区

上海市

江苏省

南京市

福建省

江西省

山东省

济南市

青岛市

淄博市

枣庄市

东营市

烟台市

潍坊市

德州市

聊城市

滨州市

菏泽市

河南省

郑州市

鹤壁市

新乡市

安阳市

濮阳市

许昌市

漯河市

三门峡市

湖北省

随州市

恩施州

仙桃市

潜江市

天门市

神农架林区

湖南省

长沙市

株洲市

湘潭市

衡阳市

邵阳市

岳阳市

常德市

张家界市

益阳市

江门市

湛江市

茂名市

肇庆市

惠州市

梅州市

汕尾市

河源市

阳江市

清远市

东莞市

中山市

潮州市

揭阳市

云浮市

广西壮族自治区

南宁市

柳州市

桂林市

梧州市

北海市

崇左市

来宾市

贺州市

玉林市

百色市

河池市

钦州市

防城港市

贵港市

海南省

海口市

三亚市

三沙市

重庆市

四川省

贵州省

云南省

昆明市

曲靖市

玉溪市

保山市

昭通市

丽江市

普洱市

临沧市

文山州

红河州

西双版纳州

楚雄州

大理州

德宏州

怒江州

迪庆州

西藏自治区

拉萨市

昌都地区

山南地区

日喀则地区

那曲地区

阿里地区

林芝地区

陕西省

白银市

天水市

武威市

张掖市

平凉市

酒泉市

庆阳市

青海省

宁夏回族自治区

新疆维吾尔自治区

图木舒克市
五家渠市

香港特别行政区、澳门特别行政区、台湾省

参考文献

后记

上编 考古详报

北京市

天津市

河北省

1.定兴县北齐石柱

作　者：刘敦祯　著
出　处：中国营造学社1934年版

该书为16开一册，38页，系对河北定兴县沙丘寺北齐石柱的考察报告。分地点、略史、石柱式样之检讨、各部构造、柱之保存意义几个部分。书前有石柱的测绘图7幅、石柱全景、细部及沙丘寺中佛像和墓表等照片11幅。

2.磁县湾漳北朝壁画墓

作　者：中国社会科学院考古研究所、河北省文物研究所　编著
出　处：科学出版社2003年版

该书为16开精装一册，系河北省磁县湾漳村北朝壁画墓的考古发掘详报。1987～1989年发掘。墓葬由墓道、甬道、墓室组成，墓中出土了棺木、精美的壁画和2200余件随葬品。报告全面科学地报道了墓葬形制、壁画和俑群等遗物，并进行了缜密的综合研究。该壁画墓是1949年以来魏晋南北朝考古的一项重大发现，而且是北朝墓中壁画绘制水平最高的一处，对研究南北朝时期的墓葬制度以及中国的古代陵墓制度都具有重要价值。下葬年代应在公元560年左右，怀疑是高洋的陵墓，但尚无法最后确定。该书简目如下：

第一章　前言

第二章　形制与结构

第三章　随葬品

第四章　壁画和地画

第五章　结束语

附有表格 3 种，分析报告 5 篇。

《考古与文物》2008 年第 5 期载有北京大学韦正先生《平淡之处见神奇——读〈磁县湾漳北朝壁画墓〉有感》一文，可参阅。

3.北响堂石窟刻经洞：南区 1、2、3 号窟考古报告

作　　者：峰峰矿区文物保管所、芝加哥大学东亚艺术中心　编著

出　　处：文物出版社 2013 年版

该书为 16 开平装一册，是河北省邯郸市峰峰矿区响堂山石窟群南区 1、2、3 号窟的考古详报。该石窟群是北齐（550 ~ 577 年）佛教艺术最重要实证之一。简目如下：

Ⅰ　导论

一、刻经洞

二、研究考察史

Ⅱ　北响堂石窟南区 1、2、3 号窟考古报告

Ⅲ　北响堂石窟刻经洞的历史与艺术

Ⅳ　北响堂石窟刻经洞的佛典、偈颂和佛名

Ⅴ　三维数字化技术在响堂石窟考古测绘中的应用

附有《2 号窟（刻经洞主窟）造像流失与复原一览表》《初踏响堂山》《磁州彭城响堂寺的石窟》《南（直隶省）北（河南省）响堂山石窟踏查报告》共 4 篇文章。

相关背景，可参阅侯旭东先生《五六世纪北方民众佛教信仰：以造像记为中心的考察》（社会科学文献出版社 2016 年版）、（荷）许理和《佛教在中国中古早期的传播与适应》（江苏人民出版社 2005 年版）等书。

山西省

4.大同云冈石窟寺记

作　者：白志谦　著
出　处：中华书局 1936 年版

该书 32 开平装一册。作者白志谦，字益哉，山西大同人，曾任山西汾阳教育局长。多年来致力于家乡文教事业。此书的内容，是对大同云冈石窟的较早考察，早于日本人长广敏雄、水野清一的《云冈石窟发掘记》。书中 20 余幅图版十分珍贵。附录有大同概况、游览信息等。

简目如下：

一、石窟寺创建之历史

二、石窟寺之现状

三、石窟寺建造艺术之系统

四、石窟寺建造工艺之特征

五、石窟寺佛像之现状

六、结语

台湾文明书局曾重印此书，名《云冈石窟寺记》。

云冈石窟，位于山西省大同市城西约 16 公里处，存有洞窟 45 个，大小窟龛 252 个，石雕造像 51000 余躯。这些石窟，主要兴建于北魏时期，前后延续 60 多年，辽金曾予重修，明末再遭破坏，清代又予以重修。一般认为，云冈石窟是佛教传入中国后、第一次大规模兴造的皇家石窟寺。

今有彭明浩先生《云冈石窟的营造工程》（文物出版社 2017 年版）一书，可参阅。

5.太原圹坡北齐张肃墓文物图录

作　者：山西省博物馆　编著
出　处：中国古典艺术出版社 1958 年版

该书为 8 开一册，图版 22 页。1955 年太原市西南蒙山山麓太原胜利器材场取土工地发现 1 座小型土洞墓。这座墓葬并未经过科学发掘，随葬器物在发现后即被取出，后送交晋源文化馆转交山西省博物馆，计有墓志 1 合，陶俑及模型明器等共 40 余件。事后山西省文管会赴工地进行清理，出土遗物原位置已无法判明，仅拾得陶俑残片一片。现在这批出土文物均存于山西省博物馆，这本图录就是根据这批文物编印的。

杨泓先生有书评，载《考古》1959 年第 1 期。

6.北齐东安王娄睿墓

作　者：山西省考古研究所、太原市文物考古研究所　编著

出　处：文物出版社 2006 年版

本书为 16 开精装一册，正文 308 页，文后有彩色图版 160 版。

娄睿墓位于山西省太原市南郊区王郭村西南，1979 年至 1981 年发掘。娄睿墓为甲字形砖砌单室墓，由封土、墓道、甬道、天井和墓室等五部分组成，葬具有外棺和内棺。娄睿墓的墓道壁、甬道壁和墓室壁上均绘有壁画，共有 71 幅，200 余平方米，分两部分五个组合：第一部分表现娄睿生前的戎马生涯和显赫的官宦生活，内容有出行与回归图、仪卫图和宫廷生活图；第二部分是反映墓主死后升天、回归西方极乐世界虚幻境界的情景，内容为祥瑞图和升仙图等。壁画色彩鲜艳，绚丽多姿，内容丰富，绘画技术精湛。墓内出土随葬品丰富，计 870 余件，有陶器、釉陶器、玉器、石雕、金器、银器、铜器、铁器、琥珀器、蚌器、丝织品和墓志等。出土的随葬品中，无论是人物塑造还是动物和镇墓兽等，形态都十分逼真、栩栩如生。具有西域风格的堆塑或捏塑的釉陶生活用具，制作极精美，在国内罕见。娄睿墓墓主明确、纪年清楚，其考古成果对北齐历史、文化、绘画的研究均有重要的学术价值。徐萍芳先生所作序中称此墓"墓主人政治地位之高，墓室规模之大，壁画之精美，以及墓内出土遗物之丰富，都是前所未见的"。

本书简目如下：

序言

第一章　概述

　第一节　地理位置与历史沿革

　第二节　发现与发掘经过

第二章　墓葬形制与葬具

　第一节　墓葬形制

　第二节　葬具

第三章　墓葬壁画

7.大同南郊北魏墓群

作　者：山西大学历史文化学院、山西省考古研究所、大同市博物馆　编著

出　处：科学出版社 2006 年版

本书为 16 开精装一册，正文共 592 页，约 90 万字，文后附有彩色图版 18 版、黑白图版 116 版。

本书是首部北魏大型墓葬群的考古发掘详报，内容分上、下编。上编是墓葬的基本资料，以墓葬为单位，详细介绍了 167 座北魏墓葬出土的 1000 多件随葬品，其中包括石雕棺床、彩绘木棺等珍贵艺术品。下编是相关的研究文章，包括器物的类型学研究、墓葬分期与年代、墓葬族属、陶器工艺研究等。对于历史学、考古学、民族学学科研究，均有参考价值。

相关研究可参阅王银田先生主编的《北魏平城考古研究——公元 5 世纪中国都城的演变》（科学出版社 2017 年版），这是一部论文集，涉及平城的宫殿、城墙、道路、碑石等。

8.大同雁北师院北魏墓群

作　者：大同市考古研究所　刘俊喜

出　处：文物出版社 2008 年版

本书为 16 开精装一册，全面介绍了 2000 年山西省大同市雁北师院 1 处北魏时期墓群的发掘、整理情况。此墓葬群共有 11 座北魏墓，包括 6 座土洞墓、5 座砖室墓，其中砖室墓 M5 出土有"太和元年""宋绍祖之枢"题记的墓铭砖，为这批墓葬的时代及此墓墓主身份的确定提供了依据。宋绍祖墓（M5）葬具为仿木结构殿堂式石椁，三开间，前廊后室，单檐歇山顶。外壁浮雕莲花门簪、兽面铺首，内壁绘有彩色壁画，制作极为精致考究。这批墓葬出土有大量精美的陶俑等器物，主要集中在 M2、M5 和 M52 三座墓中。包括有镇墓兽、人物俑、家禽家畜模型、生活用具和住宅模型等。

大同雁北师院北魏墓群的墓葬形制和出土文物，反映了北魏太和初年平城地区

已经接受汉晋丧葬制度的影响，也显示了鲜卑族游牧经济和北方民族军队的特色，是研究北朝政治、经济、文化和艺术生活的重要新资料。

本书简目如下：

9.北齐徐显秀墓

作　者：武光文　著

出　处：三晋出版社 2015 年版

该书为 16 开精装一册，系 2000～2002 年对太原王家峰徐显秀墓进行考古发掘的详报。徐显秀，北齐太尉、武安王。随葬物品 530 余件，墓中壁画达 300 多平方米。该书简目如下：

第一章　徐显秀墓的发现和发掘

第二章　得天独厚的自然、人文地理环境

第三章　武安王徐显秀的政治生涯

第四章　徐显秀生活的时代

第五章　壁画与随葬品

第六章　徐显秀墓壁画的保护

有"徐显秀年谱"等附录。

徐显秀，北齐时官至太尉。该墓地保存完好，有墓志、壁画，出土有陶俑、瓷器、蓝宝石、金戒指等随葬品 530 余件。壁画达 300 余平方米，内容有仪仗队出行、家居宴饮、天象神兽等，为研究北齐上层社会生活、文化，提供了宝贵的第一手材料。

该墓以壁画闻名，今有郑岩先生《魏晋南北朝壁画墓研究》（文物出版社 2016 年增订版）一书，可参阅。范兆飞先生《中古太原士族群体研究》（中华书局 2014 年版）也颇可读。

内蒙古自治区

10.内蒙古地区鲜卑墓葬的发现与研究

作　者：内蒙古自治区文物考古研究所　编著

出　处：科学出版社 2004 年版

本书为 16 开一册，共 335 页，彩色图版 28 幅，黑白图版 24 幅。

本书分上、下两编。上编为考古发掘报告，包括察右后旗三道湾、商都县东大井、察右中旗七郎山、察右前旗呼和乌素等 10 个鲜卑墓地，详细发表了 100 多座鲜卑墓葬材料。下编为研究文章，包括《内蒙古地区鲜卑墓葬研究、东大井和七郎山鲜卑墓葬人骨研究及出土金属的金相分析》等 6 篇文章。

本书结合新的考古资料，对早期鲜卑墓葬进行了综合研究，为研究鲜卑史提供了重要的实物资料。

据介绍，这批鲜卑墓葬的时代，大都为中原地区的魏晋南北朝时期。

辽宁省

11.朝阳北塔：考古发掘与维修工程报告

作　者：辽宁省文物考古研究所、朝阳市北塔博物馆　编
出　处：文物出版社 2007 年版

该书为 16 开精装一册。1987 年对朝阳北塔周围进行考古勘察，1989～1992 年进行维修。本书分为上、下两篇。上篇是朝阳北塔考古发掘报告。报道三燕和龙宫殿建筑遗迹和遗物、北魏思燕佛图建筑遗迹与遗物、隋唐时期塔台基建筑遗迹与遗物、辽代塔台基建筑遗迹与遗物、天宫地宫其他发现，朝阳北塔历代形制结构的勘察，研究朝阳北塔的修建历史及相关问题。下篇是朝阳北塔维修工程报告。罗哲文先生为本书作序。

12.北燕冯素弗墓

作　者：辽宁省博物馆　编著
出　处：文物出版社 2015 年版

该书为 16 开精装一册，系对北燕缔造者之一冯素弗墓进行考古发掘的详报。该墓位于辽宁省北票市西官营子。该书分为上、下编，简目如下：

上编

一、概述

二、第一号墓

三、第二号墓

四、第二次清理简记

五、结语

下编为《五燕史事要录》等十余篇相关论文。

如对北燕（409～436 年）短暂的历史感兴趣，可参阅尚永琪先生《北燕史》（中国社会科学出版社 2020 年版）一书。

吉林省

黑龙江省

上海市

江苏省

13.梁代陵墓考

作　者：张　璜　著

出　处：《汉学丛书》1912 年版、1930 年节译本、南京出版社 2010 年版

张璜（1852 ~ 1929 年），上海浦东人。在清末赴金陵、丹阳考察古迹，以法文写成此书。1930 年卫聚贤先生翻译了其中部分章节，出版了中文节译本，正文仅 43 页，不及原书二分之一。南京出版社在中文节译本基础上予以点校，收入《南京稀见文献丛刊》，与《六朝陵墓调查报告》合刊为一册。此书是国内最早以西方考古调查方法写就的、有关南北朝时期梁朝皇家陵墓的著述。简目如下：

第一章　南京

第二章　南京附近之陵墓

第三章　梁史节要

第四章　萧家史（上）

第五章　萧家史（下）

第六章　萧家各陵墓

第七章　萧顺之墓

前有卫聚贤先生序，后有叶恭绰先生跋。

14.六朝陵墓调查报告

作　者：（民国）中央古物保管委员会编辑委员会　编

出　处：（民国）中央古物保管委员会编辑委员会1935年版、上海书店1989年《民国丛书》本、线装书局《中国早期考古调查报告》丛书本2006年版、南京出版社2010年版

六朝陵墓调查，始于朱希祖、朱偰父子二人1934年开始的私人调查，共实地调查了14次，至第5次开始，民国时的中央古物保管委员会才开始派中外专家参加。此书为后人对六朝陵墓及石刻的调查研究打下了坚实的基础。上海书店、线装书局本均为影印，南京出版社本为点校本，与《梁代陵墓考》合刊为一册。该书作者除朱氏父子外，还有滕固先生，共收文7篇：

六朝陵墓调查报告书……………………朱希祖

六朝陵墓石迹述略………………………滕固

六朝陵墓总说……………………………朱偰

六朝建康冢墓碑志考证…………………朱希祖

天禄群邪考………………………………朱希祖

神道碑碣考………………………………朱希祖

驳晋温峤墓在幕府山西说………………朱希祖

朱偰先生另有《建康兰陵六朝陵墓图考》一书，1936年商务印书馆出版，中华书局2006年点校本，可参阅。相关研究成果，可参阅韦正先生的《六朝墓葬的考古学研究》（北京大学出版社2011年版）。章孔畅先生的《南朝陵墓石刻渊源与传流研究》（东南大学出版社2011年版）等。

浙江省

15.双林寺考古记

作　者：朱中翰　著
出　处：文澜学报社 1937 年版

该书为 16 开一册，系南朝双林寺遗址的考古专题报告。双林古刹建于南朝梁大通年间，位于东阳（今浙江金华地区）。书分双林寺考、寺主傅大士形仪服饰考、双林寺古铜像考、双林寺梵文古钟考、双林寺白杨塔考、双林寺铁浮图考、云黄庵考、云黄山舍利塔考等八个部分，考证了建寺年代、历史和寺中的名胜古迹、文物等。为《文澜学报》第三卷第一期抽印本。

16.海宁智标塔

作　者：浙江省文物考古研究所、海宁市文化广电新闻出版局　编著
出　处：科学出版社 2006 年版

该书为 16 开精装一册，正文共 158 页。

该书是浙江省文物考古研究所、海宁市文化广电新闻出版局联合对海宁智标塔残存塔基及地宫进行科学发掘的考古详报，系统地介绍了智标塔及其塔院的历史沿革、结构布局，并详细介绍了地宫中出土的一批精美的铜器、玉器、水晶器及琉璃器等器物。对于历史、宗教等方面的研究均有参考价值。

智标塔始建于东晋，宋、明两代都曾重建。

本书简目如下：

壹　概况

　一　历史沿草

　二　地理环境

　三　工作过程

贰　智标塔院和智标塔

　一　智标塔院

17.余杭小横山东晋南朝墓

作　者：杭州市文物考古研究所、余杭博物馆　编著

出　处：文物出版社 2013 年版

该书为 6 开精装，上、下两册，系浙江省杭州市余杭区小林镇陈家木桥村东小横山东晋南朝墓的考古发掘详报。2011 ～ 2012 年发掘，其中有大型墓 42 座，占墓葬总数的二分之一。另有中型墓 32 座、小型墓 38 座。该书简目如下：

第一章　背景及概况

第二章　墓葬分类叙述

第三章　墓葬分布及形制

第四章　器物型式及分期

第五章　画像砖

第六章　墓砖文字及装饰

第七章　结语

附有登记表及《余杭小横山汉、明墓发掘报告》一文。

据该书第 374 页介绍，"这批墓葬的主人无法得知"，但怀疑有武康沈氏家族墓在内。

安徽省

18.马鞍山六朝墓葬发掘与研究

作　　者：王　俊　主编
出　　处：科学出版社 2008 年版

本书为 16 开精装一册，正文共 260 页，约 41 万字，文后附有彩色图版 4 页、黑白图版 16 页。

马鞍山地区历史上为六朝古都南京的畿辅之地，六朝墓葬丰富。本书对马鞍山地区发掘清理的一百多座六朝墓葬资料进行了认真梳理、深入分析，遴选了部分具有代表性、特色性的六朝墓葬资料和研究文章汇编成册。全书由两部分组成，其中发掘简报 26 篇，研究性文章 9 篇。收录的墓葬中，既有贵族的大型墓葬，又有一般的平民墓葬；既有六朝时期的通行形制，又有体现马鞍山地区特色的实例；记录的出土器物几乎涵盖了六朝文物的各种器形和质地。这些墓葬资料系统和清晰地勾勒出六朝墓葬形制的演变脉络，为同时代、同类型墓葬的断代提供了参考标准。研究性文章涉及马鞍山地区六朝墓葬的分期、墓葬类型的辨别、墓主身份的分析、部分文物的释读等，补充和完善了马鞍山及长江中下游地区的六朝考古资料。

该书后记称："安徽马鞍山，六朝古都南京的畿辅之地，这里山清水秀，环境幽雅，独特的地理位置，使之成为六朝世家大族的魂栖之所。20 多年来，在城市基本建设过程中先后有 100 多座古墓葬被发现、发掘，其中六朝墓葬占绝大多数，特别是六朝早期墓葬中不乏高规格墓葬，如朱然墓、朱然家族墓、宋山墓等。"

相关背景，可参阅韩树峰先生《南北朝时期淮汉迤北的边境豪族》（社会科学文献出版社 2003 年版）一书。

福建省

江西省

山东省

19.北齐崔芬壁画墓

作　　者：临朐县博物馆　编著

出　　处：文物出版社 2002 年版

本书为 16 开一册，为国内出版的第一本全面介绍北朝壁画墓的著作。北齐崔芬墓，这座在中国美术史上有重要意义的墓葬自 1986 年发掘后一直没有正式资料公布，本书首次公布了崔芬墓发掘经过和出土的全部遗迹、遗物，并配发了研究文章，特别是以 32 幅彩色图版发表了全墓彩色壁画。壁画中的出行图和屏风树下人物图题材受南朝画风影响明显，墓中出土的青瓷器亦具有同期南方青瓷器的典型特征。这些遗迹、遗物对研究当时南北方文化交流有重要意义。

墓主崔芬，为东魏末年威烈将军，卒于北齐天保元年（550 年）。次年葬于临朐县冶源镇红新村家族茔地。相关背景，可参阅王怡辰先生《东魏北齐的统治集团》（文津出版社 2017 年版）一书。

河南省

20.邓县彩色画像砖墓

作　者：河南省文化局文物工作队　编著
出　处：文物出版社 1958 年版

该书为 16 开平装一册，是 1957 年河南省邓县学庄村南北朝彩绘墓的考古报告。文字主要有《河南邓县学庄彩色画像砖墓清理概况》一文，余均为插图和彩色、黑白照片。

21.北魏洛阳永宁寺 1979 ～ 1994 年考古发掘报告

作　者：中国社会科学院考古研究所　编著
出　处：中国大百科全书出版社 1996 年版

该书为 16 开精装一册。系对河南省洛阳市北魏著名佛教寺院永宁寺遗址的考古发掘报告。该遗址的考古工作自 20 世纪 60 年代开始，70、80 年代及 1994 年共进行了六次发掘。该书简目如下：
前言
第一章　寺院平面布局及主要建筑遗址
第二章　出土遗物（甲）
第三章　出土遗物（乙）
第四章　永宁寺遗址考察的学术意义试析
结语
附有"北魏洛阳永宁寺出土泥塑总表"。
今有韩国金大珍先生《北魏洛阳城市风貌研究——以〈洛阳伽蓝记〉为中心》（中国社会科学出版社 2016 年版）一书，可参阅。

22.曹操高陵考古发现与研究

作　者：河南省文物考古研究所　编
出　处：文物出版社 2010 年版

该书为 16 开精装一册，系关于河南省安阳市安丰乡西高穴村曹操高陵的论文集。该墓系 2005 年因盗墓发现，2008 年进行发掘，入选 2009 年度全国十大考古新发现，引起轰动。该书选录了截至 2010 年 10 月在专业报刊上发表的相关文章计 53 篇，计 25 万多字。相关考古详报，请见中国社会科学出版社 2016 年出版的《曹操高陵》一书。

23.北魏洛阳永宁寺

作　者：中国社会科学院考古研究所　编著
出　处：中国大百科全书出版社 1996 年版

该书为 16 开精装一册，有黑白版 128 版，彩色版 32 版。

北魏洛阳永宁寺，是中国历史上最著名的佛教寺院之一，在中国佛教史上具有重要地位。《北魏洛阳永宁寺——1979 ～ 1994 年考古发掘报告》一书着重报导 1963 年以来中国社会科学院考古研究所汉魏洛阳城队对该佛寺遗址进行考古勘察的结果，尤其是 1979、1980、1981 和 1994 年前后 6 次发掘所获实物资料。报告的前言介绍工作经过，第一章介绍寺院平面布局及主要建筑遗址，第二章详述出土的大、中、小型人（神）塑像和影塑像残件，第三章综合叙述出土的壁画残块、建筑材料和其他遗物，第四章是发掘者对永宁寺遗址及其出土遗物的一些初步认识。

该报告资料准确、翔实，叙述系统详尽，是关于文物、建筑史、宗教、美术等有关方面的重要参考文献。

24.安阳北朝墓葬

作　者：河南省文物局　编著
出　处：科学出版社 2013 年版

本书为 16 开精装一册，是 2007 ～ 2010 年为配合南水北调工程对安阳地区标段内一批北朝墓的考古发掘详报。包括东魏赵明度墓和北齐范粹墓、元孝宝墓、刘通墓、叔孙夫人墓、元夫人墓、李华墓、贾进墓、刘贵墓、贾宝墓等。有的有墓志。简目如下：

绪言
第一章　安阳北朝墓葬概述

第二章　南水北调安阳文物安全巡护过程中发现的北朝墓葬

附有《古野马岗考》《北齐刘通墓志考释》《北齐叔孙夫人墓志考释》等文。

今有郑州大学李姗姗同学 2012 年硕士学位论文《安阳地区北朝墓葬研究》，可参阅。

湖北省

25.鄂城六朝墓

作　者：南京大学历史系考古专业、湖北省文物考古研究所、鄂州市博物馆　编著

出　处：科学出版社 2007 年版

该书为 16 开精装一册，正文共 443 页，约 65.8 万字，文后附有彩色图版 16 页、黑白图版 120 页。

鄂城（今湖北省鄂州市）历史悠久，六朝时先后为孙吴都城、江夏郡治、武昌郡治所在地。发现了自新石器时代以来的历代遗址和遗物，但以六朝时期的遗址、墓葬和遗物尤为突出。本书收录的就是 1956～1983 年在鄂城清理发掘的 394 座六朝墓葬的资料，期间经过了 5 次较大规模的考古发掘工作。书中详细介绍了当时的发掘情况、六朝墓葬的分布、墓葬形制，并对出土的随葬器物进行系统的分类描述，最后对这批墓葬资料的分期与年代作出判断。书后附有较多表格，对墓葬资料、陶瓷器、铜镜、钱币等进行统计，对它们的发展演变情况加以归纳，还包括有陶瓷器的理化分析表。是魏晋南北朝时期不可多得的南方地区考古详报。《考古》2011 年第 2 期载有吴桂兵先生《〈鄂城六朝墓〉读后》一文，可参看。

湖南省

广东省

广西壮族自治区

海南省

重庆市

四川省

贵州省

云南省

西藏自治区

陕西省

26.中国北周珍贵文物：北周墓葬发掘报告

作　　者：安　志　编著
出　　处：陕西人民美术出版社 1993 年版

该书为 16 开一册，系 1988 ～ 1990 年陕西省咸阳北周墓葬群的考古发掘详报。共发掘北周墓 14 座，详报探讨了这批北周墓葬以及与墓葬有关的社会、历史问题。石兴邦先生为本书作序。

27.西安北周安伽墓

作　　者：陕西省考古研究所　编著
出　　处：文物出版社 2003 年版

该书为大 16 开精装一册。书内有文字 123 页，文后的 118 幅图版全部为彩色图版。安伽墓是我国迄今发掘的北周时期唯一 1 座墓主生前担任萨保这一特殊职务的墓葬，也是西安市北郊即北周都城长安东郊发现的第一座北周墓。该墓采用坐北朝南、斜坡墓道、多天井、砖砌拱形甬道、砖砌穹隆顶墓室等中国南北朝至隋唐时期常见的墓葬形制，但墓内随葬品及其葬式又与汉人有所不同，可能代表一种独特的葬俗。墓内天井两侧及过洞、甬道进口上方绘有壁画。墓室中摆放的围屏石榻，其图案是旅居中国的粟特贵族安伽生前的生活写照。该墓的发掘，为研究北周史、中西文化交流史以及北周时期文化、艺术、墓葬形制等方面对隋唐大一统经济、文化等方面的影响提供了极为珍贵的资料。

该书计分五章：前言、墓葬形制、出土遗物、石刻图案题材分析和结语。文后附录有安伽墓人骨的鉴定和安伽墓出土金属器的技术分析等。

28.咸阳十六国墓

作　者：咸阳市文物考古研究所　编著
出　处：文物出版社 2006 年版

本书为 16 开本一册，正文 159 页，文后有彩色图版 151 幅，黑白图版 365 幅。

由于十六国时期战乱不断，各个王朝存在的时间较短，这一时期的墓葬在全国的发现都较少，关中地区发现的也不多。近年来，咸阳市文物考古研究所在咸阳地区发掘了能确认为十六国时期的墓葬 24 座，本书报道的就是这 24 座墓葬的资料。本书共分五章：

第一章是前言；

第二章是墓地及墓葬概况，分别对咸阳师院墓地、文林小区墓地、中铁七局 3 处墓地和平陵 M1 等四处墓地进行了报道；

第三章为出土器物，对四处墓地出土的陶器、砖雕器及铭文砖等做了细致的介绍；

第四章是分期，对墓葬进行了分期并进行了断定，总结了各期墓葬及出土器物的特点，分析了主要陶器的演变特征；

第五章是结语。

正文后有三个附录，分别为关中地区十六国墓的初步认定、咸阳前秦墓出土的有铭砖考释和"榆糜令印"的风格及其蕴涵的史地信息。

咸阳地区十六国墓葬的发掘和发掘详报的出版，是十六国北朝时期考古研究的重要成果。

该书前言明确指出："这 24 座墓葬发掘资料曾以简报的形式在《文物》《考古》《考古与文物》《文博》等杂志上发表过，有关这批墓葬的资料以本报告报道的为准。"

29.北周史君墓

作　者：西安市文物保护考古研究院　编著
出　处：文物出版社 2014 年版

该书为 16 开精装一册，是北周史君墓的考古发掘详报。

北周史君墓位于西安市未央区大明宫乡井上村东，2003 年进行了发掘。前面是前言，对墓葬的地理位置及环境、汉唐之间的长安城进行了介绍。正文分为六章：

第一章从考古发掘、现场清理和彩绘保护等方面介绍了墓葬的发掘经过；

第二章主要介绍了墓葬形制和出土器物；

第三章介绍了墓内葬具；

第四章对石门、石堂、基座侧面和石榻的浮雕彩绘图像进行了详细的描述；

第五章对神祇、飞天、人物、发式冠帽、服饰、乐器、动物与瑞兽、植物、建筑与桥梁和纹饰等石刻图像题材进行了描述与分析；

第六章对双语铭文、四臂神、飞天、乐舞、石堂东壁浮雕图像和浮雕图像中的器皿等进行了研究。

最后有汉长安城及周边出土北周佛教造像、文献记载的北周墓葬、已发掘的北周纪年墓，以及史君墓石门、石堂浮雕图像所见人物等统计表，北周史君墓石椁所见之粟特商队、北周史君墓出土的拜占庭金币仿制品析、西安史君墓粟特文汉文双语题铭汉文考释、西安新出史君墓志的粟特文部分考释和北周史君墓人骨鉴定等附录。

汉长安城是当时东西方文化的交汇点，北周时期来自北方草原和西域的商胡、歌舞乐人、使臣、僧侣等大量涌入，促进了民族的融合和文化的多样性，文献中记载的众多寺院和考古发现的入华西域人墓葬便是例证。近年在汉长安城附近相继发现了安伽、史君、康业、李诞等西域贵族的墓葬，尤其是史君墓，其丰富的图像和文字资料，反映了当时人们的审美观、丧葬习俗以及宗教信仰等。

相关背景，可参阅赵文润先生《西魏北周与长安文明》(陕西人民出版社2010年版)一书。

甘肃省

30.嘉峪关壁画墓发掘报告

作　者：甘肃省文物队等　编著
出　处：文物出版社 1985 年版

该书为 16 开精装一册，系 1972 ～ 1973 年甘肃省嘉峪关魏晋墓的考古发掘详报，共发掘墓葬 8 座，其中 1 座为壁画墓。该书简目如下：

一、墓葬综述
二、壁画的分布及其内容
三、墓葬年代和墓主人社会身份的推断
四、墓葬壁画的探讨

最后附有"随葬器物登记表"和"嘉峪关魏晋墓壁画内容总表"。

人民美术出版社 1985 年出版有《嘉峪关魏晋墓室壁画》一书，收图版 61 幅，可视为本报告的图版补充。另有孙彦先生《河西魏晋十六国壁画墓研究》（文物出版社 2011 年版）一书，可参阅。

31.敦煌祁家湾——西晋十六国墓葬发掘报告

作　者：甘肃省文物考古研究所　编著
出　处：文物出版社 1994 年版

该书为 16 开精装一册，系甘肃省敦煌市祁家湾墓葬群 1985 年考古发掘详报。共发掘清理古墓 117 座，年代从西晋初年至十六国末期。该书简目如下：

第一章　前言
第二章　墓葬综述
第三章　墓葬形制
第四章　随葬器物
第五章　墓葬年代、分期及有关问题
第六章　结语

32.敦煌佛爷庙湾：西晋画像砖墓

作　　者：甘肃省文物考古研究所　编著

出　　处：文物出版社 1998 年版

该书为 16 开精装一册，是 1995 年甘肃省敦煌市佛爷庙湾 5 座西晋画像砖墓的考古发掘详报，同时附带公布了 1987 年为配合敦煌机场建设发掘的 1 座西晋画像砖墓，共 6 座。画像内容涉及神禽异兽、历史人物与传说、宗教、社会生活等，简目如下：

第一章　绪言
第二章　墓葬综述
第三章　随葬器物
第四章　画像砖
第五章　墓葬年代与有关问题
第六章　画像砖的文化内涵及有关问题
第七章　结语

附有表格 6 种。

33.武威天梯山石窟

作　　者：敦煌研究院、甘肃省博物馆　编著

出　　处：文物出版社 2000 年版

该书为 16 开精装一册，系甘肃省武威市天梯山石窟 1959 ~ 1960 年考古勘察、实施搬迁的全部资料。该石窟的主要遗存，为十六国时的北凉时期建造。

34.水帘洞石窟群

作　　者：甘肃省文物考古所、麦积山石窟艺术研究所、水帘洞石窟保护研究所
　　　　　编著

出　　处：科学出版社 2009 年版

本书为 16 开精装一册。水帘洞石窟群位于甘肃省东南部丝绸之路上的重镇天水市武山县境内，是渭河上游仅次于麦积山石窟的重要石窟。自后秦建初八年（393 年）始建，其后绵延 1000 余年。该书简目如下：

绪论
第一章　水帘洞石窟群的位置、分布与沿革

第二章　水帘洞石窟群的各单元内容

第三章　水帘洞石窟群的创建与分期

第四章　水帘洞石窟群的造像与壁画的制作技艺

第五章　水帘洞石窟群与麦积山等石窟的关系及其在学术研究上的地位与价值

附有《水帘洞石窟群大事纪》《水帘洞石窟群造像、壁画内容现状示意图》《鲁班山石窟简报》共三种附录。

青海省

宁夏回族自治区

35.北周田弘墓

作　者：原州联合考古队　编著

出　处：文物出版社 2009 年版

该书为 16 开精装一册，系宁夏固原县大堡村北周田弘墓的考古发掘详报，先在日本东京勉城出版社以日文出版，2009 年所出中文版较日文版有所修订。简目如下：

附有登记表 27 种。

田弘，《周书》《北史》均有传。

36.宁夏固原北周宇文猛墓

作　者：宁夏文物考古研究所 耿志强　编著

出　处：阳光出版社 2014 年版

该书 16 开精装一册，系对宁夏固原北周宇文猛墓的考古发掘详报。简目如下：

绪言　固原的自然环境与建制沿革概述

一、固原的地理位置与自然环境

二、固原的历代建制沿革

三、固原原州七关及瓦亭诸关纪要

发掘篇　固原北周宇文猛墓考古调查与发掘

第一章　墓葬综述

　　一、宇文猛墓地地形与地理环境

　　二、固原北周——隋唐墓地的分布状况

　　三、宇文猛墓的发掘经过和方法

第二章　墓葬形制

　　一、封土堆（墓冢）

　　二、墓道

　　三、天井

　　四、过洞

　　五、壁龛

　　六、封门砖墙

　　七、甬道

　　八、墓室

第三章　葬具与随葬器物

　　一、葬具（棺、椁）

　　二、随葬器物与出土位置

　　三、陶器

　　四、陶俑（人物俑及不同种类骑俑）

　　五、动物俑

　　六、陶模型

墓主宇文猛（496～565年），本姓赵，名猛，字虎仁。原州平高（今宁夏固原市原州区）人。北魏到北周时大臣，官至大将军。

新疆维吾尔自治区

香港特别行政区、澳门特别行政区、台湾省

下编　考古简报

北京市

1.北京西郊西晋王浚妻华芳墓清理简报

作　　者：北京市文物工作队　郭　仁

出　　处：《文物》1965 年第 12 期

1965 年 7 月，北京西郊八宝山革命公墓之西半公里许，发现晋代砖室墓 1 座，简报配以照片、手绘图予以介绍。

据介绍，该墓是用 1 面印有绳纹或条纹的青砖砌成。墓分墓室和墓道两部分，墓道中有 2 道石门和 4 堵封门砖墙。墓室平面为长方形，南北长 5.6 米，东西宽 2.7 米。早年曾被盗，棺材被推倒，人骨架似被拉出棺外，被盗时间应在下葬后不久。出土遗物有骨尺 1 件、漆棺 1 件、漆盘 2 件及铜熏炉、铜弩机、银铃、料盘、陶罐、铜钱、墓志等。墓志全文 1630 字，文分六段：

第一段，叙述死者丈夫王浚及其曾祖、祖父、父的名字、官职及墓葬所在地。

第二段，叙述王浚第 1 个夫人文氏之祖父、父、外祖父和 4 个舅父的名字及官职，以及文氏所生三女的名字及其所嫁处。

第三段，叙述王浚第 2 个夫人卫氏及其祖父、伯父、父和外祖父的名字、官职。

第四段，叙述该墓之主人华氏及其曾祖父、祖父、父、兄、姊、外祖父、3 个舅父以及华氏所生二子的名字、官职。

第五段是为华氏所作的歌"功"颂"德"的文字。

第六段，是"颂"。"颂"之后为刻碑日期"永嘉元年四月十九日己亥造"。永嘉元年为公元 307 年。

从志文的语气来看，是死者的丈夫王浚所撰。

志文所载死者的丈夫王浚及其曾祖父王柔、祖父王机、父王沉，均见《晋书》卷三十九《王沉传》。王浚第 2 个夫人，河东卫氏，其祖父卫觊，《三国志·魏书》卷二十一有传。死者华氏之曾祖父华歆，《三国志·魏书》卷十三有传。

简报指出，此墓的发现，为研究有关历史提供了重要的实物资料。如骨尺，为研究我国古代尺度提供了新资料。魏晋时期，是我国古代尺度变化较大的时期。从汉代开始，官府的尺度就逐渐增大。汉代的标准尺长 23 厘米，到了三国时代的魏尺，就增大到 24.17381 厘米，此尺长是 24.2 厘米，可见晋时尺度仍沿魏制，到后魏时期便增大到 27～30 厘米。

2.北京王府仓北齐墓

作　者：北京市文物管理处　马希桂
出　处：《文物》1977 年第 11 期

1973 年 6 月，考古人员在配合西城区王府仓 38 中基建施工中，清理了一座北齐砖室墓。该墓早已被盗掘，墓顶塌陷，室内积满碎砖淤土，器物大部分被砸坏。简报分为：一、墓室结构及葬具，二、出土遗物，共两部分并配以照片予以介绍。

据介绍，墓室为一坐北向南的砖室墓，原可能有壁画，现已剥落。出土遗物共 15 件，其中陶器 11 件、铜器 3 件、铁器 1 件，简报推断该墓葬亦当为北齐时代墓葬。

简报称，北齐自公元 550 年高洋建国，至 577 年亡于北周，前后仅 28 年，由于时间较短，在北京地区，北齐墓发现不多。简报指出，该墓的清理，为了解北京一带北齐的物质文化，提供了一些实物资料。

3.大代鎏金铜造像

作　者：齐　心、呼玉衡
出　处：《文物》1980 年第 3 期

1977 年北京市延庆县宗家营村农民耕地时，在距地表约 30 厘米的耕土层偶然发现了 1 躯铜造像，估计是早年埋藏的传世品。简报配以照片予以介绍。

据介绍，该造像高 19 厘米，为正面高浮雕释迦牟尼说法像，铜质、鎏金。锈蚀不多，表面光亮，除部分文字被戳损和背光丢失外，通体完好。据残存铭文，知此为北魏遗物。

4.北京市顺义县大营村西晋墓葬发掘简报

作　者：北京市文物工作队　黄秀纯、朱志刚
出　处：《文物》1983 年第 10 期

1981 年 4 月，北京顺义县砖厂在马坡公社大营村外平地取土时，发现 8 座券顶砖室墓，其中 6 座被扰乱。简报分为"墓葬位置、布局及形制""出土遗物""结语"，共三个部分予以介绍，有照片、拓片、手绘图。

据介绍，墓群位于顺义县城北约 2.5 公里的大营村东北部，墓均在一个窄长高

大的土丘内，这个土丘应是这八座墓的封土堆。墓葬形制分别为单室、双室、三室的小砖券顶墓。墓向均向南，由墓道、墓门、甬道、墓室组成。8 座墓共出土器物50 余件，以陶器为主，其次有铜器、铁器、金银饰物和部分漆器残片等。8 墓只有M8 出土有"泰始七年"（271 年）纪年砖，但其他 7 墓与此墓大致为同一时代，知此 8 墓应均为西晋墓。

5.北京市石景山区八角村魏晋墓

作　者：石景山区文物管理所　吕品生、段忠谦、贾卫等

出　处：《文物》2001 年第 4 期

1997 年 3 月，北京市石景山区建筑公司在施工中发现壁画墓 1 座，石景山区文物管理所对其进行了抢救性清理。简报分为：一、墓葬位置及形制，二、壁画，三、出土遗物，四、小结，共四个部分。有彩照、手绘图。

据介绍，墓葬位于石景山区八角村西北角，东部约 1 公里处是老山。该墓葬发掘时，墓顶距地表约 3 米，地表下约 1.5 米即见砂石，该墓被埋在砂石层下，由地层断面可以看出被水冲积的卵石和砂石的痕迹。墓室主要由砖砌券形前室、后室组成。甬道很短，墓门向东。甬道长 1.08 米、宽 1.05 米。墓门 2 扇，石制，高 120 厘米、宽 60 厘米、厚 7.5 厘米。每扇门正面有浮雕 2 幅，上幅刻一武士执戟，下幅刻三角纹。前室与后室之间又有甬道相连。前室内建一石龛（椁），石龛由后壁、左右壁、地板、顶板 5 块石板组成，无前壁。顶板似庑殿式顶，前檐宽 136 厘米、高约 9 厘米，檐部正面刻绘 5 个兽头和 4 个红色圆形图案，屋脊四角雕有兽头。壁画绘于前室石龛（椁）内后壁、东西壁及顶部，共 4 处。壁画有些地方已漫漶不清。墓葬早期被盗，破坏严重，但石龛（椁）彩画保存基本完整，出土器物仍较丰富，石兽、陶俑、陶器、铜器、骨器，都很珍贵。该壁画墓年代，简报推断为魏晋。简报认为墓主人可能是刺史级官员。

6.北齐王胜家族造像碑

作　者：胡海帆

出　处：《考古与文物》2005 年第 3 期

北京大学图书馆收藏有一方北齐造像碑，是一位热心文物保护的老人于 1985 年7 月在北京市宣武区枣林斜街 181 中学校院内发现、收集并于次年 12 月赠予北京大学图书馆的。简报配以照片予以介绍。

据介绍，此碑为北齐刻石无疑，碑石及碑文中所涉及的人物均未见文献记载。碑灰色石灰岩质地，呈扁方柱状，圆拱顶，碑下有榫，碑座已失。高 81 厘米、宽 34 厘米、侧宽 23 厘米。四面开龛刻佛像并线刻供养人像。碑阳下方造像记、供养人侧之题名均正书。碑右侧有 3 处残缺。四面佛龛中佛头均被有意凿毁。简报录有碑上全部文字。认为此碑原应立于山西西南今稷山一带，为何运至北京原因不详。当地为北齐、北周拉锯地带，此碑碑文对研究当时历史等，有一定史料价值。简报还据碑文整理了王胜家族五代世系。

7. 北京北部山区的古长城遗址

作　者：北京大学历史地理研究中心　唐晓峰、岳升阳

出　处：《文物》2007 年第 2 期

北京北部山区有一些与一般所见明长城显然不同的古长城遗址。一般在北京地区所见的明长城，修筑整齐，有高大石墙体和空心敌楼。而这类古长城则只是简单的石垒城垣，墙体低矮，倾圮十分严重，但依然蜿蜒分布在一些高山峻岭之上。这些石垒长城是何时所建？它们与高大的明长城是什么关系？在密云县古北口一带，有这样的古长城遗址，当地退休教师张伯丞（笔名白天）曾踏察并撰文，称其为北齐长城遗址。详见所著《古北口史考》（文津出版社 1993 年版），这是第一份认真论述这些古长城遗址的著述。不过，白天书中除引述《北齐书》中的简略记载外，并没有提出更多的证据。考古人员为此进行了实地考察。简报分为以下小标题予以介绍，有照片。

1. 昌平北西岭古长城遗址
2. 门头沟大村古长城遗址
3. 昌平白羊沟古城堡遗址
4. 怀来陈家堡古长城遗址
5. 延庆双界山古长城遗址
6. 密云古北口古长城遗址
7. 密云司马台古长城遗址

据介绍，古长城在北京北部山地基本为东西走向，考古人员选择了以下地段进行了实地踏勘：昌平区北西岭、白羊沟，门头沟区大村，密云区司马台、古北口一带，以及延庆县海子口、四海一带。在地理形势上，这些地段都是古代的军事要冲，今天仍是交通要道。简报认为，北京北部山区的古长城主要是北齐时代创始修筑，虽然后来的北周、隋、唐各代又有一定程度的修缮利用，但从创建的意义上说，称

其为北齐长城，并不为过。明朝在燕山一带修建长城，仍大体选择了北朝长城这一线，在大部分地段覆盖了北朝旧迹。当然，明朝修建长城，投入的力量与持续的时间远胜于过去的朝代，对于长城走向的布置，有更细致的安排。在利用古长城时，明朝针对不同地段，有进一步的选择。也就是说，明朝长城有脱离北朝长城线路，而另择线路的地段。在这样的地方，原北朝长城没有被明长城覆盖，遗址仍然可见。今日所见到的碎石长城遗迹应该就是没有被明长城沿用、覆盖的地方。

天津市

河北省

8.河北省征集的部分十六国北朝佛教铜造像

作　者：河北省文物研究所　裴淑兰、冀艳坤

出　处：《文物》1998 年第 7 期

简报配以照片，介绍了一批十六国北朝佛教铜造像，大多有明确出土地点。有的上有铭文，有确切纪年的有：北魏太和五年（481 年）造像、北魏正始二年（505 年）造像、北魏延昌二年（513 年）造像、北齐天保六年（555 年）造像、北齐武平四年（573 年）造像等。这批造像，对研究北朝佛教、艺术等均有价值。这批造像，现均收藏于河北省文物研究所。

石家庄市

9.河北平山北齐崔昂墓调查报告

作　者：河北省博物馆文物管理处　唐云明、王玉文

出　处：《文物》1973 年第 11 期

平山县是个半山区，境内山峦起伏，只有东南部靠县城附近的地方是一块小小的平原。在城北约 6 公里东、西林山南麓，滹沱河北岸的耕地上散布着几个大土丘，当地人称之为"将台"，其中靠近上三汲村南约 300 米的圆形土丘，就是北齐上层人物崔昂墓。1968 年春，三汲公社的农民在这座土丘取土修渠时发现了该墓。1971 年 1 月，考古人员进行了调查。简报分为：一、墓的发现与调查经过，二、墓葬形制，三、随葬品，四、小结，共四个部分。有拓片、手绘图等。

据介绍，这是 1 座斜坡墓道单室砖墓。墓顶上有 4 米多高的圆形封土，面积约四亩。起去封土，从现在地面向下挖约 1 米就露出墓顶，发现时墓室保存较好。出土遗物 100 件，其中青瓷、四系黑釉罐等都很珍贵。按盾武士俑盾牌上所刻两个练拳术人形象，为我国武术史研究提供了新的资料。

此墓为夫妇合葬墓，出土有崔昂墓志、崔昂前妻修娥墓志、崔昂后妻仲华墓志 9 合。简报均未录全文。

简报指出，博陵崔氏是南北朝时期中原地区仅次于范阳卢氏、清河崔氏、荥阳郑氏、太原王氏，而与赵郡李氏、陇西李氏并列的"高门大族"。在北朝，特别是自魏孝文帝确立了门阀制度以后，崔氏家族一度权势日增，如昂之祖父崔挺、父孝伟、伯父孝芬、从权崔季舒、从兄弟崔暹等，均官高爵显。根据自汉以来大的豪强氏族往往是生前聚族而居，死后聚族而葬的习俗，以及在上三汲村附近除崔昂墓以外，尚有不少土丘的情况来判断，这一带很可能是崔昂一支的族葬地。

10.河北赞皇东魏李希宗墓

作 者：石家庄地区革委会文化局文物发掘组　李晋栓、李新铭、何健武、
　　　　唐云明

出 处：《考古》1977 年第 6 期

1975 年冬，河北省赞皇县南邢郭公社南邢郭大队在农田灌溉中，发现了东魏李希宗及其妻崔氏、其弟李希礼的墓志并一部分文物。1976 年 10 月 11 日至 12 月 25 日，考古人员对李希宗墓进行了清理。简报分为"墓地""墓葬形制""随葬器物""小结"等几个部分予以介绍，有照片、拓片、手绘图。

据介绍，李希宗墓系夫妇合葬墓，在南邢郭村东南 0.5 公里，是当地人称为"五圪垯"中的一个，李希礼墓志也出在这里，因此得知这里实为五座封土丘，是北朝赵郡李氏的 1 处族葬地。墓地南临泜河，西距五马山 5 公里，周围是广阔的平地，排列顺序是：有 4 座为东西向并列，另 1 座在西端稍北约 15 米处。编号从北边的 1 座开始为 M1，其余从西向东为 M2 ~ M5。其中 M2 即为李希宗墓。据《魏书·李顺传》，李希宗父李宪，曾在北魏孝文帝、宣武帝、孝明帝时任散骑侍郎、兖州刺史、持节安西将军行雍州刺史等职，有子 5 人：希远、希宗、希仁、骞、希礼，另有庶子长钧，均在东魏、北齐任职。现既知 M2 为李希宗墓，M5 为李希礼墓，按族葬的排列规律，则与之并列的 M3、M4 可能为他们的弟兄希仁和李骞，M1 应为他们的长辈即李宪墓的位置。

简报称，墓在清理前尚有高约 5 ~ 6 米的封土，经过夯打，比较坚实。揭开后

发现前室顶部已塌。后室北部有一盗洞，洞中有一石雕人头。该墓地表原应有碑、表之类，现仅存不知何故遗存于盗洞之中的石雕人头1个。随葬品仅有金币、金戒指、滑石猪、铁镜等。有墓志2合。一为李希宗墓志，楷书；一为其妻崔氏墓志，书写拙劣，简报未录志文全文。

李希宗（501～540年）及其家族是北朝时期参加统治集团的"高门望族"之一，《魏书》《北史》均有传，但关于他的活动记述甚简略。这次发掘，特别是两墓志的出土，多少补充了一些重要史实。如他与高欢集团的关系。他不仅受到高欢的礼遇，也是高欢的重要谋士。从墓室砌筑的简略和崔氏墓志的粗制滥造等情况，亦可看到当时李家经济衰败之一斑。简报提到李希宗之父李宪墓志，是清同治年间在赵县段村出土的，考古人员前往调查，段村也确有土丘数座，与南邢郭相距15公里。李希宗兄弟为什么没有葬在父亲身边呢？这可能与李宪之死和李家后来的遭遇有关。据《魏书·李顺传》："（孝昌）三年（527年）秋，宪女婿安乐王鉴据相州反。……遂诏赐宪死"，永熙中（533年）复赠爵赐号，见李宪墓志，"虽（遂）复赐地城傍，陪陵有托，思乡动梦、归本成礼，越以元象元年十二月二十四日合葬于旧墓"。由此可得知赵县段村一带是李宪家族的旧茔，孝昌三年（527年）李宪死后可能是先葬于南邢郭，11年后（元象元年是538年）由李希宗迁回"旧墓"并与希宗母"合葬"，这样M1实际上就成了李宪的衣冠冢。另外李希宗的长兄希远"少丧"，应葬在旧茔。又据《魏书·李顺传》，庶长兄长钧（《魏书》《北史》均误作"长剑"，今从李宪墓志）孝昌二年（526年）随父在寿阳与梁将元树战，"军败，长钧见执"，或死在父前，亦应葬于旧茔。

11.河北藁城县发现一批北齐石造像

作　者：程纪中

出　处：《考古》1980年第3期

1978年3月，藁城县北贾同村一村民报告，说他们挖土时挖出来数件石像造。考古人员经初步调查和搜集后，已将这批石造像运回藁城县文管所保存。简报配以照片、拓片予以介绍。

据介绍，石造像均出土于该村村东约150米一个土坑内。石造像发现于地表下1米余，堆置在一起，基本完好。因在地下埋藏多年，石造像水渍水锈比较严重。此次共发现完整和较完整石造像8件，均有纪年铭文，其中2件带有活动石座；残石造像座4件，其中2件有纪年铭文；另有彩绘石雕像2尊和八角形石雕柱2根。石造像中有2件镂空透雕者，已部分损坏。

简报称，这批石造像均汉白玉质，显系当时曲阳县的石刻。从造像铭文中看，分别有武定、天保、皇建、河清、天统、武平等年号，除一件武定七年（549年）造像属于东魏末期者外，其余多件均在北齐年间（550～577年）；造像铭文中还分别有建忠寺或建中寺的字样，简报认为，此出土地甚可能即是北齐时贾撞村建忠（中）寺的旧址所在。另据这批造像铭文中的最晚年限为北齐武平元年（570或577年）的情况来分析，这批石造像或可能是周建德六年（也即北齐承光元年，577年），周灭北齐后下令灭佛事件前后，由寺内僧尼埋入地下的。

12.河北正定县出土前燕元玺四年刻字墓砖

作　者： 程纪中
出　处：《文物》1981 年第 3 期

1977 年 5 月，河北省正定县大丰屯村村民范云增送交正定文管所 1 块刻字墓砖和 2 个夹砂红陶罐，据称是从该村地里 1 个古墓中出土的。墓室早年已被破坏，仅出土此 3 件文物以及一些墓砖。简报配以拓片予以介绍。

简报介绍，这块刻字墓砖残断为两截，但字迹尚清晰可辨。上刻 54 字，简报录有全文。元玺是十六国时前燕慕容儁的年号，元玺四年为公元 355 年。前燕自 337 年慕容皝称燕王，至 370 年慕容暐为前秦苻坚所灭，前后历 30 余年。前燕时期墓葬中出土的铭文砖不多见，这砖有一定的价值。

13.河北获鹿发现北魏东梁州刺史阎静迁葬墓

作　者： 河北省正定县文物保管所　樊子林、刘友恒等
出　处：《文物》1986 年第 5 期

1974 年 3 月，河北省获鹿县阎同村在兴修农田水利时，发现 1 座隋代墓葬，出土北魏东梁州刺史阎静墓志。考古人员到现场进行调查、征集，器物已被农民从墓室内取出，故原存放位置不详。现出土文物全部存正定县文物保管所。简报配以拓片予以介绍。

简报称，此墓为隋代迁葬墓，位于获鹿县城东北的阎同村东约 0.5 公里处。墓南向，为土洞砖砌单室墓，平面近似方形，四角稍圆，四壁向外凸。出土遗物共 33 件，除 1 合石墓志外，其余均为泥质红陶。计镇墓武士俑 2 件、侍卫男俑 6 件、侍从女跪俑 2 件、仆役女俑 1 件、骑马武士俑 2 件、镇墓兽 2 件、陶马 1 件、陶羊 1 件、陶猪 1 件、陶狗一件、陶牛车 1 件、陶车 1 件、陶灶 1 件、陶器盖 1 件、磨形器 1 件；

墓志 1 合，计 214 字，楷书，简报未录全文。随葬品中陶器制作细致。

据志文，阎静为北魏东梁州（今陕西南部安康、汉阴一带）刺史。此人史书无传。志文称其为"恒山灵寿人也"。生于公元 467 年，死于公元 529 年。志文称其父子 5 人同时死于东梁州，很可能是在战乱中被杀，故当时不可能厚葬，直至死后 81 年迁葬时，方行厚葬。

14.北齐赵郡王高睿造像及相关文物遗存

作　者：河北省文物局　刘建华
出　处：《文物》1999 年第 8 期

北齐皇族高睿天保七年（556 年）为其亡伯、亡兄、亡父母、自身与妃等敬造白石佛像 3 尊并铭，是北齐重要史事，屡见文献典籍。造像原存河北省灵寿县幽居寺塔内。相关资料一直未予刊布。简报分为：一、遗物概况，二、高睿所造石像艺术风格，三、其他造像风格与年代，四、塔及寺院创建年代，五、高睿造佛像之缘由及其他，六、几个值得注意的问题，共六个部分，配以照片、手绘图，首次介绍了北齐的相关遗存。

据介绍，幽居寺又称"祁林院"，位于灵寿县城西北约 50 公里处的张家庄乡砂子洞村东南。其北邻朱山之阳，南临慈河之水，三面环山，幽静宜人，故称"幽居寺"。抗战时期寺院被日军焚毁。现存砖塔 1 座、大小石造像 21 尊、北齐碑 2 通、元碑 2 通、石经幢 1 座。1976 年，在塔附近出土了 1 件辽代三彩琉璃塔。1982 年，该寺被列为省重点文物保护单位，并在塔四周建砖石围墙。1990 年春、1991 年，考古人员对现状作了全面记录，并对碑文作了笔录。1996 年，3 尊佛像头部不幸被盗，原物已不可见，原保存的图像资料自然就更显珍贵了。

据介绍，遗存有塔、汉白玉造像 3 尊，简报录有造像铭文全文。另有"赵郡王高睿修寺颂记碑""赵郡王高睿修寺之碑"，简报录有前一碑碑文，后一碑碑文《八琼室金石补正》等已收。

高睿，《北齐书》有传，知其自幼喜读《孝经》，生活于宫中，受高祖、世宗崇佛之影响甚深。加之高氏统治集团内部矛盾重重，高睿则以信佛行善，作为一种自我解脱的方式，以此逃避政治风云。

唐山市

15.河北迁安县发现北魏墓志

作　　者：唐山市文物管理所　李子春、刘学梓
出　　处：《文物》1998 年第 11 期

1984 年，河北省唐山市文物管理所在文物普查中，从迁安县征集 1 合北魏时期的墓志，现藏于唐山市文物管理所。简报配以拓片予以介绍。

据介绍，墓志为青砂岩质，有盖。志石略近正方形，四周素而无纹饰，通体无剥蚀，志文阴刻，字迹清晰无缺，从右至左 10 行，每行 8 字，共 80 字，简报录有全文。

从志文中可知死者为常袭之妻、崔隆宗之女。崔氏为北魏大族，崔隆宗是崔逞之兄崔适玄孙、崔延寿之子。崔逞，《魏书》《北史》均有传。志文可补史书不足。此外，从墓志的书体风格来看，其用笔方圆兼备，有藏有露，并有意识参隶入楷，体势趋于长方，具有一定的艺术价值。

秦皇岛市

邯郸市

16.河北磁县东陈村东魏墓

作　　者：磁县文化馆
出　　处：《考古》1977 年第 6 期

在磁县城南 5 公里，申庄公社东陈村西北 0.5 公里许，有 4 个紧相毗邻的土丘，俗称"四美冢"。1974 年 5 月间，东陈村四队农民在南侧那个土冢下面发现了墓室的顶砖，考古人员前往调查，编为东陈一号墓（CDM1）。考古人员对这一墓葬进行发掘，7 月 24 日开始工作，至 9 月 4 日结束，历时四十天。简报分为四个部分予以介绍，有拓片、手绘图。

据介绍，此墓为砖筑单室墓，前有甬道和墓道。墓室平面呈长方形。出土有陶器、

黑釉瓷器 7 件。有墓志。墓志记载，墓主尧赵氏名胡仁，年 78 岁，以东魏武定三年（545年）卒，于武定五年（547 年）入葬。志文中所述及的尧雄、尧奋、尧难宗等，与《魏书》《北史》和《北齐书》中的"尧暄传""尧雄传"中所记的身世、官位基本相同。由是可知北魏司农卿尧暄乃赵氏之公翁。赵氏，"南阳菀人也，南阳太守之女"。《魏书·赵邕传》记载"赵邕字令和，自云南阳人""邕弟尚，中书舍人，出除南阳太守"，与墓志记载赵氏身世相合，似尧赵氏为赵尚之女。可见墓主人尧赵氏出身"官宦门第""名门望族"，本人也受"西荆南阳郡君"的封号。

17.河北磁县高润墓

作　者：磁县文化馆

出　处：《考古》1979 年第 3 期

磁县境内向有"七十二冢"的传说。其中东槐树村西北有一大封土堆，俗称"北寨"，经发掘证实为北朝时皇族高润之墓。简报分为三个部分介绍了 1975 年的发掘情况，有照片、手绘图。

据介绍，此为一大型砖室墓，平面呈"甲"字形，墓室有 6 米多见方。出土有青黄釉龙把鸡首壶、青瓷碗、蜡烛、铜器、铁器、石器、玛瑙珠等。出土有墓志一合，隶书，全文 1197 字，简报未录志文全文。

墓主人高润为高欢第十四子，为北齐皇族。《北史》《北齐书》均有传，但关于其经历则记述较简。墓志之出土，可补充一些重要的史实。据志文，知其死于武平六年（575 年），武平七年（576 年）迁葬于此。同刊同期有《北齐高润墓壁画简介》一文，可参阅。

18.河北邺城南附近出土北朝石造像

作　者：河北临漳县文物保管所　乔文泉

出　处：《文物》1980 年第 9 期

河北省临漳县西南香菜营公社南部和倪辛庄公社北部是古邺城遗址所在地。邺南城附近近年来在农田基建中，陆续有北朝石造像出土。在这些石造像当中有东魏武定，北齐天保、河清、天统纪年文字，并伴有北齐铜币"常平五铢"和东魏、北齐的莲花瓦当出土，由此可证这些石造像，均属东魏、北齐的遗物。简报配以照片予以介绍。

简报介绍的 16 件石造像，分单躯、三躯、五躯、七躯等几种，绝大部分是汉白玉质料和透雕。简报认为，总观这 16 件近年来在邺南城附近出土的东魏、北齐石造像，北朝早期那种刚健雄威、不可思议的神性逐渐消失，和悦可亲的人性逐渐增多，在体态上清癯型少了，丰满型多了，曲眉秀目、婉丽多姿的女性飞天多了，流风所及，直至隋唐，可以认为它们是隋唐佛雕艺术的先驱。

19.河北磁县东魏茹茹公主墓发掘简报

作　　者：磁县文化馆　朱全升、汤　池
出　　处：《文物》1984 年第 4 期

东魏茹茹公主墓位于河北省磁县城南 2 公里的大冢营村北。因其西南约 300 米处有 1 座封土巍峨的大冢，相对而言，当地人称此墓为小冢。小冢的封土早年已削平。1976 年春，大冢营村在村北平地时，铲破墓顶，发现了此墓。考古人员于 1978 年 9 月至 1979 年 6 月进行清理发掘。简报分为：一、墓室结构及壁画，二、出土器物，三、主要收获，共三个部分。有拓片、手绘图。

据介绍，此墓（编号 CDZM1）为甲字形砖砌单室墓，坐北朝南，由墓道、甬道和墓室三部分组成。墓底距地表 6.7 米，墓道、门墙、甬道、墓室均有壁画。此墓早期遭盗掘，在墓顶东北角发现一个直径约 65 厘米的盗洞。棺椁葬具已经焚毁或朽残，零乱不甚，不可复原。在墓室东南部，发现未成年女性头骨 1 具，另有肢骨、肋骨等残骸。出土遗物仍很丰富，有陶俑 1064 件及陶器、陶瓷器等。有墓志一合，魏碑体，463 字，简报未录志文全文。据志文，茹茹公主生于元象元年（538 年），卒于武定八年（550 年），仅活了 13 岁。

简报称，据《北史》卷九十八、《宋书》卷九十五、《南齐书》卷五十九等记载：茹茹（亦作芮芮、蠕蠕）自号柔然，姓郁久闾氏，简改姓闾；一说是东胡的苗裔，另说为匈奴别种。其俗随水草畜牧。茹茹公主年仅 5 岁时，与东魏丞相高欢之子高湛（9 岁）结为娃娃亲。故而茹茹公主去世后，葬于高欢茔地内。依此距茹茹公主墓 300 米处那座"大冢"，应为高欢之墓。而其东的大冢营村（也称冢头村），当为高欢守陵军队的营地。

简报指出，此墓出土的彩绘陶俑对于研究东魏雕塑和仪制服饰，具有重要价值。此墓出土两枚拜占廷金币，上距其铸造年代仅二三十年。由此可证公元 6 世纪上半叶中西交通之畅达，中国和拜占廷帝国（东罗马帝国）往来之密切。而本墓的壁画，更是填补了中国绘画史上的空白。

同刊同期有汤池先生《东魏茹茹公主墓壁画试探》一文，可参阅。

20.河北磁县东陈村北齐尧峻墓

作　者：磁县文化馆　朱全升
出　处：《文物》1984 年第 4 期

磁县城南申庄公社东陈村西北有"四美冢"。考古人员于 1974 年 7 月清理了南冢（东魏尧赵氏墓），于 1975 年 4 月至 6 月发掘了北冢。简报分为"墓室结构""出土遗物""结束语"共三个部分，配以拓片、手绘图，介绍了北冢的发掘情况。

据介绍，此墓（编号 CDM2）为砖筑单室墓，前有墓道和甬道。该墓曾被盗，劫余遗物有陶俑 33 件、陶镇墓兽 3 件、陶马、陶羊、陶狗、陶灶及青瓷器等。出土有墓志 3 合：一为尧峻墓志，魏碑体，988 字；二为吐谷浑墓志，魏碑体，737 字；三为独孤氏墓志，楷书，427 字。简报均未录志文全文。

据墓志，知此地所谓"四美冢"应为尧氏家族墓地。北冢为尧峻夫妇墓，南冢为其母尧赵氏墓，东冢和西冢可能是尧赵氏长子尧雄和次子尧奋之墓。尧峻为其第三子。尧峻为北魏相州刺史尧暄之孙。尧暄，《魏书》有传。所附尧峻事迹极简，志文可补史书之阙。志传互校，尧峻的履历比较完整。传上未记尧峻生卒年月和年龄。按墓志记载，尧峻卒于天统二年（566 年）六月七日，"春秋六十二"；葬于天统三年（566 年）二月。由此可知，尧峻生于正始二年（505 年）。

此墓是 1 夫 2 妻的合葬墓。尧峻妻吐谷浑静媚，其高祖为吐谷浑国主。吐谷浑，为辽东鲜卑族支族，但从其祖父起已定居洛阳。卒于天统元年（567 年），享年 47 岁，是先其夫一年而卒，天统三年（567 年）二月与尧峻同穴合葬。尧峻妻独孤思男，卒于武平二年（571 年）七月，享年 60 岁，后其夫 5 年而卒，她在天保之年曾受"建州茌平郡君"的封号，应是元配。

21.河北临漳邺北城遗址勘探发掘简报

作　者：中国社会科学院考古研究所、河北省文物研究所、邺城考古工作队
　　　　徐光冀、顾智界
出　处：《考古》1990 年第 7 期

邺城遗址在河北省临漳县境内，位于县城西南 20 公里，南距安阳市区 18 公里。先后有 6 个北方的王朝建都于邺城，长达 370 余年。1935 年、1957 年、1976 ~ 1977 年，考古人员曾做过实地调查和勘探工作。

1985 年来，考古人员开始对邺城遗址进行全面勘探发掘工作。1983 年秋至 1984 年主要在邺北城工作，1985 年开始对邺南城进行工作，邺北城的工作也仍在继续进行。

邺北城遗址工作的初步成果，简报分为：一、勘探和发掘，二、出土遗物，三、结束语，共三个部分。有手绘图、拓片。

据介绍，通过邺北城遗址的勘探发掘，探明了东、南、北三面城墙；确定了中阳门、凤阳门、广阳门、建春门、广德门等门址的位置；探明了建春门、金明门之间的东西大道，凤阳门、中阳门、广阳门三条南北大道，广德门的南北大道；在东西大道之北的中央部位的宫殿区已探明10座建筑基址；在西部铜爵园（后赵为九华宫）的位置，探明了4座建筑基址；同时对保存于地面上的铜爵台、金虎台基址也进行了勘探和小规模发掘。通过勘探发掘，对其平面布局有了基本的了解。

简报称，邺北城延续的时间很长，对不同时期地层的确立和研究，对各类遗物的分期研究，特别是对大量存在的砖、瓦、瓦当和器物的分期研究，对魏晋南北朝考古研究，有重要意义。

22.河北磁县湾漳北朝墓

作　者：中国社会科学院考古研究所、河北省文物研究所、邺城考古工作队
　　　　徐光冀、江达煌、朱岩石
出　处：《考古》1990年第7期

中国社会科学院考古研究所和河北省文物研究所合作组成的邺城考古工作队，于1983年秋开始在河北省临漳县邺城遗址进行勘探发掘。对于与邺城遗址相关的墓葬区也需相应地进行工作，1986年秋与磁县文保所合作，对邺城西、北郊的北朝（东魏、北齐）陵墓区进行勘测调查，这次共调查北朝墓葬123座，调查中发现湾漳村北朝墓遭到严重破坏，需及时进行抢救，遂于1987年春季对该墓进行抢救发掘。

湾漳村位于磁县县城西南2.5公里，滏阳河南岸。墓葬在村东部，西、南、东三面均为民房。经钻探，坟丘占地面积为8000余平方米。墓葬南面尚有1尊石刻人像。墓室顶部已塌陷，可以看到墓室内部。1987年4～6月，主要清理发掘墓室、甬道和少部分墓道。1989年3～5月，对墓道进行发掘。墓道壁画保存较好，经过照相、录像、临摹获取了全部壁画资料。为了长期保存，在对壁画进行加固处理后，揭取了全部壁画。简报分为：一、墓葬结构，二、壁画，三、随葬遗物，四、结束语，共四个部分。有手绘图。

据介绍，墓道的壁画即有300余平方米，两壁画面对称。壁画气势宏伟，内容丰富，形态各异的众多人物栩栩如生，表现了高超的技艺，在同期的壁画墓中是空前的。随葬品有陶俑、陶牲畜、陶制模型和陶瓷器皿等，知确切出土位置的达1500余件，

也是同期墓葬中随葬数量最多的。

简报称，墓葬中未发现墓志和其他文字资料，这为确定墓主人身份带来了困难。根据墓葬的形制、规模，宏伟的壁画及其内容，随葬陶俑的精美和众多数量以及地面的石刻人像，简报推断该墓应属于帝王的陵墓。

简报最后指出，对于该墓有关问题的探讨，有待于进一步的整理和研究。

23.河北临漳邺城遗址出土的北朝铜造像

作　　者：中国社会科学院考古研究所、河北省文物研究所、邺城考古工作队
　　　　　赵永红、江达煌、张子欣
出　　处：《考古》1992 年第 8 期

1985 年 4 月，河北省临漳县习文乡上柳村农民在村西南 250 米处为加固漳河堤防取土时，从距地表 1 米深处挖出一批铜造像，考古人员前去调查清理。发现的地点在邺南城西郊，东距邺南城西墙约 1.5 公里。造像出土时装在 1 个陶罐内，出土后陶罐被打碎。造像共有 8 件，其中 7 件通体鎏金，出土时锈蚀得很厉害，后经过了去锈处理。由于该处地层已被农民取土时破坏，因此造像具体埋藏层位不能确知。陈学礼已将这批造像交给了邺城考古队，现存临漳县文物保管所。

简报分为：一、正光二年邓宣文造像，二、武泰元年邓法念造像，三、武泰元年邓法念造像，四、武泰元年邓法念造像，五、武泰元年邓法念造像，六、武泰元年邓法念造像，七、武泰元年邓法念造像，八、一观音二菩萨立像，共八个部分。有拓片。

据介绍，这批造像的刻铭中出现了 2 个年号，1 个是正光二年（521 年），另 1 个是武泰元年（528 年），正光、武泰均为北魏孝明帝元诩的年号。从造像的题材、风格来看，正光二年（521 年）邓宣文造像尚具备北魏前期造像的一些特点，而另外六件武泰元年（528 年）邓法念造像则具备北魏晚期造像的典型特点；这批造像中唯一的 1 件没有铭文也未鎏金的一观音二菩萨立像，与山东博兴出土的北齐武平二年（571 年）刘树珽造像很相近，另外在隋代造像中也有与其题材相同者，因此简报推断其制作年代不会早于北齐。

简报称，这批造像的发现不仅为北朝佛教史的研究提供了很重要的材料，而且为古代金属铸造工艺的探讨增加了宝贵的实物资料。

24.河北磁县湾漳北朝大型壁画墓的发掘与研究

作　者：徐光冀

出　处：《文物》1996 年第 9 期

东魏、北齐都城邺城的西、北郊，即今磁县南部，是东魏、北齐皇室贵族的陵墓区。1986 年由中国社会科学院考古研究所和河北省文物研究所合组的邺城考古队与磁县文保所在过去调查的基础上对陵墓区进行了全面的勘察，在南北 15 公里、东西 12 公里的范围内，发现墓葬 123 座。这批墓葬的坟丘略呈圆形，均经夯筑，其中部分坟丘已不完整，有些已被夷为平地。在这次勘察中，发现湾漳村的 1 座墓葬（编号 106，即湾漳大墓）已遭到严重破坏，考古人员于 1987 年对该墓进行发掘，这次主要是发掘墓室、甬道和部分墓道。由于地下水位高，墓室水深 4 米以上，需日夜不停抽水，给发掘工作造成困难。由于墓道大部压在民居之下，1988 年动员民居搬迁，1989 年继续对墓道进行发掘。墓道壁画保存较好，经照相、录像、临摹获取全部资料后，将壁画全部揭取保存。简报分为三个部分予以介绍，有照片。

据介绍，该墓由墓道、甬道、墓室三部分组成，南北总长 52 米，墓底距现地表高 10 米。墓葬早年被盗。墓葬原有高大坟丘，由于多年取土，墓室顶部已部分破坏，经钻探坟丘占地面积 8000 余平方米。在墓葬南面发现一尊高约 4 米的石刻人像。简报推测此大墓可能是北齐文宣帝高洋的陵墓。

25.河北临漳县邺南城朱明门遗址的发掘

作　者：中国社会科学院考古研究所、河北省文物研究所、邺城考古工作队
　　　　徐光翼、顾智界

出　处：《考古》1996 年第 1 期

1986 年 4～6 月，考古队对邺南城的南面正门——朱明门遗址进行了全面的发掘，发掘面积 3927 平方米。这次发掘揭露了残存的全部遗迹，了解了其形制、结构、地层关系和年代。简报分为：一、地层堆积，二、遗迹，三、遗物，四、结语，共四个部分。有拓片和手绘图。

据介绍，邺城遗址在河北省临漳县境内，位于县城西南 20 公里，南距安阳市 18 公里。邺城遗址由北、南两座相连的城址组成，分称邺北城和邺南城。邺北城始建于曹魏，以后后赵、冉魏、前燕均建都于此。朱明门遗址城门的门墩、双阙和连接门墩、双阙的短墙，均是夯筑的。夯土基址有基槽，基槽内的夯土层没有地面上的夯土坚固。除夯土基址外，仅在东门洞西壁发现少量陡砖，说明夯土壁外原来可能

有包砖，但已毁坏。城门之上应有城楼，两段短墙上应有回廊，阙之上应有阙楼，但这些建筑均已被毁。朱明门的建造年代，简报推断为东魏、北齐时期，彻底被毁应在大象二年（580年）。朱明门的出土遗物主要有板瓦、筒瓦、瓦当、砖、钱币及陶器、铁器等。这些器物的年代，简报推断分别为东汉晚期至曹魏时期、十六国时期和北魏、北齐时期。

简报称，朱明门的发掘，对于考古学、建筑史、城市规划史等都具有重要意义。

26.邺南城出土的北朝铁甲胄

作　者：中国社会科学院考古研究所考古科技实验研究中心

　　　　白荣金、王影伊等

出　处：《考古》1996年第1期

这里介绍的铁甲胄资料，是1986年冬天邺城考古队在河北省临漳县境内邺南城古城址的朱明门外城壕中发掘所得。这批铁甲胄标本发现于城壕的底部，距现地表深约3米，一块块散乱地分布在20余平方米的范围内。与铁甲胄同时出土的有剑、镞等铁制兵器，还有一些卵石、瓦片、陶器等物（发掘简报见本刊本期）。1987年8月，这些铁甲胄标本从发掘现场取出装箱运回北京，在考古研究所进行了整理。整理工作分为前后两个阶段，前一阶段是通过清理了解这些标本的基本保存情况；后一阶段则是对其进行深入的研究，逐块作具体的分析和考察。前后工作时间累计约为半年。简报分为：一、铁甲胄的清理，二、铁甲胄的保存情况，三、小结，共三个部分。有照片、手绘图。

据介绍，这批铁甲胄标本的清理工作，完全是靠手工操作来进行的，我们用小铲、小刀、小锤、毛刷等小工具，一点点地剔剥标本上面的锈斑和土垢。对个别难以辨认的标本，还采用了X光机透视拍片进行了解。由于条件有限，这种方法目前还不能普遍使用。这批标本编号有37件，经初步判断，其中属于铠甲者25件，属于胄（兜鍪）者12件。

简报推断，邺南城古城址出土的铁甲胄标本都是古战场上的实用器，有很高的学术研究价值。其中以一些完整的两种类型的铁胄尤为可贵。至于身上披挂用的铁铠甲，虽无1件完整者，但多为组成铠甲的完好局部，初步判断分别属于铠甲上的胸甲、背甲、披膊、甲裙等部位。这些资料为研究这一时期铠甲的结构提供了重要的依据，填补了此时铠甲实物资料的空缺，相信随着考古工作的开展，对古代铠甲的全面了解定会逐步充实完善起来。

27.河北临漳县邺南城遗址勘探与发掘

作　　者：中国社会科学院考古研究所、河北省文物研究所、邺城考古工作队
　　　　　徐光冀、朱岩石、江达煌
出　　处：《考古》1997 年第 3 期

邺南城遗址位于河北省临漳县境内，东北距县城 20 公里，南距河南安阳市 18 公里。邺南城之北有邺北城遗址，两城连接，其间有漳河主河道通过。邺北城先后成为曹魏、后赵、冉魏、前燕的都城（204～370 年）。公元 534 年东魏自洛阳迁都邺城，其后始建新城，是为邺南城。邺南城为东魏、北齐（534～577 年）两朝的都城。同期，邺北城亦在使用。大象二年（580 年）杨坚平尉迟迥之乱后焚毁邺城。80 年代以前，有关机构和学者曾对邺城遗址做过短期的调查、勘探。1983 年由中国社会科学院考古研究所、河北省文物研究所合作组成邺城考古工作队，开始对邺城遗址进行全面钻探、发掘，并对邺北城遗址发表了阶段性的勘探、发掘简报。邺南城遗址勘探、发掘的初步成果，简报分为：一、勘探和发掘，二、出土遗物，三、结语，共三个部分。有手绘图、拓片。

据介绍，邺南城遗址大部处于现漳河南岸，邺南城中发掘出土的遗物多为砖、板瓦、筒瓦、瓦当以及建筑构件等。遗址经过钻探、试掘，确定了四周的城墙、马面、护城河等遗迹；探明了东城墙仁寿门，南城墙启夏门、朱明门、厚载门，西城墙纳义门、乾门、西华门、上秋门的位置；确定了 3 条南北大道，3 条东西大道，探明了宫城及宫城内主要宫殿基址的位置。邺南城具有明确的中轴线，以朱明门、朱明门大道、宫城正南门、宫城主要宫殿等为中轴线，全城的城门、道路、主要建筑等呈较严格的中轴对称布局。

简报称，邺南城具有完备的军事防御系统，这是它的另一突出特点，邺南城独具特色的城墙，加之马面、护城河组成了完备的防御系统。

28.河北磁县北齐元良墓

作　　者：磁县文物保管所　张子英
出　　处：《考古》1997 年第 3 期

元良墓位于磁县城西南讲武城乡孟庄村南 0.75 公里处。1978 年 6 月，在拓宽磁县通往岳城水库的公路时发现。闻讯后，磁县文物工作者赶往现场进行了清理。简报分为：一、墓室结构，二、出土遗物，三、结语，共三个部分。有手绘图、拓片。

据介绍，元良墓编号为 CMM1，是一座土洞墓。棺木朽烂，残存部分尸骨和

随葬物品。当地百姓说，此冢俗名叫窟窿冢，传说是曹操的七十二疑冢之一。这座墓因早年被盗，随葬品残破混乱。完整及修复后的部分遗物有：陶俑 75 件、陶镇墓兽 1 件、陶禽畜 9 件、陶模型 4 件、青瓷器 8 件。青石墓志，全文共 634 字，首行勒："大齐天保四年，岁次癸酉，闰十一月己丑朔八日丙申，魏故浮阳□□君墓志铭。"简报未录墓志志文全文，墓主是北魏皇族的后代。磁县城南、城西南一带，古墓很多，过去传言是曹操的疑冢等，元良墓亦在其内，当地人俗称"窟窿冢"，此次对元良墓的发掘说明这些传言有误，为我国北朝（北魏、东魏、北齐）元氏宗族墓则较可信。

简报说，此墓出土的器物较好，又有明确的纪年，为研究我国北朝历史提供了可靠的实物资料。

29.河北临漳县邺城遗址东魏北齐佛寺塔基的发现与发掘

作　者：中国社会科学院考古研究所、河北省文物研究所、邺城考古工作队
　　　　朱岩石、何利群、艾力江
出　处：《考古》2003 年第 10 期

邺城遗址位于河北省临漳县县城西南约 20 公里处。1983 年，考古人员开始对邺城遗址进行全面勘探、调查和发掘。邺城遗址包括南北衔接的邺北城、邺南城两部分，邺北城为曹魏至十六国时期都城，邺南城是东魏北齐时期都城，当时邺北城也在同时使用。公元 577 年北周灭北齐后，开始拆毁邺城宫室建筑等，公元 580 年在杨坚平定尉迟迥之乱后，邺城被彻底焚毁。随着对邺南城考古工作的不断深入，邺南城的平面布局、遗址保护范围等问题逐渐显露出来，其中关键性课题之一就是邺南城外郭城的寻找与确定。邺城东魏、北齐佛寺塔基遗迹的发掘也是围绕上述课题而开展的工作之一。

简报分为：一、遗迹现状，二、遗迹与遗物，三、主要收获，共三个部分。有彩照。

据介绍，这次科学发掘证明"曹奂墓"实际上是东魏北齐佛寺塔基遗迹。邺南城佛寺塔基是我国发现的唯一一处东魏北齐佛寺方形木塔遗迹，塔基中刹柱础石、塔基砖函等发现填补了汉唐考古学的一项空白。砖函的发现证明，南北朝时期中国的寺院还没有形成地宫形制的舍利圣物瘗埋制度。简报称，邺南城塔基的建筑技术继承了北魏时期的建筑特点，同时又有所发展，它的规模略小于北魏洛阳永宁寺塔基，但柱网结构非常接近，参考此塔基夯土基槽的深度，或许这座方形木塔的复原高度相当可观。

30.河北磁县北朝墓群发现东魏皇族元祐墓

作　　者：中国社会科学院考古研究所河北工作队　朱岩石、何利群、沈丽华等
出　　处：《考古》2007 年第 11 期

河北省南水北调中线工程的输水渠道计划通过磁县北朝墓群所在地区，渠线工程将影响到一些古遗址和古墓葬，需要进行抢救性发掘清理。考古人员于 2006 年 9 月至 2007 年 7 月发掘了磁县北朝墓群 M003 号墓（即元祐墓）。

简报分为：一、元祐墓位置，二、墓葬结构，三、出土遗物，四、学术收获，共四个部分。有彩照、手绘图。

据介绍，磁县北朝墓群是全国重点文物保护单位，邺城考古队与磁县文物保管所曾于 1986 年对磁县北朝墓群进行了调查、编号，当时确认该墓群总计保存有 125 座北朝墓。此次发掘的 M003 是勘探南水北调渠线时新了解到的北朝墓葬之一。M003 位于磁县县城南约 9 公里、京广铁路之西 1.1 公里处，东距邺城遗址 7 公里，西北距天子冢（北朝墓群 M35，相传为东魏孝静帝之陵墓）约 3.5 公里。此墓在地表上尚残存少量封土，高约 1.8 米。封土被大量现代墓葬叠压，发掘过程中曾搬迁现代墓 10 余座。经过发掘清理得知，磁县北朝墓群 M003 是东魏皇族元祐的墓葬。该墓未被盗掘，随葬品组合完整，墓室残存壁画格局基本清晰。

简报称，M003 由斜坡墓道、过洞、天井和甬道、墓室构成，全长约 25.5 米。墓室北壁绘制有 1 个三足坐榻，正中端坐有墓主人的形象，墓主人身后有 7 扇屏风。南壁壁画分为东、西两部分，位居墓室入口东、西两侧，壁画保存不佳，从残迹观察，推测两侧各绘有 1 个人物。青龙、白虎壁画绘制在墓室中的格局，在北朝壁画墓中并不多见。青龙形象让我们看到了东魏时代绘画的风格和水平，青龙体态近似横置的 S 形，形态充满动感。绘画的线条舒畅，敷色技法中有平涂，有晕染。如此纯熟的东魏画风，成为盛唐艺术的宝贵积淀。元祐墓壁画是迄今罕见的东魏王朝画迹。

墓室入口的封门墙之下，出土 1 合青石墓志。墓志由正方形志盖和志石组成，边长约 71 厘米。志盖磨光，素面，为盝盍顶形状，顶部正中有 1 铁环。志石表面磨光，镌刻虬劲魏碑体文字，志文共计 32 行，每行 32 字，除去文末空白行、空白字，全文总计 864 字。据墓志记载："公讳祐，字保安，河南洛阳人，世祖太武皇帝之曾孙。……乃除使持节都督三徐诸军事、镇东将军、徐州刺史，寻加卫将军，余官如故。……天平四年岁次丁巳八月甲子朔十六日乙卯薨，国家追悼，有加常礼。赠使持节、太傅、司徒公、录尚书事、都督冀定沧瀛四州诸军事、本将军、冀州刺史、侍中、开国如故。谥曰孝穆。礼也。越其年闰月癸亥朔廿二日甲申葬于邺都城西、

漳河之北皇宗陵内……”由此可知，M003是葬于东魏天平四年（537年）的皇族、徐州刺史元祜之墓。元祜乃北魏皇帝拓拔焘的重孙。

简报最后归纳了此次发掘的几点收获：

一是元祜墓出土的墓志，明确了磁县北朝墓群中东魏皇宗陵的地域所在。

二是元祜墓是磁县北朝墓群中仅见的未被盗掘的墓葬。出土了较丰富的随葬品，190余件出土遗物组合清晰，保存状态较好，是研究当时社会制度、生产技术等珍贵的资料。

三是元祜墓墓室壁画格局新颖，是迄今难得一见的东魏王朝画迹。陶俑的雕塑风格写实，技艺精湛。这些雕塑作品，反映了东魏时期丧葬习俗和艺术特色，是研究南北朝时期艺术风格之源流的宝贵资料。

31.磁县出土北齐赵炽墓志

作　者：磁县博物馆　张子英

出　处：《文物》2007年第11期

磁县位于河北省南端，是我国北朝墓葬发现比较集中的地区。1998年8月，在城南申庄乡西陈村（俗名温家冢）出土北齐赵炽墓志1方。志石青石质，正方形，边长64.8厘米。志文计27行，行满27字，约729字，隶书体，字端正俊秀。简报配以拓片予以介绍。

据介绍，墓志首行为“齐故使持节骠骑大将军假仪同三司安平鄯三州刺史赵公志铭”。墓志载：“公讳炽，字世显，高陆人也……祖颜，沃阳令……父安，凉州录事参军……（公）释褐振武将军，封大城县开国男，食邑二百户。转领民正都督，加征虏将军，封阴平县开国子，复除即丘县开国伯，又迁直荡正都督，食梁州阳夏县干。仍除使持节都督鄯州诸军事、车骑大将军、鄯州刺史。寻为假仪同三司，瀛州六州都督。天统之始，褒赏勋贤，以燕赵名乡，地总恒岳，六郡关要，民亚三辅，乃除常山太守，带六州都督……除骠骑大将军，平州刺史……莅政二年奄同千月，春秋六十有五，以天统三年七月九日薨于治所。诏赠安州刺史、光禄卿。以其年岁次丁亥十月戊辰朔十七日甲申葬于邺西北七里……”

据墓志，赵炽为北齐重臣，此人《北齐书》无传，也不见其他史书记载，其墓志文近千言，为研究我国北朝历史、人物、事件等增加了新的内容。

32.河北临漳县邺城遗址赵彭城北朝佛寺遗址的勘探与发掘

作　者：中国社会科学院考古研究所、河北省文物研究所、邺城考古工作队
　　　　朱岩石、何利群、郭济桥、艾力江等

出　处：《考古》2010 年第 7 期

　　邺城遗址位于河北省临漳县县城西南 20 公里处，是全国重点文物保护单位。邺城遗址包括南北衔接的邺北城和邺南城两部分。邺北城为曹魏至十六国时期都城，邺南城为东魏北齐时期都城，同时紧邻邺南城的邺北城也在使用。公元 577年北周灭北齐后，开始拆毁邺城宫室建筑等；公元 580 年在杨坚平定尉迟迥叛乱后，邺城被彻底焚毁。中国社会科学院考古研究所、河北省文物研究所于 1983 年共同组成邺城考古工作队，开始对邺城遗址进行全面勘探、调查和发掘。自 2001年起，邺城考古工作队将邺南城遗址的考古工作推向已知邺南城的外围，工作目的是寻找邺南城外郭城，并为深入研究其平面布局积累考古资料。在邺南城朱明门遗址东南区域复探一些以往发现的大型夯土台基，其中位于赵彭城村西南 200余米处的一处夯土台基格外引人注目。这座夯土台基在地表上还有部分残存，高出地面约 4.5 米。据明《嘉靖彰德府志》记载，这个与夯土坟丘类似的古迹一直被认为是三国时期魏元帝曹奂（260 ~ 265 年）的陵墓，当地俗称"曹奂冢"。由于从未进行过正式的考古发掘，对于"曹奂冢"的属性长期以来并没有正确的认识，近现代的盗掘破坏时有发生，保存状况令人堪忧。由于邺城地区地下水位近年来持续下降，为复探该遗迹以进行深入了解提供了可能。通过考古复探，2002年 10 ~ 12 月，对该遗迹进行了考古发掘，发掘结果确认了该夯土台基为东魏北齐邺城时期的佛寺塔基。2003 年至 2005 年，围绕该塔基进行了发掘，发现了寺院的围壕及围壕东南角和西南角的院落等遗迹，出土砖瓦、瓦当、石建筑构件及陶瓷器等，为研究北朝佛寺提供了珍贵的实物资料。塔的建筑方式也可部分复原，其建造技术对研究中国古代建筑史，亦十分珍贵。

　　今有李裕群先生《北朝晚期石窟寺研究》（文物出版社 2003 年版）一书，述及邺城、太原、固原、天水、敦煌等处北朝晚期石窟，可参阅。

33.河北邺城遗址赵彭城北朝佛寺与北吴庄佛教造像埋藏坑

作　者：中国社会科学院考古研究所、河北省文物研究所、邺城考古工作队
　　　　朱岩石、何利群、沈丽华、郭济桥等
出　处：《考古》2013 年第 7 期

邺城遗址位于河北省临漳县西南约 20 公里处，由南北毗连的邺北城和邺南城组成，是曹魏、后赵、冉魏、前燕、东魏、北齐六朝国都。1983 年起，考古人员开始对邺城遗址进行了全面勘探、发掘。

北吴庄佛教造像埋藏坑位于习文乡北吴庄北地、今漳河南堤北侧的河滩内。2012 年 1 月上旬，邺城考古工作队进行了考古勘探和抢救发掘。埋藏坑内出土佛教造像数量众多，经测量编号的佛教造像共 2895 件（块），其中倚坐弥勒像等尤为精美。另有大量造像碎片，总数量近 3000 块（片）。出土造像绝大多数为汉白玉质，极少数为青石和陶质。造像在埋藏时放置密集，其间没有明显分层或用土间隔。简报分为三个部分予以介绍，有彩照和手绘图。

简报指出，邺城遗址赵彭城北朝佛寺大型建筑基址与北吴庄佛教造像埋藏坑的考古发掘，是近年来中国佛教考古最重要的收获之一。赵彭城北朝佛寺是迄今发现的中国古代最高级别的佛寺遗址，北吴庄佛教造像埋藏坑出土造像数量众多、类型丰富，是 1949 年以来我国出土佛教造像最多的埋藏坑。这批造像工艺精湛、造型精美，多数较好地保存了彩绘和贴金等痕迹，有力地证明了邺城作为 6 世纪中国北方佛教中心的地位。

简报认为，这批佛教造像时代跨越北魏、东魏、北齐、北周、隋和唐代，各时期纪年明确，为研究北朝晚期至隋唐邺城地区佛教造像的类型和题材提供了可靠标本。

34.河北临漳县邺城遗址赵彭城北朝佛寺 2010 ～ 2011 年的发掘

作　者：中国社会科学院考古研究所、河北省文物研究所、邺城考古工作队
　　　　何利群、沈丽华、朱岩石、郭济桥等
出　处：《考古》2013 年第 12 期

邺城遗址位于河北省临漳县西南约 20 公里处，由南北毗连的邺北城和邺南城组成，是曹魏至北齐六朝故都遗址。1983 年，考古人员开始对邺城遗址进行全面勘探、发掘，对曹魏至北齐时期邺城平面布局的研究已取得了阶段性成果。自 2001 年开始，邺城考古工作队逐步将工作重心转移到邺南城外围，致力于东魏北

齐邺南城外郭城的探寻，最重要的工作之一就是对赵彭城北朝佛寺遗址进行了多年的考古勘探和发掘。

赵彭城北朝佛寺遗址位于邺南城南郭城区中轴线东侧，北距正南城门朱明门约1000 米。2002 年，邺城考古队首先勘探和发掘了习文乡赵彭城村西南 200 余米处的塔基遗迹。2003 ～ 2004 年，又围佛寺塔基，勘探和试掘了寺院外部围壕、西南院四周廊房式建筑遗迹等。2010 年，勘探和试掘了寺院围壕的东通道及东南院东、西、北三处廊房式建筑遗迹。2011 ～ 2012 年，全面揭露了佛寺东南院北部大型建筑遗迹和围壕南通道，试掘了东南院南侧廊房式建筑遗迹及寺院中轴线北部大型建筑遗迹。通过历年工作，对寺院以塔为中心的多院多殿式布局特征的认识已基本清晰。简报分为：一、工作经过，二、地层堆积与遗迹，三、出土遗物，四、结语。共四个部分，重点介绍了赵彭城北朝佛寺 2010 ～ 2011 年的考古勘探工作和发掘成果，有彩照、手绘图。

35.河北临漳县曹村窑址考察报告

作　者：王建保、张志忠、李融武、李国霞
出　处：《华夏考古》2014 年第 1 期

2009 年春夏之际，考古人员在河南安阳进行古窑址考察过程中，发现当地的古陶瓷爱好者存有一些与范粹墓出土陶瓷器相近似的标本，遂追寻线索，对河北临漳县习文乡曹村附近的漳河河床进行约 3 千米范围的踏察。根据考察所获实物资料，初步认定此处为北朝时期的窑址。简报分为：一、窑址地貌，二、窑址遗物，三、曹村窑址标本与出土器物的比对研究，四、有关问题探讨，共四个部分。有彩照、手绘图。

据介绍，该窑址主要烧制精细的酱釉、青黄釉与青釉器物。通过与范粹墓出土"白瓷""白釉绿彩"器物及讲武城墓葬出土的同类器物比对研究，发现三者之间存在联系，极有可能是同一窑口所产。曹村窑可能属于官营窑场。经过对窑址资料的研究，发现酱釉与青黄釉应属陶器，两处墓葬的同类器物亦然。简报认为曹村窑址应属于磁州窑范畴。

简报称，曹村窑址是已知漳河流域（河北段）最早的窑址，它的发现填补了空白；曹村窑址主要烧制精细的酱釉、青釉、青黄釉器物，可能是"北朝时制瓷手工业的中心"；曹村窑可能是官营窑场，是北朝时期北方地区的代表性窑口之一；曹村窑烧制的酱釉及青黄釉器物应属陶器范畴，范粹墓出土的"白瓷""白釉绿彩"器物和讲武城墓葬出土同类器物亦然；曹村窑址应该列入磁州窑范围。

邢台市

36.河北内邱县出土一方官印

作　者：纪　祥
出　处：《考古》1987 年第 6 期

1984 年秋，在内邱县青山出土 1 方铜质官印。该印为正方形，爬行龟钮。边长 2.3 厘米、厚 1.2 厘米，带钮通高 2.6 厘米。印面为白文篆书"武猛校尉"4 字。简报配以照片、拓片予以介绍。

据介绍，校尉一职，始于西汉，官阶略次于将军，随其职务冠以名号。东汉末年到三国时期，由于群雄割据，战争频繁，所以，设置校尉名号亦多。但"武猛校尉"一职，甚为罕见，仅《三国志·吴书》记载，孙权曾授潘璋为"武猛校尉"；《三国志·魏书》记载，曹操曾授典韦为"武猛校尉"，以后的史书记载中，不见有此职称。青山又名黑山。东汉末年，黄巾军起义后，继而爆发了黑山军起义。建安十年（205 年），黑山军主将张燕投降曹操，但其部下继续转战在太行山区。简报认为，青山出土的"武猛校尉"印，应为曹操时期的武官印。

37.河北内邱出土北朝石神兽

作　者：内邱县文物保管所　巨建强
出　处：《文物》2005 年第 7 期

1999 年 5 月，内邱县大孟镇十方村基建工程中出土石神兽 1 件，考古人员得知后进行了抢救性清理，并将石兽运回县文物保管所保护。简报配以照片予以介绍。

据介绍，神兽青石质，体形硕大，重约 1 吨。残高 140 厘米、体长 180 厘米、身宽 90 厘米。神兽昂首挺胸，环目张口，舌尖上翘，长须垂胸，头顶有双角（残损）。小腹收敛，双翼贴身，尾较小。兽身纹饰对称均匀，线条粗犷，雕刻技艺精湛。从造型看这种神兽应为南北朝时期作品，应属大型陵墓前的神道石刻。简报指出，以往这类神兽在我国北方地区发现很少，所以它的出土对研究我国北方北朝时期陵墓石刻艺术以及丧葬文化均有重要价值。

38.河北邢台西晋墓发掘简报

作　者：邢台市文物管理处　李　军、李恩玮

出　处：《文物》2006 年第 1 期

1999 年 11 月，在邢台市西南约 10 公里处，发现 1 座西晋时期砖室墓，编号简称 M8。该墓位于邢台煤矿工人村北部偏西。简报分为：一、墓葬形制，二、随葬器物，三、结语，共三个部分。有照片、手绘图。

据介绍，M8 为穹隆顶砖室墓，由墓道、甬道、墓室三部分组成。墓口距地表 0.3 米，墓门上有一被盗墓者拆毁的缺口。墓室内有 2 棺，棺内各有骨架 1 具，为 1 男 1 女，均仰身直肢。随葬的贵重物品已不存，仅有劫余遗物 30 件，另有铜钱 30 枚。简报推断为西晋时期墓葬。

39.河北威县发现北朝佛造像

作　者：北京服装学院艺术史论系、吉林大学边疆考古研究中心、河北省邢台市文化局　邱忠鸣、李轩鹏、王　新

出　处：《文物》2014 年第 3 期

2006 年 3 月，河北省邢台市威县常屯乡横河村农民在拆除旧房时，发现 5 件佛造像，后上交威县文物保管所，现藏河北省邢台市文物中心。其中，泥质灰陶像 1 件，汉白玉造像 4 件。汉白玉造像上均有题刻，并包含纪年信息，其中东魏武定三年（545 年）1 件，北齐皇建元年（560 年）2 件、河清二年（563 年）1 件。其体量最大者高 48 厘米，最小者残高 20 厘米，皆属东魏、北齐时期流行于河北地区的小型白石佛造像。简报分为：一、概况，二、佛像，三、结语，共三个部分。有照片、拓片。

据介绍，河北威县横河村出土的这批佛像数量虽然不多，仅 5 件，但其中 4 件刻有铭文、纪年、像主、尊格、所发何愿等信息完整，简报认为颇具价值。

保定市

40.河北曲阳发现北魏墓

作　者：河北省博物馆、文物管理处　郑绍忠

出　处：《考古》1972 年第 5 期

1964 年 3 月，河北曲阳县党城公社嘉峪村第五生产队的农民在村北 0.5 公里的耕地中发现了 1 座北魏墓。墓中出土了一批铜器、陶器等随葬品。从出土的墓志知道，死者系北魏营州刺史韩贿的妻子高氏，葬于孝明帝正光五年（524 年）。高氏一家系北魏官僚贵族，数与皇族通婚，墓志所载高氏家世，可与史书记载相印证。北魏时期的墓葬，过去在河北地区发现不多，该墓出土的文物具有一定的参考价值。简报配以拓片予以介绍。

据介绍，墓系单室，以砖筑成，墓门南向。墓室已塌毁，结构不明。墓内出土的随葬品共 37 件。其中，金器 1 件、铜器 7 件、陶器和陶俑 28 件、石质墓志 1 合。志文共 26 行，简报未录全文。据墓志记载：高氏的丈夫韩贿，系北魏"持节征虏将军营州刺史长岑侯"。高氏的父亲高飏，为"左光禄大夫勃海郡开国敬公"。高氏的弟弟高肇是"侍中尚书令司徒大将军平原郡开国公"，另一个弟弟高显是"侍中司空澄城郡开国穆公"；高氏的妹妹和侄女都是皇后。韩贿的名字，未见于史传。《魏书》和《北史》都有《高肇传》，传中所记高飏、高肇和高显的官爵与志文所载基本相同，可以互相印证。高氏之妹即孝文帝的文昭皇后，其侄女即宣武帝的皇后，《魏书》和《北史》都有其传。

简报称，北魏孝文帝为了达到巩固其统治的目的，于太和十八年（494 年）自平城迁都洛阳，实行与汉族同化，禁止鲜卑人穿胡服。高氏葬于孝明帝正光五年(524 年)，上距孝文帝迁都已 30 年，墓中陶俑的服饰，也反映了这个历史事实。这墓既出土"褒衣博带"式的汉服女俑，又出土胡帽胡服的男俑，给研究当时的衣冠制度提供了可靠的资料。

张家口市

41.河北尚义县出土西晋铜印

作　者：吴万发、庞瑞祥、王桂岐
出　处：《考古与文物》1987 年第 3 期

1984 年底，河北尚义县大青沟镇安家梁村出土 1 枚西晋铜印。阴文篆书"晋鲜卑率善伯长"7 字。简报配以照片、拓片予以介绍。

据介绍，此印是西晋时鲜卑族的伯骑长印。《匈奴史》记载，统领骑兵的军事将领置有"万长""仟长""佰长""什长"等。"佰长"即佰骑长，是中层军事首领。当时鲜卑族是效仿匈奴族的军事制度。这为研究尚义地区的历史、民族分布以及我国古代少数民族的军事制度提供了重要的资料。

42.关于匈奴印的资料

作　者：吴万发
出　处：《考古与文物》1988 年第 3 期

1982 年，尚义县七甲村农民田振义在村南地里发现 1 枚西晋铜印。简报配以拓片予以介绍。

据介绍，印为正方形，边长 2.2 厘米、厚 0.8 厘米。印的正面阳文篆书"晋匈奴率善佰长"7 字，笔画粗细一致，印背上铸 1 只卧式鸟为纽，鸟的腰部有一圆孔，孔径为 0.4 厘米。印章重量为 50 克。

经鉴定，此印为西晋时期匈奴族的百骑长印。

43.河北蔚县北魏太平真君五年朱业微石造像

作　者：蔚县博物馆　刘建华
出　处：《考古》1989 年第 9 期

1982 年 9 月，在蔚县黄梅乡榆涧村原石峰寺内发现 1 尊石造像，现移至蔚县博物馆。石峰寺创建于何年，无记载可查，现存建筑为清代民间作法，已改作学校。简报配以手绘图予以介绍。

据介绍，造像用灰褐色砂岩雕刻而成。为一佛结跏趺坐于长方形佛座之上，两侧各有一胁侍菩萨，后有圆形项光和拱形背光，佛座背面阴刻造像铭文16行，其中有三行上延到背屏右侧塔与菩提树之间，字体不规整，为隶书，字迹脱落严重。简报录有全文，中间有多处空缺。北魏太平年号中有甲申干支的只有北魏太武帝拓跋焘的太平真君五年（444年），因此，简报推断造像年代为北魏。

简报称，蔚县这尊太平真君五年朱业微石造像，是有明确纪年的北魏石造像中较早的1件，它完工于太武帝毁佛运动（太平真君七年〈446年〉）之前，应是北魏前期石造像中有代表性的典型作品。

44.河北宽城出土北魏铜造像

作　者：唐学凯

出　处：《文物》1990年第10期

1986年9月河北省宽城县大石柱子乡村民石宝清在打石条场内挖到3件北魏铜造像。简报配以照片予以介绍。

简报称，3件铜造像中两件有铭文，1为太和十二年（488年）造像，1为延昌元年（512年）造像。3件铜造像均采用阴线刻法，造型简洁古朴，线条流畅。无铭文的1件铜造像与有铭文的两件铜造像对比，题材、形制、工艺等方面基本一致，应是同时期所造。

45.河北省宽城县出土北魏铜造像

作　者：唐学凯、刘兴文、马瑞雪

出　处：《考古》1990年第2期

1986年9月6日，大石柱子乡东梨园村略坡沟庄村民石宝清在打石场内发现3件北魏铜造像及1件铜饰件。简报配以照片予以介绍。

据介绍，3件铜造像均为阴线刻法，线条清晰、流畅，造形古朴。简报称，这3尊铜造像及铜饰件的出土，为研究宽城县的历史沿革及北魏时期的佛教信仰充实了珍贵的实物资料。

46.河北张家口下花园石窟

作　者：河北省文物出境鉴定组　刘建华

出　处：《文物》1998 年第 7 期

下花园石窟位于河北省张家口市下花园区镇东南约 600 米处。京沙铁路枕其东，洋河在其西侧流过。1939 年 10 月，日本学者鸟居龙藏曾在下花园石窟做过清理发掘，为期月余。1959 年、1979 年，河北省、地、县文物工作者曾先后到此调查，但因洋河泛滥、改道，石窟内水深泥厚，窟门及明窗均被石块封堵，调查者只能在门外石隙中探头窥察，难见全貌。1982 年，张家口市人民政府将其公布为市级重点文物保护单位。1986、1996 年，考古人员再次前往调查，宿白、徐萍芳、张忠培等先生都曾前往。简报分为"石窟位置与现状""结语"等几个部分，配以照片、手绘图予以介绍。

据介绍，石窟位于下花园区镇东南 600 米处鸡鸣山（又称前山）脚下，从窟室形制、造像题材、艺术风格等各方面看，与云冈石窟联系密切。简报称，下花园石窟与昭太后陵同在的小鸡鸣山（前山）乃鸡鸣山支脉，昭太后葬在前，石窟凿于后，石窟的开凿是否与昭太后有关，是值得进一步研究的问题。

承德市

沧州市

47.记后魏邢伟墓出土物及邢峦墓的发现

作　者：孟昭林

出　处：《考古》1959 年第 4 期

后魏邢伟墓是 1956 年发现的，位于河北省河间县。简报分为：一、邢伟墓及其中出土遗物，二、从邢伟墓志看邢峦墓，共两个部分。

据介绍，河间县南冬村东约半里处，当地人称"四大明山"，实际为 4 处古墓。1956 年农民开荒时发现了邢伟墓，自行钻入取出了几乎所有随葬品。已追回 26 件，有青瓷、陶器等，还有部分金戒指等，都存于县文化馆。该墓有人骨架 3 具，据出土墓志，知为邢伟与其夫人封氏及后夫人房氏。简报录有墓志全文。由志文知邢伟为北魏博陵太守，延昌三年（514 年）因"暴疾"死于洛阳永和里，延昌四年（515 年）

才下葬于河间。其夫人为河间太守女,后夫人为青州刺史女。邢伟为邢蛮弟。邢蛮在《魏书》《北史》有传。

简报认为邢伟边上一墓应为邢蛮之墓,其他两墓也应为邢氏家族成员之墓。

48.河北省吴桥四座北朝墓葬

作　者：河北省沧州地区文化馆　王敏之
出　处：《文物》1984 年第 9 期

河北省沧州地区吴桥县罗屯、李思孟村、陶庄一带共发现古墓 8 座,其中 1 座东魏壁画墓已于 1956 年由省文物工作队进行了清理。1978 年又对其中 4 座(编号 WLM1 ～ M4)进行了清理。简报分为"墓葬形制""随葬品""结语"共三个部分予以介绍,有手绘图。

据介绍,出土地点在吴桥县城城关西南 11 公里处。4 座墓葬由墓道、甬道、墓室组成,砖室券顶。墓顶均塌,墓室内均充满填土和乱砖,随葬品位置已乱。4 座墓共出土陶、瓷、金、银、铜、铁、玉、木等质料的随葬品 334 件。均未见墓志。

简报推断 M1 的时代为北魏,M2 似应属东魏,M3 应为北齐,M4 应为北朝晚期。

49.黄骅县北齐常文贵墓清理简报

作　者：沧州地区文化局　王敏之
出　处：《文物》1984 年第 9 期

河北省黄骅县西才元村村民在 1977 年 3 月平整土地时发现 1 座古墓。简报分为"墓葬形制""随葬品""小结"共三个部分予以介绍,有照片、手绘图。

据介绍,该墓位于旧城公社旧城大队东南约 1500 米,南距西才元村约 500 米。墓葬为砖砌单室,墓室略呈圆形。墓顶坍塌,墓室内葬具已朽,中间横陈骨架两具,当是夫妇合葬。另据村民反映:墓门内左右尚有较小的骨架各 1 具,墓门封门砖外另横陈骨架 1 具。此 3 具骨架是晚年并入或当时殉葬,尚不明。墓室东南角出大型武士俑、小型男女陶俑和青瓷碗、陶牛、陶马、陶骆驼;东壁下出陶鸡、陶马;西南角出镇墓兽,平放墓志;西北角墙根下出陶猪、陶羊。此外尚有男、女俑零散出于积土之中,瓷碗出于骨架附近。计随葬品 69 件。简报未录墓志志文全文。

据墓志载,墓主常文贵,字蔚荣,沧州浮阳郡高城县崇仁乡修义里人。"大齐"(北齐)天保七年(556 年)"板除"(诏授)"兖州嬴县令",皇建元年(560 年)"复赠青州乐安郡太守",武平二年(571 年)葬。

廊坊市

50.河北北魏太和十一年铭石造像

作　者：张晓峰

出　处：《北方文物》2008 年第 2 期

20 世纪 90 年代末，河北永清县支各庄村民在村东取土时发现 1 件单体石造像，造像周围发现有建筑遗存，可能为古代寺庙遗址。造像现藏于廊坊市博物馆。简报配以照片予以介绍。

据介绍，造像为一尊三尊背屏式石像，残高 152 厘米、宽 85 厘米，系一整块青石雕凿而成，火焰纹背光已残，仅存右侧部分。正面雕一佛二菩萨三尊像，主尊佛身侧胁侍左右二身立姿菩萨。背后为屋形龛，下有发愿文，残存 38 字，中有北魏太和十一年（487 年）纪年。

太和十一年（487 年），正是孝文帝与文明太皇太后共同执掌朝纲时期。最高统治者大力扶持佛教，倡导开凿石窟，当时首都平城倾财力、物力开凿云冈石窟第二期，迅速成为北方佛教和造像中心，并辐射全国。这一时期是佛教和造像艺术空前发展且汉化趋势日盛的时期，造像正是在这样的社会、宗教背景下雕凿而成的。该造像雕凿风格、题材、雕刻技艺诸方面整体体现了云岗石窟第二期早中期造像艺术风格，同时也显现出其平城之外非窟单体造像的河北地域特征，造像观念较为保守，流行因素吸收缓慢。简报指出，该造像对研究河北佛造像艺术的发展历程具有很高的价值，是研究北魏时期河北造像的重要资料。

衡水市

51.河北景县北魏高氏墓发掘简报

作　者：河北省文管处　何直刚

出　处：《文物》1979 年第 3 期

景县高氏墓群，位于城南 15 公里的野林庄和北屯公社一带。1973 年 4 月，考古人员获悉当地农民在耕地中发现隋高六奇墓后，立即派考古人员前去调查，收集到前几年出土文物多件（有墓志 2 方），证实了这一批墓葬确系南北朝时期渤海高氏族墓，便将现存的封土大墓，作了统一编号，加以保护，并选择了 3 座进行发掘。通过调查和发掘，肯定了这一带是高氏墓群，对现存大量的墓主也有了初步了解。简报分为：一、墓群概况和发掘经过，二、墓葬形制和出土文物，三、对几个问题的探索，共三个部分。有剖面图、手绘图、照片、拓片。

据介绍，天平四年（537 年）高雅夫妇子女合葬墓，武定五年（547 年）高长命墓，隋开皇三年（583 年）高潭夫妇墓 3 座墓都是南向砖室墓，砌法基本相同；形状大小不一，葬式不同，有的较为罕见。简报附有 3 座墓的出土器物表，高雅墓出土墓志 1 合，志文 30 行，行 29 字；高潭墓出土墓志 1 合，24 行，行 24 字。2 合墓志简报均未录全文。高长命墓壁画上，有我国最早的门神画像，出土的云母金箔，穿在死者身上，有似汉代玉衣。高潭墓无棺无椁，据墓志，这么做是出自死者本人遗意，是对当时厚葬的一种反对。

山西省

太原市

52.太原市南郊清理北齐墓葬一座

作　　者：王玉山
出　　处：《文物》1963 年第 6 期

1960 年 3 月下旬，在太原市双塔公社郑村村北发现古代墓葬 1 座，随即由晋祠文物管理所进行了清理。简报配以照片予以介绍。

简报介绍，墓为砖砌，曾被盗掘过，墓壁与墓顶已破坏。墓室呈长方形，葬具已经腐朽，骨骼共 2 具，为夫妇合葬墓，头东脚西，葬法是仰卧伸直葬。发现随葬品有陶器、玉器，此外还发现有青石板两件，皆一面光滑，一面粗糙，色深青。简报录有墓志全文，由志文知此墓的确切纪年为北齐天保七年（556 年）。

53.太原市北齐娄叡墓发掘简报

作　　者：山西省考古研究所、太原市文物管理委员会
出　　处：《文物》1983 年第 10 期

北齐娄叡墓位于太原市南郊晋祠公社王郭村西南 1 公里，汾河以西，悬瓮山东侧，过去长期被误传为斛律金墓。娄叡墓的发掘清理工作开始于 1979 年 4 月初，历时 21 个月，至 1981 年 1 月底结束。简报发为：一、墓葬形制和葬具，二、出土遗物，三、壁画，四、结语，共四个部分。有照片、手绘图。

据介绍，娄叡墓由封土、墓道、甬道和墓室四部分组成。封土在地面上积土夯筑，残存高 6 米余，葬具已朽，尸体已朽，仅残留部分大腿骨、肱骨、肋骨。墓室内含有超过国家标准 13 倍的有害气体，其主要成分为汞。说明入葬时曾大量放置水银。墓室内有壁画 71 幅，约 200 平方米，内容有鞍马游骑等墓主人生前显赫场面，以及墓主人死后飞天的空幻境界等。该墓虽屡遭破坏，但仍出土有多达 870 余件的随葬品，

其中陶俑为 610 件，瓷器中也不乏精品。

该墓出土有墓志，简报未录志文全文。由志文知墓主人为娄叡，鲜卑人，其姑为高欢正妻。知其为北齐外戚，随高欢戎马 40 年，封南青州东安郡王，《北齐书》有传。在官场上以加官——免职——再加官的循环步步高升，最后以大将军、大司马统领全军。此人北魏建明二年（531 年）生，北齐武平元年（570 年）卒，享年 39 岁。

54.太原南郊北齐壁画墓

作　者：山西省考古研究所、太原市文物管理委员会　渠川福等
出　处：《文物》1990 年第 12 期

1987 年 8 月，山西太原市南郊区金胜村附近的太原第一热电厂在扩建工程中发现 1 座北齐壁画墓，考古人员进行了清理。简报分为"地理概况和墓葬形制""墓室壁画""结语"，共三个部分予以介绍，有照片、手绘图。

据介绍，墓葬位于太原西山至汾河的缓坡地带西部，东南距晋阳古城遗址约 3 公里。这一带比较密集地分布着东周至隋唐时期的古代墓群。墓葬为砖结构，由墓道、甬道和墓室三部分组成。墓室北半部是砖砌的尸床，尸床之上未见葬具，仅有 1 具已成粉末状的朽骨，头向东。墓室四壁原全部绘有壁画。在砖壁上先以草筋泥施底，覆一层白灰泥皮，然后彩绘画壁。清理时南壁壁画已全毁，西壁仅存局部。出土遗物有陶器、瓷器、陶俑、陶车、铜钱等共计 64 件。其中陶车较为重要。简报推断此墓年代为北齐后期。

简报称，根据以往发现的北齐壁画墓，墓室正壁的人物坐像一般为墓主人像。此墓尸床仅见 1 具朽骨，而壁画中却端坐 3 位贵妇，推测居中者即为墓主。

55.太原市晋阳古城遗址出土北朝汉白玉石造像

作　者：山西省考古研究所　李爱国
出　处：《文物》2001 年第 3 期

1996 年 10 月，太原市晋阳古城遗址出土 1 尊石造像。造像出土地点位于太汾公路以东，七三公路以南，古城营村西的晋阳古城遗址内，距现存晋阳古城墙西外城墙东向 330 米处。石造像是当地打井施工时发现的，原位置距地表 1 米左右，周围土方中还出土了石造像的背光残块及瓦当、绳纹砖等少量建筑物构件。简报配以彩照予以介绍。

据介绍，此像为背屏式高浮雕单体佛立像，汉白玉石质，通高 134 厘米、宽 81 厘米、

像残高 83 厘米。简报推断该石像年代为北齐时期。该石像应为晋阳古城内寺庙供奉佛像。

56.太原北齐狄湛墓

作　　者：太原市文物考古研究所　常一民、周　健等
出　　处：《文物》2003 年第 3 期

2000 年 7 月，太原市迎泽区王家峰村砖厂在取土中发现 1 座古墓葬，考古人员赶到时，墓葬已经被毁。在村委会的配合下收回墓志、陶俑等文物。据墓志可知此为北齐狄湛墓，葬于河清三年（564 年）。简报分为：一、地理位置，二、墓葬形制，三、随葬器物，四、结语，共四个部分。有照片、拓片、手绘图。

据介绍，狄湛墓位于太原市迎泽区王家峰村北侧第二砖厂内，西距太原永作寺双塔约 1 公里。传为盛唐名相狄仁杰故里的狄村就在墓葬西南约 3 公里处。墓葬已经被破坏殆尽，估计此墓为类砖室土洞墓。随葬品有陶俑、庖厨明器、墓志等。墓志为魏碑书体，790 字，简报录有全文。狄湛，字安宗，史书无传，《新唐书》和《元和姓纂》等仅有零星记载。据墓志，狄湛为冯翊郡高陆县人。其曾祖父曾任宁朔将军、略阳和赵平二郡太守、使持节都督、镇西将军、领东羌校尉、驾部尚书、秦泾二州刺史等职，爵略阳公。而其祖父也曾为使持节镇西将军、兰台给事中丞、秦州刺史、司空公、略阳公。其父任大将军府行参军、秦州府主簿。狄湛 18 岁即为散骑侍郎救员外、给事中等，在北魏永熙三年（534 年）分裂为东、西魏时，他先是到了咸阳，后又随建州刺史王保贵投东魏。被授予东雍州刺史，以后历任都督、永安镇将、侍官正都督、平西将军、安西将军、原仇领民副都督、直荡正都督、白马领民都督、假节都督泾州诸军事、泾州刺史、车骑将军等职。在东魏、北齐时代"或出从戎行，或入参帷握。攻城野战，每立庸勋"，可谓戎马一生。

简报称，值得注意的是，狄湛和盛唐名相狄仁杰渊源颇深。通过史书和墓志的研究，知他是狄仁杰的四世祖，推知狄仁杰的祖先或为羌人。

57.太原市尖草坪西晋墓

作　　者：太原市文物考古研究所　周　健、王普军、董永刚等
出　　处：《文物》2003 年第 3 期

2000 年 9 月，太原钢铁集团有限公司 21 宿舍区的工程建设中，钻探发现 1 座砖室墓，考古人员进行了抢救性发掘。简报分为：一、墓葬形制，二、随葬器物，三、

结语，共三个部分，有照片、手绘图。

据介绍，墓葬位于尖草坪区的东面，北面为太原火车站北站，南面为西涧河，东面为中涧河乡，西面为解放北路。该墓是由墓道、过洞、天井、甬道、墓室构成的砖室墓。墓顶已被破坏。墓室坐南朝北，墓室平面呈"亞"字形。墓室的左、右、后各开1个假耳室。因墓顶被破坏，墓室内积满淤泥，清理过程中只发现锈蚀严重的棺钉，未发现棺木痕迹。有两具人骨朽迹，已成粉末状，但仍可判断墓主头向北，仰身直肢。根据现场情况推断，此墓应为合葬墓，男女已无法分辨。

该墓出土随葬器物有陶器、铜器、铁器、骨器、漆器等，共28件，多为实用器而不见冥器和俑。简报推断该墓的年代为西晋。

简报称，西晋时期的墓葬发现已有1000余座，主要分布于南京和洛阳一带，其余的零星分布在全国各地。西晋墓在山西省还是首次发现，填补了山西省墓葬史上一段空白。

58.太原北齐贺拔昌墓

作　　者：太原市文物考古研究所　常一民、赵恒富等

出　　处：《文物》2003年第3期

贺拔昌墓位于太原市西南万柏林区义井村，太原市变压器厂西4号宿舍楼东南角，东南距晋阳古城遗址约15公里。这一带以往北朝墓葬多有发现。贺拔昌墓于1999年6～7月发掘，工作历时27天。简报分为：一、发掘经过，二、墓葬形制，三、随葬器物，四、结语，共四个部分。有彩照、手绘图。

据介绍，1999年5月，太原市和平南路道路改造施工中发现砖砌古墓1座，考古人员发现墓葬位于公路西侧的下水管道施工区内，墓顶已被破坏。这一地区地下水位较高，墓室中灌满积水，从墓砖和钻探资料分析，这可能是1座北朝古墓。因施工场地的限制，墓道及甬道以南部分没有钻探和发掘，墓葬东南部有一盗洞，在墓室南部发现陶俑，墓室西南部发现墓志。经初步研究，断定其为北齐贺拔昌墓。由墓道、甬道、墓室组成。墓室平面为弧边方形，葬具、尸骨已朽。该墓曾被盗，出土灰陶俑、陶牲、墓志等文物40余件。其中陶俑类别多，造型独特。

出土石墓志计473字，简报录有志文全文。贺拔昌史书无载，墓志记其为北齐并州刺史、安定王贺拔仁之子，历任安东将军、渭州刺史等职。死于北齐天保四年（553年），享年42岁。此墓为太原地区目前发现的10余座北齐墓中时代最早的1座。

59.太原北齐库狄业墓

作　者：太原市文物考古研究所　常一民、渠传福、阎跃进等
出　处：《文物》2003 年第 3 期

1984 年 3 月，山西省地方煤炭管理学校在基建施工中发现一批古墓葬，清理了从北齐到宋金时代的墓葬 10 余座，其中最重要的是北齐天统三年（567 年）库狄业墓。简报分为：一、地理位置，二、墓葬结构和葬具，三、出土遗物，四、结语，共四个部分。有彩照、拓片、手绘图。

据介绍，北齐天统三年（567 年）库狄业墓，位于太原市东小店区南坪头村。墓为单室土洞墓，虽顶部塌陷，但残存迹象表明，其形制是 1 座有斜坡墓道、过洞、天井、甬道和带有生土二层台的长方形窑洞式墓。这种结构特殊的墓葬，在太原地区同时代、同类别的墓中为首次发现。出土有陶器、瓷器、铜器、铁器、墓志等计 120 件。墓志体为魏碑书体，简报录有志文全文。墓主库狄业史书无传，墓志记其为阴山人，世居漠北，代为酋长。库狄业生前曾任泾州刺史，是北齐时有一定地位和影响的中级官吏。

60.太原北齐徐显秀墓发掘简报

作　者：山西省考古研究所、太原市文物考古研究所　常一民、裴静蓉
　　　　　王普军等
出　处：《文物》2003 年第 10 期

太原市迎泽区郝庄乡王家峰村东有一当地人称"王墓坡"的高大土冢，相传是 1 座古墓。2000 年 12 月初，村民发现有人在此盗掘，村委会立即报告文物部门。考古人员现场勘察后认定，此古墓时代当属北齐时期，且有大规模壁画存在，证实此墓为北齐太尉、武安王徐显秀墓。发掘工作从 2000 年 12 月 15 日保护现场开始，到 2002 年 10 月 26 日结束。前期发掘整理工作简报分为：一、地理位置，二、墓葬的形制和葬具，三、随葬器物，四、壁画，五、结语，共五个部分。有彩照、拓片、手绘图。

据介绍，徐显秀墓位于太原市东山西麓的山前坡地。西面紧邻太原王家峰村，墓地就坐落在王家峰村一大片梨园内，西南距晋阳古城遗址约 16 公里。近年来东山一带多次发现北朝晚期的墓葬遗迹，且都有一定等级，因此这一带可能是北朝晋阳城官宦的主要墓葬区之一。墓虽 5 次被盗，但仍出土器物 550 余件，其中瓷碗就有 110 余件，还有陶俑、瓷器、蓝宝石金戒指等。徐显秀墓保存了目前已知北朝最为完

整的墓室壁画,包括墓道两侧的仪仗出行队列,墓室四壁的墓主人家居宴饮、出行备马、备车场面以及天象、神兽等内容计 326 平方米。画面题材丰富,色泽鲜艳。

该墓发掘工作引起学术界极大重视,同刊同期发表有相关文章 5 篇,计:梁传福先生的《徐显秀墓与北齐晋阳》、张庆捷、常一民先生的《北齐徐显秀墓出土的嵌蓝宝石金戒指》,郑岩先生的《北齐徐显秀墓墓主画像有关问题》,罗世平先生的《北齐新画风——参观太原徐显秀墓壁画随感》,荣新江先生的《略谈徐显秀墓壁画的菩萨联珠纹》。此期《文物》几乎成为徐显秀墓专刊。

墓中出土有墓志,简报附有志文全文。

徐颖,字显秀,以字行。忠义郡人。史书无传,但《北齐书》《北史》《隋书》《资治通鉴》均有零星记载。其祖徐安、其父徐珍,都曾任北魏边镇官员。他先投靠尔朱荣,后追随高欢,逐步升迁。东魏时任帐内正都督。入北齐后,除骠骑大将军,封金门郡开国公。武成帝太宁初,出任宜州刺史。因作战勇猛,屡建功勋,封武安王。后主高纬时,历任徐州刺史、大行台尚书右仆射,拜司空公,再迁太尉。武平二年(571年)正月死于晋阳家中,享年 70 岁。当年十一月葬于晋阳城东北墓地。

61.太原北齐张海翼墓

作　　者:太原市晋源区文物旅游局　李爱国
出　　处:《文物》2003 年第 10 期

1991 年 1 月,太原市晋源区罗城街道办事处寺底村发现 1 座古墓葬。考古人员赶至现场时,墓葬遭破坏,出土器物已被哄抢。通过说服教育,从村民手中收回部分文物,并对墓葬进行了抢救性清理。

简报分为:一、墓葬位置与地理概况,二、墓葬形制与墓室布局,三、随葬器物,四、结语,共四个部分。有照片、手绘图。

据介绍,墓葬为单室土洞墓。其所在之土坡改造成梯田,墓底上距地表约 3.2 米。在清理中,仅出土铜币 2 枚、陶瓷片数块。通过清理和对目击者调查,知原墓葬为单人仰身直肢葬。墓室底部有木炭、石灰和木棺痕迹。左侧有生土二层台,仪仗俑等排列土台之上;陶牛、陶壶等放置洞室后部;墓志、镇墓武士俑等放置墓室洞口。随葬品有陶俑 42 件、瓷器、陶器、铜镜、铜币、墓志 1 合。简报录有志文全文。

据介绍,知墓主叫张海翼,此人史书无传,据墓志为代郡平城(今山西大同)人。其祖父曾任谏议大夫,父亲为豫州刺史。张海翼生前授长安侯。起家相府参军,后任中书舍人、冠军将军,转员外常侍、徐州司马。于北齐天统元年(565 年)六月二日卒于汾晋,终年 42 岁,同年十月十一日葬于并州城外西北。

62.太原西南郊北齐洞室墓

作　者：山西省考古研究所　商彤流、周　建、李爱国等

出　处：《文物》2004 年第 6 期

太原市西南 10 余公里的汾河西岸坐落着晋阳古城遗址，其西侧为南北走向的悬瓮山脉，在东去的山前洪积坡地上，分布着许多古代墓葬。2002 年 11 月，为配合城市外环公路建设而进行的田野考古中，发掘出一批古代墓葬。其中 1 座编号为 TM62 的北齐洞室墓，墓葬形制保存尚好，随葬器物组合完整。简报分为三个部分，配以彩照、拓片、手绘图，先行予以介绍。

据介绍，该洞室墓位于晋源区罗城镇开化村以北的山前坡地。在连接墓道过洞与生土洞室之间的竖穴天井开口处，发现 1 块石碑。墓室底部中央部位放置棺木，仅存木灰痕迹。并列 2 具遗骸，皆头向南。男性仰身直肢，居中位；女性侧身旁依在西边，应为夫妇合葬。清理出少许动物的碎骨，可能是用于陪葬的祭祀。墓葬出土随葬器物 79 件，其中陶俑 39 件。大多数置于墓室内东侧的偏南部位，少量的放在墓室西南端。棺木内仅在男性右手掌骨处发现 1 枚铜钱，在女性头骨旁有 1 面铜镜（似有奁盒的痕迹）。

简报称，石碑出土于此墓的竖穴天井开口处，简报录有碑文。其有"天保六年（555 年）"刻铭，与该墓葬年代相符。石碑可能是原竖立在地表的标识物。如是不误，则此墓的墓主人为北齐政权的一名中级官吏，名为侯莫陈。其刻铭"殡丧并州城西山"，反映了与晋阳城遗址有关地域的互存联系。又以石碑造像且"为守墓"，是本地区同类别墓葬中的罕有发现。

简报指出，晋阳城是北齐王朝高欢的丞相府地，是除邺城之外的另一重要治地。此次在公路界标的较小范围内，还发掘出同时期的若干洞室墓，似反映出北齐时期聚族而葬的习俗，也表明了该地及附近仍然需要文物保护方面的关注。

63.太原开化村北齐洞室墓发掘简报

作　者：山西省考古研究所、太原市文物考古研究所、晋源区文物旅游局
　　　　商彤流等

出　处：《考古与文物》2006 年第 2 期

2002 年 11 月下旬至 2003 年 3 月上旬，为配合太原市西北外环过境高速公路的建设，考古人员对太原市晋源区罗城镇开化村以北的山前坡地进行了田野考古发掘，出土汉代以降的古墓葬一批，其中有北齐时期的生土洞室墓若干座。编号 TM85 墓

葬形制尚好，随葬器物完整；TM93 为迁出后的墓穴遗存，伴出一块北周纪年的石碑。简报分为：一、TM85，二、TM93，三、结语，共三个部分。有照片、拓片、手绘图。

据介绍，TM85 为斜坡墓道生土洞室墓，内随葬有墓志，简报录有志文全文。志文明确为北齐"天保十年（559 年）"之遗存，墓主人单姓窦，曾任职骠骑大将军，是北齐政权中的一般官吏。在该墓位置上部的回填扰土中，发现了 1 块北齐"天统二年（566 年）"的石碑，当是另墓的遗物移动至此。墓内的随葬器物，形制精当，做工亦甚好。TM93 的"迁出葬"洞室墓，其出土石碑刻铭的"建德二年（573 年）"中"建德"系北周王朝的年号，那时候晋阳地域还是北齐王朝的治地。北周纪年的石碑不当立于同时期的北齐治地上，该墓是将遗骸迁出后遗留的空穴，据此判断其石碑可能是后人的追忆，立于空穴作为"铭终始记"。

大同市

64.大同北魏司马金龙墓

作　者：不详

出　处：《文物》1972 年第 1 期

北魏延兴四年（474 年）至太和八年（484 年）琅琊郡主司马金龙夫妇墓，于 1965 年底在大同市东 14 华里石家寨发现。墓由前后和右耳室组成，全部砖砌，墓室全长 20 余米，墓道长 28 米，是已发现的北魏早期墓中的最大的 1 座。墓早年被盗，许多随葬品被损坏，经过修整，计可编号的尚有 450 余件。内 402 件是各种绿、褐釉俑，其中包括 88 件着甲骑俑的仪仗俑群，占俑总数的百分之八十以上。值得注意的是，一些男女俑的面相酷似大同石窟中部窟群的佛、菩萨，过去有人怀疑大同佛像摹拟拓跋人像，这里发现的陶俑，似乎有助于这样的假设。驮粮马是明器中的新题材，人面镇墓兽、骆驼和 1 具铁马镫，都是前此所未见。后室石棺床和屏风础石的雕刻内容，都见于大同石窟，但较石窟更生动、细致。彩画的漆屏风早已朽散了，但从保存较好的十几块残段中，知道彩画内容大部分是列女故事，故事中的人物劲线淡彩，俨然顾恺之《女史箴》《洛神赋》笔意。故事画上的榜题和说明，字体秀健遒丽，是晋隶向真书过渡的典型。简报认为，司马金龙墓所出文物，从塑造、雕刻到绘画、书法都丰富了北魏的造型艺术，是我国美术史上的一次较重要的发现。

简报称，司马金龙是东晋贵族，由于东晋权贵内讧，金龙父楚之投降北魏，据文献记载，楚之父子在北魏世居要职。

65.大同南郊北魏遗址

作　　者：不详

出　　处：《文物》1972 年第 1 期

1970 年，考古人员在大同市南郊工农路北侧，清理了 2 处北魏遗址。2 处遗址相距不到 20 米，附近出有大型方础、筒瓦和石臼等。可以推测，这里是 1 座具有一定规模的建筑遗址。此处遗址的位置，对测定、勘察北魏早期都城平城的方位，有重要的参考价值。东遗址出有石雕方砚 1 件。西遗址发现曲沿银洗 1 件、镶嵌或高雕的鎏金高足铜杯 3 件和刻花银碗 1 件。这批金属器物的造型和植物花、人物装饰等，都具有浓厚的西亚风味，显然，这是北魏迁洛以前输入的西方艺术品。

据文献记载，5 世纪中叶，北魏和西方往来即已越葱岭，极西海；5 世纪 80 年代前后，平城地区就集居了不少中亚、西亚的僧人、艺术家和“赀财百万”的商人。这几件异国器物的出土，给这些中外交往的史实提供了新的实物资料。

大同，北魏时称平城，从北魏天兴元年（398 年）迁都至此，至太和十八年（494 年）北魏孝文帝迁都洛阳，北魏以此为都城 97 年。李凭先生的《北魏平城时代》（上海古籍出版社 2022 年版）已出到第三版，颇可读。

66.山西大同石家寨北魏司马金龙墓

作　　者：山西省大同市博物馆、山西省文物工作委员会

出　　处：《文物》1972 年第 3 期

北魏司马金龙墓位于大同市东南约 13 华里，石家寨村西南 1 华里许。墓葬是在 1965 年 11 月下旬石家寨大队农田基本建设打井时发现的。12 月上旬考古人员清理了墓室部分，因天寒地冻墓道部分到 1966 年才发掘完毕。司马金龙墓是有明确纪年（延兴四年即 474 年；太和八年即 484 年）的北魏早期墓。墓的规模宏大，虽然早期被盗过，仍出土了大批陶俑、生活用具以及墓志、木板漆画等计 454 件。其中制作精美的木板漆画、石雕柱础为很珍贵的艺术品。简报分为：一、墓葬形制，二、随葬器物，三、结语，共三个部分。有手绘图等。

据介绍，该墓为砖砌多室墓，由墓道、墓门、前室甬道、前室、后室甬道、后室、耳室甬道、耳室组成。墓室南北总长 17.5 米。墓中的石雕、漆画均十分精美。漆画上的大片题记和榜题文字也是少见的北魏墨迹。点划有力，已近楷法，可谓上承汉隶传统，下开隋唐真书的先路，在书法上也很有价值。

67.大同方山北魏永固陵

作　　者：大同市博物馆、山西省文物工作委员会　解廷琦
出　　处：《文物》1978 年第 7 期

　　大同城北 25 公里镇川公社附近的西寺儿梁山（古称方山）的南部，有 2 个长满青草的大土丘，1 南 1 北排列，相距不到 1 公里。南部的大土丘，就是埋葬北魏文成帝拓跋濬之妻文明皇后冯氏的永固陵；北边的土丘略小，是孝文帝元宏的寿陵即"万年堂"。永固陵于太和五年（481 年）开始营建，3 年后即太和八年（484 年）告成。冯氏墓是见于文献记载（太和十四年〈490 年〉）的北魏早期墓。墓的规模宏大，结构坚实，金代正隆年间、大定年间、清代光绪年间曾 3 次被盗。1976 年 4～5 月，考古人员发掘清理了这座墓，出土了铜簪、骨簪、铁箭镞、铁矛头、残石俑等遗物。墓中两道石券门门框、门拱上的石雕艺术品，更为珍贵。简报分为"墓室结构""被盗情况""出土器物""关于万年堂""结语"等几个部分予以介绍，有手绘图。

　　简报称，方山冯氏墓的发掘，使我们对北魏皇帝陵寝有了初步认识。北魏王朝在迁都洛阳前陵寝在"金陵"。金陵在何处？有人认为在内蒙古和林格尔一带，也有人认为内蒙古呼和浩特市的昭君墓，可能就是北魏帝陵之一。冯氏墓是在北魏王朝全盛时期修建的，冯氏曾两度执政，握有实权，而陵墓又在她生前建造。因此，墓葬的建筑结构、建筑材料和精美的石雕艺术品，反映了北魏在建都平城时期的高度的工艺水平。

68.大同市郊出土北魏石雕方砚

作　　者：大同市博物馆　解廷琦
出　　处：《文物》1979 年第 7 期

　　1970 年大同市南郊一处北魏建筑遗址中出土 1 件精美的北魏石雕方砚。简报配以照片予以介绍。

　　简报介绍，方砚用浅灰色细砂岩石雕成，正方形，造型优美。从砚面的浮雕耳杯形水池，砚侧的云龙、朱雀、水禽衔鱼等纹饰和下部壶门还保存着方形式样等观察，都说明它比大同东石家寨北魏太和八年（484 年）琅琊郡王司马金龙墓的石雕略早。

　　大同在北魏时期是平城，史书记载，这一带是北魏永宁寺的旧址。同出的文物还有波斯金、银器 7 件（海兽纹八曲银洗 1、鎏金高足铜杯 3、鎏金银碗 2、银镯 2 对）。简报认为这批金属器物很可能就是在 5 世纪中叶至魏都南迁这期间传入平城的。

69.大同市小站村花圪塔台北魏墓清理简报

作　者：大同市博物馆　马玉基

出　处：《文物》1983 年第 8 期

1981 年 9 月 17 日，大同驻军某部工程兵为进行演习深掘沟堑，发现北魏墓 1 座，考古人员前往清理。简报分为：一、墓葬位置与墓室结构，二、出土遗物，三、小结，共三个部分。有照片、拓片。

据介绍，这座北魏墓位于大同市西 5 公里处的小站村花圪塔台。墓葬由墓道、甬道和前后墓室组成，墓道已被破坏。曾被盗，仅出土鎏金波斯银盘、高足银杯、铁棺环、铁棺钉、铁花棺饰件、石灯台、墓志、青瓷片、陶片及铁斧、铁镐等遗物。墓志计 141 字，魏碑体，简报未录全文。

据墓志，墓主名封和突。此人未见载于《魏书》。从铭文推算，他生于太武帝时，经文成、献文、孝文、宣武帝诸代。北魏迁都洛阳时，他亦随往。只介绍了他的官爵。封和突墓是北魏迁都洛阳后的小型墓葬，形制较为简单，室内四壁不加粉饰彩绘，这大约与他死于景明二年（501 年），又在正始元年（504 年）进行二次葬有关。在墓志铭中有"卜兆武周界"的记载。北魏代郡有平城、太平、武周、永固四县，各县县界不清，今封氏墓志铭中的记载，为考证北魏代郡武周县所在提供了实证。墓中出土的鎏金银盘，为古波斯萨珊王朝早期的工艺品，这是我国第一次出土的波斯银盘。

70.山西大同南郊出土北魏鎏金铜器

作　者：大同市博物馆　胡　平

出　处：《考古》1983 年第 11 期

1982 年 6 月，大同市南郊市轴承厂在其北墙外挖下水管道时，发现一批文物。简报配以手绘图予以介绍。

据介绍，共出土遗物 70 件，其中鎏金铜铺首 16 件、鎏金铜环 9 件。历年来市承轴厂多次出土北魏文物，1959 年至 1960 年发现等距离排列的柱础石 8 件；1970 年发现石砚、铜器、银器，共 6 件；1979 年发现石雕装饰和石雕柱础，共 4 件；1980 年发现 1 尊石刻交脚弥勒座像。这些文物与大同市已发掘的有确切纪年的北魏墓葬的随葬品有相同之处，当为同一时期的遗物。

简报怀疑大同市轴承厂所在地历史上可能是北魏平城的 1 个建筑遗址。

71.山西灵丘县发现北魏"南巡御射碑"

作　　者：灵丘县文管所　刘　益

出　　处：《考古》1987年第3期

灵丘县文物管理所在文物普查中，于灵丘县城东南唐河水经流的隘门峪内约4公里处，发现了1处属于北魏前期的"南巡御射碑"遗址。简报配以拓片予以介绍。

据介绍，遗址坐落在峪内西侧的台地中央处，经勘寻，发现1尊半露于土表的大石龟。石龟质地为白色石灰岩，表面光滑，并雕有粗犷简练的纹饰。其身躯保存完整，只是在头端吻部稍有剥落。石龟直径1.5米左右，厚30余厘米。在距离石龟南1米多的地方，有两块残碑。左面1块是碑身，表面剥蚀得很严重，大部分字迹难以辨认，只有小部分较清楚，从拓片上看，比较清楚的字有3行，从右至左为："兴安二年""安南将军""鲁阳侯韩"等几段残句。右边1块是碑额（碑头），面积约1平方米，厚度和碑身相同，均为35厘米左右。从碑额上端圆弧半径测知，这块碑额约残缺了十分之三。碑额平面外沿镌有精细的饰纹，上面字迹清晰，每字大小约20厘米，字与字之间以阳刻棋子格隔开，呈2行排列。计有完整字4个，残字2个。根据其残缺情况可知，尚缺两字。字体为鸟虫书体，阳刻。内容为"□□皇帝南巡之颂"。遗址四周散落着不少古建筑瓦砾。有各种砖构件，也有不少形制较大的筒瓦、板瓦、滴水等。较完整的瓦体长30余厘米，滴水上有较精致的纹饰。在遗址附近，有一些近代墓葬。墓葬对遗址破坏得相当严重。

简报称，北魏前期，各代皇帝屡次南下活动，其东部路线必经灵丘境内的隘门峪河道。《魏书》对此有较为详细的记载。《魏书·高宗纪第五》所记北魏文成帝兴安二年（453年）巡察情况，与此残碑记载吻合。

简报称，从残碑的体积估测，碑身宽约1.3米，高约4米。如此巨大的颂碑，按碑身上4厘米大的字形计算，所载内容应是相当多的。残留的"兴安二年（453年）"，以及一些公侯称谓，当是其中一次南下巡行的记载。上代的巡行情况，也应尽录在碑。最后的实录，是颂碑的主要内容，即文成帝自己举行射矢活动的史实。简报还指出，此碑在书法上也颇有意义，为魏碑字体的早期发展、源流及演变情况，提供了实物依据。

72.大同东郊北魏元淑墓

作　　者：大同市博物馆

出　　处：《文物》1989年第8期

元淑墓位于山西大同市小南头乡东王庄村西北1.5公里处，北距水泊寺乡石家寨村1.5公里，西北距大同市区6公里。因墓葬有较大的封土，当地人称为"青圪塔"。1984年3月中旬，石家寨村农民挖土时发现墓室，考古人员于4～5月进行了发掘。简报分为三个部分，并配以照片、拓片、手绘图予以介绍。

据介绍，墓葬坐北朝南，为砖券单室墓。由封土、斜坡墓道、甬道和墓室组成，全长34.15米。出土有陶器、石器、木器、竹器、铜器、铁器、骨器等数十件及大量陶片。有墓志，计511字。简报录有全文。据志文，墓主人为北魏昭成皇帝曾孙常山康王元素之子，名元淑，《北史》有传。官至使持节、平北将军、平城镇将。卒于正始四年（507年）。

简报认为，现大同城东马铺山以南、御河以东地区应是北魏贵族、官僚等上层人物的墓葬区。这里临近平城，交通便利，背山傍水，北高南低，也十分符合古人选择墓地的条件。

73.大同南郊北魏墓群发掘简报

作　者：山西省考古研究所、大同市博物馆
出　处：《文物》1992年第8期

山西省大同市城南3公里的红旗村至七里村一带，是御河（古如浑水）与十里河（古武周川水）的交汇处，这里地势开阔，中间有一块略微隆起的高地，俗称"张女坟"。1987年秋季，大同市电焊器材厂扩建工程中，在这里发现了古代墓葬。1988年8～11月，考古人员对这批墓葬进行了发掘清理，出土了大批北魏时期的遗物。简报分为：一、墓葬结构，二、随葬器物，三、结语，共三个部分。有彩照、手绘图。

据介绍，此次发掘的墓葬，位于整个墓区的西北部，其东部部分在基建施工范围之外，故未能做全面揭露。除少数墓在施工初期被破坏外，共发掘墓葬数量为167座，按类型可分为竖穴土圹墓、竖井式短墓道土洞墓、长斜坡墓道土洞墓和砖室墓四大类，有些类型中还可划分出不同的形式。出土各类器物1088件（组）。其中出土的波斯玻璃碗、银碗值得重视。简报认为该墓地为北魏建都平城期间的一处墓地，墓主人有可能是平城南郊拓跋氏某一"息众课农"部族成员。

74.大同市北魏宋绍祖墓发掘简报

作　者：山西省考古研究所、大同市考古研究所　刘俊喜、张志忠、左　雁等
出　处：《文物》2001年第7期

2000年4月，山西省大同市考古研究所在雁北师院扩建工程新征土地范围内实

施了文物钻探，共发现北魏墓葬 11 座。其中砖室墓 5 座，土洞墓 6 座。宋绍祖墓编号 M5，是唯一有明确纪年和精美石椁、壁画的北魏太和时期墓葬。简报分为：一、墓葬形制和葬具，二、出土器物，三、结语，共三个部分。有彩照、手绘图。

据介绍，墓葬位于大同市水泊寺乡曹夫楼村东北 1 公里，西距大同市区 3.5 公里。墓葬全长 37.57 米，墓底距地表深 7.35 米。由斜坡墓道、两个过洞、两个天井、拱形甬道和四角攒尖顶墓室五部分组成，墓道、过洞、天井三部分总长为 30.11 米。石椁为仿木构三开间单檐悬山式殿堂建筑，有前廊和后室，由数百块青石构件拼合组成。墓内出土 170 余件陶俑，包括镇墓兽、甲骑具装俑、轻装骑兵俑、牛车以及步兵、侍仆、伎乐和动物、生活器具模型等，尤其是彩绘陶俑远较同期陶俑精美。据所出铭记可知，此墓为北魏太和元年（477 年）宋绍祖墓。

简报指出，大同北魏时称平城，自道武帝拓跋珪天兴元年（398 年）至孝文帝太和十八年（494 年），作为北魏王朝的国都近 1 个世纪。据史书记载：在此期间，北魏统治者向平城及其畿内之地掳获强徙的人口达 100 万之上，从全国各地频繁地移民，大大地加速了北魏都城的民族融合，这一时代特征在宋绍祖的墓中也有所表现。石匠们以其准确而细致的手法雕凿了前廊后室的石椁，不仅模仿和继承了中原木结构的建筑形式，而且体现了当时独特的艺术风格。墓葬形制和大量的随葬陶俑，反映出北魏太和初年，平城地区的墓葬制度已经接受了汉晋墓葬制度的许多主要内容，出行陶俑群以华美的牛车为中心，更是承袭西晋以来中原随葬俑群的传统。壁画中所绘主要人物，也是头戴冠、身着宽衣博带的中原流行服饰。墓葬中也有许多方面显示出游牧经济和北方少数民族军队的特色，突出的有，在俑群中有大量甲骑具装和鸡冠帽轻装骑兵，正反映出拓跋鲜卑军队以骑兵为主力兵种的特色。还有造型逼真的骆驼以及背负重囊的驴，这都是过去汉晋俑群中没有出现过的新内容。许多陶俑的服饰和面相，也都显示着鲜卑族的特色。女俑头梳高髻包巾，长裙曳地；男俑身着斜领窄袖衫袍，头戴鲜卑帽。男女俑均造型各异，生动逼真。另外，胡俑的出现反映了东西文化交流的现象。墓中出土了 4 个高鼻深目的胡俑，他们的服饰与众俑不同，尽管肢体残缺，但根据动作判断应为伎乐俑。史料记载，孝文帝太和元年（477 年），北魏宫廷内已有"四夷歌舞"之设，这说明西域音乐在北朝也占有非常重要的地位。

75.大同智家堡北魏墓石椁壁画

作　者：大同市博物馆、大同市考古所　王银田、刘俊喜

出　处：《文物》2001 年第 7 期

墓葬位于大同城南智家堡村北沙场的高坡上，东临御河（北魏时称如浑水），

西北距大同市殡仪馆 120 米，北距明清大同城南城墙 4 公里余，正北方向 1850 米处是北魏平城明堂遗址。1997 年 6 月由推土机铲出墓葬，当时在场民工将墓内遗物全部取走。7 月 4 日大同市考古研究所派人将墓内石椁运回，现藏大同市博物馆。

简报分为：一、椁室结构及遗物，二、椁室壁画，三、结论，共三个部分。有彩照、手绘图。

据介绍，仅存的石椁，为仿木构单檐人字坡悬山式顶，由数十块砂岩料石拼合而成。椁内壁四面绘彩色壁画，内容有墓主人夫妇于张有小帐的榻上并坐图、牛车出行图、男女侍从图等。据有关现象判断其时代为北魏太和年间。

简报指出，智家堡北魏墓是北魏平城已发现的 200 余座北魏墓中的首座石椁墓，其墓室壁画亦是北魏墓葬中所罕见的。在该墓发现后调查得知，此墓与当地另 3 座北魏石椁墓东西一字并列。因此这里极有可能是 1 处家族墓地。

76.山西大同市北魏平城明堂遗址 1995 年的发掘

作　者：大同市博物馆　王银田、曹臣明、韩生存

出　处：《考古》2001 年第 3 期

遗址位于大同市明代府城南约 2 公里的柳航里，东临大同高等专科学校。1995 年 5 月由大同市博物馆发现，同年 6 月至 10 月初，考古人员对整个遗址进行了全面钻探和部分发掘。这次发掘的对象主要是最早暴露的西部夯土台及水渠，发掘总面积 372 平方米，如果加上建楼施工暴露部分，总面积则达 700 平方米。

简报分为：一、地层堆积，二、遗迹，三、出土遗物，四、出土的文字瓦，五、结语，共五个部分。有手绘图、拓片。

据介绍，简报推断该遗址即北魏平城明堂遗址。明堂作为都城重要的礼制性建筑，是平城定都后建设的最后一批建筑物，到太和十七年（493 年）秋七月，孝文帝以南征萧齐为名南迁洛阳，至太和十九年（495 年）"六宫及文武尽迁洛阳"，平城最终结束了近 1 个世纪的都城史，明堂也随之失去了作为都城礼制性建筑的作用。根据地层堆积情况，简报推测，迁都之后水渠两侧的石条逐渐遭破坏、拆除，建筑随后也遭焚毁。

简报称，明堂遗址的发现，对平城位置的认定，对郭城南其他建筑的推定及对整个北魏平城文化的研究，都具有十分重要的意义。

77.大同市博物馆藏三件北魏石造像

作　者：大同市博物馆　曹彦玲
出　处：《文物》2002 年第 5 期

大同市博物馆近年首次展出 3 件馆藏佛教石造像，引起海内外参观者的关注。通过与云冈石窟造像风格的对比研究，这 3 件石造像属北魏中后期作品，简报推断约当太和至正光（477～524 年）年雕造。简报配以照片予以介绍。

简报介绍，二佛并坐龛像，1956 年大同南郊出土，1958 年入藏大同市博物馆。砂岩，圆拱龛，龛内雕二佛坐像。交脚弥勒像，1980 年 6 月大同市城南轴承厂出土，同年大同市博物馆收藏。砂岩，圆雕。屋形龛，1987 年大同城西小站村北魏建筑遗址出土，当时置于呈曲尺形排列的五个柱础一侧。砂岩，保存完好。

78.山西大同下深井北魏墓发掘简报

作　者：大同市考古研究所　尹　刚等
出　处：《文物》2004 年第 6 期

下深井北魏砖室墓位于山西省大同市阳高县下深井乡，北距县城 25 公里，西距下深井村 1 公里，地势较平缓，为开阔耕地。1999 年 11 月，下深井乡搞农田基本建设中发现 1 座砖室墓，考古人员进行了抢救性发掘。简报分为：一、墓葬形制，二、随葬器物，三、结语，共三个部分。有照片、手绘图。

据介绍，该墓葬为斜坡墓道单室砖墓，由墓室、甬道、封门、墓道组成。墓道未发掘，经勘探为斜坡，长 13 米、宽 1.32 米。墓葬用长 34 厘米、宽 16 厘米、厚 5 厘米的青灰色细绳纹砖砌成，紧靠墓葬土圹。该墓为夫妇合葬墓，出土人骨架两具。因盗扰和腐朽，现仅存部分棺木遗迹，初步调查为单棺。棺木横置于墓室北部，棺内仅存部分人体肢骨和随葬泥钱，两个头骨置于墓室中部与随葬器物堆在一起。该墓曾被严重盗扰，劫余的随葬器有陶俑、铜器、石灯等。其中石灯制作精细，以往少见。M1 的年代，简报推断为北魏太和年间。

79.大同智家堡北魏墓棺板画

作　者：山西省大同市考古研究所　刘俊喜、高　峰
出　处：《文物》2004 年第 12 期

1997 年 9 月，考古人员在进行文物调查时，于大同市区南 1.5 公里处智家堡村

北的沙场内，发现了 1 座被盗扰的北魏墓葬。其周围散置 3 块色泽鲜艳的松木彩绘棺板。考古人员进行了抢救性的清理发掘，并将彩绘棺板送中国历史博物馆文物保护技术中心进行化学保护。简报分为：一、墓区位置和结构，二、棺板绘画，三、结语，共三个部分。有彩照、手绘图。

据介绍，棺板绘出行、围猎、奉食等内容，展示了一组以华美牛车为中心，车前有舞乐杂技表演的盛大出行场面，以及在山林围猎猛虎，在帷帐房屋中宴饮奉食等内容。仅 B 板就至少绘有人物 37 人。画风质朴，笔意简练。

简报认为，大同市南智家堡一带，应为北魏平城时期 1 处大型墓葬区。此墓主人应有一定社会地位。

简报称，北魏时期的绘画，是中国美术发展史上不可缺少的重要环节，以往发表的多为北魏王朝迁洛之后的作品。北魏定都平城将近 1 个世纪，人口将近百万，是当时北方中国政治、经济、文化的中心，考古发掘中这时期面世的绘画作品除司马金龙墓的屏风漆画之外寥寥无几。此次出土的智家堡 3 块棺板画虽残损不全，但仍十分珍贵，为研究北魏定都平城的美术考古增加了重要的形象资料，是一份可贵的艺术遗产。

80.大同湖东北魏一号墓

作　者：山西省大同市考古研究所　高　峰等
出　处：《文物》2004 年第 12 期

1986 年 8 月，在配合大同县大秦铁路湖东编组站基本建设中，考古人员在所占地段的东北面，探明 1 处北魏墓群。同年 9 月初对墓葬进行了抢救性的发掘清理。一号墓是此次发掘清理的最后 1 座墓葬，也是该墓地中规模最大的 1 座。发掘工作进行到 11 月底，后室上部出现零散绘有花纹图案的棺木漆残片。由于技术条件的限制，又因塞北气候严寒，故重新回填黄土予以保护。1987 年 5 月，再次对该墓进行了考古发掘。简报分为：一、地理位置，二、墓葬结构，三、葬具，四、随葬物品，五、棺板壁画，六、结语，共六个部分。有照片、手绘图。

据介绍，此地应为一较大墓葬区，据当地老人回忆，该地段原有高 2～3 米土丘，应是封土堆。一号墓为多砖室墓，出土 1 套木质棺椁。棺和棺床外均有彩绘漆画，残存部分可见缠枝忍冬纹和内绘伎乐童子的联珠圈纹，以及屋宇和人物图案，具有鲜明的时代和地域特征。该墓早年曾被盗。墓内仍出土随葬器物 40 多件，多为棺椁外表的装饰构件，有鎏金铜牌饰、莲花化生铜饰件及漆盘等。是北魏平城时期考古的重要收获。墓主应为平城地区豪门，且信奉佛教。

81.大同操场城北魏建筑遗址发掘报告

作　者：山西省考古研究所、大同市考古研究所、大同市博物馆、山西大学考
　　　　古系　张庆捷、王银田、曹臣明、高　峰、刘俊喜等

出　处：《考古学报》2005 年第 4 期

2003 年 3 月，大同市住房解危解困合作社在大同市区操场城街大同四中北侧进行房地产开发时发现夯土及大量磨光黑瓦，市民李智晔及原大同高等师范专科学校书记殷宪先生及时向当地文物部门反映，初步认定为北魏建筑遗址，遂于 4 月 7 日进行正式发掘，并将该遗址命名为"大同操场城北魏一号遗址"。20 世纪 60 年代以来，大同市区周围陆续发现大量北魏遗存，这些遗存的分布具有明显的规律。今大同城北 25 公里处的方山上为陵墓区，市区东侧与南侧为墓葬区，市区南部曾于 1995 年发掘明堂遗址，该遗址北侧间在 20 世纪 70 年代发现北魏建筑遗址。本次发掘则是在老城区以及北魏平城郭城内发现的第 1 处北魏建筑遗址。遗址位于明清大同府城北端操场城南北中轴线操场城街的东侧。简报分为：一、地层堆积，二、遗迹，三、出土遗物，四、对该遗址的几点认识，共四个部分。有照片、手绘图。

据介绍，该遗址主体是 1 座已经被破坏的殿堂台基，出土遗物主要是建筑构件，数量最多的是北魏磨光黑色筒瓦和板瓦，占九成以上，其次是汉代的筒瓦和板瓦。北魏文字瓦达 169 件，均刻画或戳印文字于筒瓦舌面和板瓦背部。此外还出土有瓦当、瓦钉、石柱础、石雕残片、磨光青砖、花纹砖、绘红彩的白灰泥皮、黑灰色的陶制鸱尾残件以及陶器、瓷器、铜币、箭镞等，反映出这里曾存在过 1 座大型殿堂建筑。简报指出，北魏曾在平城建都近百年，操场城北魏一号遗址正在平城范围内，而明堂遗址则在都城南郊。所以说，该遗址是迄今为止在北魏平城内发现并发掘的第 1 处大型建筑基址。在遗址表面、周围和灰坑填土中出土了大量北魏筒瓦、板瓦、瓦当碎片以及汉代的筒瓦和板瓦残片，尤其是"大代万岁"和"皇□□岁"两种文字瓦当，以往在北魏永固陵和明堂遗址、云冈石窟窟前遗址均未发现。就文字内涵考虑，这些瓦当不应是贵族豪宅、官署衙门所用之物。而是显示出皇室气息浓厚。再从其形制考虑，该建筑台基面积如此之大，前有两条踏道，后有一条踏道，东沿也残存一条踏道痕迹，可以肯定该遗址是一处北魏皇家建筑遗址，可能是一处北魏宫殿建筑遗址。但由于遗址破坏严重，出土资料有限，暂时难以推断该遗址的确切名称。当然，也不能排除属于礼制建筑的可能性。由于该台基严重破坏，柱穴痕迹尽失，建筑的开间已难确定。如果据前后坡道位置，按一般古建布局结构规律推析，此建筑的开间当在 9 间左右。

简报指出，人面纹装饰瓦（暂用名）、"皇□□岁""永□寿岁"传□□□"
等建筑构件和瓦当都是首次在北魏平城遗址中发现，"大代万岁"瓦当原先只有收
集品，这次也有出土，证明北魏的确存在这种瓦当，而且与皇家建筑有直接关系。
这些新发现，无疑对研究北魏建筑及文化都有很重要的意义。只是由于这次发掘是
典型的城市考古项目，又是配合基本建设的发掘，适逢"非典"，遗址的范围究竟
多大，尚有待更多的考古发现。

82.山西大同七里村北魏墓群发掘简报

作　　者： 大同市考古研究所　张志忠、左　雁等
出　　处： 《文物》2006 年第 10 期

2001 年 5 月，在大同城南变电站工程建设中，经文物勘探，发现一批古代墓葬。
当年 6～9 月进行了抢救性发掘，出土了大量北魏时期的遗物。简报分为：一、地
理位置和墓葬分布，二、墓葬形制及葬具，三、出土器物，四、结语，共四个部分。
有彩照、拓片、手绘图。

据介绍，在大同市南 3.5 公里的七里村以北发现了近 70 座北魏墓葬，实际发
掘 34 座。可分为长斜坡墓道土洞墓、砖室墓两大类。其中 M35 出土的"大代太和
八年"（484 年）墓铭砖，为墓群的断代提供了直接的依据。砖铭以平城为参照物
记载了墓葬的方位和确切距离，是探寻北魏平城位置的可靠资料，也填补了大同南
郊地区北魏墓葬从未发现纪年文字的空白。简报认为该墓地上限在建都平城的中后
期，下限为迁都洛阳前后。墓葬出土北魏时期的遗物近 300 件，根据质地可分为陶
器、釉陶器、玻璃器、石器、铁器、铜铅饰件、金银首饰、玉石料器、漆器残片和
墓铭砖模印纹样等，其中出土的玻璃器，应是中国早期吹制玻璃的佳作，是北魏平
城时期考古的重要收获。

83.山西大同沙岭北魏壁画墓发掘简报

作　　者： 大同市考古研究所　刘俊喜等
出　　处： 《文物》2006 年第 10 期

沙岭北魏墓葬区位于大同市御河之东，地处 208 国道东侧，在沙岭村东北约 1
公里的高地上。2005 年 7 月 12 日，接到百姓报告，称当地一取土场，发现古代墓葬。
经调查发现，由于长期在此取土，有 6 座墓葬已遭到不同程度的破坏。考古人员即
进行了勘探，共发现北魏时期的墓葬 12 座，并进行了抢救性的发掘。其中 2 座砖室

墓，10座土洞墓，皆是长方形斜坡墓道。墓葬排列方式有2种，其中7座坐北朝南，5座坐东朝西。出土遗物共计200余件。M7是墓群中唯一1座保存纪年文字漆画和壁画的砖室墓。

简报分为：一、墓葬形制，二、出土器物，三、壁画，四、结语，共四个部分，配以彩照、手绘图，先行介绍M7的发掘情况。

据介绍，M7位于墓群的北部。坐东朝西，方向272°。为长斜坡墓道砖构单室墓，由墓道、甬道、墓室三部分组成。出土器物27件，壁画面积达24平方米，系用红线起稿，黑线勾画轮廓，然后涂色。漆画中的墨书铭记篇幅较长，内涵丰富，笔道遒劲。该墓是当地1处北魏墓群中唯一保存纪年漆皮文字和绘画以及墓室壁画的砖室墓。漆皮中的墨书铭记使用了岁星纪年，是已发现的北魏定都平城时期年代最早的文字材料。漆画和壁画中均有男主人手持麈尾、夫妇并坐在榻上的画面。墓室壁画还包括甲骑具装、轻骑兵、马上军乐、车马出行、宴饮，以及伏羲女娲、神兽、庖厨、打场、宰羊、酿酒等场面。

简报指出，该墓的发现是北朝时期考古的重要收获，被评为2005年中国十大考古新发现之一。同期发表的《大同沙岭北魏壁画墓出土漆皮文字考》一文认为该墓主人为女性，死于太延元年（435年），属鲜卑破多罗部，或于天兴四年（401年）迁至平城。

84.山西大同迎宾大道北魏墓群

作　　者：大同市考古研究所　高　峰等

出　　处：《文物》2006年第10期

2002年8月，在配合市政府新建迎宾大道公路建设中，考古人员在所占地段进行文物勘探，发现1处北魏时期大型墓地，共探明墓葬88座，其中北魏时期的墓葬75座，明、清墓葬13座。考古人员对该墓群进行抢救性发掘。简报分为：一、地理位置，二、墓葬概况，三、出土器物，四、结语，共四个部分，配以彩照、手绘图，先行介绍北魏墓葬整理情况。

据介绍，墓地位于市区东面3公里，御河（北魏称如浑水）东岸，齐家坡村东南约1公里的高坡台地上。此次发掘清理的75座墓葬，出土遗物421件，为1处含有多个家族墓葬的大型墓葬区。该墓地的年代，简报推断为北魏平城时期。早期以竖穴土坑墓为主，后渐渐流行呈梯形的长斜坡墓道土洞墓。草原文化因素渐渐被中原文化替代。

85.大同北魏方山思远佛寺遗址发掘报告

作　　者：大同市博物馆　胡　平等

出　　处：《文物》2007 年第 4 期

思远佛寺遗址是北魏文明太皇太后冯氏陵园中首期工程的重要建筑之一。冯氏陵园南北长约 4000 米，东西平均宽度约 1000 米，占地总面积约 4 平方公里。陵区建筑依地形沿中轴线南北方向依次设置。现存建筑遗址已知有 10 余处之多，单体建筑规模宏大，是北朝帝王陵园遗址中保存较好的一处国家级重点文物保护单位。冯氏陵园遗址正式考古发掘工作进行过 2 次。第 1 次是 1976 年 4 月至 5 月间，第 2 次是从 1981 年 7 月至 9 月。简报分为：一、地理位置和自然环境，二、地层堆积，三、建筑遗迹，四、出土遗物，五、小结，共五个部分。配以彩照、手绘图，介绍了 1981 年的发掘情况。

据介绍，位于山西省大同市东北方山南麓的北魏思远佛寺遗址，是北魏文明太后冯氏陵园的重要组成部分。1981 年的发掘，清理了北魏时期的山门、实心体回廊式塔基、佛殿、僧房等建筑遗迹，出土北魏筒瓦、板瓦、莲花化生童子瓦当、脊饰、柱础以及一些佛教造像残件等。思远佛寺应是冯氏陵园首期工程，而冯氏陵园始建于太和三年（479 年），完工于太和十五年（491 年）前，正是北魏最兴盛的时期。简报认为，把佛寺建入陵园，有着深刻的宗教、政治、社会的原因。就思远佛寺建筑而言，应代表了北魏平城时期的最高建筑艺术水平。

86.山西大同北魏西册田制陶遗址调查简报

作　　者：暨南大学历史系、山西省考古研究所、云冈文化研究中心　王银田、
　　　　　宋建忠、殷　宪等

出　　处：《文物》2010 年第 5 期

西册田遗址位于山西省大同市大同县册田乡册田村。地表上即可收集到新石器时代晚期和汉代的陶片，但绝大部分还是北魏时期的遗物。2004 年考古人员在此进行了调查。简报分为：一、遗物，二、遗址的性质、时代及其他。共两个部分予以介绍，有照片、手绘图。

据介绍，西册田遗址是 1943 年 11 月日本学者水野清一等人发现的，采集的遗物现藏日本京都大学。这是 1 处陶窑遗址，专烧建筑材料，估计生产规模很大，但持续时间不长。简报特别指出，当地常年以西北风为主，所以陶窑选址在北魏平城以东，也有避免污染的意图。

87.山西大同南郊区田村北魏墓发掘简报

作　者：大同市考古研究所　古顺芳等
出　处：《文物》2010 年第 5 期

1998 年 12 月，京大高速公路指挥部在大同市城南田村北施工时发现 1 座古代砖室墓。1999 年 3 月，大同市考古研究所人员对其进行了正式的考古发掘。简报分为：一、墓葬形制，二、葬具与人骨，三、出土器物，四、结语，共四个部分。有彩照、手绘图。

据介绍，墓葬位于大同市南郊区水泊寺乡田村村北，为长斜坡墓道砖构单室墓，墓顶已被施工破坏，情况不明，地下由墓道、甬道、墓室组成。墓室平面呈方形，墓室北侧置石棺床，以石板搭成床框与床榻，石板间有榫卯结构相连，棺床立面饰浮雕纹样。棺床上置石灰枕。出土随葬器物 106 件，以陶质类器物为主，包括陶俑和生活用器模型，多施有红彩。该墓曾被盗，估计为夫妇合葬墓。

墓葬的时代，简报推断为北魏太和年间。

88.山西大同云波里路北魏壁画墓发掘简报

作　者：大同市考古研究所　高　峰等
出　处：《文物》2011 年第 12 期

2009 年 4 月，在山西大同市城区南端云波里路中段的道路建设工程中发现了 1 座北魏壁画墓，编号简称 M1。大同市考古研究所对此墓进行了抢救性发掘。简报分为：一、墓葬形制与葬具，二、随葬器物，三、壁画，四、结语，共四个部分。有彩照、手绘图。

据介绍，此墓为长斜坡墓道单室砖墓，由墓道、封门、甬道和墓室组成。墓底距现地表 6.2 米。墓葬早年被盗，墓顶、甬道顶全部坍塌，四壁的上部大部分不存，其形制是北魏平城时期流行的。随葬器物有釉陶器、石器、银器、铜器、铁器、骨器等，近 10 平方米的壁画题材有宴饮、狩猎和忍冬、龙凤图案，其内容和绘画风格具有拓跋鲜卑民族的特征。

简报指出，此墓的发掘为研究北魏时期的服饰、丧葬习俗等提供了珍贵的实物资料。

89.山西大同市大同县陈庄北魏墓发掘简报

作　　者： 山西省考古研究所、大同市考古研究所　高　峰等
出　　处： 《文物》2011 年第 12 期

2010 年 4 月，为配合大同市至浑源县高速公路建设，山西省考古研究所与大同市考古研究所联合就建设地段探明的古墓葬进行了抢救性发掘。墓葬位于大同市区东侧的大同县西南 11 公里处，瓜园乡陈庄村东的高坡地段，西北 4.5 公里处是湖东编组站北魏墓群和安留庄北魏墓群。简报分为：一、墓葬形制，二、葬具，三、出土器物，四、小结，共四个部分，配以彩照、手绘图，介绍此次发掘的一座墓葬。

据介绍，M1 为长方形斜坡墓道双室砖墓，由墓道、封门、前后甬道、前后墓室及地表封土组成。墓葬封土位于墓道近北部和墓室之上，中心稍偏东，平面呈不规则圆形，剖面呈三角形，整体形状呈圆锥体。高 5.5 米。该墓曾多次被盗，但仍出土陶器、铁器、铜器、金器、石器、木器、漆器等 40 余件，并在墓室内发现彩绘壁画。根据壁画内容和器物特征分析，简报推测此墓的年代为北魏时期。

简报指出，此次发掘的 M1 是大同地区保存较完整、级别较高、规模较大的北魏时期砖室墓葬，以往发掘该时期的墓葬大部分均不存顶部，而该墓葬尚存有高大完整的封土。大同北魏晚期墓葬虽在周边地区偶有发现，但资料单一且不完整，分布如此集中、规模如此之大的墓地，特别是迁都洛阳以后的墓葬区还属首次发现，为研究北魏晚期大同平城地区的历史提供了珍贵的实物资料。简报认为，规模如此之大、几乎与方山皇陵等同的墓葬出现在大同县陈庄附近绝非偶然，反映了北魏后期政府无暇顾及北边，特别是六镇起义后，地方诸侯割据一方。墓室内壁画的匆忙绘就以及画工的潦潦草草，也说明了死者下葬仓促，从另一侧面反映出北魏晚期在大同地区时局的动乱不安。

90.山西大同阳高北魏尉迟定州墓发掘简报

作　　者： 大同市考古研究所　尹　刚、江伟伟等
出　　处： 《文物》2011 年第 12 期

2010 年 9 月，大同市阳高县王官屯镇上泉村东南高压线铁塔基座施工时发现 1 座古代墓葬。墓顶在施工中遭到破坏，暴露出墓室内石椁，由于该地区地下水位较浅，墓室内有深达 1 米的积水。经调查，此墓为 1 座北魏时期的长斜坡墓道单室砖墓。大同市考古研究所对这 1 墓葬进行了抢救性发掘。简报分为：一、墓葬形制，二、随葬器物，三、结语，共三个部分。有彩照、手绘图。

据介绍，该墓由墓道、墓门、甬道、墓室四部分组成，出土随葬器物6件，有动物骸骨。据石椁封门石上所刻文字，下葬当在北魏文成帝太安三年（457年），属北魏平城时期。据铭文，墓主为尉迟定州。该墓铭文，同期发表有殷宪、刘俊喜先生《北魏尉迟定州墓石椁封门石铭文》一文。

简报称，据史籍记载，北魏政权曾多次将征战中俘获的人口大规模地强制迁徙到平城及其附近，有16次之多，人口迁徙的总数最少也有100万余人。其结果是多种文化的传播，其中就包括了墓葬形制及葬俗，这一点在此次发掘中得到印证。此墓有明确纪年，在已经发掘的北魏墓中比较罕见，为研究北魏平城时期的北魏贵族墓葬提供了新的实物资料。

91.山西大同文瀛路北魏壁画墓发掘简报

作　者：大同市考古研究所　侯晓刚等
出　处：《文物》2011年第12期

2009年5月，山西省大同市御东新区文瀛北路施工中发现1座北魏壁画墓。考古人员随即对这1墓葬（编号M1）进行了抢救性发掘。简报分为：一、墓葬形制，二、墓室壁画，三、出土器物，四、结语，共四个部分。有照片、手绘图。

据介绍，M1为长斜坡墓道砖构单室墓，由墓道、甬道、墓室三部分组成。该墓曾被盗，出土劫余随葬器物36件。该壁画墓年代，简报推断为北魏迁都洛阳前的平城时期。

简报指出，此次发掘的一大收获是壁画。简报称，该壁画内容也具北魏平城时期风格，但外来特征明显，说明北魏平城时期中西文化交流频繁。壁画用笔简洁，线条柔和，朴拙写实，人物造型与绘画技法已趋于成熟，是目前已发掘的北魏墓葬中不可多得的壁画资料，为研究北魏的社会生活、丧葬习俗、服饰文化以及与丝绸之路有关的中西方文化交流等提供了可贵的实物资料。

92.山西大同县湖东北魏墓（M11）发掘简报

作　者：山西省考古研究所、大同市考古研究所　陈悦新、张庆捷、李白军等
出　处：《文物》2014年第1期

这也是一起抢救性发掘。2004年12月至2005年1月，山西省考古研究所与大同市考古研究所为配合大秦铁路湖东编组站的扩建工程，抢救性发掘了一批北魏墓葬，其中位于墓地西南部的M11出土遗物较为丰富。墓地位于大同市东南约20公

里处，东南距长胜庄、西南距苏家寨各2公里，北距安留庄2.5公里。该处原属大同县杜庄乡长胜庄村，现属大同铁路局所设湖东编组站。

简报下分三个部分：一、墓葬形制，二、出土器物，三、结语。

在第一部分"墓葬形制"下，简报指出：M11为土洞墓，坐北朝南，方向150°，由墓道、封门墙和墓室组成。全长7.9米，墓底距地表6米。工程取土自地表向下4.5米深处暴露墓室开口，墓顶已坍塌，墓上情况不明。

墓道位于墓室南端，斜坡式，坡度约20°，平面呈长方形，做工规整，上下平齐，长4.7米、宽1.4米，南端距地表4.5米、北端距地表6.3米。内填五花沙土，较紧密。墓道北端为墓门，高16米、宽1.4米。封门墙为土坯平铺垒砌，残高0.3米、厚2米。封门墙以北为墓室，平面呈梯形，北端略浅，南端略深。长3.2米、南端宽3米、北端宽2.2米、深1.3～1.6米。墓室内壁较为平整，底部位于沙层，因水浸坍塌，略有起伏。

葬具为木质单棺，呈南北向置于墓室西侧。残存棺痕为前宽后窄梯形，棺板厚0.1米、长2.04米、宽0.68～0.9米、残高0.3米。棺内有一具人骨架，已腐朽残缺，头骨及3件肢骨散落在棺外。经鉴定，死者为成年男性。棺前正中和两侧挡板前后相应位置装设铁质棺环5件。

随葬器物放置在墓室东侧中部。另外，在墓室西南角出土两块青灰条砖。长30厘米、宽15厘米、厚6厘米。详见手绘示意图。

在第二部分"出土器物"下，简报统计M11出土随葬器物20件（组），均为陶质，可分为俑、家畜模型及生活用具模型三类，其中俑头部均与身体分离，计男俑1件，女俑6件。家畜模型（牛1件，猪2件，狗2件，羊2件）及生活用具模型（瓦1件，罐1件，壶1件，磨1件，碓1件）保存较好。此外，还出有铁棺环与铁棺钉各5件。

在第三部分"结语"中，简报认为该墓墓葬形制、生活用具模型、家畜模型等均属常见，只有所出陶俑，"尚不见于目前已刊布资料的大同地区北魏墓中"，但衣着与已出土俑服饰有共同之处。依据上述种种，作者"暂将M11的年代上限定在北魏定都平城（398年）中后期，下限为迁都洛阳（494年）前后"。

93.山西大同沙岭新村北魏墓地发掘简报

作　　者：大同市考古研究所　李白军
出　　处：《文物》2014年第4期

2006年10月，在山西省大同市沙岭新农村建设中，经文物钻探发现墓葬26座。通过形制判断，这是1处北魏时期的墓地，大同市考古研究所对其进行了抢救性发掘。

简报分为：一、墓葬形制，二、出土器物，三、结语，共三个部分。有照片、手绘图。

据介绍，墓地出土器物共 36 件。该墓地中长斜坡墓道土洞墓和砖室墓基本各占一半，而与大同地区其他墓地相比较为特殊的是有棺床的墓葬多达 13 座。简报推断，应属于多个家族且为普通百姓的墓葬区，其时代应是北魏迁洛后期。

朔州市

94.山西怀仁北魏丹扬王墓及花纹砖

作　　者：怀仁县文物管理所　安孝文、李丽娟等
出　　处：《文物》2010 年第 5 期

丹扬王墓位于山西省朔州市怀仁县城北 4 公里的大运公路东侧，1993 年 5 月因暴雨造成墓穴地表下降而被发现，同年 8 月进行了发掘。墓葬坐北朝南，由斜坡墓道、前室、后室和前室两侧的左右侧室组成。前室、后室及四条甬道都有精美的画像砖和花纹砖，以前室的地面和前甬道为多，装饰纹样有文字、人物、鸟兽纹、花草纹四类，其中有模制阳文的"丹扬王墓砖"。花纹砖以忍冬纹为主，其基本特征与北魏时期装饰纹样相同，证明丹扬王墓为北魏时期墓葬。

95.山西朔州水泉梁北齐壁画墓发掘简报

作　　者：山西省考古研究所、山西博物院、朔州市文物局、崇福寺文物管理所
　　　　　孙　岩、张慧敏、霍宝强、孙文俊等
出　　处：《文物》2010 年第 12 期

2008 年 6～8 月，考古人员对山西朔州水泉梁北齐壁画墓进行了抢救性发掘。简报分为：一、地理位置与历史背景，二、墓葬形制，三、随葬器物，四、壁画，五、结语，共五个部分。有彩照、手绘图。

据介绍，该墓位于山西省朔州市朔城区窑子头乡水泉梁村西约 1.5 公里，由封土、墓道、甬道、墓室组成。该墓有两层穹隆顶，比较少见。此次发掘出土了陶俑、陶模型明器、釉陶器等随葬器物以及大面积保存较好的壁画。根据墓葬形制、随葬器物和壁画判断，该墓的年代为北齐后期，简报推测墓主人为镇守朔州的军政长官。该墓的发掘对于研究北齐时期朔州的历史文化具有重要的价值。

简报指出，大面积保存较好的壁画是此次发掘的最大收获。壁画中表现空间、

时间及墓主人生前生活的元素均得以体现。天象图、四神图、十二时图以赭红色条带间隔，独立意义明显；墓室四壁壁画的间隔明显，画面中的人物相对较少。一方面说明由于墓葬等级的差别，这些元素的表现形式较为简化；另一方面在一定程度上说明了这些元素象征意义的固定化，有助于我们由简到繁来理清和诠释北朝时期高等级墓中类似的壁画题材。该墓壁画的绘画水平逊色不少，但也表现出一定的艺术特点：

第一，绘画者的水平高低有别。墓主人、甬道门吏等主要人物绘制得较精细，而侍从、鼓吹乐手等除其面部绘制得相对工整外，衣纹处理得较僵硬。似出自一人之手。

第二，画工分工合作、流水作业。对于数量较多、地位较低的侍从、乐伎、马队仪仗等由多人分工合作、流水作业绘制完成。绘画水平较高的画工以硬笔勾勒人物轮廓，以黑彩勾绘人物面部细节，如眼、眉、胡须、颌下系结等，再由绘画水平一般者描绘人物的四肢、衣纹，最后平涂上色。

第三，远景的运用。由于墓葬等级等因素的限制，在墓道中并未绘制大型的仪仗队伍，取而代之的是在墓室壁面和甬道壁面的空白处绘制五六人一组的远景马队仪仗，主体人物和远景马队搭配，主次分明，相得益彰。

忻州市

阳泉市

96.山西平定开河寺石窟

作　者：山西省古建筑保护研究所、北京大学考古学系石窟调查组　李裕群
出　处：《文物》1997年第1期

开河寺石窟位于山西省平定县岩会乡乱柳村西1公里。此地为阳泉市区与平定县交界处，西南距县城8公里，西距阳泉市亦有8公里左右。从阳泉市沿桃河河畔东行即可抵达。石窟居桃河北岸山坡南麓的断崖上，地势较低，仅高出河床约5米。石窟规模很小，仅有3个小型洞窟，东西布列于宽约6米的崖面上。由东而西分别为第1至3窟。此外，窟区之西10余米处有1处稍大的摩崖造像。窟前原有佛寺，名曰开河寺。开河寺石窟开凿于东魏至隋初，约在清朝后期遭到严重破坏，几乎所

有头像均被凿毁。虽然如此，但开河寺所有 3 个洞窟和摩崖造像都有明确的开凿纪年题记，因此是山西中部地区 1 处比较重要的石窟寺，对于研究这一时期石窟造像及其编年具有重要的参考价值。1996 年 3 月，考古人员共同对该石窟作了比较详细的考察。简报分为三个部分，配以照片、手绘图予以介绍。

据介绍，三个开凿确切纪年为：北齐河清二年（563 年）、东魏武定十二年（547 年）、北周大定元年（581 年）。简报录有北齐发愿文全文等题铭文献。

简报指出，从开河寺石窟题记可知，这一地区民间邑社组织很多，并有较多的佛事活动。开河寺第 3 窟右壁下神王小龛旁侧有"道场主卫整和"的题名，可知当地邑社组织还举行法会。开河寺石窟的发现为研究这一地区佛教发展情况增添了新的资料。

晋中市

97.山西祁县白圭北齐韩裔墓

作　者：陶正刚

出　处：《文物》1975 年第 4 期

"文化大革命"期间，山西祁县白寺镇的农民在平整土地时发现了北齐天统三年（567 年）骠骑大将军、青州刺史韩裔墓。1973 年春天，考古人员对该墓作了清理发掘。简报分三个部分予以介绍，有手绘图、拓片、照片。

据介绍，北齐韩裔墓位于祁县东观公社白圭镇的东南，相距有 1 公里。古墓由墓道、甬道、墓门和墓室四部分组成，除墓室顶部外，其余保存均较完整，古墓的门罩是仿木构的砖砌建筑。古墓出土的陶俑大部分是北方地区少数民族的脸型与服装穿戴，是北方少数民族的形象。同时，一批女俑、力士、武士俑的脸型、服饰，又明显地表现出汉人的特色，更多地含有中原地区的作风。墓志盖和墓志各 1 方，志盖铭文 3 行，共 9 字，志文共 28 行，行 34 字，书体有较多的隶书笔意，简报录有志文全文。

关于墓主人的身份问题：隋人李百药编《北齐书》，未给韩裔作传，仅仅在别人的传记中提到他的名字。

简报指出，韩裔死在青州治所，那么为什么死后要埋葬在祁县白圭镇呢？据墓志和史书记载，韩凤是北齐后期的权贵，左右朝廷，显赫一时。估计晋阳一带是韩裔家属的聚居地。因此，死后埋葬在并州是合乎情况的。

98.北齐库狄迴洛墓

作　者：山西省文物工作委员会　王克林等
出　处：《考古学报》1979年第3期

1973年4月至8月，考古人员在山西寿阳县西南的贾家庄（又名福禄庄），发掘了1座北齐大墓。它保存了我国早期的木构建筑，还有绚丽的壁画、精美的釉陶器、陶俑以及其他珍贵的随葬品。这些文物的出土，都具有比较重要的艺术和科学研究价值。简报分为：一、墓地概况，二、墓葬结构，三、葬具，四、随葬器物，五、墓葬附属建筑遗迹，六、结语，共六个部分。有照片、手绘图。

据介绍，寿阳县西南有白马河，又名寿河。在河流弯曲处的南面，是地势较高的丘陵地带，最高处缓平。这座大墓就位于这一平坦地区的东面，在贾家庄西50米，名叫徐公坪上。墓的土冢至今保存尚好，高大如丘，当地人都称此墓为"徐皇坟"。此次发掘证明这是北齐贵族库狄迴洛的墓葬。墓为一大型土冢砖室墓，由封土堆、斜坡墓道、甬道、墓室四部分组成。葬具为木椁、木棺各1，随葬器物有金器、玉器、玛瑙器、铁器、釉陶器、墓志3方等共300多件。地面还发现一房基建筑遗址。

简报未录出土墓志志文。据墓志记载，墓主人库狄迴洛"以大宁二年二月薨于邺"（562年），于同年"河清元年十二月"同其妻斛律夫人字昭男、妾尉氏字嬢嬢葬于朔州城南。库狄迴洛在《北齐书》里有传，对照传志，志详而传略，其中有些史料为正史所无。如墓志称库狄迴洛为"朔州部落人"，但《北齐书·库狄迴洛传》作"为代人"，与志不合。《魏书·地形志》：代即代郡，属恒州。尉氏志文亦自称"恒州代郡平城人也"。故知传误。传记库狄氏曾任"五州诸军事"，然志则说"六州诸军事"。志称初"以军勋补都督、除后将军、太中大夫母（毋）极县开国子，食邑四百户"，而传作"顺阳县子"。又志称，曾授"临潢（淄）县散子，东受（寿）阳大都督……别封东燕县开国子……转离石大都督、苛岚领民都督、黑水领民都督……肆州刺史"等官职，传都失记。此外，北齐时州郡县称谓重复，即在原地名上，每多冠以东、西、南、北以资区别。志文中颇多此例。如志文中的"朔州"，《北齐书》别出有"北朔州"。志文"西夏州"，传记有"夏州"。是志文与《魏书·地形志》"西夏州"条"寄治并州界"合。又志所称的"东徐州"，《地形志》中只录"徐州"；志文中的"东寿阳"，《地形志》只作"寿阳"，等等。志记库狄迴洛"葬于朔州城南"，其妻斛律夫人的志文也说："与定州使君……合葬于朔州城南。"现库狄氏墓葬发现于今寿阳（其地北齐时即为寿阳）城西南。这就说明北齐时的朔州应在今寿阳。据《魏书·地形志》"朔州"条"本汉五原郡，延和二年（433年）置为镇，后改为怀朔，孝昌改为州。后陷，今寄治并州界"。说明志文所记的朔州，正是寄治在并州界的朔州，置地在今寿阳。此外，在 3 方墓志中所见的姓氏，除库狄氏外，尚有尉氏和可氏。这些姓氏为北朝胡姓的研究，特别是可氏的研究增添了新的资料。

简报指出，库狄迴洛的墓葬，建造规模宏大，封土高达 10 余米。墓中设置木构屋宇的椁室，雕镂精细，系我国发现的最早的 1 座木构屋宇建筑，虽因深埋地下而仅残存构件，仍不失为研究我国古代木结构建筑的重要实物资料。室中壁画，富丽鲜艳。随葬物品也十分丰富，出土金、玉、玛瑙、玻璃等器，以及近百件被奴役的奴婢偶像，以及严格说不是瓷器，而只是次于瓷器的一种低温釉的黄釉明器，均十分重要。它们的出土，为研究北齐历史提供了十分珍贵的资料。

99.山西昔阳出土一批北朝石造像

作　者：翟盛荣、杨纯渊
出　处：《文物》1991 年第 12 期

1979 年，山西省昔阳县东冶头乡静阳村东南 0.5 公里处出土一批石造像，由县文化馆收集保存，1985 年移交县文物管理所。简报配以照片予以说明。

据介绍，这批石造像共有 13 件，其中 4 件有纪年铭文，其余 9 件无铭文，但它们都出土于同一地点，石刻风格和纹饰也大致相同，可以认为都属北朝作品。9 件为青色砂岩质，4 件为汉白玉质。所记纪年有：北齐天保九年（558 年）、东魏武定六年（548 年）、北齐武平元年（570 年）、北齐天保六年（555 年）。

100.山西榆社县发现北魏画像石棺

作　者：王太明、贾文亮
出　处：《考古》1993 年第 8 期

1976 年，榆社县河峪乡河窊村村民在整修梯田间，发现 1 具雕刻精美的北魏画像石棺。现收藏在博物馆内。简报配以照片予以介绍。

据介绍，棺石帮板 2 块，碣 1 块。前宽后窄，大头呈蹄形，为灰白石质。右帮板外侧刻有墓主人生前生活作乐和死后骑着青龙升天的一些画面。碣中央刻有墓主人夫妇席坐平台宴食，两侧有仆人伺候和朱雀。下面是乐师和舞女，有的手弹琵琶，有的口吹笛子，还有的手打腰鼓。舞女在翩翩起舞，舞姿优美，动作熟练。碣的上部还刻有墓主人姓名和官职。据棺文记载，墓主人"方兴"，死于北魏神龟年间。太和年间（477 年）任应川太守，熙平年间（516 年）任遂远将军郡太守，享年六十。左帮板外侧中部刻有墓主人生前出行图和狩猎图。在帮板前半部刻有一组精美的杂技表演图。1位脚穿高统靴、身穿灯笼裤的大力士，用杆顶着5名艺人在表演，杆下有打腰鼓的、有打手鼓的、有踩高跷的，还有耍9颗流星球的，鼓乐在齐声伴奏，流星球在空中飞舞，生动表演出1500多年前我国北魏时期的精美杂技舞蹈。为研究古代艺术及古代雕刻，提供了实物依据。

101.山西左权石佛寺石窟与"高欢云洞"石窟

作　者：李裕群
出　处：《文物》1995年第9期

清雍正十一年（1733年）所修《辽州志》卷四"古迹"条记载，辽县（今左权县）有"石佛松涛"和"高欢云洞"二大胜境。前者在"城西七里许，山有石洞，中镌石佛，因名石佛寺。枕高冈绕曲涧，苍松万株，清香袭人"。后者未记具体地点，只云"壁开石室，镂柱雕梁，巧夺天工，相传高欢曾避暑于此"。长期以来，这两处石窟没有引起重视，以至于湮没无闻，鲜为世人所知。20世纪80年代左权县文管所在文物普查时，对这两处石窟作了初步的考察。1994年考古人员在晋中地区考察石窟时，根据县文管所提供的线索对石窟进行了比较详细的考察。简报分为：一、石佛寺石窟，二、"高欢云洞"石窟等几个部分，配以彩照、手绘图予以介绍。

据介绍，石佛寺石窟位于山西省左权县城西3.5公里井沟村西南500米的山坡上。从县城沿清漳沟西源河谷北岸西行，石窟便开凿于村西冲沟之东山坡剥露的小块岩石上。岩质属黄色砂岩，极易风化。洞窟共有2个，南北毗邻，北窟编号第1窟，南窟为第2窟。洞窟前有一块不大的平地，窟外崖面有一排椽孔和4个长方梁孔，可知窟前原有蔽遮洞窟的木构建筑。据当地人介绍，石佛寺原来的规模很大，有大小十二进院落，常有五台山僧侣来此云游。寺院在抗日战争以前开始遭到破坏，逐渐成为废墟。1949年后当地营建化肥厂时，将寺院基址彻底破坏，遂变为农家耕地。

简报认为石佛寺石窟（第1窟）始凿年代的下限不会晚于北齐，其上限不会早于北魏晚期，即北魏末至东魏时期所开凿。关于第2窟，简报推测第2窟的续凿或新凿在五代后晋时期。简报指出，第1窟规模很大，如果按原设计完成的话，将超过北响堂北洞，而成为东魏北齐时期第一大窟。显然这样的规模绝不会是一般官吏和民间僧俗所为，应与皇室有一定的关系。只有高氏父子才有能力去营建，也就是说，"高欢云洞"的开凿与高氏父子有关应无疑问。东魏、北齐建都邺城，以晋阳为上都，皇室频繁往来于并、邺之间。而"高欢云洞"所在正是由邺都出滏口，逾太行山至辽阳（今左权县），再北上晋阳的交通要道之一，也是现在从左权到河北武安、涉县的交通干线。而古代石窟一般都位于交通线上。在这里修建避暑宫的可能性很大。

简报认为"高欢云洞"原传说系高欢所为的可信程度较高，按高欢于东魏武定五年（547 年）卒于晋阳，石窟工程的中辍或与高欢之死有关。至于北齐文宣帝及以后诸帝为什么没有继续开凿，其原因需要进一步探讨。

102.山西榆社石窟寺调查

作　者：中国社会科学院考古研究所　李裕群
出　处：《文物》1997 年第 2 期

山西是北魏、东魏和北齐政权的重要根据地，佛教曾盛极一时。除著名的云冈石窟和天龙山石窟外，全省各地尚有许多鲜为人知的小型石窟，尤以晋中和晋东南地区分布最为密集。榆社县属晋中地区，南与晋东南的武乡县接壤，其境内有不少北朝时期的石窟造像。1994 年 10 月下旬李逸群先生前往该县进行考察，着重调查了两处比较重要的石窟寺，即圆子山石窟和响堂寺石窟。简报分为：一、圆子山石窟，二、响堂寺石窟，三、单体石造像，四、石窟开凿年代的推断，并配以照片予以介绍。

据介绍，圆子山石窟坐落在榆社县城西北约 15 公里的武源村西北。此处为一座低低的小山丘，山丘之西为武源河，河水由西北向东南流入浊漳河。洞窟依山面水，开凿于小山丘西南崖面上，共有 1 个洞窟和 6 个摩崖小龛，单体石造像现收藏 1 件。简报推断石窟开凿年代：圆子山石窟不应晚于北朝晚期，响堂寺石窟不应晚于隋代。

简报称，圆子山石窟和响堂寺石窟规模均不大，有造像的洞窟各有 1 个，应是地面寺院的附属体。从圆子山石窟造像铭记看，石窟是由地方官吏、僧侣以及民间邑社善信出资开凿的。响堂寺石窟虽无铭记可作凭依，但亦应是民间僧俗善信所为。2 处石窟造像雕刻水平较高，技艺精湛，不失为北朝石窟造像的佳作。榆社 2 处石窟材料的披露，无疑对研究这一区域的佛教和石窟造像具有重要参考价值。

103.山西昔阳石马寺石窟及摩崖造像

作　者：晋中地区文物局、晋阳县文物管理所　晋　华、霍盛荣
出　处：《文物》1999 年第 4 期

石马寺摩崖造像，位于山西省昔阳县洪水乡石马村北，东北距县城 12 公里，东依石马山，西临石马河。北魏永熙三年（534 年）始凿群像于三沙岩巨石周围，巨石排列呈"品"字形。北侧巨石最大，四面皆镌龛像。南侧巨石背靠石马山，西、北二崖镌造龛像。西侧巨石位置偏低，仅东崖镌造龛像。北宋熙宁年间因像造寺，环巨石券围廊，兴建殿宇，并在大佛殿前凿石马 1 对，故山、水、寺、村皆名石马。

1992 年 10 月，考古人员赴石马寺调查造像遗迹。把全部造像划分为七个区域。龛窟分别统一编号，一般按自左至右，自下而上顺序编排。据统计，现存摩崖造像龛 313 个，造像 359 躯和石窟 3 个，窟内造像龛 1036 个，造像 1061 躯。简报分为：一、石窟及摩崖造像，二、结语，共两个部分，先行介绍了其中的早期造像龛、窟，有照片、手绘图。

据介绍，石马寺石窟是一处石窟和摩崖造像相结合的佛教石窟寺遗存，特别是有北魏永熙三年（534 年）碑铭可证，说明是山西晋中地区开凿时代较早，历史和艺术价值较重要的一处石窟寺遗迹。从总体保存情况看，北魏之后仍历东魏、北齐、隋唐，至迟至宋元。泥塑重妆则可能是明代所为。北魏末至东魏的造像主要是 1、2、3 号三个石窟和 76、84、59、103、135、144、145 号等造像龛，二区崖面分布的 46 个千佛小龛和 35 个供养人列像等也是这一时期的作品。这里的石窟，规模均不大，平面皆方形，平顶。仅 1 号窟顶凿出方形藻井。三壁正中各一龛，壁前设低坛。这一基本形制显然是龙门骁骑洞、地华洞、六狮洞窟形的沿袭，与天龙山一期 2、3 窟有较多的相似之处。76、84 两龛主像都高达 5 米以上，表现出北魏造大像的时代特征。

简报指出，昔阳地处太行山西麓，在太原与洛阳、巩县、临潭、邯郸之间，距太原仅 150 余公里。北魏至隋唐，晋阳一直是北方地区政治、经济、文化要地，因此，石马寺造像无疑受到了邻近龙门、巩县、响堂山、天龙山石窟的影响，而与以洛阳龙门为代表的都城地区石刻造像有着密切联系。

吕梁市

长治市

104.山西沁县南涅水的北魏石刻造像

作　者：郭同德
出　处：《文物》1979 年第 3 期

最近，在沁县文物馆，陈列了一批北魏石刻造像。这一批石刻造像，是 1959 年在沁县城北 30 公里的南涅水公社南涅水大队村北出土的。简报配以照片予以介绍。

简报介绍，从石刻的纪年文字来看，有从北魏永平三年（510 年）到北宋天圣九年（1031 年）跨越东魏、西魏、北齐、北周、隋、唐等六个朝代 550 年的造像石塔、造像碑刻、个体造像等 1100 余件。石塔是分石雕刻，叠垒而成的，刻有佛传故事和各式佛龛，造像碑分半造像半刻文、全造像旁题名和布局不同的千佛碑；个体造像有大、中、小三种，有菩萨、罗汉、天王、力士等。

简报称，南涅水出土的石刻造像和大同云冈石窟比，具有明显的特点，它是一批民间艺术作品，反映了当时的社会生活。

105.山西省武乡县党城村出土七件北朝铜造像

作　者：山西省博物馆　李　勇、刘　军
出　处：《文物》1984 年第 5 期

1983 年 4 月，山西省武乡县洪水公社党城村农民在村边约 1 米高的土坎上发现刻有铭文的北朝铜造像 7 件，在出土地点发现直径约 50 厘米的陶罐残片。从现场情况看，那 7 件造像是装在陶罐后埋入土中的。简报配以拓片、照片予以介绍。

据介绍，计有东魏武定六年（548 年）立像 1 件、北齐天保二年（551 年）立像 1 件、天保四年（553 年）立像 1 件、北齐皇建二年（561 年）坐像 2 件、北齐天统三年（567 年）立像 2 件。据当时在场的农民讲，造像出土时，是两两背光相靠排列的。简报认为，这批铜造像很可能是在北周武帝于建德六年（577 年）进兵北齐境内灭佛时被埋入地下的。

106.山西长治市故县村出土一批西晋器物

作　者：朱晓芳、王进先
出　处：《考古》1988 年第 2 期

1984 年，山西长治市北郊 30 公里，故漳乡故县村农民在挖房基时，发现 1 座墓葬。器物被取出后，将墓室填实压于房基下。墓葬为砖砌单室墓。墓内用条砖铺地，室内放置 1 具人骨架，器物放置墓室东侧。简报配以手绘图、照片予以介绍。

据介绍，此墓出土的鞍马、牛车及车夫俑等器物具有显著的时代特征。简报推断应为西晋时期遗物。

简报称，长治市在西晋时，属上党郡辖，这一时期的墓葬在此地区发现属首次。因此，这批器物的发现为研究西晋时期上党面貌以及西晋墓葬的分布地区提供了重要的实物资料。

晋城市

107.山西高平羊头山石窟调查报告

作　者：张庆捷、李裕群、郭一峰等

出　处：《考古学报》2000 年第 1 期

自北魏以降，山西佛教蓬勃发展，作为佛教信仰和偶像崇拜而开凿的石窟寺亦遍及全省各地。据不完全统计，山西全省石窟寺及摩崖造像的地点多达 300 余处，而晋东南地区又是石窟寺分布最为集中的区域之一，且占有十分重要的地理位置。晋东南是连接两个石窟寺的开凿中心——平城和洛阳的交通要道。据近年来的考察，晋东南地区发现有北魏都平城时期的石窟造像，年代上早于洛阳龙门石窟。考古人员于 1995 年 4 月详细地调查了该地区羊头山等石窟寺。这些石窟地点都十分重要，限于篇幅，简报分为：一、石窟的现状，二、分期与年代，三、结语，共三个部分。先仅选择这一地区规模最大的，最具代表性的羊头山石窟予以报道，其他石窟地点则另行刊布。

据介绍，羊头山石窟坐落在高平市城北 23 公里团池乡北部。羊头山为太行山余脉首阳山之主峰，海拔 1297 米。因山势高峻，状若羊头而得名。山居高平、长治和长子三县市交界处。峰顶北为长治县界，西北属长子县，南归高平市。石窟即开凿在山南坡。因岩体体积较小，故每个岩体仅开凿 1 ～ 2 个洞窟和摩崖龛像。这样洞窟的分布比较分散，从山顶至半山腰可以分成 10 个区域，共计洞窟 9 个，摩崖龛像 3 处。此外还有北魏至唐代石塔 6 座，北魏造像碑 1 通。半山腰还有清化寺遗址，遗址主殿有唐代石雕佛像 3 身。可分为四期：第一期，为北魏孝文帝太和年间晚期至宣武帝景明初年；第二期，为北魏晚期；第三期，为北齐至隋时期；第四期，为唐高宗、会宗时。遗存以第一、二期为主。

简报指出，羊头山石窟洞窟规模均不大，应出自当地僧徒和世俗善信之手，它应是清化寺院的附属体，也是僧俗信徒礼拜和禅观的场所。羊头山主要洞窟开凿于北魏时期，这种情况与北魏佛教重视禅观、提倡德业、因而盛凿石窟的历史背景是相一致的。北魏时期，羊头山属建州高都郡。北魏孝文帝迁都洛阳后，由于建州地邻洛阳，又是联系两京（平城和洛阳）的交通要道，迁都洛阳后，北魏官员亦常冬居洛阳，夏还平城，而频繁往来于两京地区，太行山西麓这一交通线似更为繁忙。因而两京地区的佛教和石窟造像对于这一地区石窟的开凿产生较大影响也是很自然的。如果与两京地区石窟相比,就可以看出它们之间的密切关系。当然,除了深受云冈、龙门石窟影响外,羊头山石窟亦具有自身的特点。如四角攒尖顶、重形窟门的形制不见于上述石窟中,但在山西晋中和晋东南地区,这是北朝晚期最基本的形制之一。羊头山石窟是迄今为止发现最早使用攒尖顶的石窟,菩萨服饰亦颇具地方特色,可见羊头山石窟保留了较多旧服制,可以说明羊头山石窟造像仍具有一定的保守性。

简报指出,羊头山石窟的调查表明,佛教艺术由洛阳地区向北传播到太原这一路线日渐明朗化了,也就是说晋东南羊头山等石窟是这一传播路线的重要中转站,这或许是这次调查的最大收获。

108.山西高平石堂会石窟

作　者：中国社会科学院考古研究所、加拿大多伦多大学东亚研究系　李裕群、衣丽都

出　处：《文物》2009 年第 5 期

石堂会石窟位于山西省高平市东略偏北 15 公里的石堂会村北约 50 米石窟山南坡山腰间。当地俗呼石窟山或北山。山上松树茂密,环境幽静。石窟即开凿于裸露的黄沙岩质崖面上,岩质略显疏松,易雕刻,也易风化。现存洞窟 6 座,分成东西二区。两区相距 60 米。西区共有 3 个北魏时期的洞窟,呈东西向排列,由西向东编号,即第 1 ~ 3 窟。东区为明代洞窟,共有 3 座石窟,编号为第 4 ~ 6 窟,均为明万历三十二年(1604 年)雕凿。根据现存窟内的碑刻,第 4 窟为"三教洞",第 5 窟为"三义洞",第 6 窟为"高谋洞",窟内并无石刻造像,原正壁供台上塑有泥塑,早已毁。2006 年 8 月,考古人员进行了详细的调查、测绘和记录。简报分为三个部分,配以彩照、手绘图,先行介绍了北魏洞窟的考察结果。

据介绍,北魏洞窟的开凿年代,应为北魏晚期(约 516 ~ 534 年),风格受平城和洛阳两大石窟影响,多为民间信徒开凿,反映了这一地区民间信奉佛教的盛况。

此次考古调查的一大收获,是发现了一批题记。从题记看,当地邑社组织十分普遍,这些邑社成员共同组织开凿石窟,属于民间热烈崇佛造像的行为。值得注意的是,第 1 窟正壁题记"大八关斋主魏始□妻张阿□因缘眷属八十人"。八关斋为八种斋戒法,即五戒加三,乃佛陀为在家弟子所制定:(一)不杀生。(二)不偷盗。(三)不淫侠。(四)不妄语。(五)不饮酒。(六)不著华香脂粉,不为歌舞倡乐。(七)不卧好床。(八)不非时食。受持八关斋戒者须一日一夜离开家庭,赴僧团居住,以修习出家人之生活,培养出世善根。八关斋流行于南朝。至于北朝则较为少见,最早的八关斋主题名,见于东魏兴和三年(541 年)吕升欢造像"八关斋主吕

景文"。因此，石堂会石窟八关斋主题名应是目前发现最早的，这对于研究北魏时期民间邑社组织、八关斋的传入与流行具有重要意义。虽然，八关斋与石窟寺的开凿并无直接的联系，但也可能为石窟竣工而举行斋会。石堂会八关斋题记的发现，反映了建州地区民间邑社组织流行八关斋法，这与北魏晚期朝廷腐败、社会动荡不安的历史背景密切相关，反映了民众期盼止恶修善、天下太平的愿望。这种斋法可能是从南朝经洛阳影响到建州地区的。

临汾市

109.山西曲沃县秦村发现的北魏墓

作　　者：杨富斗

出　　处：《考古》1959 年第 1 期

秦村位于曲沃县候马镇东五里浍河北岸，1957 年 3 月 28 日农民在该村西北 2 华里处打井时发现 1 座砖室墓，考古人员前往清理。简报配以照片、手绘图予以介绍。

据介绍，该墓用长方形和模形花砖砌成，有正室和东西耳室。棺床上有 2 副骨架，估计为夫妻合葬，左右耳室也各有一堆散乱的人骨。出土有铜饰、陶器、砖雕及砖墓志，知该墓墓主为李诜，下葬于北魏太和二十三年（499 年），身份应为平民。

110.山西襄汾出土东魏天平二年裴良墓志

作　　者：李学文

出　　处：《文物》1990 年第 12 期

1986 年冬，山西省襄汾县永固乡家村在取土时发现裴良墓志 1 合，现藏于县博物馆。简报配以拓片予以介绍。

据介绍，志盖覆斗形，中间盝顶呈方形，竖刻阳文篆书"裴使君墓志铭"6 字，分 2 行。盝顶篆文四周及四个刹面均刻文字，并镌刻 8 子 3 女名职于四周。裴良墓志志文为楷书，竖行 45 行，满行 45 字，共计 1961 字，字间有界格，简报录有全文。

简报称，裴氏为北朝大族，世代为宦，裴良的姻属或荥阳之郑，或赵郡之李，或天水之赵，或京兆之杜，皆当时著姓，烜赫一时。裴良墓志的出土，为我们研究北朝历史提供了宝贵材料。

运城市

111.山西运城十里铺砖墓清理简报

作　者：山西省考古研究所、运城市博物馆　王志敏

出　处：《考古》1989 年第 5 期

十里铺村位于运城西，距市区约 20 公里，北邻南同蒲铁路约 0.5 公里，南紧靠公路，二者横穿十里铺村。1986 年 11 月，本村农民在村西麦场制砖取土时发现该墓，考古人员随即前往现场调查，并清理了这座砖室墓。简报分为：一、墓葬形制，二、遗物，三、结语，共三个部分。有手绘图、照片。

据介绍，该墓砖室结构，平面呈曲尺形排列。各室间以过道或券门交通，自墓门起，甬道、前室、中室、后室沿纵横排列。出土陶器 17 件、五铢钱 19 枚、铜环 1 件。根据砖墓结构形制和出土器物，简报推断该墓时代为西晋。山西省晋墓甚少，该墓出土的实物，在晋南地区是新发现，为三国两晋考古的研究提供了新的实物资料。

112.山西运城柏口窑出土佛道造像碑

作　者：运城地区河东博物馆　王寄生

出　处：《考古》1991 年第 12 期

1987 年 2 月 15 日，山西省运城市西姚乡柏口窑村（位于中条山麓）农民徐明山在其村涧水西高地挖土时，挖出一批北周至隋代佛道造像碑。这批造像碑共计 10 件。因质地为中条山特有的绿泥石云母片岩，残损极为严重。其中能辨明形体的 9 件，即佛教造像碑 7 件、道教造像碑 2 件。刻有铭文的 8 件。凿好未经雕像的碑料 1 件。简报配以拓片予以介绍。

简报称，这批佛道造像碑有"天和元年"（566 年）、"大业二年"（606 年）等纪年。除个别头大足小比例失调外，绝大多数刀法遒劲，造型准确，线条流畅，神态生动。特别是 1 号道教碑，表现力丰富，概括性强，主体和空间掌握较好，整个图面安排紧凑，层次分明，繁而不乱，堪称造像艺术中的佳作。尤其引人注目的是，在道教造像碑铭中，施主自称佛弟子，反映了佛道交糅的宗教信仰。又人名的"国"字与现代简体"国"字近似。虽出于工匠之手，却说明 1300 多年前已有简体"国"字流行了。柏口窑这批造像碑的出土，对于佛道二教互相交融以及二教造像关系的

研究，是个重要的实物资料。至于埋藏的时间，简报估计与唐武宗会昌五年（845年）灭佛事件有关。

113.山西垣曲县宋村发现西魏造像基座

作　者：王　睿、吕辑书
出　处：《文物》1994 年第 7 期

山西省垣曲县宋村发现 1 通西魏大统年间的造像基座，现存于宋村原永兴寺遗址内。永兴寺原名重兴寺，始建于西魏大魏年间，后经明万历初年、清代及民国历次修葺，于民国三年（1914 年）改作小学至今。基座藏于原寺庙墙与现小学北房增修教室墙壁的夹道内，座长 0.95 米、宽 0.77 米、高 0.42 米。正面及左右两侧面开龛造像，正面刻有题记。简报配以照片予以介绍。

据介绍，基座上立有一高达 2.25 米的佛像，这通造像基座为西魏开国侯杨标为其母祈福而造，其上铭刻中关于杨标的叙述与《山西通志·职官谱》上所载大体一致。

114.山西运城发现北周刻石题记

作　者：李竹林
出　处：《文物》1995 年第 12 期

1982 年 10 月，在运城中条山发现 2 处有纪年的北周摩崖刻石。简报配以照片扼要予以介绍。

简报介绍了以下几点，其一：刻石面积为 60 平方厘米。9 行，行字 10～14 不等，总字数 126 个，正书，简报录有全文；其二：文字大都漫漶不清，其中"大象二年""车纲峪"等字尚能辨别，文字的刊刻面积约有 100 平方厘米。两处刻石均位于山脊阳坡，后面紧靠沟边小路，高出地面约 2～2.5 米。

简报指出：运城盐是我国著名的内陆盐之一，它的开采已有 4000 余年历史，在我国盐业史上占有重要的地位。古代运城盐除了供应周围地区食用外，还输入中原。据记载，途径有两条：一条由臼衰（今运城）出发，沿"车纲峪"南进，由三门渡过河进入中原，然后出淆函之关，越桃林之野，往东进入周郑，往西入秦川，南达汝水之滨。摩崖刻石文字所指的"开两谷古路通陕州三门"，大概就指此路。另一条由臼衰南行，绕行太行山西山西南，然后由今河南温县、济源到达成周。中条山 2 处北周摩崖刻石的发现，涉及当时运盐古道，为了解北周时期运城盐池的经略、研究盐业史均提供了有价值的文字材料。

内蒙古自治区

呼和浩特市

115.内蒙古呼和浩特美岱村北魏墓

作　者：内蒙古文物工作队　李逸友
出　处：《考古》1962 年第 2 期

1961 年秋季呼和浩特市郊区（原土默特旗）美岱村附近发现古墓 1 座，考古人员清理并收集了此墓出土全部遗物。简报配以照片、手绘图予以介绍。

据介绍，古墓位于呼和浩特市东南约 40 公里，美岱村南约 3 公里，南地村北约 2 公里。1955 年曾在此墓西面约 200 米处发现北魏墓葬 1 座，出土有铜虎符、铜镞、金戒指及菱形金片等物。这次发现的古墓，已被洪水冲刷出墓室，墓的形制为竖井砖室墓，墓顶距地表深约 8 米，墓道在西。墓室为单面绳纹砖砌成，未发现有墓门。墓内葬木棺 1 具，人架已被扰乱，葬式不明。出土有铜镞 1 件、铜勺 1 件、铜钧形器 1 件、金戒指 1 件、菱形金片 27 件、铁剑 1 件、铁环 1 件等。陶器上有刻划符号。简报认为似又可定为北魏鲜卑贵族的墓葬。同时，也证实了 1955 年所得文物，就是出自这一座墓。

116.内蒙古呼和浩特北魏墓

作　者：内蒙古博物馆　郭素新
出　处：《文物》1977 年第 5 期

1975 年 7 月，中国人民解放军某部在施工过程中，发现了北魏墓 1 座，立即报告内蒙古博物馆，博物馆及时派考古人员进行了清理。简报分为：一、墓葬形制，二、随葬遗物，三、结语，共三个部分。有照片。

据介绍，该墓位于呼和浩特市市区内，紧靠大学路路边，路北是内蒙古大学，其南 40 公里为北魏盛乐故城（今和林格尔县土城子）遗址，该墓为带甬道的单室砖墓。

墓室为单面绳纹砖砌成，四壁呈外凸弧线形。墓门顶成拱形，由上下两排竖平忍冬纹砖中间夹一排侧立的莲花纹砖砌成。此墓虽然规模不大，却出土了一批完整的陶俑和陶质生活用具及牲畜、家禽等。该墓的时代，简报推断应相当于北魏拓拔珪定都平城的前后。

简报称，此墓出土的随葬遗物，为研究北魏时期呼和浩特地区的经济状况和民族关系问题，提供了实物例证。

117.内蒙古和林格尔西沟子村北魏墓

作　　者：乌兰察布盟文物工作站、和林格尔县文物管理所　李兴盛等

出　　处：《文物》1992年第8期

内蒙古和林格尔县胜利营乡南约5公里、西沟子村西的山梁上有1处古代墓地，在墓地南面沟谷的断崖处暴露出2座墓葬，1986年9月被当地老乡发现并破坏，同年10月考古人员对其进行了抢救性清理。简报分为：一、墓葬形制，二、随葬器物，三、小结，共三个部分。有照片、手绘图。

据介绍，M1为洞室墓，由墓道、洞室两部分组成。洞室顶部明塌严重，两壁不甚规整，底部斜坡形，由外向内渐低。在洞室出口处用自然石块垒砌石墙。洞室内置一木棺，已朽蚀，性别不明。M2位于M1之西15米，为洞室墓，底部斜坡形，墓壁较直。墓内有尸骨1具，已被扰动，葬式及随葬品位置不明。M1随葬品大部保存完好，共出土遗物20件，其中陶器6件、铁器14件；M2因被严重破坏，清理中仅出土铜环2件。此外，还从老乡手中征集到墓内出土的陶壶1件。2墓共出土遗物23件。简报推断两墓均为北魏迁都平城之前的墓葬，也即下限在398年拓跋珪迁都平城（今山西大同）之前。

今内蒙古和林格尔县土城子古城，在公元258年鲜卑拓跋部二十万人马南下阴山，将此地改名"盛乐"。今有王凯先生《北魏盛乐时代》（内蒙古人民出版社2003年版）一书，可参阅。

包头市

118.内蒙古白灵淖城圐圙北魏古城遗址调查与试掘

作　者：内蒙古文物工作队、包头市文物管理所　张　郁、常　海、陆思贤
出　处：《考古》1984 年第 2 期

1979 年和 1980 年的秋季，考古人员先后 2 次调查了包头市固阳县白灵淖公社孤山大队的城圐圙古城遗址，并做了试掘。简报分为：一、地理位置，二、城垣与遗迹，三、地层堆积，四、遗物，五、结语，共五个部分。有手绘图、照片。

据介绍，城圐圙古城位于固阳县白灵淖公社西向约 15 公里，包（头）白（云鄂博）公路于此城西约 7 公里处通过。这里南通固阳，北连广漠，成为左右高、中间低的山川盆地，是由大青山南麓，经固阳到达山后的重要通道。古城所在的地方，平地逐渐开阔，形成约 60 余平方公里的沃壤，五金河的支流，自东北向西南穿越古城流去，其分支把古城分裂为大小不等的四个区域。

据介绍，城圐圙城址的形制与过去调查过的武川县乌兰不浪土城梁、四子王旗乌兰花土城子有共同之处。乌兰不浪土城梁已考订为北魏武川镇城，乌兰花土城子为抚冥镇城，考察以上诸点，城圐圙古城也应是北魏时期的一个重要镇城。城圐圙古城内出土的遗物，石雕柱础与山西大同司马金龙墓出土的石雕柱基本相似，是北魏早期的。古城内出土泥塑像，为内蒙古地区首次发现，从出土地点与城址西北部子城关系考虑，可能是一处寺院遗址。可见北魏王朝崇尚佛教兴建佛寺，在北边六镇也不例外。通过这些比较，泥塑与云冈石刻有着相似的内容，而且衣纹线条风格也一致，简报认为时代应是相同的，是晚于麦积山造像的泥塑之一。

相关背景，可参阅苏小华先生《北镇势力与北朝政治文化》（中国社会科学出版社 2012 年版）一书。

119.包头固阳县发现北魏墓群

作　者：包头市文物管理处　郑　隆
出　处：《考古》1987 年第 1 期

1985 年春，包头固阳县城南面高地上的蒙古族学校在新建校所的工程中发现古墓群。破坏了 2 座砖室墓和数座土坑墓，根据这些被破坏墓中出土的遗物看，应属

北魏时期的墓葬。墓地南约5公里是梅令山汉魏故城，可能与墓地有关系。发现北魏时期的古墓群在包头地区还是首次，墓群的发现和收集的出土遗物，为这一时期的历史研究提供了可贵的资料。1985年7月中旬，考古人员前往墓地调查时，配合该校未完工程地段清理了两座土坑墓。收集的出土遗物和清理的两座墓的报告，简报分为：一、被破坏墓葬的情况，二、清理的两座土坑墓形制，三、出土遗物，四、结语，共四个部分。有手绘图、照片。

据介绍，被破坏的墓葬约7座。其中2座为砖筑券顶长方形单室墓，人骨扰乱。两墓各出1件长颈敞口灰陶壶。据说一墓内尚出铁剑1柄，但已下落不明。其他墓均为竖穴土坑墓，单人葬，遗物也不多。但每座墓除出土陶壶、罐外，还出土一定数量的弧形骨饰片，这些遗物与扎赉诺尔墓、完工古墓出土的相同。另外，还征集到两件长颈敞口壶（大小各1件，形制大体相同），出土于固阳县城东北约25公里的银号乡大德恒村古墓中。

清理的2座土坑墓，在被破坏的土坑墓东南约10米的地方。2墓南北并列，直肢单人葬，头向西，是1位约四十岁的男性。M2与M1形制相似，不同之处是墓穴略瘦长，腐朽的木棺略薄，无铁棺环。人骨已被扰乱，在棺坑大头的上部有头骨和几块碎骨片。未见随葬物，该墓可能早期被破坏。这批遭到破坏的墓葬和清理的两座墓出土器物数量不多，种类不少，有陶器、漆器、骨器、铁器、铜器、料器等。两种墓葬的形制及出土器物的组合虽不相同，但部分陶器在两种墓中均有出土，简报推断这两种类型的墓葬，都应为北魏建国前后的墓葬。从时代上看，砖室墓在土坑墓之后。

另外，固阳县银号乡大德恒村被破坏古墓出土的2件陶壶，造型基本保留着北魏时期的风格；但器体变高，颈部变长，口沿向外敞成盘状，陶质细而向深灰色发展，简报初步认为是北魏晚期的遗物。

简报称，北魏时期北方的军事重镇、六镇之一的怀朔镇，在今固阳县城东北约35公里白灵淖乡的城圐圙古城址。北魏的朔州，据文献记载管辖五郡十三县。今固阳县城邻近未发现较大的古城遗址，而在县城约5公里的梅令山下的古城，出土大量的汉、魏时期的陶器残片，按文献记载的地理位置及城垣的规模，可能是汉代的石门障，魏时可能改成广宁郡的石门县，调查清理的墓群与这一古城有着密切的关系。

相关背景，可参阅侯旭东先生《北朝村民的生活世界》（商务印书馆2005年版）一书。

120.内蒙古包头市北魏姚齐姬墓

作　者：郑　隆

出　处：《考古》1988 年第 9 期

1986 年 4 月，在包头市东土右族萨拉齐镇北约 2 公里处，当地农民平整土地时，发现了 1 座北魏时期的古墓葬。古墓地处大青山以南、黄河以北的土默川平原，这一带地势坦荡，土质肥沃，交通便利，历来为人所重视。简报分为：一、墓葬形制，二、随葬器物，三、小结，共三个部分。有手绘图、照片、拓片。

据介绍，古墓葬被破坏得较为严重，墓顶全部塌毁，墓室的墙壁残存不全。古墓为长斜坡墓道的单室砖墓，墓室内尸骨被扰乱严重，但据头骨及尸骨的主要部件看，应为两具。从头骨和盆骨的特征分析，2 尸均为女性，从两个头骨散落下来的牙齿观察，1 具应为 40 多岁的妇女，另 1 具应为 20 岁左右的妇女。随葬器物有陶壶 1 件、墓志砖 1 块。正面有阴文铭文"廉凉州妻姚齐姬墓""太和廿三年岁次己卯七月廿八日记"。从出土的遗物、墓室的结构以及牲殉习俗等情况，简报推断这是 1 座北魏晚期的墓葬，此人可能是一名镇守北疆地区的小官。

乌海市

赤峰市

121.内蒙古巴林左旗南杨家营子的遗址和墓葬

作　者：中国科学院考古研究所内蒙古工作队　刘观民

出　处：《考古》1964 年第 1 期

南杨家营子村属昭乌达盟巴林左旗。村在乌尔吉木仑河的东岸、林东镇以北约 35 公里处。村东有几道黄土岭与东面大山相接，其中一道土岭是当地人往东山去放牧的道路。在这道土岭的南侧涧沟中常常发现人骨和完整的陶器等。1961 年发现了遗址和墓葬，1962 年进行了试掘。简报分为：一、遗址，二、遗物，共两个部分。有手绘图等。

据介绍，共发掘了 12 座墓葬，均为仰身直肢葬。遗址中出土了许多鸟、兽类骨骼，墓内又用牛、羊等动物肢体随葬，这说明当时畜牧业已经产生。墓内出土了不少铁器，有的葬具上还有铁钉，可见当时铁已被普遍使用。墓中出土的骨镞比铁镞多，这是因为经营畜牧业生活，骨镞的原料来源总比铁容易得多。无论遗址所出陶片或墓葬所出陶器，它们的绝大多数都是手制加砂红褐色陶，质地疏松，部分陶器表面经粗略地刮磨，器形以圆腹壶为最多，还出土了1枚五铢钱。简报推断年代下限可能是早于库莫奚或契丹人入居此地的时期，因此这种遗存的年代下限很可能是公元4世纪左右，至迟也是在当地出现了7世纪记载中的火葬葬俗以前的遗存，大致相当于中原的魏晋南北朝时期。

通辽市

122.内蒙古科左中旗六家子鲜卑墓群

作　者：张柏忠

出　处：《考古》1989年第5期

1984年4月，科左中旗希伯花苏木六家子嘎查1处古墓群被风吹开，随葬品暴露于外，墓群遂被破坏。哲盟博物馆闻讯后，即去现场调查，并征集了大批出土文物。这是1处鲜卑人的墓葬。这批墓葬的发现，为我们认识和研究鲜卑人的历史与文化提供了宝贵材料。简报分为：一、墓葬位置与葬式，二、出土遗物，三、其他，四、结语，共四个部分。有手绘图、拓片、照片。

据介绍，六家子嘎查（村）位于科左中旗西北部。墓葬均为长方形土高竖穴，约30座。六家子墓群中出土遗物包括陶器、金器、银器、铁器、玻珀器、玉石器共160余种。简报推断，六家子墓群应该是东汉晚期到西晋的鲜卑人墓群，其个别墓葬的时代可能会早到东汉前期。

鄂尔多斯市

123.内蒙古伊盟准格尔旗石子湾古城调查

作　者：盖山林

出　处：《考古》1965年第9期

1962年秋冬之交，考古人员在伊克昭盟准格尔旗调查了石子湾古城。古城位于准格尔旗旗人民委员会所在地沙圪堵镇南约5公里的石子湾村东面。西距石子湾村不到 0.5 公里，西南距双山约 5 公里，北距忽吉尔图沟约 1 公里，在纳林川之东岸。古城东西两边是起伏延绵的山岭，南北为狭长平地。简报配以拓片予以介绍。

据介绍，古城东西约 160 米、南北约 240 余米，城墙残迹尚隐约可见，土质坚硬，西墙保存较好，残高约 1～1.5 米。城的地势西高东低，城内分布着许多大小不等的土丘，可能是当年的建筑遗存。东、西两墙的中段稍偏北，各有一向外凸出的大土墩，城墙的西北和东北两角较高。城内地面残砖断瓦俯拾即是，城墙上砖瓦碎块成堆。采集到"万岁富贵"残瓦当、卷云纹残瓦当、灰陶片、陶饰件和灰黑色长方形砖块。发现筒瓦、圆瓦等，有的上有隶体"万岁富贵"铭文，城外也发现有瓷片等。

简报称，古城的时代可能属于北魏。根据古城范围甚小，生活用品如陶片绝少等情况推测，此城可能与军事有关，疑是士兵戍守之所。古城东部之遗迹和遗物，时代可能比古城稍早。古城西南所见之瓷片，与内蒙古其他地方元代遗址中所见相同，当属于元代。

124.石子湾北魏古城的方位、文化遗存及其他

作　者：内蒙古语文历史研究所　崔　璿
出　处：《文物》1980 年第 8 期

1975 年夏，考古人员赴准格尔旗西部进行考古调查，途经沙圪堵镇公社石子湾北魏古城时，发现以往对该古城方位的报道不很准，遂粗略地加以复查。1978 年，在野外工作期间，又做了一次调查，采集、征集了一些城内的标本。简报配以手绘图、照片予以介绍。

据介绍，石子湾古城在准格尔旗革命委员会所在地沙圪堵镇南约 5 公里。古城所在的台地高于纳林川河床约 40～50 米，北依庙圪旦、吕家坡等起伏的山岭，南扼虎石沟注入纳林川的沟口，东西都有注入纳林川的小沟环绕。依山面水，踞高临下，形势险要。古城正北方向，呈长方形，南北两墙各长 230 米，东西两墙各长 180 米，南墙正中开一门，有瓮城。城墙残存在地表以上高 1～1.5 米、宽 2～3 米。南墙存留较高。在城墙西北、西南两角和南门瓮城处，均有露出的夯土断面，夯层厚约 15 厘米。在城内有一中心建筑台地，距南墙 90 米、北墙 46 米、东西两墙各 73 米。在台地中心发现石柱础三排五行。柱础旁边，挖出烧过的土块和柱子灰，有的柱子尚未完全烧成灰烬。柱础石在现今地表下 11.5 米，即当时的建筑地面。柱础的排列情况是，南北三行，东西五行，南北间距 8 米，东西间距 4 米。在城内还发现多处房址遗迹及砖瓦等遗物。

简报称，该古城的年代，推断为北魏后期即洛阳时代。发现的砖瓦多为黑色，也证实《魏书·礼志一》所载北魏尚黑之说有据。

简报指出，如能对土城、土城梁等北魏北方的古城进行可靠的断代，至少有助于对北魏六镇设置时间、地点、建置，以至其名称的进一步探讨。

125.内蒙古乌审旗郭家梁大夏国田𤪽墓

作　者：内蒙古自治区文物考古研究所、鄂尔多斯博物馆、乌审旗文物管理所
　　　　　李少兵、索秀芬等

出　处：《文物》2011 年第 3 期

1991 年 10 月下旬，内蒙古伊克昭盟鄂尔多斯博物馆及乌审旗文物管理所报告说，乌审旗纳林河乡及河南乡的数十座古墓先后遭到盗掘和破坏。1992 年 8 ～ 10 月，考古人员前往清理被破坏的古墓葬。1992 年 9 月，在郭家梁村清理了 1 座大夏国墓葬。简报分为：一、地理位置，二、墓葬结构，三、随葬器物，四、结语，共四个部分。有照片、拓片、手绘图。

据介绍，墓葬位于内蒙古自治区鄂尔多斯市乌审旗纳林河乡张冯畔行政村郭家梁自然村。1991 年 4 月村民在山梁上打窑洞时发现了这座墓葬，后被盗掘，由于墓葬太深，没挖到墓室。墓葬为长斜坡墓道，由墓道、过洞、天井、甬道、前室、后室组成。出土有陶器、墓志等。简报录有墓志全文，知墓主叫田𤪽，为大夏国建威将军、散骑侍郎，入葬时间在公元 420 年，未见尸骨，应是墓主的衣冠冢。

简报指出，此次发掘是首次发现的十六国时期大夏国纪年墓葬，填补了这一时期大夏国考古资料的空白，使我们有机会了解大夏国的历史，在某种程度上弥补了历史文献对大夏国记载的不足。

126.内蒙古乌审旗郭家梁村北魏墓葬发掘简报

作　者：内蒙古自治区文物考古研究所、鄂尔多斯博物馆、乌审旗文物管理所
　　　　　李少兵、索秀芬

出　处：《中原文物》2012 年第 1 期

1992 年 9 月至 10 月，考古人员对内蒙古乌审旗郭家梁村周围墓葬进行抢救性发掘。共计发掘 5 座墓葬，其中 4 座为北魏墓葬，墓葬均为带有墓道土洞墓。小型墓葬由墓道、甬道、墓室组成，大型墓葬由墓道、过洞、天井、甬道和墓室组成。随葬品数量不多，以陶器为主，还有铜器、铁器、料珠、泥钱等。对比墓葬形制和

随葬品，这批发掘的 4 座墓葬是北魏占领大夏国首都统万城后遗留的墓葬。简报分为：一、地理位置，二、墓葬结构，三、随葬品，四、结语，共四个部分。有手绘、照片。

据介绍，郭家梁村位于内蒙古自治区乌审旗纳林河乡，南与陕西省横山县接壤，北距乌审旗旗政府嘎鲁图镇约75公里，西北距统万城约20公里。郭家梁村地处毛乌素沙漠南端，村周围被流动沙丘环绕。郭家梁村北魏墓葬形制和随葬品与北魏迁都平城（大同）以后的墓葬形制和随葬品有许多共性，北魏于公元427年占领统万城。简报认为此次发掘的4座墓葬，是北魏占领大夏国首都统万城后遗留的墓葬。

呼伦贝尔市

127.内蒙古陈巴尔虎旗完工索木发现古墓葬

作　者：潘行荣

出　处：《考古》1962 年第 11 期

自海拉尔市乘滨洲线火车，穿呼伦贝尔草原西行约 60 公里，到完工车站。在其北约 4 公里有东西流向的海拉尔河，西约 40 公里是扎赉诺尔。墓葬位于车站西南约 600 米，在完工索村以南偏西。墓地的地形似浅锅形，四周逐渐增高。1958 年于该处烧造砖瓦，屡次发现人骨架，同年取土时曾掘出过 1 具完整无缺的马骨架。简报配以手绘图予以介绍。

简报介绍，1961 年秋天，又发现两座墓葬，一东一西，相距约 15 米，两墓内共有 20 多具人骨架。两墓皆为竖井木椁墓，仰身直肢葬。随葬品多置于人的头与脚的两侧，墓内出土有陶器、骨器、铜器、银器、蚌器及丝织品。简报推测这批出土物可能早于美岱村的北魏墓，至于与扎赉诺尔墓葬的关系等问题，则有待进一步深入调查研究才能解决。

巴彦淖尔市

乌兰察布市

128.内蒙古商都县发现北魏窖藏

作　　者：内蒙古自治区乌兰察布盟文物工作站　崔利明
出　　处：《文物》1989 年第 12 期

1983 年 10 月，商都县大库伦乡石豁子村一农民在村南约 0.5 公里处取土时，发现 1 处窖藏，出土铜壶等文物 11 件。据发现者叙述，窖藏出口距现地表约 20 厘米，铜壶口上盖铜盘，铜壶四周侧放铁犁铧、犁镜。这些文物已由乌盟文物站收藏。简报配以照片予以介绍。

据介绍，出土的器物有铜壶、铜盘、铜镂孔器各 1 件，铁犁铧 3 件，铁犁镜 5 件。简报推断这处窖藏时代属北魏时期。

129.内蒙古兴和县叭沟村鲜卑时期墓葬

作　　者：乌兰察布盟文物工作站
出　　处：《考古》1993 年第 3 期

1988 年 7 月至 9 月，考古人员用了将近三个月的时间在兴和县团结乡砖瓦厂周围进行普遍的钻探，在砖瓦厂南部发现 5 座古墓。抢救清理了 3 座古墓，为鲜卑时期墓葬。共出土陶器 12 件，铁器 4 件，磨石 1 件，并征收陶器 6 件。简报分为：一、墓葬概况，二、文化遗存，三、结语，共三个部分。有手绘图。

据介绍，墓群位于内蒙古兴和县东北 8.5 公里，距团结乡政府东南约 15 公里，在叭沟村东南约 300 米。墓葬东紧依大青山，西北为开阔的土地，墓地西面是一条河（二道河）。古墓分布在坡地上。已清理发掘的 3 座古墓分别编号为 88M1 ～ M3。墓葬分两种，一种为竖井木椁墓，另一种为土坑竖穴墓。简报认为三座墓的时代应为东汉至北魏鲜卑时期。

130.内蒙古凉城县小坝子滩金银器窖藏

作　者：内蒙古博物馆　张景明

出　处：《文物》2002 年第 8 期

1956 年，在内蒙古凉城县西北 25 公里处的小坝子滩村发现了 1 处金银器窖藏，为一土坑，坑内出土金银器 13 件，多年来一直收藏于内蒙古博物馆。简报分为两个部分予以介绍，有照片等。

据介绍，窖藏出土 13 件文物，种类有金印、银印、饰牌、饰件、戒指等。金印有"晋乌丸归义侯"金印 1 件、"晋鲜卑归义侯"金印 1 件。银印有"晋鲜卑率善中郎将"银印 1 件。西晋初年，晋武帝司马炎曾对边疆各部族加封，这批印可能就是当时所封发的。该窖藏出土的 1 件四兽形金饰牌，其背面刻"猗㐌金" 3 字。"猗㐌"，是拓跋鲜卑的一个部。据《魏书·序纪》记载，公元 3 世纪末拓跋禄官统率鲜卑时期，分国为三部。一部由拓跋禄官率领，居东，在上谷北（治所在今河北省怀来县东南）、濡源之西（今河北省丰宁县西）；一部由猗㐌统率，居代郡之参合陂（今内蒙古凉城县境内）；一部由猗卢率领，居定襄之盛乐故城（今内蒙古和林格尔县北）。小坝子滩窖藏所在地恰与猗㐌部的地域相符。

兴安盟

锡林郭勒盟

阿拉善盟

辽宁省

沈阳市

131.2004 年度学院石台子山城高句丽墓葬发掘简报

作　者：沈阳市文物考古研究所　李龙彬、苏鹏力、朱寒冰
出　处：《北方文物》2006 年第 2 期

葬墓位于沈阳市棋盘山水库北岸石台子山城西北侧山脊及东北侧六道观内坡地上。考古人员对调查发现遭破坏的 6 座墓葬进行了抢救性清理，获得了一批珍贵的文物资料。此 6 座墓葬分布位置相对石台子山城较远，使我们补充认识了石台子山城墓葬的分布状况。该批墓葬材料从墓葬形制、随葬品、人骨等方面为进一步认识和研究石台子山城高句丽墓葬提供了详实的考古学资料。

简报分为：一、墓葬地理位置及分布情况，二、墓葬形制，三、随葬器物，四、结语，共四个部分。有手绘图。

据介绍，清理发掘的 6 座墓葬皆为封土石室墓。修筑方法是，先在山坡上平整墓圹，然后用略修整的楔形或不规则石块垒砌墓室，个别墓葬使用白灰。墓顶皆坍塌，形制不明。墓室四壁石砌较为规整，墓底多为山皮土或纯净黄土。墓葬平面呈长方形、铲形和刀形，其中长方形墓 2 座、铲形墓 2 座、刀形墓 2 座。没有发现葬具，单人葬数量只有 M1 和 M4 两座，其余 4 座均为多人葬，人数从 2～4 人不等。因被盗，此次发掘的 6 座墓葬出土各类随葬器物仅 10 件，其中陶器 3 件，均为陶罐；铁器 1 件，为马镫；石器 1 件，为石刀；铜器 5 件，其中耳坠饰 2 件、3 件耳环。

这批墓葬时代，简报推断为高句丽晚期，相当于中原南北朝时期。

132.沈阳市石台子高句丽山城 2002 年 III 区发掘简报

作　者：沈阳市文物考古研究所　李龙彬、苏鹏力、朱寒冰
出　处：《北方文物》2007 年第 3 期

石台子高句丽山城经过多年发掘，对城址的形状、城门位置及结构有了详细的了解，但是城内尤其是城内的生活居址的发掘和发现还比较薄弱，2002 年的发掘主要针对居址进行发掘。经过发掘，发现 1 处高句丽时期的石砌房址和数量较多的高句丽时期的遗物，为石台子山城考古发掘增添了新的资料。简报分为：一、地层堆积，二、遗迹，三、遗物，四、结语，共四个部分。有手绘图。

据介绍，发现房址 1 处。房为石筑，破坏严重，结构不详，也未找到门在何处。但发现有火坑、灶、烟道、隔梁、烟囱等。遗物有陶器及少量铁器、铜器、石器。简报认为该房址的年代应当属于高句丽中晚期，不早于隋代。这也和石台子高句丽山城在历年的发掘结果相同。这座房址的发现，为高句丽考古研究提供了新的资料。

大连市

133.辽宁大连营城子石板墓发掘简报

作　者：刘俊勇
出　处：《北方文物》2002 年第 2 期

石板墓位于辽宁大连市甘井子区营城子村南耕地中。1972 年春发现，同年 5 月进行了发掘。编号为 M721。墓中出土的陶楼已见于报导（见《文物》1982 年第 1 期），但墓葬的完整资料一直未发表。简报配以照片予以介绍。

据介绍，墓为石板构筑，三室。平面呈"品"字形，由墓道、前室和两后室组成，门西向。人骨已散乱，应为 2 男 1 女，未见葬具。随葬品共 28 件，除南后室五铢钱 1 枚和北后室铁镞 1 件外，其余均为陶制明器。该墓的时代，简报推断为魏晋之际。

鞍山市

抚顺市

本溪市

134.桓仁县考古调查发掘简报

作　者：陈大为

出　处：《考古》1960 年第 1 期

1956 年 4 月至 5 月中旬，考古人员在桓仁县浑江中游和富尔江下游的两岸进行了第一次考古调查工作。调查工作结束后，于 1958 年 10 月初前往桓仁县连江乡的连江、高力墓子村，进行墓葬的发掘工作，直至 5 月 3 日始全部结束。连同调查期间试掘的墓葬在内，共计清理土、石墓葬和大型积石墓 44 座，清出遗物 47 件。简报分为：一、调查情况，二、墓葬形制与随葬遗物，三、小结，共三个部分。有手绘图、照片。

简报指出，浑、富两江流域虽系崇山密林地区，但远在新石器时代人类分布得就很密，他们过着渔猎和种植农作物的原始生活。陶器不大发达，技术还很原始。建筑和墓葬没有大量遗存，表示生产力是较低的。出土的遗物有两孔石刀，这与辽、吉两省一般新石器时代工具是相同的；但始终没发现鼎、鬲一类的陶器，这又与他处有所不同。高力墓子屯已发掘的墓葬，根据出土的铁刀多为木把（环首只出一把），马具有衔无镫，陶器比较接近汉代作风等来看，简报初步估计当是高句丽中期即相当于南北朝初期的遗存。

135.辽宁本溪晋墓

作　者：辽宁省博物馆　沈白文

出　处：《考古》1984 年第 8 期

墓位于辽宁省本溪市东约 50 公里的小市镇内，现为本溪县政府所在地。1960 年 4 月，辽宁省冶金局勘探公司一〇四队因实施煤气灶工程发现此墓，考古人员前往调查，遗物全部收回，由本溪市文化局保存。简报分三个部分予以介绍，有照片。

据介绍，墓室石筑，平面呈丁字形，由主室、前廊和左右耳室三部分构成。墓室四壁均用大小不等的石块平砌。随葬品有陶器、金银饰品、铁器等。简报从各个方面可资断代的特征推断，此墓应比集安禹山 41 号墓要早，其时代不会晚于两晋。

简报称，墓内出土的长颈壶，器形比较殊异；用刀削修器底的做法也为过去所少见，有的壶上的碟式口造型别致，是值得注意的器形之一；个别陶壶腹部的网状纹饰以及某些鎏金饰件，均与辽宁西部山区鲜卑墓中经常出土的"暗纹"陶器和步摇饰件有些类似，这一了解鲜卑与高句丽在经济、文化和手工技艺等交往方面的新线索，无疑是值得重视的。

136.辽宁本溪县小市中心街高句丽墓

作　者：齐　俊、梁志龙

出　处：《北方文物》2001 年第 2 期

1960 年，在本溪县小市镇中心饭店地下及其附近，发现 2 座古代墓葬，由于客观条件限制，当时未作发掘。1986 年 4 月，该饭店进行改建，借此时机，考古人员对两座墓葬进行了正式发掘。简报配以手绘图予以介绍。

本次发掘的两座墓葬，编号分别为 M1 和 M2。M1 位于中心饭店地下，早年被盗，墓顶盗洞犹存。该墓由墓道、墓室和龛室组成，平面呈"凸"字形。木棺已朽，遗物有陶钵 1 件、铁棺环 4 件及铁棺钉等。M2 位于 M1 东南 20 余米处，系石室墓，无墓门、墓道，平面呈长方形，该墓保存较好。墓底铺两块平整的大石板，墓室四壁以块石层层压缝平砌，壁画垂直，西壁向上砌至 1.06 米处西折，砌出一平台。台长同墓宽，宽 38 厘米、高 44 厘米。墓顶平铺厚重石条和石板，其中西侧 1 块石板覆盖了墓口的二分之一。墓内仅见几块人骨，无木棺葬具及随葬品。2 座墓葬四壁均以块石叠筑，墓顶皆以板石平铺，墓口距地表深度大体相同。2 墓相距很近，形制虽异，但应属同期墓葬。应属高句丽时墓，大体相当于中原南北朝时期。

丹东市

锦州市

137.锦州北魏墓清理简报

作　者：刘　谦

出　处：《考古》1990 年第 5 期

自 1960 ~ 1986 年，在锦州地区先后发现了 4 座北朝时期的墓葬，其中 2 座经过清理发掘。简报分为：一、M1 墓葬形制，二、出土遗物，三、M2 墓葬形制，四、出土遗物，五、结语，共五个部分。有手绘图。

墓葬位于锦州东北 40 公里的靠山屯水库北侧（其地今属义县刘龙沟乡）。1960年 8 月 10 日在靠山屯村修建水库时发现此墓。当考古人员赶到现场时，墓已被破坏。为配合工程，做了抢救性清理。墓室为砖砌，平面呈方形，长 3 米、宽 2.6 米。墓室前有甬道，后有耳室。

据介绍，M1 的时代晚于后燕崔遹墓，简报推断应属北魏时期，M1 和 M2 墓葬形制基本相同，且 2 墓的随葬品中铁镜、铜魁和橄榄式陶壶共出，故当为同一时期的墓葬。从地望考察，锦州在北魏时期为营州所辖，《魏书·地形志上》载，锦州为北魏时期的营州昌黎郡广兴县。今墓葬以北 4 公里尚有营州刺史元景北魏太和二十三年（499 年）的造像石窟，凡此均为 2 墓同属北魏时期提供了佐证。

简报指出，墓主人（女性）作俯身葬，可能是北魏拓跋氏葬俗之一。墓葬中的随葬品多属汉文化中的常见器物，当视为拓跋人汉化的结果。

138.锦州前燕李廆墓清理简报

作　者：辛　发、鲁宝林、吴　鹏
出　处：《文物》1995 年第 6 期

1992 年 11 月，锦州海锦大厦施工工地发现古墓 1 座，考古人员对该墓进行了抢救性清理。尔后，对周围进行了细致的考察，又发现同期墓葬 1 座。按其发现次序，编号为 M1、M2。简报分为：一、墓葬概况，二、出土遗物，三、几点认识，共三个部分。有照片、拓片、手绘图。

据介绍，两座墓位于锦州市凌河区解放路与云飞街交叉路口的东南部，北距解放路约 60 米，与市人大办公楼隔路相望，西距云飞街约 150 米。两墓均为砖筑长方形券顶单室墓。M1 墓室内葬具已朽，仅见棺钉。骨架无存，葬式不明。随葬品大部分置于墓室东侧，出土各类器物 40 余件，由南至北依次为砖墓表、铜镜、铜甑、铜釜、陶壶、铜魁、五铢钱、货泉、陶壶、陶钵、铁多枝灯架、陶灯盏。M2 在 M1 西侧，相距 11 米。墓早期被破坏，根据遗迹现象及用砖规格、质地、纹饰等，可知与 M1 当属同期墓葬。经认真清理，出土有银钗、银环。据 M1 所出砖墓表，知墓主叫李廆，下葬时间为"永昌三年"。此年东晋已改元，实应为太宁二年（324 年），但前燕地区尚不知东晋已改元，仍用"永昌"年号。

李廆其人，史书不载。从李廆的姓氏，知其应为汉族人，就墓葬的形制和随葬品看，简报认为李廆也非一般平民，很可能是在这一背景下，自蓟县迁居辽西投奔前燕慕容麂，死后又葬于此地的。

简报又指出，我国汉字的书体，自秦汉以来盛行隶书。三国西晋之际，正处于隶书向楷书、行书转化的过程。到东晋时，楷、行、草书已日渐成熟，并成为通行书体。李麂葬于东晋初年，其墓表文字也正体现了这一时期的书法特点。墓表文字遒劲流畅、端庄秀美，虽已属楷书范畴，但笔体中还没完全摆脱隶书余味，因此李麂墓表文字是具有特殊意义的书法珍品。

简报最后强调，李麂等 2 墓，是辽西地区首次发现的有准确纪年的前燕墓葬，墓葬的形制和所出土的陶器、多枝灯、铜魁、铜镜、货币等与中原乃至江南地区的两晋遗物相似，特别是李麂墓表和江南一带屡次发现的东晋时期的砖志、纪年铭所体现的风格和形式一致，说明前燕在物质文化上深受东晋的影响并与之保持着亲密关系。

139.辽宁锦州市前山十六国时期墓葬的清理

作　者：锦州市文物考古队　鲁宝林、辛　发
出　处：《考古》1998 年第 1 期

1992 年 8 月，锦州市太和区新民乡前山村农民在修建蔬菜大棚工程中发现古墓葬 1 座。锦州市文物考古队得知报告后，即赴现场对该墓进行清理。相关清理情况，简报配以手绘图予以介绍。

据介绍，墓葬为砖筑券顶单室墓，该墓由墓道、墓门、甬道、墓室组成，墓内葬具已朽，仅见棺钉，骨架已被破坏，葬式不明。随葬品共发现陶器 16 件、青瓷器 1 件。简报推断，此墓应是东晋时期墓葬，而当时的辽西地区正处于慕容鲜卑所建立的前燕统治区域，故该墓当为前燕墓葬。

简报称，就出土遗物看，陶俑、陶马及果盒均是在这一地区首次发现。它为研究这一时期的历史提供了可靠的实物资料。

营口市

阜新市

辽阳市

140.辽阳上王家村晋代壁画墓清理简报

作　者：李庆发
出　处：《文物》1959 年第 7 期

1957 年 9 月间，辽阳上王家村农业社在田园中掘菜窖时，发现壁画墓 1 座，墓在辽阳市北郊约 5 公里，南距棒台子约 0.5 公里，东南隔长大铁路距三道壕约 4 公里。1958 年 5 月，考古人员进行了清理。简报分为：一、墓室结构，二、葬具和遗物，三、壁画，共三个部分。有拓片、照片和手绘图。

据介绍，墓室全是用浅青色的南芬页岩石板支筑，平面呈"丁"字形。两室内各置一木棺，已腐朽，仅存棺钉 50 余枚。人骨架仅存少许头骨及骨屑，仰面伸直葬式，右棺为男，左棺为女。随葬品很少，男棺出土铁镜 1 面，扁平纽；女棺内也出土铁镜 1 面，灰陶盘 2 件，一盘底划一"徐"字，钱币 70 枚，大都铸造粗劣，厚薄不一，字体不清。在棺室前柱石及左右两小室的壁上，有朱、墨、黄、白等色绘的壁画，颜色以朱为主，轮廓用墨勾勒，构图简单，线条粗豪，不同于汉魏风格。简报推断，该墓的年代不能早于西晋，也不能晚于东晋。

141.辽阳发现三座壁画墓

作　者：辽阳市文物管理所　邹宝库
出　处：《考古》1980 年第 1 期

辽阳壁画墓，早在 1949 年前就有发现，多数被盗掘或破坏。1949 年后，在辽阳市郊先后又发现 10 座，已列为第一批全国重点文物保护单位之一。简报分为：一、三道壕 3 号墓，二、鹅房 1 号墓，三、北园 2 号墓，共三个部分，先行介绍在辽阳市郊三道壕、鹅房、北园等地发现的三座壁画墓，有手绘图等。

据介绍，三道壕 3 号墓在辽阳市北郊五里的太子河公社三道壕村后。这座墓是 1974 年 8 月间，三道壕生产队在整修菜田时，墓室漏水发现的。曾被盗，室内有两架人骨。壁画有饮食图、牵马图、楼阁图、家居图等。随葬品有铜耳杯、灰陶器等 8 件。鹅房 1 号墓在辽阳市东南郊太子河公社兴隆大队鹅房村南。于 1975 年 11 月发现，有持经图、宴饮图等。北园 2 号墓于 1959 年 11 月发现，随葬品未作正式清理，仅存 1 方陶榻、1 只金耳环。

简报称，这 3 座墓，从墓室用材和营造方法上看，可以说是完全一致，与辽阳早已发现的汉魏晋时期壁画墓进行比较，根据壁画人物衣冠制度和出土的器物形制判定，鹅房墓的时代大致和有汉字样的北园 1 号墓接近，即东汉时期，其余两墓和邻近有魏字样的令支令墓时代相近，即魏晋时期。

142.辽宁辽阳南环街壁画墓

作　者：辽宁省文物考古研究所　李新全
出　处：《北方文物》1998 年第 3 期

1995 年 8 月，辽阳中外合资东联房地产开发公司在市东南郊南环街北修建香港花园时发现 1 座石板墓。考古人员自 8 月 25 日开始清理，至 8 月 30 日结束。简报分为：一、墓葬位置，二、墓葬形制、结构，三、墓内壁画，四、随葬品，五、小结，共五个部分。有手绘图、拓片。

据介绍，墓葬位于辽阳市宏伟区曙光村南 1 公里，文圣路东、南环街北 100 米处的香港花园 1 号楼工地东端。墓用淡青色石板支筑而成，平面呈"凸"字形。由墓门、前廊、左右耳室、棺室组成。墓早年被盗，墓内有人骨架 3 具，葬式不详，性别、年龄未鉴定。随葬品散布于前廊、耳室、棺室内，显然已非原来位置。计有：陶器 13 件、石盖器 1 件、银顶针 1 件、铜钱 88 枚。另外，在前廊左侧发现残漆耳杯的痕迹。该墓内有壁画，保存不好，尚可辨认的画面有红日、三足鸟、居家图、云气图等。

该墓时代，简报推断为魏至西晋之际。墓主人应与魏晋时县令一级官员相当。

盘锦市

铁岭市

朝阳市

143.辽宁北票房身村晋墓发掘简报

作　者：陈大为

出　处：《考古》1960 年第 1 期

房身村位于北票县城西南 35 公里，属徐四花营子乡，西距朝阳县界约 10 ~ 15 公里。1956 年秋，居民掘坑造肥时露出了不少石块和大量木炭，因而发现此墓。1957 年 4 月 25 日，考古人员进行了清理工作。此次共发现 3 座墓，2 大 1 小。墓室都是石筑单室，大部塌毁。清理时由南向北，编为一、二、三号。简报分为：一号墓，二号墓，三号墓，共三个部分。有拓片、照片、手绘图。

简报介绍，这 3 座墓葬距离较近，埋藏深度也一致，墓室均为石板砌筑，尤其是第一、二号两墓，墓室相邻，方向一致，结构相同，当有密切关系。从一号墓中的铜镜和二号墓中金质装饰品的特点，以及从三号墓中的铜钱和陶器来看，其时代十分一致，3 墓应属同一时期。结合墓地的地史沿革，简报推断可能是晋代鲜卑贵族的墓葬。

随葬的花树状金饰、透雕龙凤金饰和花蔓状金饰，制法与高句丽族的金饰品相类似。简报推测可能就是鲜卑族慕容部人的"步摇冠"或吐谷浑部人的"金花冠"之类的冠饰。

简报称，这批出土资料，在我国东北地区还是初次发现。它们的出土，为研究我国北方古代民族的物质文化和民族间的文化交流方面，提供了新资料。

144.辽宁北票县西官营子北燕冯素弗墓

作　者：黎瑶渤

出　处：《文物》1973 年第 3 期

1965 年 9 月，北票县西官营子发现了 2 座石椁墓，考古人员于 9 月至 11 月进行了清理。经考证，这是十六国时期北燕官僚贵族冯素弗及其妻属的墓葬。简报分为：一、周边环境和墓群情况，二、第一号墓，三、第二号墓，四、关于冯素弗及其墓地问题，五、关于葬制和文物的几点考察，共五个部分。有照片。

据介绍，西官营子位于北票县西北 21 公里，南距朝阳（朝阳即北燕都城龙城，又称昌黎）35 余公里。村东有一个自北而南的山岗叫将军山（今讹作姜家山），村西有一条西官营子河，东南流经北票，注入大凌河。墓地在将军山东麓的台地边缘，这里是一处石椁墓群。第一号墓发现后，在寻找圹边时又发现了第二号墓。两墓紧接，圹边最近处只距 20 厘米，原应共在一个坟封之内。另在 2 墓东北 40 余米处试掘，还发现了第 3 座石椁墓的残迹。

简报认为，一号墓墓主是十六国时期北燕天王冯跋之弟，立国时的二号人物。《晋书·冯跋载记》中有他的记载。出土遗物 470 余件，人骨已不存。二号墓曾被盗，人骨为女性，或为冯素弗之妻。出土遗物中，一号墓的彩绘木棺、金冠饰、铁甲衣、马蹬、缠有银丝的箭杆、文房墨砚、玻璃碗等值得注意。二号墓有狗骨 2 具，十分少见，或为宠物。

145.辽宁朝阳发现十六国时期后燕崔遹墓碑

作　者：李宇峰
出　处：《文物》1981 年第 4 期

1979 年 8 月上旬，辽宁省朝阳县十二台公社四家子大队第四生产队农民在平整场院时，于地表下深约 1.5 米处，发现 1 块石质墓碑。绿色砂岩刻制，碑石侵蚀较重。碑面阴刻"燕建兴十年昌黎太守清河武城崔遹"3 行 15 字。每字方 5 厘米左右。简报配以照片予以介绍。

简报介绍，石碑出土于村北的一个小山的南坡，置墓前。建兴系十六国时期后燕慕容垂年号，建兴十年为公元 395 年。昌黎系后燕所建郡之一。昌黎之名始见于东汉，西汉辽西郡所辖有交黎县，东汉改名昌黎，属辽东。崔遹墓碑出土地点在朝阳西南 5 公里，这是朝阳为后燕时昌黎郡治的可靠文字证明。

简报称，据碑文，崔遹曾为后燕昌黎郡太守。关于崔遹家世，《崔逞传》记载较详，上自远祖魏中尉崔琰，下至七世子孙，都有记载。碑中所记崔遹的官职亦可与史籍记载互为印证，简报推知，崔遹先为慕容垂尚书左丞，后为范阳太守，最后任昌黎太守，于建兴十年（395 年）死于任内。

146.辽宁朝阳后燕崔遹墓的发现

作　者：陈大为、李宇峰
出　处：《考古》1982 年第 3 期

1979 年 6 月，朝阳县十二台公社四家子大队姚金沟小队农民在场院内平地时，于地表下深 30～40 厘米处，发现 2 块埋于土中的石刻墓表，1 块阴刻"燕建兴十年昌黎太守清河武城崔遹"3 行 15 字，另 1 块阴刻"燕建兴十年昌黎太守清河东武城崔遹"3 行 16 字。考古人员两次前往现场调查。据说这 2 块石刻从土中露出时，有字的一面向内相合，无字的一面则向外。后经钻探，了解到在墓表出土地点下深约 1.72 米处有一石砌古墓，遂于 1980 年 9 月进行发掘清理。简报分为：一、墓葬概况，二、出土遗物，三、墓表考释，四、小结，共四个部分。有拓片等。

据介绍，崔遹墓位于朝阳镇南 6 公里的姚金沟村坡上。东面近山，西侧临河，南、北两面都是农田坡地。墓为土圹石椁，有无封土已不详。出土遗物仅 20 余件，有陶器、铜魁、弩机、铁镜、货币等。出土有墓志，未录志文全文，由墓志知墓主为后燕昌黎太守崔遹。此人人名《北史》《魏书》记载不一，墓志的出土，证实《北史》的记载是正确的。崔遹一生仕于后燕慕容垂，先后任尚书左丞、范阳太守和昌黎太守三个官职。据墓表推断，他可能先任尚书左丞或范阳太守，最后死在昌黎太守任上。

147.朝阳袁台子东晋壁画墓

作　者：辽宁省博物馆文物队、朝阳地区博物馆文物队、朝阳县文化馆　李庆发
出　处：《文物》1984 年第 6 期

1982 年 10 月，辽宁省朝阳县十二台营子公社袁台子大队村民魏洪喜在宅院内挖菜窖时，发现 1 座古墓。确认是 1 座东晋石椁壁画墓（编号为 M1），考古人员于同年 11 月初开始发掘，当月底结束。简报分为：一、地理位置，二、墓室结构，三、葬式与遗址，四、壁画，五、结语，共五个部分。有手绘图等。

据介绍，袁台子村位于朝阳市市区南 12 公里处，汉辽西郡柳城县遗址，就在袁台子村北 1 公里处。该墓由墓道、墓门、耳室、壁龛组成。墓顶距地表 1.8 米，全部由绿砂岩石板、石条构筑。葬具已朽，仅见人牙、肋骨，死者性别已无从辨认。早年曾被盗，仅出土陶器 13 件，瓷器、漆器、铜器、铁器、玛瑙杯、银带扣等共 50 余件遗物，其中比较珍贵的是 1 整套马具。墓室内有壁画，系在墓室内的石壁表面，涂以 1 层黄草泥，泥外又抹 1 层白灰。在白灰表面，以红、黄、绿、赭、黑等色绘制壁画。主要内容有门吏、主人像和出猎、宅第、庖厨、奉食、宴饮、牛耕、四神、日月星云等图像。除部分画面因白灰脱落残损或失色外，大部画面清晰。

该墓的年代，简报推定当在东晋的 4 世纪初至中叶。

148.北魏刘贤墓志

作　者：曹　汛

出　处：《考古》1984 年第 7 期

1965 年 9 月，朝阳城北西上台大队院内发现一砖室墓。同年 10 月 15 日至 19 日，辽宁省博物馆派人进行了清理。该墓墓室平面前丰后弇，略呈舟形。内置木棺一具，已朽。墓早期被盗，完整遗物仅存一带有鳌座的石制碑形墓志。墓志碑原植立棺前，鳌座尚存原地，但上立的碑身已翻倒在地。简报配以照片予以介绍。

据介绍，墓志碑全高 103 厘米，碑身宽 30.4 厘米，厚 12 厘米。阴阳两面的图案花纹则剔地隐起。阳面天宫题"刘成主之墓志"3 行 6 字，字体近篆，兼具隶意。阴面天宫隐起双鸾。碑文隶书，正文共 165 字，加上题名总共 194 字，简报录有志文全文。

简报称，据志文，知墓主为北魏营州临泉成主刘贤，是品位不高的下级地方官吏，卒年 64 岁，但志文更无明确纪年。由于志文中有"魏太武皇帝开定中原，并有秦陇，移秦大姓，散入燕齐"等语，而太武帝拓跋焘死于正平二年（452 年），死后尊谥"太武皇帝"，因知刘贤墓志制成时间必在承平元年（452 年）三月以后。冀阳郡于太平真君八年（447 年）撤销，以后刘贤改任成主，未及推迁就死去了，这段时间也不会太久。再结合墓室形制、墓志形制之尚存晋风等情况加以综合判断，简报推断刘贤很可能死在北魏文成帝拓跋濬在位期间，即公元 452 ～ 465 年之间。如所推无误，则刘贤墓志应是北魏前期的遗物，迄今各地所出北魏诸志，以它为最早，因此是极为难得的，很值得重视。刘贤虽是鲜卑别部的一个成员，但从他的葬制、葬具和墓志，直到墓志的行文和书法，都已和中原汉族人士没有什么区别。这个事实展示出民族之间风俗文化上的交流、融合，也揭示了鲜卑习俗和文化的一个方面。

149.辽宁朝阳发现北燕、北魏墓

作　者：朝阳地区博物馆、朝阳县文化馆　徐　基、孙国平

出　处：《考古》1985 年第 10 期

1973 年 3 月至 1978 年 9 月，考古人员配合基建施工，在朝阳市及其附近，先后清理了石室墓 4 座、砖室墓 2 座。简报分为：一、北燕石室墓，二、北魏砖室墓，三、几点认识，共三个部分。有照片。

据介绍，石室墓 4 座，都是在长方形土圹内砌成的石椁（室）墓，椁室平面多呈长方梯形，前宽后窄。4 座墓中，只有八宝村 1 号墓保存完整，其余 3 墓均遭不同

程度的破坏。出土遗物，主要为陶质生活用具和漆器（见附表"北燕墓葬登记表"）。北庙1号墓和大平房1号墓为壁画墓。这四座墓所提供的资料，为研究我国北方古代少数民族地区的生产和生活方式，以及他们同汉民族的关系，提供了极为重要的资料；同时，也为我国绘画史的研究增添了新的材料。简报推断，四座石椁墓的年代，同属于十六国晚期的北燕；两座砖室墓是晚于前述十六国后期的石椁墓的北魏墓葬。

150.辽宁朝阳两晋十六国时期墓葬清理简报

作　者：李宇峰

出　处：《北方文物》1986年第3期

1979年夏，考古人员在朝阳县进行考古调查时，先后在十二台、单家店、南双店等地清理了年代相当于两晋十六国时期的墓葬9座。较为重要的六座，简报分为：一、十二台乡砖厂附近的三座墓，二、单家庙乡的五座墓，三、小结，共三个部分。有手绘图、拓片。

据介绍，单家店乡发现的墓群应为1处鲜卑族墓地。十二台乡砖厂附近的三座墓陶器风格与之迥然不同。简报推测，从其中3号墓出土的釉陶双系罐及铜镜的造型分析，3号墓的年代可能稍早一些。2号或4号墓出土陶器多呈盘形口，年代可能较晚。特别是4号墓出土的陶壶比较特殊。灰陶瓮与内蒙古石子湾北魏古城出土的陶瓮口沿相同。据此可以认为4号墓的时代可能晚到北魏。

151.辽阳市三道壕西晋墓清理简报

作　者：辽阳博物馆　邹宝库

出　处：《考古》1990年第4期

1983年5月，辽阳市文物管理所在发掘市北郊三道壕村北窑场古墓群时，发现1座有明确纪年的西晋墓，一并进行了清理。清理后将此墓做了封土保护，现为市级文物保护单位。

墓在辽阳市太子河区太子河乡三道壕村北约500米的窑场取土区。东南为1955年发掘的三道壕西汉村落遗址，附近又是汉魏时期的墓葬区，该墓在墓区的中心。简报分为：一、墓室结构，二、葬式及随葬器物，三、墓壁书刻的文字和图像，四、结语，共四个部分。有手绘图、石刻图像、文字摹本。

据介绍，墓室平面呈"工"字形。由棺室、前后廊、耳室组成。随葬器物共14件。辽阳地区虽发现过随葬"永元十七年"铭文（《东北文物工作队一九五四年工作简报》，

《文物参考资料》1955 年第 3 期）陶案和"太康二年"铭文（《辽阳三道壕发现的晋代墓葬》，《文物参考资料》1955 年第 11 期）瓦当的汉、晋墓葬，但刻划在墓室石壁上的纪年墓，简报认为还是第一次，而且文字之多、内容之丰富以及多幅图像，均超过已往，实属难得的新发现。

简报指出，墓壁刻文虽属信于书刻的，不太规范，是建墓石工用尖状器刻划的手迹，但这批文字材料不仅是研究晋代书法不可多得的真迹，也是墓葬断代的重要依据。墓壁几处刻太康不同纪年，有两个含意：一记入墓年月，二记建墓时间。太康七年（286 年）八月最早，当是此墓建造时间。太康九年（288 年）当是某死者入葬时间。太康十年（289 年）十月七日最晚，应该是封闭墓葬的年月。从分刻不同棺室，似乎又都是记入葬时间，每入葬一个尸体，就记一次。太康为西晋武帝司马炎的年号。襄平是辽阳初名，最早见铸于战国燕币"襄平布"上，这里的西晋墓石壁上又出现"襄平"一名。简报称，它的发现，不仅可以看出其地名的起止时间，还再次证明汉襄平城的位置确在今辽阳老城区。

152.辽宁北票仓粮窖鲜卑墓

作　者：孙国平、李　智
出　处：《文物》1994 年第 11 期

1994 年 4 月，北票市大板镇八代村仓粮窖屯一村民在自家院内，发现 1 座古墓，并将墓中出土遗物送至鞍山市博物馆鉴定。考古人员前往发现地点进行了调查。简报分为：一、地理环境与相关发现，二、出土遗物，三、结语，共三个部分。有照片、手绘图。

据介绍，墓地位于仓粮窖屯的北缘山坡上。村庄东侧是起伏的丘陵。调查时，墓坑中残存小腿骨 2 段，于腿骨右侧出土陶罐 1 件。根据残存墓坑痕迹可知，此墓为长方形竖穴土坑墓。葬具与葬式不明。根据发现者介绍，墓中保存有完整人骨架 1 具，头西脚东，随葬遗物置于头顶和肋骨一侧。计有陶器等计 34 件。简报推断该墓的年代为前燕初期或略早，墓主人应为慕容鲜卑族。

153.朝阳前燕奉车都尉墓

作　者：田立坤
出　处：《文物》1994 年第 11 期

1984 年春，辽宁省朝阳县（今属朝阳市龙城区）他拉皋乡菠榛沟村一农民在自家院内挖土时发现1座石椁墓,当时墓盖就被打开,墓内淤土及文物等也一并被清出。朝阳地区博物馆(现朝阳市博物馆)收到送交的文物后,马上派人前去进行重新清理。据介绍,前几年在此墓的南北两侧10余米处各发现1座用石头垒砌的石墓,并出有"小口大肚子泥罐"。据此可知,此处当是1处墓地。简报配以照片予以介绍。

据介绍,菠榛沟村位于朝阳市(十六国时称龙城,曾是前燕、后燕、北燕三个王朝的都城)以北约6公里的铧子尖山南麓。以不规整的砂岩石块垒砌墓室,顶部用数块大石块封盖,墓底亦铺一层扁平的石块。没有墓道、墓门。墓顶前端距现地表1.5米。出土有奉车都尉银印、铜带扣、铜镂孔带具、银钗状饰件等随葬品。

此墓的年代,简报推断为前燕。

简报称,据《晋书·慕容儁载记》,当时的奉车都尉已经成为赏赐的一种荣誉衔了。朝阳发现的奉车都尉墓不仅随葬雕凿精致的实用官印,而且还有属鲜卑上层人物使用的鎏金镂孔铜带具等,墓主人地位绝非一般。所以,简报进一步推测其年代当在东晋升平三年(359年)前后,不会相去太远。

简报说,古时职官不得以官印随葬,文献记载前燕时也是罢职后要上交印绶的。如大司马慕容恪、太傅慕容评向慕容暐请求逊位还第时,就同时上交章绶。此墓有实用官印随葬,是因为前燕草创,制度未臻完备,还是另有他故,尚不可知。

154.辽宁朝阳袁台子北燕墓

作　者:璞　古

出　处:《文物》1994年第11期

1980年3月,朝阳县十二台乡袁台子村一村民在自家院中打井时,发现1座古墓。县文化局闻讯后即派考古人员前往调查并进行了清理。简报分为:一、地理环境,二、墓葬形制,三、出土遗物,四、结语,共四个部分。

据介绍,袁台子村位于朝阳市南侧12.5公里处的大凌河南岸台地上,西距十二台乡约1公里,朝阳至喀左的公路由村北通过,村东北0.8公里处有汉代柳城遗址,村东1公里是当地有名的柳城墓葬区"王坟山"。此墓位于袁台子村的中心部位。墓为石筑,该墓由墓道、甬道、墓室三部分组成。墓室以青砂岩石和石灰岩石块相结合砌成。顶盖石板,两壁和后壁砌出耳室或壁龛。墓内出土有陶器9件、陶罐8件、残器1件、铜魁1件、铜带卡4件及铁棺钉等。

简报推断,此墓年代为西晋末年至东晋初年。

155.辽宁省喀左县博物馆收藏的几件北魏耘锄

作　　者：辽宁省喀左县博物馆　柴贵民、刘雅婷

出　　处：《农业考古》1996 年第 1 期

1991 年辽宁省喀左县大城子乡红石村村民张国才在刨地时，发现了几件完整无损的铁耘锄，这是古代农民在田间管理时用以耘地、松土的农具。喀左县博物馆过去也收集了几件同类的农具，现一并介绍。

据介绍，计有 3 处出土 4 件。

一为喀左县草场乡千杖子村小汤出土，1 件。

二为喀左县南公营子镇魏杖子村出土，2 件。

三为喀左县大城子乡红石村出土，1 件。出土时锄板和器身组为一体。此外有一锄板，可以安置在几个耘锄的钳口中。

以上 4 件耘锄和 1 件锄板，均在辽宁省喀左县境内出土。与其伴出的器物如铁釜、三足铁釜鼎、三足铁锅，都是北魏时期的铁器，耘锄正面的兽面纹也是北魏比较盛行的纹饰。因此可以判断这些耘锄的年代应属北魏时期。

156.辽宁朝阳田草沟晋墓

作　　者：辽宁省文物考古研究所、朝阳市博物馆、朝阳县文物管理所　王成生、
　　　　　万　欣、张洪波

出　　处：《文物》1997 年第 11 期

田草沟墓地位于朝阳市南 26 公里，隶属朝阳县西营子乡仇家店村田草沟自然屯。1989 年 3 月，一村民在该屯东 1.5 公里的漫坡处整地时发现石室墓 1 座。考古人员前往调查，并进行了发掘，共清理墓葬 2 座。其中村民发现的为 M1，大部分随葬品已被掘出并遭破坏。M2 是在清理 M1 时打探沟发现的，保存完好。墓地地势西高东低，西缘与近代墓地毗连，东侧附近为一条季河，南、北两面皆为平缓起伏的山坡地。简报分为：一、墓葬形制，二、随葬器物，三、结语，共三个部分。有彩照。

据介绍，两墓南北并列，间距 6.4 米。形制基本相同，均为石筑长方形单室墓。出土金银器、铁器、陶器、石饰件、牛骨、步摇冠饰、五铢钱等。田草沟墓的相对年代，简报推断为 3 世纪晚期至 4 世纪前叶。

简报称，两墓共出步摇冠饰 3 件，是北方魏晋考古的又一重要收获，是研究慕容鲜卑早期文化的宝贵实物资料。田草沟晋墓陶器的发现，无疑为鲜卑族陶器发展演变序列的探讨提供了新线索。

157.朝阳十二台乡砖厂 88M1 发掘简报

作　者：辽宁省文物考古研究所、朝阳市博物馆　张克举、田立坤、孙国平
出　处：《文物》1997 年第 11 期

朝阳十二台营子位于大凌河中游东岸台地上，北距朝阳市 12 公里。1979 年文物普查时在所属的袁台子村与腰尔营子村之间的大凌河东岸发现了大规模的战国到汉代遗址和烧制印有"柳城"2 字篆书板瓦的窑址，在遗址东侧俗称王子坟山的缓坡地上发现有大批的春秋到魏晋时期的墓葬。经考证确认，袁台子村北遗址为西汉辽西郡属县柳城遗址。1979 年辽宁省博物馆文物工作队曾对柳城遗址和王子坟山墓地进行过发掘，此后，由于砖厂取土，经常发生破坏古墓的情况，为防止古墓继续被破坏，辽宁省文物考古研究所和朝阳市博物馆于 1957、1988、1990 年对砖厂取土场进行了勘探发掘。这里发表的 88M1 是 1988 年 5 月砖厂取土过程中发现的，因出土遗物丰富，学术价值较高，故单独发表，其他资料另文发表。简报分为：一、墓葬形制，二、随葬品，三、结语，共三个部分。有彩照。

据介绍，十二台乡砖厂 88M1 用不规则绿砂岩石块砌筑而成。墓圹呈梯形，南道前面有斜坡墓道。墓圹开口在耕土下，是否有封土已不可知。墓室平面为梯形。88M1 共出土金器、银器、铜器、铁器、陶器、石器、漆器、骨器等 300 件（套）。简报推断此墓时代为前燕，墓主人很可能是前燕政权中慕容鲜卑的上层人物。

简报称，88M1 出土的铜鎏金马具是继孝民屯发现的前燕马具之后又一套完整的资料，而共出的甲骑具装实物则是国内首次发现，填补了关于重装骑兵考古资料的空白，不仅对研究三燕文化及马具、甲骑具装的产生与发展有重要学术价值，而且也进一步证明辽西三燕文化通过高句丽对朝鲜半岛和日本列岛的古坟文化曾产生过重大影响。铁包银方环形带扣出土位置明确，并附有铐环，为人束腰所用无疑，是目前所见这类带扣取代带钩的较早实例。

158.朝阳三合成出土的前燕文物

作　者：朝阳市博物馆　于俊玉
出　处：《文物》1997 年第 11 期

1995 年春，辽宁省朝阳县七道岭乡三合成村一农民在村西断崖取土时发现 1 座古墓，遂将墓内遗物清出，并将部分出土遗物（铜鎏金马具）出售给了收废品者。是年 7 月初，朝阳市博物馆发现了这些遗物，并予以征集。7 月 18 日，又派人对发现地点进行了调查，查到了当事人，并从其家中获得了部分遗物（陶器、铁器）。

调查结果简报配以照片予以介绍。

简报介绍，三合成位于朝阳市东南约 25 公里的七道岭乡西约 1.5 公里处。周围群山环绕，村西有一自北而南流的时令河，河西为一小山坡，因受河水侵蚀，形成了深约 4 米的断崖。据原发现人介绍，古墓即发现于断崖上，墓距地表深约 1.5 米，南北向，人骨已朽，遗物出于墓内。现场观察，墓葬形制已不清楚，也未见有其他建筑材料，只是在地表上还存有一些零星的遗物碎片。从发现的铁棺环、棺钉判断，该墓应为竖穴土坑木棺墓。出土遗物有马具、陶器、铁器，共 99 件。三合成墓的时代，简报推断为前燕时期。

159.北票新发现的三燕马具

作　　者：辽宁省文物考古研究所　陈　山
出　　处：《文物》2003 年第 3 期

1996 年陈山先生在辽宁省北票市南八家乡四家板村调查时，从村民手中征集到 2 件铜鎏金马鞍翼形片，随后又据村民提供的线索在木匠沟村征集到与之一同出土的铜鎏金马鞍桥包片和铜鎏金寄生残片，并调查了出土地点。经了解，这几件遗物是 1993 年当地修梯田时推土机推出来的。据当事人介绍，同时推出的有较大石块，估计应是封石墓。墓地位于南八家乡四家板村西东西向山坡上，山坡下即为大凌河谷地，其东有条现代冲积沟，沟东即为 1996 年获全国十大考古发现之一的北票喇嘛洞鲜卑贵族墓地。估计此处也应是喇嘛洞鲜卑贵族墓的一部分。简报配以彩照等予以介绍。

据介绍，这批遗物出土地点明确，简报推断年代为 4 世纪中叶至 5 世纪前叶，即西晋十六国时期，应为前燕、后燕、北燕所谓"三燕"的遗物。

160.辽宁北票喇嘛洞墓地 1998 年发掘报告

作　　者：辽宁省文物考古研究所、朝阳市博物馆、北票市文物管理所　万　欣等
出　　处：《考古学报》2004 年第 2 期

位于辽西丘陵地区大凌河谷地附近的喇嘛洞墓地，是我国北方地区迄今所见最大的 1 处以三燕文化墓葬为主的大型墓地。1996 年被评为全国十大考古发现之一。该墓地属北票市南八家子乡四家板村喇嘛洞村民组，其北距北票市 15 公里。共有 382 座墓（包括 1997 年度发掘的 21 座）。该墓地自 1992 年秋开始勘探，1993 年秋进行了第一次试掘。此后，1995 ～ 1997 年连续进行了三次范围有限的钻探和发掘，共发掘墓葬 66 座。1998 年 5 月上旬至 11 月中旬，进行了一次历时最长、规模最大的正

式发掘，即第五次发掘。前后共发掘墓葬 361 座（编号 98BL II M22～M382）。此外，又在沟东（I 区）新发现 8 座墓葬（编号 98BLIM46～M53）。在所发掘 369 座墓葬中计有三燕文化墓葬 355 座，青铜时代墓葬 12 座，清代墓葬 2 座。出土陶器、铁器、铜器、金银器、骨器等共 3670 件（副、套）。在对该年度所发掘的三燕文化墓葬资料进行初步整理的过程中，对沟西墓地的 16 座较重要或具一定代表性的墓葬进行了重点整理。简报分为：一、地理位置、墓群分布和发掘经过，二、墓葬形制，三、随葬器物，四、结语。共四个部分，先行介绍这 16 座墓葬的资料，有彩照、手绘图。

据介绍，16 座墓共出土随葬器物 432 件（套）。简报认为这 16 座墓葬应属两晋时期慕容鲜卑文化的范畴。确切些说，应是汉化程度较深且可能吸收了夫余等族的某些文化因素的，以慕容鲜卑文化成分为主的前燕及前燕以前不久的墓葬，其相对年代约当公元 3 世纪末至 4 世纪中叶，亦即慕容廆率部回迁至大凌河流域（289 年）以后至慕容皝建立的前燕时期（337～370 年）的遗存。对随葬品中的鞍桥包片与镫、四铃环、带具、鹿首形饰、环首器等，简报认为尤其重要，予以专门介绍。简报还提及 432 件出土器物中，铁器竟占到 42%，比例之大，值得注意。这表明前燕铁器使用已相当普遍，这是前燕在十六国时期能够迅速崛起、称雄北方的一个重要因素。

161.朝阳发现的北燕墓

作　者：蔡　强

出　处：《北方文物》2007 年第 3 期

简报配以手绘图，介绍了朝阳市发现的两处北燕墓。

据介绍，朝阳重型机器厂北燕墓位于朝阳市重型机器厂院内第四车间东门东部约 40 米处，为竖穴土坑墓。葬具为木棺，尸骨保存不好，只能辨认出为仰身直肢男性。棺底部等有木炭。随葬品除陶碗外，皆置于棺内。棺内遗物计陶罐 3 件、小铁刀 1 把、指环 1 枚，同时出土铁棺钉数枚。肖家村"玫瑰家园"住宅小区北燕墓，位于朝阳老城区南 1.5 公里，珠江东路南，北距珠江东路 40 米，西距珠江广场约 600 米，为竖穴土坑墓。葬具为木棺，尸骨保存不好，从所存遗骨仍可看出葬式为仰身直肢，头向西，墓主为一男性。随葬品皆置于棺内。遗物计斜口陶壶 1 件、铜釜 1 件、铁环 1 件、箭壶 1 件、铲形箭镞若干、铁刀 1 把、小口陶罐 1 件、铲形铁件 1 件等。简报认为，两墓均为十六国时期北燕遗存，墓主人应为鲜卑人或鲜卑化汉人。

葫芦岛市

吉林省

长春市

吉林市

162.吉林市龙潭山高句丽山城及其附近卫城调查报告

作　者：董学增

出　处：《北方文物》1986年第4期

1962年夏秋之际，考古人员对吉林省级重点文物保护单位龙潭山高句丽山城遗迹进行了调查。1973年和1982年，对龙潭山山城进行了复查，同时调查了附近的三道岭子山城和东团山山城，纠正了过去记载的错误和缺漏，并有新的发现和认识。

简报分为：一、龙潭山地理环境，二、龙潭山山城的形制，三、龙潭山山城内的建筑，四、龙潭山山城内的遗物，五、东团山山城和三道岭子山城，六、几点粗浅的认识，共六个部分。

据介绍，龙潭山山城及附近2个卫城，都建筑在地理形势比较险要的水陆通街之处，三道岭子山城和东团山山城分别扼守松花江两岸，与龙潭山呈椅角之势，这样既可控制陆地上的来犯之敌，又可防御水面上进犯的敌船，简报认为所选择的建城地址是经过精心设计的，不失为理想的军事要塞。龙潭山山城及其卫城的构筑，同其他高句丽山城相比，既有相同之处，又有相异之点。

简报认为，龙潭山山城及其卫城是高句丽为了抵御夫余和勿吉的南下而修建的，简报据《魏书》记载推断，高句丽军事势力从龙潭山山城及其卫城撤走的时间，或许在北魏太和年间（447～499年）。

四平市

辽源市

通化市

163.吉林辑安五盔坟四号和五号墓清理略记

作　者：吉林省博物馆　王承礼、李殿福、方起东
出　处：《考古》1964 年第 2 期

　　吉林省辑安洞沟平原之中部，今辑安车站北侧，有五座高大封土墓形如盔胄，当地人称之为五盔坟。考古人员编号系自西向东数，四号墓即以前所谓"未编号墓"；五号墓即以前所谓"第十七号墓"或"四叶塚"。其中四号墓于 1950 年发现，五号墓在抗日战争中即被掘开过。1962 年春，考古人员对两墓进行了清理。简报分为：一、四号墓，二、五号墓，三、结语，共三个部分。有手绘图。

　　据介绍，2 墓均有封土，用巨大花岗岩石材建成，分墓道、甬道、墓室几部分，均有壁画。简报认为这 2 座壁画墓是高句丽时代的墓葬，应是高句丽晚期的墓葬。就墓室结构和壁画的内容和技法来推究，其绝对年代相当于北朝末年，约当 6 世纪末。另外，这 2 座墓的形制、壁画内容、技法虽然基本相同，但五号墓的绘画技巧比四号墓高超。壁画技巧方面的这种差别，可能是画家技巧悬殊的反映，也可能四号墓稍早于五号墓。简报认为 2 墓应属于高句丽王族墓。

164.吉林辑安通沟第十二号高句丽壁画墓

作　者：王承礼、韩淑华
出　处：《考古》1964 年第 2 期

　　辑安通沟（洞沟）第十二号壁画墓又名"马槽冢"，"马槽冢"是因墓中有厩舍壁画而得名的。此墓早在 1937 年 6 月被日本人黑田源次所盗掘，盗掘后仅见零星报导，材料迄今未公布，壁画因为保护不善，已遭到严重破坏。1949 年辑安县文化

主管部门将此墓封闭保存。1962 的春季，考古人员对此墓（编号十二）进行了清理。简报分为：一、墓室结构，二、壁画，三、小结，共三个部分。有手绘图。

据介绍，墓葬位于洞沟平野中部禹山南麓平缓的坡地上，附近有不少高句丽时代的封土墓或方坛积石墓。此墓有石砌南北双墓室，应属夫妻合葬。各有墓门和甬道，壁画内容有狩猎图、战斗图、夫妻对坐图等。简报推断年代为公元 5 世纪，相当于十六国、北朝时期。墓主人应为高句丽大贵族。简报指出，十二号墓提供了高句丽社会史方面的一批资料，对高句丽的建筑、服饰、车舆、社会生活等各方面的研究将有所帮助。

165.吉林辑安麻线沟一号壁画墓

作　者：吉林省博物馆辑安考古队　方起东
出　处：《考古》1964 年第 10 期

麻线沟是鸭绿江中游北岸的一片冲积盆地，隔江与朝鲜民主主义人民共和国相望，东去辑安县城约 4 公里。麻线沟（河）由北边深谷里流来，经由盆地的中部注入鸭绿江。麻线沟盆地分布有上千座石墓、土墓，是高句丽古墓集中的著名地区之一，其数量之多，在县境内仅次于通沟。麻线沟一号壁画墓是 1 座石室封土墓，位于盆地北部的山谷中，南距鸭绿江 3 公里，东去麻线沟（河）百米左右。由于封土不断流失，此墓墓室的北壁和东壁砌石早已经暴露在外面，而且在墓室藻井的北边还颓塌一洞，可容出入。今封土高约 5 米，周长 50 余米。在墓室、甬道和侧室内填塞着深及腰际的淤泥和浮土。1962 年，考古人员在县境内普查时，曾对此墓作过调查，并在秋季着手清理，后因天寒停工。1963 年 8 月，进行了清理。由清理的迹象看，此墓早遭盗掘。墓中所葬骨骸早已扰乱，这次只在墓室、甬道及墓道中出有一些肢骨、肋骨、锁骨等残骸。简报分为：一、前言，二、墓的结构，三、壁画，四、随葬品，五、结语，共五个部分。有照片、手绘图。

据介绍，麻线沟一号墓可分为墓道、甬道、南北侧室和墓室等几个部分，用大小不等的石块垒砌石室，外培黄黏土质的封土，内面则涂抹白灰，使之光洁。劫余随葬品有陶器、鎏金铜片、骨饰、铁器、黄釉陶器等。简报推断此墓为公元 5 世纪时期一座高句丽贵族墓，时代正当晋十六国北朝时期。

简报称，麻线沟一号壁画墓以墓主人生前生活为题材，描绘的衣饰、冠带等都具有高句丽中前期壁画墓的共同特点。但其中侍女头簪步摇，及仓廪、翔云、飞鸟等图像均颇罕见。此墓壁画虽说有工有拙，但与其他高句丽中前期墓中壁画相比，在技巧上有所提高。另外，由于壁画表层的脱落，有些地方可见到轮廓墨线盖着色彩的现象，有些地方更露出了起稿的朱线，这一切揭示了当时壁画绘制的程序，也增进了我们对当时绘画艺术更全面的了解。

166.吉林集安的两座高句丽墓

作　者：吉林省博物馆文物工作队
出　处：《考古》1977 年第 2 期

在 1972 年至 1974 年，考古人员先后在集安万宝汀和禹山下各清理了 1 座高句丽墓。简报分为：一、万宝汀 78 号墓，二、禹山下 41 号墓，三、几个问题，共三个部分。有手绘图、照片。

据介绍，万宝汀 78 号墓位于集安郊区通沟大队，1972 年秋发现，1974 年秋清理，为 1 座积石墓。简报推断该墓年代为 4 世纪前叶，相当于中原东晋时期，该墓曾被盗，仅存鎏金铜器等少量随葬品，工艺精湛。

简报称，高句丽古墓就坟垄外表来看，可以粗略地分为两大类：一类是完全用石块堆积起来的，所谓"积石为封"，称作石坟；另一类是整个由黄土培封起来，称作土坟。过去发现的所有高句丽壁画墓，全部属于土坟，石坟中从来未曾发现过壁画。而禹山下 41 号墓是迄今为止发现的第 1 座，也是唯一的 1 座绘有壁画的高句丽石坟，值得深入研究。此墓也曾被盗，出土有铁器、金银器、织物残迹等。此墓的年代，简报推断为 5 世纪中叶，相当于南北朝时期。

167.集安县两座高句丽积石墓的清理

作　者：集安县文物保管所　张雪岩
出　处：《考古》1979 年第 1 期

1975 年和 1976 年，考古人员先后清理了禹山墓区的 68 号和七星山墓区的 96 号 2 座积石墓。简报分为：一、七星山 96 号墓，二、禹山 68 号墓，三、几点看法，共三个部分。有照片、手绘图。

据介绍，出土遗物有鎏金马具、饰物、铜鼎、铜鐎斗、黄釉器等。铜洗等为高句丽所产。鎏金器为高句丽所产。两墓年代可能是 4 世纪中叶，上限可早到 4 世纪初期，相当于东晋时期。

简报称，96 号墓马骨出在墓侧基石部位，是首次发现。这是由于盗掘所致，还是如《北史·高句丽传》所记载的高句丽的风俗"死者殡在屋内……初终哭泣，葬则鼓舞做乐以送之，埋讫取死者生时服玩车马置于墓侧，会葬者争取而去"的体现，尚待研究。

168.集安万宝汀墓区 242 号古墓清理简报

作　者：吉林集安县文管所　赵书勤、周云台
出　处：《考古与文物》1982 年第 6 期

1975 年 7 月 11 日，集安文管所对万宝汀墓区 242 号高句丽古墓做了全面清理发掘。简报分为：一、地理概况，二、墓葬形制，三、出土器物，四、结语，共四个部分。有手绘图。

据介绍，242 号古墓虽然分为 4 座墓室，就构筑方法来看有共同点，其顺序是先有北墓后有南墓，南墓的北墙借用北墓的南墙修筑起来的，一串 4 座墓都是一个共同的基础。从构筑时间上看应是一次设计，一次构筑基础，各墓的年代不会相去太远。结合出土器物分析，简报推断这座墓时代应属于高丽前期，即 3 世纪末期。

简报称，242 号古墓的清理为这类墓葬增加了新的认识。这样成排的构筑方法，应反映着高句丽前期的族葬制度。另外，坟垄上面塌陷处的烧石和熔石在高句丽前期的积石墓上常常可以发现，应当是一种火葬的痕迹。这一现象为考查高句丽埋葬制度的演变及研究高句丽的社会性质，提供了很好的资料。

169.集安洞沟三座壁画墓

作　者：李殿福
出　处：《考古》1983 年第 4 期

1966 年上半年，吉林省集安洞沟古墓群的封土石室墓中发现 3 座壁画墓（JSM332、JSM983、JWM1368），考古人员遂即进行了清理。简报分为：一、山城下墓区 332 号封土石室壁画墓，二、山城下墓区 983 号封土石室壁画墓，三、山城下墓区 1368 号封土石室壁画墓，四、结语，共四个部分。有手绘图。

据介绍，3 座墓虽然遭到严重的破坏，但壁画残存部分及墓室结构仍为高句丽封土石室壁画墓增加了新的内容。特别是 M1368 简单的仿木结构——墨色影作梁架立柱及 M332 主室四壁所绘摹拟织锦的云纹王字图案，都是此处封土石室壁画墓中仅见的作法，应引起重视。M332、M983 两墓从规模和壁画内容看，应属贵族墓。M1368 规模小些，壁画又过于简单，墓主人身份应低一些。

关于 3 墓的年代，简报推断 M332 为 4 世纪末叶，M983 比 M332 要晚些，M1368 大约相当于 3 世纪中叶至 4 世纪中叶。大约相当于中原魏晋时期。

170.吉林集安长川二号封土墓发掘纪要

作　　者：吉林省文物工作队

出　　处：《考古与文物》1983 年第 1 期

长川位于集安县城东北 55 华里，是一个东西狭长的河谷盆地。背依重峦叠嶂的群山，南向蜿蜒西去的鸭绿江。集（安）青（石镇）公路从中穿过，隔江与朝鲜民主主义人民共和国相望。长川墓群是鸭绿江中游右岸仅次于集安洞沟墓群的重点墓群之一。这些古墓绝大多数是积石为封的墓，其间也有几座封土墓零落地散布在山麓南面的丘岗和坡地上，长川二号封土墓就是其中的一座。简报分为：一、墓葬形制，二、随葬器物，三、结语，共三个部分。有手绘图。

长川二号墓是 1 座石筑单室封土墓，外观呈截尖方锥形，现高 9 米。墓葬可分墓道、南北耳室、甬道和墓室五部分。1972 年 4 月下旬至 5 月中旬，考古人员对该墓进行了发掘。这座墓早年被盗掘，置于石棺床上的木棺被焚，铁钉烧焦；四壁及藻井上的壁画几乎全部燎黑。简报认为长川二号墓的具体年代为公元 5 世纪中叶或略后，相当于南北朝时期。

简报称，长川二号封土墓，是长川墓群封土墓中形体最大的 1 座。宏伟的墓室，精致的木棺，绚丽的壁画以及大量镶金饰品的出土，说明墓主人是一个显赫的贵族，有可能是当时王族中颇具权势的重要人物。

171.集安洞沟两座树立石碑的高句丽古墓

作　　者：方起东、林至德

出　　处：《考古与文物》1983 年第 2 期

在古代高句丽，"墓上立碑"是为了强化守墓制度而采取的措施，墓碑的出现在一开始只是为了铭记守墓人信息。这一特殊现象虽然在公元 414 年建立的好太王碑碑文中也曾明确提到，但却一直很少为人注意。这个问题之所以被忽视，多少是由于树立石碑的高句丽古墓十分罕见，而有关高句丽墓碑的资料又异常缺乏。在以往所发表的材料中，除了矗立在集安洞沟好太王陵近侧的著名的好太王碑之外，从来还未有报道高句丽墓碑的。经多年调查，在高句丽古墓最集中的集安洞沟古墓群中新发现了 2 座树立石碑的高句丽古墓。简报分为：一、山城下 1411 号古墓，二、禹山下 1080 号古墓，三、结语，共三个部分。有手绘图。

据介绍，山城下墓区南距集安县城约 5 华里，是洞沟古墓群中高句丽古墓比较集中而保存状况较好的墓区之一。1411 号古墓是一座封土石室的双室墓，坟垄呈截尖方锥形，每边长 13.6 米、高约 4 米。分东西 2 个墓室，西墓室未清理，东墓室内无一物。1411 号古墓在洞沟古墓群中勉强算得上中等规模，构筑粗糙，应属高句丽中小贵族墓葬。其年代约当 5 世纪中后期，相当于中原北朝时期。1080 号古墓位于集安县城东太王公社禹山大队第一生产队村落中，禹山下 1080 号古墓规模相当大，构造亦严谨。尽管残存遗物仅有鎏金铜饰片等不多几件，仍给人一种庄重而辉煌的强烈印象。但若与洞沟古墓群中几座庞大的土墓相比，显然还尚逊一筹，因此这不可能是 1 座王陵，而至多是 1 座王公贵胄的墓葬。至于其筑造年代，简报推断大致当在 6 世纪中后期，相当于北朝、隋代。

简报称，1411 号古墓和 1080 号古墓的资料进而告诉我们：至迟到 5 世纪中后期开始，墓上立碑在高句丽已不再限于王陵，有不少中小贵族也都相继在墓上立碑。

172.集安高句丽国内城址的调查与试掘

作　　者：集安县文物保管所　阎毅之、林至德
出　　处：《文物》1984 年第 1 期

国内城址是高句丽王朝建立后的第 2 个都城遗址，也是保留至今的最重要的高句丽平原城址。对于该城址，过去有人进行过一些考察和研究，但不够细致，还有错误。近年来，考古人员于 1975 年至 1977 年对国内城遗址重新进行了调查，并进行了测绘和试掘。简报分为：一、国内城的位置、环境和现状，二、国内城的试掘，三、几点认识，共三个部分予以介绍，有手绘图等。

据介绍，国内城即今日的吉林省集安县县城，位于吉林省南端鸭绿江中游右岸、通沟盆地的西部。城东约 6 公里处为龙山，城北约 1 公里处为禹山，城西隔通沟河约 1.5 公里处为七星山。国内城原是 1 座坚固的石城，其内外两壁全部以长方形和方形石条垒砌，因年代久远，几经修茸，城墙大部分已非原貌。1980 年春，考古人员对国内城址的现状进行了实地勘测。城略呈方形，长度为东墙 554.7 米、西墙 664.6 米、南墙 751.5 米、北墙 715.2 米，城周边总长 2686 米。有 6 处城门，南北各一，东西各二，均有瓮门。1963 年、1971 年、1975 年，城内曾相继发现过建筑遗址。出土过铜器、铁器、陶片、灰瓦等遗物。

简报称，高句丽建国于公元前 37 年，至第二代王时迁都于国内，却未提筑城，简报认为系利用汉时旧城建筑。文献只记载高句丽多次修茸国内城。考古见有石材不一致之处，当是修复遗迹。国内城是高句丽从公元 3 年至 427 年的都城，在 425 年间，一直是高句丽政治、经济、文化的中心。虽然这次对国内城址的清理为国内城的研究提供了一些新的资料，但仍有许多问题有待研究。

173.1976 年集安洞沟高句丽墓清理

作　者：吉林省文物工作队、集安文管所　柳　岚、张雪岩
出　处：《考古》1984 年第 1 期

集安县洞沟古墓群，是国家重点文物保护单位。为配合工农业生产的需要，经国家文物事业管理局上报国务院批准，1976 年 4 月初至 7 月中旬，对古墓葬进行了部分清理。简报分为：一、墓的形制，二、出土器物，三、结语，共三个部分。有手绘图、照片。

据介绍，这次共清理了 188 座墓，包括 4 个墓区。禹山墓区 56 座，山城下墓区 37 座，七星山墓区 26 座，麻线沟墓区 69 座。禹山墓区发掘的墓，多数坐落在集安县果树场西侧的大禹山南坡上；山城下墓区发掘的墓，多坐落在通沟河的东岸，东大坡的山腰一带；七星山墓区发掘的墓，位于通沟河西岸，通沟一队村后的山腰上；麻线沟墓区发掘的墓，皆坐落在麻线公社所在地西北山梁的南坡。188 座古墓中，遭严重破坏已没有清理价值的 92 座，实际清理的墓只有 96 座。

简报指出，96 座墓，就其外部形制来看，有积石墓和封土墓 2 种。3 座积石墓，在结构上，均下部为方坛，上部积石，墓室位于墓的顶部中央，与桓仁高力墓子村积石墓大致相同，简报推断可能属于高句丽早期的墓葬。封土墓的年代，简报推断约在两晋到南北朝时期。

174.吉林集安五盔坟四号墓

作　者：吉林省文物工作队　李殿福等
出　处：《考古学报》1984 年第 1 期

集安洞沟盆地，北负禹山，南濒鸭绿江，东倚龙山（又名土口岭），西临洞沟河，洞沟河以西是七星山，是三面环山一面临水的东西窄长的盆地。就在此盆地的北半部，布满着高句丽时代的石坟和土墓。五盔坟就处于洞沟盆地的中部，今集安车站的北侧。这是 5 座高大的封土石室墓，排列有序，形如盔胄，当地百姓称之为五盔坟。现将其自西向东编为一至五号，四号墓即以前所谓"通沟未编号墓"。四号墓为截尖方锥形的封土石室墓，残高 8 米左右，周长 160 米，东、西、北三面封土保存较好，南面封土有些流失，石砌挡土墙已部分外露。1950 年曾作调查，遂即封闭保护。1962 年春季，考古人员于 6 月 6 日至 8 月末对该墓进行了清理，并曾发表简报。此次是将四号墓的全部资料予以报告，简报分为：一、发掘情况，二、墓的结构，三、壁画内容，四、随葬器物，五、结语，共五个部分。有照片、手绘图。

据介绍，该墓由墓道、甬道、墓室组成，1950 年发现以前已遭破坏，遗物散失，葬式不明。简报推断其年代为 5 世纪末 6 世纪初，相当于北朝时期。简报认为该墓应是高句丽的王陵，或墓主人至少是王族。

简报称，此次发掘的一大收获为壁画。四号墓壁画是代表着高句丽壁画艺术的成就较高的一个。四号墓的人物图像和伎乐天人，为高句丽社会文化史的研究，提供了一批新的资料。服饰中的袍服、笼冠、墨履、黑靴、巾帻，乐器中的腰鼓、胡角、竽萧、长笛，用具中的团扇、书卷、旌幡、麈尾和鎏金饰物，都是十分珍贵的。

175.集安出土的高句丽瓦当及其年代

作　者：林至德、耿铁华
出　处：《考古》1985 年第 7 期

集安县境内已出土了数百件高句丽时代的瓦当，有的还带有珍贵的铭文。仅吉林省博物馆、辽宁省博物馆所藏就达 140 多件。史书载，高句丽"俗节于饮食，更好治宫室"。大量的瓦当出土，证实了这一记载，说明一千六七百年前的高句丽王都一带，宫殿、官府、祭祀殿宇一类的建筑数量很多。简报分为：一、铭文瓦当，二、莲花纹瓦当，三、兽面纹和忍冬纹瓦当，四、余论，共四个部分。有照片等。

据介绍，集安出土的铭文瓦当共 7 种 10 件，完整的只有 2 件，余皆不同程度残损。均为黑灰色，烧制火候相当高，饰卷云纹，纹饰风格极相近，制作年代相去不会太远。计有"太宁四年"瓦当、"泰"字瓦当、"丁巳"瓦当、"十谷民造"瓦当、"己丑"瓦当、"頓作"瓦当、"月造记"瓦当等。这几件文字瓦当的年代，大体上是在晋愍帝建兴二年到晋穆帝升平元年，即公元 314～357 年间。集安出土的高句丽瓦当中，数量最多、样式最繁复的，要数莲花纹瓦当。大体上可分为 11 式。多出于遗址、墓葬。莲花纹瓦当的制作和使用年代，大约是从 4 世纪末到 5 世纪末，这时期也正是高句丽王朝政治、经济发展的重要时期。兽面纹和忍冬纹瓦当出土的数量亦相当多，仅次于莲花纹瓦当，是高句丽常用的建筑材料。都是泥质红陶，烧制火候相当高。各分为 4 式。制作时间约在 4 世纪末至 5 世纪初。

简报指出，这批瓦当，年代最早的要算是卷云纹文字瓦当，制造年代大都在 4 世纪初期。说明高句丽迁都国内城（今集安县城）后较长的一段时间内，建筑上没有使用瓦和瓦当，基本是草庐或规模稍大的木结构草房。这种木结构房屋在高句丽早期壁画中可以找到证明。大约到 3 世纪的中晚期，高句丽开始用瓦——板瓦、筒瓦，并逐渐使用瓦当。应当肯定地说，这是由于接受中原影响的结果。

甚至可以说，就是中原去的工匠烧造的。4世纪末，高句丽烧制出一批具有民族特色的瓦当。这批瓦当均为红色，花纹是模仿中原地区的莲瓣、忍冬和兽面纹并融进自己民族的特色，形成高浮雕、高边缘、多红色的特点。这是与中原瓦当不相同的。5世纪上半叶出现专门为陵墓上建筑制造的瓦当。从生产部门看，高句丽制瓦部门有官营和私营两种。"太宁四年"瓦当、"丁巳"瓦当、"泰"字瓦当、"月造记"瓦当、"己丑"瓦当等铭文中有纪年、吉语、"造瓦""造记"等字样，而无造瓦者名号，当为官营造瓦部门的产品。而"十谷民造"则为十户"谷民"私家所造，还有"顿作"瓦当，可能是名"顿"的人造瓦。当然，这一推测还有待进一步的发掘来证明。

简报还指出，高句丽国家使用瓦当有着较严格的等级界限。王公贵族生前的宫殿、居室、官府和死后墓上的享殿、祭祀的殿宇都是以瓦盖顶。而居住在郊外或边远地区的黎民百姓只能以草结庐，是绝不能用瓦的。《旧唐书》关于高句丽"其所居必依山谷，皆以茅草葺舍，惟佛寺、神庙及王宫、官府乃用瓦"的记载是符合历史真实的。

176.吉林省集安洞沟古墓群七星山墓区两座古墓的考察

作　　者：集安市文物保管所　林世贤
出　　处：《北方文物》1998年第4期

七星山位于集安市区西部、通沟河右岸，西邻麻线谷地，北与丸都山相接。1966年对洞沟古墓群实测时，将这一片界域清楚的地方称为七星山墓区。该墓区现有古墓1700余座，多为积石墓和阶坛积石墓。墓葬成片成行地分布在山腰及山上，其中也见大型阶坛积石墓和封土石室墓。在墓区元宝山片，有两座修筑在阶坛积石墓上的封土石室墓。这种现象在洞沟古墓群中仅此一例，有必要对其进行考察和分析。简报配以手绘图予以介绍。

据介绍，这两座墓的编号是JQM65和JQM66，两墓相距约3米。据现存封土范围推测，这两座墓可能同封。两墓下是1座阶坛积石墓，这座被叠压的阶坛积石墓过去没有编号，但可以清楚地看到，它是沿山脊排列的数十座同类型墓葬中的1座。其中M66已被盗。两墓未发掘，但考古人员估计这两座墓的年代在5世纪中叶前后，相当于东晋十六国南北朝时期。

简报称，两墓有许多问题尚得不到合理解释，这都有待于日后的发现和研究。

177.集安麻线安子沟高句丽墓葬调查与清理

作　者：吉林省文物考古研究所、集安市文物保管所　孙仁杰、何　明
　　　　林世贤
出　处：《北方文物》2002 年第 2 期

安子沟高句丽墓葬位于洞沟古墓群西端坡地上。1999 年 7 月发掘墓葬 3 座，其中 2 座保存较好。M401 为阶坛石圹积石墓，平面呈长方形，墓葬南部为四级阶坛，顶部有石圹 3 个，圹内出有棺钉、棺环、金耳饰等。M402 为封土石室墓，墓室呈铲形，墓底平铺小石块，墓内出土人头骨 1 个、陶罐 1 件。简报分为：一、调查情况、二、墓葬发掘，三、出土遗物，四、小结，共四个部分。有手绘图。

安子沟墓群位于集安市麻线乡建江村，东距集安市区 7 公里，西南不远有鸭绿江在安子沟门前流过，安子沟的溪水南注鸭绿江。1999 年 6 ～ 7 月，为配合公路建设进行了发掘。发掘的 3 座墓均属高句丽墓葬，其中 M401 为公元 4 世纪前后墓，大致相当于两晋时期。M402 为公元 17 世纪左右墓，为隋唐时期。

简报称，安子沟墓群分布有序，即从沟内向沟门依次排列，应是 1 处家族墓地。就墓葬的构筑方法与形制来看，其年代在 4 ～ 7 世纪前后。

178.集安下解放第 31 号高句丽壁画墓

作　者：方起东、刘萱堂
出　处：《北方文物》2002 年第 3 期

下解放原名下羊鱼头，是鸭绿江中游右岸的一片小盆地，西去集安市区 7 公里，南与朝鲜民主主义人民共和国满浦隔江相望。1963 年，考古人员发现此墓墓门已被打开，内有壁画，遂加以封闭。1966 年，考古人员对洞沟古墓群进行测量时，将此墓编为下解放第 31 号，并于 6 月 12 日对此墓做了测绘和著录。简报配以手绘图予以介绍。

据介绍，第 31 号墓是 1 座封土石室壁画墓。封土坟垄呈覆斗形，周长 50 多米，高约 6 米。砌筑石室所用石材，均为加工整齐的石条，石质系当地的石灰岩。墓的结构除封土之外尚分墓道、前室、甬道、墓室等几个部分，构筑整齐。前室和墓室各筑藻井。墓道和甬道都从中轴线上通过。在墓道以内的前室、甬道和墓室的地面、壁面及顶部均抹白灰，白灰上绘有壁画。墓葬发现时灰皮已剥落殆尽，壁画残迹所剩无几。

简报称，此墓墓葬结构与以往发现的高句丽壁画墓有所不同。它属于带短甬道

的双室墓，但前室矮小，构筑的用材均是加工整齐的石灰岩石条。简报将集安的高句丽壁画墓重新划分为四期，并推定了它们的大体年代。此墓被列入第三期，年代相当于 5 ~ 6 世纪初的后段，相当于中原南北朝时期。

179.集安洞沟古墓群禹山墓区 2112 号墓

作　　者：集安市博物馆　董　峰
出　　处：《北方文物》2004 年第 2 期

YM2112 号墓位于洞沟古墓群禹山墓区中部南缘的平敞地带，1994 年 5 月清理发掘，保存较好。墓葬为阶坛石圹墓，建墓之初曾筑有墓道和耳室，后来又用石块进行封堵，最终形成 1 座无墓道和耳室的阶坛石圹墓。墓葬出土金、银、鎏金、铁、陶等各类器物 350 余件。简报分为：一、墓葬形制，二、出土器物，三、结语，共三个部分。有手绘图。据介绍，YM2112 号墓在清理之前，是占地约 750 平方米的石堆，墓葬顶部凹凸不平，局部石条移位，部分石块下滑，形制不清，墓向不明。经清理得知，墓葬为残存有三级阶坛的阶坛积石石圹墓，平面呈正方形，每边长 18.70 米，残高 3.20 米。每级阶坛均由四层石条垒筑，第一级阶坛在地表之上，然后进入地下。第二级阶坛之上筑有石圹、墓道及耳室。此墓在古墓群中属中型墓葬，但从各方面迹象看，墓主人身份较高，应为高句丽时期显赫的贵族。时代应为 4 世纪末 5 世纪初，相当于东晋十六国、南北朝时期。

180.集安禹山 540 号墓清理报告

作　　者：吉林省文物考古研究所　王志刚、宋明雷
出　　处：《北方文物》2009 年第 1 期

2003 年，作为集安市高句丽遗存申报世界文化遗产中疑似王陵项目之一，考古人员对位于洞沟古墓群禹山墓区东南部的 JYM0540 号墓进行了清理发掘。发掘确认墓葬为 1 座至少存在五级阶坛的阶坛圹室积石墓，墓顶构筑有宽大的圹室，圹室南侧筑有东、西耳室，并在墓葬圹室内发现烧成木炭的木椁残迹，在圹室和东耳室室内发现较多的随葬品。以往有研究认为此墓为高句丽第十八代王"故国壤王"王陵。简报分为：一、墓葬形制，二、葬具，三、出土遗物，四、结语，共四个部分。有照片、手绘图。

据介绍，JYM0540 地处现代村落之中，保存状况很差。墓葬南部、东北角已被现代民居占据，西北角有现代村路穿过，东、西、北侧也不同程度堆放了现代生活

垃圾。该墓早年被盗掘焚烧，葬具已被烧成木炭，但经对圹室、耳室及墓葬表面进行清理，共出土遗物439件。其中圹室出土遗物数量最多，共386件，东耳室出土遗物50件，墓上填土中出土遗物3件，墓道和西耳室只出土少量泥质灰陶片。该墓的年代，简报推断为5世纪前后，相当于东晋十六国时期。至于墓主人，简报认为若此墓为王陵的意见可信，JYM0540的墓主人似乎为第十七代王"小兽林王"的可能性更大一些。另外，简报指出此墓对于高句丽积石墓向封土墓的演变具有极为重要的研究价值。

181.2008年集安市国内城社区办公楼地点高句丽居住址的发掘

作　　者：吉林省文物考古研究所、集安市文物局　解　峰、王鹏勇、于丽群
出　　处：《北方文物》2009年第3期

遗址位于吉林省集安市团结路与西城街交汇处的国税小区内居民楼间的空地上，处于内城的西北角。2008年10月29日至11月19日期间，为配合集安市社区办公楼基本建设，考古人员进行了抢救性发掘。共清理到房址2座、瓮坑1个、灰坑1个。简报分为：一、地层堆积，二、遗迹，三、出土遗物，四、结语，共四个部分。有手绘图。

据介绍，F1中无任何遗物，F2有柱洞，或有回廊，应属高句丽中期建筑。出土遗物有陶器、铜器、铁器和砖、瓦等建材。高句丽统治时间为公元前37年至公元668年。中期应相当于魏晋时期。

182.集安市太王镇新红村一座高句丽阶坛积石圹室墓（M28）的发掘

作　　者：吉林省文物考古研究所、集安市博物馆　余　静、王春燕、杨　春
出　　处：《北方文物》2012年第3期

M28为高句丽大型阶坛积石圹室墓，墓葬共有四级阶坛，仅北壁阶坛保存完整，东、西、南壁的一部分阶坛石已经不见。阶坛石以较为规整的花岗岩为主，石头大小按级递减。封石多为自然形成的石块，大小不一。圹室构筑于墓葬中部，近方形，长3米左右。墓葬出土遗物较少，在圹室内部发现少量残陶片以及13件动物骨骼残段。结合以往发现，推测其年代为公元4世纪末5世纪初。简报分为：一、墓葬形制，二、出土遗物，三、结语，共三个部分。有手绘图。

为配合辽西北供电工程线路（吉林）段的建设，考古人员对该工程占地范围内的吉林省集安市太王镇新红村三组的8座积石墓进行了抢救性发掘（简报见同刊同

期）。在工作期间，发现距离占地区域不远处有一大型墓葬已被盗掘。2011 年 7 月，对此墓葬进行了主动性发掘。在对新红村墓葬进行普查时，对此墓编号为 M28。M28 位于新红村小青沟河东南侧的河漫滩上，四周被当地村民的玉米地所环绕。M28 距 8 座积石墓群之间的直线距离大约 300 米。简报配以手绘图予以介绍。M28 为大型阶坛积石圹室墓，四周长度不等。东边长 9.4 米、南边长 11 米、西边长 8.8 米、北边长 11.1 米。墓葬最高点距离地表 1.9 米。该墓多次被盗，"文化大革命"期间修梯田时又被毁坏。遗物较少，仅有陶罐残片、铁器残片及动物骨骼少许。发掘证实，新红村一带在高句丽时期使用时间长达几百年。

183.吉林集安新发现的高句丽碑

作　者：吉林省文物考古研究所　李　东

出　处：《文物》2014 年第 10 期

2012 年 7 月，吉林省集安市麻线乡麻线村农村发现 1 通石碑。该碑出土于集丹公路 4.3 千米处麻线河右岸河滩，东南距千秋墓约 456 米，西南距西大墓约 1149 米，是高句丽墓葬最为集中的区域之一。石碑上刻有"始祖邹牟王之创基业""四时祭祀""烟户"等，字体与好太王碑相似。经相关专家研究，该石碑的年代为高句丽时期。简报配以拓片予以介绍。

据介绍，碑体由整块花岗岩加工而成，呈扁长方形，上窄下宽。碑文隶书，共 10 行，共 218 字。简报录有碑文全文。从文字内容及碑的形制看，简报推断此碑的年代应早于好太王碑。

简报称，文献中没有关于高句丽时期真正意义上的律令的记载，此碑的内容是刻于石上的成文法，虽只限于管理王墓的烟户，但仍弥足珍贵。

白山市

184.吉林浑江永安遗址发掘报告

作　者：吉林省文物考古研究所　王培新、付佳欣、张殿甲等

出　处：《考古学报》1997 年第 2 期

永安遗址位于吉林省东南部的浑江市（现已改称白山市）松树镇永安村西 200 米，西南距松树镇约 8 公里。永安村地处长白山与龙岗山之间，松花江和鸭绿江分水岭

的北麓。遗址分布在村西河岸滩地上，由遗址的西面和北面流过，向东北汇入松花江南源头道江。遗址周围为群山环绕，汤河河谷在遗址附近略有扩展，形成小盆地，遗存集中于这块河谷平地的北部。永安遗址发现于1960年，当时浑江市展览馆调查了该遗址。1984年春季，吉林省进行文物普查时，浑江市文物普查队对遗址进行了考古调查，采集到铁链、玛瑙珠、铜佛像等靺鞨—渤海时期的遗物。1984年夏季，浑江市文物普查队对永安遗址进行了发掘。此次发掘是为配合公路建设而实施的，所以发掘区域限定在公路通过的地段。共发现房址6座、灰坑28个，出土陶器、铁器、铜器、石器、骨角器等遗物300多件。简报分为：一、地层关系，二、遗迹，三、遗物，四、结语，共四个部分。有照片、手绘图。

简报推测，永安遗址的年代大约在南北朝后期到渤海国后期，约公元6世纪中到10世纪初。永安遗址形成于渤海建国以前，存续在整个渤海时期。众所周知，渤海建于698年，926年被辽灭亡，大体上与唐朝相始终。构成渤海国主体民族的靺鞨人，是活动在我国东北地区的一个古老民族。关于靺鞨的分布，大致可认为其范围北至黑龙江流域，南至长白山，东至日本海，西至东流松花江两岸。历史文献记载，靺鞨曾分为七部，目前的史地研究已基本上考定了靺鞨七部的分布地域。一般认为，位于南部的粟末部在以今吉林市为中心的松花江上游和牡丹江中上游地区。白山部位于粟末部东南，分布在以长白山为中心的地区，大致相当于今吉林省的东南部。永安遗址所在地，按地理方位应属于白山靺鞨的分布区。不过，从考古学的角度观察，在北至黑龙江流域，南到长白山南麓广大地域内发现的靺鞨遗存中，存在着相当普遍的一致性。永安遗址早期遗存，其族属应为白山靺鞨。但是，仅就目前所能获得的资料，在考古学上尚难以区别靺鞨各部所属的遗存。也许文献中记述的靺鞨七部，在考古学文化上并不存在多大的差别。

简报指出，进入渤海后期，永安遗址所在地当属西京鸭绿府。当时这里已经成为渤海国的中心地区。在渤海后期，永安遗址在交通驿传方面应该也发挥着重要作用。

松原市

白城市

延边州

黑龙江省

哈尔滨市

185.阿城地区魏晋南北朝时期遗址

作　者：韩　锋
出　处：《北方文物》2008 年第 4 期

2007 年春季，在阿城地区组织的全区文物调查中，再次对阿城地区发现的 3 处魏晋南北朝时期遗址进行了考古调查。

据介绍，这 3 处遗址，一为杏山居住址。杏山古城位于大岭乡政府所在地北约 500 米的杏山山顶上，海拔高度 365 米。山城依峰顶形势堆土筑成，城垣外有一圈马道，东西两侧地势险要，西、北两侧有缓坡通往山下。该城呈圆形，周长约 180 米，约有 14 个半地穴式的居住坑遗址，每个居住坑址直径约 5 米，面积皆在 20 平方米左右，居住坑之间的间距约有 5 米。目前，这座千余年的古城，虽久已荒芜，但遗迹清晰可辨，居住坑址基本没有遭到破坏。它处于山脉和平原交接点上，是距阿城市区最近的一处山城遗址。二为香磨屯居住址。小岭镇西川村香磨屯居住址，海拔高度 564 米，位于阿什河东岸张广才岭西麓起伏不绝的峰峦之中。这座山城西临阿什河，依山势堆土建成，高踞峰顶，三面皆是绝壁，无路可攀，仅在东侧有自然形成之石门可通山下。城呈椭圆形，周长约 300 米，有居住坑址 100 余个，每坑大者 25 平方米，小者 10 平方米。三为万发西山居住址。该址位于小岭镇万发屯万发西山西侧山顶，海拔高度大约 257 米，山脚下公路沿着季节河而建，四周为农田。居住址面积约 130 平方米，仅有居住坑 3 个，最大坑址约有 20 平方米，3 个居住坑的外围有用土堆积而成的围墙。

简报推测这三处古代居住址的年代，应在公元 3 世纪至 5 世纪的魏晋南北朝时期，是女真先世勿吉人的居住址。

186.黑龙江省宾县索离沟遗址发掘简报

作　者：黑龙江省文物考古研究所　李延铁、刘春海、曹　伟
出　处：《北方文物》2010 年第 1 期

2006 年，考古人员为配合松花江大顶子山航电枢纽工程建设，对宾县满井镇索离沟遗址进行了试掘。发掘面积 450 平方米，发现铁器时代房址 3 座，出土一批重要文物。遗址分为早晚两期，早期遗存的年代相当于战国—西汉时期，晚期遗存与同仁文化的年代相近。早期遗存发现的陶豆、口部饰齿状花边的陶罐和红彩陶等都具有鲜明的自身特色，代表了一种新的考古文化。经对比研究，索离沟早期遗存应该就是文献记载的古"索离"人的文化遗存。简报分为：一、遗址概况，二、地层堆积及包含物，三、早期遗存，四、晚期遗存，五、结语，共五个部分。有手绘图。

据介绍，索离沟遗址位于宾县满井镇卡家口子屯东北约 1 公里处，北面紧临松花江。东南方向距满井镇约 7.5 公里，距宾县县城约 32 公里。早、晚两期遗存应属不同文化，没有承袭关系。早期遗存的时代为战国—西汉时期；晚期遗存的时代为"同仁文化"，所谓"同仁文化"，时代大体相当于魏晋南北朝时期。

齐齐哈尔市

187.黑龙江齐齐哈尔市发现"魏丁零率善佰长"印

作　者：金　铸、李　龙
出　处：《考古》1988 年第 2 期

黑龙江省齐齐哈尔市龙江县文物管理所搜集到 1 方稀世铜印。这方铜印于 1979 年，系该县永发乡新兴村焦家街屯农民贾振才在距村 1.5 公里西南岗铲地时发现的。简报配以照片、拓片予以介绍。

据介绍，印面正方形，边长 2.25 厘米、厚 0.7 厘米、纽高 2 厘米、通高 2.7 厘米，重 44.2 克，纽作马形，腰下有穿，穿径 0.6 厘米。该印为铜质，表面呈暗绿色。印文系双刀镂凿而成，阴刻篆书。印文七字"魏丁零率善佰长"，无年款。四边及四角磨损程度较重，该印造型古朴浑厚，字迹清晰。从该印形制及印文篆刻风格，经类型对比，可推断为三国曹魏时期（220～265 年），由魏国皇帝赐给丁零族的 1 方官印。与已故罗福颐先生生前撰写的《古玺印概论》一书中，第 65 页"魏乌丸率善佰长""魏匈奴率善佰长""魏屠各率善仟长"等印可资对照。从印文可见，"魏

丁零率善佰长"是曹魏王朝给丁零人封的较低的官职。而这方丁零族官印保留至今，当是十分珍贵的，大大提高了其实用价值。它与发现地点的关系尚难确定，有待于进一步研究。这方印的存在也填补了《黑龙江古代官印集》中的空白，当为黑龙江省已知时代最早的一方古代官印。

鸡西市

鹤岗市

188.黑龙江省鹤岗市及绥滨、萝北县考古调查简报

作　者：鹤岗市文物管理站　邹　晗、赵锦慧

出　处：《北方文物》1999 年第 1 期

绥滨、萝北两县，是鹤岗市属县。自 70 年代以来，考古人员在两县境内进行过多次考古调查。简报分为：一、地理位置与遗址分布，二、主要遗址及遗物，三、结语，共三个部分。有手绘图。

据介绍，鹤岗市及所辖的绥滨、萝北两县，地处我国东北边陲的黑龙江中游、三江平原西部，地势西北高、东南低。东北与俄罗斯隔江相望，东南靠松花江，西临小兴安岭东坡的山前地带。简报重点介绍了 1989 年的调查情况。发现的主要遗址有西亮子沟、迎春、莲花道班、名山等。遗物有石器、陶器等。文化类型有蜿蜒河文化（相当于战国秦汉时期）、同仁一期文化（相当于魏晋南北朝时期）等。

双鸭山市

189.黑龙江省友谊县凤林古城调查

作　者：东北纪念烈士馆、双鸭山市文管站、友谊县文管所　靳维柏、王学良、
　　　　黄星坤

出　处：《北方文物》1999 年第 3 期

凤林古城位于黑龙江省友谊县成富乡凤林村西约 300 米、七星河左岸约 150 米

处。80 年代以来，有关文物部门对该城址进行了多次调查，采集到许多文物标本，后又对城址进行了全面测绘，并利用 60～80 年代的航测照片对实测图进行了修正，1994 年对城址发掘时，又对地表有迹象的半地穴式居住址进行了测绘。简报分为：一、城址，二、居住址，三、遗物，四、结语，共四个部分。有手绘图。

据介绍，古城平面呈不规则的"凸"字形，城内又被城墙分割为 9 个城区。现存外墙周长约 6.13 米，双护城壕。城墙残高约 0.6 米，在两道护城壕之间又形成顶宽 6 米、底宽 8 米、高 0.5 米的一道墙。城址内各城区之间有单护城壕和双护城壕两种。1 城区的北墙、4 城区的北墙、5 城区的东墙、9 城区的北墙各发现一处城门址。在城内发现有半地穴式居住址 100 座。城址内发现的各类遗物十分丰富，采集到的有石器、陶器、铜器、铁器等，从采集到的陶器口沿和陶器柄看，器形种类很多，这些遗物大多发现于 7 城区，即中心方城内。

与凤林古城属同一文化类型而时代大致相当的古城址、聚落址在黑龙江省的东部地区数量众多、分布广泛，目前已发现的达 630 处，其中城址 270 处。在这些城址中面积最大、构筑最复杂、形制最多样的当属凤林古城。应当将这类文化遗存称之为凤林文化。这种古城有山城和平原城两种。山城多建在小山之巅，并尽可能地利用地势修整墙外侧形成外墙高度。从内侧看城墙高度很低，多为土筑，个别有土石昆筑；平原城均建在地势较高处，均为土筑。已出现了角楼、马面。多数城址的城内外均有半地穴式居住址。形制多样，有圆形、方形、椭圆形、不规则形及几种形制组合成一座城址。城垣有单垣、重垣、三重垣及套连垣等多种。凤林文化一般认为是"挹娄""勿吉"人活动的遗存，时代大致相当于魏晋南北朝时期。这批古城的密度惊人，让人想到隋唐时靺鞨的兴起也不是偶然的。

190.黑龙江友谊县凤林城址 1998 年发掘简报

作　者：黑龙江省文物考古研究所　张　伟、王学良、田　禾
出　处：《考古》2000 年第 11 期

1998 年 9～10 月，考古人员对凤林古城址进行了发掘。凤林古城址位于友谊县成富乡凤林村西约 300 米处，西北距县城约 24 公里，为三江平原汉魏时期规模最大的城址。该城址于 1984 年调查发现，后对城址进行了实测。1990 年，该城址被定为省级文物保护单位。1994 年，考古人员对该城址进行试掘时，又对地表有迹象的半地式居住址进行了测绘。1998 年的发掘区选择在七城区的东北部。本次发掘面积约 500 平方米。共清理房址 8 座、灰坑 23 座，出土器物近 300 件，并提取较多的动物骨骼、木炭、炭化农作物颗粒及孢粉样本。简报分为：一、地层堆积与遗址分期，二、

早期遗存，三、晚期遗存，四、结语，共四个部分。有手绘图。

据介绍，1998 年凤林古城址的发掘，弄清了七城区的堆积序列、文化内涵以及废弃的原因；初步探明了七城区晚期遗存房址的分布规律；早期遗存的发现则为滚兔岭文化的研究提供新的资料；识别出以晚期遗存为代表的一种新考古学文化遗存。简报称，这两个时期遗存的发现，为确认三江平原汉魏遗址群的文化性质、分布与编年树立了标尺，发掘过程中所提取的动物骨骼、木炭、炭化农作物颗粒及包粉样本，为七星河流域汉魏时期遗址群的多学科综合研究提供了必需的材料。

大庆市

伊春市

佳木斯市

七台河市

牡丹江市

191.东康原始社会遗址发掘报告

作　者：黑龙江省博物馆　朱国忱、张泰湘
出　处：《考古》1975 年第 3 期

1963 年冬，宁安县东京城人民公社东康大队兴修水利时，在马莲河北岸的二级台地上发现了 1 处原始社会遗址，出土了丰富的文化遗物。考古人员进行了调查，1964 年 4 月进行清理。清理出居住址 4 个、窖穴 6 个和墓葬 1 座。简报分为"地层堆积""文化遗迹""文化遗物""结语"等几个部分予以介绍，有手绘图。

据介绍，东康遗址位于牡丹江支流马莲河北岸的二级台地上，南距马莲河200 ～ 300 米，西距唐代渤海上京龙泉府遗址约 6 公里。出土遗物有石器、骨器、陶器等。有些工具显然是仿金属工具的，故此遗址尽管未发现铜器，但应已进入青铜时代。测定的年代为距今 1695±85 年，约当三国初期。

简报称，从遗址面积之大、文化层堆积之厚、制陶工艺以及大量的原始农业生产工具与各种粮食出土等情况来看，当时的氏族部落已经过着稳定的定居生活，主要经营原始农业，但渔猎和采集还占有很大的比重。粟黍的大量出土在牡丹江流域尚属首次，它不仅是研究当时农业生产的实物资料，而且还是研究东北地区谷物栽培史的珍贵标本。

192.宁安县东康遗址第二次发掘记

作　者：黑龙江省博物馆考古部、哈尔滨师范学院历史系　林秀贞
出　处：《黑龙江文物丛刊》1983 年第 3 期

东康遗址位于宁安县牡图铁路东京城车站东侧 3 公里，是马莲河北畔二级台地的 1 处大面积的遗址。马莲河水循着平顶山脚由西向东 4 公里处流入牡丹江。该遗址是在 1963 年冬，东京城公社在东康大队挖水渠时发现的，1967 年 4～5 月，考古人员在此进行了调查和试掘，1973 年又进行了第二次试掘。遗址分布在水渠两侧，水渠全长 35 米，南到马莲河边，东北至新部落屯。发掘面积共 64 平方米，出土了大量铁片，其次是磨制石器，骨角器又次之，值得注意的是发现了残铁器 3 件。遗迹仅有陶窑 1 座。简报分为：一、地层，二、窑址，三、遗物，四、小结，共四个部分。有手绘图。

据介绍，第二次试掘发现了三件铁器（残），经中国社会科学院考古研究所金相鉴定为熟铁。经遗址中所出炭化谷物的碳十四测定，该遗址年代为公元 255 年左右，相当于中原地区三国时期。从该遗址所出的生产工具看，农业与渔猎经济是同时并存的，先民当已经过稳定的氏族部落生活了，铁器残件的发现，说明这里已进入原始社会的末期。

黑河市

绥化市

大兴安岭地区

193.嘎仙洞祝文刻石与嵩山高灵庙碑

作　者：张明善

出　处：《文物》1981 年第 2 期

嘎仙洞祝文刻石与河南嵩山高灵庙碑同为北魏早期石刻。

简报介绍，高灵庙碑太延年号（435～440 年），祝文年月太平真君（440～451 年），这 2 件石刻不但年代相联，而字的写法亦大致相同。高灵庙碑字书写谨严秀丽，相传是道士寇谦之所书。碑石经过细磨，文字也精工镌刻。而嘎仙洞祝文刻字属于摩崖类石刻，在粗糙的石壁上略加工而刻。它的字体朴拙，介乎隶楷之间，似由隶到楷的过渡。书写不拘于格式，开始字小，逐渐放大；有些字干瘦挺拔，有些字浑厚有力。

简报称，在我国北方大兴安岭鄂伦春旗嘎仙洞少数民族地区，发现这块有重大历史意义的石刻，在全国来说也是非常惊异的，可给我国历代金石著录书目中增加新的很有价值的内容。

上海市

江苏省

南京市

194.南京近郊六朝墓的清理

作　者：江西省文物管理委员会　朱　江、李镒昭、倪振逵、张奇庵等
出　处：《文物》1957年第1期

1955年春、夏两季，考古人员在南京附近，清理了51座六朝墓。其中6座是有绝对年代可考的。出土物达440件。

简报分为：一、墓室结构，二、文化遗物，三、初步推断，共三个部分。有照片。

简报限于篇幅，只重点介绍了有代表性的几座墓。有拱顶单室墓（江宁赵史岗4号墓），有耳室砖室墓（江宁赵史岗7号墓），有拱顶多室墓（江宁黄家营5号墓）等。出土遗物中江宁赵史岗4号墓出土的青瓷虎子、江宁郎家山4号墓出土的青瓷天鸡壶、江宁赵史岗7号墓出土的堆塑陶瓶、江宁赵史岗1号墓出土的陶几、江宁丁甲山1号墓出土的铅质地券等，均值得注意。

简报录有地券券文全文。

简报指出，南京六朝墓随葬品显现出两个趋势：一是陶器逐渐为青瓷器代替；二是明器种类日多。几乎墓主人生前所有东西如猪、羊、鸡、鸭、石磨等均应有尽有。这也是当时自给自足庄园经济的表现。

相关研究可参阅王志高先生的论文集《六朝建康城发掘与研究》（江苏人民出版社2015年版）。

195.南京四板村南朝墓清理

作　者：李蔚然
出　处：《考古》1959 年第 3 期

1957 年，南京砖瓦厂取土时发现了 1 座古墓，考古人员进行了清理。简报配以照片予以介绍。

据介绍，四板村位于南京中央门外迈皋桥。该墓为平面呈"凸"字形砖室墓，分为墓室、甬道两部分，出土有陶俑、陶器等，应属南朝早期墓葬。

196.南京北郊合班村六朝墓清理

作　者：李鑑昭
出　处：《考古》1959 年第 4 期

1955 年 7 月，砖厂在合班村取土时发掘出 1 座砖室墓，考古人员进行了清理。简报配以照片予以介绍。

据介绍，合班村属南京燕子矶区迈皋桥乡，距中央门约 7 里。该墓平面呈"凸"字形，曾被盗，出土有陶俑、青瓷器等。

简报推断该墓为六朝墓。

197.南京六朝墓清理简报

作　者：南京市文物保管委员会　李蔚然
出　处：《考古》1959 年第 5 期

1957 年 1 月至 11 月，考古人员为配合基本建设，清理了各代墓葬 25 座，其中 18 座六朝墓。除了四板村 2 号墓和南山顶 1 号墓已予介绍外，其他 16 座墓尚未报道。简报分为：一、结构和形制，二、出土遗物，三、小结，共三个部分。有手绘图。

据介绍，16 座墓包括平顶墓 1 座、拱顶墓 3 座、凸形拱顶墓 11 座及穹隆顶墓等。出土有铜器、青瓷器、陶俑、金器、陶器、铜钱、料饰，共计 212 件。

简报推断这 16 座墓均为六朝墓。

198.南京老虎山晋墓

作　者：南京市文物保管委员会　李蔚然
出　处：《考古》1959 年第 6 期

老虎山位于南京挹江门外东北，下关车站东约 3 公里，与城内的狮子山遥遥相望，南距新民门约 2 公里，北临大江。1958 年 4 月 26 日鼓楼区土建工程队在该山南麓取土工程中，发现了 1 座比较完整的东晋墓，曾拆开甬道缺口，取出部分文物。5 月 25、26 日及 6 月 6 日，在这座墓东面又发现和清理了同时代的墓葬 3 座。根据清理的先后，顺序编为老虎山 1、2、3、4 号墓。简报分为"老虎山 1 号墓""老虎山 2 号墓""老虎山 3 号墓""老虎山 4 号墓""小结"，共五个部分予以介绍，有照片。

据介绍，从墓中所出的墓志、石印、铜印结合文献记载来看，这四座墓都是晋左光禄大夫颜含后人的墓葬。《晋书》卷八十八《孝友传》："颜含字弘都，琅邪莘人也……三子髦、谦、约。髦历黄门郎侍中光禄勋，谦至安成太守，约零陵太守，并有声誉。"又《金陵通传》卷二："颜髦字君道，琅邪人也，父含从晋元帝渡江，官左光禄大夫，侨居江乘，髦仕至侍中光禄勋，封西平侯，弟约零陵太守，有政绩，子綝，字文，和州西曹骑都尉。"墓志、石印、铜印所刻的姓名、官衔既与文献记载相合，知为颜含后裔墓无疑，而且在年代上都可以确定为东晋墓葬。简报未录墓志全文。

简报指出，颜氏一族在东晋时代，除了王、谢两家以外，也可算是一代知名的显贵，因而他们墓葬的发现，不仅对研究当时统治阶级的生活和丧葬制度有着重要的价值，同时对研究当时手工业的发展，特别是出土遗物中的瓷器、石墨，对研究当时陶瓷工业和制墨工业的发展，也提供了可靠的参考资料。

199.南京通济门外发现南朝墓

作　者：李蔚然
出　处：《考古》1961 年第 4 期

自 1960 年 1 月起至 5 月底止，考古人员在通济门外清理了 3 座地下建筑物，可能是六朝时期形制较特殊的一种墓葬。另外，还征集到六朝瓷器、铜弩机和明崇祯时铸的铁炮等文物 200 余件。征集的 584 件铜弩机，都是实用器。简报配以照片予以介绍。

据介绍，南朝墓葬均分布在通济门外新辟引河一带，建筑物深埋在青灰色的流沙中，形制有圆形和圆腰形两种，均用砖砌。出土了青瓷碗 2 件、双股铜发钗 1 枚、铜饰 5 件。根据出土物推测，这些都可能是墓葬，管状铜饰和铜环系葬具上的饰物。从出土青瓷器的造型、袖色和铜器的纹饰等来看，其时代当在南朝末期。

200.南京富贵山发现晋恭帝玄宫石碣

作　者：李蔚然
出　处：《考古》1961 年第 5 期

富贵山位于南京城内东侧，原与紫金山相连，在明初建城时，把它从中凿断，因而成为孤独的小山。1960 年 11 月 18 日，在这里发现了晋恭帝玄宫石碣，上刻"宋永初二年太岁辛酉十一月乙巳朔七日辛亥晋恭皇帝之玄宫" 26 字。简报配以拓片予以介绍。

据介绍，结合石碣的出土地点，可以断定这里就是晋恭帝冲平陵的所在。晋恭帝是东晋亡国时的最后一帝，在位仅 2 年，永初系刘宋武帝年号，永初二年为公元 421 年。据记载，在东晋一代的 11 个皇帝中，除恭帝司马德文外，葬于蒋山之阳的还有康帝（司马岳）、简文帝（司马昱）、孝武帝（司马曜）和安帝（司马德宗）四人。因此，石碣的发现不仅肯定了恭帝的葬地和下葬年月，又为研究其他四帝的墓葬所在提供了参考资料。

201.南京高家山的六朝墓

作　者：李蔚然
出　处：《考古》1963 年第 2 期

南京市文物保管委员会于 1961 年 11 月至 1962 年 5 月，在南京高家山清理了 6 座六朝砖室墓，多已残毁。从墓室砌砖排列的形式推测，除 5、6 号两墓系长方形平顶或拱顶墓外，其余皆为平面呈凸字形的穹庐顶墓。其中仅 2 号墓保存得比较完好，故简报只将 2 号墓配以拓片予以介绍。

据介绍，2 号墓位于高家山的东麓，平面作凸字形，甬道为拱形，墓内满积淤土，已早经盗掘，室内无棺床，仅在前半部砌有一长方形砖台，上陈青瓷盘和青瓷钵各 1 件，其他遗物均倒置在铺地砖上和甬道内。葬具已腐朽无存，清理时仅发现铜棺钉数枚。遗物以青瓷器为主，此外有圆形三足铁盆 1 件。内置 1 件三足铁斗。又有残银手镯 1 副。在室内还发现一些红色漆皮，原来还随葬有漆器。

简报推断该墓的年代当在孙吴和西晋，最迟不会晚于东晋初年。

202.南京西善桥油坊村南朝大墓的发掘

作　者：罗宗真

出　处：《考古》1963 年第 6 期

1960 年 3 月间，在南京西善桥油坊村发现 1 座大型南朝墓。发掘从 1961 年 10 月 11 日开始，到 1962 年 4 月 9 日结束，其间因冬季冻土，停工 43 天。简报分为三个部分予以介绍，有照片、手绘图。

据介绍，这座大墓坐落在海拔 104.3 米的罐子山北麓下，方向朝北。该墓曾遭严重破坏，遗物极少，仅有残女陶俑 1 件、残陶片、青瓷小碗、玉玦等几件。从规模、地点看，有点像六朝时帝王陵墓，但简报不敢肯定，故只称为"南朝大墓"。

203.南京北郊涂家村六朝墓清理简报

作　者：南京博物院　陈福坤

出　处：《考古》1963 年第 6 期

南京博物院于 1962 年 10 月 16 日至 19 日，在南京市北郊中央门外 7 公里，吉祥庵的东端涂家村，清理小型六朝墓 1 座。该墓位于村南 1 条东南—西北走向的长 400 余米的小土岗的南山坡上。简报分为：一、墓的结构，二、出土遗物，共两个部分。有照片、手绘图。

据介绍，该墓为长方形券顶砖室墓，顶部已部分塌陷。由封门墙、水沟、甬道、墓室组成。葬具和尸骨都已腐朽无存，只在棺床前及棺床上两端发现铁棺钉 4 根，人牙 5 枚，已全腐朽。根据出土的人牙和随葬品来看，这个墓是单人葬。遗物主要分布在墓室棺床前与甬道之间，小部分放置在棺床上。有陶俑 1 件、陶器 10 件、瓷器 6 件、滑石猪 1 件、残铁器 1 件、铜钱 5 枚等。该墓的年代，简报推断为南朝初期。

204.南京甘家巷和童家山六朝墓

作　者：金　琦

出　处：《考古》1963 年第 6 期

简报分为：一、甘家巷附近六朝墓，二、童家山一号墓，共两个部分。有照片、手绘图。

据介绍，甘家巷位于南京尧化门外 4 公里处。这里现存南朝陵墓石刻 7 处，1958 年以后，又发现一些六朝墓。限于篇幅，简报重点介绍了比较典型的 3 座墓。

童家山位于南京城挹江门内中山北路萨家湾南。一号墓为长方形拱顶砖墓，分前后两室，出土有青瓷器、陶器、陶俑等。简报推断为东晋时期墓葬。

205.南京南郊六朝墓葬清理

作　者：李蔚然
出　处：《考古》1963 年第 6 期

1962 年 7 月 17 ~ 22 日，南京市文物保管委员会在中华门外板桥公社清理了 1 座六朝墓。简报配以照片、手绘图、拓片予以介绍。

该墓系用长方砖合砌而成，分前后两室，前室顶呈穹庐式，后室券形拱式，平面作凸字形。墓保存得比较完好，只前室穹顶残毁。室内无棺床，亦无祭台，木棺系纵陈平放后室，因久经浸蚀仅存部分残板。根据残板的分布位置推断，后室应有棺两具，且为男右女左。出土随葬器物可分为青瓷器、铜器、银器等类。该墓时代，简报推断应属六朝早期，至迟不会晚于西晋。

206.南京市郊张家库东晋墓清理

作　者：石祚华、龙振尧
出　处：《考古》1963 年第 6 期

1962 年 5 月间，南京博物院配合南京市郊十月公社新合大队果木生产队垦山造林，清理了 1 座砖室古墓。简报配以拓片、照片予以介绍。

据介绍，该墓位于南京市东郊张家库西 0.5 公里山坡上。发现时部分墓室已露出地面，墓顶及墓壁已经下塌，有些随葬品也被取出。墓室用长方砖砌成，墓室分棺室和足厢两部分。随葬品除大部分摆在足厢里外，部分出土在棺室足部。人骨架已经腐朽无存，从出土铁钉（也有铜钉）和朽木来看，当有棺具。随葬品共 16 件，其中青瓷器有 13 件。简报推断此墓暂定为东晋时期墓葬。

207.南京人台山东晋兴之夫妇墓发掘报告

作　者：南京市文物保管委员会
出　处：《文物》1965 年第 6 期

1965 年 1 月 18 日，燕子矶区人台山发现古墓 1 座。人台山位于北郊新民门外 1 公里余的大庙人民公社大庙乡境内，西距下关车站约 2 ~ 3 公里，北距长江不远。

山为东西向，墓位于山正中之南麓半山坡上，埋葬很深，距今山面约10米。在正式清理以前，墓已露出封门砖和部分甬道，其中部分封门砖已被拆除。简报分为：一、墓葬的形制和结构，二、随葬器物，三、结语，共三个部分。有手绘图等。

据介绍，该墓平面呈"凸"字形，由甬道、墓室组成。出土有瓷器、铜器、铁器、铅人、银环、金簪等。有墓志1合，共203字，楷隶体，简报录有全文。

根据墓志，墓主刻名为"兴之"，考东晋史书无此人。墓志仅记兴之的字和籍贯，而未书其姓；记其父仅有官职爵位，但亦无姓名。其父为"散骑常侍，尚书，左仆射，特进，卫将军，都亭肃侯"。查《晋书》，谥曰"肃"者仅二人，一为颍川鄢陵的庾翼；一为琅邪临沂的王彬。前者籍贯与兴之不同，官职与墓志记载也不同，故不可能；而后者的籍贯则与兴之同为琅邪临沂人。兴之的姓基本上可以肯定为姓"王"。这样，王兴之应该是王正之孙，王彬之子，王彪之之弟，并与被誉为"书圣"的王羲之为同祖父的从兄弟。但值得提出的，曾为"征西大将军行参军赣令"的王兴之，在王彬传中却未提及，而仅提到彭之和彪之。

208. 南京戚家山东晋谢鲲墓简报

作　者：南京市文物保管委员会
出　处：《文物》1965年第6期

1964年9月中旬，考古人员在中华门外戚家山清理了古残墓5座，其中三号墓出有东晋谢鲲墓志1合和碎瓷碗1件。简报配以手绘图予以介绍。

据介绍，戚家山位于今雨花台东北0.5公里左右。1964年9月9日，该地基建，工程铲运机铲出了墓志1块，考古人员于10日前去清理。该墓已在早期遭盗掘或毁坏，应为一平面呈双凸字形的砖室墓。分前甬道、前室、前后室间的甬道和棺室四部分。出土遗物仅存残破瓷碗一件和墓志，志为隶书，简报录有志文全文。谢鲲，《晋书》有传。由志文知其死于东晋太宁元年十一月廿八日，即公元324年1月10日，与《晋书》所记永昌元年不符。谢鲲墓志虽字不满百，内容却极有价值，它对补阙史书、研究当时习俗和书法艺术等，都具有重要意义。

209. 南京板桥镇石闸湖晋墓清理简报

作　者：南京市文物保管委员会
出　处：《文物》1965年第6期

该墓位于南京中华门外板桥镇石闸湖西北相距2公里左右"牛屎墩"的北部。

1964 年 5 月 30 日发现，考古人员于 6 月 3 日正式清理。清理出陶器、青瓷器等各类随葬遗物 42 件。简报分为"墓室结构和内部情况""随葬遗物""小结"等几个部分予以介绍，有照片。

据介绍，这是 1 座用各种不同形式的长方砖和刀形砖砌成的砖室墓，平面为双"凸"字形。出土的青瓷器、青瓷俑、祭台、天鸡壶等都很珍贵。有铜地券出土，简报录有全文。知死者下葬日期为西晋永宁二年（302 年）。

210.南京象山东晋王丹虎墓和二、四号墓发掘简报

作　者：南京市文物保管委员会
出　处：《文物》1965 年第 10 期

在南京北郊新民门外 1 公里余的象山（俗称人台山），考古人员继清理了一号墓即兴之夫妇墓（见《考古》1959 年第 6 期）以后，又在其东西两侧相继清理了 2 座东晋墓和 1 座南朝墓，其中三号墓为东晋升平三年（359 年）王彬之长女王丹虎墓，二、四号 2 墓早期已遭毁坏和盗掘。墓均位于象山南麓的山坡上。简报分为：一、三号墓（王丹虎墓），二、四号墓，三、二号墓，四、结语，共四个部分。有照片及"一、三、四号墓墓葬形制、结构等的对比表"。

据介绍，三号墓出有墓志。计 65 字，简报录有全文。四号墓的年代可能稍晚于三号墓，墓主人可能也是王彬的子弟之一，被盗严重，仅出土劫余的 2 件随葬品。二号墓应为南朝墓，墓主人是否为王氏家人，不敢断言。

211.南京富贵山东晋墓发掘报告

作　者：南京博物院
出　处：《考古》1966 年第 4 期

1964 年 5 月，在南京富贵山暴露出一段砖砌的排水沟。根据这一发现，1964 年 10 月 26 日至 1965 年 1 月 4 日，考古人员发掘出 1 座东晋时的墓葬。富贵山在南京市内东北隅，高 80 米，东连钟山（即紫金山），在明代以前，此处尚未筑城，原与钟山相接，为其一峰，清代称龙广山，又称龙尾坡。据《建康实录》卷八一：东晋康帝、简文帝、孝武帝、安帝及恭帝等皆葬钟山之阳，不起坟。1960 年 11 月，在山之东南麓，距此墓约 400 米处，曾发现晋恭帝玄宫石碣。因此，有人认为这一带当为晋陵所在。简报分为：一、墓葬结构，二、随葬遗物，三、结语，共三个部分。有手绘图等。

据介绍，这座墓葬依山势建成。墓为凿山筑成，分墓室、甬道、封门墙、墓道

和排水沟五部分。出土遗物中青瓷器、玉佩等均较珍贵。该墓年代，简报推断为东晋晚期。简报指出，富贵山在当时处都城之外、钟山之阳，选为陵地，比较合理。如此，东晋 11 陵中，9 陵均可能在富贵山一带。富贵山大墓无疑是当时上层统治阶级的墓葬，也有可能为王陵。至于是否确为帝王陵墓，尚有待今后的工作来证明。

212.南京迈皋桥西晋墓清理

作　者：南京市文物保管委员会
出　处：《考古》1966 年第 4 期

迈皋桥离中央门 5 公里左右，1965 年 2 月，在该地鼓楼砖瓦厂东北的一小山坡上发现古墓 1 座，墓的前室和棺室的一部分已被拆除，绝大部分随葬品也已被取出。该墓出土遗物尚较丰富，且在墓砖上有西晋永嘉二年（308 年）的纪年。简报配以照片、拓片、手绘图予以介绍。

据介绍，据原发现者讲，在棺室前尚有平面近正方形的穹窿顶前室。因此，此墓应为分前、后室的双穹窿顶砖室墓。墓总长约 8 米，尚存随葬品 20 余件。有青瓷器、砖雕俑、陶制明器等。

213.南京象山 5 号、6 号、7 号墓清理简报

作　者：南京市博物馆
出　处：《文物》1972 年第 11 期

1970 年 1 月 28 日，南京栖霞区迈皋桥公社金陵大队水关桥生产队农民在生产劳动中发现古代墓砖，考古人员进行了发掘。这是 1 座规模较大的西晋墓（象山 7 号墓），出土青瓷器、金银器、铜器等 130 多件，其中有罕见的金钢石指环、玻璃杯等。在南京新民门外的象山，已发掘了 7 座墓葬，其中东晋王兴之夫妇墓、王丹虎墓以及 2、4 号墓的发掘简报已发表。在"文化大革命"前夕，又相继清理了 5 号墓（王闽之墓）和 6 号墓（夏金虎墓），进一步证实了象山一带是东晋豪族王氏的族葬地。简报分为：一、墓葬形制和出土遗物，二、对一些问题的考证和分析，共两个部分，配以手绘图等，将 5、6、7 号墓的材料一并整理介绍。

据介绍，在象山先后已清理发掘了 7 座墓，除 2 号墓属南朝墓外，其余 6 座均为东晋墓，出有四块墓志，其时间顺序为：

1. 王兴之墓志，晋成帝咸康七年，公元 341 年。王兴之妇墓志，晋穆帝永和四年，公元 348 年。

按：此两墓志出自 1 号墓，为一石；王兴之妇之志刻在其夫王兴之志的反面。

2. 王闽之墓地，晋穆帝升平二年，公元 358 年。

按：出自 5 号墓，从出土墓志知该墓为东晋尚书左仆射、特进卫将军王彬的孙子、赣令王兴之长子王闽之墓，他死于穆帝司马聃升平二年（358 年）。墓志称他是"晋故男子"，可知不曾做过任何官职。死时年仅 28 岁，墓志也没有记载他有子女，看来可能是一个过着奢侈靡烂生活的纨绔子弟。墓志中记载王闽之的妻子是"吴兴施氏"值得注意，这应是南北士族联姻的例子。

3. 王丹虎墓志，晋穆帝升平三年，公元 359 年。

按：出自 3 号墓，为王兴之之弟妹，王彬之长女。

4. 夏金虎墓志，晋孝武帝太元十七年，公元 392 年。

按：出自 6 号墓，夏金虎史籍不载，死于东晋太元十七年（392 年），享年 85 岁，为王彬续娶之妻。

214.南京大学北园东晋墓

作　者：南京大学历史系考古组

出　处：《文物》1973 年第 4 期

1972 年 4 月，考古人员发掘了位于北园东北部鼓楼岗的南坡上的 1 座晋墓。在墓的上部堆积土中，发现有 1 个重达五吨的明代大石柱础和一些琉璃瓦碎片，说明这里曾经有过明代的建筑物。在大石柱础的下面，开始发现从墓顶拥毁下来的墓砖。同时，还发现了一些北宋的钱币和残破的瓷碗。根据南京大学过去发现的宋墓情况来考察，它们应该是属于北宋墓葬的遗物。发掘快到墓底的时候，又发现晋墓侧室的后墙。简报分为四个部分予以介绍。

据介绍，此墓为 1 座双室的砖墓。由墓门、甬道、主室、侧室甬道、侧室等组成。出土有玻璃杯 2 件、料器、水晶珠、铜器、陶器、玉器、铁器等 54 件。墓主应为东晋时期一个地位很高的封建贵族。

215.江宁县秣陵公社发现西晋太康四年墓

作　者：江　文

出　处：《文物》1973 年第 5 期

1965 年 3 月间，在江宁县秣陵公社金村大队元圹村，清理了 1 座西晋墓。根据现象复原，墓呈长方形，单室，其中一砖侧印有"太康四年柯君作壁" 8 个字；另一侧饰米字纹，花纹之下有一"白"字。简报配以照片、拓片予以介绍。

据介绍，随葬品原有虎子、碗、盏、猪、镰斗以及铜镜、五铢钱等器物，均放置在壁龛和墓室后半边，其中有些陶器，如魂瓶、鸡笼等因质地松脆易碎，没有完整保存下来。现存器物有 27 件。由于墓砖上印有"太康四年柯君作壁"8 个字，简报推知建墓时间是太康四年。太康是西晋武帝司马炎的第三个年号，太康四年即公元 283 年。

216.江苏六合瓜埠西晋墓清理简报

作　者：吴文讯

出　处：《考古》1973 年第 2 期

1972 年 4 月下旬，六合县瓜埠公社贾裴大队大蔡生产队农民，在平整土地时发现 1 座古墓。南京博物馆考古人员进行了清理。简报配以拓片、照片予以介绍。

据介绍，该墓为券顶砖室墓。墓分甬道、墓室两部分，平面呈凸字形。此墓早年被盗，墓室满积淤土和乱砖，棺木和人骨已腐朽无存。在墓室内只发现残锈铁棺钉四枚。出土器物有瓷器、陶器、铜钱。根据此墓的砖文，元康是西晋惠帝司马衷的年号，元康九年为公元 299 年，属西晋晚期。出土器物在断代上有参考价值。

217.江苏江宁出土一批西晋青瓷

作　者：吴文信

出　处：《文物》1975 年第 2 期

1973 年 4～5 月，江宁县六郎、铜井公社出土一批文物，其中绝大多数是青瓷。简报配以照片予以介绍。

简报介绍，六郎公社出土的有青瓷香熏、青瓷狮和青瓷镇墓兽等，及元康二年（292 年）和九年（299 年）的纪年墓砖。因这批青瓷器中一部分有纪年砖，另一部分的时代特征亦较明显，简报推断它们应属西晋产品。

简报称，江宁六郎、铜井公社出土的文物，为我们提供了一些研究我国青瓷史的珍贵资料。

218.南京太平门外刘宋明昙憘墓

作　者：南京市文物管理委员会　李蔚然

出　处：《考古》1976 年第 1 期

1972 年元月，南京太平门外尧晨果木场红旗生产队，在开荒植树时发现了 1 座砖室墓，并于甬道中发现一部分陶器、青瓷器、滑石猪和一方石刻墓志，根据墓志刻文和出土随葬遗物来看，知为南朝刘宋时的墓葬。由于当时阴雨较多、气候不好，直至三月间始行清理。简报分为"墓葬结构和内部情况""出土遗物""结语"等几个部分予以介绍，有手绘图。

据介绍，墓位于南京太平门外甘家巷北 3.5 公里左右 1 座无名小土山的南麓，墓志刻文称"贰壁山"，北距大江 2 公里左右，周围群山环抱，岗峦起伏，山上广植松柏，山下大片果园。墓为砖室拱顶，平面作"凸"字形，拱顶已不存，葬具与尸首已不见，随葬器物已多残破不全。在此墓 5 米处发现的同时代砖室拱顶墓一座（2 号墓）也遭严重破坏，葬具、随葬品均已不存。两墓应为同一家族墓葬。

简报称，据出土墓志（墓志一面刻文，30 行，满行 22 字，简报未录全文），墓主人叫明昙憘。明氏先人为百里奚子孟明后裔，以名（明）为姓，远祖既同，郡望相合，明昙憘族人多人在南朝为官，如曾出使北朝的明昙徵（见《魏书·刘裕传》）与崔氏等大族结为姻亲。此志对研究六朝历史有所帮助。

219.南京栖霞山甘家巷六朝墓群

作　者：南京博物院、南京市文物保管委员会

出　处：《考古》1976 年第 5 期

1974 年 10 月至 1975 年 1 月，考古人员在南京栖霞山甘家巷发掘了一批六朝时期墓葬，共有六朝墓葬 38 座。在这一区域内包括有梁代肖秀墓在内的省级文物保护单位六朝陵墓石刻多处和其他六朝墓葬。简报分为三个部分予以介绍，有手绘图、照片。

据介绍，此次清理发掘的 40 座墓葬，内有 2 座明墓，余均为六朝墓。六朝墓除 2 座残破过甚外，有东吴墓 7 座、西晋墓 6 座、东晋墓 17 座、南朝墓 6 座。在六朝时期这里应是 1 处墓葬区。六朝墓均为砖室墓，随葬品朴素、简单。不少墓，尤其是稍大的墓，破坏得相当严重。墓志有出土，但多已漫漶不清，无从辨认。随葬品中最珍贵的应为青瓷器。

220.江苏江宁东善桥南朝墓

作　者：吴学文

出　处：《考古》1978 年第 2 期

1973 年 1 月 23 日南京凤凰山铁矿在江宁县吉山一带施工中发现 1 座砖室墓，考

古人员前去调查和清理，清理工作由 25 日开始到 27 日结束。简报配以手绘图、照片予以介绍。

据介绍，吉山在南京城南约 22.5 公里处，属江宁县祖堂大队，北靠祖堂山，西距东善桥镇约 3.5 公里，据《建康志》，宋征房将军吉翰葬于此，因以为名。全墓结构分为封门墙、水沟、甬道和墓室 4 个部分。出土遗物共 33 件，还有一些陶盘，因质地松软，火候较低，在稀烂的淤土中，只可辨认器形，无法取出。

该墓的结构与南京附近地区南朝墓葬大致相似，墓中出土的随葬品如青瓷壶、碗、盘、滑石猪等，也是南京地区南朝墓葬比较常见的，而青瓷莲花盏托的釉质、纹饰风格则已接近隋唐，因此简报推断这个墓葬的时代为南朝晚期。

简报称，"南朝四百八十寺"，佛教流行之广可以想见，萧梁一代尤甚。青瓷盏托之以莲瓣为饰，正是这一历史事实的映证，为研究当时的社会提供了可靠资料。

221.南京郊区两座南朝墓清理简报

作　者：南京市文物保管委员会　魏正瑾、阮国林
出　处：《文物》1980 年第 2 期

1978 年 5 月，南京中央门外燕子矶附近发现了 1 座南朝残墓，出土梁普通二年（521 年）墓志 1 方。1974 年 2 月，在南京尧化门外对门山清理的一座南朝墓，墓葬形制与上述普通二年（521 年）墓大致相同。

简报分为：一、梁普通二年（521 年）墓，二、对门山南朝墓，共两个部分。有照片、手绘图。

据介绍，梁普通二年（521 年）墓位于燕子矶以南 1 公里、和燕公路西侧 0.5 公里。墓早年被盗掘，顶已坍毁，仅出土石马、石俑、步障座、墓志等。由墓志知此墓时代为南期梁普通二年（521 年），墓主人姓名已看不清楚，但知其曾祖、祖父、父亲均为高官，本人曾任辅国将军，娶的是清河崔氏之女，应为南朝豪族。墓志虽残，但字体为正楷，在书法上也颇有价值。

对门山南朝墓位于南京栖霞区尧化公社王字楼大队解放生产队西南对门山南坡。当地农民挖土时发现墓砖，考古人员于 1974 年 2 月 18 日至 3 月 10 日进行了清理。该墓结构略同于燕子矶梁普通二年（521 年）墓，为带甬道的单室券顶砖墓。平面大致呈"凸"字形。该墓也遭严重盗扰，仅出土青瓷莲花壶 1 件、青瓷盘口壶 1 件等瓷器 7 件，滑石猪 3 件、石俑 3 件、严重风化石马 1 件。时代应与燕子矶墓相近。

222.南京尧化门南朝梁墓发掘简报

作　者：南京博物院　霍　华
出　处：《文物》1981 年第 12 期

1979 年 9 月 20 日至 12 月 28 日，南京博物院在南京尧化门发掘了 1 座南朝梁代陵墓。简报分为：一、地理环境，二、墓室结构，三、出土遗物，四、结语，共四个部分。有照片、拓片。

据介绍，这座梁代陵墓位于南京市东北面的尧化公社周家山农场的桑树林中，在甘家巷西北 3 公里处。墓地所在的山冲叫老米荡。1974 年，考古人员曾配合栖霞山化肥厂建设工程，发掘了其中的肖秀墓。1978 年底，尧化公社乌龙大队北家边生产队农民劳动时，在薄荷地里发现 1 块石灰岩柱础石。考古人员于 1979 年初进行了发掘，出土 1 对东西相对的石望柱，相隔约 5 米。这座梁代陵墓是一座券顶单室砖室墓，此墓出土遗物经过扰乱破坏，能看出器形的共 56 件，几乎全都残破不堪，零散地分布在石门后甬道中和墓室前部。计有石墓志和石器、陶器、青瓷器、铜器等，还有零星的人牙和人骨。石墓志和石器，较完整的有 36 件。这次发掘的最大收获之一是出土了 4 块石墓志，有两块还残留部分文字。墓志上幸存 112 字，字迹尚清晰，属于比较成熟的楷书，残留的字简报抄录有全文。

简报称，经检测，此墓主人为一位 40 多岁的男性，简报考证此人很可能是萧伟，再一种可能是萧统。

萧伟，曾封左光禄大夫、侍中、雍州刺史、镇北将军、散骑常侍、扬州刺史、中抚将军、江州刺史等几十个官衔，并曾获开府仪同三司、给鼓吹一部的待遇。卒年为中大通四年（532 年）。

萧统，即昭明太子。据《建康实录》卷十七记载，萧统葬于安宁陵。《元和郡县志》卷二十六记载"昭明太子安陵（应作安宁陵），在县东北五十四里查山"，与此墓地较合。《建康实录》记载：萧统卒年为 41 岁。《南史·梁宗室》和《梁书》中记载其卒年为 31 岁。

223.南京梁桂阳王肖融夫妇合葬墓

作　者：南京市博物馆　阮国林
出　处：《文物》1981 年第 12 期

南京太平门外栖霞区甘家巷一带，宁栖公路的南北两侧，保留着不少六朝陵墓石刻，其中有安成康王肖秀、鄱阳忠烈王肖恢、始兴忠武王肖憺、南平元襄王肖伟、吴平忠侯肖景等人的神道石刻，另在肖秀墓东北约 2 公里处，还有失考神道石兽辟邪 1 对。1980 年 9 月，南京石油化工厂在基建施工中，于失考辟邪西北方向发现 1 座墓，根据出土墓志得知，为南朝梁武帝肖衍之弟、桂阳王肖融与其妻王慕韶夫妇合葬墓，从而确定了这对失考辟邪即是梁桂阳王肖融墓的神道石刻。简报分为：一、墓葬概况，二、墓志，共两个部分。有照片。

据介绍，肖融夫妇墓坐落于南京石油化工厂东南面的一片小山丘中，在宁栖公路的北面，东距栖霞山约 2.5 公里，西南距甘家巷约 2 公里。墓前为一片开阔地，在距墓东南约 1000 米处，有神道石兽 1 对。该墓早年遭到严重破坏，前半部结构几乎全部被毁。墓的平面呈"凸"字形。随葬品已被盗掘一空，仅出土两合石墓志。一为梁桂阳王肖融墓志，二为桂阳王妃王慕韶墓志。简报录有两志志文全文。

肖融，《梁书》《南史》有传。据墓志记载，桂阳王肖融，兰陵郡兰陵县都乡中都里人。为太祖皇帝第五子。南齐永明以后，历任豫章王行参军、鄱阳王行参军，又除太子舍人，转冠军、镇军，车骑三府参军署□□，又为车骑江夏王主簿等。齐永元三年（501 年）卒，中兴二年（532 年）追赠给事黄门侍郎。梁武帝肖衍即位后，于天监元年追赠肖融散骑常侍、抚军大将军、桂阳郡王，并于天监元年（502 年）十一月窆于弋辟山。志文多处可补史书之阙。

桂阳国太妃王慕韶，史书无传，查王氏世系表，知为王导七世孙女。墓志云为南徐州琅玡郡临沂县都乡南仁里人，祖深新安太守，父僧聪黄门郎。天监元年追赠肖融为桂阳王，因融无嗣，遂以宣武王第九子象承封桂阳王。天监三年（504 年），王慕韶被策封为桂阳国太妃，天监十三年（514 年）十月卒，十一月祔葬于肖融墓。

224.南京北郊郭家山东晋墓葬发掘简报

作　者： 南京市博物馆　阮国林、魏正瑾
出　处：《文物》1981 年第 12 期

近年来，考古人员为配合工农业基本建设，先后在南京北郊郭家山清理了 4 座结构与形制相同的古代墓葬。其中 M1 和 M3 出有东晋早期纪年砖。简报分为三部分予以介绍，有照片。

据介绍，郭家山是南京北郊的一座长条形的黄土小山丘，南距中央门 1.5 公里，西北距象山 0.5 公里。郭家山东晋墓的形制结构，皆为带长方砖短甬道的单室穹隆顶墓，墓壁都设有直棂假窗和"凸"字形小壁龛。墓葬的规模大小也差不多。这种墓葬结构反映了南京地区东晋初期大墓建造风格的时代特点。简报推断 4 墓年代为东晋前期，其中 M1 出土有永和三年（347 年）纪年砖，M3 出土有咸和元年（326 年）

纪年砖，出土遗物中以 M1 出土的 1 件水晶镜片（放大镜）较为重要。简报称，郭家山可能是东晋王氏家族某一支系的墓葬地。

225.南京市卫岗西晋墓清理简报

作　者：南京博物院　李文明
出　处：《文物》1983 年第 10 期

1980 年 3 月，南京博物院在南京市中山门外卫岗清理了 1 座西晋砖室墓，出土了一批制作比较精致的青瓷器。简报配以照片予以介绍。

据介绍，该墓上部已破坏，墓壁用素面青砖平砌。墓室中残留木板痕迹和铁棺钉，死者骨架无存。墓中出土随葬品有：铁剑 1 件、铜镜 1 件、铜钱两串、青瓷器 10 件、簋 1 件、盘口壶 1 件、双耳罐 1 件、四耳罐 3 件、带盖小罐 1 件、碟 1 件、小盂 1 件。出土青瓷器可能是浙江上虞窑产品。该墓的年代，简报推断为西晋早期或东吴晚期。

226.南京北郊东晋墓发掘简报

作　者：南京市博物馆　朱兰霞
出　处：《考古》1983 年第 4 期

1980 年，南京汽轮电机厂基建时墓葬暴露出来。1981 年 4 月进行了发掘。简报分为：一、墓葬结构，二、随葬器物，三、结语，共三个部分。有手绘图。

据介绍，此墓位于南京北郊，距和平门约 1.5 公里。曾被盗，但仍出土瓷器、玻璃器、铁器、陶器、银器等 100 余件。其中玻璃器应为舶来品。简报推测此墓为东晋穆帝司马聃的陵寝，时当东晋中晚期。

227.南京郊区三座东晋墓

作　者：南京市博物馆考古组　阮国林
出　处：《考古》1983 年第 4 期

1975～1978 年，考古人员在南京郊区、江宁县配合农田水利基本建设，相继发掘清理了 3 座结构基本相同、出土遗物亦颇类似的东晋时期墓葬。简报分为"吕家山东晋墓""娘娘山东晋墓""五塘村东晋墓"等几个部分予以介绍，有照片、手绘图。

据介绍，3 墓均为砖室大墓。3 座墓葬共出遗物 63 件，其中瓷器计有 32 件，保存较好。釉色大致可分为青绿、茶黄、酱釉3种。釉面多明亮均匀，少有脱釉现象。器物的造型，均为东晋墓葬中所习见，并且具有东晋中晚期器物的特征。32件瓷器中，全酱釉和带有酱釉斑装饰的器物有11件。简报指出目前所知，酱釉最早出现于东吴，流行于东晋中晚期，到了南朝逐渐消失。这次3座墓葬所出的几件全酱釉器物中，如吕家山M1的唾壶、娘娘山M1的香熏、五塘村M1的鸡首执壶，釉色黑里泛红，均匀清亮，造型规正，堪称酱釉器中精品。青瓷器上酱釉斑装饰作风的流行，应与器物上的图案花纹装饰由繁到简的变化过程有关，具有时代特征。从迄今已出六朝青瓷器的装饰图案来看，吴、西晋的器物装饰图案种类繁多，东晋初期的器物装饰趋于简单，但有的仍保留前期的孑遗。东晋中晚期至南朝初期则以素面为主，最多也只饰有弦纹。然而在器物上点缀酱斑，改变了简单呆板的状况，其效果不亚于前期器物上繁杂的图案装饰。

3座墓葬的绝对年代，简报推断约在东晋中期永和年间（345～356年）以后。而五塘村M1最晚，大致可以定在东晋晚期。

228.南京郊区两座南朝墓

作　者：南京市博物馆　易家胜
出　处：《考古》1983年第4期

1978年11月，考古人员于中华门外板桥镇西南九四二四工地，发掘清理1座南朝墓，出土较多陶器。1981年12月，仙鹤门外红旗农牧场发现1座南朝墓，与上墓基本类同，且结构完整、器物丰富。它们为研究南朝中晚期的墓葬结构、青瓷特点、陶器组合等，提供了较为丰富的实物资料。简报分为：一、板桥南朝墓，二、仙鹤门南朝墓，三、结语，共三个部分。有手绘图、照片。

据介绍，此2墓全长都在8米以上，甬道中部皆筑石门，门拱上有仿木结构的浅浮雕；砖棺床上铺垫石棺座；随葬品中有石俑、石兽等。尽管板桥墓曾被盗，但两墓仍出土一批有价值的随葬品。2墓共出陶器24种52件，多为前代所有，但形制已有变化。其中，较有时代特征的是带流附錾罐和穷奇，应为南朝中晚期特有器物。陶马的装饰，也具明显特征。

简报称，南朝中晚期墓中随葬品的一个显著特征，就是瓷器减少，陶器尤其是生活用陶器增多。故简报推断两墓为南朝中晚期王亲大族之墓。仙鹤门南朝墓有墓志1件，可惜已无法辨读。不过此墓与梁临川靖惠王萧宏墓毗邻相接，说明墓主很可能就是萧家后代。

229.南京童家山南朝墓清理简报

作　者：南京博物院　李文明、钱　锋
出　处：《考古》1985 年第 1 期

1982 年 12 月，考古人员在南京市草场门东北的童家山，清理 1 座南朝墓葬，该墓位于童家山南麓，东南接近孙吴时的石头城。简报分为：一、墓葬结构，二、出土文物，三、结语，共三个部分。有照片。

据介绍，墓葬系砖砌券顶单室墓，保存完好。在墓室内发现多枚锈蚀的铁棺钉、腐朽的人肢骨和头骨。根据遗骨特征，简报认为墓主人应是中年以上男性。墓中出土遗物共 42 件，大多为随葬品，以陶器、青瓷器为主。简报推断，童家山墓葬时代应属南朝中晚期。

简报称，在南京地区，发现的南朝墓大多已被盗掘过。而此墓幸免盗掘，保存完好。其规模也较大，随葬器物较丰富、完整，品种较全。

简报指出，此墓为研究当时葬制、墓的结构及社会经济提供了实物资料。

230.江苏江宁县张家山西晋墓

作　者：南京博物院　张　敏
出　处：《考古》1985 年第 10 期

1982 年底，南京江宁县谷里乡梁塘村的农民用推土机在张家山平山造田，发现砖室墓 1 座，发现时墓顶已被推去。1983 年 1 月，考古人员对该墓进行了清理。简报分为：一、墓葬的位置及墓室结构，二、出土遗物，三、年代的推断和对几件随葬器物的分析，共三个部分。有手绘图、照片。

据介绍，张家山在梁塘村北约 0.5 公里，高约 10 米，西距谷里乡约 3 公里，北距南京中华门约 7.5 公里。在这一带发现不少农民家的墙壁上砌有六朝墓砖，除花纹砖外，尚有"元康三年"（293 年）、"元康七年"（297 年）纪年砖，据了解都是在山坡上的古墓里挖出来的，估计梁塘村周围当为六朝时期的冢地。此墓平面为双"凸"字形，前有封门墙、短甬道，分为前室、过道、后室等几个部分。随葬品有青瓷魂瓶、铜镜、青瓷俑等约 20 件。

简报称，该墓出土的青瓷器，为研究西晋时期的青瓷制造工艺，以及研究当时人们的生活、服饰、经济和思想，提供了一批可贵的实物资料。

231.南京马群六朝墓

作　者：南京博物院　党　华、张　敏
出　处：《考古》1985 年第 11 期

1982 年 2 月，为配合海军医校基本建设，考古人员清理了六朝砖室墓 1 座。该墓是在挖挡土墙基时发现的。南京海军医校在南京东郊马群街北。校园的西部原是一个小土冈，墓葬位于小土冈坡。由于小土冈上部的土被推下来，压在墓葬上的土已达 3 米以上，但是仍然可以清楚地辨认出厚约 50 厘米的黄色原封土。在挖挡土墙基时发现了墓室前部的券顶，发现时券顶完好，因为上部堆土太厚，只是将墙基基槽内已暴露的券顶揭去，清理了墓室内部。简报分为：一、墓室结构，二、出土器物，三、结语，共三个部分。有手绘图、照片。

据介绍，该墓为长方形单室墓，前有短甬道，券顶，单棺葬，棺木、人骨已朽，随葬品有青瓷器、滑石器、陶器、铜器等，简报推断此墓年代为南朝刘宋时期。

232.江苏江宁官家山六朝早期墓

作　者：南京市博物馆　朱兰霞等
出　处：《文物》1986 年第 12 期

1982 年 8 月，江苏省江宁县陶吴乡砖瓦厂在官家山取土时发现 1 座古墓。考古人员随即对古墓进行了发掘清理。简报分为：一、墓葬结构，二、出土器物，三、结语，共三个部分。有照片、拓片、手绘图。

据介绍，此墓位于官家山西坡断崖的上部，平面呈"吕"字形。分前甬道、前室、后甬道、后室四个部分。墓中出土的随葬品有瓷器、铜器、银器、漆器，有铭文墓砖等，其中漆器的数量较多。漆器上的漆画保存尚好，风格与汉代迥异，是研究中国绘画史的宝贵资料。此墓年代，简报推断为东吴末、西晋初。

233.南京草场门发现晋墓

作　者：贺云翔
出　处：《考古》1987 年第 4 期

1984 年 7 月，南京草场门电力学校基建工地土山上发现 1 座墓葬。简报配以拓片、手绘图予以介绍。

据介绍，墓为长方形土坑墓，宽约 70 厘米，清理前因墓坑上部和南端已遭破坏，故其深度与长度不详。墓底经人工夯实过，上面横排平铺一层青砖。墓向正南北，尸骨无存，随葬品全部堆放在墓葬北端，由此观之，墓主人可能是头北足南。随葬品不多，仅4件瓷器。4件器物又可分成2套，各由1罐1碗组成。这两套不同的器物很可能来自不同的窑口或产地。这座墓的时代，简报推定为西晋。

234.南京狮子山、江宁索墅西晋墓

作　者：南京市博物馆　周裕兴
出　处：《考古》1987年第7期

1984年秋和1985年春，考古人员分别在南京市区内的狮子山和江宁县淳化乡索墅砖瓦厂清理了2座西晋时期的墓葬。简报分为：一、索墅砖瓦厂一号墓，二、狮子山一号墓，三、结语，共三个部分。有照片、手绘图。

据介绍，1985年2月上旬，江宁县淳化乡索墅砖瓦厂工人在挖方取土时发现此墓（编号85JSM1）。考古人员清理了残存的墓葬前室，其后室则已全毁。该墓为一座砖结构的前后双室墓，平面呈"凸"字形。该墓内共清理随葬器物27件，包括青瓷器6件，釉陶器16件，其他器物5件。铜镜、金指环、银手镯等，被砖瓦厂工人自被破坏的墓葬后室中挖出。索墅砖瓦厂一号墓，出有铭文砖，其纪年为"太岁庚子"，当为西晋太康元年（280年）。正是在这一年"晋平吴"，再度统一全国。因此，将该墓的年代定在西晋初较为恰当。该墓刻铭砖曰"姓朱江乘人居上描（？）太岁庚子晋平吴天下太平"。简报指出这类带有明显政治色彩的砖铭，在南京地区所出的六朝墓砖中极少见到。东吴后期，政治日趋腐败，国势剧衰，以致西晋平吴仅用四五个月的时间，便大功告成。平吴后，西晋统治者采取了一系列怀柔安抚的政策，使东吴旧地很快恢复了安定与经济发展的局面。无怪这位身为吴国臣民的江乘朱氏，亦会为晋灭东吴而唱颂歌了。

狮子山一号墓平面呈"凸"字形，墓室左壁前部砌有一不足半米见方的落地小龛，此应属吴、西晋时较多见的凸字形带耳室类型墓中，耳室退步简化的残遗。简报称，该墓出土的随葬物品中，除1件水注形的小罐为釉陶外，其余均为青瓷器，烧制亦较精美。该墓年代，简报推断为西晋中期。

235.南京虎踞关、曹后村两座东晋墓

作　者：南京市博物馆　周裕兴等
出　处：《文物》1988年第1期

1983年6月和1984年4月，考古人员在南京市鼓楼区虎踞关省公安厅基建工地、

栖霞区曹后村南京汽车制造厂宿舍工地，清理了两座古墓。两座墓都保存较好，未受扰乱。简报分为：一、虎踞关东晋墓，二、曹后村东晋墓，三、结语，共三部分。有拓片、手绘图。

据介绍，虎踞关墓编号为83GHM1，位于南京城西清凉山一土丘的东南坡下，西距清凉山公园仅数百米。为砖室券顶墓，平面呈"凸"字形。人骨架、葬具均腐朽不存。墓内出土随葬器物16件。有酱釉盘口壶、陶猪等。曹后村墓为中型双棺合葬墓，墓主人当为较富裕并有一定社会地位的官吏或士族。墓葬所在地似可划入幕府山范围内。墓室的左、右、后三壁向外弧凸，墓室和甬道采用平竖相间的砌法，这种砌法流行于东晋晚期至南朝。墓内出土的双耳盘口壶，属东晋时期常见的器物。

据简报推断，虎踞关墓和曹后村墓的年代均为东晋中晚期。虎踞关墓的年代比曹后村墓略早。

236.南京江宁晋墓出土瓷器

作　者：南京市博物馆　周裕兴、顾苏宁
出　处：《文物》1988年第9期

江宁县殷巷乡其林村一处当地人称"娘娘坟"的丘坡上，1985年9月底发现古墓1座。考古人员进行了发掘，简报配以照片、拓片予以介绍。

据介绍，该墓为1座双穹隆顶砖室墓，分前后两室，早年曾被盗，但仍出土青瓷器39件、漆器5件、铜钱约108枚。此墓的年代，简报认为在西晋、东晋之交时。

237.南京前新塘南朝墓葬发掘简报

作　者：南京博物馆　陈兆善等
出　处：《文物》1989年第4期

1981年12月，南京市栖霞区尧化乡尧辰村农民在村前新塘附近一无名土丘上挖土时，发现1座古墓。南京博物馆考古部在当地有关部门协助下对此墓进行了清理。简报分为：一、墓葬结构，二、出土器物，三、结语，共三个部分并配以照片予以介绍。

据介绍，此墓位于土丘南坡，墓室左、右、后三壁均向外弧突，墓室以青砖砌成，此外，在墓外还有两道挡土墙，以保护甬道和墓室前端。出土遗物多为陶器，尽管种类不多，但看起来是一套完整的器物组合，简报推断墓葬年代为南朝早期。

简报称，此墓所出陶灯、陶香熏在南京地区均为首次发现，值得注意。此墓的发掘，为研究南朝墓葬提供了新的材料。

238.江苏南京北郊郭家山五号墓清理简报

作　　者：南京市博物馆　周裕兴、张九文

出　　处：《考古》1989 年第 7 期

1986 年 3 月上旬，考古工作人员在南京糖烟酒公司郭家山仓库内工地，发掘清理了 1 座东晋早期墓葬（编号 86XGM1）。郭家山位于南京中央门外西北约 2 公里处，为一东西长 1000 余米的连绵土丘。自 60 年代以来，先后在郭家山发掘清理近 4 座东晋早期墓葬。该次清理的墓，排列在上述 4 座墓葬的东侧，为迄今在北山发现的第五座时代极其相近的墓葬。因叙述方便，又称此墓为郭家山五号墓。简报分为：一、墓葬结构，二、出土遗物，三、结语，共三个部分。有手绘图、照片。

据介绍，该墓为前接甬道的凸字形单室墓，墓壁上砌有直棂假窗，但还未出现东晋中晚期时所多见的排水沟、棺床等设施，而仍保留着具有西晋时期特点的墓葬结构。经初步修复清理，计出土有青瓷、玉石器等 50 余件文物。该墓的年代，简报推断在东晋早期。

郭家山一至四号墓与该墓相比较，在墓葬结构、随葬物品方面，都有十分显见的共性。其规格，5 座墓都在大型以上；其形制，5 座墓都为凸字形四隅券进式穹窿顶砖室结构。郭家山四号墓出土青瓷碗盏 19 件，该墓碗盏钵数竟达 28 件，1 座墓内随葬碗盏数量如此之多，还属少见，另有一些器物都可以在五号墓中找到。

简报认为，郭家山五号墓同郭家山一至四号墓一样，是位于同一族葬地的、属于东晋某世家大族的墓葬之一。

239.南京江宁县上湖东晋墓

作　　者：南京市博物馆　阮国林等

出　　处：《文物》1990 年第 8 期

1979 的 10 月，江宁县江宁乡上湖村农民平整土地时发现古墓 1 座，考古人员作了清理发掘。简报配以照片予以介绍。

据介绍，此墓为"凸"字形穹窿顶砖室墓，墓内出土青瓷器、陶器和金银饰件。其中青瓷鸡首壶 9 件、青瓷罐 2 件、青瓷壶盖 1 件、铜三足炉 1 件、铜镜 1 件、滑石猪 2 件、金片 4 件、金纽环 3 件、银饰 1 件（已残）。简报推断墓葬年代为东晋初期。

简报称，上湖东晋墓为长方形穹窿顶砖室结构，这种类型的墓葬在东吴和西晋时期较为流行，东晋时已不多见。

240.梁朝桂阳王萧象墓

作　者：南京博物院　陆建方、王根富等
出　处：《文物》1990 年第 8 期

1988 年 1 月，南京炼油厂在基建施工中发现 1 座墓葬，考古人员进行了清理。根据出土的石墓志得知，墓主为梁朝桂阳敦王萧象。简报分为：一、地理位置及墓葬结构，二、出土遗物，三、结语，共三个部分。有照片、拓片、手绘图。

据介绍，萧象墓位于江苏省南京市东北，宁栖公路的北面，东距栖霞山约 2 公里，南距甘家巷约 1.5 公里。墓葬坐落在南京炼油厂西面的一个小山冲中，山冲俗称刘家塘，南侧现为水塘。墓前两旁缓坡向南延伸，墓后数百米是一座较高的山峰，墓址海拔 35.3 米。由排水沟、封门墙、甬道、石门、墓室等部分组成。据南京炼油厂现场施工人员介绍，墓上原有一个低矮的封土堆，由于已被铲平，原高度及底径大小已无从得知。墓葬早年受到破坏，墓顶及封门墙等大都已倒塌。清理墓顶积土时，在墓室前部西侧发现 1 座宋墓和 3 座明墓，明墓中出土万历、崇祯通宝钱币及两只有"大明成化年制"款的青花瓷碗，3 座明墓均保留较为完整的人骨架和铁棺钉等。可见萧象墓在宋代和明代晚期多次被扰，但均未被掘到墓底。出土遗物有陶瓷器、铜器、石器等计 33 件。墓砖大量使用莲花纹，当是佛教盛行的反映。墓志应有 1357 字，楷书，但仅可辨认近 600 字。简报未录全文。

简报指出，南京尧化门和甘家巷地区是梁朝萧氏王族的聚葬区。过去已在该地区发现了 8 座梁朝王室墓，计有桂阳简王萧融墓、临川郡王萧宏墓、安成康王萧秀墓、建安郡王萧伟墓、鄱阳忠烈王萧恢墓、始兴忠武王萧憺墓、吴平忠侯萧景墓、新渝宽侯萧暎墓。萧象墓是这个地区可以肯定墓主的第 9 座萧氏王室墓。

简报称，从墓志不完整的内容看，萧象为兰陵郡兰陵县人，是梁文帝长子宣武王第九子，后受命为萧融嗣子，继承了桂阳王的爵禄。萧象先后督司霍郢三州诸军事，担任过轻车将军、郢州刺史、湘州刺史、黄门侍郎、领军、宗正卿、侍中、江州刺史、步兵校尉、秘书监等职。

简报称，墓志内容与《梁书·萧象传》完全吻合。值得注意的是萧象墓志和《梁书·萧象传》不但内容相合，而且行文竟有很多相同之处，简报认为，墓志和《梁书》应有一定关系。由于墓志的漫漶，墓志作者已难以辨认。或许墓志作者就是《梁书·萧象传》的作者。《梁书》和《陈书》都是由本朝人根据本朝的资料撰写的，所以即使《梁书·萧象传》的作者不是墓志作者，也一定是参考了萧象墓志的。

241.南京幕府山东晋墓

作　者：南京市博物馆　易家胜、阮国林等
出　处：《文物》1990 年第 8 期

1982 年 4 月及 1985 年 4 月，为配合基本建设，考古人员先后在北郊的幕府山南麓发掘了 2 座东晋墓葬。两墓相距较近，位置南距中央门约 2.5 公里，东距燕子矶约 8 公里。这一带岗峦起伏，1949 年以来南京地区出土的东晋皇室、贵族墓葬多集中在这一地区。两座墓的编号分别为幕府山 3、4 号墓。简报分为"3 号墓""4 号墓""结语"共三个部分予以介绍，有照片。

据介绍，3 号墓、4 号墓均属中等偏大的砖室墓。墓主人身份当较高。简报推测应为东晋皇室成员。出土遗物较为丰富，有青瓷、陶质冥器、漆制日用品、金器、银器、料器以及铁镜石黛板等杂物。其中陶仓、陶香熏等均很精美。

此墓的年代简报推断为东晋中晚期。简报称，从这一时期到六朝晚期，各类墓葬中几乎不见铜器。

简报指出，南京地区以往发现的六朝墓葬中，东晋前期流行的形制主要有两种：一是平面呈凸字形的单室穹隆顶砖室墓；一是平面基本呈长方形并带有极短甬道的单室券顶墓。东晋中晚期至整个南朝，墓室的形制趋于单一化，流行平面呈长凸字形的单室券顶墓。这两座墓虽略有差异，但都属平面呈长凸字形的单室券顶墓。它们总的特点代表了东晋中晚期墓葬结构变化的趋势，即甬道加长且由木门分为前后两部分，墓室两壁略显外弧，后室出现砖砌棺床等。

242.南京油坊桥发现一座南朝画像砖墓

作　者：南京市博物馆　华国荣、周裕兴
出　处：《考古》1990 年第 10 期

1987 年 9 月 21 日至 28 日，博物馆考古部在南京雨花台区西善桥乡油坊桥村清理了 1 座南朝时期的画像砖残墓。此墓位于油坊桥村东南约 2 公里的贾家凹，为当地村办砂石厂在挖土取砂时发现。该墓虽曾遭严重破坏，仍出土了一批有价值的花纹砖和画像砖。简报分为：一、墓葬形制，二、墓砖纹饰及出土器物，三、结语，共三个部分。有手绘图、照片。

据介绍，六朝时期流行族葬，帝室和世家大族的墓葬多集中葬于一区。这次新发现的南朝画像砖墓，从其形制、内容来看，绝非一般人所享有。简报认为，南京油坊桥、西善桥、板桥一带很可能是南朝时期帝王勋贵的又一集中葬区。

243.江苏南京卡子门外六朝早期墓

作　者：南京博物馆　姜林海

出　处：《考古》1990 年第 11 期

1988 年 4 月，博物馆在南京市雨花台区卡子门西侧丁详村南京市盐业公司卡子门仓库配合基建，发掘了 1 座六朝早期砖室墓。此墓发掘的收获，简报分为：一、墓葬结构，二、随葬器物，三、结语，共三个部分。有手绘图、拓片。

据介绍，此墓位于卡子门西侧丁详村，发现时墓室后侧已出露，部分文物已被取出。此墓为砖结构单室墓，此墓随葬品计有瓷器、铜器、漆器三类共 13 件。简报根据出土器物分析推断，此墓的时代为吴末晋初。简报认为特别值得注意的是，墓葬中出土的瓷钵底上的墨书"徐"字，这种墨书题记在南京地区六朝墓葬中还不见有这样早的，它是否就是墓主人的姓氏，简报尚难以肯定；其次，墓中出土的漆器也是十分难得的。

244.南京迈皋桥小营村发现东晋墓

作　者：南京市博物馆　顾苏宁

出　处：《考古》1991 年第 6 期

1985 年 11 月，南京市博物馆在中央门外迈皋桥乡小营村清理了 1 座东晋墓。该墓位于南京煤气厂基建工地内，西距中央门约 5.8 公里。简报分为：一、墓葬形制，二、出土器物，三、结语，共三个部分。有手绘图。

据介绍，该墓是长方形青砖砌成的平面呈"凸"字形的券顶墓。墓葬前半部分顶部坍塌，后半部分券顶完好。棺木、尸骨已朽。墓室内积土较多，估计早年被盗，但仍出土陶瓷器 12 件。简报推断该墓年代为东晋中期"永和"以后，也有可能迟至东晋晚期。

245.江苏南京邓府山吴墓和柳塘村西晋墓

作　者：南京市博物馆　华国荣

出　处：《考古》1992 年第 8 期

1986 年 10 月，博物馆考古部在栖霞区燕子矶乡柳塘村发掘了 1 座西晋墓。同年 12 年，在雨花区安德门邓府山发掘了 1 座吴墓。这两墓都是当地基建单位在施工中发现的。邓府山一带历来是南京地区古墓葬的集中区。这次发掘的吴墓，随葬品丰富，且很有时代特征。简报分为：一、邓府山吴墓，二、柳塘村西晋墓，三、结语，共三个部分。有手绘图、拓片。

据介绍，2 墓出土的随葬器物很有特色。邓府山东吴墓的器物以陶器为主，其中又以灰陶为主。器形中明器占大多数，陶器一般以素面为主，从一些器物中可以看出较浓的汉代遗风。

柳塘村西晋墓墓砖侧面有"大康六年八月十五日王氏（？）壁千年""大康六年"等字样。"大康"即"太康"，是西晋武帝司马炎的第 3 个年号，太康六年即 285 年。所以，该墓为西晋早期墓无疑。另外在墓砖的顶侧饰有"玄武"的凸面花纹。墓中还发现了 1 块有价值的"铅"地券，其中的"铜券" 2 字，在以前的地券中不见，简报对地券的质地有一点新的认识。从现有的文字可以看出墓主人去世及下葬的时间，墓地的位置及范围等内容。值得怀疑的是，地券上的死亡时间和墓纪年砖上的时间相差 1 年，可能是当时建墓者和刻地券者的失误而成。

简报称，两墓共同特征：以陶器为主，瓷器及其他器类较少。两墓的形制基本相似，其中类同的形制及砖料、设施等现象，是南京地区六朝墓葬中比较普遍的。从现有的资料来看，在六朝早、中期，这种四隅券进式的穹窿顶是比较流行的。

246.南京西善桥南朝墓

作　者：南京市博物馆　姜林海等
出　处：《文物》1993 年第 11 期

1989 年 5 月，为配合基建，考古人员在南郊雨花台区西善桥镇砖瓦厂内清理了 1 座砖室墓。简报分为：一、墓葬形制，二、随葬器物，三、结语，共三个部分。有照片、拓片、手绘图。

据介绍，该墓由石门、甬道、耳室和墓室组成。此墓早年被盗，墓顶已坍塌，彩绘壁画已不存，随葬器物也仅残留一些陶瓷器，所幸墓志尚保存完好，为正楷书写，为正处于隶书向楷书过渡时期的书法史研究提供了宝贵资料。简报附有墓志全文。

据志文，墓主为南朝陈侍中、中权大将军黄某。此人生于梁天监十六年（517 年），卒于陈太建八年（576 年）。终年 50 岁。

247.栖霞山千佛崖第 13 窟的新发现

作　者：林　蔚
出　处：《文物》1996 年第 4 期

南京栖霞山千佛崖窟龛造像，是现存为数不多的重要南朝造像遗迹之一。由于风化较甚，且屡修饰，加之 20 世纪 20 年代大规模水泥修缮，造像多失原貌。近日栖霞寺僧人大做功德，将栖霞山南京市博物馆编号第 I 区第 13 窟四像水泥全部凿落，露出石质表面。造像除原风化、残损部分外，原服饰、姿态清晰可见，俨然旧时风貌。其艺术及史料价值极为重要。简报分为：一、洞窟的主要内容，二、洞窟年代，三、从第 13 窟看南北龛像的相互影响，四、结语，共四个部分。有彩照。

据介绍，13 窟的始凿年代为永明末年以来的 5 世纪末期。当时栖霞山正处于南朝齐政权统治下。北方为北魏政权。栖霞山开窟造像，在接受云冈早期洞窟的某些因素、形成自身特色的同时，又将自身的某些因素反馈于北方，深深影响了云冈中晚期及龙门北朝诸窟。

简报指出，当时北魏与南朝交往频繁，仅高祖太和年间，北方使节即 12 次南渡，其中 11 次集中于北魏迁洛之前的太和七年至十八年（483 ～ 494 年），亦即南齐永明元年至建武元年，正值栖霞佛事始兴之时，而云冈石窟则已开凿 20 余年。平城如此大规模开窟造像之举不可能不影响到江南。又建康地区本为北方大族聚居地，创栖霞寺，并参与开窟造像之设计之人不少来自北方。

如曾参与平城佛事的刘孝标兄弟。孝标兄弟历经云冈昙曜五窟和第 7、8 双窟之兴建，于齐永明四年（486 年）"逃还京师（建康）"。今从第 13 窟的洞窟形制及造像特征诸方面看，其接受云冈早期特征的影响是显著的。孝文帝迁洛以后，云冈石窟开凿虽又延续了 20 余年，但大规模开窟造像活动已转移至龙门地区。龙门风格的形成，虽很大程度上沿袭了云冈模式，可同时南朝的影响也是深刻的。佛教艺术南方对北方的影响，最早可上推至云冈二期，其显著特征则是佛像褒衣博带装、菩萨像帔帛交叉装的出现，在云冈三期及龙门地区，这种服饰占据了主导地位。栖霞山第 13 窟由于受北方影响，尚存通肩大衣之旧制，而南方地区早在永明元年（483 年）即出现褒衣博带装的佛像。僧装被汉以来士大夫流行装束所取代，这在佛教艺术东方化、民族化的进程中意义重大，南朝的影响在这里是不容忽视的，栖霞山南朝造像的地位也因此更为突出。

248.南京南郊六朝谢温墓

作　者：南京市博物馆雨花区文化局　华国荣、张九文等
出　处：《文物》1998 年第 5 期

墓葬位于南京中华门外铁心桥乡大定坊司家山南侧山坡，此地自 1984 年以来先后发掘了 7 座六朝墓葬，据出土墓志可知，这里为东晋晚期谢氏一支家族的墓地。谢温墓编号为 MS。简报分为：一、墓葬形制，二、随葬品，三、几点认识，共三个部分。有拓片、彩照。

据介绍，谢温墓为带甬道的单室砖墓。葬品均出自墓室棺床前及甬道内，有青瓷器、陶器、石件、墓志等，墓志部分文字漫漶不清，文字8行，可辨文字98个，简报录有全文。墓葬为东晋晚期谢氏家族墓地中的1座，简报推断其绝对年代为晋安帝义熙二年，即公元406年。志文虽简单，但对于考证谢氏家族有其价值。

249.南京南郊六朝谢琉墓

作　者：南京市博物馆雨花区文化局　华国荣等
出　处：《文物》1998年第5期

1984年至1987年间，考古人员在距南京中华门外约12公里的雨花台区铁心桥乡大定坊司家山发掘了7座东晋至南朝时期墓葬。据出土墓志，知此处为东晋晚期谢氏家族墓地。简报分为：一、墓葬形制，二、随葬品，三、结语，共三个部分，配以彩照、拓片、手绘图，先行介绍其中的6号墓（谢琉墓）。

据介绍，该墓为带甬道的长方形单砖室墓，出土有青瓷、铜饰、滑石猪、砖墓志等32件。由墓志知谢琉卒于刘宋永初二年（421年）。此处是东晋晚期谢奕之子谢枚一支的家族墓志，简报给出了谢奕家族谱系图。谢琉为谢奕孙辈。谢琉墓志志文分刻于6块砖上，史料价值颇高，简报录有全文。

250.江苏六合南朝画像砖墓

作　者：南京市博物馆、六合县文物保管所　王志高、蔡明义等
出　处：《文物》1998年第5期

1990年，六合县樊集乡农民在耕田时发现1座砖室古墓。1993年11月，对墓葬进行了发掘，出土南朝画像砖等文物。简报分为"墓葬结构""墓砖纹饰及出土器物""小结"，共三个部分予以介绍，有照片。

据介绍，墓葬位于六合至樊集公路南150余米的农田之中，距今地表不足1米。墓葬为砖室结构，平面呈"凸"字形，由封门墙、甬道、墓室、排水沟等部分构成。此墓甬道两壁、券顶及墓室残壁等部分多用花纹、画像砖砌成，铺地砖则多用素面砖。花纹、画像砖种类多样，均模印于各种墓砖平面、侧面或端布，线条流畅自然。其中花纹砖除绳纹外，还有忍冬纹、菱形纹、钱纹、折线三角纹、钱纹莲花纹组合、莲花纹等。画像砖均为侍女图，另有少量文字砖。墓葬因早年被盗扰，随葬文物仅遗陶、瓷器5件，分别出土于棺床与墓室前部。此墓的相对年代，简报推断为南朝晚期。墓主可能为当时拥有较高身份的贵族。

简报称，墓砖装饰雕刻技法娴熟，花纹砖数量多，图案题材丰富多样，多为模印的阳线花纹，工整细致，遒劲有力，其中钱纹莲花纹组合、折线三角纹、莲花纹等属前所未见。飘带、方形帔子等服饰则为以往少见，具有明显的时代特点。该画像砖墓的发掘，为六朝绘画、服饰等方面的研究提供了新的资料。

251.江苏南京市中华门外铁心桥出土南朝刘宋墓志

作　者：南京市博物馆　斯　仁
出　处：《考古》1998 年第 8 期

1996 年 10 月 16 日，南京汉唐艺术品拍卖公司主动将出土流散的 3 方南朝墓志捐献给南京市博物馆收藏。经专业人员调查鉴定获知，这 3 块砖质墓志是不久前从雨花台区铁心桥镇一基建工地推土时发现的，其质地、款式、内涵行文等特征与南京市博物馆已往考古发掘出土的同类墓志相一致。现将这 3 块墓志（编号分别为 96YTZ1、Z2、Z3），简报配以拓片予以介绍。

据介绍，三块砖质墓志为：

96YTZ1，青灰砖质，字体隶楷，计 112 字。简报录有志文全文，有漫漶不清文字和阙漏少刻之字。

96YTZ2，青灰砖质，字体隶楷，计 109 字。简报录有志文全文，有漫漶不清文字和阙漏少刻之字。

96YTZ3，青灰砖质，字体隶楷，共 8 计 127 字。简报录有志文全文，有漫漶不清文字和阙漏少刻之字。

此 3 块墓志内容几乎相同，所述死者均为 1 人，即东晋晚期侨居丹阳建康（今南京）的士族宋乞。宋乞生前虽仅是名乡魁里吏，然其父祖后代均有官爵名位。墓主亡于东晋太元年间（376～396 年），而墓志却撰作于二三十年后的刘宋元嘉二年（425 年），其停柩待葬时间之长尚不多见。

252.江苏南京市江宁县下坊村发现东吴青瓷器

作　者：南京市博物馆　华国荣
出　处：《考古》1998 年第 8 期

1993 年，南京市建设绕城公路，在江宁县上坊乡陈村下坊陈家山工地取土时，发现 1 座六朝时期砖室墓。考古人员闻讯赶赴现场时，此墓已被破坏殆尽，仅从当地派出所征集接收了墓中出土的随葬品。因随葬品较为重要（编号为 93JSXM 采，以下简称 M 采），简报配以照片简要介绍。

据介绍，随葬品均为青瓷器，共 9 件，有堆塑罐灶、盘口壶、耳杯等。该墓形制被毁尽，其结构形状不得而知，因墓中出有"凤凰元年"（272 年）的纪年堆塑罐，简报推断此墓年代为六朝早期。

简报指出，此墓中出土的堆塑罐及瓷灶却别具特色，为六朝早期瓷器中不可多得的精品；墓中出土的堆塑灶，在目前所见六朝青瓷灶中仅此 1 件，实属珍贵，其上部塑出的多种形态的亭阁，为研究六朝时期乃至中国建筑史的发展及特点提供了难得的实物资料。

253.江苏南京市五台山东晋墓出土玉璧

作　　者：南京市博物馆　姜林海、顾苏宁
出　　处：《考古》1998 年第 8 期

1997 年 6 月，南京市博物馆配合基建，在南京市鼓楼区广州路北部的五台山江苏省人民医院门诊楼旁基建工地清理了 1 座砖室券顶墓（编号 97NGWM1）。简报配以照片予以介绍。

据介绍，由于该墓墓室部分已被基建破坏，墓葬形制也不全，但仍可看出墓葬平面呈"凸"字形，单室，带甬道。再结合甬道中清理出土的陶凭几、陶俑、黑釉鸡首壶、玉璧等遗物观察，简报推断此墓的时代应为东晋。

简报指出，值得注意的是此墓出土的玉璧（97NGWM1:1），南京地区六朝墓葬中从未出土过这样大的玉璧，从其青灰色素面无任何装饰的朴素风格看，不像是汉代的玉璧，而很接近本地区营盘山墓地新石器时代的玉器，很可能是本地产品。

254.江苏南京市花神庙南朝墓发掘简报

作　　者：南京市博物馆、南京市雨花台区文管会　祁海宁、张金喜
出　　处：《考古》1998 年第 8 期

1996 年 12 月中旬，在南京新机场高速公路连接线工程建设中，于城南雨花台区花神庙村发现两座南朝时期的古墓葬，编号为 96HSM1 和 96HSM2（以下简称 M1 和 M2）。南京市博物馆考古部对此进行了抢救性发掘。简报分为：一、墓葬形制，二、出土器物，三、结语，共三个部分予以介绍，有手绘图、照片。

据介绍，这次发掘的两座墓葬形制和规模完全相同，可能是同时建造的。它们虽无绝对的纪年标志，但具有十分明显的时代特征。在结构上，均为带甬道的单室墓，

墓室左右两壁略向外弧，墓室中有砖砌棺床，并较多地使用了石制品，这些都是南朝中晚期墓葬较为常见的特征。从出土器物看风格及特征，简报推断这两座墓葬的年代应为南朝中晚期。

简报称，这次发掘最重要的收获当属一批玉石器的出土，花神庙这批玉石器的出土为研究六朝时期的玉文化提供了难得的标本；两座墓中出土的各种质地的人俑也为研究南朝时期的衣冠服饰提供了较为丰富的材料。

255.江苏江宁县下坊村东晋墓的清理

作　者：南京市博物馆、江宁县文管会　王志高
出　处：《考古》1998 年第 8 期

1993 年 6 月，江宁县交通局在修建南京市绕城公路取土时，发现 1 座东晋砖室墓葬（编号 93JSXM1，以下简称 M1）。考古人员对此墓进行抢救性发掘。发掘工作自 6 月 19 日开始，至 6 月 26 日结束，出土完整木棺、木门等珍贵遗物。墓葬清理情况简报分为：一、墓葬结构，二、出土遗物，三、结语，共三个部分。有手绘图。

据介绍，江宁县下坊村发现的这座砖墓虽未出土确切的纪年遗物，但墓葬形制与随葬品等皆有明显的时代特征。从墓葬形制看，这种前带甬道、平面呈"凸"字形的长方形单室券顶结构以及甬道内设置木门等均为南京地区东晋时期大、中型墓葬所习见。出土遗物中，以青瓷盘口壶、酱褐釉鸡首壶、酱黑斑青瓷器盖等最为典型，出土器物造型和装饰作风，在东晋中晚期十分流行。简报推断：此墓相对年代为东晋中晚期，此墓墓主应为当时统治阶级上层文职人员。简报称，此墓的发掘为研究东晋墓葬形制、木门、木棺结构、随葬器物以及葬俗等提供了不少新的重要的实物资料。

同刊同期有华国荣先生《江苏南京市江宁县下坊村发现东吴青瓷器》一文，可参阅。

256.江苏南京市富贵山六朝墓地发掘简报

作　者：南京市博物馆、南京市玄武区文化局　祁海宁、华国荣、张金喜
出　处：《考古》1998 年第 8 期

1997 年 3 月上旬至 6 月中旬，考古人员在城东太平门，即富贵山西南麓抢救性发掘了 1 处六朝时期的墓葬群，共清理砖室墓 6 座，编号为 97FGSM1 ~ M6（以下简称 M1 ~ M6），其年代从东晋早期至南朝晚期。

该墓地位于一座北高南低的斜坡上，北距明代城墙仅 32 米。6 座墓两两成对分

布或者位置相距较近，且临近墓葬的年代也基本一致，所以把这 6 座墓分成三组来介绍。第一组（M2 和 M4）位于墓地北部，两墓平行，间距 1.9 米；第二组（M5 和 M6）位于墓地东南部，两墓平行，间距 4.9 米；第三组（M1 和 M3）位于墓地西南部，两者最近距离为 10.5 米。三组墓呈"品"字形分布，其中 M1 到 M2 的距离为 49.5 米，M4 到 M5 的距离为 45 米，M1 到 M5 的距离为 92 米。简报分为一、第一组（M2 和 M4），二、第二组（M5 和 M6），三、第三组（M1 和 M3），四、结语，共四个部分。有手绘图、拓片。

据介绍，这次发掘的 6 座墓葬，其形制、墓砖纹饰和大部分器物在南京地区六朝墓葬中均属常见，时代特征明显。简报推断：第一组（M2 和 M4）的年代应为东晋早期；第二组中 M6 的年代当为东晋晚期至南朝早期，M5 虽仅存墓圹，但其形制和墓向与 M6 相同，简报认为两者的年代应基本一致；第三组（M1 和 M3）的年代属于南朝中晚期；几座墓葬的主人初步推断应是皇室成员或皇帝身边的重臣，而 M1 和 M3 的发现则说明，晋东陵在南朝时期仍作为贵族墓地使用。

257.江苏南京市板桥镇杨家山西晋双室墓

作　者：南京市博物馆、南京市雨花台区文管会　姜林海、王志高
出　处：《考古》1998 年第 8 期

1995 年 9 月，中建八局修建南京市绕城公路取土时，在南京南郊板桥镇杨家山发现 1 座砖室墓（编号为 95NBYM1，以下简称 M1），考古人员立即进行了清理。简报分为：一、墓葬结构，二、出土遗物，三、结语，共三个部分。有手绘图。

据介绍，墓葬位于南京市南郊杨家山南侧的土坡上，地属雨花台区板桥镇近华村，距中华门约 16 公里。墓葬系双室砖室墓，平面呈两个并列相连的"凸"字形，两室大小、结构基本相同，均由封门墙、甬道、墓室等部分组成，墓内葬具及人骨均已腐朽，仅于两室各发现 6 枚铜棺钉。从西室出土的铜三叉形饰分析，西室可能葬一女性，东室有可能为男性，此墓为夫妻 2 人合葬墓，此墓共出土随葬品 18 件，简报推断此墓的时代在西晋。

258.江苏南京市尧化镇六朝早期墓

作　者：南京市博物馆、南京市栖霞区文化局　顾苏宁、张九文
出　处：《考古》1998 年第 8 期

1992 年 10 月，江苏省南京市栖霞区人民法院进行基建施工时，发现 1 座古墓（编

号为92NJYHZM1，以下简称 M1）。南京市博物馆考古部人员闻讯后即赴现场，会同栖霞区文化局的有关同志对古墓进行了清理。简报分为：一、墓葬形制，二、出土遗物，三、结语，共三个部分。有手绘图、照片。

据介绍，该墓为平面呈凸字形的单室砖室墓，且上半部遭施工破坏，保存较差。从出土遗物看，陶器占大部分，青瓷器、釉陶器、铁器、铜钱等各有一些，这些都是六朝早期墓葬的遗物组合特征。其中陶厕、陶臼、陶碓等遗物与南京幕府山发掘的吴"五凤元年"（254年）墓所出的同类器物完全相同，青瓷盘口壶的形制、釉色等均与南京邓府山吴墓出土的同类盘口壶一致，陶熏炉的情况也是如此。由此简报推断该墓属东吴时期的墓葬。

简报称，值得注意的是，墓中出土的陶器均为泥质灰陶，这与以往发掘的同一时期墓葬多出红陶器有所不同，是因葬俗差别，还是另有原因，值得进一步探讨。

259.江苏南京市北郊郭家山东吴纪年墓

作　者：南京市博物馆　阮国林
出　处：《考古》1998 年第 8 期

1982 年 5 月和 1984 年 6 月，南京市博物馆在南京市北郊郭家山清理了 2 座东吴纪年墓，编号为 82GJSM6 和 84GJSM7（以下简称 M6、M7）。

郭家山位于南京市北郊，是一座长条形的小山丘，南距中央门 1.5 公里，北距幕府山 1 公里，西北距象山 0.5 公里。根据考古发掘并结合文献记载，郭家山很可能也是东晋王氏家族的某一支系的族葬区。此次发掘的 M6、M7 两墓虽相距十米左右，但形制却不相同。简报分为：一、6 号墓，二、7 号墓，三、结语，共三个部分。有手绘图、拓片。

据介绍，南京北郊郭家山是东吴和东晋时期重要埋葬区域之一。简报介绍的两座东吴纪年墓，即永安二年（259年）和永安四年（261年）2 墓，永安为景帝孙休年号。两墓虽然顶部有不同程度的坍塌，其整体结构基本保存完好，形制与同时期南京地区发现的墓葬区别较大，较特殊。如 M7 为双室墓，前室穹窿顶，左右两壁各设一耳室，后室券顶。M6 的结构为一主室一侧室，为合葬墓，主室内合葬两人，侧室葬一人。从墓室中出土的遗物分析，可知主室内葬一男一女，为夫妻合葬。侧室中出土铜镜等妇女装饰用品，故墓主为女性，当为墓主人的妾或继室。2 座墓中出土遗物较丰富，且具有典型的时代特征，两墓中出土的砖地券的格式、内容基本相同，是东吴时期一种较为流行的文体格式。

简报称，郭家山东吴纪年墓这种特殊的墓葬形制和埋葬方式，为研究东吴时期的丧葬制度及埋葬习俗增添了新的材料；2 块砖地券的书体已接近楷书，这为探讨我国楷书艺术的产生和发展提供了资料。

260.江苏南京市白龙山南朝墓

作　者：南京市博物馆、栖霞区文管会　王志高、贾维勇
出　处：《考古》1998 年第 12 期

此墓于 1994 年 1 月发现后由栖霞区文管会进行了保护。1997 年 7 月，南京九陵发展有限公司在白龙山施工又触及墓葬封土，考古人员进行抢救性发掘。发掘工作自 7 月 4 日始，至 7 月 28 日结束。尽管墓内出土的石墓志因漫漶而只字不存，但从墓葬规模、形制、出土遗物以及墓前石刻等分析，墓主可能是南朝梁临川靖惠王萧宏或其家族。简报分为：一、墓葬结构，二、出土遗物，三、结语，共三个部分。有手绘图、拓片。

据介绍，墓葬为前带长甬道的单室券顶结构，有典型的南朝中晚期的大中型墓葬形制特点，通过出土器物与同类墓葬器物类比，简报推断：这座大墓时代应为南朝萧梁时期，墓主为萧宏的可能性最大。简报认为，如推测无误，此墓应为这一地区发掘的第 5 座萧梁宗室王墓。

261.南京市尹西村西晋墓

作　者：南京市博物馆　顾苏宁
出　处：《华夏考古》1998 年第 2 期

1987 年 11 月，在南京市雨花台区铁心桥乡砖瓦二厂发现古墓 1 座，考古人员进行了清理，前后工作 6 天，出土了一批器物。简报分为：一、墓葬形制，二、出土器物，三、结语，共三个部分。有手绘图。

据介绍，墓葬位于砖瓦厂（尹西村内）后面的土山坡上。该墓为双室墓，由甬道、前室、后室组成。该墓出土有青瓷器、陶器、青铜器等。该墓的年代，简报推断在吴末、西晋初。

262.南京市东善桥"凤凰三年"东吴墓

作　者：南京市博物馆、江宁县博物馆　祁海宁等
出　处：《文物》1999 年第 4 期

东善桥乡位于南京城南江宁县境内，距南京市区 20.5 公里。1997 年 7 月末，该

乡西塘村砖瓦厂在取土过程中发现 1 座东吴纪年墓，考古人员进行了抢救性发掘。简报分为：一、墓葬形制，二、出土器物，三、结语，共三个部分。有照片、手绘图。

据介绍，此墓位于一座小土山的顶部，墓底高出周围平地约 4.5 米。墓葬为砖砌双室墓，全长 6.65 米，由封门、甬道、前室、过道、后室几部分构成，前后室、甬道和过道均为券顶。出土有陶器、青瓷器、铜镜等。有墓砖。

简报称，此墓内发现的纪年资料共有三种：铜镜上的"赤乌六年"是东吴大帝孙权的年号，即公元 244 年；墓砖铭纪年有"凤皇元年"和"凤皇三年"，凤凰是东吴末帝乌程侯孙皓的年号，共有三年，从 272 至 274 年。简报认为此墓的年代应为"凤凰三年"，即公元 274 年。

简报指出，出土遗物中，堆塑罐是东吴和西晋时期南方最具特色的器物。它脱胎于两汉时期出现的五联罐，原为盛放物品的实用器。如这次出土的陶堆塑罐内就装有谷物。堆塑罐造型复杂，内涵丰富，不仅反映了当时社会生活的多个方面，而且具有强烈的宗教神秘色彩。这次出土的堆塑罐上楼阁高耸，门前立有双阙，但是门口却蹲着一只凶猛的熊，而且上下皆有飞鸟，因此这座楼阁所代表的应当不是现实中的宫殿。此外 15 个人像姿势庄重，一律低首跽坐，双手抚胸，似乎在进行某种宗教仪式。简报推测这件堆塑罐所表现的是神话传说和宗教迷信中宣扬的神仙的居所，是死者的灵魂将要前去的地方。以往发现的绝大多数的堆塑罐从上到下都是相通的，此次发现的这件也是如此。有的学者认为这是为了便于灵魂出入，并且主张把堆塑罐定名为"魂瓶"。这种观点有一定的道理。此件堆塑罐的出土，为深入研究这种器物的含义和用途提供了新的材料。

263. 江苏南京仙鹤观东晋墓

作　者：南京市博物馆　王志高、张金喜、贾维勇等
出　处：《文物》2001 年第 3 期

仙鹤山位于南京东郊仙鹤门外，有东、西二峰。西侧主峰海拔 100.5 米，东侧旧有仙鹤观。仙鹤观距南京太平门约 10 公里，地属栖霞区仙林农牧场，山前地势开阔。仙鹤山及其周围是南京地区六朝墓葬分布较为集中的地区之一，1990年，曾发掘过 1 座东晋墓和 1 座南朝墓。1998 年 6 月 17 日，南京师范大学仙林新校区在道路施工中发现 1 处六朝砖室墓群。考古人员于 6 月下旬至 8 月上旬对墓群进行了抢救性考古发掘。这处六朝墓群位于仙鹤山东南麓海拔约 50 米的小土山的南坡，共发掘 6 座砖室墓葬（编号简称 M1～M6）。经过整理和研究，这 6座墓葬分属东吴和东晋时期两个不同的世家大族。其中 3 座东晋墓偏于墓地西侧，

据出土墓志等分析，为东晋名臣广陵高崧家族墓葬。简报分为：一、6号墓，二、2号墓，三、3号墓，共三个部分，配以彩照、拓片、手绘图，先行介绍了三座东晋墓的发掘情况。

据介绍，M2出土了砖刻墓志及罕见的大量精美玉器、金银器、玻璃碗等贵重随葬品，知墓主为高崧及夫人谢氏，分别葬于东晋太和元年（366年）和东晋永和十二年（356年）。M3曾被盗，出土随葬品远不能反映入葬时的实际情况。但此次发掘为研究六朝时期的丧葬礼俗、玉器面貌、佩玉制度、金银器制作工艺、书法艺术等提供了珍贵的实物资料。此次发现曾被媒体评为1998年全国十大考古新发现之一。

264.南京出土南朝椽头装饰瓦件

作　　者：南京市文物研究所　贺云翱、邵　磊
出　　处：《文物》2001年第8期

近年来，南京市文物研究所在南京市区铜作坊、张府园和明瓦廊3处建筑工地上，陆续发现了一批南朝时代的建筑装饰瓦件。它们的埋藏深度一般在今地表以下3～6米，伴出的有越窑青瓷片、绳纹和几何纹砖、莲花纹瓦当等。这些瓦件均呈青灰色，平面作圆形瓦当样式，正面皆模印单瓣莲花纹，背部光素，中部都穿有一孔，孔系瓦件未烧制前用锥状物从正面向背面戳成，孔之尾端边缘留有明显的穿戳后泥土受挤压而形成的凸起痕迹。简报认为，南京南朝地层出土的这批装饰瓦件对研究中国早期建筑椽饰有重要的价值，故整理出来予以报道，配有彩照、手绘图。

据介绍，这批瓦件刚出土时，由于其造型同于瓦当，但后部却无筒瓦相接，所以对其用途一直存疑。考古人员就此与东南大学古建筑研究所朱光亚教授做了讨论，一致认为它应属于木质椽头的装饰瓦件，亦或古代文献中提到的"壁珰"或"椽珰（当）"。中国建筑技术研究院建筑历史所钟晓青先生《魏晋南北朝建筑装饰研究》一文（载《文物》1999年第12期）认为"椽头贴饰壁珰的做法，至南朝后期依然存在"，"遗憾的是，文献中屡见的椽珰，实物形象却未曾得见，推测应是直径（长宽）在15厘米左右的圆（方）形金属（玉石）饰片，表面穿孔，与椽头固定"。南京六朝地层出土的这批饰瓦材料，恰与钟晓青先生文中所论"椽珰"十分接近，只是这批实物均为陶质。

简报指出，南京出土椽珰的3处地点位于南朝首都建康的中心地带，使用这类椽珰的建筑物大约都属于中央官署性质，规格较高。

简报认为，南朝时代使用椽珰应具有三方面的意义：一是装饰椽头使檐口部位下层的椽头"壁珰"与上层的瓦当、滴水瓦饰等上下呼应，形成美观、整齐划一的

房檐部建筑装饰效果；二是用以保护木质椽头不受风雨侵蚀；三是有标明建筑规格与等级的礼制作用。

265.江苏南京郭家山八号墓清理简报

作　者：南京市博物馆　姜林海、张九文

出　处：《华夏考古》2001 年第 1 期

1999 年 9 月，为配合基本建设，考古人员在南京市北郊的郭家山清理了 1 座六朝砖室墓。由于此前已先后在郭家山清理了 7 座墓葬，所以此次将这座砖室墓编为郭家山 8 号墓。简报分为：一、墓葬形制，二、出土遗物，三、结语，共三个部分予以介绍，有照片、手绘图。

据介绍，该墓为前、后室砖墓，已被施工破坏。有盗洞。遗物多出在前室及甬道内的淤土中。所出遗物为陶瓷器，共 28 件，其中又以陶器居多。其中瓷坛十分罕见，或与东汉时常见的陶坛有关。此墓的时代，简报推断为东吴时期。郭家山对面即象山，为东晋王氏家族墓地，简报推测郭家山很可能也是东晋王氏家族的某一支系族葬区。

266.南京北郊东晋温峤墓

作　者：南京市博物馆　华国荣、张九文

出　处：《文物》2002 年第 7 期

2001 年 2 月，为配合基本建设，考古人员在南京下关区郭家山发掘了 1 座六朝时期的古墓葬，出土物中有砖质墓志 1 方，知墓主为东晋名臣温峤。编为郭家山 9 号墓。简报分为：一、墓葬位置，二、墓葬形制，三、随葬品，四、结语，共四个部分。有彩照、手绘图。

据介绍，墓葬位于南京北郊郭家山西端的南坡。郭家山在象山正南约 1 公里，城北一带分布有众多的低矮山包，以幕府西路为界北侧有幕府山、老虎山、象山、狮子山，南侧有郭家山、北固山、张王山等。郭家山原为一东西向的连续丘陵，现已被道路分隔成东西两个山头。以往发掘的 1 ～ 5 号墓位于郭家山东端，6 ～ 8 号墓位于郭家山西端。墓葬为一附长甬道的单室穹隆顶砖砌墓，坐北朝南，由下水道、封门墙、挡土墙、甬道、墓室几部分构成。墓虽经盗掘，仍出土各类随葬品 83 件（套）。随葬品以青瓷器为主，另有少量陶器、小件金器等。温峤墓是南京地区迄今发掘的有明确姓氏的东晋墓葬中，墓主身份地位最高的。据《晋书》记载，温峤"初葬于豫章，后朝廷追峤勋德，将为造大墓于元、明二帝陵之北"。此次发掘的墓葬，是温峤迁葬之墓。

该墓出土有墓志 1 方,隶书,104 字,简报录有全文。温峤墓志记载了温峤祖父、父亲及妻、子、女情况,与当时墓志的格式及基本内容相符,但志文中不记其生卒年月和葬地,则明显不同于南京地区以往发现的东晋墓志,究其原因,当和温峤之葬地和后来迁葬有关。据史载,温峤于咸和四年(329 年)夏四月,因拔牙中风而死于武昌,享年 42 岁。其死后,未葬在武昌,亦未归葬于首都建康,而是葬于豫章(今江西南昌),是由当时的政治局势所决定的。"苏峻之乱"之后,建康城百废待兴,政权不稳固,朝廷无暇顾及,当时又时值夏天,长途跋涉归葬建康自然不大可能。更主要的是温峤葬于豫章,则可能是温峤生前的遗愿。

简报据史书及墓志,给出温氏一族谱系如下:

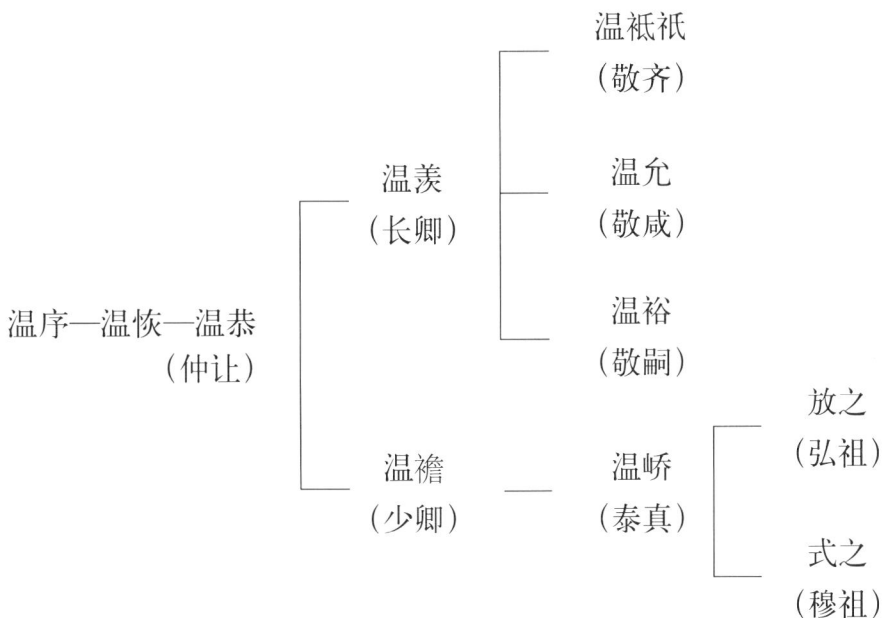

温序—温恢—温恭
(仲让)
　温羡
　(长卿)
　　温祗祗
　　(敬齐)
　　温允
　　(敬咸)
　　温裕
　　(敬嗣)
　温檐
　(少卿)
　　温峤
　　(泰真)
　　　放之
　　　(弘祖)
　　　式之
　　　(穆祖)

267.南京象山 11 号墓清理简报

作　　者:南京市博物馆　姜林海、张九文等
出　　处:《文物》2002 年第 7 期

2000 年 4 月,考古人员在南京北郊的象山又发掘了 1 座东晋王氏家族的墓葬,编为象山 11 号墓。简报分为:一、墓葬形制及遗物,二、结语,共两个部分。有彩照、拓片、手绘图。

据介绍,墓为长方形单室券顶砖墓,由于盗毁严重,墓内随葬品无存,仅出土 2 方砖墓志。王康之墓志 44 字,何法登墓志 80 字,简报均录有全文。知王康之卒于东晋永和十二年(356 年),其妻太元十四年(389 年)与夫合葬。志文记载了王康之及妻何法登的卒年、郡望、葬地、子嗣等情况，具有史料价值。

简报称，王康之墓志记载较简单，从志文中可看出王康之没做过官，且死得较早，22岁即去世，所以从王康之墓志很难断定其在王家的辈分。王康之妻何法登墓志记载稍详，其父穆公为侍中、司空，据《晋书》，官至侍中，司空称穆公者即为何充，由此可以断定何法登是何充之女，从二者的生卒年看也吻合。而《晋书·何充传》提到"充即王导妻之姊子"，可见何充的父母亲跟王氏家族中的王导、王彬是平辈的，由此可推定王康之在王氏家族中应为王导、王彬的孙辈。由于目前在象山发掘的墓葬有墓志的都为王彬家族墓，因此简报推定王康之是王彬之孙应问题不大。

268.南京长岗村五号墓发掘简报

作　者：南京市博物馆　易家胜、王志高、张　瑶等
出　处：《文物》2002年第7期

1983年5月至1985年，考古人员在南京南郊雨花台区长岗村发掘、清理了1处六朝墓地。其中一座砖室墓保存最完整，编号简称M5。简报分为：一、墓葬形制，二、随葬器物，三、结语，共三个部分。有照片、手绘图。

据介绍，M5为长方形单室券顶砖墓，由封门墙、甬道、耳室、墓室组成，全长5.08米。在甬道内外各砌1道封门墙。随葬品51件（套），种类有陶器、瓷器、铜器、石器、金器等。除青瓷釉下彩盘口壶出土于墓内积土中，其余均出自墓室底部。其中，瓷器被置于墓室前部，陶器被放在耳室内，铜器主要分布在墓室后部东侧，少量出土于耳室内。其中1件青瓷釉下彩盘口壶，将我国釉下彩瓷的历史前推至三国时期。该墓出土铜器18件，数量之多也颇罕见。该墓的年代，简报推断以东吴晚期可能性最大。

269.南京殷巷西晋纪年墓

作　者：南京市博物馆　阮国林等
出　处：《文物》2002年第7期

1979年9月，南京市江宁区殷巷砖瓦厂在取土过程中发现一座古墓。考古人员进行了清理，编号简称M1。从墓壁上的纪年砖得知，该墓时代为西晋永兴二年（305年）。简报分为：一、墓葬形制，二、随葬器物，三、结语，共三个部分。有照片、拓片、手绘图。

据介绍，该墓系用长方形青砖砌成，平面呈双"凸"字形。前室穹隆顶，后室券顶，由前甬道、前室、后甬道、后室组成。因该墓早年被盗，遗物原出土位置不详。随葬品主要是青瓷器和陶器，部分已破碎，其中瓷俑等堪称精品。

270.南京发现西晋水井

作　　者：南京市博物馆　马　涛、贾维勇等
出　　处：《文物》2002 年第 7 期

2002 年 2 月，江苏省交通行综合楼施工时，发现古代水井 1 口。考古人员进行了抢救性发掘。简报分为：一、水井形制结构，二、出土遗物，三、结语，共三个部分。有照片、手绘图。

据介绍，此井为砖井，破损严重，但仍出土有双系釉陶罐、象牙尺、土狮形插器物等遗物。简报推断该井的年代为西晋时期。

271.南京隐龙山南朝墓

作　　者：南京市博物馆、江宁区博物馆　王志高、邵　磊、许长生、张金喜等
出　　处：《文物》2002 年第 7 期

2000 年 9 月，有人举报江宁水阁发生盗墓事件。调查证实隐龙山砖瓦厂在取土时发现了 3 座大型砖构古墓，均不同程度遭到盗毁，考古人员于 10 月联合对这座古墓进行了抢救性考古发掘。简报配以手绘图予以介绍。

据介绍，隐龙山位于江宁经济技术开发区水阁行政村高家庄自然村，北距中华门 11.5 公里，3 墓自西向东排列（M1、M2、M3）。出土的瓷器、"太平百钱"颇为珍贵。

272.南京梁南平王萧伟墓阙发掘简报

作　　者：南京市文物研究所、南京栖霞区文化局　贺云翱、邵　磊等
出　　处：《文物》2002 年第 7 期

2000 年 10 月至 12 月，南京市新港高新技术开发区建造"仙新公路"（仙鹤门至新港），考古人员对南朝梁南平王萧伟墓神道石刻区做了考古勘探和发掘。简报分为：一、地层堆积，二、遗迹，三、遗物，四、结语，共四个部分。有拓片、手绘图、彩照。

据介绍，萧伟墓位于北家边老米荡北的山梁南麓，老米荡北、东、西三面环山。其东、西两侧的山梁向南延伸，一直到达圣家洼，神道石刻就分布于圣家洼偏南处的山谷中部平地上。该墓已于 1979 年 9 ~ 12 月发掘，神道石刻区距墓葬约 800 米，也于同年初做了发掘，出土神道石柱（墓表）1 对。这次考古工作的目的是全面勘察该墓神道石刻的埋藏情况及神道的构筑状况，特别是在神道中轴线上寻找寝殿之类的建筑遗存，结果意外地发现了 1 座墓阙建筑遗存。

简报称，这次发掘出土的南朝梁南平王萧伟墓阙遗存结构较为完整，根据出土资料大体可以复原其原有形记，应是1座下有砖包墙夯土座、外铺砖散水、四角起木柱、上部有木质梁架并覆瓦顶、出挑檐、中置门楼的基阙建筑。简报指出，阙是中国古代特有的建筑形式，至少在西周时代已经出现于都城宫门前，后祠庙、陵墓神道等重要建筑前或有使用，并分别被称为城阙、宫阙、陵阙（或墓阙）、庙阙等。墓前置阙约起自秦汉，且主要用于帝王或大臣陵墓。考古界一直在寻找南朝帝王陵是否存在陵园，此次发掘证实南朝帝王陵确有"陵园"的空间规则。以萧伟墓为例，老米荡至圣家洼北、东、西三面较规整的山梁和沿山而行的水道与玄宫、墓上封土、神道、墓阙及阙前石刻等融为一体，形成人工与自然统一而和谐的陵寝布局，而墓阙居谷地南部之中，神道从其间穿过，明显具有陵园入口和南向正面、扩大神道纵深空间等强化陵园礼制地位的功能。

简报指出，萧伟卒于梁中大通五年（533年），其墓阙也当建于这一时间。

《文物》2003年第5期载有朱光亚、贺云翔、刘巍先生《南京梁萧伟墓墓阙原状研究》一文，可参阅。

273.南京钟山南朝坛类建筑遗存一号坛发掘简报

作　者：南京市文物研究所、中山陵园管理局文物处、南京大学历史系考古专业
　　　　贺云翔等

出　处：《文物》2003年第6期

1999年4月，考古人员在明孝陵陵域内做文物调查时，于钟山南麓海拔266.45米处的丛林深处发现1处长50多米、高近2米、呈正南北方向走势的石墙建筑遗存，并在石墙附近草丛中发现少量具有六朝特征的绳纹砖。考古人员对这处石墙遗存及附近地区做了全面的调查和勘探，确认这是1处南朝时期的大型坛类建筑遗存，编为一号坛（NZJ1）。后又陆续在一号坛北发现另一座坛类建筑遗存，编为二号坛（NZJ2）；并在一号坛南发现1处附属建筑区。2000年，对两座坛类建筑遗存及附属建筑遗存做了发掘。简报分为：一、地理位置，二、布方及地层，三、遗迹，四、遗物，五、几点认识，共五个部分，配以照片、手绘图，先行介绍了一号坛的发掘收获。

据介绍，主要遗迹为1座由石墙围护的方形祭坛体和东、西、南三面各四道依次降低的坛层。出土砖、瓦、瓷片及石雕莲花器座，均为东晋晚期到南朝遗物。结合《宋书》等文献记载，简报认为一号坛为南朝刘宋孝武帝所建的北郊坛遗存。

274.南京市石子岗东晋墓的发掘

作　者：南京市博物馆　王志高、张九文等
出　处：《考古》2005 年第 2 期

1994 年 4 月初，南京市雨花台区铁心桥镇修建队在城南的石子岗施工时发现 2 座砖室墓葬，南京市博物馆闻讯后进行了抢救性发掘。这两座墓葬（编号简称 M1、M2）均位于石子岗南麓，在宁丹公路西侧 20 余米，距中华门约 3.5 公里，地处铁心桥镇尹西行政村东南花自然村。在 2 墓中共发现各类随葬品 30 余件。简报分为：一、M1，二、M2，三、结语，共三个部分。有手绘图等。

据介绍，M1 为带短甬道的单室穹窿顶砖室墓，这种墓葬结构在南京地区主要流行于西晋至东晋前期。而在墓壁设置直棂假窗及其上的"凸"字形灯龛，则具有较晚的时代特点。M1 的年代，简报认为应为东晋前期。据出土六面铜印墓主人名孙寔，字公远。此人不见史籍，但简报认为应属当时的官宦士族。M2 的规模稍小，墓壁所设直棂假窗上未见"凸"字形灯龛，墓底未铺设祭台，其余的形制结构则与 M1 基本相同，墓中所出青瓷砚也是东晋时期的常见器形。可见其时代与 M1 相近，亦属东晋前期。但 M2 墓室前部拐角处所设砖质灯台又具有较早的时代特征，其流行时期应早于"凸"字形灯龛。因此，简报认为 M2 的时代应稍早于 M1。墓主人姓名不详，但简报认为应与 M1 墓主为同一家族。

简报指出，这 2 座墓葬所在的石子岗，在六朝早期应是 1 处丛葬地。《三国志·吴书·诸葛恪传》记载："建业南有长陵，名曰石子岗，葬者依焉。"1949 年以后的大量考古发现，也证实这里确为六朝墓葬集中分布的区域。现在石子岗一般仅指雨花台西南之高岗，但在六朝时期，今天中华门外地势高隆的雨花台、邓府山、戚家山等岗丘皆统称为石子岗或石子罡、石子坑。此次发掘的这两座墓葬，为进一步探明这一地区六朝墓葬的分布情况提供了新资料，六面印为魏晋南北朝时盛行的印章款式，但出土实物罕见，此次出土的"孙寔"六面铜印也十分珍贵。

275.南京市铁心桥王家山东晋晚期墓的发掘

作　者：南京大学历史系、南京市博物馆　贺云翱、邵　磊等
出　处：《考古》2005 年第 11 期

2000 年 7 月 15 日，南京市雨花台区铁心桥镇尹西村工业园施工人员在平整土地过程中发现 1 座古墓葬，考古人员立即对该墓进行抢救性发掘。墓葬（编号 WM1）位于南京市南郊石子冈西南王家山南麓，考古人员到现场时发现墓葬上部封土已被

推平，甬道一角严重坍塌，甬道顶部有一盗洞，甬道内塞满淤泥和碎砖。从现场判断，此墓在历史上曾被盗。

简报分为：一、墓葬结构，二、出土遗物，三、结语，共三个部分。有彩照、手绘图。

据介绍，该墓为平面呈凸字形的券顶砖室墓，方向140度。长8.18米、宽2.8米。共分封门墙、甬道、墓室三个组成部分。出土有陶器、铜钉、铁棺钉等。简报推测该墓年代为东晋，墓属中型规模，墓主人应为贵族。

简报称，该墓随葬的青瓷器具有不同窑口的特点。这些瓷器以丰城窑（前洪州窑）产为主，有少数器物在胎质、釉色等方面与典型丰城窑瓷器有异，似乎更多地具有越窑系的特点，而三足炉则似为湘阴窑产品。墓室中的莲花纹砖和刻划胡人像砖颇具价值。刻划胡人像砖过去未见报道，它可能是制砖工人在劳动之余的即兴之作，但其用笔随意而形神兼备的艺术效果，却也从一个侧面体现了当时都城建康的社会风貌和民间艺术水平。

276.南京仙鹤山孙吴、西晋墓

作　者：南京市博物馆、南京师范大学文物与博物馆学系　王志高、贾维勇等
出　处：《文物》2007年第1期

1998年6月17日，在南京师范大学仙林新校区道路施工的过程中发现6座六朝时期的砖室墓，考古人员于6～8月对其进行了抢救性考古发掘，随后还对墓地周围进行了详细勘探，又在附近尚未施工的区域发现多座砖室墓。经过整理研究，已发掘的6座墓葬分属孙吴和东晋两个时期，其中东晋时期的3座墓葬（M2、M3、M6)据出土墓志等分析，为东晋名臣建昌伯高崧家族墓,资料已经发表。简报分为：一、墓地概况，二、1号墓，三、4号墓，四、5号墓，五、7号墓，六、结语，共六个部分，配以照片、手绘图，先行介绍这一墓地的3座孙吴墓（M1、M4、M5)及M7的发掘情况。

据介绍，此为一家族墓地，从墓葬规模及墓地有完整设计及规划情况看，应是一大家族墓地。其中M1、M4、M5为孙吴中晚期至孙吴晚期墓，M7为西晋时期墓。M7出土的瓷唾壶，釉色晶莹，腹部对称贴塑一对佛像，对于研究当时佛教在我国南方的传布和特点具有一定的研究价值。

关于佛教对丧葬的影响，可参阅吴桂兵先生《中古丧葬礼俗中佛教因素演进的考古学研究》（科学出版社2019年版）一书。

277.南京江宁上湖孙吴、西晋墓

作　者：南京市博物馆、南京市江宁区博物馆　贾维勇、周维林、张九文等
出　处：《文物》2007 年第 1 期

1993 年 10 月、1994 年 8 ～ 9 月，南京市南郊江宁区江宁镇上湖村砖瓦厂在一土岗上取土时，发现 3 座六朝时期砖室墓（分别编号为 M1 ～ M3)，南京市博物馆考古部会同南京市江宁区博物馆对其进行了抢救性考古发掘。简报分为：一、1 号墓，二、2 号墓，三、3 号墓，四、结语，共四个部分。有照片、手绘图。

据介绍，此次发掘的 3 座六朝墓，由西北向东南"一"字形整齐排列，墓向基本一致，从规模上看均属中型墓葬，其时代相近，前后相连贯。3 座墓中愈往西时代愈早，愈往东时代愈晚，显然是同一家族墓地。最晚的 M3 的年代，简报推断为西晋晚期。简报称，距这 3 座墓不到 2 公里，就是江宁镇。江宁镇是六朝时江宁县治所在地。这处六朝家族墓地很可能与江宁县治有关。

278.南京大光路孙吴薛秋墓发掘简报

作　者：南京博物馆　祁海宁、骆　鹏等
出　处：《文物》2008 年第 3 期

2004 年 12 月，在南京市大光路的基建工地发现了 1 座砖室墓（编号简称 M1)，南京市博物馆考古部对其进行了抢救性发掘。该墓未遭盗掘，形制较完整，出土器物丰富。简报分为：一、墓葬形制，二、随葬器物，三、结语，共三个部分。有彩照、手绘图。

据介绍，M1 距现今地表约 3.2 米，为单室券顶砖墓。除部分券顶在基建施工的过程中被破坏外，其余保存较好。墓葬平面呈"凸"字形，由墓室、甬道和封门墙组成。似应有 1 条墓道，墓道在施工过程中已被破坏。墓中出土的木名刺表明墓主人是薛秋。根据墓葬形制和出土器物判断，这座墓葬的年代为孙吴中晚期。墓中出土的器物较为丰富，有陶器、青瓷器、漆器、木器、金银器、铁器和铜器等，其中木俑、木羊等器物在南京地区同时期的墓葬中较为罕见。

279.南京将军山西晋墓发掘简报

作　者：南京博物馆、南京市江宁区博物馆　祁海宁、骆　鹏等
出　处：《文物》2008 年第 3 期

将军山位于南京市南郊江宁区，与韩府山、翠屏山相连，总体呈南北走向。

2006 年 4 ～ 5 月，南京市博物馆与南京市江宁区博物馆联合组成考古队，在发掘明墓过程中，又发现 1 座六朝时期的砖室墓，编号简称 M12。2006 年 5 ～ 6 月，考古队对 M12 进行了发掘。简报分为：一、墓葬位置与形制，二、墓砖，三、随葬器物，四、结语，共四个部分。有手绘图、彩照。

据介绍，该墓在修建时首先开凿了平面略呈长方形的墓圹，其底部完全坐落在坚硬的基岩之上。墓室紧贴圹壁砌筑，是 1 座带短甬道的前后双室墓，因早年被盗，仅出土青瓷、铜钱、铜镜等。简报推断该墓年代为西晋时期，墓主应姓周。

简报指出，此次发掘最大的收获是画像砖。画像砖上出现了除青龙、白虎、朱雀、玄武组成的"四神"体系外，还有麒麟。麒麟与"四神"自汉代以来就联系在一起，合称"五灵"，这一点已为考古成果所证实。

280.南京江宁谷里晋墓发掘简报

作　者：南京市博物馆、南京市江宁区博物馆　马　涛、许长生、陈大海等
出　处：《文物》2008 年第 3 期

2006 年 9 月下旬，南京市江宁区谷里镇向阳村砖瓦厂在施工中发现了 3 座六朝时期的墓葬，考古人员进行了抢救性考古发掘（编号简称 M1 ～ M3）。简报分为：一、墓地概况，二、1 号墓，三、2 号墓，四、3 号墓，五、结语，共五个部分。有照片、手绘图。

据介绍，M1、M2、M3 所在地，当地人称作"秧根山"，均为土坑竖穴砖筑结构，墓顶等已被施工破坏。关于 3 座墓的年代，简报推断 M1、M2 为西晋晚期，下限为东晋早期；M3 为东晋早期。简报称，六朝时期普遍聚族而葬，M1、M2、M3 也当为一家族墓葬。根据六朝墓尊者居右、居前、居中的规律，M2 略早于 M1，M3 晚于 M1 和 M2。

281.南京雨花台东晋纪年墓发掘简报

作　者：南京市博物馆、南京市雨花台区文化局　陈大海、祁海宁等
出　处：《文物》2008 年第 12 期

2006 年初，在南京市花神大道以西、宁丹公路以东、燕西路以南、宁南大道以北的范围内兴建华为软件基地。为配合此项目的建设，2006 年 3 月至 2007 年 2 月南京市博物馆与南京市雨花台区文化局联合对施工范围进行了考古调查和发掘，清理六朝至明清时期的墓葬 172 座。简报分为：一、墓葬形制，二、出土器物，三、结语，

共三个部分，配以照片、手绘图，介绍其中一座东晋纪年墓（编号简称 M170）的发掘情况。

据介绍，M170 为土坑竖穴内垒砌的砖室墓，出土的铭文砖上纪年为东晋太元四年（379 年），另外还出土有青瓷器、陶器等共 17 件。铭文砖上提到所谓"高阳郡博县"在当时应为侨置郡县。《晋书》卷十五《地理下》载："咸康四年，侨置魏郡、广川、高阳、堂邑等诸郡，并所统县并寄居京邑。"又《宋书·州郡志·扬州》载："（成帝咸康四年）江左又立高阳别见、堂邑二郡别见，高阳领北新城别见。博陆县，霍光所封，而二汉无，晋属高阳。二县。堂邑，领堂邑一县，后省堂邑并高阳，又省高阳并魏郡，并隶扬州，寄治京邑。"铭文中的"博县"作为一个地名在原郡及周边郡中不见于史料记载，可能这种铭文砖的内容简略，书写随意而把"博陆县"写为"博县"，也可能"博县"即为"博陆县"的简称。

282.南京江宁上坊孙吴墓发掘简报

作　者：南京市博物馆、南京市江宁区博物馆　王志高、马　涛、龚巨平、
　　　　周维林等

出　处：《文物》2008 年第 12 期

2005 年 12 月，南京市江宁区科学园在道路施工中发现 1 座大型六朝砖室墓。考古人员于 2005 年 12 月至 2006 年 8 月对其进行了抢救性考古发掘（编号简称 M1），并对墓葬周围作了重点勘探，对墓区环境作了深入调查。简报分为：一、墓葬位置与墓地遗存，二、墓葬形制与结构，三、出土器物，四、初步认识，共四个部分。有彩照、手绘图。

据介绍，M1 位于南京市江宁区上坊镇（现已并入东山街道）中下村一个名为"孙家坟"的小土岗南麓，距中华门约 14.3 公里。上坊孙吴墓由排水沟、斜坡墓道、砖室等构成，砖室部分又由封门墙、石门、甬道、前室、过道及后室构成，前、后室两侧对称分布有耳室，后室的后壁底部还有两个壁龛。早年曾被盗，是迄今发现的规模最大、结构最复杂的孙吴墓。出土有青瓷器、青瓷俑、陶瓦、铜器、铜钱、铁器、漆木器、金器、银器等，为研究孙吴时期的同类器物提供了新资料。根据墓葬形制、结构和出土器物，该墓的年代应为孙吴晚期。从石棺座和木棺的数量看，墓内所葬应有 3 人，简报认为后室大棺内所葬可能是孙皓时期的一位宗室之王，小棺内所葬应是其两位王妃。墓前原有陵寝类建筑，已毁，仅剩 27 件瓦当。

简报指出，上坊中下村、城墙村一带曾是孙吴晚期宗室、贵族墓葬集中分布的重要葬区。

283.南京市郭家山东晋温氏家族墓

作　者：南京市博物馆　岳　涌、张九文等

出　处：《考古》2008 年第 6 期

郭家山位于南京市区北郊，距中央门约 3 公里。墓葬所在地属下关区大庙行政村，处于郭家山西端的坡地上，南为南京火车站货场，北与象山、老虎山一路相隔。郭家山及其周围的象山、老虎山是南京北郊六朝墓葬分布较为集中的区域，曾发现多处东晋时期的家族墓葬。在郭家山以往的考古发掘中，曾发现 5 座东晋时期及 4 座东吴时期墓葬（编号 M1～M9），其中 M9 内出土 1 方陶质方形墓志，表明墓主与东晋名臣温峤有关。2001 年 4 月，经对 M9 周围进行考古勘探，在其西侧发现 4 座砖室墓（编号 M10～M13）。同年 9 月至 10 月，考古人员对以上墓葬进行了发掘。简报分为：一、10 号墓，二、12 号墓，三、13 号墓，四、结语。共四个部分予以介绍，有拓片、手绘图、彩照。

据介绍，由于建设取土，发掘前 M10～M13 周围的地貌已遭严重改变。4 座墓葬早年均遭遇盗扰，但墓葬形制保存较好，墓内出土了大量随葬器物，尤为重要的是在 M12 内发现 1 方陶质墓志，表明墓主为温峤次子温式之。从而确认此地为东晋名臣温峤的家族墓地。

简报称，M2 为凸字单室穹隆顶砖墓，是温峤次子——新建县侯温式之的墓，墓志所记年代为太和六年（371 年），即东晋中期。墓内棺床上设置两组砖砌棺座，祭台西侧出土金铛，棺床东侧出土以往多发现于女性墓主附近的金钗。据此可以认定，M2 应为夫妻合葬墓。即温式之与其夫人荀氏合葬墓。

M10 为凸字形单室穹隆顶砖墓，年代为东晋早期，其中龙虎形陶类座、长条形案不见于一般的东晋墓，简报推测墓主为始安郡公温峤。

M9 年代为东晋早期，简报认为墓主是始安夫人，即温峤妻之墓。

M13 为凸字形单室券顶墓，年代为东晋中晚期至刘宋初期，简报推测墓主可能是温嵩之及其夫人河内山氏。

简报指出，此次温氏家族墓中出土了一批重要的遗物，主要有陶龙虎形灯座、祭台、墓志等。简报录有志文全文。

简报认为，此墓志是此次发掘最重要的发现。首先，确认了郭家山西麓为东晋名臣温嵩的家族墓地，并揭示了温氏四代与其他世家大族的联姻关系，补充了大量的东晋太原温氏家族史料。其次，墓志的纪年为东晋中期，是目前唯一 1 方在南渡世族墓葬内发现的碑形墓志，与南京以往发现的东晋琅玡王氏、陈留谢氏、琅玡颜氏等大族墓志均不同，而与汉代的碑形墓志和东晋张镇墓志有着密切的联系。

简报称，M10 是南京地区迄今为止正式发掘的可明确墓主身份的东晋墓葬中规模最大的 1 座，为进一步研究东晋大型墓葬的丧葬制度提供了重要的资料。

简报指出，南京地区一直未能发现墓主身份明确的东晋帝陵，此次温氏家族墓葬的确认，也为寻找建平陵及其他帝陵的所在提供了一条重要线索。

284.南京市雨花台区姚家山东晋墓

作　者：南京市博物馆、雨花台区文化广播电视局　贾维勇、王志高、王光明、
　　　　　张九文等

出　处：《考古》2008 年第 6 期

2003 年 11 月，位于南京市南郊雨花台区姚家山的景明佳园三期工程在施工中发现 3 座东晋时期的砖室墓（编号简称 M1 ~ M3）。南京市博物馆随后会同雨花台区文化广播电视局对墓葬进行了抢救性发掘。墓地位于工程范围北部一个名叫姚家山的小土山东南麓，距中华门约 7.1 公里。3 座墓墓上约 4 米的土层在清理前已被施工机械揭取，墓顶均已不存，部分墓壁甚至墓底也遭到不同程度破坏。据调查，墓地东南约 100 米处原有一水塘，现已填平。这 3 座墓葬规模较大，其中 M3 墓壁砌有精美的画像砖，墓内还发现 2 方内涵丰富的铭文砖，具有比较重要的学术价值。简报分为：一、1 号墓，二、2 号墓，三、3 号墓，四、结语，共四个部分。有彩照、手绘图。

据介绍，这是 3 座东晋晚期砖室墓。墓葬排列整齐，墓向基本一致，形制大体相同，应属同一家族墓地。墓葬为带长甬道的凸字形单室墓，规模较大，残存各类随葬品 40 余件，墓主应属当时的世家大族。

简报称，1949 年以来发现的六朝画像砖墓主要集中在南朝时期，东晋时期的尚不多见。此外，M3 中出土两块铭文砖也十分珍贵。铭文砖在六朝墓中虽然常见，但一般铭文内容简略，多仅记与制砖或造墓有关的纪年、人名、地名、吉语等，或记录砖名、编号等，有较详细记事内容的铭文砖不多。而姚家山 M3 两块铭文砖刻分别长达 27 字和 39 字，是迄今所见内容较丰富的几方六朝铭文砖例之一。其文字虽不能完全释读，但大体可识，内容反映的可能是制砖工人对现实生活的不满以及对窑主（？）杨国成的愤恨。这两块铭文砖还因直接书于未干的砖坯，不像墓志、买地券那样再经刻工摹勒，故较多地保留了作者的书法笔意。其书法率真自然，别具趣味，是一种洒脱自如的成熟行书。砖铭虽出自当时社会下层的制砖工人，但仍不失为研究东晋时期书法的重要行书类铭刻实物。

285.南京市栖霞区东杨坊南朝墓

作　　者：南京市博物馆　祁海宁、张金喜等
出　　处：《考古》2008 年第 6 期

东杨坊位于南京市东郊，距离太平门约 10 公里，紧临 312 国道。此地原属栖霞区仙林农牧场。仙林地区是南京六朝时期古墓葬集中分布的一个重要区域。20 世纪 70 年代以来，考古人员先后在此墓西南方约 1300 米处的吕家山和正南方约 1000 米外的仙鹤山发现多座东吴和东晋时期的重要墓葬，其中包括东晋名臣高崧的家族墓。1996 年 9 月，亚东新城施工人员发现了一座南朝时期砖室墓。南京博物馆考古部接报后进行了抢救性发掘。简报分为：一、墓葬形制，二、出土遗物，三、结语，共三个部分。有照片、手绘图。

据介绍，此墓为凸字形有墓道券顶单室墓，由封门墙、甬道、墓室等组成，年代不早于刘宋文帝元嘉七年（430 年），也不会晚于刘宋晚期至萧齐早期，至迟在隋代已被盗，但仍出土遗物 51 件。

简报称，东杨坊南朝墓规模较大，墓室中石门、石祭台、石棺座、砖棺床设置完整，而且还随葬有石勵厕、石俑等，说明这是 1 座南朝时期重要贵族或官员的墓葬。虽然此墓中贵重的随葬品被盗劫一空，但残存的遗物仍然具有很高的价值，尤其是一套基本完整的南朝陶明器，如穷奇、马、牛车等，制作精细。

简报指出，南京地区南朝墓葬有一个大致的演变规律，即越到南朝后期，墓室两侧壁和后壁向外凸出的弧度越大。另外，南京地区南朝中后期墓葬流行使用莲花纹砖，这都是可以借以判定年代的显著特征。

286.南京市雨花台区南朝画像砖墓

作　　者：南京博物馆、雨花台区文化广播电视局　祁海宁、陈大海等
出　　处：《考古》2008 年第 6 期

南京市雨花台区东至花神大道、西至宁丹公路、北抵燕西路、南至宁南大道的 2 平方公里范围内，丘陵密布，历代古墓葬多有分布，属于南京市地下文物重点埋藏区之一。2006 年初，南京市政府决定在此兴建华为南京软件基地。为配合该项目的建设，从 2006 年 3 月至 2007 年 2 月，考古人员在施工范围内先后开展了全面、细致的考古调查、勘探和发掘工作，共发掘从六朝至明清时期的古代墓葬 172 座，道路等遗迹 3 处，取得了许多重要的学术成果。其中，编号简称 M84 的墓葬是 1 座南朝时期规模较大的砖室墓，虽然早年遭受过极为严重的破坏，但该墓所使用的画像

砖制作精美，极富南朝文化艺术特色，具有较为重要的学术价值。简报分为：一、墓葬形制，二、墓砖，三、出土遗物，四、结语，共四个部分。有手绘图等。

据介绍，该墓为南朝等级较高的大型贵族墓葬，其具体年代简报推测为南朝中晚期，即梁、陈时期，可惜曾被盗扰，随葬品仅剩一青瓷唾壶，一滑石器。

简报指出，该墓的发掘丰富了南朝画像砖墓的资料，对我们深入探索诸如邓县学庄墓的性质、南朝中高级贵族墓葬的装饰规律、南朝绘画艺术的特色等问题具有重要的研究价值。

南京及周边地区出土的南朝画像砖、壁画，可参见《南朝真迹》（江苏凤凰美术出版社 2016 年版）一书。

287.南京市江宁区胡村南朝墓

作　者：南京博物馆　李　翔等

出　处：《考古》2008 年第 6 期

2006 年 11 月，南京市江宁区江宁镇陈塘轮窑厂在取土施工时发现 1 座南朝砖室墓，考古人员前往清理。该墓葬（简称 M1）早年遭到盗掘，出土随葬品较少，但是发现了大量的画像、花纹砖，具有较高的学术价值。简报分为：一、地理位置及墓葬结构，二、墓砖，三、出土遗物，四、结语，共四个部分。有手绘图等。

据介绍，这是一座南朝晚期贵族砖室墓。墓葬规模较大，平面近"凸"字形，有较长的甬道及石门，墓室后壁的砖砌塔形结构颇为少见。该墓曾被盗，残存有大量花纹、画像砖以及较具特色的陶俑、石俑、瓷器等随葬品 16 件。墓主应为当时的豪门大族。

简报指出，该墓最具特点的是墓室后壁的形制。南朝晚期佛教盛行，该墓后壁砌出 3 座塔形结构，呈"品"字形排列，应与佛教信仰密切相关。这种形式的后壁与佛教流行有关。

简报称，该墓出土的 2 件陶俑也较有特点，与过去南京地区发现的南朝陶俑有着明显的不同。该墓陶俑头戴平顶遮耳盔，下着分裆护腿甲裙，眼大、鼻宽、唇厚，具有浓厚的北朝陶俑特点。尤其是面部细部刻画、颈部及手部的接合工艺、裤底及着履的特点等与河南邓县学庄画像砖墓陶俑极其相似。简报认为该墓出土的陶俑出现这一特点无非有两种可能：一是墓主所处的时代，社会风气受北朝影响，导致部分器物具有北朝的特点；二是墓主身份背景特殊，与北朝联系密切。由于第一种情况在南京地区已发掘的同时期墓葬中并没有明显的反映，因此第二种情况的可能性比较大。

288.南京江宁胜太路南朝墓

作　者：南京市博物馆、南京市江宁区博物馆　沈利华、许长生
出　处：《文物》2012 年第 3 期

2000 年 9 月，南京市江宁开发区胜太路发现 1 座古代墓葬（00JSM1），考古人员对此墓进行了发掘，清理出一批瓷器与石器。简报分为：一、墓葬形制，二、花纹砖与画像砖，三、出土器物，四、结语，共四个部分。有照片、拓片、手绘图。

据介绍，墓葬平面为"凸"字形，出土器物有青瓷、石等质地器物共 17 件。从形制与胎质分析，主要为五代时期的器物，简报推断墓葬在五代或之后曾遭到扰乱。

289.南京市灵山南朝墓发掘简报

作　者：南京市博物馆　邵　磊
出　处：《考古》2012 年第 11 期

2008 年 3 月上旬，南京栖霞区仙林灵山有 1 座南朝时期的古墓被盗。为了避免该墓遭到更严重的破坏，考古人员随即进行了抢救性发掘。通过对出土墓志志文的初步辨析，可以确认墓主为南朝萧梁时期的贵族。鉴于新发现的萧梁贵族墓系继前述灵山南朝大墓之后在仙林灵山发掘的第二座南朝墓葬，故将其编为 08NQXLM2（以下简称 M2）。发掘情况简报分为：一、地理位置与墓葬结构；二、出土遗物；三、结语，共三个部分予以介绍，有彩照、手绘图。

据介绍，墓志是此次考古发掘最为重要的收获之一，简报未录墓志全文。由墓志可知墓主系南朝萧梁时期的某一位吴郡太守。M2 的相对年代简报认为还可进一步推定为梁普通五年（524 年）至梁末之际。另据残存志文所透露出的墓主籍贯信息，简报认为当不排除 M2 的墓主或为南朝齐梁萧姓宗室成员的可能。

290.南京江宁鳄儿岗晋墓发掘简报

作　者：南京市博物馆、南京市江宁区博物馆　除大海、徐　华等
出　处：《文物》2013 年第 11 期

2008 年 10 月，南京市江宁区谷里街道鳄儿岗村基建工地发现 1 座六朝墓葬，考古人员对其进行了抢救性发掘（墓葬编号 2008NJEM1，以下简称 M1）。此墓位于一座低矮小山的南坡，一段墙基槽将其前部破坏。分三个部分予以介绍，配有照片、拓片和手绘图。

第一部分"墓葬形制"介绍说，该墓为竖穴土坑砖室墓，墓道、封门和甬道情形已不详，现存前室、中部过道和后室等部分。

第二部分"出土器物"介绍说，墓室内早年遭受扰乱，祭台中部铺砖已被破坏。墓室内葬具和人骨早已腐朽，仅在后室后部发现残余小片漆皮和带朽木的铜棺钉。出土的器物大多位于祭台周围，有陶俑、陶盆、瓷罐等。后室四个角落均摆放着一堆铜钱。

第三部分为"结语"，认为虽说前后室墓葬是南京地区六朝早期大中型墓葬常见的一种形制，但鳄儿岗此墓的建造方法却极为特殊。墓室整体砌筑起券、中部过道独立砌筑，是南京地区以往所未见的。

简报称，这种前后室墓葬规模不大，在遵守"前堂后室"规制的同时，降低了对技术的要求，减轻了造墓的代价。从技术角度讲，似乎借鉴了东汉墓中砖柱的结构，但又有所不同。结合墓中的随葬器物，推测这类墓是在西晋特殊的社会环境下，在各种文化因素的影响下，某支流寓于此的北方士民权厝产物。东晋肇始，南京地区的墓制开始迅速统一，基本上都变成了平面呈"凸"字形的单室墓，像鳄儿岗这样的前后室墓也就随即消亡了。

在众多随葬物品中，陶持盾俑和鳄鱼，尤为值得注意。简报认为，这是北人南迁江左产生的文化交流现象在墓葬随葬器物中的体现。

简报称，持盾俑在南京地区六朝墓葬中并不常见，鳄儿岗出土的这种持盾俑更为罕见。

这种持盾俑高鼻深目，着胡帽、短衣、束裤，一手持盾，一手持武器，明显源自西晋时期北方墓葬中的胡人武士俑。至于陶鳄鱼，长江中游地区六朝同期墓葬中常见一种四足扁长形镇墓兽，多称作鳞鲤或穿山甲。鳄儿岗出土的这件陶鳄鱼明显与所谓的穿山甲不同。虽然陶鳄鱼发现不多且流行的时间可能不长，但作为镇墓兽的形象出现于南京六朝墓葬中还是有值得探讨的原因的。首先，古人于魏晋之前，甚至早在史前时期已对鳄鱼有着深刻的认知了。《搜神记》《左传》等文献中就有关于养殖鳄鱼的记载。

在一般民众眼中，鳄鱼这种水陆两栖的冷血动物是凶猛异常、难以驯服的。南京所处的长江下游地区是著名的扬子鳄的栖息地，人与鳄的关系自然密切。墓葬中发现的陶鳄鱼镇墓兽可能是时人希望控制鳄鱼为己所用的体现。另外，此墓所处地名即"鳄儿岗"，墓中恰出土罕见的陶鳄鱼，这是一种惊人的巧合，抑或别有渊源？

简报推断鳄儿岗墓的时代应为西晋末期，或可到东晋肇建、制度未创之际。

简报最后指出，鳄儿岗 M1 这类墓葬的出现是南京地区六朝墓葬演变过程中值得注意的现象，是与复杂的历史背景分不开的。胡人持盾武士俑和陶鳄鱼的共出折射出两晋时期民族的交融和南北方文化的交流。

291.南京市雨花台区孙吴墓

作　　者：南京市博物馆、雨花台区文化广播电视局　岳　涌、陈钦龙　郜建胜等
出　　处：《考古》2013年第3期

2009年1月至8月，考古人员为配合农花村经济适用房与宁南大道8号地块两个项目建设，在建设范围内进行了考古勘探与发掘，共清理孙吴至明清时期各类遗迹60余处，其中农花村M19、宁南大道M20保存较好。M19的墓室四壁发现了内容相同的纪年砖及多种花纹砖，M20未被扰乱。2座墓均位于雨花台以南、石子岗以东。简报分为：一、M19，二、M20，三、结语，共三个部分。有彩照和手绘图。

据介绍，M19有铭文砖，时代应为孙吴晚期；M20推测为孙吴晚期墓。简报说这2座孙吴墓出土遗物丰富，有瓷器、陶器、铁器及钱币等，时代特征明显。为判断孙吴晚期墓葬提供了重要的资料，也为孙吴时期的研究提供了实物资料。

292.南京市雨花台区西善桥南朝刘宋墓

作　　者：南京市博物馆、雨花台区文化广播电视局　周保华、祁海宁等
出　　处：《考古》2013年第4期

南京市南郊西善桥一带为六朝时期重要的墓葬区，一批重要的六朝墓葬均发现于此。2009年11月至2010年1月，考古人员对位于南京市雨花台区西善桥街道贾东一、二组地块进行考古勘探时发现众多墓葬。2010年3～8月对其进行了发掘，共清理六朝至明清时代墓葬34座。其中编号为2010NYJM19（简称M19）的墓葬由墓圹、砖室、排水沟等部分组成，上部因扰动已经不存。因墓葬遭晚期盗掘扰乱，随葬遗物主要出土于祭台附近，有青瓷器、陶器、石器和铁器等30余件，砖墓志6方。

简报分为：一、墓葬形制，二、出土遗物，三、结语，共三个部分进行了介绍，有彩照、拓片和手绘图。

据介绍，根据墓葬出土的砖志，可知M19为南朝刘宋的钟济之及其夫人孙氏的合葬墓，初次下葬年代应为南朝刘宋元嘉三年（426年），元嘉十一年（434年）钟济之死后亦入葬其中。

从墓葬形制上看，该墓葬甬道的砌筑方法比较少见，在墓门内侧两壁有略呈阶

梯状凸出的结构。甬道内两壁的凸字形壁龛亦不多见。另外，墓葬排水沟的砌筑也别具特色，使用了特制的带榫卯结构的条形方砖，以往发现的墓葬中未发现此类砖，这无疑为研究六朝墓葬的形制结构增添了新的内容。

简报称，砖志均有漫漶，但依然可以看出完整的意思。砖志共有 6 块，其中钟济之墓志 4 块（M19：30、31、33、34），均双面阴刻；孙氏墓志 2 块（M19：32、35），为单面刻文。钟济之籍贯为颍川郡长社县都乡南祝里，曾任豫章永修令、驸马都尉。夫人为太原中都孙氏。从志文可以得知钟济之卒于刘宋元嘉十一年（434年），终年 50 岁，则知其生于东晋孝武帝太元十年（385 年）；孙氏卒于元嘉三年（426年），终年 39 岁，可以推出其生于太元二十三年（388 年）。钟济之有 6 男 3 女，而孙氏生 4 男 3 女。由此推测后二子欣和穗可能为继室或妾所生。

简报说，志文所记豫章永修，在今江西永修县北。永修县当时为侯国，它的行政长官应该称相而不叫令，而墓志中钟济之为豫章永修令，有点费解。简报又说，"当然，相、令同职，刻划墓志的人写成通俗称谓也是可以理解的"。

据砖墓志，钟济之为驸马都尉，但并未尚公主，与《宋书·百官志》所载不同。证明清人刘宝楠对驸马都尉的考证不误。志文中提到的江阴县阴山等地名，对考证地理也十分有用。故而简报再次肯定：此次墓葬出土的砖志十分重要。

293.南京雨花台石子岗南朝砖印壁画墓（M5）发掘简报

作　　者：南京市博物馆、南京市雨花台区文化局　龚巨平

出　　处：《文物》2014 年第 5 期

2010 年 7 月，考古人员在南京市雨花台区石子岗勘探并发掘了一批墓葬。其中五号墓（M5）位于石子岗雨花软件园 A1 地块东面北侧的一座山坡的西麓，西临宁丹大道，西北距安德门约 1500 米。该墓为拼镶砖印壁画墓，壁画内容主要是竹林七贤与荣启期、龙、虎、狮子、天人等图案。该墓出土器物 60 件，有青瓷器、陶器、铜器、玉石器等。

简报分为：一、墓葬形制，二、墓砖文和纹饰，三、出土器物，四、结语，共四个部分。有照片、手绘图。

据介绍，简报推断 M5 的时代为南朝中晚期，墓主应该是南朝中晚期宗室中级别较高的人物。壁画没能完整拼镶，简报认为可能与墓主下葬时间仓促或其他变故有关。

无锡市

294.江苏宜兴晋墓发掘报告——兼论出土的青瓷器

作　者：南京博物院　罗宗真
出　处：《考古学报》1957 年第 4 期

宜兴县城内周墓墩，有 4 个比较大的土墩，高出地面约 4 ～ 6 米。1952 年 12 月 1 日，宜兴县精一中学修操场时发现 2 座古墓。当地公安进入其中 1 座墓中，取出部分文物。考古人员赶赴后于 1953 年 3 ～ 4 月进行了发掘，两墓编为一号墓、二号墓。曾进入取出文物的为一号墓。简报分为：一、发现和发掘的经过，二、墓的结构，三、随葬器物，四、略论墓中出土的青瓷器，五、关于墓主问题的推测，共五个部分。后有夏鼐先生写的跋。

据介绍，2 墓至少在元末已被盗过。据一号墓发现的墓志铭砖，墓主为周处，即三国东吴名将周鲂之子。周处于吴赤乌五年（242 年）生于阳羡（今宜兴），晋元康七年（297 年）与羌人作战时死于今陕西乾县。二号墓距一号墓仅 28 米，当为同一时代墓。

295.宜兴发现六朝青瓷窑址

作　者：江苏省文物管理委员会
出　处：《文物》1959 年第 7 期

1959 年 5 月 1 日，江苏省宜兴县丁蜀镇汤渡西南一里半处，发现六朝青瓷窑址。据介绍，发现大量窑具和青釉瓷片，此窑历代文献未记载，为研究陶瓷史提供了新的资料。

296.访均山青瓷古窑

作　者：蒋玄佁
出　处：《文物》1960 年第 2 期

鼎山镇距宜兴县东南 20 公里，均山又距鼎山镇 6 公里，在均山脚下的顺广（？）寺右边山崖上有极深的坑穴，坑内长满草木，有如天然山谷，是古代采掘陶土的遗迹。顺广寺之左为西瓦窑村，村中居民指出了传说为窑址的三四处遗迹，但在遗址内没有发现碎片。在西瓦窑村之左，捡到一些炻质几何纹陶片及汉代陶瓶底。再前行 2.5

公里，有名叫大公塘的山谷，路边田岸上散布着古陶瓷片，在一个小丘上发现了古代窑基遗址。简报配以照片予以介绍。

据介绍，大公塘窑基遗址高约3米，直径约6米，四边已辟为熟地，种植大豆，地上有很多青瓷片及窑具残片。遗址上瓷片及窑具堆积成一高丘，其中不杂泥土，推测原来窑基面积还要大得多。据农民说，常掘得完整的小碗。从发现的遗址遗物看，这里是1处古代的青瓷窑址。产品主要为日用器而不是冥器。年代估计为三国以降。同刊同期有刘汝醴先生《宜兴均山青瓷古窑发现记》一文，可参阅。

297.宜兴县汤渡村古青瓷窑址试掘简报

作　者：南京博物院　王志敏
出　处：《文物》1964年第10期

1958年秋，考古人员在宜兴县汤渡村外湖浦公路近旁大窑墩采集到若干青瓷片，当时推想附近可能有青瓷窑址。1959年4月，发现了均山北麓斜坡上小碗窑（小地名）地方的碗窑墩。考古人员进行了试掘，认为土墩系一残存立式窑座。简报分为"汤渡窑青瓷器之分析""对汤渡窑青瓷的两点推测"两部分予以介绍，有照片。

据介绍，简报认为，该窑属越窑青瓷系统，时代上限不会早于西晋，下限也不会晚至东晋。

298.江苏宜兴晋墓的第二次发掘

作　者：南京博物院
出　处：《考古》1977年第3期

1953年考古人员在宜兴发掘了2座西晋墓（编号为墓1、2），其中有纪年的1号墓为西晋元康七年（297年）"平西将军"周处墓。1976年清理发掘了4座墓（编号为墓3～6），其中两墓有纪年：墓4为西晋永宁二年（302年），墓5为西晋建兴四年（316年），总共6座墓。根据这6座墓的排列位置和它们的地理环境，可以肯定是三国—西晋时期江南大门阀士族周氏的家族葬地。简报分为三个部分，介绍了1976年发掘的情况，有手绘图。

据介绍，墓3在近代被盗掘过，盗墓者遗留下清代青花瓷碗、铜勺、铁钯等物。4墓均为长方形墓室带甬道砖室墓。

墓4出土有砖墓志，简报认定为周鲂的墓志。周鲂在东吴时任太守，《三国志·吴书》有传，西晋灭吴以后，仍用他为江宁县令。江宁县在西晋时是江南重镇，形势地位甚为重要。鲂被委此要职，仍说明西晋王朝对他的重视。《吴书》不记周鲂降晋以后的事，《晋书》又无周鲂列传，他任江宁县令的史实，可能被略去。此砖铭文，恰恰补充了史书的不足，大概是可信的。墓5也出有砖墓志，知为周玘之墓。周玘传，附于《晋书》周处传后。简报均未录2志全文。

299.无锡赤墩里东晋墓

作　者：无锡市博物馆　冯普仁、钱宗奎
出　处：《考古》1985年第11期

无锡县赤墩里位于无锡市西约10公里。1965年夏，在赤墩里东南桃花山北麓发现1座砖室墓。墓葬建于一土墩内，当地俗称"小王女墩"，墩高约1米，南北长20米。清理前墓顶封土已被挖掉，露出顶部墓砖。1966年4月，无锡市博物馆对该墓进行了发掘清理。简报分为：一、墓葬形制，二、出土器物，三、结语，共三个部分。有手绘图、照片。

据介绍，墓葬系单室券顶砖室墓，平面呈凸字形，全长5.66米，由墓室和甬道两部分组成。随葬器物共3件，出土时均已破碎。黑釉鸡首壶2件、青瓷盘口壶1件。

简报称，赤墩里东晋墓的墓葬形制及其营建方式，与江南地区同期墓颇多相同之处，反映出东晋时代江南地区中小型墓的时代特征。该墓出土有东晋太和五年（370年）纪年墓砖，墓葬时代属东晋中期。简报指出，该墓随葬的两件鸡首壶均为实用器皿，为研究德清窑黑釉器的造型及其烧造年代提供了新的实物资料。

徐州市

300.江苏徐州发现北齐铜造像

作　者：王　恺
出　处：《考古》1985年第7期

1981年春，徐州市贾汪北3公里的侯孟村农民整地时挖得铜佛2件。在徐州地区出土有纪年的铜佛，这还是第1次。简报配以拓片予以介绍。

据介绍，计北齐天保三年（552年）鎏金铜造像1件，上有铭文。隋开皇十八年（598年）铜造像1件，上有铭文。北齐造像体态端庄、肃穆，隋代造像则略显呆滞，缺乏活力。

301.徐州内华发现南北朝陶俑

作　者：徐州博物馆

出　处：《文物》1999 年第 3 期

内华位于铜山县茅村乡西部，距徐州市 15 公里，1993 年徐州博物馆在内华村征集了一批陶俑。这批陶俑出于内华村南的山凹中，山凹大致呈簸箕形，北、东、南三面有低山环绕，开口向西，有京杭运河（原古泗水）流过。山凹内堆积较纯净的红土，为茅村第六水泥厂采土场。据调查，该地原有两座规模较大的砖室墓，墓前有长的排水沟，墓室主体已毁坏，墓为券顶。墓葬周围发现大量砌墓用砖，有长方形、刀形、楔形等，规格不一，多数墓砖上有几何图案。这批陶俑均出于北墓前室南北两侧的耳室中，包括男俑、女俑、象奴俑、陶马、陶猪等计 19 件。据现场调查，一耳室内有红袍拱手男俑（Ⅴ式男俑）、双髻女俑、象奴俑等，另一耳室内拱手男俑（Ⅳ式男俑）及长衣男俑（Ⅰ式男俑）朝北立于耳室一侧，另一侧是马、狗、牛等动物模型。简报配以彩照、手绘图予以介绍。

据介绍，此批陶俑的年代，简报推断为南北朝时期。这批陶俑为研究当时的服饰、生活等提供了实物资料。

302.江苏徐州市户部山青瓷窑址调查简报

作　者：徐州博物馆　刘尊志等

出　处：《华夏考古》2003 年第 3 期

徐州户部山青瓷窑址位于徐州市区南部户部山西南麓。1996 年 1 月，为配合基本建设，考古人员在此进行了调查与试掘，发现 3 处青瓷烧造堆积，发掘出土较多窑具和青瓷残片，其年代当在北朝末至唐代早期。该处遗址的发现，填补了苏北地区这一时期窑址的空白。简报分为：一、地层堆积与文化遗迹，二、出土遗物，三、结语，共三个部分。有手绘图。

据介绍，出土遗物主要有窑具与瓷片。此窑址未见文献记载，简报推断该青瓷窑起于北朝末，兴于北朝末至唐初，至唐早期衰落。简报称，徐州发现的户部山青瓷窑址是江苏省北部发现的国内目前为数不多的北朝末至唐早期的北方青瓷窑址之一。这一发现，不仅填补了苏北早期青瓷窑的空白，证明了徐州及周边地区出土的这一时期的青瓷器应为本地烧造。

简报称，该窑址的发现为研究我国北朝末至唐早期的物质文化，特别是青瓷烧造提供了较为珍贵的实物资料。

303.江苏徐州佛山画像石墓

作　者：徐州博物馆　耿建军、刘尊志、王学利等
出　处：《文物》2006 年第 1 期

　　该画像石墓位于徐州市贾汪区东北约 5 公里的佛山村，在村西南的平地上。1997 年 3 月，当地农民发现该墓后，砸坏了墓室顶部，墓内文物也被村民取走。徐州博物馆闻讯后，在贾汪区文化局的配合下，对该墓进行了抢救性清理，编号为 97XFM1。简报分为：一、墓葬形制，二、随葬器物，三、画像石，四、结语；共四个部分。有照片、拓片、手绘图。

　　据介绍，该墓由甬道、墓室两部分组成，坐北朝南，地上封土已不存。出土遗物有铜镜、铜镯、铜簪等。另有画像石 11 块。种种迹象表明，该墓为魏晋时人利用废弃的汉代画像石建造的，其年代简报推断为东汉中晚期。

　　简报称，墓中出土的画像石，其雕刻技法均为徐州地区东汉中晚期最常见的浅浮雕，画像内容有车马出行、杂技乐舞、珍禽瑞兽、劳作小憩等，亦为东汉中晚期流行的题材。佛山画像石墓的发掘，为研究汉画像石及汉画像石的再利用提供了新资料。

304.江苏徐州市楚岳山庄北齐墓发掘简报

作　者：徐州博物馆　吕　健
出　处：《中原文物》2010 年第 3 期

　　2005 年 11 月，考古人员在徐州市区东部的楚岳山庄小区建筑工地上发现 1 座砖室墓（M1），经现场清理后出土遗物共 43 件（组），有陶俑、陶牛车、瓷碗、金扣饰等。依据墓葬形制和出土器物的特征，该墓的时代应在北齐时期。简报分为：一、墓葬形制与结构，二、出土器物，三、结语，共三个部分。有照片、拓片、手绘图。

　　据介绍，因施工破坏，墓上封土情况已不清。该墓为平面呈"凸"字形的砖室墓，整个墓葬由墓室和甬道两部分组成。出土的 43 件器物中 38 件为陶器、陶俑。墓葬的时代大致为北齐。该墓为夫妻合葬墓，规模不是太大，基本上未见规格比较高的陪葬品，反映出墓主的身份不是太高，但也不是一般的贫民，很可能为地方上的小官吏或较为富有的乡绅。

　　简报指出，楚岳山庄北齐墓的发掘为研究当时的物质文化提供了新的实物资料。

常州市

305.江苏溧阳孙吴凤凰元年墓

作　者：南京博物院　汪遵国

出　处：《考古》1962年第8期

江苏省溧阳县发现了1座凤凰元年（272年）的墓。这个墓在东王公社永和大队境内，位于大队所在地林业队（村名）的东南，南距喻庄约1公里。简报配以照片、拓片、手绘图予以介绍。

据介绍，该墓由羡道、前室、过道、后室组成。出土有青瓷器8件及五铢钱等。对于确定六朝早期墓葬断代，有其价值。

306.江苏溧阳发现东晋墓志

作　者：晓　光

出　处：《考古》1973年第3期

1972年10月，在县城西北25公里，上兴公社红旗大队邻近的果园内发现东晋残墓1座，出土砖刻墓志1块。简报配以拓片予以介绍。

据介绍，因该墓曾被盗掘，故其他出土物甚少，仅有文字砖、图案砖、陶凭儿、陶耳杯、碎陶片、青瓷片和金片等。墓志因年久风化，字迹多处模糊不清，简报未录墓志志文全文。查看《晋书》及其他资料，认为可能是东晋后期谢琰（谢安的儿子）与其妻合葬墓。这块墓志有史料及艺术双重价值。从史料方面讲，如确是谢琰与其妻的合葬墓，可为晋史补缺纠讹；从艺术方面讲，魏晋是由隶向楷过渡的时期，这块墓志的书法仍保留较多的隶书笔法并有章草（草隶）笔意。

307.江苏溧阳果园东晋墓

作　者：南京博物院

出　处：《考古》1973年第4期

江苏省溧阳县西北果园、旧县一带，为六朝墓葬集中地区。1972年10月1日，上兴公社红旗大队的农民取土时发现1方砖刻墓志，考古人员于10月14～25日对这座墓葬进行了清理。

简报分为：一、墓室结构和出土物，二、砖刻墓志，三、余论，共三部分。有手绘图、照片。

据介绍，该墓是 1 座单室砖墓。由墓道、甬道和墓室三部分组成。由于墓室早年被盗，破坏严重，清理时发现大量碎砖块和一些青瓷碎片，较完整的仅有残破的青瓷碗 3 件，砖刻墓志字迹蚀损颇多，简报节录有能识别的铭文，墓主应是与谢安之子谢琰（谢锬）同名之人。

简报称，这次发现的太元二十一年（396 年）砖志，书法保留较多的隶书笔法，并有章草笔意，比传世的《兰亭序》的纪年永和九年（353 年）要晚 43 年。这就再一次证明了东晋的书法基本上是隶书的阶段，传世的《兰亭序》是有依托的。

308.江苏金坛县方麓东吴墓

作　者：常州市博物馆、金坛县文管会　徐伯元等

出　处：《文物》1989 年第 8 期

方麓三国东吴墓，位于江苏金坛县薛埠乡方麓茶场内，东北距县城 29 公里，地处茅山山脉中段方山东麓附近的土岗上。1983 年 1 月，方麓茶场职工在平土建房过程中发现此墓，考古人员进行了抢救性发掘。

简报分为：一、墓葬形制，二、随葬器物，三、几点看法，共三个部分。有照片、拓片、手绘图。

据介绍，此墓为双室砖墓，平面略呈"吕"字形，后室墓顶上离地表约 0.75 米。墓室全长 6.5 米，由封门墙、甬道和排水沟、前室、过道、后室组成。墓砖中有 6 种铭文砖，简报录有铭文。出土器物主要有青瓷器、陶器、铜器、铜钱等，青瓷器当为上虞窑、绍兴窑产品。此墓应于东吴永安三年（260 年）下葬。

简报指出，此次出土的陶篷船，是迄今唯一所见东吴时期航行于内河中的小型木篷船的模型。船的结构比较简单，基本上由二帮加底板组成，属于三板船类型，不过比原始的三板船又有所改进。陶篷船船身狭长，船头高而方，船尾圆而平，船内底两侧略呈弧形。由于船头高而向前伸出，可以减少水的阻力，利于迅速航行；船头加装木板用以防浪或预防碰撞；船身中间有隔舱板，可以分别载运客货；隔舱板上有圆纽，以便拽索牵引。

简报称，这种船带有地方特色，它的发现为我国古代造船史的研究提供了新的资料。

309.江苏常州南郊画像、花纹砖墓

作　　者：常州市博物馆、武进县博物馆　徐伯元、林志方
出　　处：《考古》1994 年第 12 期

70 年代末和 80 年代前期，在常州市南郊先后清理了 2 座花纹、画像砖室墓。1座在常州市郊区茶山乡褚家塘附近的陈家墩中，1979 年 6 月修建市停车场过程中发现；另 1 座在常州市南郊与武进县交界处中凉亭南田舍村附近的野茅坟墩中，1984年 8 月武进县商业干部学校在基建过程中发现。两座墓葬由常州市博物馆和武进县博物馆联合进行了抢救性发掘清理。

简报分为：一、褚家塘花纹砖墓，二、田舍村画像砖墓，三、结语，共三个部分。有手绘图、照片。

据介绍，平面呈"凸"字形和墓室椭圆呈卧置的壶瓶形的墓，由甬道、墓室、封门墙、排水沟组成。画像砖内容有出行图及花卉、几何印纹，莲花图案主题思想是以反映宗教迷信、祛邪升天为主。以莲花、莲蓬（蓬子）为标志的佛教气氛，在墓葬图案装饰中也得到了充分的发挥和运用。随葬器物不多，但都具有两晋、南朝的特色。如石辟邪，在西晋墓葬中就已有出现。而石帷帐座、凭几也是东晋、南朝时期墓葬中常见之物。出土的陶俑、石俑都具有南朝的特色。

简报推断这两座墓葬属于南朝梁陈时期墓，墓主是具有一定政治地位的贵族。

苏州市

310.苏州市五龙山发现晋代墓葬

作　　者：钱　镛
出　　处：《文物》1959 年第 2 期

1958 年春，苏州市木渎镇五龙山五龙公墓为了扩筑墓园，在五龙山坡下，发现砖室墓葬 1 座，在墓砖上刻有"太元十三年十二月卅日"字样（太元是东晋孝武帝年号，太元十三年即 388 年），考古人员前去清理。在墓门中间发现石猪二只，在封门砖中间发现砖质买地券一块，上刻有"……陆陋年六十二岁以庚寅年□月十八日戌时醉酒命终……"字样。该墓由于曾早期被盗掘过，墓顶已塌下，墓室内积有淤土很多，陶器等遗物都已破碎。苏州市发现晋代墓葬，尚属首次。

311.江苏吴县狮子山四号西晋墓

作　者：吴县文物管理委员会　张志新

出　处：《考古》1983 年第 8 期

1979 年 1 月，考古人员继狮子山一、二、三号西晋墓清理（《江苏吴县狮子山西晋墓清理简报》，《文物资料丛刊》第 3 辑）之后，又对狮子山四号晋墓进行了发掘。简报分为：一、墓葬结构，二、随葬器物，三、结语，共三个部分。有照片、拓片、手绘图。

据介绍，狮子山四号墓位于该山东麓，在二号墓西南 10 米处，较二号墓高出 2 米左右。该墓保存完好，室内积有厚约 60 厘米的淤泥。进行了 7 天的发掘，出土随葬器物 32 件。四号墓是一前后室砖石券顶墓。墓室由封门墙、墓道、前室、甬道和后室等组成，全长 9.18 米，规模较一、二号墓为大。葬具、尸骨已朽，推测应为夫妇合葬墓。出土青瓷器计堆塑罐 1 件、三足盘 1 件、奁 1 件、钵形鼎 2 件、唾壶 1 件、盘口壶 2 件、罐 5 件、瓮 1 件、钵 3 件、盘 1 件、耳杯及承盘 1 件、耳杯 2 件、灶 2 件、果盘 2 件、熏罐 1 件、镶斗 1 件、鸡笼 2 件、器盖 1 件、弦纹罐 1 件及铁剑、铁镜等。墓主人当为傅氏家族成员，而据《晋书·傅云传》记载，傅家曾有人当过上虞县令，这可解释狮子山晋墓为何出土越窑青瓷颇多的原因。简报推断四号墓也应当是西晋惠帝时期，即西晋中晚期的墓葬。

312.江苏吴县何山东晋墓

作　者：南京博物院　郝明华

出　处：《考古》1987 年第 3 期

1978 年 7 月，南京博物院在吴县枫桥何山清理 1 座东晋砖室墓。该墓系苏州市地区党校在基建施工中出土的。

何山，又名鹤阜山。位于苏州城西 10 公里，属吴县枫桥乡，是 1 座海拔 63.8 米的独立小山岗。何山东有虎丘山，西有天平山、灵岩山，南有狮子山、横山，都是苏州城西出土古墓较多的地方，这次清理的东晋砖室墓位于何山南麓。简报分为：一、墓葬结构，二、出土器物，三、结语，共三个部分。有手绘图。

据介绍，该墓为一平面呈"凸"字形的单室穹窿顶砖室墓。由封门墙、甬道、墓室三部分组成。该墓因盗掘破坏，出土器物经修复共 36 件，包括瓷器 33 件、陶器 2 件、白玉印章 1 件。从砖墓结构、出土器物分析，简报推断：该墓的年代当属东晋时期；这批青瓷为浙江绍兴、上虞一带瓷窑产品，属越窑系统；该墓墓主应为东晋时期的门阀士族。

南通市

连云港

313.孔望山出土北朝造像

作　　者：连云港市博物馆　刘洪石
出　　处：《文物》1981 年第 7 期

1961 年，海州师范的师生在孔望山龙洞庵下的土层里，采集到一批北朝石造像，计 7 件。3 件完整，4 件残缺，其中有确切造像纪年的两件。还有一件武平元年（570 年）四面造像幢，采集自海州结核病院。简报配以照片、拓片予以介绍。

据介绍，有确切纪年的两件造像的时代，一为北齐武平二年（571 年），一为武平三年（572 年），再加上武平元年（570 年）四面造像幢，这批造像多为北齐造像。简报推断这批造像是北周武帝于 574 ～ 577 年灭佛时僧尼埋入地下的。

314.江苏灌云发现东晋纪年砖

作　　者：陈龙山
出　　处：《文物》1988 年第 1 期

1986 年 3 月，灌云县陆沟乡张薛村一村民平整田地时，于地表下 50 厘米处，发现 1 座墓葬。考古人员闻讯后即到现场做了清理。墓为砖室结构，平面呈长方形，单室券顶。墓内未见随葬品。一种墓砖的一端和一侧饰菱形纹；另一种一侧较薄，无菱形装饰，上有模印"义熙九年为卞府君作"纪年铭文。简报配以拓片予以介绍。

简报指出，义熙是东晋安帝司马德宗的年号，义熙九年即公元 413 年。灌云一带，当时属东海郡。东晋初年，东海郡太守萧诞降于后赵，东海郡所领诸县皆入于后赵。以后，此地又归于前燕、前秦。据《中国历史地图集》在东晋太元二十年（395 年）时，此地已复归于东晋，直至东晋为宋所灭。

简报说，这些铭文砖的发现，说明在东晋义熙九年（413 年）时，此地确为东晋所有。

淮安市

盐城市

315.江苏建湖县发现晋东海王墓

作　者：叶　劲
出　处：《考古》1993 年第 6 期

从 1968 年开始，在建湖县蒋营乡收城庄以北约 50 米的小海附近先后发现了砖室墓 4 座，多数墓室已毁坏，随葬品已散夫。这 4 座墓，根据发现的先后次序，分别编号为 M1、M2、M3、M4。简报配以拓片予以介绍。

据介绍，1968 年夏，M1 被发现。墓为长方形，东西向，砖室券顶，墓前有甬道，也是券顶。墓的平面呈"凸"字形。券顶已塌陷，墓内积满淤土。无棺木痕迹。墓底铺砖，呈人字形。部分墓砖顶端和一侧刻有"东海王"和"仪熙三年"字样。1969 年在 M1 东南不远处发现另 1 座砖室墓 M2，穹窿顶，高 1.5 米、直径 1.4 米。周壁发现与 M1 相同的文字砖。墓内未发现任何遗物。1970 年在 M2 东南方向不远处发现 M3，东西向，长方形，砖室券顶。墓内无遗物，无棺木，墓砖同 M1、M2。1971 年发现 M4，位置在 M1 之南，墓室未全部揭开，也发现与上述三座相同的文字砖。

简报称"东海王"是两晋时帝王赐与宗室的封号，"仪熙"应为"义熙"，是东晋安帝司马德宗的年号。关于"东海王"，考诸史籍，两晋时期受封为东海王的先后有司马祗、司马越、司马冲、司马奕和司马彦璋。司马越死后"还葬广陵"（见《晋书·东海王越传》），其他诸王的葬地多不可考，唯司马彦璋死于元兴元年（402年），与"义熙三年"（407年）相隔仅 5 年，故此处发现的东海王墓有可能是司马彦璋之墓。司马彦璋是被桓玄所杀，当时可能慑于桓玄的压力，故死后未能正常安葬，直到元兴三年（404年）桓温被杀，司马彦璋才得以恢复封号，进行安葬。此处发现的"东海王墓"比较简陋，与其身份不符。简报认为可能是怕人盗墓而设的假墓。

扬州市

316.江苏仪征三茅晋墓

作　者：南京博物院　尤振尧
出　处：《考古》1965 年第 4 期

三茅村在仪征县东北约 12 公里，东离扬州市郊仅 10 公里，1964 年 4 月间在这里发现 1 座古墓，考古人员进行了清理。简报配以照片、手绘图予以介绍。

据介绍，该墓为砖室墓。墓室分前后 2 室，室顶已塌陷，室内填满淤泥，棺木、人骨已朽，随葬品共 7 件，多为青瓷器。此墓的年代，简报推断上限不过孙吴，可能是西晋时候的。

简报称，这座墓埋着 4 具棺木，即前室 2 具，后室 2 具，这种葬俗是西晋墓中不多见的。《汉书》卷七十三记载："（玄成）病且死，因使者自白曰：不胜父子恩，愿乞骸骨归葬父墓。"这是汉代独生子从其父亲祔葬一墓的例证。西晋离汉为时不远，而且有些葬俗上仍承袭着汉制。简报揣测四棺之间关系，可能是属父子两代的夫妇关系。

317.江苏邗江发现两座南朝画像砖墓

作　者：扬州博物馆
出　处：《考古》1984 年第 3 期

1978 年冬，扬州地区邗江县酒甸公社包家大队高小生产队农民发现两座残画像砖墓，予以清理。酒甸位于扬州市北郊 9 公里，画像砖墓在酒甸以西约 1 公里的高小生产队的北侧，紧靠扬州一方巷公路旁。两座墓均为带甬道的单室券顶残墓。简报分为：一、一号墓，二、二号墓，三、结语，共三个部分。有手绘图、照片。

据介绍，这两座画像砖墓距离较近，形制、结构和出土遗物又很相似，可能是一个家族的墓葬，年代也不会相距太远。出土的钱币除汉代"半两""五铢"钱外，多为南朝梁初流行的"封文五铢"和梁武帝天监年间（503 ～ 519 年）铸的"女钱五铢"。出土的器物以灰陶器皿的数量较多，其中双系盘口壶为南朝时期常见。从葬具看，其形制既不似汉棺作长方匣，又与扬州地区发现的晚唐木棺的盖与底前伸突出的形制不同。这两座墓的砖，其莲花砖的花瓣不如唐代的莲花瓣那样肥厚；画像砖上的人物既不像汉代画像砖上的人物那样古朴，也不似唐代陶俑或三彩俑那样丰腴，而且服饰具有南朝的特点；根据文字砖上的书体和2墓的结构，简报推断这两座墓的年代可能属于南朝梁武帝时期。

318.扬州胥浦六朝墓

作　者：胥浦六朝墓发掘队　吴　炜、王勤金、徐良玉、李久海等
出　处：《考古学报》1988年第2期

胥浦位于江苏省扬州市仪征县城之西约4公里。1981年1～8月，为配合基建施工，考古人员先后在这一区域内清理了一批古墓葬，其中有六朝砖室墓20座，编号为M1～M8、M13、M70、M75、M84、M86～M91、M93、M94。其中M13、M70保存比较完整，其余各墓仅存墓壁，少数残破更甚。简报分为：一、孙吴、西晋墓葬，二、东晋、南朝墓葬，三、结语，共三个部分予以介绍，有照片、拓片、手绘图。

据介绍，属于孙吴、西晋时期的墓葬有7座，为M8、M70、M75、M89、M90、M93、M94。包括单室、双室和多室三种。属于东晋、南朝墓葬13座。具体年代应为东晋末至南朝刘宋时期。

随葬品中，出土的一批铭文砖值得注意。如M70所出的铭文砖的铭文为："徐州广陵郡舆县永康里散部曲将孙少父年一百食口册人。"舆县，据《后汉书·地理志》《晋书·地理志》均隶属于徐州广陵郡，而"散部由将"的官职，则不见于史载。散者，当指散官而言，非职事官。《后汉书·百官志》云："其领军皆有部由，大将军营五部，部校尉一人，比二千石，军司马一人，比千石，部下有曲，曲有军侯一人，比六百石……其余将军，置以征伐，无员职，亦有部曲、司马、军侯以领兵。"而汉末丧乱，出现私人之武装，仍以部曲名之，于是部曲制度大行，《后汉书》《三国志》中不乏记载。据《晋书·武帝纪》，西晋立国，晋武帝泰始元年诏曰："置部曲将长吏以下质任。"泰始元年即公元265年，时为吴末帝孙皓甘露元年。M93、M94两墓分别出有"元康七年"（297年）和"元康九年"（299年）的纪年砖，当为西晋时期的墓葬。M1出有晋太和五年（370年）和太和六年（371年）纪年砖。当为东晋时墓葬。

简报指出，综合扬州胥浦发现的这批六朝墓，有以下几点认识：

一是在墓葬形制方面，三国、西晋时期，中型墓以上流行多室墓，小型墓则为单室。到东晋时，墓葬形制较为划一，均为单室墓。

二是在随葬器物方面，三国、西晋时期的墓葬常有成组的畜圈家禽和仓厨明器伴出，东晋以后不见。

三是三国、西晋时期的墓葬，随葬品数量一般比较丰富，到东晋时期则趋于简约。

在造型纹饰方面，三国、西晋时期所出青瓷器如壶、罐，底径较小，重心偏于器身上部，肩部饰有繁复的纹饰。东晋时，器形加高，重心下移，造型优美，更加实用。纹饰亦简化，多以弦纹代之，或点以褐彩装饰。

简报认为，青浦六朝墓的发现，是扬州地区六朝考古的新收获。六朝时期，除西晋政权有过短暂的统一外，长期以来，南北政权隔江而治，扬州地处长江北岸，既是南方政权的江北门户，又是北方政权南侵的桥头堡，为双方发生军事冲突频繁的区域。1949 年以来，扬州地区的六朝墓发现甚少。究其原因，应与扬州所处的地理位置有关。胥浦地处扬州地区的西缘，相对而言，与六朝古都南京相距较近，对于捍卫都城的安全也相应显得较为重要，这从胥浦六朝墓的发现，似可见其一斑。因此，扬州地区六朝墓葬资料，对综合研究江南地区六朝墓葬是具有一定价值的。

319.东晋四蛙宾军官鼓介绍

作　　者：周长源

出　　处：《文物》1996 年第 2 期

扬州市博物馆收藏我国南方古代的金属乐器铜鼓 3 件，其中 1 件铸造于东晋义熙四年（408 年）四蛙军宾官鼓，器型大、铸造精、保存完好而又有刻铭，经国家文物鉴定委员会定为一级藏品。简报配以照片予以介绍。

据介绍，该鼓整体结构为平面、凸胸、束腰、侈足，是厚 0.5 厘米的薄壁铜铸件。鼓面以三弦或二弦分晕成五组，五组面晕距离不相等。铜鼓的表面留下很多小块芯垫、两道竖行合范铸缝和四处立体蛙饰镶嵌痕迹。鼓面背部即内壁，留下明显的调音刮痕。该铜鼓底足内壁刻有铭文："義熙四年十月宾（虞）军官鼓（鼓）广三尺五分前镰（锋）宁远率行铠曹杜逌"，笔画质直，有汉隶风貌。

简报称，该铜鼓原为阮元家藏，后流散民间，1957 年由扬州市博物馆征集而来。

镇江市

320.镇江阳彭山东晋墓

作　　者：镇江市文物管理委员会

出　　处：《考古》1963 年第 2 期

阳彭山在镇江新西门外约 700 米，1959 年 7 月 6 日镇江砖瓦厂在半山腰发现古墓 1 座，考古人员进行清理发掘。简报配以照片予以介绍。

简报介绍，这座砖墓在距山顶 5 米、距山脚 10 米处，室内无棺台，棺木及骨架已全朽，仅出土长 32 厘米的铁棺钉 35 枚，根据其出土位置，可知原葬二棺，也许左边是男棺，右边是女棺。出土有青瓷器、铜器、银器和石猪等物。随葬青瓷器上的褐斑，是东晋青瓷特点。

简报推断这座墓为东晋墓。

321.镇江市东晋刘剋墓的清理

作　者：镇江市博物馆　刘　邓
出　处：《考古》1964 年第 5 期

1962 年 12 月，镇江市砖瓦厂发现 1 座墓葬(编号镇.砖.2 号墓)。墓葬位于市东 4.5 公里，镇（江）常（州）公路南侧，贾家湾村西南土山南阜。墓葬在清理前，墓门、墓室顶部及下水道砖已被工人拆除，其余结构尚完整。简报分为：一、墓室结构，二、出土遗物，三、结语，共三个部分。有照片、拓片、手绘图。

据介绍，此墓为砖砌单室券顶墓，由墓室、甬道、下水道组成，平面成"凸"字形。出土有瓷器、铁器等 21 件。有砖刻墓志 2 块。由志文知墓主为刘剋，东海郡郯县人，侨置江苏京口（镇江）。死于晋升平元年（357 年）。

322.江苏句容陈家村西晋南朝墓

作　者：江苏省文物管理委员会　陈福坤、尤振尧
出　处：《考古》1966 年第 3 期

1965 年 1 月间，考古人员在陈家村清理了 2 座古墓。陈家村在句容县东 4 公里，现属张庙公社槐道大队。墓是 1964 年底在陈家村村后土墩上种桑树时发现的。这两座墓并排，其间相距 7.3 米，东边的 1 座编为一号墓，西边的 1 座编为二号墓。

简报分为：一、一号墓，二、二号墓，三、西斛村墓，四、结语，共四个部分。有拓片、照片。

据介绍，出土遗物有青瓷器、铜镜、五铢钱、陶器等。简报推断一号墓为南朝早期墓，二号墓为西晋晚期墓。西斛村墓葬已遭破坏，仅出土 5 件青瓷器，年代相当于南朝晚期或更晚一点。

323.镇江东晋画像砖墓

作　　者：镇江市博物馆　陆九皋、刘　兴
出　　处：《文物》1973 年第 4 期

1972 年 3 月 26 日镇江市郊畜牧场二七大队发现 1 座古墓，考古人员进行了清理。该墓北距市中心 4.5 公里，南为地笼山，东南为四面山，东近镇宝公路，路东是三里岗村，位于二七大队池南山南麓山坡上。墓壁画像砖上有晋隆安二年（398 年）的纪年，即公元 398 年，是一座东晋晚期的墓葬。简报分为：一、墓室结构，二、画像砖，三、随葬器物，四、结语，共四个部分。有照片、手绘图。

据介绍，镇江市郊东晋墓是一座"吕"字形的砖室墓，墓顶早已坍塌，墓分前室、后室、甬道三部分。该墓出土的 10 种 54 幅画像砖，其中玄武、青龙、白虎、朱雀 4 种 24 幅，是汉以来常见的表现方位的题材，其他 6 种 30 幅也是在汉画像石中常见的《山海经》上的神怪故事。墓主人或为南行的北方大族成员。

324.江苏丹阳胡桥南朝大墓及砖刻壁画

作　　者：南京博物院
出　　处：《文物》1974 年第 2 期

1961 年在南京西善桥发现南朝大墓"竹林七贤与荣启期"砖刻壁画以后，引起了学术界的重视。1965 年 11 月，考古人员又在丹阳胡桥发掘了 1 座南朝大墓，墓室两壁砌有大小不同的各种砖刻壁画，其中也有"竹林七贤"图，这个发现为进一步研究六朝绘画艺术和服饰制度提供了一些实物资料。简报分为：一、墓葬概况，二、壁画内容等几个部分予以介绍，有手绘图、照片。

胡桥大墓位于丹阳东北 17 公里，水经山南的仙圹湾，在 1 座俗名鹤仙坳的山岗（海拔 100 米）南麓。墓葬位于这座山岗的中部，海拔 75 米，墓南为一片山冲平地，距墓 510 米处有 1 对石刻神兽，左为辟邪，右为天禄，从墓门到石刻处，为墓的神道。水经山周围有南朝陵墓石刻 5 处，此处石刻的位置据史书记载及近人调查，可能为南齐景帝肖道生（南齐高帝肖道成次兄，明帝肖鸾的父亲）夫妇合葬的陵墓。墓全长 15 米、宽 6.2 米、高约 4.5 米，全部用花纹砖砌成。墓的结构分为封门墙、甬道、墓室及附属结构四个部分。葬具已朽，人骨仅存两个头骨的碎片。出土遗物有玉制围棋、玉小方牌（用途不明）、金玉料残件等。壁画集中在墓室东、西两壁，比较完整的有 5 幅。大多为游猎出行、仪仗出行、羽人戏虎等内容。简报称，壁画引了许多佛教艺术的特点。主题思想，形象塑造，布局章法，都是经过精心组织和设计的。

画面上的人物、神兽，用曲铁盘丝的线条勾出整个轮廓，并又细致地描绘了细部神情，挺拔生动；卷云花草、衣褶飘带有如春蚕吐丝，仿佛都在随风飘动，满天飞翔。

325.江苏句容西晋元康四年墓

作　者：南　波
出　处：《考古》1976 年第 6 期

1966 年 2 月间，句容县石狮公社后辛大队孙西村村民在平整土地过程中，发现 1 座西晋墓葬。考古人员进行了调查和清理，简报配以拓片、手绘图予以介绍。

据介绍，墓地位于孙西村的东南面，距村约 0.25 公里，当地称作"孙岗头"。墓葬坐落在土岗的顶部，系青砖砌成，根据保存状况看出墓呈长方形，全长约 9 米。分前、后两室，中间有甬道相通，有"元康四年"（294 年）纪年砖。随葬品有铜灯、铁炉、青瓷器等。

326.江苏丹徒东晋窖藏铜钱

作　者：镇江市博物馆　刘和惠
出　处：《考古》1978 年第 2 期

1973 年 10 月底，江苏省丹徒县高资公社高资大队第八生产队农民在农田中开掘排水沟时，发现 1 瓮窖藏铜钱。11 月上旬，丹徒县文化馆、镇江市博物馆、南京博物院先后派人调查，以后由镇江市博物馆进行了清理。简报分为：出土情况，铜钱的类型，几个问题的探讨，共三个方面予以介绍，有照片。

据介绍，窖藏位于沪宁铁路线高资车站正南，北距长江约 1.5 公里，南依五贵山，东北距高资镇 0.5 公里左右。在此窖藏附近，过去曾发现过铁钱，已锈结成铁饼，钱形不可辨认。窖藏内的铜钱，总重 280 余斤，全部放置在 1 个鼓肩平口灰陶瓮内。这批铜钱以"五铢"钱数量最多，占总数的百分之九十以上，而"五铢"钱中又以剪轮钱占多数。年代最早的为西汉"半两"钱，最晚的为东晋时期后赵石勒所铸的"丰货"钱，及蜀李寿所铸的"汉兴"钱。未发现南北朝的铸币。按"丰货"钱铸于 4 世纪 20 年代，"汉兴"钱铸于 4 世纪 30 年代末或 40 年代初，可见这个窖藏时间当在 4 世纪 40 年代以后不久。简报推断这批货币大约窖藏于东晋（317 ～ 420 年）中期以后，其下限不会超过南朝的刘宋初期。

简报称，过去的一些钱谱，所据实物基本上都属传世品，缺乏出土资料。这次的发现，对研究这一时期的钱币、订正前人的误谬，无疑是一批重要的实物资料。

327.江苏丹阳县胡桥、建山两座南朝墓葬

作　者：南京博物院　尤振克

出　处：《文物》1980 年第 2 期

1968 年 8 月和 10 月，考古人员在丹阳县先后清理了 2 座南朝墓葬，1 座在胡桥公社宝山大队吴家村（下简称胡桥吴家村墓），另 1 座在建山公社管山大队金家村（下简称建山金家村墓）。这 2 座墓葬，过去曾遭破坏，清理前墓室已暴露在外。2 墓的结构、壁画、时代等方面大致相同。简报分为：一、墓地环境，二、墓室结构，三、砖纹和壁画，四、随葬器物，五、墓葬时代，六、墓主推测，共六个部分。有照片、手绘图。

据介绍，胡桥和建山都是丹阳县的小镇，胡桥墓当地人称"皇（王）坟山"，高约 8 米。建山墓当地人称"皇（王）坟墩"。2 墓前均有一水塘。建山墓水塘前还有 1 对石兽、1 只独角、1 只双角。独角者当为麒麟，双角者应为天禄。两墓均为砖室墓，平面呈"凸"字形，均有彩绘壁画、砖印壁画。两墓曾被盗，仅出土有石俑、石马、石马槽、石祭台等。

两墓的年代，简报推断为南朝齐时。简报推测，胡桥墓可能是南朝齐和帝萧宝融的恭安陵，建山墓可能是南朝齐废帝东昏侯萧宝卷墓。

328.江苏句容县发现东吴铸钱遗物

作　者：刘　兴

出　处：《文物》1983 年第 1 期

1975 年 10 月，镇江博物馆在句容县葛村公社发现东吴铸造的"大泉五百""大泉当千"以及铸芯等遗物。简报配以拓片和照片予以介绍。

据介绍，这批铜钱是用泥制范母，采用花树形多层浇铸法铸成，每层铜 4 枚，有 20 余层，每 1 范铸钱 100 余枚，表面粗糙，而且有很多是铸坏变形的，外廓尚有余铜未打磨，内穿有些亦被薄铜填满，可知是一批铸废的钱。

简报称，据史书记载，吴主孙权于嘉禾五年（236 年）春铸大钱，一当五百。赤乌元年（238 年）春，又铸当千大钱。在铸造时诏使吏民输铜，同时并设盗铸之科，严禁私铸。到赤乌九年（246 年）因民意不以为便而罢铸。

简报称，过去出土东吴所铸"大泉五百"与"大泉当千"极少，这批铜钱及铸芯的出土，不仅提供了东吴铸钱的地点，也了解到当时铸钱的方法。

329.镇江东吴西晋墓

作　者：镇江博物馆　刘建国

出　处：《考古》1984 年第 6 期

近年来，镇江博物馆在镇江市区及丹徒、句容、高淳等县的农田水利、基建工地上，先后调查并清理了 11 座属东吴、西晋时期的墓葬。其中有规模较大的高·化 M1 砖砌多室墓、元康五年（295 年）纪年砖墓，出土了有赤乌、甘露、建兴年号铭文的铜镜、元康元年的砖刻地券和数量较多的青瓷器等。这给研究江南地区东吴、西晋两个时期的文化面貌，提供了新的有价值的实物资料。简报分为：一、东吴时期，二、西晋时期，三、几点考证，四、结语，共四个部分。有手绘图、照片。

据介绍，东吴时期墓葬 5 座，均为砖室墓，多残，结构分多室墓和单室墓两种。随葬器物以陶器、瓷器、铜器等为主，共计 105 件。另外，还收回零星出土采集的铜镜五件。西晋时期墓葬 6 座，有两座为土坑葬，4 座为砖室墓，多残。随葬器物主要以青瓷为主，还包括陶、铜、铁、金、银、漆、玉等类，共 63 件。

简报称，西晋的六座墓葬集中分布于京口、丹徒、句容一带，它们的分布也大体上反映出当时江南一隅经济开发和行政建置的格局。属东吴前期的墓葬有高·化 M1，它的规模较大，多室结构。从出土的遗物及钱币，简报断定该墓的上限不会早于赤乌元年（238 年），时代应属东吴前期。其余，包括谏·砖 M2、高·金 M1、丹·葛 M1 和句·陆 M1 四座，均为东吴后期墓葬。

330.江苏梁太清二年窖藏铜器

作　者：刘　兴

出　处：《考古》1985 年第 6 期

1978 年 8 月，在江苏省镇江市区的西南郊金山园艺场出土了一批有朱书文字"梁太清二年三月……"的铜器 13 件。该地东北距镇江市区中心仅 5 公里，在镇（江）句（容）公路的东侧，因该园艺场七里大队建房平整土地时发现。据调查这批铜器是堆放在一起的，并无其他遗物，再从出土的器物和朱书文字来看，均应属于窖藏。简报配以拓片与摹本予以介绍。

据介绍，铜器有熨斗 4 件、镽斗 1 件、铛 2 件、杯 2 件、盘 3 件、唾壶 1 件。在这批窖藏铜器中，熨斗内有朱书"……太清二年三月十六日……"的文字，历史上以太清为年号的，有十六国前凉张天锡和南朝的梁武帝萧衍。铜器出土地点——镇江，当时是属于南朝梁的范围，简报认为应当是南朝梁的遗物。

梁武帝萧衍在位 48 年，曾数次改元，有天监、普通、大通、中大通、大同、中大同，而太清是他最后的一次改元，仅有 3 年，太清二年，是公元 548 年。

331.镇江市东晋晋陵罗城的调查和试掘

作　　者：镇江博物馆　刘建国
出　　处：《考古》1986 年第 5 期

1984 年 5 月，考古人员在市区东北花山湾住宅建筑工地，发现长约 100 米的土山断面上，暴露出夯土及砖墙遗迹，据迹象推测这是 1 座六朝城址。同年 5 ~ 11 月，对该城进行较为广泛的调查，并配合建设工程做了一定的钻探和试掘，清理一批古墓葬，征集了出土遗物。同时，对此城的结构、范围、时代等，亦有大致的了解。

简报分为：一、范围与城墙遗迹，二、城内文化堆积，三、城墙和城内发现的墓葬，四、护墙城砖，五、结语，共五个部分。有拓片、照片、手绘图。

据介绍，此次试掘的一大收获是发现了一批带文字的城砖。与该城直接有关的，有"晋陵""晋陵罗城孟胜""砌城""花山""罗城砖""东郭门""南郭门"等。"晋陵"，是东晋时期镇江的古郡名，"晋陵罗城"应是该城的名称，"花山"即是城的地望所在，"东郭门"等表示城的设施。这批文字城砖为考证该城的时代、特征，提供了重要的实物资料。由城砖，知此城名为"晋陵罗城"。

简报称，古城北枕长江，西连北固，系利用自然蜿蜒曲折的丘陵山体，略加取舍改造，堆筑夯土及护城砖墙，上下浑然一体，形成特有的风貌。城的平面略呈梯形，周长近 5 公里。现今尚保存的墙垣遗迹，东墙较为完整，西墙及南、北墙次之，共计长达 2000 余米。简报推断此城修筑于东晋时期，即是当时治于京口的"晋陵郡城"。至南朝或稍后，还曾使用并修缮过，大约在唐代后期已基本废弃。

简报称，此城城门的位置尚未查明。但据已见的"东郭门""南郭门"文字砖，表明确有城的东门和南门。在 20 世纪 50 年代测绘的地图上，反映出东城墙中部一段地势较凹，位置似在东 A 段以北，是否即是城东门所在？另南墙西段大学山以西，旧有豁口，地势低洼，据清光绪年间测绘地图上称这里为"高家门"，推测可能与城的南门有关。而在城的西墙南端及北墙西端，旧有河道穿过，这两处是否可能与城的北、西二门有涉？

简报最后说，今后，探明并发掘城门遗迹，应是晋陵罗城考古的重要内容之一。

332.江苏镇江谏壁砖瓦厂东晋墓

作　者： 镇江博物馆　肖梦龙
出　处：《考古》1988 年第 7 期

镇江市谏壁砖瓦厂位于市区东南 12 公里谏壁镇的西面，北临长江，自然地势为高低起伏的丘岭坡地，古墓葬分布较多。1984 年博物馆配合掘土的进程，又先后清理了汉至六朝墓 10 余座。现将其中九座东晋墓（编号 M21～M29）资料予以介绍。

这次发掘清理的 9 座东晋墓葬集中分布在 3 处地方：1 处是黑山湾 3 座，包括 M21、M22、M26；1 处是陈家山 4 座，有 M23、M24、M25 及 M29；另 1 处是靠近江边的癞鼋墩 M27 和 M28。3 处墓葬的排列位置有序，方向一致，特别在黑山湾的 3 座墓中有 2 座发现砖刻墓志，即 M21 为刘庚之墓，M26 为刘硕之妻徐墓。简报分为：一、形制结构，二、随葬器物，三、年代分析，四、几点认识，共四个部分。有手绘图、照片、拓片。

据介绍，9 座墓均为砖砌券顶单室墓，多因早年被盗，墓室结构遭到不同程度的破坏和倒坍。9 座墓葬出土的随葬遗物，主要是青瓷器和陶器，另外还有个别铜器、铁器以及金银饰件等。砖刻墓志 2 方 5 块，刘庚之墓 3 块（M21），徐氏墓志 2 块（M6），简报均未录志文全文。根据出土墓志，M21 墓主刘庚之原籍彭城郡吕县，做过司吾县令。此人查史无载。简报推断，这批墓葬时代当为东晋中晚期。

泰州市

333.江苏泰州出土一组南朝青瓷器

作　者： 泰州市博物馆　叶定一
出　处：《文物》1996 年第 11 期

1994 年 11 月，泰州市西郊苏北电机厂仓库工地挖柱础基槽时，在一 2 米见方、深约 1 米的土坑中发现鸡头壶、盘口壶、双唇罐、莲瓣纹盖罐、碗等 16 件南朝青瓷器。这是泰州地区首次出土数量较多的成组南朝青瓷器。简报配以彩照予以介绍。

据介绍，这组南朝青瓷器的胎质和釉色大体可分为两种类型，一种是坚细、瓦灰色的胎体，釉色呈青黄色，近底部刮釉露胎，釉、胎结合较差，大部分有剥釉现象，可能是烧成火度较高，釉、胎收缩不一致的缘故。另一种是较为疏松、米灰色胎体，釉色呈青绿色，釉胎结合较好，釉质透明，玻璃质感强。从这些器物的造型、胎质、釉色和支烧工艺看，简报推断应当是越窑的产品。简报称，这组南朝青瓷器中最具代表性的为莲瓣纹盖罐，其造型新颖别致，纹饰庄重大方，釉色鲜翠晶莹，且保存完好，是不可多得的青瓷艺术珍品。

简报指出，这组南朝青瓷器的出土，使我们对魏晋南北朝时期长江两岸的物质文化交流有了一个新的认识，即六朝青瓷在当时已经越过长江天堑，在江北沿岸得到了普遍的推广和使用。

宿迁市

334.江苏泗阳打鼓墩樊氏画像石墓

作　者：淮阴市博物馆、泗阳县图书馆　尹增淮
出　处：《考古》1992 年第 9 期

1976 年 6 月，考古人员在泗阳打鼓墩清理 1 座画像石墓。打鼓墩在泗阳县屠园乡周庄东南 300 米处，东靠民便河，西与泗洪县西陈集接壤，正北 5 公里是洋河镇，镇北濒临废黄河。废黄河原系泗水故道，自宋熙宁以后，黄河屡次夺泗入淮，此淤彼决，严重破坏了这一带原来的自然水系，造成当时社会经济的衰落。在墓地的周围可以见到 2 米多厚的黄沙土淤积层，下层为灰褐色黏土。

打鼓墩呈椭圆形，南北约长 35 米、东西宽 25 米，现高 2 米以上。地势由东北向西南倾斜。在墩的顶部暴露出井口状的盗洞，墓室上面的封土仅存 1 ~ 1.5 米。简报分为：一、墓室形制，二、画像内容，三、随葬物品，四、几点认识，共四个部分。有手绘图、照片。

据介绍，此墓系砖石混合结构，由前、中、后三个主室及前室另附东西耳室共四部分组成。此墓共有画像石 24 块，雕刻画像 50 幅，全部集中在中室、后两壁及门柱、门额上。出土的铜镜有铭文，另出土有铁镜、陶罐、车軎等。据分析，简报初步推断墓葬时代的上限晚于沂南画像石墓和睢宁九女墩画像石墓（即沂南墓的下限至公元 193 年），下限不迟于魏晋之际，即 3 世纪末。确切地说，属曹魏时期的可能性最大。参阅泗洪曹庙发现的东汉画像石墓，墓主人生前官职为县令或太守。简报推测，墓主樊氏的身份不会低于 400 石。

简报称，樊氏墓中近 50 幅的画像作品，反映出晚期画像石刻的艺术风格，为我们研究汉魏绘画艺术与雕刻艺术提供了一批重要的实物资料。

浙江省

杭州市

335.杭州晋兴宁二年墓发掘简报

作　者：浙江省文物管理委员会　梅福根
出　处：《考古》1961年第7期

1960年11月，浙江大学化工系学生在老和山东麓发现砖墓1座。在墓砖的侧面发现有"晋兴宁二年吴郡嘉兴县故丞相参军都乡侯褚府君墓"的砖文，简报配以照片予以介绍。

据介绍，该墓为长方形墓室，整座墓都是双层砖砌筑，结构紧密坚固。随葬品因被盗掘，损失不少。遗留下来的器物，有瓷器、钱币（五铢钱，其中有相当多的剪边五铢）、1把铁剪和一些铜棺钉等。

根据纪年砖文，简报推断该墓朝代不会晚于东晋兴宁二年（364年）。

336.浙江余杭沾桥出土陶质五铢钱范

作　者：余杭县文管会　沈德祥
出　处：《文物》1985年第3期

1980年8月，余杭县沾桥公社砖瓦厂工人在取土时，于距地表2.5米深处，发现陶质五铢钱范10余块，当即交由县文管会保存。简报配以照片予以介绍。

简报介绍，陶质钱范径2.1厘米，面、背均有内外廓，与《文物》1982年第2期86页《小辞典·古钱》中之"蜀五铢"相似。这种陶质钱范在余杭尚为首次发现。

337.浙江余杭小横山南朝画像砖墓 M109 发掘简报

作　者：杭州市文物考古研究所、余杭博物馆　刘卫鹏、陈益女等
出　处：《文物》2013 年第 5 期

2011 年 6 ～ 12 月，考古人员对位于杭州市余杭区小林镇陈家木桥村北的小横山墓群进行了抢救性发掘，共发掘墓葬 121 座，出土器物 300 余件（组）。该墓群属于东晋至南朝时期，其中 20 座墓葬发现有画像砖，M109 便属于其中最具代表性的 1 座。简报分为三个部分进行了介绍，配有彩照、拓片和手绘图。

第一部分"墓葬形制"介绍说，M109 位于小横山从上往下第三排，为 1 座建造于石质墓圹内的砖室墓，墓葬已被盗扰，墓顶坍塌。该墓砖室由封门、甬道和墓室三部分组成，墓前残存有一段长 0.82 米的砖砌排水道。

墓室南壁及东西二壁均有壁画，南壁东西两侧各有 1 个相向站立的将军形象，占据两组丁砖及 5 层平砌砖的面积，高 54 ～ 55 厘米、宽 30 厘米。人物均头戴武冠，眉目清秀，曲颈，有护颈，上身披两当铠，肩有披膊，下穿袴褶，袴上有铠甲护腿，足登翻头靴，双手握挂环首仪刀，领及披膊上均垂挂桃叶形饰件。西侧的将军手臂还搭垂一件衣物。

东壁中上部有三组画像，上面为两个多砖拼合的飞仙伎乐，前后排列，双手持笙吹奏，眉目清秀，面庞圆润，衣带飘舞，飞翔于云气。

小龛下 15 厘米处有一副仙人骑虎画像，画像模印于一块长方形砖正面，长 32 厘米、宽 13 厘米。画面中一仙人骑于虎背上，前面为一飞舞回首、持草引导的羽人。仙人头饰山形发髻，衣带飘飞，身后有一随风飘动的羽扇或蟠。座下骑虎身躯瘦长，张口按爪，长尾上翘，圆睁的双眼紧盯着前面羽人手执的芝草，形象生动。

西壁砖画同东壁的对称，现仅存一吹笙伎乐和一幅仙人驭龙画像。另外，在墓室填土出土的乱砖中，发现有分刻字和模印画像砖。刻字砖均为长方形，格基本相同，所刻文字主要有"吹笙飞仙下第一""吹笙下第一"等。

填土中出土的画像砖主要为长梯形砖，图案有三种：

第一种为凤鸟宝轮，画面中上部为一只凤鸟，口衔花朵，展翅起舞，一爪抬冠，另一爪踏立于一只莲蓬上，莲蓬下附五片覆莲瓣。莲座下面模印一宝轮，宝轮为一圆圈内印两根相交的 S 形由线。

第二种图案为宝珠和宝瓶莲，画像上下排列，上面为宝珠一颗。宝珠呈桃形，中心为一尖顶的多棱体，多棱体周围为升腾的火焰纹。宝珠下为七瓣覆莲座，两侧为向上伸展的枝条。宝珠下为一宝瓶莲，中心有一盘口细颈、饰横向弦纹的宝瓶，瓶内插有一朵带叶盛开的莲花，宝瓶下为七瓣覆莲座，两侧附有向上伸展的枝条。

第三种图案为并列双莲花，二者间距8.2厘米。一朵稍大，九瓣；另一朵稍小，八瓣。

第二部分为"随葬器物"，计9件，均为青瓷器，除小碗保存稍好外，其余均为碎片。

第三部分为"结语"，指出"浙江杭州地区南朝画像砖墓发现极少"，而余杭小横山南朝画像砖墓的发现表明，杭州地区是除江苏地区、湖北地区以外南朝画像砖墓分布的又一个重要区域，具有鲜明的地域特点。首先，杭州地区画像砖的种类特别丰富，从模印于砖侧面的单幅小像到小方砖正面的独幅画面，从数砖拼合的中幅图像到遍布一面墓壁的大幅拼镶画面，都有发现。其次，从表现技法来看，既有纹饰较浅的线雕，也有高浮雕。第三，画像题材以模印于小砖上的狮子、莲花、千秋万岁、捧物飞仙和墓门两侧的左右将军为主，数量最多，装饰于墓室内的伎乐飞仙也是常见的题材。第四，墓壁普遍装饰莲花及"大泉五十"双钱或单钱纹。

简报认为，此次发现对研究南朝思想史颇有价值。"小横山南朝画像砖墓将这些题材有机地结合起来，从墓门延伸到墓室，将佛教、道教以及中国传统的信仰结合于一体，这一做法可能是受到了南朝皇族和官僚士族提倡的三教融合和佛、道双修观念的影响。"

简报还提到，西壁的仙人骑龙画像砖，方位与汉代以来流行的"左青龙、右白虎"的传统方位相反，这种反常的做法是否同墓主非正常死亡而采取的厌胜习俗有关？有待于进一步的研究。

宁波市

338. 宁波慈溪发现西晋纪年墓

作　者：林华东、展　汝
出　处：《文物》1980年第10期

1977年8月，慈溪县明湖公社杜湖水库职工，因山坡冲塌而发现了1座古墓，并把墓中出土的青瓷器、铜器送交主管部门。考古人员前往清理调查。简报配以照片予以介绍。

据介绍，该墓为长方形带甬道的券顶砖室结构（甬道已塌，尚存残迹）。墓壁均用侧面模印反字隶书阳文"太康元年（280年）蔡臣作"纪年平砖平砌而成。墓顶券的侧面，用印有几何形三角组成的花纹楔形砖砌成。墓底仍用纪年平砖平砌一层，呈人字形。墓室北半部置有五铢钱，中间发现有铜镜及铁棺钉。南部靠甬道处放置随葬的青瓷器。计有罐、香熏、洗、盆、井、盘口壶、堆塑楼阙谷仓罐等共8件，五铢钱38枚。

简报称，上列的青瓷器，在其他地区均有发现，并不罕见。但在这样的小型墓中，随葬了这样多的器物，尤其是堆塑楼台、人物、鸟兽的谷仓罐等，正反映了西晋时期江南地区世家豪族势力与庄园经济力量的强大。这批青瓷器，胎质灰白，釉色多为青中泛黄，且器表施釉通常不及底，应是当时会稽郡上虞窑的产品。

简报指出，墓中的纪年砖为随葬的青瓷器标明了大致的年代，为研究我国青瓷发展史提供了实物资料。

339.浙江奉化县南梁墓

作　者：周瑞燕、林士民、王利华
出　处：《考古》1984 年第 9 期

1973 年 3 月 9 日，考古人员对奉化县白杜公社山厂大队平整土地时发现的 1 座南朝梁天监年间墓进行了抢救性清理，出土了一批青瓷器等随葬品。简报分为：一、墓的形制与结构，二、随葬器物，三、结语，共三个部分。有照片、拓片、手绘图。

据介绍，该墓位于白杜汽车站东北约 1.5 公里的石柱根。墓的外形近似长方形，是 1 座竖式拱顶砖室墓，由主室和甬道组成。随葬物品一般都破损残缺。获得青瓷16 件，均为越窑系统的产品，可分为碗、壶、盘、盅四大类。这次清理的古墓，规模虽不大，且早期又被破坏，但它有相对的年代（502 ～ 519 年）可考。简报推测这组青瓷很可能就是宁波附近窑中烧造的产品。

340.浙江慈溪西晋墓出土一组青瓷器

作　者：慈溪县文管会　袁舒若
出　处：《文物》1985 年第 10 期

1979 年 11 月，慈溪县鸣鹤乡瓦窑头村农民在龙潭山发现 1 座古墓。考古人员获悉后，即前往调查。这是 1 座"凸"字形的砖室墓，墓内随葬器物已经取出，收集到的有洗、耳杯、鸭笼、犬、魂瓶等青瓷器。简报配以照片予以介绍。

简报介绍，青瓷中尤以魂瓶釉色最佳，釉层薄而均匀，滋润明亮，堪称上乘青瓷珍品。

简报推断此墓的年代应为西晋早期。

341.浙江瑞安梁天监九年墓

作　者：潘知山

出　处：《文物》1993年第11期

1989年4月，浙江省瑞安市塘下区凤山乡在建造公路时发现1座南朝砖室墓，义务文保员邵永生先生向文物馆报告了情况，考古人员立即对残余部分进行了清理。简报配以照片、拓片、手绘图予以介绍。

据介绍，凤山乡位于浙南地区，濒临东海，在温瑞104国道中段两侧，村西北有连绵山脉，东南为平原。墓葬位于凤山乡西大山东南坡。百姓反映，有1件青瓷四系罐随封门砖和填土一起塌落。墓系砖室券顶式，由墓道、墓室和耳室组成，平面略呈凸字形，有铭文砖。该墓早年被盗，塌落严重，仅出土劫余的青瓷11件及铜镜等遗物。据铭文砖，此墓为晋安太守后人为母亲陈氏所造，年代为梁天监九年（510年）。出土的11件青瓷当为瓯窑产品，为研究瓯窑提供了新的实物资料。

342.余姚西晋太康八年墓出土文物

作　者：王莲瑛

出　处：《文物》1995年第6期

1989年7月，在浙江余姚梁辉镇九顶山发现1座古墓，出土了一批随葬品。市文物管理委员会闻讯后立即派人赴实地察看，发现墓葬处半山坡，墓向东南，为券顶砖室墓，据墓中出土的太康八年（287年）铭文砖知墓葬的时代为西晋。简报配以照片予以介绍。

据介绍，出土有青瓷盘口壶3件、青瓷双系罐2件、青瓷狮形烛台1件、青瓷三足盘1件、青瓷水盂1件等。另有铭文砖块。据铭文，墓主周君身为会稽孝廉，任郎中之职，其父曾任都船之职。按《汉书·百官公卿表》，执金吾属官有中垒、司互、武库、都船四令丞。颜师古注：都船，治水官也。在以往的考古发现或已知的金石文字中未见都船之名，因知汉代都船之官到晋代尚未废止。太康为西晋武帝司马炎年号。

简报指出，余姚境内西晋墓较多，此墓墓主身份比较重要，随葬的青瓷器较精细，伴出的铭文砖有绝对年代，在书法史及砖志的研究上，具有研究价值和历史价值。

343.浙江奉化市晋纪年墓的清理

作　　者：宁波市考古研究所、奉化市文物保护管理所　傅亦民
出　　处：《考古》2003 年第 2 期

奉化晋墓位于奉化市白杜乡余家坝村五岭北坡，西北近白杜西山，东邻莼白公路。因部分墓葬被盗掘，1996 年 12 月 26 日至 1997 年 1 月 3 日由宁波市考古研究所、奉化市文保委办公室联合对被盗掘的 3 座古墓（M1 ～ M3）进行发掘清理。简报配以手绘图予以介绍。

据介绍，根据铭文所记，M3 的年代为西晋元康九年（299 年），M1 的年代为东晋大兴四年（321 年），M2 的年代为东晋太和元年（366 年）。这 3 座墓葬所处时代比较接近，墓葬形制基本一致，反映出两晋时期本地区墓葬的构筑风格、葬俗特点、砖的纹样组合形式、瓷器形制及装饰手法的演变。简报称，特别是这 3 座有明确纪年墓中出土的青瓷器，可作为两晋时期的代表性器物，为研究宁绍地区早期越窑青瓷的发展、断代提供较好的实物资料。

344.浙江宁波市蜈蚣岭吴晋纪年墓葬

作　　者：宁波市文物考古研究所、宁波市鄞州区文物管理委员会办公室
　　　　　王结华、林国聪等
出　　处：《考古》2008 年第 11 期

墓葬位于浙江省宁波市鄞州区洞桥镇宣裴村南侧的蜈蚣岭缓坡处，距洞桥镇约 3 公里，距宁波市区约 18 公里。2005 年 10 月，当地政府在此进行市政施工时发现有古墓葬暴露。考古人员进行了调查和抢救性考古发掘。发掘时间为 2005 年 10 ～ 12 月，共清理东汉至明清时期的墓葬 20 座，其中，有东吴和西晋时期的纪年墓葬各一座（分别编号为 M1 和 M16）。简报分为：一、M1，二、M16，三、结语，共三个部分，先行介绍了这两座墓葬的发掘情况，有彩照、手绘图等。

据介绍，两墓为"凸"字形单砖室券顶墓，均发现较多的纪年文字砖。东吴墓 M1 保存基本完整，随葬品包括青瓷器、金银器、铜器、铁器、铜钱等。西晋墓 M16 曾被盗，仅出土部分青瓷器。这两座墓的发掘为研究当地这一时期的墓葬形制、丧葬习俗和分期断代等提供了新的实物资料。

两墓的具体年代，简报推断 M1 为公元 260 年左右，属东吴后期；简报推断 M16 为西晋元康元年（291 年）左右。M1 的墓主人生前当有一定身份地位。M16 曾被盗，墓主人身份尚难确认。

温州市

345.晋朱曼妻薛买地宅券

作　者：方介堪
出　处：《文物》1965 年第 6 期

此券于 1896 年，在平阳县宜山乡鲸头村石圹下山麓因农民打圹发现。为当地陈锡琛（篠坨）号筠庄者所得，经其师吴承志考证，知是晋代遗物，就视若珍宝，秘不示人。并假说乡人惧发冢得罪，又要回掩埋，因此，当时不易得其拓片。1919 年陈姓曾告原石虽不存，拓片尚可检赠一页，但并未交来。然于他处所见拓片，则纸墨犹新，不像旧拓。1930 年教学上海美专时，学生陈德辉为陈姓之孙，谈及此券，他曾允暑假中拓二纸见赠，始知咸康原石犹在人间。后 20 年全国已解放，复遇陈生，又询及此券，他说不知去向，越四年，又催他寻找，意于他家寝室地板下获得，当即通过组织，购回审查。一侧石面平滑，似曾作过磨刀石。

据介绍，出土地点在晋时还是一个荒岛。据《三国志·孙休传》，朱曼为三国东吴贵族，因事获罪，流放于此。其妻死于东晋咸康三年（337 年）。以往孙诒让、罗振玉均未见此石，故解说有误。

346.浙江苍南县藻溪南朝墓

作　者：温州市文物处　张阿定
出　处：《考古》1986 年第 7 期

1984 年 3 月，因"吴家园"水库工程需要，在苍南县灵溪区藻溪公社南山取土时，发现古代墓葬数座。考古人员于 3 月 16 日即往现场对已暴露的 6 座古墓葬进行清理。简报分为：一、墓葬形制，二、墓砖纹饰，三、出土器物，四、结语，共四个部分。有手绘图、拓片。

据介绍，这 6 座墓早年被盗，其葬具葬式辨认不清。据 M6、M1 出土的纪年砖，M1 年代为元嘉廿八年（451 年），M6 为元嘉廿三年（446 年），M2、M3、M4、M5 虽无纪年砖，但根据其墓的形制、墓砖纹饰和随葬青釉瓷器的造型纹饰，均同 M1、M6 两墓相似，简报推断也应是南朝宋齐时期的墓葬。M1 发现的姓氏砖，同该墓纪年砖的年月相符合，可断定墓主姓朱，因姓氏砖最后一字无法辨认，其名不知。

简报称，南朝墓葬在苍南县是首次发现，它为研究温州地方发展史和瓯窑瓷系都提供了可靠的实物资料。

347.浙江平阳发现一座晋墓

作　者：徐定水、金柏东

出　处：《考古》1988 年第 10 期

1966 年 3 月，浙江省温州市文物管理委员会从平阳县收集到一批铜器和瓷器。器物出土于该县敖江区种玉乡横河村西晋墓中，是当地农民在平整土地时铲除一土墩后发现的。

据介绍，根据当时现场调查和农民回忆，墓葬南北向，砖构，由甬道和前、后墓室构成，全长 7 米，甬道偏在一侧，券顶，底砖铺成人字形。墓砖有黄和灰青二色，饰钱纹和菱形纹。器物均分布在 2 墓室中。随葬品有：铜器 3 件、瓷器 12 件。

据介绍，平阳西晋墓葬，虽非王侯大家，但从结构规模和陪葬品的情况来看，应届中型墓葬，墓主人已非一般自耕农。尤其是这件堆塑楼阙、人物、鸟兽的谷仓罐，它是豪族势力和地主庄园经济强大的象征。因此，平阳西晋墓葬，从一个侧面反映了当时浙南庶族地主经济的兴起和生产的发展，说明西晋的短期统一对南方经济所起的推动作用。

348.浙江温州市郊发现南朝墓

作　者：温州市文物处　王进先、朱晓芳

出　处：《考古》1989 年第 3 期

1987 年 3 月 23 日，温州市鹿城区城郊乡上桥村农民在村后挖土时出土几件瓷器。瓷器是一砖室墓的随葬品。墓室已遭严重破坏，只剩一边残壁及小面积墓底。民工反映该墓有前后相连的 2 穴，前小后大（即墓室、甬道）。墓为刀形墓。简报配以手绘图、照片、拓片予以介绍。

据介绍，据民工反映，出土的 3 件瓷器均放在甬道内，这与浙南地区南朝刀形墓随葬品放置相同。出土有瓷器、陶器、铜器、铁器、铜钱、墓志 1 合。志盖中刻篆书"大唐故府君墓志之铭"，志铭为楷书，竖 22 行，横 19 行，实计字 428 字，简报未录志铭全文。

349.浙江瓯海县发现南朝窑址

作　者：王同军

出　处：《考古》1992 年第 12 期

1984 年文物普查时，考古人员在瓯海县三垟乡樟岙村发现零星瓷片；后经复查，找到了堆积层，从而确定这是 1 处窑址。简报配以手绘图予以介绍。

据介绍，樟岙北距温州约 15 公里，南与瑞安县为邻，窑址位处村后山窑底角山山脚，由于开山种桔，受到一定破坏。经调查，在距地表 0.2 米深处找到了堆积层，内涵欠佳，窑具占了很大比例。该窑产品胎骨厚，尤其是器底，有的达 1 厘米，质地致密坚硬，呈色灰白。外表多施半釉。普遍以莲花为装饰题材，多在碗、钵外壁及盘的内壁划饰仰莲，形似一朵盛开的荷花。装烧方法，从产品（尤其是碗、钵、盘类）的内外底多有支烧痕迹和窑具中只见垫高具、间隔具分析，应是明火迭烧，坯件间用间隔具间隔。器型从采集标本看主要有碗、钵、盘、壶、罐、器盖等青瓷日用器。

简报推断，该窑的烧制年代应为南朝时期。

350.浙江温州市瓯海区出土东晋铭文砖

作　者：浙江省温州市瓯海区文博馆

出　处：《文物》1998 年第 11 期

1989 年 4 月，浙江省瓯海县（今温州市瓯海区）文博馆文物普查时，在该县石鼓山清理了 2 座晋墓，得永和八年（352 年）砖、石质藏经匣和咸安二年（372 年）砖。简报配以拓片予以介绍。

永和八年（352 年）砖一侧为钱币间平行线纹，另一侧模印阳文楷书"永和八年九月十□余氏□"11 字。匣盖正中阴刻楷书"无垢净光陀罗尼经函"9 字。咸安二年（372 年）砖质地比永和砖粗糙，含砂粒颇多。一侧为钱币间平行线纹，另一侧模印反书阳文"咸安二年九月六日"8 字。

简报称，魏晋字体也由隶书向楷书、行书转变。这次发现的砖铭文和经匣铭文，为研究字体变化提供了有价值的资料。

嘉兴市

湖州市

351.浙江安吉博物馆藏西晋青瓷堆塑罐

作　　者：安吉县博物馆　程永军
出　　处：《文物》2001 年第 6 期

1997 年 4 月，安吉县博物馆在灵峰寺公路扩建过程中清理了 1 座西晋残墓，出土了西晋青瓷堆塑罐 1 件，另有青瓷耳杯、狗圈等。简报配以照片予以介绍。

据介绍，堆塑罐通高 48.5 厘米、口径 12.5 厘米、底径 15 厘米，胎质坚硬，通体施釉，釉色光沽透亮，呈青绿色。罐体上部堆塑繁密，以楼阙为主体，另有飞鸟、人物等。上段为三重檐四方楼阙，门柱支撑，阙顶为攒尖形，顶及楼阙四角各塑一飞鸟。中段正背居中亦为三重檐楼阙，一二层以坐狮为柱，三层以躬背坐猴为柱，肩负阙顶，两边环列四小罐，罐盖为攒尖顶，罐外腹各贴塑二飞鸟，两侧各有三只飞鸟。底层正面狮柱两侧各坐六人，背面两侧各塑一望亭。下段二文官相对而立，两边各有一望亭，望亭两边有六武士跪拜，作拱手状。背面二武士手持兵器相对而立，两侧有围栏。下部罐身盘口，丰肩，平底。腹部均匀堆贴双凤二，卧狮二，武士一，近底处烧制略变形。其年代简报推断应为西晋早期。

绍兴市

352.绍兴县南池公社尹相公山出土一批南朝青瓷器

作　　者：绍兴县文物管理委员会
出　　处：《文物》1977 年第 1 期

1975 年 6 月，浙江绍兴县南池公社上谢墅大队在大搞农田基本建设中，于尹相公山腰发现了一些古代砖块和青瓷器。共出土了青瓷器 8 件，派人专门护送至县文管会，考古人员到现场作了进一步的调查了解。这些青瓷器是从古墓葬中出土的，系会稽窑产品。器物制作风格和造型有一定的特色和代表性。胎质呈灰白色，较粗，外施黄色薄釉，细开片，釉色透明，极易剥落。器物以素面为主，有几件饰有莲瓣纹、弦纹。简报配以照片予以介绍。

据介绍，有壶1件、六系盘口壶2件、砚2件、唾盂2件、碗1件等。简报推断出土的墓葬为南朝墓。

353.浙江新昌十九号南齐墓

作　者：新昌县文管会　潘表惠
出　处：《文物》1983年第10期

1977年11月初，在新昌县八一公社大联大队大岙底村外的象鼻山东麓发现1座古墓，编号为新昌十九号南齐墓。简报配以照片、拓片、手绘图予以介绍。

据介绍，墓室呈凸字形，前为甬道。据铭文砖，知为齐永明元年（483年）建。此墓早年被盗，劫余随葬品中的青瓷产自会稽窑系统。简报称，质量赶不上本地东晋墓出土的青瓷。

南朝齐（479～502年）、梁（502～557年）两朝都很短暂，以往没有专门的著作。今有庄辉明先生《南朝齐梁史》（上海古籍出版社2015年版），可参阅。

354.浙江新昌南朝宋墓

作　者：新昌县文管会　潘表惠
出　处：《文物》1983年第10期

1978年秋，新昌县八一公社新中大队莲花庵岭一农民，在家门前掘到青瓷小碗1件，又在离大门前2米处掘到花纹墓砖，估计地下有古墓葬。1979年11月中旬县文管会进行清理，证实此地是1处墓葬。简报配以照片、手绘图予以介绍。

据介绍，墓室为长方形，砖砌。从出土的大量刀形砖分析，墓室原为券顶。墓室分前后两室，均有铺地砖。墓室内靠右墓壁32厘米处，有排水沟。该墓早年被盗，完整遗物仅一青瓷小碗，其余均为青瓷碎片，经修复有青瓷钵、青瓷盘口壶等。据铭文砖，此墓年代为南朝宋泰豫元年（472年）。

355.南北朝四系莲花瓣青瓷壶

作　者：王佐才
出　处：《文物》1985年第5期

绍兴市文物商店最近征集到1件四系莲花瓣青瓷壶，系1985年3月在绍兴县城南乡新春村出土。简报配以照片予以介绍。

据介绍，此壶高 11 厘米、口径 4 厘米。鼓腹部用莲花瓣纹装饰，鼓腹固长 32 厘米。青釉，釉面出现细开片纹，有垂釉一滴。底足以上 2 厘米处一圈不施釉。根据造型和纹饰特点，此壶似为南北朝时期器物。

356.浙江绍兴县西晋墓

作　　者：绍兴市文物管理处考古组　董忠耿等
出　　处：《文物》1987 年第 4 期

1983 年 3 月，绍兴县福全乡迪埠村农民在秋家湾北坡发现古墓 1 座。考古人员进行了清理。编号为绍兴 M309。简报配以照片、手绘图予以介绍。

据介绍，此墓为“凸”字形单室墓，前有短甬道，后有封门墙。墓室分前后两部分，墓砖分 3 种：1 种是砌筑封墙和墓壁的长方形青灰色砖，另外 2 种是起券部位使用刀形砖和模形砖。墓内置单棺，葬具及尸骨等已腐朽，仅见部分漆皮和铁钉。清理时，墓内的随葬器物已被百姓取出，有青瓷器、铜器、钱币。据回忆，随葬品大部分散放在棺床前沿和墓室前半部。该墓年代，简报推断为西晋中期或偏早。

357.浙江嵊县清理一座西晋残墓

作　　者：嵊县文物管理委员会　袁之桥等
出　　处：《文物》1987 年第 4 期

1981 年 7 月 5 日至 1982 年冬，嵊县文管会在县城北金波山麓清理了 1 座晋墓（编为 31 号）。简报配以照片、拓片予以介绍。

据介绍，此墓为砖室墓，墓室券顶已塌。葬具、人骨架已朽。有铭文刀形砖，上有“晋元康八年八月十日主公孙氏”，一端有“疾中”“□中”铭文。随葬品主要为瓷器。器形有虎子、熏炉、罍、唾盂、罐等，应为上虞县越窑产品。“元康”为西晋惠帝年号，元康八年为公元 298 年。

358.浙江嵊县六朝墓

作　　者：嵊县文管会　张　恒
出　　处：《考古》1988 年第 9 期

嵊县地处浙东新嵊盆地，在盆地四周山麓埋葬着大批汉至唐朝的古墓葬。近年来在城关镇及石璜镇附近的基建中，陆续暴露出一批汉、六朝古墓葬。考古人员先后发掘了 70 多座墓葬。现将其中的 10 座六朝砖室墓（东吴墓二座、西晋墓二座、东晋墓四座、南朝墓二座）予以介绍。简报分为：一、东吴墓，二、西晋墓，三、东晋墓，四、南朝墓，五、几点认识，共五个部分，有拓片。

据介绍，10 座六朝墓中的 M74（278 年）、M75（288 年）、M66（351 年）、M76(588 年）均出土纪年墓砖，墓葬年代可以肯定。石璜下村的太平四年（261 年）墓，此时期在南方建号"太平"的有吴会稽王孙亮、南朝梁敬帝萧方智等，但均未到四年。根据墓内出土器物，该墓应为孙吴墓。太平四年疑为永安二年（259 年），景帝孙休在太平三年（260 年）即位，当年改号为永安，但由于嵊县地处吴国偏僻山乡，一般平民不知已改年号，仍以太平纪年，因此出现了"太平四年"的纪年砖。M5 的年代，简报推断为西晋前期。M6、M14、M53 均为东晋中晚期墓。M7 为刘宋墓。

10 座墓中共出土器物 118 件。其中青瓷器有 93 件，占随葬品的 80%。这些瓷器多为淡灰色胎，南朝时期部分器物胎中夹砂。应为越窑产品。釉色的变化：孙吴时期以青黄色、米黄色为主，釉易脱落。西晋至南朝早期，釉以青绿色为主，烧结程度较好，较少脱釉现象。到南朝晚期，釉色多为黄色，釉层较厚，有玻璃质感，多有冰裂纹。

359.浙江绍兴凤凰山西晋永嘉七年墓

作　者：沈作霖

出　处：《文物》1991 年第 6 期

1987 年 12 月，绍兴县上蒋乡砖瓦厂在凤凰山北麓取土时发现古代砖室墓 1 座。上蒋乡政府向文物部门报告后，绍兴县文管所考古人员赶赴现场，随葬品已被取出另行保管。简报配以拓片和照片予以介绍。

据介绍，凤凰山位于绍兴县城东约 10 公里，是会稽山向东延伸的小支脉。墓葬依凤凰山北坡而筑。墓葬由甬道和墓室组成，后部砌有两砖厚的棺床。墓壁用砖三顺一丁叠砌，墓底用砖二横二顺铺墁。部分墓砖的侧面模印"永嘉七年二月造作"字样。出土的器物有青瓷器，如谷仓罐、盖罐、小碟等，另还有铜镜和铜钱。

简报据墓砖推断墓葬年代为永嘉七年（313 年）。

360.浙江绍兴官山岙西晋墓

作　者：梁志明
出　处：《文物》1991 年第 6 期

1987 年 6 月，绍兴县南池乡砖瓦厂在官山岙横棚岭北麓坡地取土时，发现砖室古墓 1 座。绍兴县文物保护管理所闻讯后派员赶赴现场，部分随葬品已被取出。经进一步对墓葬进行清理，在后甬道又发现青瓷器 6 件。简报配以照片予以介绍。

据介绍，墓葬位于县东南 17 公里的会稽山脉横棚岭北麓山坡，现属南池乡官山岙村。其地三面环山，北面为平原，是绍兴古墓葬较集中的地区。墓葬为砖筑的双室券顶墓，由前后室、前后甬道及耳室组成，墓内棺木及尸骨均腐朽无存。随葬器物大多安置于前后甬道、后室及耳室，以青瓷器为主，另有小件的金器、银器、铜器、铁器以及数百枚钱币。

此墓葬年代，简报推断当属西晋中期或偏晚。

361.浙江嵊县大塘岭东吴墓

作　者：嵊县文管会　张　恒
出　处：《考古》1991 年第 3 期

大塘岭三国东吴墓，位于浙江嵊县浦口镇大塘岭村的大坟山，西距县城 7 公里。文物普查时发现这一带有大批汉、六朝墓葬。1987 年 3 月至 1988 年 11 月，大塘岭村农民在大坟山建房和挖土制砖时，先后暴露出 7 座汉至晋代砖室墓。考古人员先后进行了抢救性发掘。其中四座为东吴墓，根据嵊县历年发掘的先后顺序，编号为嵊 M95、嵊 M101、嵊 M104、嵊 M105（以下省略"嵊"字）。

简报分为：一、墓葬形制，二、随葬器物，三、结语，共三个部分。有手绘图等。

据介绍，M95、M101 均为双"凸"字形券顶多室墓。M104、M105 为刀字形券顶单室墓。其中 M95、M105 已被盗。随葬品以青瓷占大宗。所有出土青瓷均出自越窑。M95 墓砖有"永安六年"铭文，永安是东吴景帝孙休年号，该墓建造应在永安六年以后，即公元 263 年以后。M101 墓内有 2 方砖墓志，记为"太平二年"建墓。在南方建号"太平"的有：吴会稽王孙亮、南朝梁敬帝萧方智等，根据墓内器物均具三国时期特征，该墓应是吴太平二年（257 年）。M104 与 M105 也均为东吴时期墓葬。

362.浙江绍兴坡塘乡后家岭晋太康七年墓

作　者：绍兴县文管所　沈作霖

出　处：《考古》1992 年第 5 期

1984 年 12 月，绍兴县文管所去坡塘乡进行文物普查时，发现当地农民在后家岭北麓开山时发掘出砖室墓 1 座，并已有部分砖头被挖去。参加普查的人员闻讯后，除严加制止外，并将该墓做了清理。简报配以照片、拓片予以介绍。

据介绍，后家岭为 1 座高 20 多米的小山岗。该墓依北坡而筑，按历次发现古墓先后次序，编号为 M308。平面呈"凸"字形，由甬道和墓室组成。墓底和甬道底都用长方形砖砌成"人"字形。墓砖一端模印"太康七年"，另一端有"钟氏造"的字样。随葬品散乱，所存甚少，多为残器，显然早年已被盗掘。遗物有青瓷罐、青瓷盆各 2 件，鸡笼 1 件，斗、谷仓各 1 件。

简报称，该墓系"太康七年"纪年墓，太康七年即公元 286 年，属西晋中期稍早。随葬品中罐、盆肩腹部都饰有一周斜方格纹，当为西晋瓷器上流行纹饰。谷仓、镰斗、鸡笼系殉葬用品，这与西晋推行厚葬习俗有关，谷仓上层楼角四旁的小罐，说明了它是从东汉五联罐演变而来的产物。

363.浙江新昌东晋墓

作　者：新昌县文管会　潘表惠

出　处：《考古》1993 年第 5 期

1952 年 11 月下旬，孟家圹乡岭脚村村民上缴了 1 件青瓷尊。12 月上旬考古人员对此器出土点做了紧急清理，发现是 1 座东晋墓。墓室已被村民建房时破坏。少数墓砖一侧长方框内有"太元十"铭文，故此墓年代当在公元 385 ~ 394 年之间。简报配以照片、拓片予以介绍。

据介绍，出土遗物共 3 件。计青瓷尊 1 件、青瓷四系罐 1 件、青瓷水盂 1 件。

简报指出，从考古情况看，青瓷水盂从西晋晚期至东晋晚期有这样的变化趋势：器型上东晋时期出现了玉璧底足；腹径逐渐缩小，高度增高；晚期斜方格纹消失，口沿增加了褐斑点彩；西晋时期施釉面不到底，东晋时期通体施釉，釉色上西晋的黄绿、东晋的青绿、西晋及东晋初期的釉层都较厚，东晋晚期的却较薄，显示了施釉技术的不断提高。

364.浙江绍兴出土东吴青瓷器

作　者：周燕儿、蔡晓黎
出　处：《考古与文物》1993 年第 5 期

1990 年 3 月，浙江省绍兴县文物保护管理所在绍兴城西南约 10 公里的福全乡王家山头村徐家山（俗称姚树山）南坡，征集到一批青瓷文物，系砖室墓内出土，墓葬已遭破坏。简报配以照片、手绘图予以介绍。

据介绍，计有双系罐 2 件、水盂 1 件、碗 1 件、筒形罐 3 件、耳杯 1 件、釜 1 件、火盆镳斗 1 件、狗圈 1 件。简报推断为东吴时代的青瓷器。其中双系罐上贴印有佛像图案，表明佛教已渗透到制瓷手工业中了。

365.浙江绍兴外潮山、馒头山古窑址

作　者：绍兴县文物保护管理所　周燕儿
出　处：《江汉考古》1994 年第 4 期

1978 年，浙江省绍兴县文物管理部门在考古调查时，曾于富盛镇长竹园和诸家山等地，发现过原始青瓷和印纹陶合烧的窑址。继此以后，1984 ~ 1985 年全县文物普查中，又在夏履、富盛、兰亭、皋埠等乡镇新发现了不少古瓷窑。考古人员对夏履镇外潮山和富盛镇馒头山两处古窑址作了实地考察。简报分为：一、外潮山古窑址，二、馒头山古窑址，三、结语，共三个部分。有手绘图。

据介绍，绍兴县以往发现的古窑址，多为东周、三国、西晋、东晋、南朝、唐宋时代，这就使这里的瓷业生产从东周至唐宋的发展过程中出现了缺环。而此次外潮山东汉窑址的调查，正好填补了这一历史时期的空白。同时，该窑的产品质量，也与慈溪、宁波同期窑址趋于同步发展状态，即由原始瓷向成熟瓷迈进。简报推断，外潮山古窑烧造年代在东汉晚期偏早，馒头山古窑址烧造年代在东晋早期。

366.浙江绍兴县出土西晋青瓷器

作　者：周燕儿
出　处：《考古与文物》1995 年第 4 期

1991 年 12 月，浙江省绍兴县马鞍镇大源村在建造杭甬高速公路试验段时，于大山西北坡发现 1 座砖室墓。县文管所闻讯后，即前往现场调查。结果墓葬结构被毁，墓内随葬品已取出。收集到的有谷仓、碗、钵、鸡首壶、盘口壶、直筒罐、狗圈等

青瓷器 10 件。简报配以手绘图、照片予以介绍。

据介绍，这批青瓷器系越窑产品，既有实用器，又有明器，无绝对年代标志，从器形和其他一些青瓷器的造型和装饰艺术来看，具有典型的西晋时代特征。这批青瓷器的年代，简报推断为西晋前期。

简报称，在造型艺术上，这批青瓷器也表现出时代风格，器形矮胖丰满。在装饰上，大多器物的肩腹部刻划和压印弦纹、斜方格网纹、花蕊纹和芝麻纹等纹带，反映了当时越窑青瓷的制造工艺尚处于承上启下的发展时期。

367.浙江绍兴西晋墓出土一组青瓷器

作　者：周燕儿
出　处：《四川文物》1998 年第 2 期

1995 年 11 月，浙江省绍兴县茶场在皋埠镇西堡村裴家坞峧口山东南坡平整土地时，挖出 1 座古墓，考古人员前往调查。简报配以照片予以介绍。

据介绍，此墓为"凸"字形砖室墓，由甬道、墓室组成。随葬品已被工人取出，计有青瓷器 8 件，其中鬼灶不多见。简报推断此墓的时代为西晋中期或偏晚。

368.绍兴凤凰山、羊山越窑调查记

作　者：浙江绍兴县文管所　周燕儿
出　处：《考古与文物》2002 年第 2 期

越窑青瓷窑址，分布于浙江宁波、绍兴平原的部分地区。就越窑的发祥地和主要产区之一的绍兴县来说，早在 20 世纪 30 年代，陈万里先生就曾对这里的庙湾、九岩、王家楼等窑址作过实地勘察。1949 年后，文物管理部门又陆续在东湖、皋埠、富盛、钱清、夏履、江桥、平水等乡镇，调查发现了一批东周至唐宋时代的青瓷窑址。1991 年底，考古人员因去平水镇上灶村联系文物工作，又在凤凰山和羊山新发现两处古越窑，采集了一些标本。简报分为：一、地理环境与窑址现状，二、器物种类，三、结语，共三个部分。有手绘图、照片。

据介绍，凤凰山和羊山均在上灶村羊山自然村内。凤凰山是 1 座逶迤东西的弧形山岗，它东距另 1 处晚唐到北宋越窑所在地官山约 200 米。窑址坐落在山南缓坡上，分布面积约 100 平方米，在窑址堆积的前端，因早年垒石砌坎而遭破坏，地表散见大量瓷片、窑具和红烧土块。

羊山是 1 座高不过 50 米的狭长形山岗，窑址位于山北平坡上，从地面散布的瓷

片和窑具看，东西长 30 米、南北宽 15 米，堆积层厚 1 米以上。

该窑址烧造的产品，主要有碗、碟、盘、罐、钵、盘口壶和鸡首壶等。该窑的烧制年代，简报推断应属南朝早中期。

金华市

369.浙江武义陶器厂三国墓

作　者：金华地区文管会、武义县文管会、贡　昌

出　处：《考古》1981 年第 4 期

考古人员 10 月底在离武义县城 3 公里的武义陶器厂的竹园（土名）发现残缺的古墓，券顶已破坏，地面散布了许多花纹砖，该墓位于厂大门北边 200 米处。简报配以手绘图予以介绍。

据介绍，该墓为 1 座"凸"字形墓，该墓早年被盗，葬具骨架已朽。该墓随葬品，前半部早年被盗严重，现存的仅有碗和铜镜等 23 件。其中圆圈加斜方格纹饰青瓷器以往未见。该墓年代，简报推断为三国晚期。

370.浙江武义县管湖三国婺州窑

作　者：贡　昌

出　处：《考古》1983 年第 6 期

浙江省武义县近年来配合农田基本建设，发掘了许多东汉末至隋唐时期的墓葬，随葬品中大部分为青瓷器。这批瓷器与浙江范围内的越窑、瓯窑等窑口产品，在胎质、釉色、器形各方面均不相同，而与唐、宋婺州窑瓷器却是一脉相承。从金华、衢州、兰溪、永康、义乌、江山、东阳、浦江等县情况看，也是如此。所以，认为这批东汉晚期至南朝的瓷器应属婺州窑早期产品。为了找到婺州窑早期烧造地点，1979 年考古人员以武义县芦北公社为重点进行了一次实地调查，发现了窑址 1 处，采集了一批标本。简报分为：一、地理环境，二、出土遗物，三、质地和釉色，四、烧制时代，共四个部分。有照片。

据介绍，芦北公社位于武义县东南角，西距武义县城 15 公里，公路可直达公社所在地管湖村，窑址位于管湖大队东山上。出土遗物均为碎片，大部分为瓷器。以碗、盏为主，罐次之，盘口壶、筒腹罐、罍等又次之。釉色以青为主，也兼烧褐色釉。

另外在堆积层中还出有小部分硬陶，不施釉，均为大型器物。该窑烧造时代，简报推断为三国时期。简报称，管湖窑址的发现，证实这一地区东汉至六朝时期的墓葬出土的青瓷器均为当地婺州窑产品。清代兰浦关于婺州窑烧瓷开创于唐的看法是错误的，婺州窑早在三国时期或更早一点已会烧制青瓷。

371.浙江金华古方六朝墓

作　者：金华地区文管会　贡　昌

出　处：《考古》1984 年第 9 期

金华市古方砖瓦厂，东离金华市区 15 公里。该厂在扩建取土过程中，保留下古代砖室墓 20 多座。同时，位于古方砖瓦厂办公大楼西南 200 米处的金华陶器厂，在新建 1 座龙窑时，也发现了古墓葬 3 座。考古人员共清理了 13 座墓（墓葬早年暴露被破坏、无遗物者不计在内），计有三国墓 5 座（M12、M27、M28、M35、M36），西晋墓 4 座（M25、M26、M30、M31），东晋墓 3 座（M2、M11、M32），南朝墓 1 座（M33）。简报分为：一、三国墓，二、西晋墓，三、东晋墓，四、南朝墓，共四个部分。有手绘图、照片、拓片。

据介绍，这批墓葬出土遗物中以青瓷器最为引人注目，计 144 件（占全部出土文物的 66%）。窑口有婺州窑、德清窑。这次出土的铜镜较为少见。如 M28 所出神兽镜，铭文中既有具体纪年，又有"将军杨勤所作镜"，镜上写明姓名又加将军衔，是不可多得的 1 面三国镜。M25 出土的圣人弟子镜，有孔子和弟子的造像，并注明名字；又用双凤、松柏图案来衬托。在器物上用这种形式来歌颂孔子的成就是不多见的。

简报称，M33 有纪年砖，铭文中有"庚寅岁……"。南朝共 168 年，其中庚寅年共有 3 个，一是宋元嘉二十七年（450 年），一是梁天监九年（510 年），一是陈太建二年（570 年），究竟属哪一年较妥？简报认为似将该墓定为南朝中期较妥。

372.浙江东阳县李宅镇南朝墓

作　者：赵　宁

出　处：《考古》1991 年第 8 期

1987 年 7 月东阳县李宅镇砖瓦厂在用挖土机取土用泥时，发现 3 座花纹砖室墓。考古人员赶到现场调查时，只剩"凸"字形纪年墓 1 座，四周砌砖尚好，距底 50 厘米，中为崩塌乱砖淤泥，其余两座都已被推土机夷为平地，无痕迹可查，考古人员进行了抢救性发掘清理。简报分为：一、墓葬形制，二、随葬物品，共两部分。有拓片、手绘图。

据介绍，古墓位于李宅镇东北约 0.5 公里的李宅山背上。砖室墓由甬道、天井、墓室三部分构成。随葬品有青瓷杯 1 件、青瓷碗 3 件、青瓷盂 1 件、铜镜 1 件、玉石 1 件、铁器 1 件、玻璃珠 18 颗。

由出土"元加四年"纪年砖可知，此墓为南朝宋元嘉四年（427 年）墓。

373.浙江东阳发现南朝陈代石井栏

作　者：金华市文物处　钟　翀、赵一新
出　处：《文物》2006 年第 3 期

2001 年 6 月间，考古人员在东阳市北江盆地进行调查时，发现 1 座有南朝陈代纪年题刻的古井栏。此后又于 2002 年 8 月和 2003 年 1 月两次到该村，简报配以彩照，将调查所得予以介绍。

据介绍，此井栏位于距东阳市吴宁镇东郊 4 公里的一都许村村南，东阳通往嵊县公路近旁。井栏石料是北江盆地较为常见的紫红色砾岩。井栏高约 0.4 米，外沿因受提水绳和磨刀的磨损，呈现多道凹槽，但仍可确认井栏外围为八角形，每边边长约 0.35 米，内为圆形，直径约 0.5 米。井栏顶部距现水面约 0.9 米、距井底约 2 米，井穴内壁用块石叠砌。此井至今仍为一都许村村民使用。井栏南侧面纵刻铭文两行，右行为"陈永定戊年"，左行为"紫金里许氏志"。井沿上原来也有 1 行铭文，但已严重磨损，不可通读，现残存"寅""许""立"3 字，其中"寅"字仅可辨认其下半部。据该村陈连富老人（2003 年，67 岁）回忆，该处原来可见干支纪年文字。陈永定二年（558 年）为戊寅年，故认定此字为"寅"。

简报称，东阳许姓历史悠久，当地最早的许姓人物见于《晋书》。是书卷八十八、列传第五十八《孝友》载有吴宁（东阳古称吴宁）人许孜及其子许生，在咸康中以孝行闻于朝，诏旌表门闾。据《东阳许氏宗谱》和采访可知，一都许村许氏至今仍称"紫金许氏"，且奉许孜为其远祖。

简报指出，一都许村的南朝陈代井栏题刻，集纪年、里名、姓氏于一体，为古代水井、宗族与自然村落、乡里制度及文字学等研究提供了重要的实证材料。

衢州市

374.浙江衢县街路村西晋墓

作　者：衢县文化馆　崔成实

出　处：《考古》1974 年第 6 期

1973 年 11 月上宇头公社街路大队村民在屋后山坡上取土，发现了 1 座古墓，考古人员于 12 月 20 日至 23 日对该墓进行了清理。简报配以拓片、手绘图予以介绍。

据介绍，该墓位于龙遂公路上宇头公社街路停靠站东侧 15 米的山坡上。为砖筑券顶墓，由甬道、墓室组成。有"元康八年"（298 年）纪年砖。墓室内没有棺床、祭台，骨架、葬具已朽，未发现棺钉等痕迹。该墓早年已被盗过，留下的随葬品大部出于耳室。有青瓷器、铁器、褐釉陶器、钱币等 20 余件。简报称，出土青瓷器大部完好。更因该墓有明确的年代，这批出土器物为我们研究青瓷器等提供了可靠的实物标本。

375.浙江衢州市三国墓

作　者：衢州市文管会　崔成实

出　处：《文物》1984 年第 8 期

在衢江西岸，距衢州城关镇 1 公里的龚家埠附近，有一片丘陵地带。1980 年 9 月在靠近邵家山东面山坡上的柑桔地里，发现 1 座砖室墓，考古人员进行了发掘清理。此墓砖砌券顶已塌落，偏南耳室已遭破坏。葬具、骨架都已朽坏。简报配以拓片予以介绍。

据介绍，出土有青瓷器、铜镜、铁刀、五铢钱等。青瓷器为婺州窑产品，其中青瓷谷仓罐十分珍贵。该墓年代简报推断为三国时期。

376.浙江常山县何家西晋纪年墓

作　者：金华地区文管会　贡　昌

出　处：《考古》1984 年第 2 期

常山县何家公社，在县城西北 15 公里。在土名大棚的茶叶山的斜坡地带，发现

1 座古墓，于 1978 年 8 月 27 日进行发掘。简报配以照片予以介绍。

据介绍，该墓为砖结构，券顶早期倒塌，是 1 座凸字形墓。长方形砖部侧面有"太康八年八月造"铭文。随葬品不多但比较精致，均为青瓷器。该墓的墓砖有"太康八年八月造"纪年铭文；随葬品与衢州市上圩头公社街路村西晋元康八年（298 年）墓和金华市古方西晋太康二年（281 年）墓，出土器物基本相同，所以简报推断该墓出土器物属西晋早期遗物无疑。太康八年，为公元 287 年。

377.浙江江山市乌里山发现晋代文物

作　者：江山市博物馆　钱　华
出　处：《考古》1999 年第 12 期

1979 年，浙江省江山市市区以南约 30 公里的和睦乡乌里山 1 座残墓中出土了晋代微型雕虎及青瓷水盂等共 3 件，由江山市博物馆收藏，简报配以手绘图予以介绍。

据介绍，雕虎，蜡石质，坚硬细腻。长 2.7 厘米、宽 1.2 厘米、通高 1.5 厘米。银戒指，面饰有 7 个小点。直径 1.8 厘米。青瓷水盂。敛口，鼓腹，平底微凹。豆青釉，内外施釉及底，外有挂釉迹象。口径 4.2 厘米、腹径 8 厘米、底径 3.6 厘米。根据出土实物和墓葬结构特征分析，简报推断这组出土物属西晋中期遗物。

简报称，出土文物中尤以雕虎最为独特。这件雕虎不管从质地、用途，还是从历史、艺术价值上看，都有它的独到之处。

舟山市

台州市

丽水市

378.浙江松阳县周垄村发现三国吴墓

作　者：松阳县博物馆　潘贤达
出　处：《考古》2003 年第 3 期

1994 年 11 月初，浙江省松阳县西屏镇周垄村农民在挖土填路时发现 1 座古墓（SM1），博物馆闻讯后即派人前往调查清理，清理情况简报分为：（一）墓葬概况；（二）随葬器物；（三）结语。共三个部分予以介绍，有手绘图、拓片。

据介绍，墓葬位于县城西屏镇东南 4 公里处的程家山山脚，西距瓯江上游的松阴溪约 0.25 公里。该墓为单室砖墓，墓葬由墓道、甬道和墓室三部分组成，该墓共出土器物 15 件。

根据出土的东汉"五铢"和三国的"大泉当千"铜钱，以及该墓的墓砖纹饰，简报推断此墓为三国孙吴时期墓葬。

安徽省

合肥市

379.合肥西晋年砖墓

作　者：合肥市文物管理组　程如峰
出　处：《考古》1981 年第 6 期

1976 年 6 月，合肥市房管局在梅山路施工中，发现砖墓 1 座。简报配以拓片、手绘图予以介绍。

据介绍，该墓为长方形单室砖墓，由于早年被盗，券顶塌陷。少数砖上印有"永康元年严作" 6 字，棺、骨已腐朽无存，遗物尚有青瓷双耳盘口壶 1 件、青瓷碗 2 件、青瓷盂 1 件、铜镜 1 件、铜钱 2 枚。

该墓的年代，简报推断为西晋时期。

380.合肥出土三国城防器械

作　者：合肥市文物管理处
出　处：《文物》1982 年第 9 期

1976 年冬，合肥西郊三十岗公社古城大队农民在三国曹魏所筑合肥新城的城址高处植树时，挖出铁撞车头 1 件、铁逆须钉 4 件、铁镢 1 件，均交市文物组。简报配以照片予以介绍。

据介绍，出土的铁撞车头，尖头，方腹，圆柄。出土时完整，后来柄折断约 16 厘米，交时失散。铁逆须钉 1 件，完整；铁镢已锈成一团，仅辨器形。简报推断，撞车头、逆须钉应是三国时期的城防器械。据明《武经总要》图解：撞车头是安在撞车上，用来摧毁敌人云梯的。逆须钉可以制成地涩、搓蹄、木撒、夜叉撒、狼牙拍等多种防御器具，阻挡敌人的进攻。由此推断撞车头、逆须钉应是三国时期的城防器械。

381.安徽肥西县发现吴太平元年神兽镜

作　者：马道阔

出　处：《文物》1985 年第 3 期

不久前，在肥西县烟墩公社出土 1 面铜镜，简报配以照片予以介绍。

简报介绍，镜中为扁平大圆纽，内区饰神兽纹、方格纹，外区饰半圆纹、栉齿纹和铭文带，缘饰水波纹。内圈铭文在方格内右旋，外圈铭文左旋。根据镜铭和风格，简报推断此镜应为三国吴会稽王孙亮太平元年（256 年）所造。

382.合肥市三国新城遗址的勘探和发掘

作　者：安徽省文物考古研究所　李德文等

出　处：《考古》2008 年第 12 期

三国新城遗址位于合肥市西北郊 15 公里的庐江区三十岗乡陈龙行政村陈大郢自然村，此处为庐阳区、肥西县和长丰县的交汇地带。遗址东距合肥至淮南市际公路约 9 公里，南临肥水故道，西距鸡鸣山约 2 公里。为配合"三国新城遗址公园"建设，经安徽省文物局同意，报国家文物局批准，安徽省文物考古研究所对新城遗址进行了全面的钻探和局部发掘。简报分为：一、考古工作概况，二、出土遗物，三、结语，共三个部分。有照片、手绘图。

据介绍，新城呈不规则长方形，面积 8 万多平方米，城内有大面积夯土建筑基础，还有房址、铸造作坊、夯土台、车道和马面等。出土遗物主要为板瓦和筒瓦，其次为铁锅、铜镞和磻石。根据文献记载结合出土遗迹、遗物分析，三国新城应为军事城堡。

简报称，合肥地区，古属庐子国，战国时为楚地，秦统一六国后在此首设合肥县，西汉因之，东汉改置合肥侯国。合肥之名始见于《史记·货殖列传》。秦汉时期的合肥城在今市区四里河一带。20 世纪 80 年代，考古人员就曾对秦汉时期故城城址进行了考古钻探与局部发掘，确认了城址的具体位置和基本范围。东汉末年的连年战争使得合肥城曾一度成为废墟。三国时，合肥地区虽为魏国领地，但作为国事重地，吴经常与魏为争夺此地而发生战争。为确保南疆的安全与稳定，魏国就需要建设新城。有关新城的始建时间，学术界有两种意见。一种意见认为建于公元 230 年，一种意见认为建于公元 233 年。简报认为新城的始建时间为公元 230 年，233 年建成。使用时间为公元 230 年至 280 年，至西晋平吴后始废，也就是说，新城约使用了 50 年。

芜湖市

383.安徽南陵县麻桥东吴墓

作　　者：安徽省文物工作队　李德文
出　　处：《考古》1984 年第 11 期

1978 年 11 月中旬，南陵县麻桥公社东风大队农民在挖储存生姜的地窖时，发现数座砖室古墓。首先发现的一、二号墓，已遭到了严重的破坏，随葬器物被全部取出，墓砖亦被拆掉。三号墓的大部分器物亦受到扰乱。考古人员除了收集以上 3 座墓的出土文物和资料，又清理了新发现的一座小砖墓，编为四号墓。简报分为：一、墓室结构，二、随葬器物，三、结语，共三个部分。有照片。

据介绍，这 4 座墓的结构，在清理时还保存较完整的为三号墓。据当时参加挖掘的人员介绍，一、二号墓的基本结构与三号墓完全相同，四号墓的墓室较小，而且券顶和墓壁均已倒塌。

关于 4 座墓的时代，一号墓出土了带有确切纪年的买地券，其他 3 座墓，从墓葬结构与出土器物的风格，基本上都是一致的，简报推断应统属东吴早期。一号墓买地券和三号墓木方分别记载的肖整、肖礼有当是二墓墓主，查书二人均无载，可能是封建社会的下层人物。这一土岗当系肖氏家族的茔地。

简报称，出土的漆木尺，按复原长 25 厘米，它为研究这一时期的尺度增添了新资料。供纺织用的纺锭、织梭以及线板为以前考古资料中所不见，这次出土无疑是研究纺织机结构难得的实物。墓中出土纺织工具，说明墓主生前是从事纺织的小手工业者或与纺织有关。

384.安徽繁昌发现三国吴将严圭铜洗

作　　者：陈衍麟
出　　处：《考古》1994 年第 2 期

1990 年 4 月，繁昌县三元村农民挖地时发现 5 件铜洗，其中 1 件破碎不能修复。考古人员得知后，立即赶赴现场调查，发现铜器出自一座窖藏。据发现者介绍，5 件铜洗皆口朝下，自下而上、由小到大叠放在窖内。简报配以手绘图、照片予以介绍。

据介绍，4件铜洗形式大体相同，皆为宽口沿、侈口束颈、弧壁平底、附矮圈足、外壁饰有数道凸弦纹。4件铜洗大小有别。5件铜洗，2件有铭文。四号铜洗铭文中"将军严圭士吴奠锒"的"锒"字，在《说文解字·玉篇》（段注）中有解释。铭文意为，严圭以此器来祭奠这高低不平的山川，以示对孙吴政权的忠诚。5件铜洗是严圭生前用器，它们的发现使史料得到了证实。

385.安徽繁昌顺风山林场南朝墓发掘简报

作　者：繁昌县文物管理局　汪发志等
出　处：《文物》2013年第10期

2007年1～3月，考古人员在安徽省繁昌县西部的顺风山林场抢救性发掘了一批六朝到北宋时期的墓葬。在这批墓葬中有5座南朝墓葬，编号为M1、M4～M7，其中M1、M4并列分布于一山坡脚下，M5、M6并列分布于另一山坡脚下，M1、M4与M5、M6相距约100米，这4座墓总体上由东向西并列分布，应为家族墓地。M7单独位于相距较远的另外1处。简报分为六个部分加以介绍，配有多幅照片和手绘图。

第一部分"1号墓"介绍说，M1为平面呈"凸"字形的券顶砖室墓，由墓室和雨道两部分组成，方向为150°。墓葬的券顶塌落，墓壁基本保存至起券高度，现存高1.2～1.37米。墓室为单室，长3.91米、宽108米，后部起棺床，高出墓底0.17米。墓壁采用三顺一丁法砌筑，左、右两壁砌3组三顺一丁砖再平砌7层砖起券，后壁采用三顺一丁法砌至顶部，上方设有一个简易小盒。墓底及甬道用双砖横竖交错平铺，棺床沿口上面用单砖横铺，下面竖侧砌一排单砖，后部平铺单层"人"字形铺地砖。雨道长1米、宽78米，两壁砌2组三顺一丁砖再平砌7层砖起券，封门墙采用三顺一丁法砌至顶部。

墓室砖长33.5厘米、宽16厘米、厚4.5厘米，起券砖长33.5厘米、宽16厘米、厚3厘米，横侧或内端饰菱形纹。

出土器物有青瓷器、五铢钱，其中青瓷器有碟、盏。

第二部分为"4号墓"，第三部分为"5号墓"，第四部分为"6号墓"，第五部分为"7号墓"，不一一详述。5座墓均受到不同程度盗扰，其中6号墓曾遭"严重盗扰"。

在第六部分"结语"中，简报判断"此墓的时代可能偏晚，但不晚于南朝中期"。简报认为，"此次发掘为研究繁昌地区六朝时期的墓葬形制、埋藏习俗及青瓷器提供了珍贵的实物资料"。

蚌埠市

淮南市

386.安徽省凤台县发现一座西晋墓

作　者：凤台县文物管理所　王西河、秦克非、王光辉
出　处：《考古》1992 年第 11 期

1987 年 9 月，凤台县城北建筑公司三队在古城大市场为县农林局建楼开挖地基时，发现了 1 座西晋永宁二年（302 年）纪年墓，考古人员前往进行了清理。简报配以拓片予以介绍。

据介绍，此墓为单室砖构券顶墓，墓内置单棺，葬具及尸骨均已腐朽。墓砖有铭文。墓内共出土陶器、瓷器、铜器、银器、料珠等随葬品 14 件。此外，尚有铜镜碎片 4 件，形制不清。

简报称，历史上使用"永宁"年号二年以上者有 3 次，一为东汉安帝刘祜永宁二年（121 年），一为西晋惠帝司马衷永宁二年（302 年），一为十六国时期的后赵永宁二年（351 年）。根据此墓葬结构，简报推断此墓当属西晋墓无疑。

387.安徽淮南发现南朝墓

作　者：沈汗青
出　处：《考古》1994 年第 3 期

1985 年 12 月，淮南市谢家集区唐山乡梁郢孜村村民梁传信，在家屋前打井时发现 1 座砖室墓，考古人员前往调查了解，发现该处为 1 座南朝时期的砖室墓，墓葬已经扰乱。简报配以拓片予以介绍。

据介绍，此墓位于梁郢村北馒头山山坡上，西侧 3 公里处即为寿县北门。地砖至券顶约 1.5 米、长 2.1 米、宽约 1.2 米，北侧二边发现有向东西两侧延伸的墓砖，估计该墓平面呈凸形，因墓葬伸至新建的房屋之下，不便清理。出土随葬品 6 件，均置于甬道上。

据介绍，随葬的青瓷器中，双耳盘口壶、六耳罐与江西高安南朝墓葬中的两件

器物，在形制、釉色尺寸上相同（《江西高安清理一座南朝墓》，《考古》1986 年第 9 期）。六耳罐同福建松源 M833 出土的同类器物相似（《福建政和松源、新口南朝墓》，《文物》1986 年第 5 期）。以上两墓被认定为南朝早期墓葬。四桥系盘口壶同上海博物馆藏德清窑四系壶的形制基本相似，外观略显高一些（《上海博物馆藏瓷集》）。该墓出土的青瓷器，造型美观，制作精巧。

该墓虽无明确纪年，但据墓葬中出土的随葬品的形制、特征与墓砖的纹饰风格，简报推断应是南朝早期墓葬。

马鞍山市

388.安徽马鞍山东晋墓清理

作　者：安徽省文物工作队
出　处：《考古》1980 年第 6 期

1976 年秋，马鞍山市教育局在营建湖东路小学校舍时，发现 1 座砖室墓。考古人员进行了清理。简报分为：一、墓室结构，二、出土器物，三、结语，共三个部分。有手绘图等。

据介绍，该墓位于市区南佳山麓的土坡上，西距杨墓村约 0.5 公里，向南 150 米左右是市一机床厂厂房。清理前，封土已被挖掉，露出墓顶券砖，是 1 座单室砖墓。由墓门、甬道和墓室三部分组成，全长 6.25 米。人骨、葬具均不存。因该墓早期被盗破坏严重，剩下的器物亦多被扰乱，共清理出土陶、瓷、铜及砖刻墓志 30 余件。其中砖刻墓志 5 方。因此墓早期被盗，原来放置的位置可能被挪动，根据出土情况，只知墓室四隅应各放一方，内容相同。志文曰"泰元元年十二月十二日晋故平昌郡安丘县始兴相散骑常侍孟府君墓"，29 字。字迹清晰，都是阴文隶书。该墓出土五方内容相同的墓志实属少见，这说明什么问题，尚有待进一步研究。

墓主有姓无名。散骑常侍虽是晋代的显职，但后来的贵族子弟通常拥有此职，多属虚衔。此人在史书上难以查考。志文中记述的平昌郡，郡北在山东境内，此墓发现在今安徽马鞍山市，当时属丹阳。推测墓主原籍山东，永嘉乱后侨居江南，死后仍以旧籍称述；另一种可能是元帝渡江后侨置的郡县。

该墓有砖墓志，墓砖上有一种是墓砖的烧造时间，"太元元年八月廿五日建公墓"，故有确切纪年，即东晋孝武帝太元元年（376 年）。

389.安徽马鞍山东吴朱然墓发掘简报

作　者：安微省文物考古研究所、马鞍山市文化局　丁邦钧等
出　处：《文物》1986 年第 3 期

1984 年 6 月初，安徽省马鞍山市沪皖纺织联合公司在雨山乡安民村林场扩建仓库时，发现 1 座土坑砖室墓。市文化局得知后，通知工地停工保护，考古人员对墓葬进行了发掘。据发掘资料得知，墓主为三国东吴右军师、左大司马朱然。墓内出土了一批珍贵的漆木器、青瓷器和其他遗物。简报分为：一、墓地概况，二、墓葬形制，三、随葬器物，四、几点认识，共四个部分。有彩照、拓片、手绘图。

据介绍，马鞍山市区南部的雨山，平地兀立，朱然墓即位于雨山南约 1000 米的一个小土岗上。正式发掘之前，墓顶的封土和墓坑内的填土已被民工挖去，后室左角券顶也被拆除，墓室中淤泥很厚，棺木已经暴露。后室券顶正中有一早期盗洞，盗洞内填塞的土中包含许多六朝板瓦和筒瓦残片，推测原来封土之上可能有"享堂"之类的建筑物。该墓由封土、墓道、墓坑和墓室四部分组成。出土遗物 140 多件，其中漆木器占 57%，另有瓷器、铜器、陶器等以及铜币 6000 多枚。漆器多达十几个品种，60 多件，极具研究价值。出土的青瓷器也很珍贵。

简报称，墓主的名字、籍贯和官职，在出土的谒和名刺的墨书中已经明确。朱然，字义封，汉丹杨故鄣人，生于光和五年（182 年）。朱然原姓施，是吴郡太守朱治的外甥。与孙权少年时同时学书。孙权赏识他的才能，不久任命他为从丹阳郡分出的临川郡太守。因防御曹操南进有功，拜偏将军，汉建安二十四年（219 年），与潘璋擒关羽，因功迁昭武将军，封西安乡侯。同年，孙权假朱然节，使代吕蒙镇江陵。第二年，因抗御刘备有功，拜征北将军，封永安侯。吴黄武二年（223 年），魏将曹真、夏侯尚、张郃攻江陵，朱然守城达 6 个月之久，魏军方退，于是朱然名震一时，改封当阳侯。吴黄龙元年（229 年），拜车骑将军，右护军，领兖州牧。以后又参加攻合肥、征祖中、围樊城的对魏战争。吴赤乌九年（246 年），复征祖中，军以胜返，拜左大司马右军师。吴赤乌十二年（249 年）春三月，卒，终年 68 岁，孙权为之素服举哀。朱然的官职、爵禄步步迁升，一个原因是他确实具有军事才能。另一个重要原因是孙吴政权以南北世家大族为支持，朱姓是江南有名的世家大族，朱然的养父（又是舅父）朱治是帮助孙坚据守江东的开国勋臣。朱然身为世族子弟，自然会得到孙权的信任和重用。

简报指出，在长江中下游地区，至 80 年代中期已发掘六朝墓葬 2000 多座，其中吴墓已超过 300 座。在已发掘的吴墓中，墓主身份以朱然为最高。作为东吴最高统治集团成员的墓葬，其形制、规格、随葬品等，为我们研究东吴墓葬提供了一个标尺，丰富了我们对当时葬俗及社会意识的了解。

390.安徽马鞍山市佳山东吴墓清理简报

作　者：安徽省文物考古研究所　杨鸠霞
出　处：《考古》1986 年第 5 期

1983 年 2 月，马鞍山市向山区佳山乡印山村社员在屋后取土时发现 1 座砖室墓，考古人员清理了这座墓葬。简报分为：一、墓葬结构，二、随葬器物，三、结语，共三个部分。有照片、拓片、手绘图。

据介绍，佳山乡位于马鞍山市南 9 公里，这里是个山丘地区，墓葬在紧靠乡政府东边的高地上。此墓为单室砖墓，由墓门、甬道和墓室三部分组成，墓葬平面呈"凸"字形。方向正南，墓上封土早在 1955 年平整土地时被挖平，墓顶亦同时遭到毁坏。葬具、人骨已朽。出土遗物有陶器、铜器、釉陶器及铜钱数百枚。其年代简报推断为东吴时期。简报指出，此墓规模虽小，但出土器物品种多样，反映了墓主生前拥有的财产，是当时现实生活的写照，为研究东吴时期的社会经济状况提供了实物资料。

391.安徽马鞍山桃冲村三座晋墓清理简报

作　者：马鞍山市文物管理所、马鞍山市博物馆　解有信、吴志兴等
出　处：《文物》1993 年第 11 期

霍里镇桃冲村位于马鞍山市东郊约 5 公里处，1990 年 6～8 月在此地发现 3 座砖室墓，考古人员进行了抢救性的清理。3 座墓葬坐落在桃冲村的龙脉山，早年都遭破坏。简报分为：一、墓葬形制，二、出土器物，三、小结，共三个部分。有照片、拓片、手绘图。

据介绍，M1 为单室砖墓，由甬道、棺室组成。墓葬平面呈凸字形。M2 为砖室墓，由甬道、前室、后室组成。封门和甬道的一部分被破坏，在坍塌的淤土中清理出青瓷盏 2 件、陶俑 1 件。砖侧面有铭文"建兴四年八月五日辛西""建兴四年太岁在丙子"等字样。有些饰有圆圈或几何形纹。M3 为砖室墓，由封门、甬道、前室、过道、后室组成。部分砖侧面有"永嘉二年九月一日丹扬徐可作砖壁"等反书铭文。砖头有车轮纹。

简报称，此次发现的 3 座墓葬，从形制、器物以及砖铭来看，可以确认 M1 为东晋墓，M2 是西晋建兴四年（316 年）墓，M3 是西晋永嘉二年（308 年）墓。从以往发掘的情况看，西晋墓一般是前、后室，由甬道、前室、过道、后室组成。东晋墓一般是单室墓，只有甬道和棺室。两晋墓出土器物均以青瓷器为主，而铜器中以镲斗为常见物。此次在建兴四年（316 年）墓中，出土了一些小玻璃珠，这些小珠透

明，呈绿色。据有关资料可知，这种玻璃珠在两广地区的两汉墓葬中普遍发现，是死者颈部、胸部或腰部佩带的装饰物品之一，而在马鞍山地区墓葬中尚属首次发现。

392.安徽马鞍山宋山东吴墓发掘简报

作　　者：福建省文物考古研究所、马鞍山市文物管理所　栗中斌、李德文
出　　处：《江汉考古》2007 年第 4 期

宋山墓（MASSM1）是马鞍山地区迄今发现规模最大、结构最复杂的 1 座砖室墓葬，它填补了该地区六朝考古的多项空白，高浮雕变形龙纹把手石门和假窗的设置，是目前长江中下游地区六朝墓葬中最早的实例。虽被盗严重，但仍出土一批珍贵文物。墓葬形制与湖北鄂州鄂钢饮料厂一号墓极为相似，但规模比后者大，显然墓主身份也更显贵。通过和朱然墓等六朝大型墓葬比较，并结合现有的史料分析，此墓可能是吴景帝孙休的定陵。简报分为：一、墓葬形制，二、出土器物，三、结语，共三个部分。有照片、手绘图。

1987 年 9 月初，安徽省马鞍山市雨山区宋山窑厂取土时，发现 1 座超大型砖室墓，考古人员于 1987 年 9 月 16 日至 12 月 2 日对该墓进行了抢救性发掘。墓葬位于安徽省马鞍山市雨山区宋山村宋山窑厂西侧，西山的东南麓，西南直线距离翠螺山（又名采石山）约 1 公里。墓葬编号：MASSM1，整座墓顶为券形。墓葬由封土、斜坡墓道、封门墙、前后面、石门、横前堂、左右"凸"字形侧室、石门、过道和后室组成。墓全长 17.68 米，封土呈覆斗状，长 28 米、宽 14 米、高 3.5 米。该墓被盗严重，后甬道、后室的前墙壁和后墙壁的内侧都发现盗洞。劫余随葬品有青瓷器 41 件及陶器、石器、漆器共 46 件。该墓葬年代，简报认为应为东吴中晚期，上限不超过公元 238 年，或即孙休的定陵。

孙休，字子烈，是孙权第六子。太元二年（252 年）正月，受封琅玡王，魏甘露三年（258 年）即位，永安七年七月癸未（264 年 7 月 25 日）去世，时年 30 岁。其夫人朱皇后死于 265 年，似乎不是如《三国志·吴书·妃嫔传第五》所言与孙休合葬，而是葬于此墓（M1）的右前侧。

393.安徽当涂县刘山村发现一座东晋墓葬

作　　者：马鞍山市文物管理所、当涂县文物管理所　栗中斌、钱　伟　罗海明等
出　　处：《考古》2009 年第 3 期

2003 年 4 月 13 日，安徽省马鞍山市当涂县新市镇刘山村的村民在当地砍蛇山发

现1座古墓葬,立即向有关部门报告。考古人员赶赴现场调查,并于次日至22日,对该墓进行了抢救性发掘(编号简称M1)。简报分为:一、墓葬形制,二、出土遗物,三、结语,共三个部分。有手绘图。

据介绍,此墓位于砍蛇山南麓,北距314省道约300米,东距澄湖路约500米。为砖砌前后室墓,平面近似"吕"字形,由封门墙、前室、过道和后室组成。此墓早年被盗,后室正上方还遗留有1个直径约0.95米的盗洞。尸骨无存,葬具已腐朽,仅残留少量锈蚀严重的铁棺钉。墓中出土青瓷器、铁器共5件。

简报推断该墓年代为东晋早中期,认为此墓的形制颇具特点,现介绍如下:

其一,在马鞍山地区目前已经发掘的近200座六朝墓葬中,双室墓葬多集中在东吴和西晋时期,东晋时期数量开始锐减,只有零星的几处发现,南朝时期此类墓葬基本消失。刘山村这座墓葬的发现,为研究该地区东晋时期此类墓葬的形制演变及葬俗等增加了新的珍贵资料。

其二,此墓前室前部的左右两拐角内收45°,呈"八"字形,使前室形成六边形"四隅券进式"的穹隆顶结构。这种墓葬构筑方法不见于已经发表的其他六朝墓葬资料。令人遗憾的是,在发掘过程中没有对墓坑进行清理。墓葬前室出现的这种砌法,简报推断存在两种可能:一是当时建墓形制;二是在营造墓葬的过程中,根据构筑情况而临时采取的补救措施。因为此墓前室为"四隅券进式"穹隆顶,建造过程中如果墓顶起券出现误差就容易倒塌,采用上述方法不失为绝好的补救措施。但不可否认,这种结构更牢固,体现了建筑技术的进步。

其三,此墓结构与前后甬道单室墓不易区分。墓葬前部的面积虽然较小,但其内砌有长方形祭台。在已知的六朝墓葬资料中,还没有发现甬道内如此设置祭台的。刘山村东晋墓可能是前后室墓向"凸"字形单室墓的过渡形制,因此将该墓定为前后室墓葬更为准确。

其四,从马鞍山地区已经发掘的六朝墓葬资料来看,直棂假窗的长度大多相当于七块墓砖的厚度,也就是大约长0.35~0.4米。但在刘山村东晋墓中,后室直棂假窗的长度为1米,是该地区迄今发现的最长的直棂假窗实物资料,在长江中下游地区也属罕见。

394.安徽马鞍山上湖村东晋墓发掘简报

作　者:安徽省马鞍山市博物馆　费小路

出　处:《考古与文物》2010年第6期

2009年6月,马鞍山市金家庄区工业园铸造厂在取土过程中,发现2座砖室墓。两墓基本平行，相距约3米，均遭破坏。根据清理的顺序，由西向东编为M1、M2。简报分为：一、墓葬结构，二、出土器物，三、结语，共三个部分。有照片、手绘图。

据介绍，M1平面呈"凸"字形，由墓道和墓室组成，底铺一层"人"字地砖。总长5.2米。墓的顶部及部分壁墙已遭破坏。葬具、人骨已朽。M2受损严重，仅存部分墓底。出土器物共计15件，有瓷器、陶器，主要分布在墓室前部。简报推断两墓为东晋墓，其中M1应为东晋晚期墓。墓葬中的角柱和立柱值得注意。两墓的发掘，为研究此类墓葬的演变提供了珍贵实物。

395.安徽当涂青山六朝墓发掘简报

作　　者： 安徽省文物考古研究所　王　峰等
出　　处： 《文物》2011年第4期

2002年5月至2003年12月，为配合马鞍山至芜湖高速公路的建设，考古人员在安徽省当涂县青山西麓的太白镇太白村发掘了一批六朝墓葬。简报分为：一、23号墓，二、20号墓，三、24号墓，四、结语，共四个部分，先行介绍了墓葬位置相邻且有打破关系的3座墓（编号为M20、M23、M24）的发掘情况，有彩照、手绘图。

据介绍，3墓皆为大、中型砖室墓。出土的器物较精美，有青瓷盘口壶、青瓷双系罐、青瓷盏、青瓷承盘三足炉、玉璜、玉衔、玉带钩、玉猪、滑石猪、玛瑙珠等。简报推断，M23的年代为东晋中期，M20、M24的年代为南朝中期。M20、M24应为同时建造，简报推断为同一家族墓葬。

396.马鞍山市马钢二钢厂东晋谢沈家族墓群发掘简报

作　　者： 马鞍市博物馆　费小路
出　　处： 《江汉考古》2012年第1期

马鞍山钢铁总公司第二钢铁厂东晋谢沈家族墓群位于六朝墓地集中地马鞍山东麓，出土文物丰富，文物类别较多，时代特征明显，特别是M3出土的六面印，明确了墓主身份，为研究六朝时期文人学士和书法史提供了实物资料。简报分为：一、墓葬形制，二、出土器物，三、结语，共三个部分。有手绘图、照片。

1984年10月24日，马鞍山钢铁总公司第二钢铁厂（简称马钢二钢厂）在水处理车间土方施工中发现3座墓葬，考古人员赶赴现场调查。于当年10月25～28日对其进行了抢救性发掘。根据发掘先后顺序，由东向西分别编号为84MEM1、

84MEM2、84MEM3（简称 M1、M2、M3）。3 座墓葬位于马钢二钢厂区内，西距马鞍山约为 500 米，南距马鞍山市金家庄区政府约为 1.1 公里。墓葬距离地表约为 4 米，封土已揭，由东向西平行排列。3 座墓葬均为砖室结构，墓顶已被破坏，但可辨认为券顶。3 座墓葬均遭较为严重的破坏，共清理较完整文物 47 件，其中青瓷器 41 件、青铜器 2 件、陶器 3 件、木器 1 件，墓中均发现了一些红色淤土和褐色漆皮。另外，M3 中出土了大量残陶、瓷片和青铜器碎片，拼合后残缺非常严重，仔细分辨，器形有：凭几，仅剩一小部分几面和一蹄形足，灰胎；盘口壶，豆青釉，灰白胎；青铜镳斗。3 座墓棺木均朽，有部分棺钉，尸骨无存。

据简报推断，M1 下葬年代不早于东晋咸和七年（332 年），M2 为东晋中早期墓，M3 为东晋中期墓。三墓应为家族墓。M3 出土有印，简报考证应为东晋文学家、史学家谢沈墓。谢沈（292～344 年），《晋书》有传。官至尚书度支郎，几次辞官事母著书，编著了《晋书》《后汉书》《毛诗》《汉书外传》等多部史书。

淮北市

铜陵市

安庆市

黄山市

滁州市

397.安徽全椒县卜集东吴砖室墓

作　者：滁州市文物管理所　朱振文
出　处：《考古》1997 年第 5 期

1993 年 6 月，全椒县卜集乡上元村社员挖渠时发现砖室墓 1 座。考古人员闻讯后，立即赶往现场，进行了抢救性清理发掘，清理情况简报配以手绘图予以介绍。

据介绍，此墓为单室砖室墓，由墓门、甬道和墓室三部分组成。墓葬平面呈"凸"字形，出土遗物共 17 件。这座墓出土器物及墓砖均没有纪年文字，从墓葬形制和出土器物来分析，简报认为，前者当为越窑系统的产品，后者则多见于长江中下游的江苏、江西和湖北一带。另结合器表和造型来看，简报推断此墓当为三国时期东吴墓。

阜阳市

宿州市

巢湖市

398.安徽和县西晋纪年墓

作　者：安徽省文物工作队、和县文物组、杨立新、叶永相
出　处：《考古》1984 年第 9 期

1983 年 4 月，和县戚镇公社复兴大队小周生产队农民在村东棉花地里取土时，发现 1 座砖室墓。考古人员前往现场清理，出土了一批文物。简报分为：一、墓葬位置与形制，二、随葬品及其位置，三、结语，共三个部分。

据介绍，小周村距和县县城南约 5 公里，位于一条东西向的土岗上。当地俗称"小武岗"，旧称"王子岗"。该墓建在土岗的北坡上部，坐南朝北。墓前有 1 条排水沟，墓室包括墓门、前室、甬道、后室四个部分。随葬品共 48 件，出土的两面铜镜，Ⅱ式要比Ⅰ式复杂。简报认为，Ⅱ式铜镜可作为佛兽镜之列。Ⅰ式铜镜为黄龙元年，即公元 229 年造作；Ⅱ式铜镜流行的时间至迟到墓砖制作的年代，即公元 288 年。两镜相隔 50 多年，其纹饰与内容上的明显差异，反映着该类铜镜的承袭演变关系。西晋灭吴早于建墓 8 年，即公元 280 年，从两面铜镜的密切关系看，简报推断均属于吴镜。

简报指出，"大泉当千""大泉五百"分别为东吴赤乌元年（238 年）、嘉禾五年（236 年）铸造。"五铢""剪轮五铢""鹅眼钱"等多为前世遗留，"直百"小钱为建安十五年（210 年）蜀地铸造。这些杂乱的钱币，反映了西晋统一后，币制混

乱，吴蜀钱币仍流通于南方地区。关于墓主的姓氏、身份无文字记载，据墓葬的规模看具备前后两室，与南京石闸湖大中大夫侯某墓相似。按西晋葬制，简报推断该墓主的官秩等级在千石左右，或为当地的富豪。

399.安徽含山县道士观西晋墓地发掘简报

作　者：含山县文物局　石建成、丁　新
出　处：《江汉考古》2014 年第 6 期

2014 年 4 月，为配合工程建设，考古人员在含山县陶厂镇道士观抢救发掘了 3 座西晋砖室墓。简报分为：一、地理位置，二、墓葬形制结构，三、出土器物，四、结语，共四个部分。有彩照、拓片、手绘图。

据介绍，3 座墓均用大量有确切纪年的铭文砖砌筑，其年代简报推断集中在晋元康五年至九年（296～299 年），同时墓葬出土了银器、铜器、铁器、瓷器、石器等 20 余件。简报称，本次考古发现为研究该地区西晋时期墓葬形制、葬俗提供了宝贵的实物资料。

六安市

亳州市

400.亳县曹操宗族墓葬

作　者：安徽省亳县博物馆　李　灿
出　处：《文物》1978 年第 8 期

考古人员于 1974 年至 1977 年为配合农田基本建设，在安徽省亳县城南郊一带清理了若干古墓葬，出土一批文物，从而获得汉魏时期曹操宗族的一些线索。简报分为"元宝坑一号墓""董园村一号墓""董园村二号墓""马园村二号墓""袁牌坊村二号墓""几点粗浅看法"，介绍了这 5 座古墓，有照片。

据介绍，曹氏是东汉沛国谯郡（亳县）的一大家族。古代著名的军事家、政治家、文学家曹操就出生于这个宗族。据说汉初平阳侯曹参就是这个宗族的祖先。曹氏家族墓葬的所在，亳县很久以来就说是城南郊诸大土包冢。人们管它叫曹家孤堆。

《水经注》卷二十三记载，古谯县城侧城南有曹操的祖、父辈诸人的墓葬。传说和文献资料所载曹氏墓葬，与此5墓发掘出的字砖、石碑、印章等资料相互得到印证。据出土遗物考证，元宝坑一号墓墓主人为曹操的祖父曹腾，董园村一号墓墓主人有银缕玉衣，身份不详。董园村二号墓因被盗严重，墓主人身份不明。袁牌坊二号墓、马园村二号墓的墓主人也均有待确定。

简报称，元宝坑墓和董园村墓的383块字砖年代较早，内容比较丰富。另还有少量画砖和朱书文字砖。字砖的书体有篆有隶，还有少数章草，如董十八号、元三十九号、五十一号字砖。个别字砖的书体更与后来的楷书接近。

同刊同期有田昌五先生《读曹操宗族墓砖刻辞》一文，可参阅。

401.安徽亳县咸平寺发现北齐石刻造像碑

作　　者：韩自强

出　　处：《文物》1980年第9期

1965年6月，亳县政校于咸平寺旧址建筑房屋，发现砖塔基和残石刻。简报配以拓片、手绘图予以介绍。

据介绍，经清理，出土了北齐天保、河清、天统、武平等年号的石刻造像碑11件，北齐石棺1具，《砖塔记》1件。这批石刻出于北宋1座八角形砖塔基下。塔基中间有砖砌长方形地宫，东西两壁作阶梯式向下收口，武平造像碑及石佛、千体佛柱、经幢等残损粗糙的石刻，零乱地倒放在地宫的封土内，5块大造像碑，分上下2层规则地放在第四、五级砖阶上，砖阶最下层是一南北向的地宫，内放石棺1具。发现石棺时棺盖已错开，并有一小石块支撑着，错缝处可容手伸进。棺内积满泥土，在清除淤土时，发现棺内存有数十枚宋代铜钱和一些五色石子（舍利子）。石棺外也散放着宋代铜钱和汉代五铢钱，约三公斤。

简报设想，这批石刻是宋人在天圣年间从地下发现的。北齐在公元577年被北周灭亡。北周在未灭北齐之前，宇文邕已经进行了多年的灭佛酝酿，并于建德三年（574年）正式下诏"断佛道二教，经像悉毁，罢沙门道士，并令还民"，开始了大规模的灭佛活动。北周既灭北齐，这个禁断佛道两教的行动，必然要波及北齐境内。北齐僧侣在即将亡国之际，预知北周摧毁佛教，将一些佛教珍品埋入地下。到了北宋天圣年间（1023～1032年），宋人又发现了它们，在赞叹惊奇之余，旋又将它们埋入了塔基之下，这就使我们在900年后又得以重新见到这批珍贵的艺术品。

402.安徽亳州市发现一座曹操宗族墓

作　　者：亳州市博物馆　李　灿
出　　处：《考古》1988 年第 1 期

1982 年，安徽省滁县地区文物保护科研所来亳州市作直流电阻率法测探地下古墓葬的试验工作，这是我国考古史上的一个创举。经慎重研究，亳州市博物馆选择并提供了市南郊 2.5 公里处、曹四孤堆北侧的一个高坡地带作为物探考古试验场地。因为这一带属古墓群区，地下古墓分布较多，尽量避免测探工作的盲目性；曹四孤堆位于曹操宗族墓群的南端边缘地带，其东 100 多米处曾发现过曹操长女曹宪墓，通过物探考古试验，进一步了解一下曹四孤堆的周围情况。

物探考古试验于 11 月上旬开始，很快电测到一座古墓的存在，并从电高阻异常反映了解到这座古墓的长度及范围，得出该墓遭受破坏的结论。博物馆按照探测范围于 20 日动工对该墓进行发掘，至 12 月中旬结束，共用 20 余天时间。发现该墓为砖室石门结构，早期遭大破坏。墓之封土本应为层次夯土，已变为扰乱土层。各墓室券顶全无，墓室内外均为乱砖砾堆积，因此从上部看墓外形结构不明。经过清理，墓壁有残存，高矮不等，有的已全无，残壁上还存有彩绘痕迹。墓地铺地砖大部被揭除，墓内文物一空，骨骸无存，非一般盗墓者所致，估计为"政治"性破坏，在曹操宗族墓群中，类似墓葬已发现多座。尽管如此，从字砖发现，该墓仍有重要价值。编为亳州市曹四孤堆附属一号墓。

简报分为：一、墓室结构，二、残存文物，三、小结，共三个部分。有手绘图、拓片。

据介绍，该墓建筑材料有青石、砖两种。墓门为青石，各墓室为砖。砖分长方条砖、楔形砖两类，共分五个型号。残存文物有货币 3 枚，陶罐、柿蒂形铜花饰、铁把手式物、铜饰各 1 件；文字砖 77 块。曹四孤堆附属一号墓的年代，根据钱币和墓室结构，简报推断为东汉晚期。出土字砖较为珍贵，是继亳县元宝坑村一号墓、董园村一号墓等曹操宗族墓，带有出土文字砖的第 6 座墓葬。从字砖分析，证实了该墓主人是曹操宗族成员。

从字砖发现的，史册无载的曹氏官员墓如董墓字砖上有会稽郡曹君、吴郡太守曹鼎，山阳郡太守曹勋等外，该墓又出现豫州刺史曹水等，这对研究曹操宗族都是珍贵资料。

简报称，曹四孤堆附属一号东汉墓墓主人是谁，目前无法确认。初步分析，可能是豫州刺史曹水或上大夫曹某人，是否准确，有待以后查证。

池州市

403.安徽青阳县清理一座西晋残墓

作　者：朱献雄

出　处：《考古》1992 年第 11 期

1987 年 6 月，青阳县庙前乡新发村农民因建房挖基发现 1 座砖墓，挖取部分墓砖和随葬品。考古人员前往调查，并清理了残余墓葬。简报分为：一、墓葬结构，二、出土器物，三、墓葬年代，共三个部分。有手绘图、照片。

据介绍，墓葬位于村北边黄土岗上，北距县城 21 公里，东距庙前镇 1.5 公里，南距八都河 0.5 公里。在黄土岗南对面的山坡上，发现有 10 多处早年被掘的古墓和大量墓砖。该墓由甬道、横前室、后室三部分组成。此墓早年被盗，现存遗物大多是陶瓷明器。共出土陶瓷器 19 件。

简报推断该墓年代为西晋早期。

宣城市

福建省

福州市

404.福建荆溪庙后山古墓清理

作　者：黄汉杰
出　处：《考古》1959 年第 6 期

考古人员在闽侯县荆溪乡庙后山，先后发现土坑墓 2 座，砖室墓 4 座。各墓相距不远，最远的 1 座相距约 20 米。简报分为"第一号（土坑）墓""第四号（土坑）墓""第二号（砖室）墓""第五号（砖室）墓""第三号（砖室）墓"，共五个部分，配以照片，介绍了其余的 5 座墓。

据介绍，1 号墓、4 号墓 2 座土坑墓，简报推断为东汉末或晚至西晋的墓葬。2号砖室墓有永和五年（349 年）纪年砖，5 号、3 号墓也应为东晋墓。

405.福州发现本省最早的窑址

作　者：王铁藩
出　处：《文物》1962 年第 9 期

派考古人员到建新、北峰、琅岐、亭江等公社调查文物古迹，第一天就在建新公社怀安乡天山马岭山，发现 1400 年前南北朝时期的瓷窑遗址。这是目前福建省发现的许多古窑址中时代最早的一个。

简报介绍，天山马岭是 1 座小山丘，古长江石岊山位在闽江北岸岊水之滨，从怀安乡口沿着闽江直到山麓，遍地都可以捡到青瓷碎片。山的周围除堆积有很多的瓷器残件外，还有不少匣钵和碗垫。风格与瓷质和市郊六朝时期古墓中出土的随葬器相同。简报由此推断为始于南朝（420 ～ 589 年）时期的窑址。此外，还发现青瓷双系罐、双耳大口罐等，胎骨略白，上有简单阴影花纹，可能是隋唐时期的遗物；又有宋代影青盘碗和纯黑色与茶褐色的"兔毫盏"（茶杯），并有制作精美的青瓷盘、瓶碎片。但这些东西数量较少，在没有发现烧制工具之前，还不能肯定其是本地所产。

简报称，考古人员在采集标本时，在地层中发现有堆积颇厚的蛤蜊层，在它的附近又捡到新石器时代的陶片，计有 20 多片，可惜遗址已被后来的窑址所扰乱。这些遗物的发现证明在建窑以前，早有先人在此居住。

406.福建闽侯关口桥头山发现古墓

作　　者：福建省文物管理委员会　黄汉杰
出　　处：《考古》1965 年第 8 期

1958 年 8 月中旬，考古人员在闽侯县荆溪乡关口村东约 0.5 公里的桥头山清理了古墓 4 座，其中 2 座已残。有的墓顶已露出地面，有的距地表深 0.4 米。各墓相距不过 20 米，最近的是 7.5 米。简报配以照片予以介绍。

据介绍，墓 1 墓顶前端已露出地面，室内淤泥呈红褐色。墓室为单室券顶，分甬道及墓室两部分。遗物大部分置于平台上，墓中出土瓷器 16 件、陶器 1 件和铜器 2 件；墓 2 在墓 1 北面 7.5 米处，墓室所用灰砖有 3 种，其中 1 种砖侧印有铭文，简报录有全文。墓 3 的形制与墓 1 基本相同，出土遗物有瓷器数十件；墓 3 在墓 1 南面，相距 15 米，从坍毁的残迹看，可能是单室券顶，只在清理底部坍土时发现瓷博山炉残片；墓 4 在墓 3 西南 7.5 米，早已坍毁，墓砖侧面印有铭文，简报录有全文。该墓前端乱土、石堆中发现 1 件瓷羊形座，此器是否属于这一墓葬尚有疑问。

简报称，墓 1 和墓 2 在结构上基本是一致的。墓 2 出有齐建武四年（497 年）纪年砖，可知它是南齐的墓葬。墓 1 虽无纪年砖，但时代也应大致相同。墓 3 从墓砖花纹看，可能也属于南朝时期。墓 4 有"永嘉五年"（311 年）的纪年砖，说明福建已有西晋年代砖墓。这在福建目前来说，是最早的砖墓。这一发现，是值得我们注意的。

407.福建福州郊区南朝墓

作　　者：福建省博物馆　卢茂村
出　　处：《文物》1974 年第 4 期

1973 年 6 月 21 日，解放军某部工地发现古墓 1 座，第二天考古人员去进行清理。此墓位于闽侯荆溪公社光明大队中房山头，为长方形单室券顶砖墓。出土遗物多为青瓷器。1973 年 6 月上旬，解放军某部又在工地发现古墓一组，位于建新公社阳歧山，均为单室券顶刀形砖墓。出土遗物有青瓷器、陶器。简报认为，这批墓葬出土的青瓷器，应为当时福建地区生产的。简报配以照片，介绍了几座南朝墓。

408.福建闽侯南屿南朝墓

作　者：福建省博物馆　王振镛
出　处：《考古》1980 年第 1 期

1975 年 6 月初，在闽侯县造纸厂内（位于南屿公社高岐大队官山）发现了 1 座南朝砖室墓。墓顶和封门墙有部分已被拆除，少数遗物被打碎或取出、散失。简报分为四个部分，配以照片、手绘图予以介绍。

据介绍，墓葬位于闽江南岸天水岭余脉官山的北端，依山临水。地表已看不出有封土堆，墓顶距地表约 1 米。这是 1 座砖构券顶单室墓，平面呈"凸"字形。出土有青瓷器等 18 件。简报认为是本地产品。该墓的时代，简报推断不会迟于南朝梁代。

409.福州东郊发现南朝墓

作　者：福建省博物馆　杨先铢
出　处：《考古》1983 年第 7 期

1976 年 6 月下旬，福州市东郊发现南朝墓 1 座，考古人员前往调查并进行清理。简报配以照片、手绘图予以介绍。

据介绍，墓的形制为长方形砖构券顶单室，方向正南。平面呈刀把形。分甬道和墓室。墓室后部设棺床。棺木和尸骨均已腐朽无存，随葬的青黄釉瓷器均置于墓室的前部。出土遗物共 8 件，以青黄釉瓷器为主，胎色灰白，里外施青黄釉，外底部露胎。器形有鸡首壶、罐、碗和碟等。简报推断此墓时代为南朝。

410.福州屏山南朝墓

作　者：福建省博物馆　梅华全
出　处：《考古》1985 年第 1 期

1979 年 11 月 8 日，福建省委基建工地发现南朝砖室墓 2 座，考古人员前往清理。墓葬位于福州市北面的民间山半腰。两墓东西并排，相距 1.4 米，分别编为 79FPM1、M2。清理前，M1 顶部已被掏开，部分器物被取出；M2 已破坏，仅存几件瓷器。简报分为"墓葬形制""出土遗物""结语"三个部分予以介绍，有手绘图、照片。

据介绍，M1 为券顶单室墓，平面呈"凸"字形。M2 顶部完全破坏，从残留有楔形砖等痕迹看，应为券顶单室墓。两墓共清理出青铜器和瓷器 19 件。其中 M1 出铜、瓷器 13 件；M2 出瓷器 6 件。简报推断，M1 的年代应在南朝刘宋时期，M2 的年代应在南朝晚期。

简报称，屏山这 2 座南朝早晚两期墓葬出土的瓷器，釉色青绿细腻，青中闪黄，质地坚硬，色泽光亮。从质料到制作方面，都具有浓厚的福建地区风格，在一定程度上反映了南朝时期它们自身发展的特点和生产水平。

简报指出，此次发掘，不仅为研究南朝时期福建的制瓷工艺增添了新的资料，而且又为研究它们在瓷器发展史上的"承前启后"作用提供了实物依据。

411.福建连江县发现西晋纪年墓

作　者：陈　恩、骆明勇
出　处：《考古》1991 年第 3 期

连江县在 1987 年文物普查期间，发现西晋元康纪年墓。简报配以拓片予以介绍。

据介绍，墓葬位于连江县黄岐半岛东南部筱埕乡大埕口，发现时已被村民建房挖土，破坏大部分。从残迹看，是 3 座并列同向单室券顶砖室墓，背山面海建筑。纪年砖有"元康二年"（292 年）、"元康三年"（293 年）、"元康九年"（299 年）三种，均为西晋纪年。遗物则均为村民自行取走，仅追回铜三足洗等 3 件。

412.福州闽侯发现南朝墓

作　者：杨　琮、严晓辉
出　处：《考古》1994 年第 5 期

1985 年 4 月，在福州闽侯县荆溪乡光明村大屿山南麓，发现 1 座南朝砖室墓（编号 MJGM1）。简报配以照片予以介绍。

据介绍，墓葬已残，结构为砖构单室券顶墓。墓室平面为长方形，墓砖的形制有 2 种，即长方形青砖和长方形楔形砖。墓砖的纹饰也有 2 种：1 种是叶脉纹，1 种是十字纹。墓室前部有甬道，已残。墓室底高于甬道底，有二层台，此台阶亦为长方形青砖砌成。

随葬品共 13 件，均为青瓷器，多数保存完好。此墓未出纪年文字。从出土的青瓷器看，简报推断此墓的时代应为南朝刘宋时期。

厦门市

莆田市

三明市

泉州市

413.福建南安丰州狮子山东晋墓

作　　者：晋江地区文物管理委员会、泉州市文物管理委员会　潘达生、黄炳元
出　　处：《考古》1983 年第 11 期

南安丰州狮子山位于泉州市西门外 7 公里处。1973 年 8 月，山的东南麓又发现一批由西南向东分布的砖室墓。各墓相距数米到数十米，距地表一般在 1 米左右。考古人员清理了 3 座古墓，皆为长方形单室墓，用长条砖砌成。墓的券顶均已塌陷，墓内填满乱砖块和红砂土。从墓的残端看，有扰乱的痕迹。简报配以拓本、照片予以介绍。

据介绍，一号墓有太元三年(378 年)、宁康三年(375 年)纪年砖，应为东晋墓。出土有"部曲将军"铜印及瓷器 10 件。二号墓有"宁康三年"纪年砖，亦为东晋墓，该墓出土瓷器 5 件。三号墓曾被盗，仅出土几件钵、碗。年代可能晚于一、二号墓，但也不会晚到隋唐时代。

414.福建南安市皇冠山六朝墓群的发掘

作　　者：福建博物院、泉州市博物馆、南安市博物馆　温松全
出　　处：《考古》2014 年第 5 期

2006 年 8 月至 12 月及 2007 年 12 月，考古人员对南安市皇冠山六朝墓群进行了 2 次抢救性发掘。简报分为：一、墓葬形制，二、出土遗物，三、结语，共三个部分。

有彩照、拓片、手绘图。

据介绍，简报推断这批墓葬的年代为东晋、南朝。此次出土的大量楔印花纹砖，种类多样，纹饰精美，简报称，为研究当时的生活、宗教、文化艺术提供了丰富资料。

漳州市

南平市

415.福建建瓯木橦梁墓

作　者：许清泉

出　处：《考古》1959 年第 1 期

1957 年 7 月，考古人员在建瓯县东北 10 公里处文物普查时发现古墓 3 座，清理了其中较完整的 1 座。简报配以照片予以介绍。

据介绍，该墓为券顶花砖多室墓，由甬道、前室、后室及两耳室构成。未见人骨，随葬品包括 15 件青瓷器、铁器等。由纪年铭砖知下葬于梁天监五年（506 年）。

416.福建建瓯水西山南朝墓

作　者：卢茂村

出　处：《考古》1965 年第 4 期

1964 年 8 月 5 日，考古人员在建瓯县水西山麓发现古墓群，并清理了 2 座比较完整的南朝墓。简报配以照片、拓片、手绘图予以介绍。

据介绍，两墓均前临建溪，背靠山麓，相距约 25 米。墓平面呈刀形，墓 2 平面呈"凸"字形。出土随葬物以瓷器为主，其中五盅盘等颇为精致。简报推断两墓均为南朝墓。

417.福建松政县发现西晋墓

作　者：卢茂村

出　处：《文物》1975 年第 4 期

1973 年 12 月 26 日，松政县渭田公社渭田大队茶林果专业队在茶山挖洞种桔子树时，发现古墓 1 座。

渭田公社位于县境东部，距县城约 33 公里，与浙江龙泉毗邻。此墓坐落在蚺仑山山坡下，墓为券顶砖室，分甬道、墓室两部分。

418.福建政和松源、新口南朝墓

作　者：福建省博物馆、政和县文化馆　吴玉贤等
出　处：《文物》1986 年第 5 期

1983 年夏，福建省政和县石屯公社松源村和东平公社新口村发现一批古墓葬。7、8 月间，考古人员对其中亟待抢救的 7 座进行了清理发掘。简报分为"墓葬形制""出土遗物""结语"，共三个部分予以介绍，有照片、拓片、手绘图。

据介绍，编号为政和 M831～M835、M837（M836 残甚，不作报道）。其中松源 4 座：M831～M833 位于村东庐塘山南坡上，西距大队部 300 米。M834 位于村北虎咬垅山西坡上，南距大队部 400 米。4 墓之前 10～50 米有政和至建瓯公路通过，前 250 米是七星溪。M885 和 M837 位于新口村牛头山东南坡上，墓前 30 米是西津至东平公路，前 250 米是松溪。这些墓葬都构筑在开阔的缓坡上。M831 和 M832 保存尚好，另外 4 座不甚完整，顶部多已坍塌。6 墓人骨已朽，葬具不存。这批墓葬都是砖室结构，平面呈"凸"字形的 4 座，呈刀形和十字形的各 1 座。墓砖有的有铭文。出土有瓷器、陶器、石器、铜器、铁器、金器、银器计 74 件。其中瓷器最多，为 56 件。

简报称，6 座墓中 3 座有砖铭，故有明确纪年。M831 为南朝宋大明六年（462 年），M835 为宋元嘉十二年（435 年），M837 为齐永明五年（487 年）。关于另 3 座墓，简报推断 M832 为宋、齐之际墓，M833、M834 为梁墓。

419.福建浦城吕处坞晋墓清理简报

作　者：福建省博物馆、浦城县文化馆　林忠干、陈子文
出　处：《考古》1988 年第 10 期

福建浦城县莲塘乡吕处坞村，在县城西北约 4 公里处，这一带地势低矮，丘陵绵延，地层均属红壤结构，土质比较松软，古代墓葬分布较为集中。吕处坞村北部和中部的七坊山、十八窑等处，是两晋南朝时期的墓葬群。1986 年 4 月 19～27 日，福建省博物馆会同浦城县文化馆，选择其中破坏较为严重的五座两晋墓葬，进行了抢救性的清理。简报分为：一、西晋"元康六年"墓，二、东晋"兴宁三年"墓，三、

结语，共三个部分。有手绘图、照片。

据介绍，西晋"元康六年"墓共有4座，位于七坊山西侧山坡，均为砖砌券顶形制，由于被盗，现存出土器物共19件；东晋"兴宁三年"墓1座，位于十八窑东侧土坡，俗称"会窑"，出土器物均青瓷器，共18件。

简报称，浦城县位于福建省西北部，与江西、浙江二省相交界，是福建省较早设立的县治之一。东汉末称汉兴，三国时改为吴兴，两晋时期属建安郡治。清光绪《续修浦城县志》卷三"山川"条载，晋时吴兴县令陆迈曾邀请士族阳敬儒前来开辟浦城城关的西岩岭。阳敬儒，旧志作王钦儒。七坊山"元康六年"墓砖铭有"王家"字样，表明是王氏家族的葬地，从墓葬形制所反映的特点看，墓主显系来自中原的士族地主，很可能与王钦儒有关。4座砖室墓中，M2规模最大，并且居右居前，当是地位身份较高者。

七坊山西晋墓和十八窑东晋墓出土的青瓷器，与江浙等地出土的同类器物作风一致，具有典型的时代特点，简报推断应当是越窑等瓷窑的产品。

420.福建建瓯阳泽晋墓清理简报

作　者：建瓯县博物馆
出　处：《考古》1989年第3期

福建省建瓯县小桥乡阳泽村距县城东南约40公里，这一带丘陵连绵，北面靠山，南面地势比较平坦开阔，地层多属红壤结构，土质比较松软。1986年12月中旬，阳泽村小学因修建新大门，工地北侧山坡暴露东晋"咸和六年"墓葬一座，于1987年元月7日至11日对该墓进行了清理。简报分为：一、墓葬形制，二、出土遗物，共两个部分。有手绘图、拓片、照片。

据介绍，墓葬位于阳泽村北侧约50米的山坡，经清理编号为瓯阳M1。单室券顶，平面呈凸字形，由甬道和棺室组成，保存完整，无盗洞。砖面铭文有"泰宁二年六月廿日壬子□起""咸和六年八月五日黄作"，反体隶书。泰宁、咸和分别为东晋明帝、成帝年号，时在东晋前期。该墓葬虽保存完整，出土器物却仅4件。

简报称，建瓯位于福建北部，是福建最早设立郡治之地。三国、两晋时期均为建安郡治所在地。根据阳泽晋墓的形制特点，墓主人显系中原入闽的士族地主。墓内出土的青瓷器与江浙出土的同类产品作风一致，具有典型的时代特点，应当是浙江越窑的产品。

简报认为，该墓的发现，对研究福建地方史具有一定的参考价值。

421.福建建瓯水南机砖厂南朝墓

作　　者：建瓯县博物馆　张　家
出　　处：《考古》1993 年第 1 期

建瓯县水南机砖厂位于县城南郊，北距县城 1 公里，这一带南面依山，北面临水，东西沿河地段丘陵连绵，地层呈红壤结构，且较松软，古代墓葬分布比较集中。该厂因生产所需，常年使用推土机在制砖工地采土，时有零星、残破器物被推出。1988 年 6 月，考古人员前往该厂调查时，发现制砖工地中段 1 座砖室残墓将被推倒，即对该墓进行了抢救清理。简报分为：一、墓葬形制，二、出土器物，共两个部分。有拓片、手绘图。

据介绍，墓葬位于制砖工地中段南侧土坡上，编号瓯水南 M1，单室券顶，方向 280°，平面呈刀形，由甬道、前室、棺室组成，全长 4.48 米。葬具、人骨无存。该墓虽遭破坏，但放置在甬道、前室的 13 件随葬瓷器因存于墓底部淤泥中而保存完好。有双系罐 3 件、盘口壶 2 件、碗 2 件、盅 6 件。该墓的年代，简报推断为南朝中早期。

422.福建政和石屯六朝墓发掘简报

作　　者：福建博物院　陈明忠等
出　　处：《文物》2014 年第 2 期

石屯六朝墓位于福建省政和县石屯镇长城村、蝴蝶街村和松源村，在七星溪南北两岸背靠高山的低缓山丘上。2009 年 10 月、2010 年 7 ～ 11 月，考古人员为配合宁武高速建设，对长城村的黄泥岭、后门山、上林山、罗金葵山，蝴蝶街村的蝴蝶山以及松源村的凤凰山进行了考古勘探和发掘，共清理六朝墓葬 62 座。简报计分"墓葬形制""出土器物""结语"三个部分，有手绘图和黑白照片多幅。

在第一部分"墓葬形制"下，简报介绍说，发掘的 62 座墓葬中，凤凰山 44 座、蝴蝶山 4 座、黄泥岭 6 座、后门山 1 座、上林山 6 座、罗金葵山 1 座。墓葬均为券顶砖室墓，其中带耳室的双室墓 2 座，属较大型墓葬，全长分别为 7.8 米和 9.12 米；单室墓 60 座，根据墓葬平面形制，又可分为"凸"字形墓（20 座）、刀形墓（23 座）和长方形墓（5 座），其余 12 座破坏较甚，不辨形制。

"凸"字形墓为中型墓，除两座长 3.95 米和 4.95 米外，其余均长 5.06 ～ 6.58米。刀形墓为中小型墓，除两座长 5.89 米和 6.48 米外，其余均长 3.67 ～ 5.48 米。长方形墓为小型墓，长 3.25 ～ 4.5 米，墓中有墓砖纹饰拓片 12 幅。

在第二部分"出土器物"中，简报介绍说，本次发掘的62座墓葬中出土器物180余件，有瓷器、银器、铁器和滑石器等。

瓷器。均为青瓷器。器形有盘口壶、唾壶、双系罐、带流双系罐、六系罐、盖碗、器盖、托盏、盘、五盅盘、博山炉、碗、盅、盏、钵等。大多胎釉结合不紧密，普遍存在脱釉现象。

银器。器形有镯、钗、指环等。

滑石猪，1件。扁平卧状，平面呈长条形，顶面简单刻划细部。长8厘米、宽1.7厘米、厚0.5厘米。

在第三部分"结语"中，简报将62座墓葬进行了分组，分别判定其年代，并指出本次发掘的墓葬为集中数座至数十座埋葬，显示其应为聚族而葬的家族墓地。

龙岩市

宁德市

423.福建省霞浦县发现三国农具模型

作　者：福建省霞浦县文化馆　黄亦钊
出　处：《农业考古》1990年第1期

1988年7月，福建省霞浦县松城镇眉头山发现1座三国纪年墓，该墓为单券砖室墓。墓葬分甬道及墓室，甬道已毁。少数墓砖印有阳文楷书"天纪元年七月十日番氏吉作当日天"等铭文。简报配以照片、拓片予以介绍。

据介绍，出土随葬品14件，其中青瓷器9件。这批出土器物与1981年以来先后在霞浦县眉头山发现发掘的10余座西晋太康、元康及南朝、唐墓出土随葬品相比较，既有共同的时代特征，又有自身的发展规律，除釉色基本相同外，其款式显得小巧，且种类各不相同，多属农家器具模型，与墓砖纪年铭文相对照，简报推测是一般庶族墓葬。

简报称，这一批遗物是霞浦县发现的年代最早且有明确纪年的随葬品，迄今在福建省尚属少见。

江西省

南昌市

424.江西南昌市郊南朝墓发掘简报

作　者：江西省博物馆考古队　程应麟、秦光杰、余　修
出　处：《考古》1962 年第 4 期

1960 年冬到 1961 年春，考古人员组在南昌市郊的京山及罗家集两地，发掘古墓 4 座（墓号为京墓 1 ~ 3，罗墓 1）。简报配以照片、手绘图予以介绍。

据介绍，这 4 座均为券顶砖室墓，两侧壁用平砖横铺叠砌而成。出土遗物有陶器、铜器、铁器、玉石器等。这 4 座墓不论结构或出土遗物，其特点是共同的，因此应属同一个时代。就结构而言，均加砌多层券门、壁座及砖柱，与清江店下东墓 9 刘宋元嘉十八年（441 年）墓及潭埠泰始六年（470 年）南朝墓之结构相同，出土遗物亦相近，因此简报推断这 4 座墓亦属南朝时期墓。

425.江西南昌市郊吴永安六年墓

作　者：秦光杰
出　处：《考古》1965 年第 5 期

1964 年 10 月 15 日，南昌市南郊发现 1 座古墓。简报配以照片、拓片、手绘图予以介绍。

据介绍，这是 1 座砖室券顶墓，分前后 2 室。两室之间以砖柱券门分隔，有铭文砖。据铭文知此墓为吴永安六年下葬，即公元 263 年。

墓内出土文物仅有 2 件青瓷器。1 件为小碟，另 1 件为瓷钵。

426.江西南昌徐家坊六朝墓清理简报

作　者：江西省文物管理委员会　李家和

出　处：《考古》1965 年第 9 期

1964 年 11 月，考古人员在南昌市南郊徐家坊清理了 1 座六朝墓。简报分为：一、墓室结构，二、出土器物，三、结语，共三个部分。有手绘图。

据介绍，该墓埋在一高约 5 米的封土堆中，墓室为长方形砖室结构，墓分前后室。砖一般长 33 厘米、宽 17.5 厘米、厚 6 厘米，其短侧和长侧分别饰有网线纹或对角几何形图案，平面无纹。墓内葬具和人骨架已腐朽，后室和前室均有棺钉发现，随葬品未经扰乱。出土器物有陶器、石器、铜器、铁器、金器、银器和青瓷器 50 余件。简报推断该墓为六朝早期墓。

427.江西南昌市南郊汉六朝墓清理简报

作　者：江西省博物馆　薛　尧

出　处：《考古》1966 年第 3 期

丝网塘位于南昌市南郊，西临抚河，为一土墩形坡地。1965 年初，在这里发现了一批古墓葬，考古人员进行勘察清理。共清理了汉、六朝的砖室墓 6 座，其中 3 座系早年被盗掘，出土遗物残缺过甚。简报分为三个部分介绍了未经盗掘或资料较完整的 3 座墓的清理结果，有手绘图等。

据介绍，3 座墓（编号为墓 1 ～ 3）均坐西朝东，并排在近同一条直线上，相隔各十余米。3 墓墓室结构互不相同。墓 1 平面呈"凸"形，墓 2 平面呈长方形，墓 3 平面呈梯形。出土遗物有铜器、铁器、陶器、釉陶器等。墓 1、墓 2 的时代，简报推断为东汉晚期；墓 3 的时代，简报推断为六朝早期或近于西晋。

428.江西南昌晋墓

作　者：江西省博物馆　余家栋

出　处：《文物》1974 年第 6 期

1974 年 3 月和 5 月间，考古人员先后在南昌市东湖区永外正街和西湖区上窑湾老福山各清理了 1 座晋墓，前者编为 M1，后者编为 M2。这 2 座墓分别位于南昌市八一大道东西两侧，北距赣江八一大桥约 2.5 ～ 5 公里。2 座墓均葬于距地表 6 ～ 7 米深的夹砂层中。简报分为：一、东湖区永外正街晋墓（M1），二、西湖区上窑湾老福山晋墓（M2），三、结语，共三个部分。有拓片、照片、手绘图。

据介绍，两墓均为砖室墓，均为夫妇合葬墓，也均未被盗。两墓出土有青瓷器、铜器、铁器、木简、木方、漆器及金银装饰品、墨等。两墓的时代，简报推断为晋墓。

简报称，根据出土的木简上文字记载，M1的男性墓主为吴应，字子远。豫章郡南昌县都乡吉阳里人。曾任"中郎"官职。中郎在秦汉时属郎中令，为分掌宿卫侍直的官吏，其将领谓中郎将，也有把中郎将称为中郎的。两晋南北朝时，诸公府及将军皆置"从事中郎"以为掾属，隋以后废（参见《汉书·百官公卿表》《晋书·职官志》）。从墓室规模和随葬器物来看，吴应当为"从事中郎"一类之属官。M2男棺所出的1方铜印，刻有"臣千钤""湛邵南""湛千钤言事"等字，可证其男性墓主为湛千钤，邵南应是他的字号。湛千钤应系当时豫章的一地主豪族，湛千钤既称"臣"，应任有官职，从其墓室规模和随葬器物推断，当和M1吴应的中郎官阶相距不远。

简报还特别提到M1出土的木方。木方内容系记载吴应棺内的随葬器物清单。这为我们了解当时的殓葬习俗、研究汉语量词和书法演变提供了一项新资料。从实际出土器物种类来看，棺外的许多器物（如榻、耳杯、瓷罐、唾壶等）在此件木方中均无记载，可见木方所记的系专指棺内的随葬品。木方是在办丧事时临时写成而置于棺内，又是用毛笔直接书写在木板上，这比其他质地需要刻凿的墓志字体更自由、随便些，因而也更接近当时通行的字体。

429.江西南昌市东吴高荣墓的发掘

作　者：江西省历史博物馆　刘　林

出　处：《考古》1980年第3期

1979年6月下旬，考古人员在南昌市内阳明路中段南侧，为配合基建工程，清理了东吴高荣墓1座。此墓距地表深7米左右，墓室顶上为生土。推测当时系由地表开斜坡墓道，在生土中掏洞，然后再砌墓室，木棺通过斜坡墓道抬进墓室安放后，再用青砖封门，填平墓道。此种葬法比较少见。简报分为：一、墓室结构，二、随葬器物，三、几点认识，共三个部分。有照片、手绘图。

据介绍，该墓有甬道和前、后两室，总长6.18米。方向正南。前室左右各有一对称的耳室。前室为横堂式，双层券顶。墓内有保存完好的朱漆棺3副，人骨几全朽。估计为1夫2妻合葬墓。出土器物比较丰富，且大多完好。有陶器、青瓷器、漆器、竹木器、金银器、铜铁器等，共计100多件。青瓷器和漆器等实用器物都放置在左耳室，陶器等明器则放置在右耳室。有木简、木方，上记墓主姓名及随葬品，属死者"名片"

和"遣册"性质。简报录有全文。

由棺内出土的木简、木方上墨书文字的内容得知，墓主姓高，名荣，字万绶。原籍为沛国（郡）相县人，即今江苏徐州地区。其下葬年代应当定在公元232～238年之间较为妥当，属东吴前期墓葬。高荣，史书不载，从考古发掘情况看，应相当于东吴将军一级或略低。

简报指出，出土的近20件青瓷器、东吴尺、木方"遣册"等，均十分珍贵。它们为研究东吴历史，提供了新的实物资料。

430.江西南昌市郊的两座晋墓

作　者：江西省博物馆　许智范
出　处：《考古》1981年第6期

1976年7月和1977年11月，考古人员在南昌市郊绳金塔和京家山地区配合地下防空工程的施工，清理了2座晋墓。这两座晋墓的规模并不很大，但就南昌地区而言，它们的出土器物还算比较丰富，且其中不乏精品，在考古研究上具有一定的参考价值。简报分为：一、绳金塔晋墓，二、京家山晋墓，三、小结，共三个部分。有手绘图。

据介绍，2墓均为砖室墓，出土随葬品中青瓷虎子、青瓷罐、青瓷唾壶、青瓷盏等堪称精品。绳金塔墓中还出土有"永安元年"（304年）铭文的纪年铜镜，为墓葬的断代提供了重要的依据。两座墓葬中都出土有饰深褐色点彩的青瓷器，在南方青瓷器中这种褐色点彩的装饰方法一般是在西晋晚期才开始采用的。简报推断，这两座墓葬的时代为西晋晚期。

431.江西南昌东吴墓清理简记

作　者：唐昌朴
出　处：《考古》1983年第10期

南昌市东湖区叠山路、抚河区都司前地下建设过程中，先后发现6座东吴砖室墓。其中1、2、4号墓分布在叠山路的中段，南昌市第八中学和南昌市师范学校范围以内；3、5、6号墓分布在都司前境内。简报分为：一、墓葬结构，二、出土器物，三、结语，共三个部分。有手绘图、照片。

6座墓的方向大体一致，均坐北朝南。墓室短小矮狭，皆用灰色砖砌筑。砖有长方形、楔形、刀形等几种。墓顶除2号墓为叠砌外，其余5墓皆为券顶。墓壁平砖错缝砌筑，底面呈人字纹铺设地砖。2、5号墓系小型单室墓，1、3、6号墓分前、后室，前室设甬道，旁附耳室。结构更为特殊的是 4 号墓，平面呈"吕"字形。前室有甬道，前、后室之间也有甬道相连，后室墓壁设龛 3 处。前、后室各放棺一具，保存完好。据棺内器物判定，前室为女棺，后室为男棺。其他各墓亦有长方匣式木棺，长不过 2 米，宽约 0.7 米。人骨都已腐朽无存。各墓随葬器物的放置情况，4 号墓的陶、瓷器皿与大件铜器都放置在棺外侧、前端空间和后壁龛内；其他墓，则将陶、瓷器放置在甬道或耳室之内，铜镜、兵器、铜钱、木梳、漆器等皆放置于棺内。这 6 座墓葬的时代，简报推断为东吴初期。

432.南昌市区清理一座东晋墓

作　者：陈定荣、许智范

出　处：《考古》1984 年第 4 期

南昌市八一大道皇殿侧地段（现省妇幼保健院）施工中发现古墓 1 座，考古人员前去清理。该墓距地表 5 米，为券顶单室砖墓，带短甬道。墓砖有长条形和楔形两种，砖的侧面饰有模印凸线网线纹。尚存两副棺木，因积水浮动，棺已翻移。棺木挡头板残破，尸骨已朽。简报配以拓片予以介绍。

据介绍，出土器物有瓷器、陶器、铜器、银器、木器、漆器。该墓的形制及砖侧纹饰具有江西省晋墓风格，青瓷碗底的"朱"字铭记当是墓主姓氏。简报推断，该墓应为东晋朱姓夫妇合葬墓。

简报称，该墓出土的青瓷洗和唾壶，形制规则，釉色光润，是晋瓷中的上品。瓷洗的口径达 35 厘米，为江西省晋墓所罕见，比南京郭家山晋墓出土的瓷洗还大。这样大的全器施釉的器皿，为我们研究晋代陶瓷及其烧制工艺提供了宝贵的实物资料。

433.江西南昌市发现三座晋墓

作　者：江西省文物工作队　李科友、柯　平

出　处：《考古》1986 年第 9 期

简报分为：一、青云谱岱山西晋墓，二、湾里晋墓，三、结语，共三个部分。有手绘图、照片。

据介绍，1984 年 10 月，南昌市乳制品厂在青云谱岱山基建工地发现 1 座古墓，器物已取出，墓室部分被填上。该墓位于乳制品厂的后山，坐北朝南，墓室为券顶砖室结构，墓室平面呈长方形。墓葬出土青瓷器 12 件，有罐、洗、钵、砚等，铜

镜 1 枚。湾里有晋墓 2 座，M1 出土随葬品 11 件，M2 出土随葬品 9 件。简报称，以花纹砖砌室、券顶，墓呈长方形，分前后两室，墓中多出青瓷器，这是南昌地区晋墓的特点。上述 3 座晋墓除了符合这一特点外，又有自身的特点。江西省青瓷的釉色多为淡黄色，或黄中泛绿，而青云谱出土青瓷中显示蓝似豆青色，釉色接近江浙一带的青瓷。一般晋墓随葬品多放于前室，湾里晋墓却放在棺木两侧，前室空无一物。

434.江西南昌县发现三国吴墓

作　者：南昌县博物馆　王　岚
出　处：《考古》1993 年第 1 期

吴墓位于南昌县小兰乡小兰村西 1 公里之西边山，南为乡办林场，北临小兰中学。1978 年底平山造田时发现，1979 年初清理发掘。简报配以照片、手绘图予以介绍。

据介绍，该墓平面呈"十"字形。砖室墓，有前后室，位于十字中心的天井东西两侧各有一耳室，清理中又发现西耳室封门墙下部连接一小耳室。中心天井为边长 3.6 米之正方形。清理中发现前后室及东耳室各有早年盗洞 1 个，葬具及尸骨均腐朽无存。仅与西耳室连接之小耳室内出土随葬器物 23 件，其中青瓷器 13 件，陶器 6 件，陶明器 3 件套，滑石猪 1 件。该墓年代，简报推断为东吴前期。

435.南昌火车站东晋墓葬群发掘简报

作　者：江西省文物考古研究所、南昌市博物馆　赵德林、李国利等
出　处：《文物》2001 年第 2 期

1997 年 9 月，南昌火车站站前广场北侧进行地下停车场施工时，相继发现 6 座古墓葬。6 座墓葬位于工地的西侧，分布在同一地层，墓顶距地表深约 2.8～3.5 米，自北向南编号为 M1～M6。由于施工单位运用大型机械开挖，6 座墓葬除 M4 外均遭严重破坏。经抢救性发掘清理，出土了一批文物。简报分为：一、墓葬形制，二、随葬器物，三、结语，共三个部分。有彩照、手绘图。

据介绍，M1、M2、M3 皆为券顶砖室墓，平面呈长方形。3 座墓券顶中间及前室全部被毁，M3 后室后壁亦被铲除，因此墓葬形制不详。从残存墓室看，M1、M2 后室后壁皆有一耳室，M2 还可见前室两侧有耳室残迹，因此两墓形制似与 M4 相同。M3 亦可见前室有双耳室痕迹。M1 室外散落两副损毁的髹漆棺木，显系合葬墓。棺内遗物无存，后室出土青瓷六系罐残片。M2 后室顶部有一盗洞，致使墓室内淤泥

充塞，后室中部有一残破棺木，不见其他遗物，后壁耳室内亦无遗物。前室有一彩绘漆盘（已残）。M3损毁严重，后室余存两副完整朱漆棺木。由于墓内积水较深，左侧棺木侧翻，棺盖朝向墓壁。

从出土遗物看，左为女棺，右为男棺，墓主头部朝向墓门。M4是唯一1座保存较完整的墓。6座墓共出土遗物120余件，有漆木器、青瓷器、铜器、铁器、金银器、滑石器等，其中漆木器占大宗。车马人物纹漆奁、宴乐图漆平盘等色彩艳丽，绘制人物众多，极为珍贵。"永和八年"墨书木方以及名刺、印章等标示了墓葬的年代和墓主人的名姓。4枚金戒指清晰地模压錾刻出佛像，应引起重视。简报认为M3出土"永和八年"墨书应指东晋永和八年（352年），M1、M2、M4也应为东晋墓。M5的年代为西晋晚期到东晋早期。M6的年代，简报未提。

简报指出，从出土木方上所载文字，可知M3应为雷陔和夫人合葬墓。雷陔，字仲之，江州鄱阳人，卒年86岁，即生于孙吴末帝孙皓甘露二年（266年），也即是司马炎称帝建立西晋的第二年，历经东吴、西晋、东晋三朝，最终死于醉酒。雷姓，按《太平寰宇记》卷一六〇所载，当为晋时南昌的大族，雷陔应为东晋命官。M3所出木方、木刺墨书书体，以隶书为主，有行书风格，对我国书法史的研究亦有重要价值。

简报称，此次出土了较多漆器，其器类有奁盒、平盘、托盘、耳杯、箸、匕、攒盒、凭几等。色彩丰富，有红、朱红、黄、绿、褐等色。漆画图案除传统的神话故事外，还融入了一些社会生活方面的内容，为研究两晋尤其是东晋时期的绘画、工艺技术、社会生活的风俗风貌等方面提供了宝贵的资料。这些漆器的出土，表明了两汉以来漆器的制作传统一直延续到东晋时期，从器形、漆色、绘画、制作工艺等方面看有前后承袭之处，又有各自特点。从南昌火车站东晋墓葬漆器出土的数量、制作的精美和彩绘题材的丰富多彩及保存完整鲜艳程度诸方面看，都是东晋时期一流的作品，代表了当时漆器制作工艺的最高水平。

简报指出，这批东晋墓几经盗扰，仍有大批文物出土，尤其是随葬有大量金银器、漆木器、铜器等，体现了一种厚葬之风。当时的社会风俗由此可见一斑。随葬器物中不见陶器，这表明自西晋起，陶器在日用生活中的作用明显减少。东晋开始，瓷器几乎全面代替了陶器而被普遍使用了。实用器多，冥器少。有些器物甚至有使用过的痕迹。出土大量的铜器及漆木器。较早的M5中发现的大量铜器，表明此种葬制延续到西晋晚期至东晋早期，此后墓葬中铜器出土逐渐减少。

436.南昌青云谱梅湖东晋纪年墓发掘简报

作　者：江西省文物考古研究所、南昌市博物馆　王上海、严振洪、李育远、
　　　　李国利等
出　处：《文物》2008 年第 12 期

2007 年 11 月 23 日，南昌市青云谱区城市投资有限公司在梅湖农民公寓基建工地的施工过程中发现 1 座古墓葬。2007 年 12 月 1 ~ 31 日，考古人员对其进行了抢救性发掘。墓葬位于南昌市青云谱区八大山人广场北 400 米、熊坊村南 100 米处，编号简称 M1。简报分为：一、墓室清理前状况，二、地层堆积，三、墓葬形制，四、遗存，五、遗存解读，六、结语，共六个部分。有彩照、拓片、手绘图。

据介绍，M1 的保存状况较好，未遭盗掘。墓室内有大量积水，深约 2 米，墓室底部有从顶部渗透的淤泥，并长期浸泡在水中而呈青灰色，质地细腻、黏稠，且表面有流动性，呈水平分布在墓室内。由于后室底部比前室、甬道的底部高，放置在后室的 2 具木棺中的 1 具慢慢滑出至前室和甬道之间。出土有铭文砖，上有 92 字，简报录有全文。从铭文砖可知，该墓于东晋咸和七年（332 年）改葬至此，出土有青瓷灯盏、金器、滑石猪等，墓主为东汉豫章名士徐稚（徐孺子）。

简报称，汉、晋时期带耳室、藻井的砖室墓在江西地区屡有发现，但该墓的前室从高度和形制看，似耳室非耳室，似藻井非藻井，是一种将耳室和藻井融为一体的构建方法，既保证了墓葬的规模，也简化了一些砌建工序，这既是一种创新，也是大型砖室墓逐步简化的表现。铭文的字数虽不多，却包含了死者的身份、姓氏、籍贯、享年、初葬时间及地理位置，改葬原因、改葬时间及地理位置，祖先的追溯等内容，既有墓碑的体例，亦有墓志的内容。另外，它还反映了东汉豫章名士徐稚（徐孺子）墓葬的位置，既可补文献资料的不足，也为研究徐孺子提供了新内容。简报概要地解读了古人选择墓地→挖建墓穴→砌建墓室→木棺下葬的大体过程。

简报指出，该墓是有明确纪年的东晋墓葬，为研究同时期的墓葬形制、出土器物以及埋葬习俗提供了重要的资料。

景德镇市

萍乡市

九江市

437.江西修水发现南朝墓

作　者：程应麟

出　处：《考古》1959 年第 11 期

考古人员于 1959 年 7 月 19 日，在修水县三都董家坳，清理古墓 1 座。此墓系单室券顶砖室墓，平面呈长方形，墓身狭窄，因距地表较近，故部分券顶已坏。铺地砖呈人字形，墓门正东向。砖之侧面有反文隶书"永初二年吉"5 字，出土遗物仅小陶碗 2 件。简报称，"永初"年号东汉、南朝都用过，此处应指南朝宋武帝永初二年（421 年）。

438.江西瑞昌马头西晋墓

作　者：江西省博物馆　程应林

出　处：《文物》1974 年第 1 期

1971 年 11 月间，瑞昌县马头地区基建工地发现古墓 1 座。简报分为：一、地理环境及墓室结构，二、出土遗物，三、结语，共三个部分。有拓片、照片。

据介绍，瑞昌马头，位于赣北长江南岸，与湖北省广济县武穴镇仅一江之隔，蜿蜒黄土丘陵，自东向西南伸张。该墓坐落于麻林埂（山名）斜坡之中部，地表稍隆起，墓顶距现地面 1.7 米。墓之后室半截券顶已坍。墓内分甬道、前室、过道及后室四个部分，全长 10.28 米。葬具、尸骨已朽。从遗迹看应为夫妇合葬。该墓所出土的遗物比较丰富，而且也较完整，计有陶器、青瓷器、铜器、铁器、金银器等，共达百余件，以青瓷器居多，大部分置于甬道及前室左侧。其中青瓷器多达 60 多件。该墓的年代，简报推断为西晋前期。

439.江西九江黄土岭两座东晋墓

作　者：九江市博物馆　吴水存、汪建策

出　处：《考古》1986 年第 8 期

简报配以照片、手绘图，介绍了清理的 2 座东晋墓。

一是 1980 年 12 月九江国棉四厂在基建过程中于市郊黄土岭北、国棉四厂东，离市区约 2 公里许发现墓葬 1 座。墓为砖室结构，平面呈长方形，单室券顶。墓顶离地表约 1.5 米。出土有青瓷器 7 件。二是 1983 年 11 月在市郊黄土岭北、九江纺织厂东发现墓葬 1 座。墓为砖墓，单室，平面呈长方形，墓顶离地面约 1 米。出土鸡首壶等青瓷器、铜镜、滑石猪，计 9 件。两墓的年代，简报推断为东晋中期。

440.江西九江县发现六朝寻阳城址

作　者：李科友、刘晓祥
出　处：《考古》1987 年第 7 期

1981 年 5 月，江西省文物普查试点工作队在九江县的赛城湖（又名七里湖）一带，发现了六朝的寻阳城址。1985 年 2 月，再进行一次调查。简报分为三个部分予以介绍。

据介绍，寻阳城坐落在九江县赛城湖水产场内。发源于瑞昌县青盆山的溢水自西向东流经城址，注入长江。南浔铁路在此通过，修建铁路时有些破坏。其范围据初步调查，以通过的南浔铁路为轴线，东面是赛城湖的马鞍洲、围嘴、七里湖附近，西边是玉兔山、鹤问塞，南至赛城湖村，北至赛城湖闸，间距长江仅 600 米，面积约 3 平方公里的地方，均发现有遗物和遗迹。由于湖水的冲刷，清除了表层的淤泥，湖滩上暴露了窑址、作坊、水井、房址和墓葬。在丘陵地带也发现了遗物和遗迹。有些平地已开垦成良田，还有部分遗迹沉浸在湖中，情况不明。

简报称，据记载，汉时的寻阳县，在长江以北，今湖北省黄梅县境内，属庐江郡。这处城址发现的地理位置与志书的记载相符，遗物以两晋南朝的居多，与城址的盛衰也极为吻合。寻阳城，隋代因水患迁至今九江市区后，大部分城址为水淹而成湖。湖的附近又大部分开辟为水田，至今尚没有发现城垣，可能与水淹和农田建设有关。简报指出，六朝寻阳城址的发现对研究江西北部古代的政治、经济、军事、文化有极为重要的意义。

441.江西九江县发现六朝半洲城遗址

作　者：刘晓祥
出　处：《考古》1995 年第 8 期

1988 年 4 月，考古人员在九江县城子镇乡进行文物复查时发现了六朝时期的半洲城遗址，这是继 1981 年发现六朝寻阳城址后在九江县境内的又一座古城址。简报配以手绘图等予以介绍。

据介绍，半洲城遗址坐落在乡政府驻地城子镇2公里的长江边上，以烟墩山为主体向东西两侧伸展，东距九江市区32公里水程。在江岸地表0.7～1米深处覆盖着文化遗存。沿江岸一线，全长450米，清晰可见。由于江水千年冲刷，遗址大部被毁，江岸散见有陶、瓷碎片，采集的标本有筒瓦、板瓦、瓦当、青瓷片，主要纹饰为粗绳纹、绹索纹、方格纹、凸弦纹和卷云纹。遗址附近还发现有同时代的券顶砖室墓葬群，已见残墓的形制有长方形、凸字形，和长达9米的吕字形大墓；收集到完整的器物有碗、盅、盘、香薰，均为青瓷制作，施米黄釉或黄绿釉，为东晋、南朝早期之物。简报配以手绘图予以介绍。

据介绍，烟墩山为一高出江岸20多米的小山，当年应为军事烽火台。山头今已被削平。半洲城原本三面环水，也因围田筑堤有所改变，已不是当年旧貌。据史书记载，三国东吴的建昌侯孙虑，谋士薛综，将领甘宁、潘璋、张奋等曾屯戍此城；东晋时，将军庾怿、刺史储衮，先后移镇半洲，事见《三国志·吴书》《晋书》本传。唐《元和郡县图志》亦有记载。限于资料的缺少，半洲城的兴衰年代目前还难以作出确切的论证，但初建年代当在孙策、孙权略定江南与黄祖相拒之时。半洲城在三国初期规模不大，只是军事驻点。考古未发现南朝以后遗物，故应定为六朝遗址。

新余市

鹰潭市

赣州市

442.江西宁都发现南朝梁墓

作　者：唐昌朴

出　处：《文物》1973年第11期

江西宁都县石上公社池布大队塘泥埠村民刘宽华等，1971年冬因改建房屋，在该村后山取土时，发现南朝梁墓1座。考古人员进行了调查，简报配以照片、拓片予以介绍。

据介绍，该墓东西向，为单室券顶砖结构，因拆砖扰乱，墓室形制已不清。墓内出土青瓷器3件，计青瓷杯2件、青瓷砚1件。墓砖上有梁大同七年（541年）铭记。

443.大余县出土西晋龙首凤尾青铜镳斗

作　者：江西省大余县博物馆　张小平
出　处：《文物》1984年第11期

1980年3月，江西大余县新城乡观路村的章江河边台地上，出土1件龙首、凤尾、狮膝、虎足青铜镳斗。镳斗完整无损，底部仍保留着烟炱。这样完整的青铜镳斗在江西省是首次出土，现藏县博物馆。简报配以照片予以介绍。

据介绍，镳斗全长24厘米、通高27厘米、直径18厘米。经鉴定，此器为西晋时期镳斗。

444.江西赣县南齐墓

作　者：赣州市博物馆　薛　翘
出　处：《考古》1984年第4期

1980年12月，考古人员根据赣县白鹭公社刘生机先生提供的线索，于公社所在地北边1.5公里的官村营发现了南朝墓群。

墓群坐落在官村营东北的后背垅山脚下。据说，这些墓葬在清代已被发现，当地称之为"和尚地"。该墓群已暴露四座墓葬（编号为M1～M4）。各墓相隔4米余，向南排列在一条直线上。M1已被挖平，随葬品已散失，只收集到青瓷五盅盘、滑石猪各1件及"建武四年"的铭文砖。该墓的花纹砖与其他三墓完全相同，说明这几座墓葬是属于同一个时期的。这些墓葬均早年被盗，暴露于地表的封门砖和墓道顶部大部分倒塌。由于赣南发现的南朝墓有纪年的较少，考古人员对保存较好的M4进行了清理。简报分为"墓室结构""出土遗物""结语"，共三个部分。有手绘、拓片、照片。

据介绍，M4为竖穴券顶砖室墓，由甬道和墓室两部分组成。M4前部顶上有盗洞，随葬品中的大件器物已被打碎，有22件器物较小的青瓷器和1件小铜镜。青瓷器均为青灰色胎，施黄绿或青绿色釉，釉面上有冰裂纹。

简报称，官村营墓葬群的"齐建武四年"铭文砖，当为南朝齐明帝建武四年（497年），而"方建武四年"这种年号前不署国号、冠以其他内容的纪年款式，为古代纪年铭文所少见。官村营四座花纹砖墓，从其丛葬和墓室的规模来看，简报推断可能是南齐明帝建武时期的一处望族葬地。据《赣县志》引《太平寰宇记》记载，东晋安帝义熙中，赣县县城曾迁至赣水以东。今南齐望族墓地在赣江东的白鹭地区发现，为探讨这一时期的赣县故城位置提供了重要线索。

简报认为，官村营南齐墓随葬的铜镜小如铜钱，应为明器，这是以往出土的铜器中未见过的，随葬的青瓷器为洪州窑的产品。官村营南齐墓青瓷器的发现，为解决江西境内南朝墓中出土的青瓷器的窑口问题增添了新的实物证据。

445.江西安远发现南朝墓葬

作　者：赖映鑫、钟荣昌
出　处：《考古》1986 年第 8 期

1984 年 9 月，镇岗乡老围村农民陈德坤将一组出土的南朝青瓷器献交县博物馆，考古人员到出土地点进行了调查，简报配以照片、拓片予以介绍。

据介绍，镇岗乡老围村位于县城南 20 公里处，器物出土于村东 100 米的"江头岗"西南山脚的一个土坑里。坑周围发现一些被掘出的残破花纹砖，坑西侧还残留部分未掘的平铺花纹砖，这是一座墓葬。这组青瓷器胎质细腻，色灰黄，釉色青绿泛黄，多数施釉不到底。这些特征与《江西赣县南齐墓》（《考古》1984 年第 4 期）所出的青瓷器大致相同，具有共同的时代特点。简报称，这样多的青瓷器随葬于一个墓中，在安远县是罕见的，这组青瓷器的发现，为解决江西境内南朝墓出土的青瓷器窑口问题和研究南朝的社会风俗及青瓷业的发展等增添了新的实物资料。

446.江西大余清理一座南朝宋纪年墓

作　者：张小平
出　处：《考古》1987 年第 4 期

1984 年 8 月，村民吴家驹等在县城西门外约 350 米的宝珠山县自来水公司基建区内，发现 1 座古墓，考古人员赶赴现场时，墓顶和墓壁已基本铲除，部分器物被打碎或取出。简报配以拓片、照片予以介绍。

据介绍，该墓为长方形砖室墓。纪年砖长侧面有铭文"元嘉八年润月廿四日""元嘉□□廿四日作"。该墓棺木尸骨皆已腐朽无存，在清理墓室时发现有一些木炭，室内有较厚的红色淤泥。随葬品以青瓷器为主，还有陶器、铁器、铜器共计 16 件。纪年砖"元嘉八年润月廿四日"当为南朝宋文帝八年（431 年），距宋武帝刘裕始建南朝只有 12 年，所以该墓属南朝早期墓葬。

447.江西赣县南朝宋墓

作　者：赣州地区博物馆、赣县博物馆　薛　翘、刘劲峰、黄兴良

出　处：《考古》1990 年第 5 期

1986 年冬，赣县罗溪村上高村农民建房平基时，发现南朝纪年墓 1 座。考古人员前往发掘清理。简报配以手绘图予以介绍。

据介绍，该墓位于上高村土名屋背的小山岗上，东临赣江。墓为券顶单室，平面呈"凸"字形。由甬道、前室和后室三部分组成。由于该墓早年被盗，经清理，出土青瓷器 17 件、陶纺轮 1 件、黛砚 1 件。从"景平年胡"墓砖纪年铭文看，简报推断，"胡"应为墓主姓氏，"景平"系南朝宋第二代少帝刘义符的年号。刘义符只在位 1 年零 8 个月，"景平年"即 423 ～ 424 年，此墓应属南朝刘宋初年的 1 座墓葬，故此墓可作为东晋向南朝过渡阶段的墓葬。

简报称，这座纪年墓青瓷器的发现，为洪州窑早期青瓷的断代提供了典型的实物标本。

448.江西会昌县东晋墓

作　者：钟建华

出　处：《考古》1993 年第 12 期

1989 年春，江西省会昌县西江镇南星村村民在平整屋基时，发现 1 座古墓，出土一批随葬器物。考古人员进行了现场调查和清理，并收回了一批文物。简报配以手绘图予以介绍。

据介绍，古墓位于西江镇狮仙山东北麓，赣瑞公路南侧南星村政府办公楼西南约 40 米处的坡地上，调查时现场破坏严重，墓砖、器物已经挖出。据当地农民介绍及现场勘察，该墓为无甬道长方形单室券顶砖室墓，坐东朝西，墓室早年已被破坏，墓底离地 1.77 米。葬具、尸骨均不存。仅出土青瓷器 7 件、铁器 2 件，收集墓砖 2 件。该墓年代，简报推断为东晋中期至南朝早期。

449.江西赣县白鹭南朝墓

作　者：赖斯清

出　处：《考古》1994 年第 7 期

1988 年元月，江西省赣县白鹭乡蔡坊村发现 1 座古墓。简报配以手绘图予以介绍。

据介绍，该墓位于白鹭乡南偏东 4.5 公里处的蔡坊村村民陈宗洋住宅右侧。墓葬破坏严重，形制不明。出土器物皆为施米黄釉的青瓷器，并有大量的花纹砖。青瓷器有壶、罐、盘、碗、盅、杯等计 25 件。花纹砖大部分为星月、莲芯、"非"字形组合的平砖，以及少数的刀形砖，部分刀形砖的端头凸印正书铭文"方"字。

简报称，该墓出土器物与江西省高安、泰和及南昌市等南朝墓出土器物基本相同，在胎质、釉色、形制上具有同时代特征。铭文"方"字在本县南朝齐墓中已有发现，是否属墓主姓氏尚不可断论。根据墓砖纹饰及器物形制特征，墓葬年代定在南朝中晚期。

450.江西赣县南朝宋墓的清理

作　者：赣县博物馆　赖斯清
出　处：《考古》1996 年第 1 期

1988 年 12 月，赣县储潭乡储潭村上高村民小组农民在建房取土时发现 1 座砖室古墓，赣县博物馆闻讯后及时进行了清理。清理情况简报配以照片与手绘图予以介绍。

该墓编号为上高 M2。位于赣州城东北，沿赣储公路 7 公里处的储潭乡储潭村上高自然村荷树栋脚下北侧，为券顶砖室墓。平面呈"凸"字形，由国道、前室、后室三部分组成，棺木与人骨俱腐无存。墓砖有平砖、模形砖和压缝砖 3 种。平砖侧面与端头分别凸印钱文纹饰和正书铭文。出土器物有铜镜、铁刀、铁片、铁块、青瓷盖各 1 件，青瓷杯 4 件、棺钉数枚。该墓铭文砖上的："宋元喜七年胡氏""元嘉七年"，简报认为即指南朝刘宋文帝元嘉七年（430 年）。"胡氏"当为墓主姓氏。简报称，1986 年冬，赣县博物馆与地区博物馆在距该墓西南约 80 米处曾清理了 1 座有南朝刘宋"景平"年号的墓（《江西赣县南朝宋墓》，见《考古》1990 年 5 期）。两墓年代相互衔接，墓之结构也大致相同，并出土了同样的"胡氏"铭文砖，为研究赣州地区当时家族墓葬形制的演变及出土器物的断代提供了可靠依据，也为研究赣南历史提供了实物资料。

451.江西南康市横寨乡发现南朝墓

作　者：南康市博物馆　黄卫国等
出　处：《考古》2005 年第 10 期

1998 年 12 月，横寨中学建房时发现 1 座古墓（M1），考古人员进行抢救性发掘时，又发现了 1 座同时期的古墓（M3）。简报分为：一、M1，二、M3，三、结语，共三个部分。有拓片、手绘图。

据介绍，这两座墓的葬具和人骨均已腐朽。M1出土墓砖上发现铭文"元徽元□"，应为"元徽元年"（473年），为判断其年代提供了准确的依据。另外，从该墓平面呈凸字形，由甬道、前室和后室三部分组成，墓底呈阶梯状，铺地砖呈人字形，以及所出瓷器的形制来看，简报判断M1的年代为南朝宋元徽元年。墓砖上的铭文"黄"字，似为墓主人的姓氏，"大"字应为墓砖所在方位的记号。

简报指出，两座墓中所出的铺地砖通体施黑釉、青釉，以达到防潮的目的，这在我国南朝墓葬中尚属首次发现。墓内壁多砖柱的砌法，在江西也属第一例。墓中所出遗物，均为小件实用器，以青瓷为主。这些发现为研究赣南南朝历史增加了新的实物资料。

吉安市

452.江西永丰出土一批青瓷器

作　者：江西省文物管理委员会　彭适凡
出　处：《文物》1964年第1期

1962年夏季，永丰县沙溪公社农民在蟠龙山附近掘地时，挖出了1座南朝墓，出土了一批青瓷器。10月间，考古人员出差到永丰时，见到了这批青瓷，觉得很珍贵，有些器物在江西省南朝墓中还未曾见过，因此征得县里的同意，已大部运到省博物馆保藏。简报配以照片予以介绍。

据介绍，该墓的形制结构不可知，但从这批出土的器物看，大多数和江西省南昌、清江、九江等地南朝墓中所出土的青瓷器相同，特别像五盅盘、砚台、灶、小杯等，更是江西省南朝墓中常见之物，唯有博山炉、供台那样精美而别致的青瓷器，在江西省南朝墓中尚是第一次发现。

453.江西新干金鸡岭晋墓南朝墓

作　者：江西省文物管理委员会　秦光杰
出　处：《考古》1966年第2期

1964年，在江西省新干县桁桥公社东南面0.5公里许的金鸡岭上，发现了一批古墓，其中绝大部分的砖块已被挖掉，有的随葬品已被取出。1965年2月初，共清理古墓十五座。其中有晋墓九座（墓1、2、4、5、9～12、34），南朝墓五座（墓3、6、7、17、33）。简报分为：一、晋墓，二、南朝墓，三、墓葬时代，共三个部分。有拓片、手绘图。

据介绍，9座晋墓均为长方形砖室墓，5座南朝墓除1座为梯形墓外，其余4座也均为长方形砖室墓。出土随葬品有陶器、青瓷器、银器、铁器等。

454.江西吉安县南朝齐墓

作　者：平　江、许智范
出　处：《文物》1980年第2期

1975年7月，吉安县长圹公社屋场大队店下生产队百姓在取土时发现南朝墓1座，并出土一批青瓷。该墓距地表0.7米，墓室呈"卅"形，为三室并列，中有甬道相通的多室墓，顶为卷棚式。简报配以照片、拓片予以介绍。

据介绍，计出土青瓷器29件、花砖及纪年砖等。据砖铭文，知此墓为南朝齐永明十一年（493年）墓。

455.江西新干县西晋墓

作　者：江西省文物工作队、新干县文物陈列室　许智范、刘诗中
出　处：《考古》1983年第12期

1981年10月，江西省新干县酒厂基建工地发现1座古墓。墓葬坐落在县城东南方向的塔下岭，墓顶距今地表约3米。简报配以手绘图、拓片予以介绍。

据介绍，墓为券顶砖室结构，平面呈长"凸"字形，全长9.95米、宽1.75米、高1.85米。墓葬由墓道和前、中、后三室构成。墓葬出土瓷器、铜器、铁器等各类遗物25件，其中铜镜1面堪称精品。该墓的年代，简报推断为西晋时期。

456.江西吉水城郊2号西晋墓

作　者：江西省文物考古研究所、吉水县博物馆　王上海、李荣华、李希朗等
出　处：《文物》2001年第2期

在江西省吉水县城东南郊赣江与恩江交汇处，有三座封土堆，当地人俗称"三碗斋"。1991年8月，铁道部第十六局在修建向（塘）吉（安）铁路恩江大桥工程中，将其中1座封土堆炸开，发现大型砖室墓1座。考古人员对该墓进行了清理，编号

为 JSM1。同时又对另 2 座封土堆进行了调查、钻探，确定为 2 座砖室墓，编号分别为 JSM2、JSM3。1993 年 12 月，对位于 M1 东北侧业已暴露的 M2 进行了抢救性发掘清理。M3 因靠水塘，积水严重，暂未作清理。M1 有关材料已发表。简报分为：一、墓葬形制，二、随葬器物，三、结语，共三个部分，配以彩照、手绘图，介绍了 M2 的相关资料。

据介绍，该墓先挖长方形竖穴土坑后再用砖砌筑。墓上原有封土，后被夷平。墓葬平面呈长方形，由墓门、前室、后室三部分组成。曾多次被盗。随葬品仅有雀、兽、釜、灯等青铜器，盘口壶、罐、簋、盂、碗等青瓷器以及石案等。其中铜雀、铜兽造型生动而简练，为以往所少见，其不仅是精美的古代工艺品，同时也反映了墓主人的身份和地位。2 号墓与 1 号、3 号墓呈"品"字形排列，属汉晋时期典型的家族墓葬。

2 号墓的年代，简报推断为西晋早期。

宜春市

457.江西清江晋墓

作　　者：江西省博物馆考古队　秦光杰、陈柏泉
出　　处：《考古》1962 年第 4 期

1959 年春，考古人员在清江太姑山及店下丘陵地带，发现了不少古代墓葬。古墓多暴露于地面，大部分墓葬券顶倒塌，其中一部分墓葬已冲毁无存。鉴于这一情况，于 1959 年 9 月 5 日至 1960 年 12 月 11 日，先后到该地进行过 3 次清理和发掘工作，其中清理晋墓 19 座（编号为墓 1 ~ 19），出土器物 119 件，计陶器 5 件、铁器 1 件、瓷器 113 件。简报分为：一、墓葬形制，二、出土遗物，三、时代的推测，四、对出土青瓷的分析，共四个部分。有手绘图、拓片、照片。

据介绍，这批墓葬绝大多数无纪年砖，但简报认为：（1）墓内砖柱之产生，是晋初所出现的一种结构。(2)和邻省晋墓出土遗物对比，器物形制多属西晋时期。(3)平底器居多，施釉不及底是早期制瓷技术的反映。（4）简单相互的弦纹与方格纹具有汉末作风，而不见东晋时期新出现的刻划莲花瓣纹及褐色斑点的装饰方法。因此，简报推断这批晋墓的时代可划为西晋时期。

简报称，墓内出土的青瓷，占全部出土物的 93%，而且多为实用品，可见到晋时，瓷器几乎代替了陶器，已被普遍使用了。

458.江西清江南朝墓

作　者：江西省博物馆考古队　陈柏泉

出　处：《考古》1962 年第 4 期

1959 年 9 月和 1960 年 4 月，考古人员先后两次在清江县城樟树镇东南 8 公里的潭埠地区，发掘了古代墓葬 48 座，其中有南朝墓 11 座。现将这批南朝墓葬的资料简介如下。

据介绍，11 座墓中，有两座出土有纪年砖，墓 3 为"泰始六年"，墓 4 为"梁大同三年"。其中梁大同三年（537 年），墓简报认为属于南朝梁墓固无疑问，就泰始六年（470 年）墓，以其遗物全系青瓷器，器形为罐、盘、碗等种类，视其风格，乃同于南朝。简报推断应为南朝宋代之墓葬。又梁大同三年（537 年）墓所出之球形长颈瓶，与墓 2、8、9、11 所出者完全一致。这种瓶在当地汉、晋、隋墓中均无出土，因此，可能其为南朝之典型器物。余者如墓 1、5、6、7、10，从其墓葬形制、砖纹，尤其是文化遗物等方面观察，亦皆与上述宋、梁时代墓葬相似，简报推断当同为南朝墓。

459.江西清江洋湖晋墓和南朝墓

作　者：江西省文物管理委员会　秦光杰、彭适凡

出　处：《考古》1965 年第 4 期

洋湖镇位于清江县城西南 12.5 公里处。在洋湖镇东面，有一 1.5 公里长的青山垴，为一丘陵地。因长年雨水冲刷，青山垴一带的古墓，券顶多倒坍，部分墓壁暴露于地表之上，墓内全被碎砖和泥土填塞。1964 年初，洋湖中学教师余家栋将这一情况向文管会反映，并寄来"宁康二年九月五日桂氏墓"墓砖拓片两张。考古人员于 3 月 2 日前往洋湖，进行了 9 天发掘，计清理了晋墓 7 座（墓 1～5、9、12）和南朝墓 4 座（墓 6～8、10）。

简报分为：一、墓室结构，二、出土遗物，三、小结，共三个部分。有照片，后附登记表。

据介绍，7 座晋墓中，有 4 座（墓 3～5、12）出纪年砖，最早的为永和十二年（356 年），最晚的为宁康二年（374 年），均为东晋时期的墓葬。其余 3 座（墓 1、2、9）虽未发现纪年砖，但其墓葬形制、墓砖花纹以及出土遗物中的青瓷钵、碟等，与上述有纪年砖诸墓的相似，故同属晋墓无疑。南朝墓中未见纪年砖。简报推断这 4 座墓（墓 6、7、8、10）为南朝墓。

460.江西高安清理一座南朝墓

作　　者：高安县博物馆　刘　翔
出　　处：《考古》1985 年第 9 期

此墓发现于 1983 年 11 月，考古人员于 11 月 23 ～ 28 日进行了清理。是 1 座两棺室带甬道砖石合葬墓。此墓位于高安县荷岭公社左程大队左家村西北面的梳头山红土岗上，距高安城 5 公里。背倚锦江水，前瞻荷岭山，墓后倚木鱼脑山冈为屏障，与锦江水隔开；墓前有平坦的小平原。简报分为：一、墓葬形制，二、出土器物，三、结束语，共三个部分。有手绘图等。

据介绍，全墓用青灰色大砖砌成，除墓底和券顶砌长方形、模形、刀形素砖外，其余全印有网线纹和几何纹。经清理，出土了 24 件青瓷器及 7 枚圆帽铁棺钉。瓷器皆放在甬道内。这批青瓷器类型多种多样，制作精美，造型大方、典雅；胎质坚实、胎色灰白；施釉均匀，釉色多呈青黄色，部分黄中泛绿，皆开冰裂纹。而且大部分完好无缺。这座墓葬虽然没有明确的纪年，但是根据它的形制、墓砖纹饰和随葬的青瓷器推断，应是南朝早期的墓葬。简报推断此墓系南朝宋、齐时期的墓葬。

461.江西清江经楼南朝纪年墓

作　　者：清江县博物馆　傅冬根等
出　　处：《文物》1987 年第 4 期

1982 年 11 月，考古人员在经楼镇江背村发现 1 座南朝陈至德二年(584 年)纪年墓，并进行了清理。简报配以拓片予以介绍。

据介绍，此墓位于江背村西约 200 米的丘陵山坡地上。由于长年遭雨水冲刷，墓室的一部分已露出地面。清理后得知，墓为砖室，无墓道，券顶用刀形砖起券，成船棚形，已下塌。墓内棺木、尸骨皆已腐朽无存，只在后室发现数枚棺钉。随葬品皆为青瓷器，共出土 13 件，全部破碎，散置于前后室。其中 10 件已修复。另有一批南朝宋、齐时墓砖。有的上有铭文。

462.江西靖安虎山西晋、南朝墓

作　　者：江西省文物工作队　陈定荣
出　　处：《考古》1987 年第 6 期

1985 年春，靖安县雷公尖综合垦殖场虎山分场职工在植树造林时，发现了一批六朝时期的砖室墓葬，考古人员对这批古墓进行了实地勘察，发现有不少早年已被扰乱破坏，后对其中2座有确切纪年的西晋墓和1座南朝墓进行清理发掘，出土了一批青瓷器和铜器等文物。简报分为"墓葬概况""出土器物""结语"共三个部分予以介绍，有手绘图、拓片、照片。

据介绍，虎山墓地位于县城双溪镇东北2公里的雷公尖垦殖场虎山分场的枫树城东南坡，据初步调查有砖室古墓20余座，大多是六朝时期的墓葬。在这附近过去也发现和清理过一些砖室墓，可能六朝时期在这附近有居民点。此次发掘的2座晋墓（M1、M2）、1座南朝墓（M3）均为砖室墓。M2出土有"太康九年校尉葬□"砖。出土遗物还有铜镜、陶器、瓷器等，为研究当时的手工业提供了实物。陶釜肩部刻划的行草文字，是当时民间窑工的手迹，书写流利，运笔自然，是研究晋代书法不可多得的实物资料。

简报称，据砖铭"太康九年校尉葬□"可知，墓主当与校尉直接有关。"校尉"，汉时军职之称，略次于将军，随其职务冠以名号，西晋因之，有司隶校尉、协律校尉等。《晋书·职官》有"司隶校尉，案汉武初置十三州，刺史各一人，又置司隶校尉，察三辅、三河、弘农七郡，历汉东京及魏晋，其官不替"的记述。亦有掌少数民族地区的长官称校尉的。由此墓葬可以看出西晋时期江西地区校尉官秩墓葬的形制规格。

463.江西丰城发现东晋青瓷博山炉

作　者：吕遇春、熊友俊
出　处：《考古》1993年第5期

1987年10月4日，江西省丰城县博物馆征集到1件大型长鼓舞人饰青瓷博山炉，现藏于该馆。据当事者荣塘乡前坊村农民吕云德介绍，这件博山炉是1986年11月他在建房挖基时发现的，出于1座墓葬之中，同时出土的其他器物均被打碎，保存下来的仅有此物。简报配以照片予以介绍。

据介绍，此博山炉由托盘、炉身、炉盖三部分组成，通高34.3厘米。整件博山炉外表施青釉，釉面晶莹、青中闪黄，炉盖内外满釉，托盘底部和炉床内无釉。简报推断为东晋时期洪州窑的早期产品。

464.江西丰城龙雾洲瓷窑调查

作　者：万良田、万德强
出　处：《考古》1993年第10期

在1977～1979年唐代著名的洪州窑于丰城罗湖境内发现的同时，考古人员又沿赣江两岸作了更广泛的调查。1978年11月，在罗湖窑区江岸下游的龙雾洲渡口，发现了另一规模较大的瓷窑址。这片窑址窑群集中，保存较完好，称其为"龙雾洲窑址"。在该窑址采集的青瓷器均与罗湖洪州窑址前期东晋、南朝产品相似，所以判断它是以烧造东晋、南朝青瓷为主的窑场。简报分为：一、窑址概况，二、装烧技术，三、几点认识，共三个部分。有照片、手绘图。

据介绍，窑址坐落在固田乡境所属龙雾洲的江岸渡口江湾畔，属黄土丘陵地带。窑群背依山陵丘坡，面临江水，就势构筑。南起李子岗，北至竹山岗，均可看到窑址或地面散布的瓷片。该窑产品瓷胎呈白灰色，胎骨坚致、厚重、一般厚度为0.2～0.8厘米。釉呈青绿色，或黄中带绿，青中带黄，釉面光泽晶莹。正宗产品碧绿青翠。釉层一般较厚，碗、杯底釉厚或积釉，有泪痕，呈晶莹玻璃液状。有的瓷片断面可见玻璃晶状。釉面开细小冰裂纹，一般易剥落。胎、釉间有一层白色瓷土护胎衣。该窑的烧制时间，简报推断当在东晋永和年间到南朝（约345～557年）。

抚州市

465.江西抚州镇发现东晋墓

作　者：江西省文物管理委员会　余家栋

出　处：《考古》1966年第1期

1965年5月，考古人员清理了1座农民取土时发现的晋墓。简报配以照片、拓片予以介绍。

据介绍，该墓位于抚州镇南郊约2公里外，平面呈"凸"字形，分为甬道、前室、后室三个部分。出土有瓷碟、石猪、金发钗、银圈、规矩镜等遗物共11件。据纪年砖，为东晋永和四年（348年）墓。

466.广昌一座南朝墓出土辟雍砚及花纹砖

作　者：广昌县博物馆

出　处：《文物》1988年7月

1983年4月，江西省广昌县农民于距地表约1米深处发现1座古墓，考古人员赴现场勘察。墓中出土1件瓷辟雍砚和一批花纹砖。简报配以拓片和照片予以介绍。

据介绍，辟雍砚为圆形，砚心微凸，周围为五形砚池；花纹砖共出土1000余块，形制有长方形和正方形两种，简报推断此墓应为南朝墓。

简报称，花纹砖纹饰刻法大多采用减地造，吸收了汉、魏石刻艺术手法，线条简练，图案鲜明，富有装饰效果。

上饶市

467.江西波阳西晋纪年墓

作　者：唐　山
出　处：《考古》1983年第9期

1974年3月间，在波阳县磨刀石公社北关大队开荒时，挖掘1座倒塌砖圹墓。出土有"太康三年"（282年）纪年圹砖、青瓷器等。简报配以照片、拓片、手绘图予以介绍。

据介绍，该墓系以长方形纹砖砌圹，刀形纹砖券顶的单室结构。出土器物有青瓷蛙式水注、青瓷钵、青瓷碟、铜饰品等10余件。

简报称，青瓷器虽为西晋墓常见之物，但因有确切纪年，对研究西晋青瓷的年代有一定参考价值。

山东省

济南市

468.济南市马家庄北齐墓

作　　者：济南市博物馆　韩明祥、赵镇平、仓小义
出　　处：《文物》1985 年第 10 期

马家庄北齐墓位于山东济南旧城东南 1.5 公里许，马家庄南约 100 米处。1984 年 10 月 8 日，山东省冶金总公司在此修建招待所时，于距地表深约 1 米处发现此墓。考古人员清理了墓葬，封护了墓室壁画，揭取了墓道门墙壁画，全部工作至 12 月 12 日结束。

简报分为"墓室结构及葬式""随葬器物""结语"等几个部分予以介绍，有照片、拓片、手绘图。

据介绍，此墓为青页岩石砌筑的单室墓，有墓道和甬道。出土有青瓷器、陶器、铜钱、铜戒指、铁环等。有墓志 1 合，真书字体，略带魏碑笔意，简报未录志文全文。

简报称，此墓志有几点值得注意：一是不写死者姓氏，二是不写祖、父辈的名讳，三是不写妻室及子孙情况，这在南北朝至隋唐时期的墓志中是很少见的。志文虽然简短，但就"君讳道贵，南阳人也"的记载，疑其姓张，名道贵，有可能是张良的后裔。墓主人（张）道贵生于北魏末期，历北魏、东魏、北齐三朝，有可能因避乱而卜居历城。北齐朝廷于皇建二年（561 年）诏授其为祝阿县令，当时道贵已 68 岁。由此可以了解北齐利用高龄地方官吏的情况。

壁画反映了当时地方官吏生活情况，与已出土的北齐显贵生活壁画呈现的豪华排场迥然不同。此墓壁画为研究北齐的社会生活、风俗习惯、服饰制度、绘画艺术等，增添了宝贵的资料。墓室穹隆顶所绘天象图中的太阳与月亮反向的情况，尚属少见。此墓将太阳画在西方，或许是象征着阴阳颠倒、墓主人已经归西的意思。

469.释北齐宜阳国太妃傅华墓志铭

作　者：济南市博物馆　韩明祥

出　处：《文物》1985 年第 10 期

1977 年，山东历城县西郊公社后周大队在施工时，于距地表 6 米深处发现盝顶式石室墓葬，出土"北齐宜阳国太妃傅华墓志石" 1 方，失志盖；同墓出土"齐故使持节都督齐衮南青诸军事齐州刺史尚书左仆射司空赵公墓志铭"志盖石 1 方，失志铭。简报配图予以介绍，未录志文全文。

据介绍，傅氏志铭个别字损泐不清，大体完好，阴刻八分书。赵公墓志铭盖，阳刻篆书 5 行，行 6 字。墓志铭刊于北齐武平七年（576 年），志文及书法均有一定的历史和艺术价值。

据介绍，傅华生子赵彦深，赵彦深事迹见《北史》《北齐书》中都有记载。傅氏事迹，史载甚简，志文所述可补史志者有三：其一，太妃以魏武定末除清河郡君，当东魏孝静帝元善见在位时，约公元 543 ~ 547 年；天统中进号平原郡长君，当北齐后主高纬初立，公元 566 年；武平初封宜阳国太妃，当北齐后主在位，公元 570 年。其二，诏曰："宜阳国故太妃傅，操履贞洁，识悟明允。女德母仪，声表邦国。积善余福，诞斯公辅。以兹爕理之才，实由义方之训。白驹过隙，逝水不留，奄沦穷壤，实深嗟悼。宜加礼命，用申朝典，可赠女侍中，宜阳国太妃如故，谥曰贞穆。"其三，祖敬，河间内史；父天民，济南太守。

按《北史》《北齐书》赵彦深传："武平四年征为司空，转司徒，丁母忧，寻起为本官。武平七年六月赵彦深暴薨，时年七十。"志文称赵母逝于武平七年（576 年）正月，史书所记则较含混，应以墓志为准。赵彦深母子之死相距仅半年。

"司空赵公墓志铭盖"为赵彦深之父赵奉之墓志。赵奉，字奉伯，《魏书》《北史》无传，志文也可补史书之缺。

简报还探讨了北齐政权与赵彦深的关系。指出北齐宰相能善始善终者，唯赵彦深一人。

470.济南市东八里洼北朝壁画墓

作　者：山东省文物考古研究所　邱玉鼎、佟佩华等

出　处：《文物》1989 年第 4 期

东八里洼位于山东省济南市南郊，北距济南老城区约 4 公里，三面环山，地势较为低平。1986 年 4 月 11 日，济南市城市建设开发公司和山东省机械施工公司在八

里洼开发区 19 号楼进行基础施工时，大压力的夯锤将一古墓墓顶砸塌，暴露出墓室。考古人员抵达现场时，发现大部分墓顶及部分墓壁已塌落到墓室内，大多数随葬器物已被取出，破坏情况比较严重，考古人员随后进行了清理，并收回了随葬器物。简报分为：一、墓葬形制及壁画，二、出土遗物，三、小结，共三个部分并配以照片予以介绍。

据介绍，此墓为石砌单室墓，由墓道、墓门、墓室三部分组成，方向 195°，由于墓顶大部分砸塌，过去被盗与否不清楚，出土的遗物有陶器、铁器、铜器共 98 件（不包括铁棺、铁环）。

简报称，此墓未发现墓志，墓主人身份不详，确切年代不明，但墓中出土永安五铢铜钱，简报认为此墓年代上限不超过北魏孝庄帝永安元年（528 年）。

简报指出，济南市东八里洼北朝壁画墓的随葬器物与其他同时期的北朝墓相类似，而壁画却明显受到南朝绘画的影响，这种现象是南北朝时期我国南北文化交流的反映。

471.济南出土的黑釉鸡头壶

作　　者：于中航

出　　处：《文物》1993 年第 7 期

1975 年，济南市东南郊济南灯炮厂工地出土了 1 件黑釉鸡头壶，伴出的还有两件青瓷盘口壶。出土现场情况不详，从器物的完整性推断，当为随葬品。简报配以照片予以介绍。

据介绍，鸡头壶盘口，矮颈，肩上前部有一对并列的鸡首，后部用泥条塑龙头柄，龙头仅具轮廓，龙口与盘口相连。两侧附有条状系。器表釉色乌亮如漆，施釉不及底。简报推断该壶时代当为东晋晚期或南北朝初期。

简报称，该壶应属德清窑的产品。

472.济南市出土北朝石造像

作　　者：房道国

出　　处：《考古》1994 年第 6 期

1986 年 3 月，济南市在建设舜井商业街工程中，于 11 号楼地基距地表 4 米深处，出土 1 件四面石造像，简报配以照片予以介绍。

据介绍，这件石造像上、下部有榫卯结构，上部有榫头，下部有卯眼，可能为石塔或经幢中的组成部分。其石宽 43 厘米、高 56 厘米、厚 49 厘米，略呈方柱形，西面都凿有佛龛。其中三面佛龛内，雕刻有一佛二菩萨；一面佛龛内雕刻有一佛二弟子；每面佛龛上方左、右角，均雕刻有一蟠龙。四面造像主从有序，阴刻、浮雕、圆雕互相配合，层次分明，衣纹线条流畅，雕刻艺术精湛。所作造像的特征显示出北朝晚期的雕刻艺术风格，与济南地区的几处石窟造像相比较，它晚于济南市南郊建于北魏正光四年（523 年）至东魏兴和二年（540 年）的黄石崖造像，而与长清县五峰山莲花洞建于北齐乾明元年（560 年）的造像大体相似。简报推断其时代当为北朝晚期。

简报称，这件四面石佛造像，由于是从地下出土的，其原来在地面上的方位已不得而知。四面石佛造像，在济南地区尚不多见，它的出土为研究佛教史和雕刻艺术史提供了珍贵的实物资料。

473.山东章丘市发现东魏石造像

作　　者：宁荫棠

出　　处：《考古》1996 年第 3 期

1972 年，山东省章丘市张官砖瓦厂在取土时出土 1 尊石造像。由文化馆收集保存，1984 年 10 月移交市博物馆收藏。简报配以照片予以介绍。

据介绍，石造像为石灰岩质，上尖下方，已断为二，底部稍残。光背为舟形，正面三躯像，背后有铭文，残存 196 字，记有正文、众僧法度及善友姓名。简报录有正文全文，中多缺字。由此可知，此造像为东魏兴和三年（541 年）遗物。

青岛市

474.青岛工人积极保护历史文物

作　　者：青岛市博物馆

出　　处：《文物》1972 年第 5 期

青岛四方机车车辆厂保存着四尊北魏石刻造像和两块石碑："双丈八碑"，龙泉寺志碑。简报配以照片予以介绍。

据介绍，大石像高约 6 米，小石像高约 3 米。石像造型优美，雕刻技法纯熟，雕刻的衣纹细致，神态如生。这些石像原在临淄县龙池村的龙泉寺内。日本侵略者侵入山东后，企图把这批文物劫走。这时，济南发生了"五三"惨案，反日斗争风起云涌，日本人不敢将这批文物劫走。1930 年，当局将这批文物运到青岛，存放在原四方公园，就再也无人过问了，直至 1949 年以后。

淄博市

475.淄博和庄北朝墓葬出土青釉莲花瓷尊

作　者：淄博市博物馆、淄川区文化局
出　处：《文物》1984 年第 12 期

1982 年 6 月，山东省淄博市淄川区龙泉公社和庄大队农民在村东约 150 米处取土时发现 1 座北朝晚期墓葬。这里地势较高，当地习称"乱岗子"。据调查，墓室呈长方形，整个墓室用石块散砌而成，石块加工粗糙。墓室南端有砖砌墓门，呈长方形。门外是斜坡墓道，详情已不可知。墓顶用砖拱券而成，上口盖一石块。墓室内人骨架 1 具基本完好。此墓出土青釉莲花瓷尊 1 件、尊盖 1 件、青釉瓷碗 3 件，已收集。另据调查，此墓内还见银镯 1 对、铁环 2 对、铁棺钉数个。简报配有照片、手绘图，认为所出青瓷碗应为寨里窑出产。

476.临淄北朝崔氏墓

作　者：山东省文物考古研究所　苏玉琼、蒋英炬等
出　处：《考古学报》1984 年第 2 期

崔氏墓地位于今淄博市临淄区（驻地辛店）大武公社窝托村南约 400 米，依黄山北麓，北濒乌河，距胶济铁路 1.5 公里，东北距辛店 6 公里。1973 年冬，辛店电厂在施工过程中，于该厂东南部发现了墓葬。考古人员清理了 14 座墓葬（工地编号 M1～M14）。简报分为"墓葬形制和出土器物""结语"等几个部分，配以照片、拓片、手绘图，介绍了相关发掘情况。

据介绍，14 座墓葬都是朝西北方向的石室墓，都有墓道，因电厂工程施工任务较紧，除 M12 外，其余各墓的墓道均未清理。墓葬皆早期被盗掘和毁坏，墓顶坍塌，葬具、尸骨无存，随葬器物大部分凌乱不堪，混杂于室内淤泥之中。只是由于几方墓志的出土，为我们了解这批墓葬提供了有利的条件。简报称，有 5 座墓出土有墓志，未录志文。但据简报介绍，此处应为北方大族崔氏家族墓地。简报还结合《魏书》《北史》，绘出了清河崔氏世系谱。

崔氏为北朝世家大族，可参阅陈爽先生《世家大族与北朝政治》（中国社会科学出版社1998年版）一书。

简报指出，自北魏在中原建立统治政权后，特别在北魏孝文帝迁都洛阳后，采用汉族的门第制度，制定族姓。在汉族世家地主中，山东以清河崔氏、范阳卢氏等为首。孝文帝严格地根据这一门第的标准来提拔人才。所以，崔光、崔敬友家族不管如何改朝换代，仍然是官居显职，这个家族葬地也就跨越了北魏、东魏和北齐三个朝代。因此这个家族葬地的发掘，对研究当时豪族世家的势力的发展及其葬俗和北朝的历史将有重要的价值。

477.临淄北朝崔氏墓地第二次清理简报

作　　者：淄博市博物馆、临淄区文管所　张光明、李　剑
出　　处：《考古》1985年第3期

崔氏墓地位于淄博市临淄区大武乡窝托村南约400米处的辛店电厂东南部。1973年冬，电厂施工中曾发现过一批墓葬，山东省文物主管部门前往调查并清理了十四座墓葬。1983年4月，淄博市博物馆和临淄区文管所又在该处清理了墓葬五座（工地编号IXDM1～M5，现据前一报告续编为M15～M19），并收集了部分零散随葬器物。简报分为：一、墓葬形制，二、出土遗物，三、结语，共三个部分。有照片、手绘图。

据介绍，5座墓葬，均系单室，以长方形石条筑成。石条略加修整，石间用石灰浆抹缝。墓室平面呈圆形或椭圆形，穹窿顶，有石门和长方形甬道。此次墓葬清理共出土遗物50余件。其中瓷器29件，泥俑15件，泥明钱2枚，铜器7件。墓志1方，志文13行，满行34字，铭文4行，满行34字，余行26字；夫人及子女，主要亲眷铭6行，行21至25字不等，共721字。楷书，镌工精致，为"魏故员外散骑常侍清河崔府君墓志铭并序"。志文除记载了墓主人崔猷的身世、族籍、历官和卒葬年，还书有崔氏家族及夫人家族、子女及配偶家庭的姓氏、官职等，简报未录全文。

据志文，崔猷，字孝孙。东清河东鄃郡人，《魏书》无传。山东清河崔氏，自晋以来是山东地区世家豪族。崔猷是东清河东鄃地一支。又，《北史》列传二十另记有崔猷，为博陵安平人，字宣猷，与M1所葬东鄃崔猷应系同宗同名。从而证明北朝时，有二名崔猷者，可补史缺。

简报称，此次清理的5座墓，除M15出土有崔猷墓志，可肯定其年代外，其余四座据墓葬形制和出土遗物的特征推断，均当属北朝时期墓。简报附有东清河和东武城两大崔氏宗支世系表。

478.山东淄博市发现北魏傅竖眼墓志

作　者：张光明

出　处：《考古》1987 年第 2 期

1982 年 4 月，在淄博市文物普查中发现北魏墓志 1 合。据调查，墓志出土于淄川区二里乡石门村东首的一墓葬内，墓葬原有高约 8 米的封土，今已夷为平地。1970 年此墓曾被社员挖开过，墓志即出土于该墓。从志文知此墓即北魏清河郡傅竖眼之墓。今墓葬的形制及墓志在墓内所放位置已不详。同年将墓志运至馆内，墓志现藏山东省淄博市博物馆。简报配以照片等予以介绍。

据介绍，墓志青石质，三面磨光，计 1355 字，魏碑体，书写工整。

傅竖眼（460 ～ 527 年），《魏书》《北史》均有传。祖籍清河贝丘人，自祖父傅融始迁居般阳（今淄川区淄城镇），为北朝时期齐州东清河郡三大名门望族之一。傅竖眼在北魏平乱益州和对南朝梁在西南和东南等州地的战役及抚按治蜀中屡建战功，政绩卓著，受到北魏宣武帝的倚重和朝廷嘉奖。曾任兖州、益州、岐州、梁州刺史，都督梁、巴二部四州诸军事，西道大寻台抚散骑常侍，西征都督，平西将军，冠军将军，太中大夫，吏部尚书等北魏地方及朝廷军政要职。北魏孝昌三年（527 年）四月卒于任所，时年 67 岁，永熙三年（534 年）迁葬于般阳崄山之左。卒后追赠为征东将军、齐州刺史。简报未录志文全文。志文可补整套史书之处甚多。

简报结合志文和史书，整理有"傅氏族系表"。

枣庄市

479.山东峄县发现平东将军金印

作　者：李既陶

出　处：《文物》1959 年第 3 期

1958 年夏季，山东峄县挖河工人在峄县陶庄南五里小武穴村掘得金印 1 方，为"平东将军章"，印属纯金质，边宽 24 厘米，龟纽，雕镂极精。按四平将军的设置，始于魏黄初以迄南北朝。这方印的发现，对于历史研究有重要的参考价值，尤其为研究山东的地方历史提供了很好的资料。简报配有照片。

现在此印已由滕县县委送到山东省文化局，拨交省博物馆保存。

480.山东滕县出土两批铜印

作　者：滕县博物馆　万树瀛
出　处：《考古》1981 年第 6 期

1979 年春天，滕县城东的桑村公社小马庄大队村民，在盘筑砖窑时发现铜印 2 方，经调查得知，印章出自 1 座墓葬中，该墓（编号 ST79MO1）距地表约 30 厘米，是在先挖成的土圹竖穴底部以砖砌叠的，由墓道、前室、甬道和后室四部分组成。葬具已朽，前、后室各有人骨一具。后室出土铜印 2 方：1 为"永贵亭侯"鎏金铜印，1 为"奉车都尉"印。此外，尚有铁剑、陶罐、料珠、带钩等几件遗物。"永贵亭侯"印罕见。简报推断为东汉末或孙吴时期印。

1979 年 6 月，滕县城南 6.5 公里焦化厂筑路时，发现古墓 1 座（ST79MO2），为长方形竖穴砖墓。葬具、尸骨无存，出土"奉车都尉"印、"关内侯"印、"遂昌令印"及铜镜、陶罐等。简报称，仅据遂昌地名，足证其为吴而非晋，两晋县令印只有传世品，无出土物。此外，动物纹饰铜镜尚属初见。

481.枣庄市近年发现的一批古代石人

作　者：枣庄市文物管理站　李锦山
出　处：《文物》1983 年第 5 期

近年，山东省枣庄市文物管理站在市南部地区陆续发现了一批古代石刻。简报配以照片予以介绍。

据介绍，在台儿庄区涧头公社桥上村中路边及一村民猪圈墙中各发现石人 1 个，台儿庄区泥沟公社藤楼村发现石人 2 个，峄城区吴村公社小李楼村发现石人 1 个、峄城区棠阳公社张古堆村发现石人 2 个。这 7 个石人，简报推断为不会晚于东汉的魏晋遗物。

482.山东枣庄市出土石印母及铜官印

作　者：枣庄市文物管理站　李锦山
出　处：《文物》1985 年第 5 期

近年，枣庄市文物管理站在考古调查中收集到一批古代官印。简报配以照片介绍了其中的 2 方。

简报介绍，武原令印，1979 年夏出土于枣庄市台儿庄区涧头公社。石质，黑色。

白文篆体，双面皆刻"武原令印"四字。武原，始建于高祖时，隶属分封国楚。据史料记载，简报推断此印母为汉武帝太初元年（前104年）以前之物。

虎牙将军之印，1979年出土于峄城区城关公社徐楼村后菜园中。铜质，兽纽。白文篆体，凿制而成。印文"牙"字倒置于"虎"字之上。此印出土时装在一件青釉四系罐中。虎牙将军一职初设于西汉。据《汉书·宣帝本纪》记载和盛放青釉罐的器物，简报推断此印定为东魏遗物，是可信的。

483.枣庄市出土梵文铜镜和北朝铜佛像

作　者：枣庄市文物管理站　李锦山

出　处：《考古》1986年第6期

简报配以照片，介绍了枣庄市出土的梵文铜镜及北朝铜佛像。

据介绍，2件梵文铜镜，1件出土于枣庄市峄城区曹庄乡，是1980年冬季文物普查时由该乡文化站收集；另1件是1985年夏，由台儿庄区侯孟乡文化站收集，据云出土于该乡东南的官庄。梵文无法释读，推测与佛教梵呗类有关。年代不详。铜佛像是1978年台儿庄区侯孟乡后于村村民挖路沟时发现的，共20余件，无伴出遗物。多已散失，仅征集到8件，其中有"武平五年""仁寿元年"等5件有纪年的。简报称，从这几件有题刻的铜佛像观察，文字均是在铸好像后刻上去的，率意刻划，不成文理，文字笔划往往妄自增损。简报认为是隋朝末年将这批铜佛像匆匆埋于地下。

484.山东滕州市西晋元康九年墓

作　者：滕州市文化局、滕州市博物馆　李鲁滕、魏慎王、张东峰、孙开玉、
　　　　李朝英

出　处：《考古》1999年第12期

元康九年墓位于滕州市张汪镇夏楼村东北的滕州市第九中学校园内。北距滕州市区约20公里，西邻104国道，该墓原有较为高大的封土，20世纪60年代夏楼村在此建砖瓦窑，封土遂被取平，并使墓葬顶部暴露于今地表之上。20世纪70年代山东省及当地文物部门曾对该墓做过调查，并对墓中的画像石做了拓片。1975年，该墓被原滕县革命委员会公布为县级重点文物保护单位。1996年8月，第九中学修建体育场，经报请市政府批准、省文物主管部门同意，由滕州市文化局组织对该墓进行了抢救性清理发掘。简报分为：一、墓葬结构，二、随葬器物与画像石，三、结语，共三个部分。有手绘图、拓片。

据介绍，元康九年（299年）墓是1座墓室面积近20平方米、结构复杂、有较多随葬品的中型墓葬，墓葬中出土了6件陶俑，在其中2件陶俑身上，均刻有"元康九年"铭记，墓主生前应有一定的地位和级别，简报推断元康九年墓应该是西晋墓，墓中的画像石亦是当时制作的。

简报称，元康九年（299年）墓的发掘，对于魏晋时期的墓葬研究，以及对于山东地区画像石的分期、断代研究，都有着重要的意义。

485.山东滕州市三国时期的画像石墓

作　者：滕州市博物馆　潘卫东、王元平、陈庆峰
出　处：《考古》2002年第10期

1980年12月，滕州市政公司在市造纸厂施工时发现古墓葬1座（M1），滕州市博物馆闻讯后即派考古人员前往调查并作了抢救性发掘。该墓位于市区西南部，东临津浦铁路，西靠104国道，南依荆河。简报分为：（一）墓葬形制与随葬器物；（二）画像石；（三）墓葬年代及画像石分期。共三个部分予以介绍，有手绘图、照片、拓片。

据介绍，从墓室结构、墓内画像石放置、随葬器物等看，简报推断：该墓距东汉相去不会太远，时代应在三国魏或西晋；鲁南地区的画像石墓出现于西汉，盛行于东汉中期，东汉晚期逐渐衰落，最晚的时间也不过在三国时期（李发林：《略谈汉画像石的雕刻技法及其分期》，《考古》1965年第4期）。此墓出土的汉画像石，不论从画面内容还是雕刻技法分析，都具有东汉晚期的特点。

东营市

烟台市

486.山东牟平发现十六国时期文物

作　者：林仙庭、宋协礼
出　处：《考古》1994年第2期

1984年春，牟平县昆仑山林场在昆仑山石门里施工中于旧河道西侧的河滩地中，

发现铜器、铁器、陶器等 30 余件文物。其中 3 个铁釜摞在一起，最上的 1 釜口上扣 1 粗砂陶器盖。另有 1 件铁釜内装刀、矛、斧、削、锯、镜等小型铁器，釜口扣 1 陶瓮。其他器物均系零散放置。该地泥土全经筛滤，未发现遗骨。这些器物出土时，陶器全被民工打碎丢弃，其他大部分铜、铁器物等皆在调查时取回，分藏烟台市博物馆和牟平县文物管理所。简报配以照片予以介绍。

据介绍，计有铜器 6 件，其中铜铃 1 件，有铭文"□未骨""宜□□"。铁器 26 件，石器 1 件等。这批器物的时代，简报推断为东晋十六国时期。

简报称，昆仑山是胶东半岛最大的山脉，石门里在昆仑山主峰之北，地势绝险，周近 6 公里内至今尚无村落，古代也不会是正常情况下的居留地点。这里出土的文物中，既有日常生活用器，也有兵器，而且锯、凿、钻等木、石加工工具也占有较大比重，为开发荒僻地区所必需。这种情形可能与当时的某些特殊历史事件有关。史载东晋时，东莱人曹嶷据青州，石勒派兵四万讨曹嶷。曹氏退守"根余山"，根余山即昆仑山。东晋十六国时期，北方少数民族政权连年征伐，杀戮甚烈，许多地方守吏纷纷建立多种防御设施（如坞壁、垒壁），以自卫求存。曹嶷欲凭昆仑山之险以作退避固守之所，必亦有所经营，这批文物或可与此有关。

487.山东龙口市东梧桐晋墓发掘简报

作　者：烟台市博物馆、龙口市博物馆　赵　娟、侯建业、徐明江、许盟刚、
　　　　闫　勇、蒋惠民、马志敏等
出　处：《考古》2013 年第 4 期

2007 年 10～11 月，为配合龙烟铁路工程建设，山东省烟台市博物馆、龙口市博物馆组成联合考古队对龙口市芒头镇东梧桐村北工程所在地进行考古勘探，发现多座两晋和清代墓葬，并进行了抢救性发掘。其中共发掘 2 座西晋墓、2 座东晋墓，其余为清代墓葬。

简报分为：一、两晋墓，二、东晋墓，三、结语，共三个部分。简报介绍了此次发掘的晋墓，有彩照和手绘图。

简报认为，根据出土铭文墓砖，M6、M7 为两晋墓，M1、M2 为东晋墓，此墓地有可能是家族墓地。此次发掘，对于研究胶东地区晋墓，具有重要参考价值。

潍坊市

488.北魏正光六年张宝珠等造像

作　者：山东省博物馆
出　处：《文物》1961 年第 11 期

这 1 件石造像是一佛二菩萨三尊立像式，高 2.2 米、宽 1.38 米。1920 年前后在山东益都西王孔庄古庙中发现，抗战时期古玩商人企图盗卖，经当地人士抢救而保存下来。后 1953 年运至济南，现陈列在山东省博物馆内。简报配以照片、拓片予以介绍。

简报录有北魏正光六年（525 年）造像铭记全文，还有供养人像及题记，可惜已无法辨读。

489.益都北齐石室墓线刻画像

作　者：山东省益都县博物馆　夏名采
出　处：《文物》1985 年第 10 期

1971 年春，山东省益都县城南 3 公里的五里公社傅家大队，在村东南兴修水利工程时发现 1 座石室墓。待益都县博物馆闻讯赶往现场时，大部分石板已被砌压于水库大坝底基的涵洞内。博物馆征集收藏了仅剩的 10 件石板，其中 8 件有线刻画像（包括 3 件残件）。据施工现场的人介绍：墓向南，墓室呈长方形，墓室和甬道均用上、下两列石板砌成。此墓早年被盗，墓内除 1 方墓志外，未见其他文物。因墓志被压于大坝底基，墓主人姓氏已无法查考，仅知卒葬于北齐"武平四年"（573 年）。

简报介绍，所刻图像为墓主人生前活动的部分内容，计有：商旅驼运图 1 件、商谈图 1 件、车御图 1 件、出行图 2 件、饮食图 1 件、主仆交谈图 1 件、象戏图 1 件。每件石刻在墓室内的原有位置不详。简报认为墓主人生前可能是一位从事东西方贸易的商人。他的仆人中有西域乃至中亚的人。

490.山东省诸城县西晋墓清理简报

作　者：诸城县博物馆　韩　岗
出　处：《考古》1985 年第 12 期

1983 年 12 月及次年 1 月，诸城县西公村群众在平地时发现古墓 2 座。考古人员前往清理。

简报分为：一、墓葬结构，二、出土遗物，三、结语，共三个部分。有手绘图、照片。

据介绍，古墓位于西公村南约 30 米，东北距百尺河 2 华里，南距牛台山 3 华里。

两墓东西排列，相距 13.5 米，M2 的北壁比 M1 向北偏出 2 米，两墓顶部距今地表 0.2～0.3 米，均被揭开，随葬品亦被取出或扰乱。

M1 由墓道、墓门、甬道、前室、过道、后室组成。出土遗物 27 件，以陶器为主，其次为铜器、铁器、银器等，瓷器只有 1 件。M2 单室，由墓道、墓门、甬道、墓室组成。M2 出土遗物 7 件。两座墓中，M2 出土"太康六年作"铭文纪年砖，从而确定了该墓的绝对年代。太康是西晋武帝司马炎的年号，太康六年即公元 285 年，属西晋中早期。M1 无纪年物，但它的深度、墓向、墓道形制与 M2 相同，陶器的陶质、器形、组合亦基本相同，故两墓年代相近。M1 的随葬品及墓砖的纹饰中，留有较多的汉、魏遗风，其时间应略早于 M2。M1 随葬的陶奁内刻划的"田"字，应是墓主的姓氏，墓中随葬剪刀、发钗、顶针、手镯等物，死者可能是一女性。

2 墓距离较近，排列整齐。据当地百姓反映，以前在附近曾多次发现古墓，在群众的宅墙上发现的墓砖，其形制纹饰与 M1 相同，由此推知以前发现的古墓亦属西晋。

简报指出，根据晋时盛行聚族而葬的习俗分析，此处可能是田氏家族的墓地，原地形较高，是因墓群封土所致。

491.山东诸城出土北朝铜造像

作　者：诸城县博物馆　韩　岗
出　处：《文物》1986 年第 11 期

1978 年 5 月，山东省诸城县林家村镇青云村农民在村内取土时，于距地表深 1 米处发现 1 只陶罐，内藏铜造像 6 件、铜狮 1 件。简报配以拓片和照片予以说明。

据介绍，这批造像中，除有纪年的两件北魏造像外，第 3、4 件造像的圆形背光与山东博兴出土的北朝青石单身菩萨像的头光相近，服饰分别与河北临河 2 号佛和洛阳孟津翟泉北魏菩萨造像相近。第 5 件造像的主像肩部饰圆凸状物，帔帛下垂交叉于一环内，表现为北朝特征。故可将这 4 件定为北朝后期造像。

据清乾隆朝修《诸城县志》记载，青云村原有一青云寺，建制年代失考。这批窖藏铜造像或与此寺有关。

492.山东诸城发现北朝造像

作　者：诸城市博物馆　任日新
出　处：《考古》1990 年第 8 期

1988 年春，在山东诸城市城南郊小山丘上修建体育场时，发现了大批残断石造像。造像大部的佛、菩萨头像，残断体躯以及莲花座等，总计 200 余件（块）。其中佛、菩萨头像 40 余件，残断体躯 90 余件，残足圆座等 60 余件，另有断肢、残躯碎块等。在整个造像中有铭记的 20 件。简报分为：一、有铭记造像 20 件，二、残断半身造像，三、佛、菩萨头像，四、佛、菩萨体躯。共四个部分予以介绍，有拓片。

据介绍，诸城佛教的发展，在东汉时已经开始（市博物馆存有汉代石佛像一躯），至北魏、北齐已广为流行，寺院繁多，该市曾在青云寺发现埋藏铜造像；在故城址（今古城子村）中也多次发现残破石造像，时代风格几乎完全一致。特别最近诸城南门外，所出土的这批数量众多、内容丰富、雕技精湛的石造像，就充分反映了当时诸城佛教昌盛的景象。周武帝宇文邕在未灭北齐前，早已多次酝酿灭佛，并于建德三年（574年）正式下诏灭佛教，周灭齐后，在齐地推行灭佛政策了。诸城南郊及古城子村所发现的残破石造像，简报分析应当是这次灭佛时毁掉的。

493.山东寿光北魏贾思伯墓

作　者：寿光县博物馆　贾效孔、黄爱华等
出　处：《文物》1992 年第 8 期

北魏贾思伯墓，位于山东省寿光县城关镇李二村，墓与村相距 0.5 公里。历代编纂的《寿光县志》对此墓均有记载："北魏尚书贾思伯及其弟思同墓，在县城西南八里李二村东北。……今双冢犹并列。"二墓东西排列，思同在东，思伯在西。1973 年 12 月，李二村村民整平地面时将贾思伯墓挖毁。考古人员赶到现场时，墓圹已填平，出土遗物被运至村中，有陶瓷器等物，大多残破不堪，仅将可复原的 16 件器物及 2 块墓志取回，现藏于县博物馆。随后考古人员对墓葬形制及遗物放置位置等作了调查。简报分为：一、墓葬形制，二、随葬器物，三、结语，共三个部分。有照片、拓片、手绘图。

据介绍，墓为砖室结构，平面方形圆角，边长约 4.5 米，穹隆顶。墓室四壁及顶部均涂白灰，上施彩绘。该墓早年被盗，由于长期水土浸蚀，壁画已全部脱落，只有零星残迹可辨。墓底用长方形单砖平铺人字纹。棺床位于墓室西北角。墓室内积满黄色淤泥，葬具、人骨架无存，但棺床上有零星漆皮和黑炭粉末，可能原有棺木。贾思伯及夫人刘氏 2 合墓志置于墓室东南角，东西并列，贾思伯墓志于东，其夫人墓志在西。墓因被盗，随葬器物位置已被扰动，所出陶瓷器多集中于墓志北侧，但棺床上及其南侧亦有器物碎片。

出土的 2 合墓志，简报均未录全文。简报称，贾思伯墓志 1 合，志盖无字，出土后遗失。志文计 1114 字。记载贾思伯历任北魏显官。孝昌元年（525 年）死于洛阳怀仁里，当年下葬于青州，享年 58 岁。贾思伯，《魏书》《北史》均有传，而墓志所记与史书记载基本相同。贾思伯任兖州刺史时，颇有政绩，去职离任时，当地百姓为其立德政碑，名曰《贾使君碑》。此碑原存兖州府学戟门下，现移至曲阜孔庙内，而贾思伯墓志的出土，正好可以与《贾使君碑》相互印证。

夫人刘氏墓志 1 合，志文 28 行，行 28 字。夫人叫刘静怜，长广（今山东平度）人，东魏兴和三年（541 年）死于青州齐郡益都县益城里，享年 58 岁。东魏武定二年（544 年）与贾思伯合葬。

简报指出，贾思伯墓志刻于北魏孝明帝孝昌元年（525 年），夫人刘氏墓志刻于东魏孝静帝武定二年（544 年），两者相隔 19 年，但书体却不相同。前者温雅多姿，后者谨严凝敛，均为魏碑中的上品。山东地区的北魏墓葬，正式发掘的甚少，此墓出土两合墓志，故有确切年代可考，十分可贵。

494. 山东诸城佛教石造像

作　者：潍坊市博物馆、诸城市博物馆　杜在忠、韩　岗等
出　处：《考古学报》1994 年第 2 期

1988 年春，山东省诸城市兴修体育中心时，出土一批佛教石造像，部分资料曾作简要报导（见《考古》1986 年第 9 期），此后随着建设工程的进展，又有许多新发现。1990 年不仅又出土一批造像，还伴出瓦当、滴水等建筑构件。迄今共发现造像残体 300 多件，建筑遗物 50 余件，其中较完好的躯体、头像 100 余件。简报分为：一、出土经过，二、造像类型分析，三、建筑遗物，四、年代与分期，五、遗址性质和地域特征，共五个部分，介绍相关全部资料，有照片、拓片、手绘图。

据介绍，诸城居山东半岛中南部，位于泰沂山区和胶莱平原交界处，现属潍坊市辖区。造像出土于诸城市区正在建设的体育中心，位于城区南郊的高土埠上。石造像中多数为建筑施工中发现，并被百姓取出，据调查现场目睹者称，集中出土的现象较多。据现场局部清理和在场百姓目睹情况反映，这些造像的出土有以下现象值得注意：

1. 造像皆遭人工破损，无一完整。

2. 各类造像皆出土于人为挖掘的土坑中，躯体、头、足各部分多分坑掩埋。

3. 形体大小不一，大者和小者也分坑埋藏，同一坑内出土的残体，无一可对接复原者。

4. 多数头像的鼻子已残损。

5. 石莲座发现较少。

简报将这批石造像的年代分为五组：

第一期，即第一组，北魏晚期，孝明帝正光以后至节闵帝普泰前后，迟至北魏末年，即公元 520 年至公元 533 年前后。

第二期，即第二组，东魏初期至东魏末期，即公元 534 年至公元 550 年。

第三期，即第三组，自北齐文宣帝天保年间始，主要为北齐前期，约始自公元 550 年。

第四期，包括第四、五两组，北齐后期到北周初年，约在公元 572 年前后。

简报指出，诸城体育中心一带出土的佛教石造像，有两个现象值得重视：一是集中出土，数量多，残损较甚，从头残、臂残及面部鼻子多被砸缺的现象分析，应是有目的的人为破坏所致；第二是有规律的坑埋处理，有头和躯体的分别掩埋，有区别个体大小不同的掩埋，从而可认为这是历史上灭法毁佛所造成的。同时还伴出了一批瓦当、滴水等建筑遗物，可确定诸城体育中心一带在汉代遗址之上原有一处北朝时期的寺院遗址。它兴建于北魏晚期，中经东魏、北齐，可能毁于北周初年。现在发现的造像残躯，数量达 300 多件，但能复原者不多，足见仅为寺院被毁后遗物的一小部分。从现有资料分析，也可看出北齐时代造像最多，雕刻也最精，故北齐当是此寺院发展的鼎盛时期。由于这一宏大寺院不见于文献记载，故此批资料的发现不仅补充了文献之不足，更为研究南北朝时期的佛教历史和佛教艺术提供了丰富的物质文化资料。

495. 山东青州发现北魏彩绘造像

作　　者：青州市博物馆　庄明军等

出　　处：《文物》1996 年第 5 期

1994 年 12 月，青州市酒厂工地出土北魏彩绘造像 1 件。简报配以照片予以介绍。

据介绍，该造像青石质，高 134 厘米、宽 90 厘米。光背舟形，周饰火焰纹，顶尖部稍敛曲内翘，两侧及底平直，下有圆榫。造像为一佛二菩萨三尊像。主佛高 83.5 厘米。该造像的最大特征和珍贵之处在于原妆彩保存完好，这是很难能可贵的。中国古代石造像或石窟造像，原来一般是敷彩的，但多因年月久远而未能保存，此造像主佛面、颈、胸、手、足等裸露处皆贴金，两胁侍双子腕际佩物和所持物贴金。佛像的袈裟等衣服纹饰，皆以绘饰朱砂为主色，颜色鲜艳亮丽。头、项的光环分别饰以红、黄、蓝、赭、紫五色，再衬以背光上红色火焰纹中的七个色彩各异的飞天，更显得光彩照人。此造像碑刻工采用平直刀法，刀工准确而简沽。造像出土于地下深约1米处，同时周围还有零星的残造像出土，这些残像也皆涂朱贴金。从遗物出土的范围来看，当地原似为一建筑规模较大的寺院遗址。而地理位置显示，或即是《魏书·崔光传》中所记的青州七级寺遗址。

496.山东青州出土两件北朝彩绘石造像

作　　者：青州市博物馆　夏名采、刘华国、杨华胜
出　　处：《文物》1997年第2期

近年来，山东省青州市陆续出土了一批佛教石造像，其中1件已发表于《文物》1996年第5期。另外的2件北朝彩绘造像也十分精美，均收藏于青州市博物馆。简报配以照片予以介绍。

据介绍，1件为东魏彩绘菩萨像。1987年11月17日，出土于青州市驼山路南，出土地点西100米为青州市博物馆。菩萨像用石灰石雕刻，基座已佚，为单体圆雕造像。菩萨像雕造与彩绘工艺极为精良，且彩绘保留完好。其造像的时间，简报推断应为东魏。据嘉靖《青州府志》记载，造像出土地点为北朝的南阳寺，该寺唐朝更名为龙兴寺。另1件为北齐彩绘释迦造像。1987年11月17日，与东魏彩绘菩萨像同时出土于青州市驼山路南。释迦造像用石灰石雕刻，基座已佚，为单体圆雕造像。释迦造像雕刻技法与彩绘工艺极为精良，彩绘完整保留。简报推断为北齐作品，亦属北朝青州南阳寺（即唐龙兴寺）的遗物。

简报称，以上2件北朝彩绘石造像，是我国北朝佛教石刻艺术的精品。

497.青州龙兴寺佛教造像窖藏清理简报

作　　者：山东省青州市博物馆　王华庆、夏名采
出　　处：《文物》1998年第2期

1996年10月7日至15日，山东省青州市博物馆在与本馆南侧相邻的一建筑工地，抢救清理了当地历史上著名的佛教寺院——龙兴寺遗址所属的一处大型佛教造像窖藏。出土各类造像200余尊。这一发现，是佛教考古史上所罕见的，已被评为1996年全国十大重要考古新发现之一。目前，这批造像正在整理之中。简报分为：一、窖藏的形制，二、出土文物，三、结语，共三个部分。有彩照。

据介绍，龙兴寺佛教造像窖藏位于龙兴寺遗址北部，即龙兴寺建筑遗址中轴线北部大殿后约7米处。因机械施工，窖藏上部地层已被铲平，从保留的局部地层观察，窖藏上部有三层土层。此次清理出土佛教造像种类有7种。龙兴寺窖藏佛教造像埋

藏的年代，简报推断最早埋于北宋末年或金朝早期。

简报称，龙兴寺始建于何时，文献上无准确的记载，从这次出土的造像分析，龙兴寺始建于北魏永安二年（529 年）以前，与青州治地第 4 座城——南阳城初建时间相同。南阳城自创建至今，一直是青州的政治中心。

498.山东诸城市丁家花园发现北周石莲座

作　者：诸城市博物馆　韩　岗、扈世良、王　玮
出　处：《考古》1998 年第 7 期

1994 年 5 月 19 日，山东省诸城市城关镇丁家花园村百姓在院内取土时，于距地表深 1 米处发现 1 件佛教石造像莲座。简报配以照片、拓片予以介绍。

莲座用石灰岩雕成，高 16.4 厘米。基座的三个侧面刻有内容相连的铭文，简报录有铭文全文。建德是北周武帝宇文邕的年号，建德六年即公元 577 年。据史书记载和清乾隆《诸城县志·总纪》载，此莲座造于周灭齐即诸城归周的同一年，据此可知，这时北周的禁佛之令还没有来得及推及齐地全境，诸城一带仍有佛事活动。

简报称，它的发现，为研究北朝时期佛教活动及石造像分期断代提供了重要依据。

499.山东昌邑保垓寺故址出土石造像

作　者：昌邑市博物馆　王君卫
出　处：《文物》1999 年第 6 期

1996 年 12 月，昌邑市塔尔堡镇高阳村保垓寺故址发现 1 口古井，并于井内清理出一批佛教残石造像。

古井位于塔尔堡镇高阳村西南 0.5 公里的高埠上，这里到处是陶片、瓦当、砖砾、碎瓷片，据县志记载为保垓寺故址。经过一个月的清理，探明井深约 25 米、井口直径 2.4 米。从井口以下 4 米处为青砖砌成，向下为锤凿岩石而成，锤凿痕迹清晰可见。井内清理出一批残石造像，多为本地产青石灰石质。简报配以拓片、照片予以介绍。

据介绍，清理出土残石造像 32 件，有文字的 20 件，其中有确切纪年的 3 件；残头像 8 件，护法兽 2 件，莲花座 15 件，残飞天 4 件，残手、足 22 件。还有模印素烧陶菩萨像 1 件。

简报指出，保垓寺故址古井清理出的这批残石造像，虽然残损严重，但仍有重

要价值。近年来，山东中部以青州为中心的广大地域中，曾成批或零星出土北朝晚期石刻佛教造像，风格独特，雕刻精美，引起世人关注。这批残像表现出同一种风格和特征，为研究这一地区同类造像提供了新资料。

简报称，昌邑在南北朝这一历史时期，一直未见有关实物和文字资料，此次保埃寺故址出土的残造像上有确切纪年，如北齐天保六年（555 年）造像等，为我们提供了准确的时代依据，对研究佛教在山东半岛的传播及昌邑地区的历史、佛教史都有着重要的作用。

500.山东临朐北齐崔芬壁画墓

作　　者：山东省文物考古研究所、临朐县博物馆　吴文祺、宫德杰
出　　处：《文物》2002 年第 4 期

崔芬，字伯茂。清河东武城（今山东省武城县）人。北魏时，曾任郡功曹、州主簿。东魏武定五年（547 年）官本州别驾。武定八年（550 年）授威烈将军、南讨大行台都军长史。北齐天保元年（550 年）十月十九日卒，终年 48 岁。于天保二年（551 年）十月九日"窆于冶泉之阴，浮山之阳"，即今山东省临朐县城南 11.5 公里的冶源镇海浮山南坡。崔芬墓于 1986 年 4 月 2 日在临朐县丝织厂建筑施工中发现。同年 4 月 16 日至 5 月 16 日进行抢救性清理。简报分为几个部分予以介绍，有照片。

据介绍，崔芬墓清理前，残存封土已在建筑施工中挖去，墓室顶部暴露。该墓平面呈"甲"字形，由墓道、甬道和墓室组成。

简报称，此墓墓内出土随葬器物不多，但甬道及墓室内壁满绘壁画，且保存较好。壁画内容包括武士、四神、墓主人夫妇出行以及屏风式构图的"竹林七贤"题材图像。崔芬墓壁画显示了与南朝绘画艺术关系密切的特征，其中墓主人夫妇出行图与传世顾恺之《洛神赋图》中王者出游行列构图相似；"竹林七贤"题材、构图亦与南朝大墓出土的拼镶砖画类同，而同样的绘画题材和表现手法，在同时期的中原东魏、北齐墓中未见。因此，它很可能是以东晋、南朝的同类绘画为粉本的。

501.山东临朐西晋、刘宋纪年墓

作　　者：临朐县博物馆　宫德杰、李福昌
出　　处：《文物》2002 年第 9 期

1997 年，临朐县营子镇大周家庄村、柳山镇魏家庄村分别发现了西晋咸宁三年（277 年）和刘宋元嘉十七年（440 年）砖室墓各 1 座，出土了一批器物及画像砖。

简报分为：一、大周家庄咸宁三年（277 年）墓，二、魏家庄元嘉十七年（440 年）墓，共两个部分。有彩照、拓片、手绘图。

据介绍，1997 年 3 月，临朐县营子镇大周家庄村一村民建房时发现古墓 1 座。墓葬前、后室的顶部已均被挖开，文物散失。考古人员对残墓进行了抢救性清理，追回了大部分流失的文物。墓葬位于大周家庄村中心略偏东的位置，该处地势较高。20 世纪六七十年代建房修路时曾发现古墓多座，墓葬形制与该墓基本相同，可以肯定该处为一古墓群。据铭文砖，可以肯定该墓为咸宁三年（277 年）墓。简报称，此墓虽为残墓，但有确切纪年，对研究器物组合等仍有价值。

1997 年 6 月，临朐县博物馆的考古人员到省级文物保护单位——柳山镇魏家庄新石器时代遗址查看保护情况，在遗址的东部发现了魏家庄墓葬并予以发掘，据铭文砖为元嘉十七年（440 年）墓。主要收获是画像砖 28 块，内容为"竹林七贤"故事、车马出行等。

简报指出，临朐位于青州南部，两晋南北朝时为青州所辖。十六国后期，南燕在青州建立政权，东晋义熙六年（410 年）青州归属东晋，南朝属刘宋。至北魏皇兴三年（469 年），青州又从南朝转入北朝版图之中。当地前后达半个多世纪为东晋南朝所统治。以往在南方发现较多的画像砖墓在此地出现，可看出文化上的影响。

502.山东临朐北朝画像石墓

作　者：临朐县博物馆　宫德杰

出　处：《文物》2002 年第 9 期

下五井东村位于临朐县西南 12 公里的五井镇，在村东约 1 公里处有一台地，高出周围地面 1 ~ 2 米。据当地人讲，20 世纪六七十年代，在台地上曾挖出多座石构墓葬，其中不少墓内有画像石。此地应为 1 处古墓群。2000 年 6 月，该村一村民在台地中部偏北的时令河边发现 1 座古墓。考古人员前去清理时，墓葬已遭严重破坏，墓顶被打开，墓室内已无随葬品。据最初进入墓室的人回忆，墓内原有铜镜 1 件、黄釉和绿釉陶器数件，均被文物商贩收走。墓室内仅存残缺的人骨架 1 具、狗骨架 1 具，还有朽烂的棺木。因人骨已被扰乱，所以头向不明。据村民回忆，人头骨位于墓室内北侧，狗骨架在人骨架的右侧。墓内画像石和 2 扇石门保存尚好。简报分为：一、墓葬形制，二、画像石，三、结语，共三个部分。有拓片、手绘图。

据介绍，该墓的建筑材料是当地所产的坚硬的青石（石灰岩）。先将石块凿成巨型石条、石板，再加工成所需石料。出土画像石 6 幅。

该墓年代，简报推断为北朝晚期前后。

503.临朐县博物馆收藏的一批北朝造像

作　者：临朐县博物馆　宫德杰
出　处：《文物》2002 年第 9 期

1995 年元旦，山东省临朐县文物局配合公安局南关派出所和县公安局刑警大队，从澳门文物犯罪分子手中追缴佛教造像等文物数十件。经查，这些文物出自临朐、青州等地的文物商贩手中，其出土地点亦在本县及邻县。这批文物包括圆雕佛像、菩萨像及残块共 22 件，现藏临朐县博物馆。简报配以照片予以介绍。

据介绍，这批造像包括圆雕佛像和菩萨像等。其中 1 件"卢舍那佛法界人中像"，通体贴金彩绘，袈裟正背面共画框格 31 个，每格内彩绘与佛教有关的故事场面，画面保存较好，是研究此类题材造像的重要实物资料。

这批造像的时代，以北齐至隋为主，7 件佛像应为北齐作品，3 件菩萨像为北齐至隋作品。

504.山东青州出土北朝石刻造像

作　者：青州博物馆　庄明军、杨华胜、王谨霞等
出　处：《文物》2005 年第 4 期

2002 年 1 月，青州市文物管理所接到举报，在青州市市府西侧的施工现场发现石刻佛教造像残件。考古人员赶赴现场采取保护措施，同时组织人员进行抢救性清理。共清理发掘出北魏时期的 3 身背屏式造像一躯（残）及残佛像数件。经过调查，确认这里是 1 处废弃的古代寺院遗址。简报暂且将此处命名为青州昭明寺。认为出土的这批北朝石刻造像可贵之处是，其中 1 尊北魏三身造像上有许多题铭，很有研究价值。简报未引题铭全文。另外，简报认为这座暂且命名为昭明寺的寺院，应毁于唐武宗灭佛时。

505.山东临朐白龙寺遗址发掘简报

作　者：山东省文物考古研究所、苏黎世大学东亚美术系、伦敦大学考古学院、
　　　　山东临朐山旺古生物化石博物馆　李振光、倪克鲁、佟佩华、吴双成、
　　　　宫德杰等
出　处：《文物》2014 年第 1 期

这是一次中外合作进行的考古发掘。白龙寺（原名小时家庄）遗址位于临朐县

石家河乡小时家庄村西北的山前台地上，前有东西向山间小河向东注入弥河。遗址地处东西向深山沟内，北为太平岗，南有大崮山。2003～2004年，山东省文物考古研究所、苏黎世大学东亚美术系、伦敦大学学院考古学院及山东临朐山旺古生物化石博物馆联合对遗址进行了发掘，共清理佛寺建筑基址、房址、灶坑各1座及陶窑2座，出土大量陶片、瓷片、造像残件、建筑构件等。发掘简报计分五个部分：一、发掘经过，二、文化堆积，三、遗迹，四、出土器物，五、结语。有黑白照片及手绘图多幅。

在第一部分"发掘经过"和第二部分"文化堆积"中，简报介绍说，发掘工作分两次进行：2003年试掘长探沟3条、探方4个；2004年发掘10米×10米探方12个，另开部分探沟对周围遗迹现象进行确定，发掘面积1300余平方米。发掘过程中，文化堆积根据发现时间的早晚采用统一编号，墓葬、灰坑、灰沟、窖穴等单位的编号采用堆积与边框分别编号，多层堆积给以多个编号。

在第三部分"遗迹"下，简报详细介绍了佛寺建筑基址、房址、灶坑、陶窑、灰坑等遗迹，有手绘示意图及照片。

在第四部分"出土器物"下，简报对本次发掘出土的陶器、瓷器、造像残件及建筑构件等进行了详细的介绍。

所出土陶器，有泥质灰陶、泥质黄褐陶、泥质豆青陶、夹砂红陶等，纹饰以素面为主，另有弦纹、弧线纹、凸棱纹、附加堆纹、模印方格纹等。部分器物上存在钻孔修复的痕迹。器形有盆、罐、瓮、瓶、盘、器盖等。

所出土瓷器，有青瓷、白瓷、黑瓷、黄瓷等。器形有碗、罐、钵、瓶、壶等。

所出土佛教造像，有石造像、白陶造像和灰陶造像230余件。石造像毁坏严重，多数仅存头、脚或身体残部，还发现有带题记的造像底座。白陶造像用模子制作而成，背面有用手按捺的痕迹。灰陶造像为手工捏制而成。同一期《文物》收有倪克鲁、李振光先生《山东临朐白龙寺遗址佛教造像探析》一文可参考。

另外，还出土有鹿角1件，及板瓦、简瓦、瓦当及砖等建筑构件。

在第五部分"结语"中，简报由出土的佛教造像分析，该寺院建造于北魏末年或东魏时期，而兴盛的佛事活动主要发生在北朝时期。到唐代晚期，北侧高台上的建筑已经倒塌废弃。由于遗址内少见唐代造像，说明此期的佛事活动可能减弱或借用早期造像进行参拜礼佛。北宋中晚期，有人群在这里较长时间活动，形成较厚的活动面和较厚的文化层，并有人用灶进行烧炊活动。台基南侧不断加宽的慢道也应该与本时期活动相关。另外，由遗址内发现的石造像半成品看，这里应该存在造像加工作坊。

简报指出，临朐与青州南北相依，同属青州文化范畴。白龙寺遗址中发现的佛教造像数量大、种类齐全、内容丰富，为研究青州佛教文化风貌提供了重要材料。

威海市

济宁市

506.山东邹县发现的北朝铜佛造像

作　者：胡新立

出　处：《考古》1994 年第 6 期

1975 年 5 月，山东省邹县平阳寺镇平阳寺村一农民在村东挖沟时，于距地表 0.8 米处发现 4 件铜佛造像并及时送交给县文物部门。据了解该处地层已被取土扰乱，埋藏坑位不清，分析可能是一土坑窖藏。4 件铜佛造像简报分为：一、北魏永兴二年马禄造像，二、东魏武定年马□造像，三、北齐天保八年忘愁造像，四、北齐太宁二年马缅造像，五、结语，共五个部分。有拓片、照片。

为一观音二菩萨像（T305～1），通高 18.7 厘米、通宽 8.3 厘米，重 450 克。主像观世音高 6.5 厘米，头束三螺状高宝髻，面相长圆，萃眉凤目，作慈祥微笑状。身穿褒衣博带式大衣，戴饰璎珞。手施无畏、与愿印，赤足立于覆莲状圆座上。头后是圆形头光，头光内浮雕莲花纹。身后为莲花瓣形火焰纹背光，背光正上方是一尊化佛，高髻，身披袈裟，结跏趺坐，身后为圆形头光和火焰纹背光。观世音像两侧是胁侍二立菩萨，均高 3.9 厘米。

据介绍，这 4 件铜佛造像均有确切的纪年，自北魏永兴二年（410 年）至北齐太宁二年（562 年），其间历经北魏、东魏、北齐三朝，前后共 29 年之久。这是山东省 1949 年以来自曲阜、博兴相继出土铜佛造像后又一新的重要发现，这对探讨山东地区北朝晚期铜佛造像的分期、式样及地域特点具有重要意义。

简报称，造像铭文中出现的 4 个造像主的姓名为马姓佛弟子，当系马氏家族的佛教信徒。因铭文中没有刻写地名，难以断定这批铜佛准确的铸造地点。但从造像本身的造型特点分析，与曲阜、博兴两地铜佛极为相近，如把邹县北魏永兴二年（410 年）一佛二菩萨与曲阜北齐武平三年（572 年）一佛二菩萨比较，可清楚地看到前者对后者的影响，其承袭和演进的痕迹显而易见。而与河北邺城铜佛造型特点判别较大，故简报推断这批铜佛的铸造地点应在山东，或即在邹县附近设有铸造作坊，尚待今后研究论证。

507.山东兖州金口坝出土南北朝石人

作　者：樊英民

出　处：《文物》1995 年第 9 期

1993 年春山东兖州城东泗河金口坝段水枯，当地百姓于河床中挖沙时，先后发现石人 3 躯。其中有两躯形制相同，出土时头部已残，背部镌有铭文，2 躯石人编号分别为 S2 和 S3，S3 铭文有残。另 1 躯完整无铭文者，编号为 S5。现均藏兖州市博物馆。简报配以照片予以介绍。

据介绍，S2、S3 均为跪坐姿，铭文可识者 100 余字。简报录有全文。根据残存文字，可知石人为兖州刺史元匡主持疏通洙川（泗河）修筑泗津桥堰功成所造。延昌三年为公元 514 年。S5 为跪姿。高约 135 厘米，形状粗犷朴拙。石人似用石凿出大形，双臂及衣饰用阴线划出。头部似高耸冠帻，五官造型夸张。应与 S2、S3 为同时代石人。

简报认为，根据近年在金口坝发现的 3 躯石人的背铭记载，推测可能尚有石人仍深埋河底，有待于今后的发现。

508.兖州发现北齐造像记

作　者：樊英民

出　处：《文物》1996 年第 3 期

1993 年春，在山东兖州城东南 0.5 公里许泗河河床中，发现北齐造像残石 1 块。石为长方形。有记文 26 行，行 8 字。正书。记文除个别残泐外，保存尚好。简报配以拓片予以介绍。

简报介绍，据记文，知此造像记为施主于某寺观中造佛祷福之记。另当有题名等，惜已残缺，难以考知。此石出土于泗河大桥附近，可能寺观毁坏后被移至该地，简报推断此碑的刻制时间应在天统元年到天统四年之间，即公元 565 年到 568 年之间。简报移录全文。

509.山东邹城西晋刘宝墓

作　者：山东邹城市文物局　胡新立等

出　处：《文物》2005 年第 1 期

1974 年 2 ～ 6 月，为配合农田基本建设，邹县文物保管所在郭里公社独山村西北发掘了 1 座西晋时期的古墓葬，出土了西晋永康二年（301 年）石质墓志 1 方。经研究，确认墓主是西晋侍中、使持节、安北大将军、关内侯刘宝。该墓编号为 ZGJM1。其西北 150 米处还有 1 座大墓，编号为 ZGJM2，尚未发掘。

简报分为：一、墓葬位置，二、墓葬形制，三、随葬器物，四、结语，共四个部分。有彩照、拓片、手绘图。

据介绍，刘宝墓位于邹城市郭里镇独山村西北 2.5 公里处，在凫山支脉黄山的南坡，自西北至东南有 2 座大型土冢，紧邻墓葬的南面有一条东西流向的小河。该墓封土高大，高 12.4 米。土质较硬，每隔 1.5 米左右平铺一层石板，多利用废旧石料或汉画像石。在封土中发现 2 块汉画像石刻，1 块内容是"车马出行"，另 1 块是"东王父"，均为东汉晚期风格。墓葬为双室弧券顶砖室墓，由墓道、封门墙、甬道、前室、东西耳室、墓室组成。该墓早年被盗掘，随葬品主要出土于东、西耳室内，计有陶、釉陶、瓷、铜、金银、石质器物 150 余件。有墓志，简报未录全文。其中武士俑、男女侍俑、镇墓兽、牛车、四系罐、榼、扁壶、庖厨明器、家畜模型等为晋墓常见，同时也有南方地区常见的青瓷虎子、狮形烛台等瓷器，反映了西晋时期上层贵族生活用品的使用情况。出土的骨尺也十分珍贵，为研究古代度量衡提供了实物。4 件釉彩小壶中装有红、黑、银白色粉末，应为女性化妆用品，也不多见。陶帷帐座 4 件，也很少见。

简报称，墓主刘宝，《晋书》无传。《世说新语》里有零星的记载。《世说新语·德行》："刘道真尝为徒，扶风王骏以五百匹布赎之，既而用为从事中郎。当时以为美事。"徐震锷《世说新语校笺》注引《晋百官名》曰："刘宝字道真，高平人。"对其籍贯的记载可与墓志内容相互印证。刘宝籍贯"高平"，其地望在今邹城市西南郭里镇和微山县两城镇一带。高平地名所知下限至隋开皇六年（586 年），至隋末已消亡。今郭里、两城一带多有汉代古城址和汉画像石墓，近年又发现银缕玉衣大墓，当与高平侯固国有关。

泰安市

510.泰安大汶口出土北朝铜鎏金莲花座等文物

作　者：泰安博物馆　古爱琴
出　处：《考古》1989 年第 6 期

1982 年 12 月，在泰安市大汶口卫驾庄出土了 1 件北朝时期的铜鎏金莲花座，圆形。1983 年 1 月在卫驾庄又出土 1 件鎏金莲花座，其下有方座。两件莲花座造型相似，都为浮雕馒头状仰莲，通体鎏金，由于土锈较厚，部分鎏金剥落。

1984 年 5 月在泰安大汶口兴华村出土了 1 件铜鎏金佛光。佛光背面的上半部刻有铭文 11 行，共 119 字，简报录有全文。铭文字体优美流畅，兼备隶、楷、行诸体之点。从铭文上的太和十八年（494 年）可知，此佛光为北魏孝文帝时的遗物。

1987 年 5 月，大汶口西窑村一农民在修公路时在 2 米多深的沙土中发现 1 件北朝菩萨像。像的背面有一横一竖两个带孔的鼻，鼻宽 1.5 厘米、长 2.3 厘米、间距 6.8 厘米，起与佛光连接作用。

511.山东东平洪顶山摩崖刻经考察

作　者：山东省石刻艺术博物馆、德国海德堡学院　张　总、
　　　　　（德）雷德侯等

出　处：《文物》2006 年第 12 期

山东省境内的北朝摩崖石刻佛经遗存丰富，久已闻名的邹城铁、冈、峄、葛四山与东平县新发现的洪顶山刻经，是很有代表性的两个地点。然而对于此两地摩崖刻经，虽自晚清到近年已有很多研究成果，但其基本资料尚未完整刊布，已发表材料中有些经名比定错误。山东省石刻艺术博物馆、中国社会科学院世界宗教研究所、德国海德堡学术院等中外学术机构合作开展山东石刻佛经考察研究项目，于 2003 至 2004 年度对此两地刻经进行了调查。工作中采用多项技术手段，在文字辨识与对遗迹现状及地理环境的把握等方面均有收获。简报分为：一、洪顶山刻经状况，二、相关问题探讨，三、结语，共三个部分。有照片、拓片、手绘图。

据介绍，洪顶山位于东平县城西北约 40 公里，距东平湖东岸约 2 公里，俗称二洪顶西麓的山谷。在高度相近的南北山腰，都有一段仿若走道般的自然台地，其上崖面分布着刻经、佛名、题记等，共编为 23 号。小佛龛仅有两处，编为 A、B。它们起自北崖西端，终至南崖西端。山下有茅峪泉与出土过北朝砖瓦及早期陶片的遗址，原应有寺庙，惜因 20 世纪 60 年代修水库而毁坏。自 1994 年起，此处刻经始见报道。而此前晚清金石学家与 20 世纪 20 年代日本学者踏察佛教遗迹均未及此。遗迹自发现以来已有多国学者赴此考察，并有不少研究成果问世。东平县洪顶山刻经应该说是中国石刻佛经中发现最晚的遗存，1995 年后才广为人知，不少文字具北齐纪年或佛历纪年，涉及文物、宗教、书法等史实，是研究中国佛教史和中国北齐历史的重要实物资料。

简报还讨论了佛灭纪年、僧安道一刻经行迹、印度僧人释法洪（鸿）在山东的刻经活动等问题。

日照市

莱芜市

临沂市

512.山东苍山元嘉元年画像石墓

作　者：山东省博物馆、苍山县文化馆　张其海
出　处：《考古》1975 年第 2 期

1973 年 5 月，考古人员发掘了 1 座南朝时刘宋元嘉元年（424 年）的画像石墓。简报分为四个部分予以介绍，有手绘图。

据介绍，该墓位于苍山县（卞庄）西 1.5 公里的城前村北的土台上。台高 5 米，现存面积约 6600 平方米。当地人传称"晒米城"。从地面散布的遗物看，当是一处周、汉时期的文化遗址。墓室即暴露在土台南部的断崖上。墓顶距地表深 1.2 米，墓室四周及顶均用土填封夯实，墓门朝南，墓道已被破坏。

简报称，山东省是我国画像石遗存较多的地区之一。据近年来的考古调查，山东省散存着 1000 余块画像石。然而，有绝对年代可考的却为数不多，且均为东汉的作品。苍山画像石墓则是首次发现的有纪年的南朝时期画像石墓，这表明南朝初期，墓石上刻画的做法仍然存在。刘宋元嘉年间的画像石的出土，为我们研究东汉以后的画像石，提供了一个纪年明确的标尺。

513.山东苍山县晋墓

作　者：临沂地区文管会、苍山县文管所　宋彦泉、林茂法
出　处：《考古》1989 年第 8 期

1984 年 9 月初，苍山县庄坞乡东高尧粮管所在院内挖蓄水池时，发现了 1 座画像石墓。考古人员对该墓进行了抢救性清理。

简报分为：一、墓室结构，二、随葬器物，三、结语，共三个部分。有手绘图。

据介绍，东高尧村位于县城东偏南 22 公里处，村东紧邻武河。粮管所就坐落在村后高地上。这里亦是 1 处龙山文化遗址。该画像石墓，墓室平面呈长方形，分主、侧二室，侧室开在主室的南面。主室由双墓门、前室、双后室组成。画像内容，有朱雀、鱼、穿璧纹、几何纹等。朱雀、穿璧纹采用浅浮雕的形式，鱼纹、几何纹则为阴线刻。该墓出土随葬品 61 件。包括陶器 35 件、釉陶器 2 件、青瓷器 11 件、素烧器 2 件、铜器 6 件、银器 5 件。

该画像石墓的时代，简报推断定在西晋时期当不会有误。

简报称，苍山县地处临沂地区的南缘，与江苏省的邳县为邻，为南北交接地段，南方风格的青瓷器、陶器在这里的发现，为研究六朝时期南北文化的交流，又提供了一批重要的实物资料。

514.山东临沭县发现青铜器

作　者：王　亮
出　处：《考古》1990 年第 2 期

临沭县文物管理所近年征集到部分青铜器，多系出土文物。简报配以照片予以介绍。

据介绍，铜戈 3 件，有出土地点；铜剑 3 把，1 号戈与 1 号剑可能略早，其余略晚，简报均定为东周遗物。造像 1 尊，铜质，1970 年本县南古镇后寨村一青年在村前小学附近挖出，有铭文 42 字，简报推断造像时代为北魏。

515.山东临沂金雀山画像砖墓

作　者：临沂市博物馆　冯　沂、霍启明等
出　处：《文物》1995 年第 6 期

1988 年 3 月，临沂金雀山南坦居民在金雀山南坡清理宅基地时，发现 1 座古墓葬，考古人员立即派人前往，经现场勘察，此墓为 1 座砖室墓。简报分为：一、墓葬形制，二、墓砖画像，三、出土器物，共三个部分。有照片、拓片、手绘图。

据介绍，该墓平面呈"凸"字形，墓砖侧面有"张"字铭文，墓主可能姓张。画像砖的青龙、白虎、朱雀、玄武"四神"图像，为汉代画像石和画像砖中常见的题材，但其姿态和细部刻划，均显时代较晚的风格。上述画像均用小印模压印而成，画面突出，富于立体感。出土遗物仅有瓷碗 2 件、银钗 1 件等。

该墓的年代，简报推断为魏晋或稍晚。

516.山东临沂洗砚池晋墓

作　者：山东省文物考古研究所、临沂市文化局　冯　沂等

出　处：《文物》2005 年第 7 期

2003 年 4 月 30 日，山东省临沂市洗砚池街王羲之故居扩建工程施工中，先后发现 2 座大型砖室墓（编号为洗砚池 1 号、2 号墓，简称 M1、M2）。考古人员于当年 5 月初至 6 月底对两座墓葬进行抢救性发掘，取得了重要成果。简报分为：一、1 号墓（M1），二、2 号墓（M2），三、结语，共三个部分。有彩照、手绘图。

据介绍，墓葬位于临沂老城区内一高出周边地区的高台上，高台实际是封土，现因受工程影响，无法探明封土全貌。M1 为双室并列券顶墓，共出 3 具未成年人骨架及大量随葬器物。其中 1 具为 2 岁左右幼儿，1 具未满周岁，1 具为 6 ～ 7 岁。为孩子修建如此规模墓葬，可见其家族实力不俗。其中西室出土陶器、瓷器、铜器、铁器、金器、玉器和漆器等 273 件（套），以青瓷胡人骑狮水注、铜仙人骑狮灯座等最为精美。一批漆器朱书铭文中有"太康七年""太康八年"等字样。M2 为带甬道的单室券顶夫妇合葬墓，曾两次被盗，随葬品所剩无几。根据墓葬形制及出土器物，简报推断两墓的时代为西晋末年至东晋初年，两墓为当地豪门望族之墓。

此次发掘是近年山东地区汉晋考古的重要收获，在全国西晋考古中亦属罕见。被评为 2003 年全国十大考古新发现之一。

德州市

517.山东乐陵县出土北齐墓志

作　者：李开岭、刘金亭

出　处：《考古》1987 年第 10 期

1985 年 8 月，山东乐陵县杨家乡史家村农民史希水在村东北角的大坑中取土时，挖开北齐墓 1 座，文物干部赶到现场时，墓已全部破坏，墓葬形制已搞不清楚。出土砖墓志 1 方、红陶罐 1 个，被乐陵县文化馆收藏。简报配以拓片予以介绍。

据介绍，计有铭文 17 行，每行 8 ～ 20 字不等，计 300 余字。行间有阴刻竖线，铭文楷书，古朴自然。首行"齐故刁主簿墓志铭"。简报未录志文全文。

据志文，墓主"讳翔，字道翻，渤海饶安西乡东安里人也""祖师燕，中坚杼军，定州司马""父洛，徐州中兵参军"。志称墓主为"盖帝桔梗氏刁音之苗胄，高阳

内史刁秀之枝胤者矣"。墓主生前为"本州主簿",于"孝昌三年三月下旬"在镇压葛荣起义军时被杀,"时年五十有七"。墓主死于孝昌三年(527年),应为沧州主簿。到"天统元年岁次己酉十月庚戌朔一日,二亲酉始构玄宫,祔合坟垄"。孝昌三年(527年)到天统元年(565年)相距38年,据此可知此墓为一迁合葬墓。志载"君五男,长子明威将军帐内统军,礼乐令忡,字元景",其他四子只载名和字。墓主及其祖、父,史书无载,但从《北史》刁雍传中可知,从晋到北朝末期,饶安刁氏,不乏高官,以志铭"远承华胄,世袭鸿基"看来,墓主应为饶安刁氏贵族的一支。

简报称,刁翔墓志的出土,为研究北朝时期的农民战争提供了新资料。

518.山东平原出土北齐天保七年石造像

作　者:德州市文物管理处、平原县图书馆　张立明、蔡连国
出　处:《文物》2009年第8期

2007年9月27日,山东省德州市平原县坊子乡东高村村民用推土机修建蔬菜大棚时在地表下约1米处推出石刻佛像。考古人员来到现场时因大棚已完工,无法再对出土地点进行勘探,只在村民手中收回北齐纪年造像1尊。简报配以照片予以说明。

造像由佛像和基座上下两部分组成。佛像部分为汉白玉石雕琢而成,上为太子像,下为底座。太子像残高30厘米,腰部以上残,或与北周灭佛事件有关。底座后立面阴刻发愿文,一段196字,另一段82字,简报录有全文。从发愿文和题铭记可了解该造像刻于北齐天保七年(556年),保留了当地造佛、灭佛的许多信息。

聊城市

519.山东东阿县鱼山曹植墓发现一铭文砖

作　者:东阿文化馆　顾铁符
出　处:《文物》1979年第5期

1977年3月,在东阿县鱼山曹植墓墓门高约3米许的右上方1.45米宽的墓壁中,发现一铭文砖。砖色青,质坚硬,砖的三面有铭文。简报配以照片予以介绍,有铭文全文。

据介绍,铭文提到曹植死后葬在兖州,派遣朱、周两姓200人去充当劳役,修

治陈王陵，赐休 200 日。曹植封陈思王，"陈王陵"即曹植墓。赐休，即放假的意思。"赐休 200 日"就是准这批人在 200 天之内，不服其他劳役。

520.山东阳谷县关庄出土北朝造像碑

作　者：聊城地区博物馆　刘善沂
出　处：《考古》1987 年第 1 期

1983 年在山东阳谷县阁楼乡关庄发现 1 块北朝造像碑，下部断失，背部全部破落，残高 60.5 厘米、宽 62.7 厘米、厚 15 厘米。简报配以照片予以介绍。

据介绍，石呈长方形，顶有榫，正面雕佛龛二层，上层有三个佛龛，正中为主龛。主佛置于三叠涩层方台须弥座上，身后为莲花项光。二弟子置于两旁，身后为莲瓣项光，立于莲花形座台上，在碑两侧刻有铭文和线刻人物。这块残造像碑，从造像雕刻风格与线雕人物特点来看，简报推断应是北魏晚期的遗物。

另外，从铭文中的杞姓来看，是当地门阀大姓之一，因为这个杞姓也见于本地出土的唐天宝十三载（754 年）石塔铭文之中，可见此姓在中唐时期尚存（《山东阳谷县关庄唐代石塔》，见本刊本期）。

521.山东省东阿县曹植墓的发掘

作　者：刘玉新
出　处：《华夏考古》1999 年第 1 期

1951 年 6 月，原平原省（1952 年 12 月撤销区划）文物管理委员会会同东阿县文化部门，对安葬在鱼山西麓的三国魏东阿王曹植的陵墓，进行了清理发掘，出土文物 132 件。由于是中华人民共和国成立伊始，发掘水平受到时代的局限。又由于区划的变更，没留下原始的发掘记录，很难了解当时的清理状况。今就现存的发掘资料和收集到的部分档案，对曹植墓的概况、形制和随葬器物做一概述，以填补曹植墓在清理方面的空白。简报分为：一、墓葬概况，二、出土器物，三、结语，共三个部分。有手绘图。

据介绍，曹植墓位于东阿县城南 19 公里处的鱼山西麓，依山营穴，封土为家，始建于魏青龙元年（233 年）三月。墓葬平面呈"中"字形，由甬道、前室、后室三部分组成。所出土的 132 件文物，大都为比较粗糙的陶器，还有几件石器和料器。该墓为一迁葬墓，是由河南省淮阳县（古陈地）迁来的（至今淮阳县城南仍存有曹植的衣冠冢——思陵冢）。

简报称，关于曹植墓的墓葬形制，著名考古学家宿白、徐苹芳、黄景略、俞伟超等先生于 1993 年 11 月 26 日考察了曹植墓后，认为曹植墓从形制到葬品，都堪称曹魏时期的标型，对于研究曹魏时期的丧葬制度、社会历史，有着极其重要的意义。该墓于 1996 年 11 月被国务院核定公布为第四批国家级文物保护单位。

滨州市

522.山东无棣出土北齐造像

作　者：惠民地区文物管理组　常叙政等
出　处：《文物》1983 年第 7 期

山东省无棣县水湾公社于何庵大队群众，在村东南坑塘边取土时，于距地表深约 60 厘米处发现 7 件石造像，简报配以照片予以介绍。

简报介绍，其中 4 件有纪年铭文，为"大齐天保五年""天保八年""大齐天保九年"和"大齐天统三年"。这批造像均用汉白玉石雕成，制工精细。

简报称，这批佛像出土时叠放整齐，显然是有意埋藏的。埋藏的原因，可能与北周武帝灭佛有关。这批造像中纪年最迟的是天统三年（567 年），北周武帝于公元 577 年灭北齐之后，继续执行灭佛政策，将北齐四万余所寺院改俗宅，这批佛像可能就是此时被佛教信徒埋藏于地下的。

523.山东省博兴县出土一批北朝造像

作　者：常叙政、李少南
出　处：《文物》1983 年第 7 期

1976 年 3 月，山东省博兴县张官大队农民在推土垫房基时发现了一批北朝造像。造像质地有青石、白石、白瓷素烧，形态有单躯、三躯，大多为圆雕、高浮雕。造像出土时整齐地排列在土坑内。考古人员赶到时，现场已被破坏。大部造像散失，后收回 72 件。计有造像碑 1 件、石造像 24 件、模印白瓷素烧造像 4 件、佛头 9 件、菩萨头 9 件、模印白瓷素烧菩萨头 1 件、造像座 12 件、模印白瓷素烧造像座 2 件、带足榫 11 件。简报择要介绍了其中比较完整的 24 件，有照片。

据介绍，博兴县出土的这批造像中，有明确纪年铭文的 9 件。除 1 件东魏武定五年造像碑石外，其他 7 件均为北齐作品，计有天保元年、乾明元年、太宁二年、天统二年、天统四年、武平元年。北齐从建国到灭于北周，共启用了 10 个年号，这批造像铭文中就出现了 6 个。

这次出土造像的地方，原是 1 处古寺院，地方志称之为"龙华寺"。遗址处随地可捡到东魏、北齐时的莲花瓦当。博兴在南北朝时在东魏、北齐境内。当时佛教极为流行，这批造像应为东魏、北齐作品。

从发掘情况看，有的造像已毁坏，有的似未雕完即匆忙埋于地下。简报推断这批造像应是北周武帝建德三年（574 年）时埋入的。

简报附带介绍了博兴县征集到的北朝造像碑二件：

一为兴益造像碑，碑出土时间无考，1981 年 3 月文物普查时在兴益村发现。碑已断为两块，后经修整陈列。上有佛传故事雕刻，简报推断其年代不会晚于隋代。

二为疃子造像碑，1966 年挖沙时于城郊公社疃子村出土，上有天统二年（566 年）铭文，知为北齐作品。

简报称，博兴县南北朝时期寺院较多，地方志记载有 20 多处。而目前发现的 9 处有造像的寺院遗址，多数方志无记载。这两块造像碑的发现，为研究当地佛教流传、寺院分布情况等，增添了实物资料。

524.山东阳信县征集一件东魏佛像

作　者：常叙政、刘少伯
出　处：《考古》1985 年第 11 期

1967 年，阳信县曹家庄村民将 1 件珍藏多年的汉白玉石造像捐献给县文化馆收藏。简报配以拓片予以介绍。

据介绍，造像系一佛二菩萨，身后有舟形背光（顶部微残），通高 83 厘米、宽 42 厘米，造像座为长方形平台，长 42 厘米、宽 23 厘米、高 16 厘米。正面刻有 16 行铭文，简报录有铭文全文。据民国 15 年（1926 年）《重修阳信县志》卷一载："张显珍造玉石像在曹家庄西药王庙内，座上刻云大魏武定五年……"武定五年为公元 547 年，简报称此件造像铭文与县志记载相合，已有 1400 多年的历史。

525.山东博兴县出土北朝造像等佛教遗物

作　者：博兴县文物管理所　李少南、舒翠峰
出　处：《考古》1997 年第 7 期

1990 年春，博兴县张官村农民在村北挖渔塘时，发现了一批佛教造像及相关遗物。

考古人员赴现场调查，将出土文物征集至县文物管理所，计有造像53件，其中有题记的15件，有确切纪年的6件；建筑构件25件；陶、瓷器28件。简报分为：一、佛教造像，二、建筑构件，三、生活用具，四、结语，共四个部分。择其有代表性的予以介绍，有拓片。

据介绍，通过实地考察和对出土遗物的研究，简报认为博兴发现的这批佛教遗物出土地点是1处寺院遗址。此次新发现的这一寺院遗址西边不远，据1984年的调查发现，是隋代重修的龙华寺遗址。其正南左侧约50米，是1976年发现的一处寺院遗址。简报推断，1976年所发现的寺院是建在乡义寺门外之左颊不远的地方，这正与此次新发现的寺院位置相合。简报确定此次发现的寺院遗址就是当年乡义寺所在，出土的造像、建筑构件及器皿即为乡义寺的遗物。

简报指出，遗址附近出土的大量遗物表明，乡义寺的始建年代早于武定五年(547年)，大约在北魏末年至东魏初期，最迟应在东魏天平年间(534～537年)。北周建德年间，周武帝大力推行灭佛政策，在其统一中国北方后，继续大灭佛法。乡义寺可能就在此时与龙华寺一并被毁，其后龙华寺在隋代重修，并于"古龙华道场之墟建了龙华塔"，而乡义寺却从此一蹶不振。

简报称，此次乡义寺的发现，为博兴一带的佛教考古提供了一些新的材料，丰富了博兴一带佛教考古的内容，也为我国佛教考古提供了新的资料。

526.山东惠民出土一批北朝佛教造像

作　者：惠民县文物事业管理处　张建国、朱学山等
出　处：《文物》1999年第6期

1997年，山东省惠民县出土一批北朝佛教石造像。造像出土于惠民镇西南4公里的沙河杨村，该村位于沙河北岸。这批佛造像是一村民在其家中施工时发现，县文物部门闻讯后立即派人前往现场勘察，清理造像共17件，均埋于地下深约0.9米处，属于一次集中入藏。出土现场已遭破坏，无其他伴存物，窖藏原因不明。简报配以照片、拓片予以介绍。

据介绍，惠民出土的这批石刻佛造像，是山东（主要是古代青州地区）佛教考古的又一重要收获。近几十年来，山东古青州一带即今无棣、博兴、诸城、临朐、青州等地，都曾成批出土过北朝石刻佛造像，其中尤以诸城和青州出土的两批多属北朝晚期（东魏、北齐）的作品数量最大，雕刻艺术最为精美，引起国内外瞩目。惠民出土的此批造像应属北朝这一地区的同一系列作品，时代、题材、手法均有此地区的一致性，且多有准确的纪年题记，更为难能可贵。对于这一地区同类作品的排年分析有重要作用，值得引起重视。尤其是2尊石灰岩造像（东魏天平四年造像

和张称伯造像）更具特点，造像中均分别雕有两条翼龙口吐莲花，这是山东地区北朝造像独有的地方特征。从整体效果方面显得更加生动活泼。通过这批造像的出土，充分说明在北朝时期，鲁北地区佛教文化属于繁荣时期。根据调查，这批造像是当地历史上玉林寺的遗物。原玉林寺在北朝时期是规模较大的一处佛教寺院。何时被毁还有待进一步调查。

菏泽市

527.山东巨野石佛寺北齐造像刊经碑

作　　者：周建军、徐海燕

出　　处：《文物》1997 年第 3 期

巨野石佛寺造像刊经碑，大齐河清三年（564 年）立。此碑几经迁徙，多次重立，原位于山东省巨野县大义镇小徐营村西石佛寺遗址。1949 年后不久，小徐营石佛寺被拆除，大量石刻造像俱残毁或散佚，唯刊经碑幸存。1989 年文物复查时发现，碑身已残断为两截，现藏巨野县文物管理所。简报配以照片予以介绍。

据介绍，此碑为高浮雕蟠螭额像碑，素面方座，座高 26 厘米、长 135 厘米、宽 90 厘米。座底面有窍，一行七孔，长 6 厘米、宽 3 厘米，用途不详。碑身高 290 厘米、宽 88 厘米、侧宽 17 厘米。其中碑首高 55 厘米，浮雕四龙，交缠盘绕于两面。首阳二龙拱珠，设龛造像一铺三身，雕镂工致。居中者为佛，高 25 厘米，双臂被毁，面部亦残。

简报称，此碑碑文计 201 字，隶书。简报录有全文。此碑在书法研究上极有价值。这主要表现在以下两点上：

其一，在字体上，此碑较多地使用了别体字和变体字，个别字还沿袭应用了小篆的笔划结构，表现出北齐文化的时代风格和地方特色。值得注意的是此碑在书写中使用的"万、弥、经、国"4 个简化字，是迄今发现的年代最早的简化字，把我国出现简化字的历史上推到南北朝时期。

其二，在书法艺术上，此碑已出现隶书楷化现象。其书体既有汉隶宽绰舒展、浑厚遒劲之遗风，又见端庄典雅、隽美俊逸的神态，表现出浓厚的时代风格和特色。其用笔多为圆笔，笔划浑厚丰满。竖、撇及横折多以楷法顿按起笔，某些横、撇、捺有意加长，使之舒展。捺脚特别粗重，多为两个波齿，系两次按提出锋收笔，给人以雄浑遒劲、气势宏大之感。章法取隶书宽结，字距小于行距，纵其成行，端庄平稳，浑然一体。

河南省

528.河南渑池宜阳两县发现大批古钱

作　者：赵新来

出　处：《考古》1965 年第 4 期

1963 年 8 月间，渑池县城关公社兰沟村村民在村南约 0.5 公里处掘土时发现 1 座古钱窖，出土大批古钱，共重 1000 多公斤。同年 11 月上旬，宜阳县三乡公社后院大队村民在洛河沿岸也发现 1 座古钱窖，出土古钱共重 300 多公斤。这两批古钱发现后，得到妥善保管，今已运至河南省博物馆。简报配以拓片予以介绍。

据介绍，渑池县出土的古钱，据原发现人谈：是在掘土到 50 厘米深时，暴露出 4 块大方砖，砖下盖 1 个大型陶坛。古钱便装在陶坛内，放置整齐，并用绳串着。初步检查这批古钱中除有汉"半两"和"五铢"，新莽"大泉五十"和"货泉"，唐"开元通宝"和"乾元重宝"，五代"唐国通宝""周元通宝"外，数量最多的是宋钱，计有："宋元通宝""太平通宝""淳化元宝""至道元宝""咸平元宝""景德元宝""祥任元宝""祥符通宝""天禧通宝""天圣元宝""明道元宝""景祐元宝""皇宋通宝""庆历重宝""至和通宝""嘉祐元宝""嘉祐通宝""治平元宝""治平通宝""熙宁重宝""熙宁元宝""元丰通宝""元祐通宝""绍圣元宝""元符通宝""圣宋元宝""崇宁重宝""崇宁通宝""大观通宝""政和元宝""宣和通宝""建炎通宝""绍兴通宝""绍兴元宝""淳熙元宝"。此外，还有金代的"正隆元宝""大定通宝"等。因此，简报可以推测这座古钱窖大约是在金代埋藏的。

宜阳县发现的古钱中有：汉代的"半两""五铢"，新莽的"大泉五十""货泉""布泉"，蜀汉的"直百五铢"、小"直百"钱、"大平百钱"，孙吴的"大泉当千"，北魏的"永安五铢"等。

从这批古钱看，这座古钱窖最迟是在南北朝时期埋藏的。另外值得重视的是，在这批古钱中，还发现 1 枚画象钱，简报认为是东汉早期的压胜钱。

郑州市

529.郑州发现东魏造像碑

作　者：曹桂岑

出　处：《文物》1963 年第 7 期

考古人员在郑州二中发现 1 通东魏天平二年（535 年）造像碑，右上角稍残缺，碑之上部造像也稍残。简报配有照片。

简报推断造像的时代为东魏天平二年（535 年）。据造像记中记载，可知"景绍"是人名，景绍圆寂于东魏天平二年（535 年）正月二十三日，此碑是为纪念景绍而造的。

530.新郑县出土北齐造像碑

作　者：河南省新郑县文化馆　孟昭东

出　处：《文物》1965 年第 9 期

1964 年 7 月中旬，县北小乔公社沙窝李大队的农民在落垌水库新兴的溢洪道西侧约 1 米深的地下，发现了 4 件石造像和 1 件莲花座。这些文物已由新郑县文化馆保存。其中两件，简报配以照片予以介绍。

据介绍，其中 1 件为三人造像。主像结跏趺坐，两侧像侍立，平面有造像铭记，简报录有铭记全文。另 1 件为中一主像，两侧二侍像。背光背面有铭文五行，共 37 字，简报录有铭文全文。

简报称，天保、天统均为北齐年号，因此，简报推断这两件造像为北齐造像无疑。它们的发现，为研究北齐的石刻书法艺术提供了有用的资料。

531.河南巩县石窟的新发现

作　者：傅永魁

出　处：《考古》1977 年第 4 期

巩县石窟位于县东北（孝义镇）9 公里的南河度公社寺湾村东侧，这里是北魏晚期的雕刻艺术宝库之一。1973 年国家拨款修葺，在工程进行中，发现由西往东的第一窟西侧约 25 米的崖壁上有一土洞。洞宽 1.5 米、进深约 5 米、高约 2 米。在洞的后石壁上部阴刻七言诗1首，下部阴刻鸟、鱼图像。简报配以拓片予以介绍。

据介绍，七言诗共7句49字，分为11行，行4字或5字。总长73厘米、宽34厘米。字为隶体，诗为："诗说七言甚无忘（？），多负官钱石上作，掾史高迁二千石，掾史为吏甚有□，兰台令史于常侍，明月之珠玉玑珥，子孙万代尽作吏。"题诗下部稍偏右方，阴刻一只大朱雀，昂首伫立，鼓腹翘尾，展翅欲飞。朱雀后下方，又阴刻一只三尾鱼。

简报称，七言诗起源较晚，魏晋以后才逐渐流行。诗中提到的职官有"掾史""兰台令史"和"常侍"，"掾史"是汉晋以来地方政权机构中一般办事人员的通称。此诗文意拙劣，似是东汉末至魏晋时期文人情绪的自我表露之作。

532.嵩岳寺塔

作　者：张家泰

出　处：《河南文博通讯》1978年第3期

嵩岳寺塔位于登封县城北6公里的嵩山南麓，建于北魏正光年间，为我国现存最早的砖塔。高40余米，平面作十二角形，造型优美。简报配以照片，介绍了塔的历史沿革和在中国建筑史上的价值。

533.密县发现东魏造像石龛

作　者：密县文管会

出　处：《河南文博通讯》1978年第1期

1977年，在密县兴山乡公岭村上香峪寺，发现有东魏天平二年（535年）造像石龛1处。简报配以手绘图等予以介绍。

据介绍，龛内雕有卢舍那佛、二弟子、二菩萨、二力士，并有造像题记，计69字，中有天平二年（535年）纪年。

534.郑州市发现两批北朝石刻造像

作　者：郑州市博物馆　于晓兴

出　处：《中原文物》1981年第2期

郑州市最近发现两批石刻造像，共8件。一批在西郊须水公社红石坡发现，另一批在郑州市磨盘街发现。简报配以照片予以介绍。

红石坡造像 4 件，计有"赵安香造像""正光二年扈豚造像""孝昌三年扈文颐造像""思维造像"。这些造像是西岗大队在红石坡平整土地中发现的。该处瓦砾甚多，传为寺庙基址。现存市博物馆。另外 4 件造像是在居民黄金辉家中的地下室内发现的，尔后由西大街办事处上报运回郑州市博物馆。据说这批石刻是在抗日战争期间，日本侵略者从外地运来而未及运走剩下的，所以造像的原委不详。上有北魏正光二年（521 年）、北魏永熙二年（533 年）纪年。

535.郑州出土一批北朝铜造像

作　者：郑州市博物馆　张秀清
出　处：《中原文物》1985 年第 1 期

1970 年，郑州西郊自来水厂平整球场时，发现一批窖藏铜造像和 1 件鎏金铜造像。其中有确切纪年和铭文的 7 件，无纪年的 4 件。造像中最大的高 43 厘米，最小的 7.5 厘米。简报配以拓片予以介绍。

据介绍，永安二年（529 年）造释迦像 1 尊、永安三年（530 年）造菩萨像 1 尊、北魏释迦像 1 尊、永安三年造观音像 1 尊、永平二年（509 年）温生造释迦像 1 尊、天平四年（537 年）王早文造释迦像 1 尊、兴和四年（542 年）赵伏姬造观世音像 1 尊、菩萨像 1 尊、观世音像 1 尊、鎏金佛像 1 尊，共 11 件。

简报称，这批铜造像比较完好，年代较早，大都有确切纪年。不仅反映了当时人们的信仰和要求，而且在造型服饰、铸造工艺、艺术风格等方面都具有时代特征。

536.郑州发现北魏石刻

作　者：陈立信
出　处：《华夏考古》1990 年第 4 期

1989 年，在陇海马路东段、郑州铁路管理局招待所发现减地浮雕画像石和空心画像砖各 1 件。简报分为：一、画像石，二、画像砖，共两个部分。有拓片。

据介绍，画像石系一佛座，呈方形，保存较为完整。上、下两面均为毛面，但上部毛面较细，并有安装佛像的方穴。四个侧面雕刻画像和题记。简报录有题记全文，中有北魏正光二年（521 年）纪年。知为北魏石刻。

画像砖内容为执戟门吏，应为作门槛使用的墓门砖。

简报未提年代，只是认为这些画像砖是从别处运来后滞留于此处的。

537.登封嵩岳寺塔地宫清理简报

作　者：河南省古代建筑保护研究所　郭天锁、王国奇等

出　处：《文物》1992 年第 11 期

嵩岳寺塔坐落在河南省登封县城北 6 公里处的高山南麓，它始建于北魏正光年间（520～524 年），是我国现存时代最早的砖塔。塔高 37.05 米，平面十二边形，塔身之上施迭涩檐 15 层，自下而上层层内收，使塔体外廓呈轻快秀美的抛物线型，极为挺拔秀丽。嵩岳寺塔是我国古代建筑的杰出作品和宝贵遗存，1961 年经国务院批准列入第一批全国重点文物保护单位。嵩岳寺塔因长年失修，损毁严重，80 年代国家文物局拨出专款进行全面整修，河南省古代建筑保护研究所承担了整修任务。1985 年对塔体作了详细勘测，1986 年又邀请有关单位对塔周围地下作了物理探测。探测中发现了地宫，1988 年 3 月对地宫进行了清理。简报分为：一、地宫的建筑结构，二、壁画与题记，三、出土文物，四、结语，共四个部分并配以拓片和照片予以介绍。

据介绍，地宫甬道墙和塔身相连，压在塔下，是塔基的一部分，地宫宫室结构平面方形，四壁微外弧，上作穹隆顶，宫室内墙缝间以红泥粘合，与甬道材料和塔身砖缝间用料相同。各类出土遗物 70 余件。

简报推断，地宫东北角砖年代为距今 1560±160 年；地宫东壁砖年代为距今 1000±80 年；塔基十二面东南角砖年代为距今 1580±160 年；塔覆莲砖年代为距今 1080±110 年。以上结果表明，地宫的两个年代相距较远，塔基与覆莲的年代也相距较远，而地宫东北角的年代与塔基东南角的年代相近，地宫东壁的年代和覆莲的年代也相近。说明在建塔时即筑有地宫，后人维修塔上部时，也整修了地宫。

简报称，地宫内出土的遗物以留有"大魏正光四年"题记的造像最为重要。这一纪年恰与嵩岳寺塔的始建年代同时，是研究嵩岳寺塔创建年代的珍贵实物资料。

538.新郑发现南北朝造像碑

作　者：乔志敏

出　处：《中原文物》1992 年第 1 期

1989 年夏，新郑县薛店乡南枣岗村农民张西方在本村挖土时发现 1 通造像碑，7 月 1 日交到新郑县文物保管所。该造像碑高 100 厘米、宽 47 厘米、厚 15 厘米。出土前碑中间残为两段，没有碑座。六螭首，正面自上而下有三组造像，左右两边也各有三组造像，背面是造像者题名题记。简报配以照片予以介绍。

据介绍，该碑主龛正中为释迦牟尼说法像。佛左边侍立四弟子、一菩萨、一金

刚，右边与左右对照相同。佛座下为一宝珠，宝珠两边各有一护法狮子。该碑的时代，简报推断为南北朝时期。简报称，该碑内容异常丰富。碑的前、后、左、右均雕刻满了造像和铭记，在1平方米范围内错落有致地雕刻出了48个栩栩如生、神态各异的人物形象，还有130多字的刻铭，总体设计严谨。该造像碑的佛教内容多，而且主题突出，说明工匠的雕刻技术非常纯熟。

539.密县超化寺北齐造像碑

作　者：刘建洲
出　处：《中原文物》1994年第1期

1952年4月，中国人民银行密县支行的王经曾，在县城（老城）南7.5公里超化寺旧址上发现了这通造像碑。是年10月考古人员又前往调查，认为是重要文物，今存县文物保管所。简报配以照片予以介绍。

据介绍，该造像碑，据说在明代晚期曾被当地百姓从地下挖出，民国初年，一外国人同国内文物投机商勾结图谋盗运出国，因此，当地百姓又把它埋于地下保护起来，直到1949年后才被挖出存于超化寺内。碑高1.31米、宽0.59米、厚0.26米，碑身已残断为两截。碑头为半圆形，左右各雕3条螭龙，龙首下垂两侧，龙身交蟠。龙利牙暴目，形象狞厉。碑上有北齐纪年。简报称，北齐造像较北魏时期更具有中国特色，佛的形象由瘦骨清像变为略胖的方脸型，衣襟不再前垂遮蔽座台，而是半遮；衣纹减少繁褥的羊肠式的垂直纹，而只有几根富有弹性的线条，出现许多光洁面。造像组合也起了变化，出现一佛、四弟子、二菩萨七组合，或加二天王构成九组合。简报称：这些造像的时代特点，使我们认识到，北齐时已经把佛教造像艺术推到一个新高潮。

540.新郑发现一件东晋青瓷狮尊

作　者：宋山梅
出　处：《中原文物》1999年第2期

1996年5月，新郑市博物馆在新村乡十里铺村北采集到1件青瓷狮，并予收藏。简报配以照片予以介绍。

据介绍，青瓷狮长12厘米，高7.5厘米。全身施青色釉，匀净无瑕，光洁晶莹，造型优美。整体作卧伏状，身躯肥壮，昂首仰望。全身饰划纹、圆点纹和卷曲纹，狮背上有一圆孔，可用以插物。六朝时人崇尚狮子、辟邪、麒麟，多用作明器随葬。

故这类造型的青瓷器，亦可称为狮尊，可能是用作宴饮和祭祀的酒器。这件灵巧精美的青瓷狮是至为难得的珍品，为我们进一步研究青瓷的造型艺术提供了新的资料。

541.郑州上街水厂晋墓发掘简报

作　者：郑州市文物考古研究所　汪　旭、张　倩、王彦民
出　处：《华夏考古》2000 年第 4 期

街水厂位于郑州上街区东部，聂寨村村西 100 米，北有郑上公路经过，西侧有 1 条深 10 米的自然冲积沟。1998 年 3 月间，郑州市文物考古研究所、上街区文化馆在配合上街水厂扩建工程中，在征地约 4000 平方米范围内进行文物钻探，共发现晋墓 9 座、宋墓 9 座，并于同年 3 月进行发掘清理。简报分为：一、墓葬形制，二、随葬器物，三、结语，共三个部分予以介绍发掘的 9 座晋墓，有手绘图、拓片。

据介绍，三种墓葬形制，是郑州地区晋墓所普遍采用的，同洛阳地区的西晋墓大致相同。从随葬器物看，四系罐、多子盒、武士俑、陶牛、"位至三公"铜镜，是西晋墓葬中常见组合。简报推断其时代应为西晋中晚期。

简报称，晋墓在郑州地区虽发掘较多，但发表资料较少。此次发掘的晋墓群，为郑州地区晋墓的研究提供了有益的实物资料。

542.河南巩义市晋墓发掘报告

作　者：郑州市文物考古研究所、巩义市文物保护管理所　汪　旭、李镇宇、
　　　　　赵海星
出　处：《华夏考古》2001 年第 4 期

1998 年，考古人员在配合巩义市基本建设过程中，在巩义市区内发掘清理两处晋墓，出土了一批晋代文物。简报分为：一、巩义木材公司晋墓，二、巩义火车站晋墓，三、结语，共三个部分。有拓片、手绘图。

据介绍，木材公司墓为单室土洞墓，平面呈"甲"字形，由墓道、甬道和墓室三部分组成。出土有瓷器、铜器、铁器。火车站晋墓为砖结构单室墓，由墓道、甬道、耳室、墓室组成。室内共出土器物 36 件，其中罐、瓮、碗、铜镜、铜洗、铁剪、铁剑、厕、猪圈、磨、碓诸类置于墓室中部。东南放盘、甑、俑等物。耳室放置牛车、马、灶、鸡、井。

2 墓的时代，简报推断为西晋中晚期。

543.巩县石窟寺新发现

作　者：巩义市文物保护管理所　孙角生、张小洁、阎俊杰
出　处：《中原文物》2002 年第 1 期

1997～1999 年，河南省古代建筑保护研究所在维修巩县石窟寺时发现了一批重要的石刻造像及其他珍贵文物。这些文物多未见诸文献记载。此次新发现为我们研究巩县石窟寺的历史、石窟艺术及文物保护等，具有十分重要的意义。简报配以照片予以介绍。

巩县石窟寺，位于河南省巩义市区东北 9 公里的南河渡镇寺湾邙岭大力山下，始建于北魏孝文帝太和年间（477～499 年），宣武帝景明年间（500～503 年）开始大规模凿窟造像。该寺初名希玄寺，唐改为净土寺，宋称大力山十方净土寺，明代称大力山十方净土禅寺，清代迄今俗称石窟寺。现存洞窟 5 个、摩崖大像 3 尊、千佛龛 1 个、摩崖造像龛 328 个，共有造像 7743 尊，其中造像题记及其他铭刻 186 篇。其造像具有较高的艺术价值和历史价值。国务院于 1982 年将巩县石窟寺定为国家级重点文物保护单位。1997～1999 年，对石窟进行维修。在施工过程中，发现了一批重要的石刻造像及其他珍贵文物。计有北朝坐佛造像 1 尊、唐代造像龛 1 处、北周至隋初立佛造像 1 尊、北朝造像龛 3 处、北魏菩萨造像 1 尊以及北朝题记等，其中不少已残。

简报称，据石窟寺碑刻记载，巩县石窟寺经过几次灭佛浩劫，破坏比较严重。灭佛浪潮过后，信士及僧尼便又集资修葺寺院及塑像。若用石修补被损的佛与菩萨造像，显然资金与技术都不到位，只好用泥塑其缺失部分。有的甚至为还愿，将佛、菩萨重塑金身，把整个石雕用泥巴进行包装，然后施以彩绘，年久剥落，后人再塑。这种作法，各窟都有发现。

544.河南巩义站街晋墓

作　者：郑州市文物考古研究所、巩义市文物保护管理所　张文霞、王彦民等
出　处：《文物》2004 年第 11 期

2001 年 10 月，巩义市铝厂修建道路中，发现晋代砖室墓葬 1 座，考古人员进行了抢救性考古发掘。简报分为：一、地理位置与历史沿革，二、墓葬概况，三、随葬器物，四、结语，共四个部分。有彩照、手绘图。

据介绍，墓葬位于河南省巩义市站街镇西偏南 3 公里处的黄土丘陵上，西距洛阳 40 公里，东距大梁 130 多公里，北依黄河，南连嵩岳，是古代东西交通要道。历

史上夏商时代属畿内之地，西周时期地近东周，春秋属郑，战国属韩，秦属三川郡，汉晋属河南郡，唐代属河南府。这里多汉晋与唐宋墓葬，当地百姓称之为"龙尾"。

该晋墓发掘前地表已被铲土机挖去一部分，墓葬主室已被铲出 1 个 2 米见方的洞，但墓葬内保存完好，仅有少量淤土。整个墓葬由墓道、前甬道、前室、内甬道、主室和后室组成，平面呈"串"字形，墓道因占压未发掘。后室置双棺，分别为男女墓主。随葬器物较丰富，有陶器、铜器、铁器、石器、瓷器、漆木器等，具有西晋早期的特征。该墓为河南郑州地区发现的保存较好、规格较高的晋墓。出土的文房用具似乎表明墓主人的文人身份。

545.河南荥阳苜蓿洼墓地西晋墓 M18 发掘简报

作　者：周口市关帝庙民俗博物馆　杨洪峰、刘良超、于宏伟
出　处：《中原文物》2014 年第 3 期

2010 年 1 月，郑州市文物考古研究院配合郑州清华·大溪地住宅工程建设，在墓地西部发掘西晋墓 1 座（以下简称 M18）。简报分为：一、墓葬形制，二、出土器物，三、结语，共三个部分。有彩照、手绘图。

据介绍，M18 为单室土洞墓，由墓道、封门砖、甬道、墓门和墓室五部分组成。出土各类质地的随葬品 67 件，其中陶器中的武士俑、马俑、镇墓兽形体高大，制作精美，为西晋墓中的罕见的珍品。简报称，为研究当时的社会经济生活提供了重要的实物资料。简报推断：墓主人身份应高于Ⅲ类墓主人，接近Ⅱ类墓主人；该墓的时代应为西晋中期。

开封市

洛阳市

546.洛阳晋墓的发掘

作　者：河南省文化局文物工作队第二队　蒋若是、郭文轩等
出　处：《文物》1957 年第 1 期

洛阳市城北邙山南坡、城西洛河北岸和涧西 3 处，于 1953 年春至 1955 年 9 月以前，共发掘晋墓 54 座。简报分为：一、墓葬形制，二、出土器物，三、结论，共三个部分。

有照片。

据介绍，54 座晋墓可分为竖穴墓和洞室墓两种。竖穴墓仅 4 座，甚小。洞室墓 50 座，大的墓道就长达 37 米以上。有大墓早期已遭破坏，有的大墓被盗竟达 6 次之多。部分中型墓保存尚好。出土遗物 681 件，陶器以明器为主。另有铜器、铁器、金银器。还有铜钱 2060 枚。22 号墓中出土的 1 把骨尺，是国内出土的第 1 把晋尺。因 22 号墓为永宁二年（302 年），故称"晋永宁尺"。出土墓志 3 合，1 为太康八年（287 年）墓志、1 为元康九年（299 年）墓志，1 为永宁二年墓志（302 年），分别出自 1 号墓、8 号墓、22 号墓。简所未录志文全文。这 3 座墓的墓主人，应属上层。一般中型墓墓主人，应属中小地主或官员，其余墓应为普通百姓的墓。

547.洛阳西郊晋墓的发掘

作　者：考古研究所洛阳发掘队　赵芝莲
出　处：《考古》1959 年第 11 期

1957 年春至 1959 年春，考古人员在洛阳西郊小屯村以北和涧河两岸发掘了 8 座晋墓。简报配以手绘图予以介绍。

据介绍，这 8 座晋墓大都是砖室墓，土洞墓只有 2 座。墓道以斜坡的较多，有的墓设一小耳室，以放置随葬器物。有的分前后两室，有的在方形砖室墓的四角用砖砌出立柱。墓顶多为券顶，大部是单券，只有一座是重券；四角攒尖式的少，大部都已坍陷。墓门多开在墓室南壁，也有开在西壁或东壁的，封门用砖。有的墓曾被盗过，室内随葬品零乱。葬具已朽，隐约可看出是仰身直肢葬，有的骨架已朽成灰，保存较好的极少。根据墓内的日用器物和模型来看，这 8 座墓可以分为两个阶段，各为 4 座。在第一阶段的墓中还保存了东汉的影响，到了第二阶段，已逐渐摆脱了东汉的影响，出现了一些具有西晋特征的器物。8 墓出土遗物中的鎏金压花饰物、骨尺、长勺形铜器等都十分精致。

简报称，从这些墓的出土物可以看出，魏晋时期洛阳地区的经济情况，似乎并未能恢复到东汉时代的水平。

548.洛阳北魏长陵遗址调查

作　者：河南省文化局文物工作队　郭建邦
出　处：《考古》1966 年第 3 期

北魏自孝文帝从平城（今山西大同）迁都洛阳以后，经孝文、宣武、孝明、孝庄、节闵、孝武六帝，历时41年（494～534年）。其中孝明帝（元诩）为其母胡太后毒死，孝庄帝（元子攸）为尔朱兆所杀，节闵帝（元恭）为高欢所废，孝武帝（元修）为宇文泰所杀，故仅有孝文、宣武二人应在洛阳附近建有陵墓。孝文帝迁洛以后，为了缓和民族之间的矛盾，曾经采取了一系列推行汉化的措施。太和十九年（495年），便规定了迁洛的鲜卑族人死后葬在洛阳，不许归葬代北。因此当时的王公贵族死后也必须葬于洛阳。从近数十年来洛阳北邙出土元氏墓志之多，也可以看到这一政令推行的梗概。但孝文帝长陵的位置一直未能确指。考古人员为此前往调查，简报配以拓片、手绘图予以介绍。

据介绍，结合魏文昭皇太后山陵志石及相关文献记载，简报认为今孟津县官庄村东地的大冢很可能是北魏孝文帝的长陵。简报还指出赵万里先生在《汉魏南北朝墓志集释》卷二所做考释不确切。

549.洛阳北魏元邵墓

作　者：洛阳博物馆　黄明兰
出　处：《考古》1973年第4期

1965年7月，博物馆对北魏元邵墓进行了清理发掘。该墓位于洛阳老城东北4公里，盘龙冢村南0.25公里邙山半坡，西距瀍河约1.5公里，西南隔河与其父元怿冢相望。该墓1949年前被盗掘，出土100余件遗物，其中的青瓷罐、鸡头壶及九枝铁灯等在掘出后即遭毁坏。这批遗物中的墓志和百余件陶俑，已在1949年由洛阳博物馆收存。简报分为：一、墓葬形制，二、出土器物，三、墓志，四、结语，共四个部分。有照片、拓片。

据介绍，元邵墓为土圹洞室，墓上无冢。在元邵墓中出土墓志1方。另外，元邵父元怿墓也曾在1949年前被盗，出土遗物经盗卖流失。仅1方墓志，1949年后收存于洛阳博物馆，也附在元邵墓志后，简报未录2志志文。

元怿、元邵父子二人，都先后死于北魏最高统治集团互相倾轧的政变之中，当时北魏政权摇摇欲坠，连续换了四个皇帝，但都不过统治两年到五年的短暂时期，以后北魏就分裂为东魏、西魏两个对立的政权了。元怿、元邵的墓志中，给我们提供了有关当时北魏最高统治集团内部矛盾的有关资料，同时，也间接地反映出当时北魏王朝面临的人民起义的风暴，元怿墓志中就提到"所在兵兴，七镇继倾，二秦覆没"云云，"七镇继倾"，正是指的当时著名的六镇各族人民的起义，而"二秦覆没"当指稍迟一些的关陇地区暴发的人民起义，正是各族人民大起义，势如暴风骤雨，彻底摧毁了北魏王朝。这两方墓志，对了解这些史实均具有一定的史料价值。

550.河南洛阳北魏元乂墓调查

作　者：洛阳博物馆

出　处：《文物》1974 年第 12 期

1974 年 2 月，洛阳市以北的朝阳（后海资村）公社向阳（前海资村）大队准备在村西南修建蓄水池，掘得一大冢。考古人员前赴现场勘察，调查情况简报配以手绘图、照片予以介绍。

据介绍，向阳村北魏元乂墓，位于村西南部，洛孟公路的西侧。墓冢系夯筑，呈圆形。冢的北面发现一长方形盗坑，墓内壁画受损严重，只有穹窿顶的"天象图"由于高达 9.5 米，才得以保存下来。此图银河横贯南北，波纹呈淡蓝色，清晰细致。星辰有 300 余颗，星点大小相差不多，亮星之间附有连线，绝大多数的星宿名称可以辨识，对古天文学的研究十分珍贵。据说这座墓在 1949 前曾出土过墓志，是从北壁盗坑中拉出来的，当时就卖了，志文内容不清楚。还说：同出有瓦俑、瓦马等，有一件石羊因拉不出来，就又扔在墓里。因该墓尚未发掘，有待今后弄清。在调查过程中，在墓室积土的面上发现石墓志盖一角，将它与北魏元乂墓志盖（见《汉魏南北朝墓志集释》第三册，图版七八，页五〇）进行核对，发现此墓志盖与元乂墓志左下角基本吻合，花纹风格一致。为了进一步证实此判断的准确，派人携带志盖赴开封市博物馆对原志盖进行粘对，完全无误。因此，这座墓葬的具体年代应是北魏孝昌二年，即公元 526 年。

简报称，元乂，《魏书》有传。乂字伯儁，道武皇帝玄孙，太师京兆王世子。由于胡太后的赏识，屡经超迁，掌握国柄，主宰生杀大权。后因政变未遂，被罢黜免官为民，旋于北魏孝昌二年（526 年）三月二十日被胡太后以药毒死，年 41 岁。由于元乂之妻是胡太后之妹，故元乂死后殡葬从优，于孝昌二年（526 年）七月二十四日葬于"成周之北山上，长陵茔内"。志、传所载，与墓葬的庞大规模是一致的，地点也和志载相合。这座墓葬的主人应是北魏"江阳王"元乂。

迁至洛阳的北魏皇族，在文化上有些什么变化呢？可参阅王永平先生《迁洛元魏皇族与士族社会文化史论》（中国社会科学出版社 2017 白折版）一书。

551.北魏汉化新窟——宾阳洞

作　者：宫大中

出　处：《河南文博通讯》1978 年第 4 期

龙门西北部的宾阳洞，是龙门石窟中继古阳洞之后开凿的第三个窟，又是北魏孝文帝迁都洛阳后的代表性洞窟，具有重要的历史价值和艺术价值。简报配以手绘图，详细介绍了宾阳洞的历史及洞内造像的艺术特点。

552.洛阳北魏画像石棺

作　　者：洛阳博物馆　黄明兰

出　　处：《考古》1980 年第 3 期

1977 年 4 月，洛阳市郊区瀍河公社上窑大队村东的机制砖瓦厂，在工程中发现石棺 1 具。墓室已被推土机破坏，墓葬形制和大小已不能全部知道。根据残存情况来看，此墓为洞穴土圹。石棺位置未动，唯棺盖在发现石棺时已被撬开抛于墓道，石棺内外无任何随葬遗物，证明此墓早已被盗。简报分为：一、石棺的结构，二、石棺线画的雕法和内容，三、结语，共三个部分。有手绘图。

据介绍，石棺石质为青色石灰岩。棺由盖、左右两帮和前后档六块石板安榫装配而成，盖表为素面，盖内绘太阳和月亮，其余帮底周身雕花，尺寸见"石棺尺寸表"。

简报指出，魏晋南北朝是我国绘画艺术发展的一个重要时期，而画像石则是画和雕刻的结合，由于绘画不易保存，故从画像石刻也能窥视其时代的风格和特征。这具石棺在艺术上具有丰富的艺术想象力，充满浪漫主义的色彩，形象生动传神，艺术匠师把众多不同的人物，甚至花鸟、神兽、树木、山林都很艺术地组织到一起，既有显著的个性又有统一的主题，前后呼应，上下连贯，浑然一体。以往发现的石棺多呈单一阴线刻，内容多半是些异禽怪兽，故事不多。因此，这具石棺的出土，为研究南北朝时代的雕刻艺术史提供了实物例证，具有一定的价值。

553.北魏宁懋石室和墓志

作　　者：郭建邦

出　　处：《河南文博通讯》1980 年第 2 期

我国近代出于墓葬内的石室，最著名的有 2 座：1 座为朱鲔石室，另 1 座为宁懋石室。这两座石室所刻的画像，对于研究汉魏时期的历史，以及石刻艺术，都有着极其重要的参考价值。不过，宁懋石室出土不久，就被窃卖国外，国内现存画像拓本极少，著录图像漫漶不清。简报分为：一、宁懋石室和墓志的出土经过，二、宁懋石室的建筑形式，三、宁懋石室的画像内容，四、宁懋墓志铭浅释，共四个部分。有照片、手绘图。

据介绍，石室和墓志，于 1931 年在洛阳"汉魏故城"北邙山半坡向阳处被人盗掘出土。出土后不久，被商人买去，后经上海运往国外，现藏美国波士顿艺术博物馆。在石室和墓志被盗往国外之前，洛阳郭玉堂先生闻讯后，立即赶到洛阳车站，经过洽商，乘列车尚未发车的短暂时机，对全部石刻画像进行了捶拓，幸得完整拓本一份。关于宁懋石室和墓志的材料，赵万里先生曾收入《汉魏南北朝墓志集释》（广西师范大学出版社 2008 年手稿影印本）一书。由于墓志铭中宁懋的"懋"字漫漶不清，故赵释"懋"字为"想"。关于此墓志出土情况等，可参阅郭玉堂先生《洛阳出土石刻时地记》一书。

简报称，所谓"宁懋石室"是 1 座地下建筑，是少见的埋入地下的祠堂式建筑，为横长方形悬山式建筑。分屋顶、围墙、基台三部。高 1.38 米，面阔 2 米、进深 0.78 米，用 8 块石板构成。宁懋石室石刻画像 9 幅，有武士画像、主人像等。简报录有墓志全文。宁懋为当地西北少数民族，据志铭可知，宁懋 35 岁时蒙获起部曹参事郎，当在北魏太和十二年（488 年）就任。太和十三年（489 年）转补山陵军将。宁懋于北魏景明二年（501 年）病故，享年 48 岁；其妻于北魏孝昌三年（527 年）正月六日丧，并于同年十二月五日葬于北邙□和乡。其葬地当在今孟津县平乐公社翟泉镇之北邙半坡。

554.北魏永宁寺塔基发掘简报

作　者：中国社会科学院考古研究所洛阳工作队　杜玉生
出　处：《考古》1981 年第 3 期

永宁寺遗址在今洛阳市东郊 15 公里的"汉魏故城"内，东北距北魏宫城南门基址（即俗称的"午门台"遗址）约 1 公里，东约 250 米处即为北魏洛阳城内的铜驼街遗迹。陇海铁路与郑洛公路由遗址北部穿过。遗址中央迄今尚留有一座高大的土台，残余的土坯、红烧土块等建筑遗存清晰可见。1963 年考古人员探查了遗址的平面布局，在《考古》1973 年第 4 期上发表了有关资料。1979 年春开始全面发掘该遗址，首先发掘了遗址中心建筑木塔的基址。简报分为：一、塔基的形制结构，二、塔基出土遗物，三、结语，共三个部分。有照片。

据介绍，塔基位于寺院中心，现今尚存一高出地面 5 米许的土台。基座呈方形，有上下两层，皆为夯土板筑而成。下层基座位于今地表面下约 0.5～1 米，据钻探得知东西广约 101 米，南北宽约 98 米。上有 124 个方形柱础，分为 5 圈。据当地农民反映，清朝末年修建陇海铁路时，某军阀误信此台为"汉质帝静陵"，遂派兵进行盗掘。盗洞挖至塔基中心。现塔基中心尚存一方形竖穴坑。坑约 1.7 米见方，坑深挖至 5 米余，未发现遗存。方坑四壁整齐，坑壁皆系夯土。根据方坑的位置及其遗迹现象，推测这个方坑应是木塔的地宫，但由于盗掘破坏，其形制已不清楚。塔基中出土了大量的与佛教艺术有关系的泥塑像残件，其次有石雕、瓦、瓦当等建筑材料。另外，珍珠、玛瑙、水晶、象牙及铜钱等，也有少量出土。永宁寺的建筑布局，是以佛塔为中心的，佛事活动主要围绕着佛塔进行，这与晚期寺庙以大殿进行佛事活动不同。

简报说，北魏杨衒之《洛阳伽蓝记》中曾详细描写了永宁寺，北魏郦道元在《水经注》中亦有记载，考古发掘证实两书记载不误。

555.洛阳出土西晋"合背"五铢铜钱

作　者：赵振华
出　处：《中原文物》1981 年第 3 期

1980 年冬，考古人员在配合城市基本建设中，于洛阳棉纺织厂西距五女冢村 1 公里处，发掘了 1 座墓葬，出土了"合背"五铢钱等文物。简报配以拓片予以介绍。

据介绍，墓葬形制为长方形竖穴。出土遗物有：铜镜 1 件、青瓷盂 1 件、铜钱 2 枚，简报推断当属西晋时代的遗物。简报称，西晋时代的小儿葬，在洛阳发现的还不多，"合背"五铢铜钱，不见于著录。这种较一般五铢钱厚重的"合背"五铢钱的出土，为古钱学的研究提供了一个新的资料。

556.洛阳出土西晋鸡头壶

作　者：侯鸿钧
出　处：《中原文物》1983 年第 3 期

1980 年在涧西区拖拉机厂前修路时发现 1 座晋墓，在挖土时墓形已被破坏。在这座晋墓中出土文物有：2 件鼓腹四系陶罐，1 件瓷鸡头壶，12 枚五铢铜钱。这些文物现已送交洛阳博物馆保存。在洛阳出土西晋文物为数虽不少，但鸡头壶还是初次发现。简报配以照片予以介绍。

据介绍，鸡头壶为瓷质，胎色土黄，施青灰釉，底部露胎，颈短直，喇叭口，鼓腹平底，双系，在两系之间一边有一鸡头，一边是一鸡尾。洛阳出土西晋墓及文物都较多，此墓出土四系罐、五铢钱是西晋墓常见之文物，青瓷鸡头壶多出在南方地带，在北方中原地带不多，在洛阳则是第一次发现。这说明了江南地区和中原文化的交往和联系。这是我国西晋青瓷中一件较为精美的作品。

简报称，此次发现，为研究我国陶瓷工艺发展史和西晋社会经济史，提供了一件实物资料。

557.西晋帝陵勘察记

作　者：中国社会科学院考古研究所洛阳汉魏故城工作队　段鹏琦、杜玉生、
　　　　肖准雁

出　处：《考古》1984 年第 12 期

我国古文献对历代封建帝王陵墓的记载，以有关西晋诸帝陵者最为简略。除宣帝（司马懿）高原陵外，其他四陵，即景帝（师）峻平陵、文帝（昭）崇阳陵、武帝（炎）峻阳陵、惠帝（衷）太阳陵，一般皆只录陵名而不及其方位、地望，加之当初筑陵"不坟不树"，年代既远，世人便罕有知其处者，因此之故，西晋帝陵遂成了当今考古学上一个难解之谜。

1917 年和 1930 年，晋中书侍郎荀岳墓志、晋武帝贵人左棻墓志相继出土，为确定崇阳、峻阳二陵的地望提供了重要依据。但由于当时对其出土地点缺乏确切了解，加之有关记述失误，以致当人们从这两方墓志出发考证崇阳、峻阳二陵的位置时，得出了"二者一在南蔡庄村，一在南蔡庄北地，相距不过五里，这已经为晋陵的南北线勾出了一个简单的轮廓了"这一包含严重错误的结论。

1982 年秋，为适应国家基本建设和文物保护工作的需要，考古人员对西晋帝陵进行实地勘察。简报分为：一、地面调查和访问，二、峻阳陵墓地、枕头山墓地的铲探，三、枕头山墓地 4 号、5 号墓的发掘，四、结语。共四个部分予以介绍，有手绘图、照片。

根据已经掌握的资料，考古人员选择峻阳陵、崇阳陵为这次勘察的重点，地面调查和访问的重点区域放在南蔡庄及其以东的邙山南麓。

据介绍，这次勘察的主要收获有：

一是查明了荀岳墓志的出土地，纠正了以往有关记载的错误，为考察晋文帝崇阳陵提供了可靠依据。

二是发现并铲探了峻阳陵墓地和枕头山墓地。这两个大型墓地，东西相距 3 公里，具有同样的布局、同样的墓葬形制，又同处于邙山之阳，高程相近（二墓地都在黄海高程系 180 ～ 200 米的等高线上），墓葬方向基本一致，墓葬大小相差无几。可见，它们是同一时代、同一级别的两个关系密切的墓地。从枕头山墓地 4、5 号墓墓道夯土中发现的晋砖，墓室出土的饰物金叶、串珠和其他器物看，这些墓葬无疑都是晋墓，而且墓主可能是贵族。

简报推断峻阳陵墓地就是晋武帝之峻阳陵，枕头山墓地很可能是文帝崇阳陵。

西晋的灭亡与所谓"八王之乱"直接相关，今有林梭生先生《"八王之乱"丛稿》（福建人民出版社 2003 年版）一书，可参阅。

558.河南偃师杏园村的两座魏晋墓

作　者：中国社会科学院考古研究所河南第二工作队　赵芝荃、徐殿魁

出　处：《考古》1985 年第 8 期

1984 年夏季，考古人员在配合河南首阳山电厂建厂过程中，清理了 2 座魏晋墓，编号为 84YDT16M6 与 84YDT24M34。这 2 座墓与过去发表的杏园东汉壁画墓和杏园唐墓同在一片墓区。简报分为：一、杏园 6 号墓，二、杏园 34 号墓，三、结语，共三个部分。有手绘图、照片、拓片。

据介绍，杏园 6 号墓的墓葬形制在洛阳地区所见甚少。1956 年洛阳涧西 16 工区曹魏墓与此墓有许多相近之处。它们的墓道都长达一二十米，上宽下窄，两壁分级收缩。墓道底呈大斜坡状，坡度二十六七度。它们都有一个近方形的前室和窄长方形后室，前室两侧另开方形耳室。随葬器物也极为相似，有带盖罐、猪圈、水井、陶灯、磨盘、陶俑、仓、灶、盘和模型鸡等，从器形到组合大部分沿袭着东汉晚期的遗制，洛阳 16 工区曹魏墓由于出土了刻有"正始八年八月"纪年的铁帐钩，所以尽管出土了大量东汉晚期遗物，但仍可据此判定为曹魏墓。杏园 6 号墓从墓葬形制到内容均与洛阳 16 工区曹魏墓相近，简报推断其时代也应去曹魏不远。

杏园 34 号墓是 1 座典型西晋墓。墓道、墓室总长度达 33.2 米，墓道南北两壁分级收缩。前室土洞、后室砖券，一律采用掏挖而成的"暗券"，随葬器物有多子槅、空柱盘、圆案、方案、武士俑、仆从俑、牵马俑、镇墓兽、四系罐、仓房、庖厨明器、家畜模型、陶灯、扁壶等。以上器形或器物组合无不具备西晋墓的典型特征，尤其是这里出土的多子槅、空柱盘、牛车、灯、盆，与洛阳西郊晋墓中 M27 的出土物，无论器物形制，还是器物组合，均完全相同。简报推断此墓时代为西晋。

559.北魏正光四年翟兴祖等人造像碑

作　者：李献奇

出　处：《中原文物》1985 年第 2 期

1984 年 11 月，考古人员在偃师县南蔡庄乡进行文物普查时，在宋湾村收集到北

魏正光四年（523 年）扫逆将军翟兴祖等人的造像碑。该碑虽然出土已 20 年，但保存仍较好，造像艺术精湛，内容丰富，题材新颖。对于研究北魏洛阳寺院分布、佛教造像艺术、文字书法、民族融合等方面有一定价值。简报分为：一、碑的形制和内容，二、对翟兴祖等人造像碑的几点管见，共两个部分。有照片。

据介绍，该碑高 1.112 米、宽 0.395 米、厚 0.11 米，呈长方形，青石灰岩质。碑顶有长 0.26 米、宽 0.047 米、深 0.04 米的榫槽，说明该碑原有碑首；碑下有榫，说明原有碑座。可惜碑首和碑座与碑身分离，下落不明。该碑前后左右均有造像，分别为高浮雕和线刻佛像及施主肖像。施主像有 7 排，每排 6～7 人不等。这通碑中有官衔者，如扫逆将军、扫虏将军、殄寇将军、平昌令、汝南令，按《魏书》载皆从八品，典祠令则从九品。有官衔者 9 人，《魏书》均不见有传。碑中人物绝大多数是平民百姓。所以可以说，该造像碑是一些下级官员和多数百姓联合捐资所刻。

据发现该碑的宋湾村郭鸿章讲，该碑是 1964 年在村东北约 400 米处取土时发现的，出土时完庋五尊佛像身上涂有金色和朱色。该碑的出土地点，西距汉魏故城约 1300 米。应为宝明寺遗物。该碑对于研究北魏佛教、民族融合等均有价值。

560.河南新安县西沃石窟

作　者：温玉成

出　处：《考古》1986 年第 2 期

西沃石窟是洛阳市文物普查队于 1984 年 8 月 28 日发现并勘察的，简报配以手绘图、照片予以介绍。

据介绍，西沃乡位于河南省新安县正北 40 公里的黄河南岸，黄河在这里作近乎直角的转弯，浪急水深。沿黄河南岸是青要山，悬崖阻河，形势险要。西沃石窟开凿于西沃乡东约 1 公里黄河南岸的垂直峭壁间。其上，距岸边公路约 7 米；其下，临黄河水面亦约 7 米。西沃石窟立面自东而西依次是浮雕石塔 4 座（依次编号为 T1～T4），石窟 2 座（依次编号为 K1～K2）。在塔与石窟间还有若干小佛庑，因无法攀登，此次未能记录。当地人俗称这里的情景是"走塔不见塔（即从黄河岸边的路上走过，看不见塔及石窟），见塔不走塔（即从黄河的船上可以遥望到塔及石窟，但却不能攀登上去）"，足见进入石窟之危难。简报录有一号窟、二号窟题记全文。

简报指出，西沃石窟是黄河中、下游岸边的唯一一处北魏石窟。它的发现，为我国石窟寺艺术研究增添了一项新资料。西沃一号窟完工之年的四月，发生了震惊北魏王朝的"河阴之役"，从此北魏王朝面临灭亡，龙门石窟的大规模造像活动也告中断。二号窟完工后 3 年，北魏就灭亡了。

561.洛阳出土一件线刻碑座

作　者：黄明兰

出　处：《考古与文物》1986 年第 4 期

1979 年，洛阳东关下园基建工地发现 1 件造像碑座。简报配以照片予以介绍。

据介绍，碑座四面有阴刻之图。上有夜叉、菩萨、侍童侍女及 4 位老者形象。简报称 4 位老人当是捐资造碑的出资人。

简报推断，此碑座应为北魏正光、孝昌年间作品。

562.汉魏洛阳城北魏建春门遗址的发掘

作　者：中国社会科学院考古研究所洛阳汉魏故城工作队　段鹏琦、杜玉生、
　　　　肖淮雁、钱国祥

出　处：《考古》1988 年第 9 期

60 年代初，考古人员全面勘察汉魏洛阳故城，在其东城垣探出城门 3 座，最北 1 座门址（Ⅷ 号门），位于东城垣北段向东转折处，地当今洛阳市偃师县韩旗屯村的东北。根据杨衒之《洛阳伽蓝记》关于洛阳城"东面有三门：北头第一门曰建春门，汉曰上东门……魏晋曰建春门，高祖因而不改"的记载，推断此即汉上东门、魏晋到北魏建春门的遗址。1985 年冬，工作队对这一门址进行了正式发掘。此次发掘，当年 10 月底开始，12 月初结束，历时 1 个多月，揭露面积 800 平方米。

简报分为：一、地层堆积，二、城门建筑遗址，三、北魏以前的有关建筑遗迹，四、出土遗物，五、结语，共五个部分予以介绍发掘情况及收获。

据介绍，汉魏洛阳城在时间上恰居汉、唐长安城之间，城门洞的作法同样采用以夯土墙和排叉柱承重的大过梁式结构，是符合古代建筑发展规律的。简报认为需要补充说明的，是关于城门洞内部的修饰。遗址内所见大片的白灰墙皮，显然是从门洞侧壁或顶部塌落下来的。它表明，当年对门洞的修饰十分讲究，不仅在壁表精心粉饰白灰膏，而且还在白灰墙皮上加施红彩绘成简单线条图案，呈现出古朴典雅的建筑风貌。

对照文献记载，简报进一步认为，此城门之最终毁废，当与东魏迁邺后数年内对故都洛阳的残酷浩劫有直接关联；简报推断门址为北魏建春门的遗迹，且建春门

和东汉上东门皆在此处。

563.洛阳曹魏正始八年墓发掘报告

作　者：洛阳市文物工作队　张　剑、余扶危
出　处：《考古》1989 年第 4 期

1956 年 7 月在洛阳涧西 16 工区（矿山厂）发掘了 1 座曹魏正始八年（247 年）墓，编号 M2035 以下器物编号可简去 M2035 字样，其结构保存完好，随葬品较为丰富。这是迄今为止我国发现的唯一的一座有纪年的曹魏墓。简报分为：一、墓葬形制，二、随葬器物，三、曹魏时期的墓葬特点，共三个部分。有照片。

曹魏正始八年（247 年）墓的资料虽曾在 1958 年第 7 期《考古通讯》上作过发表，但是发表的资料比较简单，当时只对墓葬形制和墓中出土的铁帷帐、铁灯、玉杯等部分随葬品作了介绍，由于发表的资料不全面，对以后该课题有诸多不便。为了更有助于曹魏时期墓葬的研究，我们认为有必要将此墓的全部资料，包括发表的和未发表的在内，重新进行较详细的全面而系统的报告。

此墓为明券的砖室墓，距地表深 10.3 米，全墓由墓道、甬道、墓室、耳室等组成。此墓随葬品较为丰富，虽然被盗，但仍残存遗物 65 件，其中以陶器为主，另还有少量的铜器、铁器、玉器。陶器绝大部分出土于南北耳室，仅个别出于后室，铁器、铜器和玉器皆出土于前室。

简报称，曹魏时期的墓葬形制及其随葬品均具有由东汉墓向西汉墓发展的过渡性形态，既有汉代墓的特征，又具有西晋墓的特征。

564.洛阳孟津晋墓、北魏墓发掘简报

作　者：洛阳市文物工作队　赵春青等
出　处：《文物》1991 年第 8 期

1985 年秋，河南省洛阳市文物工作队配合孟津县玻璃厂扩建过程，在洛阳市孟津县邙山乡三十里铺村东北约 1.5 公里处，发掘清理了 4 座汉至北魏的墓葬。墓葬地处邙山南麓，南距汉魏洛阳城约 3 公里。4 座古墓自西向东依次编为 C10M19～M22。其中 M19 为汉墓，其余 3 座为晋至北魏墓。简报分为：一、晋墓（M20、M21），二、北魏侯掌墓（M22），三、结语，共三个部分。配以照片、拓片、手绘图，先行介绍了晋墓与北魏墓的发掘结果。

据介绍，两座晋墓（M20、M21）为西晋墓，简报称这是首次在西晋洛阳故城城

北发掘的西晋墓，而以往大多在城西。北魏墓（M22）出土有石墓志1合，计473字，楷书。简报未录全文。由志文知墓主名侯掌，字宝之。上谷郡居庸县崇仁乡修义里人，北魏孝明帝正光五年（524年）卒于洛阳延寿宅，享年69岁。生前曾任上谷郡中正、燕州治中从事史等职。系北魏级别较高的地方官吏。此墓为平面呈"凸"字形单室土洞墓，出土有陶俑、镇墓兽、陶器等。

565.河南偃师南蔡庄北魏墓

作　者：偃师商城博物馆　王竹林
出　处：《考古》1991年第9期

1989年春，南蔡庄联体砖厂发现1座古墓，同年11月清理完毕，编号89YNLTM4。该墓位于偃师县南蔡庄村通往邙岭乡东蔡庄村公路的西侧约300米处。此墓经多次盗掘，随葬器物多被扰动。简报分为：一、墓葬形制，二、随葬器物，共两个部分。有手绘图。

据介绍，该墓为砖室墓，平面呈铲形，由墓道、甬道、墓室三部分组成。最深处距地表6.4米，填土之中包括大量石块。遗物有陶俑、陶器、瓷片等。有石墓志，但表面经打磨，未见文字及图案。该墓年代，简报推断为北魏。

566.河南偃师县杏园村的四座北魏墓

作　者：中国社会科学院考古研究所河南二队　徐殿魁
出　处：《考古》1991年第9期

在配合洛阳首阳山电厂基建过程中，考古人员在偃师县杏园村之南的厂区范围内，陆续清理了4座北魏墓。简报分为：一、洛州刺史元睿墓（YDIIM914），二、杏园4031号墓，三、杏园1101号墓，四、杏园926号墓，五、结语，共五个部分。有拓片、手绘图。

据介绍，洛阳刺史元睿墓为单室砖券墓。由墓道、甬道、墓室三部分组成。为夫妇合葬墓，曾被盗。随葬品尚完整的计43件。包括各类陶俑24件，牛车等模型器4件，陶器8件，瓷器4件，还有铜簪、石墓志及铁棺钉等。墓志志文阴刻正书（又兼似碑体），文25行，行24字，简报录有墓志全文。由志文知元睿出身皇族，为昭成皇帝之后。北魏延昌三年（514年）卒。熙平元年（516年）迁葬。

4031号墓为一小型北魏平民墓，926号墓为一中型砖室墓，出土的金花铜盂十分精美。

简报称，通过对杏园 4 座北魏墓的发掘，加深了人们对洛阳地区北魏中小型墓葬的认识，对于北魏这一短暂王朝的历史研究来说，也将会有益的。

567.北魏洛阳城内出土的瓷器与釉陶器

作　者：中国社会科学院考古研究所洛阳汉魏城工作队　杜玉生
出　处：《考古》1991 年第 12 期

北魏洛阳西廓城内，在阊阖门外御道和西阳门外御道之间，分布着东汉以来著名寺院白马寺和北魏洛阳最大商业市场"大市"。1985 年以来，考古人员对这一地区进行了较大面积的考古钻探和发掘，发现了一些坊间道路和不同类型的房舍、窖穴，并清理出一大批有价值的古代文物，其中北朝瓷器与釉陶器尤为重要。简报分为：一、地层堆积和遗迹情况，二、廓城内出土的瓷器，三、廓城内出土的釉陶器，四、结语，共四个部分。有照片。

出土这批瓷器与釉陶器的遗址，主要是北魏时期的半地穴式房舍、竖井式或袋形窖穴和水井。半地穴式房舍结构简单，地下部分较深，地上部分残存少量砖墙，房顶毁坏无存。窖穴与房舍紧邻，形制可分为竖井式方形或袋形 2 种。有的窖穴内残留有绿色腐殖土，应为用作贮藏粮食的。有的窖穴不见绿色腐殖土，当是用于存放其他物品的。水井分布较密集，靠近房舍与窖穴。廓城内出土的瓷器出土时多已残碎，共出土残片 100 余片。经粘对复原，得到完整或较完整的瓷器 62 件。其中青瓷 53 件，黑瓷 9 件。主要是生活用器，计有碗、杯、盏、盏托、钵、盘、壶、盂、多足砚等。釉陶中以单色釉陶为多，如碗、杯、罐皆为单色釉陶，做工除个别外大都较粗糙，釉质较差。

简报称，据《洛阳伽蓝记》等史籍记载，"洛阳大市"位于洛阳城西廓城内，是商品交流市场。按照产品和销售品种的不同，分别设置 10 个里坊，生产经销各种产（商）品。瓷器出土地附近的遗迹，有分布较密集的半地穴式房舍、窖穴和水井等。这里是否就是史书记载的"洛阳大市"呢？尚待以后勘察中证实。

568.洛阳北郊西晋墓

作　者：洛阳市文物工作队
出　处：《文物》1992 年第 3 期

此墓（C8M868）位于陇海铁路北侧的洛阳市郊苗沟村苗沟北路，东南有隋唐东都城遗址，东距洛阳汉魏故城不远 5 公里。1990 年 6 月清理发掘。简报配以手绘图予以介绍。

据介绍，此墓为一方形单室砖券墓，由墓道、甬道和墓室三部分组成。墓室葬具及人骨均已腐朽，仅在墓室东北部发现1个人头骨。此外，在甬道内发现有少量家畜骨骼残块。墓室和甬道内放置随葬遗物。此墓出土遗物86件，大多集中于墓室东部。其中大多数为陶器，多为泥质灰陶，还有少量铜、铁器。其中胡俑值得注意。该墓的年代，简报推断为西晋。

569.洛阳汉魏故城北魏外廓城内丛葬墓发掘

作　　者：中国社会科学院考古研究所洛阳汉魏城工作队　钱国祥

出　　处：《考古》1992年第1期

1988年5月下旬，考古队在配合207国道建设工程中，在洛阳汉魏故城北魏东外廓城内、今偃师县南蔡庄乡寺里碑村东俗称"景阳岗"的带状高地上，发掘清理了一批墓葬和窑址，其中包括2处丛葬墓地。丛葬墓地的发掘情况，简报分为：一、地层堆积，二、墓葬，三、文字砖，四、随葬品，五、结语，共五个部分。有手绘图、拓片。

据介绍，这两处丛葬墓地分别位于景阳岗高地的中部和北部。勘探表明，岗北部墓地的范围，东西长约6米，南北宽约7米，估计有20余座墓葬。岗中部墓地的范围，东西长约7米，南北宽约9米，估计约有墓葬近40座。因临近夏收及建设工期的限制，这两处墓地没有全面揭露，仅于岗北部墓地开探沟一条（T2）、岗中部墓地开探沟两条（T6、T7），共发掘墓葬28座。上述两处墓地在布局、墓葬形制、葬具及随葬品诸方面表现了基本统一的面貌，说明它们是属于一种性质的由小型土坑墓组成的丛葬墓群。2处墓地内，墓葬排列密集，间隔小但井然有序，互不扰乱。墓葬均属同一层位，随葬品的时代大体一致，表明这两处墓地的死者，可能是在同一时期内按照预定规划一次埋藏的。据地层关系及随葬品分析，简报推断：这些丛葬墓的年代当属东汉晚期至北魏；这些丛葬墓的死者应是一群与东汉刑徒截然不同的特殊身份的人，从出土朱书砖文看，无疑应是所谓的"西人"。究竟"西人"属于哪个阶级或阶层，他们为何集体埋葬于洛阳附近？简报认为诸多问题尚在进一步的研究之中。

570.河南偃师两座北魏墓发掘简报

作　者：偃师商城博物馆　王竹林
出　处：《考古》1993 年第 5 期

1990 年秋，在对全县各级砖厂进行文物钻探时，发现了一批古代墓葬。其中有 2 座北魏墓，1 座位于城关镇杏元村砖厂，1 座位于南蔡庄乡联体砖厂。这两座北魏墓均位于北魏洛阳城以东 5 公里至 10 公里之间，背靠邙山，南临伊洛。杏元砖厂七号墓（90OYCXM7）位于杏元村通往邙岭乡杨庄村的公路东侧约 300 米处，南距陇海铁路约 1500 米。联体砖厂二号墓（90YNLTM2）位于南蔡庄村通往邙岭东蔡庄村的公路西侧约 250 米处，南距陇海铁路约 1500 米。由于历年来水土流失和平整土地，地面上已均无封冢。经发掘可知，2 墓均被早期盗扰，但仍出土了一批较珍贵的随葬器物。简报分为：一、染华墓（90YCXM7），二、联体砖厂二号墓（90YNLTM2），三、结语，共三个部分。有手绘图。

据介绍，染华墓为一座墓道向南的土洞墓。由墓道、过洞、天井、封门、甬道和墓室等部分组成。葬具已朽，骨架已乱。有石墓志及陶器、瓷器计 63 件出土。由志文，知墓主人名叫染华，为冉闵后人。冉闵，《晋书》有传。志文可补史书之阙，简报录有志文全文。染华应死于北魏孝昌二年（526 年）。

联体砖厂二号墓的墓葬形制和随葬器物，均与洛阳北魏元邵墓相近似。出土有镇墓兽、俑、陶马。其中担任"乐队指挥"的俑实属罕见。此墓的年代，也应在北魏建义年间前后。

571.北魏宣武帝景陵发掘报告

作　者：中国社会科学院考古研究所洛阳汉魏城工作队、洛阳古墓博物馆
　　　　李聚宝、方孝廉、钱国祥、段鹏琦
出　处：《考古》1994 年第 9 期

河南省洛阳市北郊邙山乡冢头村东有一巨大土冢，清代洛阳知县龚崧林曾于冢前竖碑，妄指其为汉冲帝怀陵。经考古学者多方考证，断然否定龚氏的无稽之谈，正确判定其为北魏宣武帝景陵。1961 年被定为市级文物保护单位。1984 年筹建洛阳古墓博物馆，馆址即选定于大冢东侧。博物馆之第一期工程于 1987 年竣工并向游人开放，保护此陵随即成为该馆的重要任务之一。1990 年 6 月开展了对此帝陵的考古勘察和发掘。发掘工作于 1991 年 6 月 1 日正式开始，同年 8 月 16 日基本结束。简报分为：一、陵区地貌及地面建筑保存情况，二、墓葬形制及其结构，三、出土随

葬器物，四、结语，共四个部分。有手绘图、照片。

据介绍，学者们对北魏宣武帝景陵位置的考定，主要得力于冢头村周围地域以往所出与景陵有关的墓志。这类墓志共 14 方，其中北魏墓志 12 方，唐、宋墓志各 1 方。北魏墓志所记死者，绝大部分为皇室成员，其入葬时间为北魏正光二年（521 年）至天平二年（535 年），上距宣武帝入葬（515 年）才 6 ~ 20 年。其时，对宣武帝陵之所在无疑是非常清楚的。景陵由墓道、前甬道（或称前室）、后甬道、墓室四部分组成，砖室墓，无壁画，雄浑、俭朴、庄严。惜已被严重盗掘。出土随葬器物数量不多且多已残破，但其中有些器物，如方形四足陶砚和龙柄盘口壶、龙柄鸡首壶、四系盘口壶、钵、唾盂等青瓷器，仍不失为一批颇有价值的历史文物，尤其是这些具有浓厚南方青瓷风格的青瓷器，对研究南北朝时期的南北方关系，更有多方面的意义。

572.北魏洛阳外廓城和水道的勘查

作　　者：中国社会科学院考古研究所洛阳汉魏城工作队　杜玉生、肖淮雁
　　　　　钱国祥

出　　处：《考古》1993 年第 7 期

简报分为：一、城垣，二、城门，三、城内大道，四、河渠，共四个部分，介绍了北魏外廓城的发现和城门、城内大道、河渠的分布，以前已经发表过有关汉魏城的材料，不再重复。文中所附"汉魏洛阳城遗址及地形图"，是由河南省测绘局航测大队根据 1982 年航测影像图、于 1990 年春现场实测的。郭义孚先生指导验收。这是首次发表的汉魏洛阳城实测图。

据介绍，太和十九年（495 年）北魏孝文帝迁都洛阳。景明二年（501 年）宣武帝决定在东汉、魏晋时期的宫城、内城基础上，扩大城市范围，修建了外廓城。简报介绍了外廓城残存的城垣、城门遗迹，以及城内大道、洛河等河渠的历史情况和现状。指出，北魏外廓城的发现与确定，主干街道的勘察，对研究和进一步勘察北魏洛阳城里坊的划分与布置，是十分重要的。河道遗迹的勘察也同样重要，河流与城市的布局规划有密切的联系，古代都城的供水问题，是一个重要的研究课题。必须从各个方面作整体的勘察，同时对重要遗址进行发掘。

573.洛阳市东郊两座魏晋墓的发掘

作　者：洛阳市文物工作队　朱　亮、李德芳
出　处：《考古与文物》1993 年第 1 期

1989 年冬，考古人员在洛阳市东郊清理了 2 座西晋墓（编号 M177 和 M178）。其中第 178 号墓位于洛阳老城以东 1 公里的洛阳市商业供销学校院内，第 177 号墓位于洛阳老城东市约 2 公里的洛阳铁路分局第一中学院内。简报分为：一、东郊 178 号墓，二、东郊 177 号墓，三、结语，共三个部分。有拓片、手绘图。

据介绍，M178 是一座单室土洞墓。它由墓道、甬道、墓室三部分组成，曾被盗。出土随葬品 38 件，多为陶器，另有少量铜器。M177 是一座双室砖券墓，由墓道、前甬道、前室、后甬道、后室等组成。出土陶器、铜管等 44 件。

简报推断，178 号墓为曹魏晚期至西晋早期墓，177 号墓为西晋中晚期墓。

574.北魏寇猛墓志

作　者：米士诚
出　处：《中原文物》1993 年第 4 期

1956 年，在洛阳东车站与老货场之间扩修铁路时出土了 1 方魏志。该志石 0.46 米见方，缺盖，为北魏寇猛墓志。简报录有志文全文。

寇猛，《魏书》有传，应为漠北鲜卑人。寇猛出身上谷豪族门第，官居二品，统领禁军，职掌权要。无勇无才，专以取宠求荣，弄权享乐。因此，《魏书》《资治通鉴》中皆斥之为佞臣。此人死于正始三年（506 年），年仅 37 岁。好像并非病死，也非阵亡，似另有隐情，但史书及志文均未明说。

今有刘连香先生《民族史视野下的北魏墓志研究》（文物出版社 2017 年版）一书，可参阅。

575.洛阳孟津三十里铺西晋墓发掘报告

作　者：310 国道孟津考古队　李德方、孙新民
出　处：《华夏考古》1993 年第 1 期

1991 年下半年，为配合郑汴洛高等级公路的建设工程，考古人员在孟津县的拟建线路上进行考古发掘。9 月，在送庄乡三十里铺村南进行了文物钻探，其中在公路界桩编号为 K204+600 至 K204+800 之间发现 5 座古墓（自西向东依次编号

为 M116、M117、M118、M119、M120）。古墓所在的邙岭，西邻洛焦公路，北距三十里铺村 1.3 公里，M120 东北 146 米处为邙山现存封丘最大的 1 座古冢，即历代俗称的"大汉冢"。除 M119 外，其余 4 座古墓于 10 月进行了发掘。发掘表明，这 4 座墓均为西晋大、中型墓。这 4 座古墓的发掘情况，简报分为：一、墓葬形制与结构，二、随葬物，三、结语，共三个部分。有手绘图、拓片。

据介绍，这 4 座墓葬的形制结构和规模大小各有差异，且均遭受不同程度的破坏，4 座墓共出土器物 89 件，分陶器、瓷器、玉器、铜器及铜钱 5 大类。简报推断：这 4 座墓的年代拟在西晋中晚期，4 座墓葬愈居东者等级愈高。

简报称，这批墓葬的发掘不仅为研究洛阳地区西晋墓形的分期增添了新内容，而且为研究西晋的等级制度和文化艺术提供了重要资料。

576.洛阳孟津邙山西晋北魏墓发掘报告

作　者：310 国道孟津考古队　廖子中、刘海旺、郭木森、王　炬
出　处：《华夏考古》1993 年第 1 期

1991 年夏，为配合 310 国道高等级公路的建设工程，考古人员对 310 国道孟津段进行了发掘。同年 8 月，在送庄乡东山头村南发掘清理了 1 座西晋墓（编号 M99），又在朝阳村北约 1.5 公里处清理了四座北魏墓（自西向东编号依次为 M14、M15、M17、M18）。简报分为：一、西晋墓，二、北魏墓，三、结语，共三个部分。有手绘图、拓片。

据介绍，M99 是 1 座双室土洞墓，简报推断属西晋时期中小型墓葬。M14、M15 属长墓道带天井的单室土洞墓，M17、M18 则同为单室砖券墓。简报称，这 4 座墓的发掘，为研究洛阳地区北魏墓的形制结构提供了新的材料。

据介绍，M17 出土有墓志 1 合，简报未录志文全文。据志文，知墓主为北魏辅国将军、汲郡太守、阳平王元碨。下葬时间为永平四年（511 年）。此志的出土，可补《魏书》之阙。M18 也应属元氏家族墓葬。M14、M15 应为景穆皇帝宗室子孙墓葬。

577.洛阳 30 号墓出土的三角缘画像镜

作　者：朱　亮
出　处：《华夏考古》1994 年第 3 期

30 号墓位于洛阳市老城北郊邙山下岳家村，系一土圹洞室墓，长方形竖井墓道位于墓室北侧，宽 0.9 米，长度不详。墓室前窄后宽，呈梯形，高度不明，小砖封门。

由于该墓是在配合基建中抢救清理的，墓室遭到破坏。墓室内有人骨架 2 具，1 具头向南，仰身直肢；另 1 具位于东南角处，零乱成堆，似为二次迁葬。葬具已朽，仅余棺钉 26 枚。随葬器物共 27 件，均置于西侧死者头部。除铜镜外，还有外国银币、瓷四系罐、瓷脂盒等。简报配以照片、手绘图予以介绍。

据介绍，出土遗物中值得注意的是外国银币和铜镜。墓中出土的外国银币，为波斯萨珊朝国王卑路斯（Peyoz，459 ~ 484 年）的铸币。铜镜为 1 面江南吴地生产的三角缘画像镜。这面铜镜是在铸成后 300 年左右才埋入地下的，且与百余年前的外国银币同时入葬，简报认为，似乎可以认为墓主生前有收藏古物的习好，这也许正是此镜得以传入中原的原因之一。

578.洛阳孟津北陈村北魏壁画墓

作　者：洛阳市文物工作队　朱　亮、李德方等
出　处：《文物》1995 年第 8 期

1989 年冬，孟津县公安机关在侦破盗掘古墓案件中，在北陈村东南 1.5 公里的邙山岭头发现 1 座北魏墓。考古人员对墓葬进行了抢救性发掘。简报分为：一、墓葬形制与结构，二、墓室壁画，三、随葬器物，四、结语，共四个部分。有彩照、拓片、手绘图。

据介绍，墓葬为单室土洞墓（编号 C10M68），由墓道、甬道、墓室三部分组成。墓道只发掘了北侧 1.8 米长的一段，宽 0.8 米，底部距地表 11 米。墓顶中部已塌落。墓室东壁保存有壁画。其他诸壁亦见彩绘痕迹，但脱落严重，壁画内容已无法辨识。墓室内屡遭盗劫，散见棺钉和人骨。清理出随葬器物 36 件，计有陶武士俑、骑马俑、男侍俑、伎乐俑、跪坐俑、羊、仓、瓶、灶、盘、壶、车及铁器、铜钱等。

该墓出土有青石墓志 1 方，无盖，志文 28 行，满行 28 字。简报附有志文全文。由志文知墓主人叫王温，字平仁，燕国乐浪乐都人，卒于北魏普泰二年（532 年），追赠使持节抚军将军瀛州刺史。当年改年号太昌元年（532 年）后下葬。王温，正史无传，从志文知其为北魏异姓将军。其葬地偏出元姓墓地 5 公里外，与宿白先生论述的北魏异姓贵族墓地偏居元姓贵族墓地相符。

579.北魏洛阳永宁寺西门遗址发掘纪要

作　者：中国社会科学院考古研究所洛阳汉魏城工作队　钱国祥、肖淮雁
出　处：《考古》1995 年第 8 期

永宁寺是北魏洛阳城内最大的佛教寺院。孝明帝熙平元年（516 年）由灵太后胡氏所立。孝武帝永熙三年（534 年）二月，寺院木塔被火烧毁，不久京都迁邺，寺院也因而废弃。永宁寺从营建到废弃仅存在了 18 年。1963 年考古人员对永宁寺遗址进行了初步勘察；1979 年至 1981 年对寺院的木塔基址和南门门址做了发掘，并对大殿等基址做了勘察试掘。1994 年秋，又对寺院西门门址进行了发掘，出土了一批重要遗物。简报分为：一、寺院院墙的形制结构，二、西门门址的形制结构，三、出土遗物，四、结语，共四个部分，配有照片，先行介绍 1994 年秋发掘的情况。

据介绍，据勘察及发掘结果，永宁寺寺院平面呈南北向长方形，南北长 305 米，东西宽 215 米。寺院西墙中部有 1 门，简报推测，西门很有可能为 1 座面阔七间、进深两间、有三个门道穿过的两重楼式大型殿堂建筑。西门外有 1 条东西向土路，宽约 16 米。出土遗物有北魏素面板瓦与筒瓦残片、残砖、瓦当、玉石、玛瑙、水晶珠子、130 余件雕像残块等。

简报称，永宁寺寺院建筑的发掘与研究，对中国早期佛教建筑形制的认识是极有意义的。而对永宁寺西门门址的发掘，则为确切解决该寺院的总体平面布局提供了十分重要的第一手资料。永宁寺寺院建筑作为中国早期佛寺建筑布局的典型代表，在中国古代建筑史和佛教史上占有极其重要的地位。它不仅对中国佛教建筑的发展有着极其深远的影响，同时对海外的佛教建筑也有着深刻的影响。

580.洛阳谷水晋墓

作　者：洛阳市第二文物工作队　乔　栋、周　立等
出　处：《文物》1996 年第 8 期

1995 年 5 月，考古人员为配合解放军外国语学院基建工程，在其北院 3 号住宅楼工地发掘清理了 1 座晋代墓葬（编号 FM4）。此墓后室中部发现盗洞一处，室内盗扰严重。简报分为：一、墓葬形制，二、随葬器物，三、结语，共三个部分。有照片、手绘图。

据介绍，M4 为穹隆顶砖室墓。由墓道、前甬道、前室、耳室、后甬道、后室组成。除墓道外，其他部分均由青砖砌筑。出土有劫余的陶器、陶俑、铁器等。该墓的年代，简报推断为西晋。陶鼓、器座（暂定名）和带底盘铜灯，是至简报发表时洛阳地区

西晋墓中未曾发现过的器形。耳室内仅置陶棺，在已发掘的西晋墓中也未曾见过。另外，值得注意的是这座墓葬出土的 3391 枚铜钱，其数量之多也是前所未有的。这些都为研究西晋时期的物质文化增添了新的材料。

581.河南洛阳市发现东晋窖藏

作　者：程永建、赵振华

出　处：《考古》1996 年第 9 期

1989 年春，在洛阳市西工区凯旋路、解放路口东南角发现 1 处古代窖藏。窖藏坑开口于近代垫土层下，距地表深 0.5 米。坑口椭圆形，东西径 1.2 米、南北径 1.1 米、深 1.4 米。坑中置 1 陶瓮，已残碎。瓮口盖 1 块边长 43 厘米、厚 5 厘米的几何纹方砖。底垫 1 块素面残砖。瓮内有青瓷罐、铁灯、铜钱等器物 30 余件。简报配以拓片、手绘图予以介绍。

据介绍，简报推断窖藏时间当在十六国末年或北魏初。西晋灭亡以后，北方处于长期分裂割据的十六国时期，洛阳一带战乱不止，人民多逃散。这批比较贵重的实用器物当是这一时期为避难而入藏的。

582.北魏董富妻郭氏墓

作　者：洛阳市第二文物工作队　石战军

出　处：《中原文物》1996 年第 2 期

1996 年元月，考古人员在洛阳高新技术开发区配合春都集团饮料厂基建工程中，发掘了 1 座北魏墓，墓葬编号为 96GM287。该墓保存完好。简报分为：一、地理位置和墓葬形制，二、随葬器物，三、结语，共三个部分。有手绘图。

据介绍，该墓位于洛阳市西南郊区张庄村东北，距市区约 2.3 公里，北依三山，南襟洛河，居坡向阳，地理位置优越，古墓葬分布密集。该墓由斜坡墓道、土洞墓室组成，平面呈 "T" 字形，墓口距地表深 2.4 米，墓道位于墓室之南。墓道内填土为黄褐色，土质松软。墓室为土洞，位于墓道之北，平面呈长方形，平顶，长 3.1 米、宽 1.4 米、高 1.4 米，墓室中部残存有棺灰痕迹。该墓保存完整，随葬器物有陶器、铁器、铜器、刻铭砖等，共计 8 件。其中刻铭砖 2 块，1 块刻书 "太和十二的二月三十日"，另 1 块刻书 "太原郡狼孟县董富妻郭幕"。砖上有烧制时印上的手印，手印纹饰清晰可见。知此墓为北魏太和十二年（488 年）下葬。又《魏书·地形志》 "太原郡" 下无 "狼孟县"，简报认为可能是在太和十二年（488 年）后，太和十九年（495 年）前孝文帝迁洛后县制调整，该县建制取消或合并于其他县。

583.洛阳谷水晋墓（FM5）发掘简报

作　者：洛阳市第二文物工作队　乔　栋等

出　处：《文物》1997 年第 9 期

1996 年 11 月，洛阳市邮电局在解放军外国语学院养殖场内建通信发射塔时，发现 1 座砖室墓（编号 FM5），东距 FM4 约 200 米。文物工作队派人及时赶赴现场，进行了发掘清理。简报分为：一、墓葬形制，二、随葬器物，三、结语，共三个部分。有照片。

据介绍，FM5 为双穹窿顶砖室墓，由墓道、甬道、墓室三部分组成。甬道和墓室用青砖错缝叠砌而成。出土器物有水斗、猪圈、陶俑、侍俑、鸡、狗、多子榼、四系罐、牛车等。简报推断该墓为西晋晚期墓葬。

简报称，甬道顶作穹隆式及墓室顶上有"气眼"，在西晋墓中罕见；IV 型箱为双沿，是洛阳地区汉墓中的常见器物，较晚的双沿罐在曹魏正始八年（247 年）墓中出土，而在晋墓中尚属首次发现；I 型束颈罐在洛阳地区西晋墓中也是少见的器形。这些都为研究西晋时期的墓葬提供了珍贵的资料。

584.洛阳谷水晋墓（FM6）发掘简报

作　者：洛阳市第二文物工作队　乔　栋、褚卫红

出　处：《文物》1997 的第 9 期

1997 年 4 月，洛阳市公交总公司一公司建综合楼时发现墓葬 1 座（编号 FM6），与前两年发现的 FM4、FM5 相距约 0.5 公里。考古队派人进行了发掘清理。简报分为：一、墓葬形制，二、随葬器物，三、结语，共三个部分。有照片。

据介绍，FM6 为砖砌与土洞相结合而成，平面呈十字形，由墓道、甬道、墓室及耳室四部分组成。出土陶器、铜器共 22 件（组）。简报推断此墓的时代应为西晋中晚期。

简报称，FM6 的墓葬形制和随葬器物也有与以往发现的晋墓不同之处。如虽是单室墓，却有对称的 2 个耳室；其构筑方式既非砖亦非土洞，为砖和土洞混筑。束颈罐和三系罐是洛阳晋墓中发现的新器形，为西晋墓葬研究提供了新的线索。

585.河南新安西沃石窟勘测报告

作　者：河南省古代建筑保护研究所　陈　平等

出　处：《文物》1997年第10期

西沃石窟位于河南省新安县县城北40公里西沃村所在的青要山北麓，黄河南岸一片陡直的峭壁上。石窟高出现黄河水面约10米，其上部9米，现有新安至石井的县级公路通过，下游100米处有一座长约350米的钢索吊桥横跨南北两岸，再往东20公里为黄河小浪底水库大坝坝址。黄河西来穿越晋豫峡谷的尾部（俗称八里胡同），在这里突遇青要山悬崖横阻，形成90度大转弯折东流去，河面在这里宽250米，水深流急，河北岸为开阔的回水沉积沙滩和连绵的王屋山余脉。因石窟所处的特殊地理环境，要进入石窟十分困难。1984年温玉成先生冒险攀崖进入洞窟，进行了一次考古调查，该窟遂引起学者的注意，1986年石窟被河南省政府公布为省级保护单位。简报分为：一、摩崖浮雕，二、洞窟，三、结语，共三个部分。有照片。

据介绍，西沃石窟的建造年代在题记中有明确的记录。1号窟开凿在北魏孝昌年间（525～527年），2号窟完工于北魏普泰元年（531年）；摩崖中题记纪年多已磨灭，但"□□元年"之题记书体风格与2号窟普泰元年题记相同，王进达、比丘尼法香等人名已见于1号窟中，据此断定摩崖与洞窟是同时所为。西沃石窟铭记中共刻窟主203名，其名衔除比丘、比丘尼外，有邑主、邑正、檀越主、都维那、维那、邑老、邑母、邑子等9种称谓，这种为造石窟而成立的民间组织常见于龙门魏窟造像题记中。作为邑主、邑正的王进达，可能是西沃石窟的工程组织者，在题记中六见其名。

西沃石窟在黄河漕运史中有着重要地位，石窟中留存有数处古栈道遗迹，石窟的开凿与使用，或跟古栈道与漕运有关。

586.河南新安县晋墓发掘简报

作　者：洛阳市文物工作队　刘富良

出　处：《华夏考古》1998年第1期

1992年秋，在新安县政府招待所扩建工程中，发掘晋墓1座（编号M27）。此墓位于涧河北岸，陇海铁路在其南部通过。考古人员随即派人进行了清理。简报分为：一、墓葬形制，二、随葬遗物，三、结语，共三个部分。有手绘图。

据介绍，墓葬为单室砖室墓，由墓道、甬道、墓室三部分组成。随葬遗物共29件。简报推断此墓的时代为西晋中晚期。

简报称，此墓结构完整，仿木结构复杂，特别是斗拱的斗材用砖刻成，以及在墓门上刻出双龙的作法，在其他西晋墓中是少见的，为研究西晋的地面建筑的形制及人们的习俗提供了实物资料。

587.龙门路洞调查报告

作　者：洛阳龙门石窟研究所　王振国
出　处：《中原文物》2000 年第 6 期

龙门石窟路洞是开凿于北魏末期、设计规整、雕刻精致、内容丰富而又是一次完工的中大型洞窟，洞窟本身未有纪年，详细材料从未发表过。

简报分为：一、窟和地平面，二、窟外立面，三、门道，四、窟顶与地面，五、正壁大龛，六、南壁列龛，七、北壁列龛，八、前壁，九、路洞补凿小龛等几个部分予以介绍，有照片、手绘图。

简报称，龙门路洞为一设计规整、雕刻精致、内容丰富而又是一次完工的中大型洞窟。路洞位于西山南端，下距现路面仅 4 米的山坡上，因临近路边，故曰"路洞"或"路窟"。洞窟坐西向东，从现状推知，路洞无前室，仅有 1 个主室。窟门位于外壁中央，两侧雕造力士像，窟门上方之窟楣，雕刻大型浮雕，内容复杂。主室平面基本为方形，各边长度不等。穹窿式窟顶，正壁凿一大龛，南北壁和前壁雕凿列龛。

588.洛阳谷水晋墓（FM38）发掘简报

作　者：洛阳市第二文物工作队　黄吉军等
出　处：《文物》2002 年第 9 期

2001 年 8 月，洛阳市公交总公司谷水一公司在扩建基础设施时发现晋墓 1 座（编号 FM38），考古人员进行了发掘。简报分为：一、墓葬形制，二、随葬器物，三、小结，共三个部分。有照片、手绘图。

据介绍，FM38 为洞穴暗券砖室墓。由墓道、甬道、墓室三部分组成。墓室内有木棺二具，已朽，尸骨散乱。随葬品有长颈瓶、铜镜等。

该墓年代，简报推断为西晋晚期。

589.洛阳纱厂西路北魏 HM555 发掘简报

作　　者：洛阳市第二文物工作队　王文浩、王遵义等

出　　处：《文物》2002 年第 9 期

2001 年 8 月，洛阳凯悦置业有限公司在纱厂西路以北 0.3 公里、东距纱厂 1 公里处，开发凯悦雅园住宅小区时，发现古墓 30 余座，考古人员于当月对这批墓葬中的 22 座进行了发掘。其中有明确纪年的北魏墓 1 座（HM555）。此墓虽被盗扰，但仍出土了一批器物。

简报分为：一、墓葬形制，二、随葬器物，三、结语，共三个部分，先行介绍了此墓的发掘情况，有照片、手绘图。

据介绍，墓为单室土洞形制，由墓道、过洞、天井、甬道、墓室组成。出土劫余遗物 44 件，有陶车、陶磨、陶砚、陶灯等，其中陶女仆俑造型少见。有墓志，魏书，计 252 字，简报未录全文。

简报称，志文对墓主的家族成员作了介绍，对于墓主卒时年龄、主要事迹等未详叙述。而其弟郭安兴，《魏书》有载："世宗、肃宗时，豫州人柳俭、殿中将军关文备、郭安兴并机巧。洛中制永宁寺九层佛图，安兴为匠也。"因此，墓主应具有较高的社会地位。

590.河南洛阳汉魏故城北魏宫城阊阖门遗址

作　　者：中国社会科学院考古研究所洛阳汉魏故城工作队　钱国祥、刘　瑞、郭晓涛

出　　处：《考古》2003 年第 7 期

汉魏洛阳故城是东周、东汉、曹魏、西晋和北魏等朝代的王都或国都。对该城宫城形制与演变的研究，一直是都城研究的热点问题，但在过去这也是该城址考古发掘工作中的一个缺环。为填补这个缺环，考古人员近年来把对该城宫城的考古发掘与研究作为一项重点课题。1999 年和 2000 年，对 20 世纪 60 年代考古勘探发现的汉魏洛阳故城北魏宫城城墙再次进行钻探和试掘探沟，尤其是在北魏宫城中部略偏西的南北向一系列重要夯土基址的南端，即当地俗称为"午门台"的宫城南墙缺口北侧，发现了 1 处保存状况尚好的大型城门遗址。结合文献记载，当时即初步判断这个缺口处应就是宫城正门阊阖门。但由于该门址并不在宫城南墙上，而是后居于缺口北侧，是否即为阊阖门基址尚存疑问，需要考古发掘来加以验证解决。为此，在 2001 年 11 月至 2002 年 6 月，对这座城门遗址进行了全面布方发掘，发掘总面积

8320 平方米。简报分为：一、地层堆积，二、北魏城门遗迹，三、与城门相关的不同时期建筑遗迹，四、遗物，五、结语，共五个部分。有手绘图、照片。

据介绍，通过全面的发掘揭露，了解到这座门址虽然位置不在宫城南墙上，但在其门前两侧的宫墙缺口两端却建筑有规模巨大的左、右双阙。其北对宫城正殿太极殿、南对铜驼街和大城正门宣阳门的特殊位置，以及发掘所见的门阙规模、平面布局和地层关系，都显示出唯有夹建巨阙的阊阖门地位与之相称。综合研究结果简报表明，它就是北魏宫城的正门阊阖门遗址。

简报称，对这座门址的发掘，是在汉魏洛阳城继发掘南郊明堂、辟雍、灵台等礼制建筑和太学，以及城内永宁寺寺院、大城东墙建春门等遗址之后，进行的又一项重要考古发掘工作。在汉魏洛阳故城宫城，有计划有目的进行大规模发掘这还是首次。

591.河南新安西晋墓（C12M262）发掘简报

作　者：洛阳市文物工作队　安亚伟、范新生等
出　处：《文物》2004 年第 12 期

2004 年 2～3 月，为配合河南省新安县洛新开发区内市通用水泥除尘设备厂新厂的基建工程，考古人员发掘并清理了 1 座西晋时期的墓葬（编号简称 M262）。简报分为：一、墓葬形制，二、随葬器物，三、结语，共三个部分。有彩照、手绘图。

据介绍，M262 为穹隆顶砖室墓。通长 30.6 米。由墓道、甬道、墓室、耳室等组成。除墓道外，其他部分均由青砖砌筑。随葬器物较为丰富，出土有陶器、铜器、漆器、铁器、金银器等。其中陶三足炉、铜熏炉、鎏金铜架、铜鸠杖、漆奁等，是洛阳地区这一时期墓葬随葬品中较罕见的器形。该墓年代，简报推断为曹魏晚期至西晋早期。由《续汉书·礼仪志》可知，墓中出土铜鸠杖表明墓主应为高寿之人。

592.西晋苏华芝墓

作　者：洛阳市文物工作队　潘付生、高金照等
出　处：《文物》2005 年第 1 期

2003 年 5 月，洛阳市文物工作队在配合中石化河南洛阳分公司华欣加油站基建工地考古发掘过程中，发现 1 座墓葬。简报配以照片、拓片、手绘图予以介绍。

据介绍，墓葬为长方形土洞墓，由墓道、墓室两部分组成。墓顶坍塌。葬具为 1 棺，葬式为仰身直肢葬，头南脚北。随葬器物多置于墓室西南角。有刻铭砖两块，置于封门砖内侧。随葬器物 9 件，包括陶女俑 2 件、陶四系罐 3 件、银环 4 件。简

报据刻铭砖断定该墓年代为西晋。

简报指出，苏华芝墓葬的形制较小，葬具简单，随葬器物较少，应为平民墓葬。此墓所出只记姓名、年号的刻铭砖在洛阳地区较为少见。苏华芝墓的发现对了解西晋时期洛阳地区平民的丧葬习俗、墓葬形制等提供了实物资料。

593.北魏孝文帝长陵的调查和钻探——"洛阳邙山陵墓群考古调查与勘测"项目工作报告

作　者：洛阳市第二文物工作队　严　辉、朱　亮等
出　处：《文物》2005 年第 7 期

2004 年初，孟津县人民政府在北魏孝文帝长陵区域内开展文物保护工作，并酝酿制订相应的保护规划。为配合此项工程，考古人员于 2004 年 2～5 月对长陵进行了调查和钻探，取得重要的成果。简报分为：一、长陵的发现和此次工作的目标，二、地理位置和工作过程，三、主要遗迹和地层堆积，四、遗物，五、结语，共五个部分。有照片、手绘图。

据介绍，北魏孝文帝长陵是北魏王朝迁都洛阳的第一代帝陵。在地面上保留有 1 大 1 小 2 座封土，当地俗称"大小冢"。1946 年 2 月，魏文昭皇太后山陵志在小冢中被盗掘出土，洛阳金石学家郭玉堂先生闻讯后将志石购回，并将出土情况详细记录在《洛阳出土石刻时地记》一书中。根据文献和志石的记载，可以推知小冢东南百余米的大冢即为孝文帝陵寝。1958 年 2 月，对长陵进行了最初的调查。此后，长陵墓冢和陵园遗迹一直没有过更深入的考古工作。直至 2004 年的调查和钻探。据调查，长陵位于孟津县进阳乡官庄村东约 0.8 公里处，地处洛阳市北部的邙山，现在地面保留有 1 大 1 小两座封土，已被认定为孝文帝和文昭皇后陵。此次发现了长陵陵园遗址，基本上确认了陵园遗址的范围、布局和结构。发现了遗物 37 件，主要是建材残件如瓦当、筒瓦、板瓦。

简报称，根据钻探、调查和解剖的情况来看，长陵陵园平面近方形，东西长 443 米、南北宽 390 米，面积 17 万余平方米。陵园四周构筑有夯土垣墙，垣墙外侧挖建壕沟，垣墙的正中开设陵门。其中西垣保存相对较好。西面、北面壕沟保存相对完整，其他两面破坏严重。门址发现 2 处，即西门和南门。其中南门保存相对较好，为 3 门道牌坊式。由于破坏严重，北面、东面没有找到门址遗迹。陵园内有 2 座陵寝，应属异穴合葬。孝文帝陵（大冢）位于中轴线偏北部。文昭皇后陵（川冢）位于孝文帝陵的西北约 106 米处。陵园内发现建筑基址 3 座，建筑堆积 1 处。建筑基址均位于大冢和川冢的东南方约 60～90 米，其中文昭皇后陵的东南有 2 处，孝文帝陵

的东南虽经反复核查，只发现 1 处。3 座建筑基址形制特殊，平面形状不规则，边缘带有明显的锯齿状。钻探表明是建筑的基槽部分，规模均不大，推测与祭祀有关。在南垣内侧中部沿垣墙方向有 1 组建筑堆积，其性质目前尚不清楚。在陵园的中部发现 1 条横贯东西的水渠，西南角也有 1 条类似的水渠，均应为陵园内的排水设施。2 条水渠分别叠压在大冢封土和东垣夯土之下，在陵园建成以后即行废弃。

简报指出，长陵陵园遗址给人的直观印象是具有明显的中原地区陵寝制度的特点。例如圆形的封土，方形的陵园平面，四面构筑夯土垣墙，园内建有祭祀建筑。与洛阳邙山地区的东汉帝陵和高级别的东汉大墓相比，二者之间存在着明显的继承关系。但是也有不同的地方，比如陵园内的建筑在封土的东南方向而不是位于东侧。与平城时期的方山永固陵相比，陵寝制度的变化当发生在长陵阶段而非景陵阶段，长陵的构建奠定了迁洛时期的帝陵制度的基础，而景陵不过是这一基础的延续。这说明北魏王朝汉化程度比起平城时期有所加深，同时陵墓制度又有了新的发展。

594.洛阳衡山路西晋墓发掘简报

作　者：洛阳市第二文物工作队　司马俊堂、乔　栋等
出　处：《文物》2005 年第 7 期

2004 年 6 月，考古人员在洛阳市涧西区涧河以南衡山路配合第一拖拉机股份有限公司锻造厂建设时，共发掘 4 座西晋墓。简报分为：一、墓葬形制，二、随葬器物，三、结语，共三个部分。有照片、拓片、手绘图。

据介绍，这 4 座西晋墓均为单穹隆顶土洞墓，由墓道、甬道、耳室（或双耳室）组成。墓口距地表深 2 米。4 座墓分两组排列，DM114 与 DM115 东西并列居北，两墓相距约 10 米；DM118 与 DM117 东西并列居南，两墓相距也为 10 米。两组墓葬南北相距约 30 米。出土随葬品以泥质灰陶为主，另有铜器等，其中铜三足盆较罕见。4 座墓葬的年代，简报推断为西晋。

595.偃师前杜楼北魏石棺墓发掘简报

作　者：洛阳市第二文物工作队　吴业恒等
出　处：《文物》2006 年第 12 期

2005 年 11 月，在河南偃师前杜楼首阳山南麓晋文帝阳陵东南约 300 米处（俗称"龟盖地"）的山坡上，有 1 座古代墓葬被盗。考古人员对该墓（简称 M1）进行了抢救性发掘。简报分为：一、墓葬形制，二、随葬器物，三、结语，共三个部分。有彩照、

手绘图。

据介绍，M1 坐北朝南，由墓道、过洞、天井、甬道、穹隆顶土洞墓室组成。全长 23.4 米，墓底距地表 11.7 米。该墓曾被盗，但除了墓室东部、中后部及石棺内被扰乱外，墓室中前部及墓室四角随葬品尚保存完好，随葬品中陶俑、镇墓兽、陶子母盘、陶托盘等均制作精美。墓主人当为北魏宣武帝、孝明帝时的一位一般贵族。

596.洛阳太原路西晋墓发掘简报

作　　者：洛阳市第二文物工作队　张建文、朱炎强、李　红等
出　　处：《文物》2006 年第 12 期

2005 年 11 月，考古人员为配合中国有色金属工业冶金建设公司住宅楼建设，在洛阳市太原路东侧，长江西路以北发掘清理了两座古代墓葬。其中编号为 CM2360 的是 1 座西晋时期土洞墓，保存较完整，随葬器物较丰富。简报分为：一、墓葬形制；二、随葬器物；三、结语，共三个部分，配以照片、手绘图，先行介绍了该墓的发掘情况。

据介绍，CM2360 为单穹隆顶土洞墓，由墓道、封门、甬道、耳室、墓室组成，人骨严重腐朽，葬具、葬式不明。CM2360 随葬器物共 12 件，分别放置于甬道、耳室、墓室内，其中耳室最为集中。随葬器物除 1 枚铜钱外，其余均为泥质灰陶。简报推断此墓为西晋中期墓，此墓为一中小型墓。

597.洛阳华山路西晋墓发掘简报

作　　者：洛阳市第二文物工作队　吴业恒、司马俊堂、慕　鹏等
出　　处：《文物》2006 年第 12 期

2004 年 12 月，考古人员在洛阳市涧西区华山路以东配合洛阳市中侨绿城三期工程建设时发掘西晋墓 2 座。简报分为：一、墓葬形制，二、出土器物，三、结语，共三个部分。有照片、手绘图。

据介绍，这两座西晋墓（CM2348、CM2349）均为暗券单室砖室墓，在墓室一侧设耳室，CM2348 还设有一假耳室。由墓道、甬道、耳室、墓室组成。出土遗物有陶器、铁器、玉器、蚌饰、砚板、贴金铜饰等。据简报推断，CM2348 为西晋早期偏晚墓，CM2349 为西晋晚期墓。两墓尤其是 CM2349 保存较好，器物放置位置清楚，有一定研究价值。

598.洛阳关林皂角树西晋墓

作　　者：洛阳市文物工作队　郑　莉、王　炬、范新生等
出　　处：《文物》2007 年第 9 期

2005 年 6 ～ 7 月，考古人员为配合洛南新区城市基本建设，在洛龙区关林镇龙康居民安置小区 A 区、牡丹大道一标段两处考古发掘工地，发掘清理出 13 座西晋时期墓葬，其中绝大多数墓葬被多次盗扰，墓内随葬器物已基本无存，只有 C7M1874 未被盗扰，保存完好。这 13 座墓葬位于关林镇皂角树村西侧，紧邻皂角树村西头，东距洛龙路约 600 米。简报分为：一、墓葬形制及葬式，二、随葬器物，三、结语；共三个部分。有照片、手绘图。

据介绍，该墓为砖室墓，由墓道、墓门、甬道、墓室组成，墓道开口上距地表 1.6 米。随葬器物 44 件，主要为陶器。简报推断该墓年代为西晋中晚期，此地应系西晋一处贵族家族墓地。

599.洛阳涧河东岸发现的一座西晋墓

作　　者：洛阳市文物工作队　薛　方、潘付生等
出　　处：《文物》2007 年第 9 期

2004 年 12 月，考古人员为配合房地产开发工程，在洛阳涧河与洛河交汇处的东北角，发掘了 1 座西晋墓（C1M8632）。简报分为：一、墓葬形制，二、随葬器物，三、结语，共三个部分。有照片、拓片、手绘图。

据介绍，该墓为土洞墓，由墓道、墓室两部分组成，墓室内有一已朽骨架，葬式不明。另有一陶棺，内有一小孩骨架已朽，为仰身直肢葬。出土随葬品 14 件（组），其中陶器 7 件、铜器 5 件、铁刀 1 件、铜钱 1 组。其中鎏金铜兽不多见。

此墓年代，简报推断为西晋早期。

600.洛阳北魏杨机墓出土文物

作　　者：洛阳博物馆　张玉芳、高西省等
出　　处：《文物》2007 年第 11 期

2005 年 4 月，洛阳博物馆征集到一批包括陶俑、陶器皿、瓷器、石器等北魏文物百余件，其组合完整、数量较大，是北魏时期文物考古的一次重要发现，从所获得的墓志看其属北魏重臣杨机所有，考古人员随即对其出土情况进行了调查。北魏

杨机墓位于洛阳市西南 15 公里的宜阳县丰李镇马窑村三道岭，是一处北魏时期的墓葬区。由于现场已被破坏，无从了解墓葬原始埋葬的情况。简报分为：一、彩绘陶俑和动物模型，二、陶生活用具和模型明器，三、瓷器，四、其他，五、结语，共五个部分。有彩照、拓片、手绘图。现就所获文物资料报告如下。

据介绍，出土器物中，一批陶俑十分珍贵，有人面镇墓兽、兽面镇墓兽、镇墓武士俑、扶盾武士俑、执剑武士俑等。不少武士俑为胡人形象。出土的瓷器制作精良，为研究我国北朝青瓷提供了重要物证。出土的两方墓志尤为珍贵：一为杨机墓志，计 810 字；一为杨机夫人梁氏墓志，计 56 字。简报录有两方墓志全文。

发现的两方墓志，明确记载了墓主杨机的生平，与《魏书》《北史》等有关记载基本相符。从出土墓志可知，这是一座北魏时期夫妻合葬墓，墓主人杨机，字显略，祖籍秦州天水冀县，生于北魏孝文帝延兴四年（474 年），卒于北魏孝武帝永熙二年（533 年）八月五日。夫人梁氏卒于节闵帝普泰二年（532 年）二月十三日，后于东魏孝静帝天平二年（535 年）三月廿七日，由王法标等将其"迁附于阙口之右，飞山之东北，运河洛阳七十里"。据考古勘探证明，此地应在位于洛阳市西南的宜阳县丰李镇马窑村三道岭东端南坡。

杨机，于太和二十二年（498 年）24 岁时入仕，33 年间历仕北魏孝文帝、宣武帝、孝明帝、孝庄帝、孝武帝等朝。北魏末年，逐渐形成了以高欢和宇文泰为代表的两大军事集团，杨机是这两大集团政治斗争的牺牲品，于永熙二年（533 年）八月五日与辛雄、崔孝芬、刘钦等被杀于洛阳永宁寺。

601.洛阳新发现的两座西晋墓发掘简报

作　者：洛阳市第二文物工作队　吴业恒、范景锐、李　飞等
出　处：《文物》2009 年第 3 期

2007 年 9 月，为配合住宅楼建设，考古人员在辽宁路南、丽新路东发掘清理了西晋墓 3 座，其中 BM123 保存完整，出土遗物丰富。2008 年 1 月，为配合中国一拖工业园区建设，在衡山路西、310 国道南发掘清理了西晋墓 5 座，其中 HM719 规模较大，随葬器物典型。简报分为：一、墓葬形制，二、随葬器物，三、结语，共三个部分。有彩照、手绘图。

据介绍，BM123 为暗券单室穹隆顶砖室墓，由墓道、封门、甬道、墓室组成；HM719 由墓道、封门、甬道、前室、过道、后室、东西耳室组成。随葬器物有陶器、瓷器、玉器、铜器等，以陶器为主。其中 HM719 还出土了具有南方风格的青瓷器，反映了南北方的文化交流。BN123 的年代，简报推测为西晋中晚期。HM719 的年代

亦为西晋，具体年代无法推测。从该墓出土铭文砖得知，该墓应为裴玄治、裴道文和裴氏女多人合葬墓。墓主人应为裴玄治，其儿道文和裴氏女应为祔葬，魏晋时期父子（女）两代同茔埋葬的现象不多，尤其是父女合葬更是罕见，这对探讨魏晋时期的丧葬习俗具有重要意义。

602.河南偃师西晋支伯姬墓发掘简报

作　者：洛阳市第二文物工作队、偃师商城博物馆　刘淑敏、刘俊卿、樊玉波等
出　处：《文物》2009 年第 3 期

2003 年冬至 2004 年春，洛阳市第二文物工作队和偃师商城博物馆在配合基本建设中，发掘清理了一批古代墓葬。其中 1 座纪年晋墓（简称 M37），虽已被盗扰，但时代明确，有较高的资料价值。简报分为：一、墓葬结构，二、随葬器物，三、结语，共三个部分。有照片、拓片、手绘图。

据介绍，M37 位于偃师市西部首阳山镇羊二庄村和白村之北的邙山冲积扇上，西距汉魏洛阳故城 3 公里，东北距西晋峻阳陵 2 公里，南距洛河 2 公里。为单室土洞墓，由墓道、甬道、墓室三部分组成。墓室内棺床痕迹不明，葬具无存，仅在墓室西中部发现有残头骨。该墓曾被盗，仅出土陶器 24 件、铜饰 1 件、铭文砖 1 块。据铭文砖，墓主系女性，为安文明妻子支伯姬，葬于永康元年（300 年）。从姓氏看，墓主及其夫人似为西域胡人或胡人后裔。

603.洛阳衡山路北魏墓发掘简报

作　者：洛阳市第二文物工作队　张建文、邓新波、司马秋利等
出　处：《文物》2009 年第 3 期

2007 年 1 月，考古人员在配合位于 310 国道南、衡山路东下沟村西的红山工业园区洛阳佳隆冶金设备有限公司基建，发掘清理了古代墓葬 9 座。其中 1 座北魏墓（HM621），虽被盗扰，但基本完整，随葬器物也较多。简报分为：一、墓葬形制，二、随葬器物，三、结语，共三个部分先行介绍该墓。有照片、手绘图。

据介绍，HM621 为 1 座由墓道、甬道和墓室组成的单室土洞墓。墓室内棺木和骨架均无存。在靠近甬道的位置有一圆形盗洞。随葬器物多放置在墓室的东南角靠近甬道处。出土随葬器物共 31 件，其中陶俑 25 件，坐俑较少见，此外还有简单的生活器具。该墓年代，简报推断为北魏晚期。简报称，从出土陶俑的衣饰看，既有少数民族的左衽，又有中原汉族的右衽，反映了当时民族融和的情况。

604.河南洛阳市汉魏故城新发现北魏宫城二号建筑遗址

作　者：中国社会科学院考古研究所、日本独立行政法人国立文化财机构奈良
　　　　文化财研究所联合考古队　钱国祥、刘　涛、肖淮雁、郭晓涛等

出　处：《考古》2009 年第 5 期

汉魏洛阳故城北魏宫城遗址位于洛阳市区以东约 15 公里的孟津县平乐镇金村南面。二号建筑遗址位于阊阖门址以北 95 米处，北面正对可能是宫城内最大殿址的太极殿。早在 20 世纪 60 年代初，即对该城址进行了较为全面的考古勘探，为进一步了解该建筑遗址的有关情况，并配合遗址保护工作，2008 年 4 ～ 6 月、10 月至次年 1 月，中国社会科学院考古研究所和日本独立行政法人国立文化财机构奈良文化财研究所联合考古队在汉魏洛阳故城北魏宫城遗址发掘了 1 座大型夯土建筑遗存，编号为二号建筑遗址，还发现一些道路和沟渠。这是继阊阖门遗址发掘之后，北魏故城遗址的又一重要发现。简报分为：一、地层堆积，二、大型门址遗迹，三、门址周边的道路遗址，四、门址周边的沟渠遗址，五、出土遗物，六、结语，共六个部分进行了介绍。有彩照、手绘图。

简报指出，二号建筑遗址出土了大量北魏时期的建筑材料，推测该门址为北魏时期使用；同时还发现少量北齐和北周时期的铜钱等遗物，表明该门址可能在北朝晚期仍加修筑并沿用。至于这座门址建筑始建于何时、是否沿用了前代的建筑基址，目前还无法推断。该门址位于宫城正门阊阖门的正北，显然是宫城内主要建筑轴线上的第二道宫门。文献记载北魏洛阳宫城内主要轴线上的宫门"端门"等，但具体方位均不清楚。

简报认为，北魏洛阳宫城二号建筑遗址的发掘具有重要意义。一是通过发掘确定了它是北魏时期 1 座三门道的大型殿堂式结构宫门建筑；二是基本明确了这座门址的建筑形制和结构，其与阊阖门具有相同的形制结构特点，说明它们是一次整体规划设计而成；三是对北魏洛阳宫城南部主要轴线上建筑的布局、形制有了较为清晰的认识，该宫城可能存在着以阊阖门、二号建筑遗址和太极殿等建筑为中心的主要建筑轴线，这对深入探讨北魏洛阳都城的布局和中国古代都城的演进都很有意义。

605.河南洛阳市北魏洛阳城津阳门内大道遗址发掘简报

作　者：中国社会科学院考古研究所洛阳汉魏故城工作队　刘　涛、钱国祥、
　　　　肖淮雁、郭晓涛、王　睿等
出　处：《考古》2009 年第 10 期

2005 年 11 月至 2006 年 4 月，在偃师华润电厂供水管线建设的遗址保护工程中，对管线穿越汉魏洛阳故城遗址的区域进行了抢救性发掘。根据发掘材料并结合相关文献资料分析，发现了汉魏洛阳故城北魏内城的津阳门内大道及相关遗迹。该道路为北魏洛阳内城西部的南北向交通干道，通过发掘明确了该道路的确切位置、时代和基本结构。出土遗物主要为建筑材料和陶瓷器。陶瓷器以青瓷器和白瓷器为主。简报分为：一、地层堆积，二、主要遗迹，三、出土遗物，四、结语，共四个部分进行了介绍。有彩照、手绘图。

据介绍，此次发现的北魏时期洛阳内城城南墙西起第一门津阳门、向北通往内城西北部的金墉城和大夏门的道路，宽约 43 米，是当年城西部南北向的一条重要道路，考古发掘证实曾经过较长时间的使用。

另外，此次出土的北朝晚期白瓷也十分珍贵。简报认为在北朝晚期的洛阳地区已经有了较为完善的白瓷烧造技术，白瓷制作，作为一个独立的技术系统，白瓷制作已经与青瓷制作有所区别。这批瓷器的发现对于探讨中国古代白瓷起源具有重要意义。

606.洛阳吉利区西晋墓发掘简报

作　者：洛阳市文物工作队　程召辉等
出　处：《文物》2010 年第 8 期

2006 年 10 月，为配合洛阳市吉利区河阳家园住宅区建设，考古人员共清理了 3 座西晋墓（编号 M2490、M2491、M2492）。简报分为：一、墓葬形制与结构，二、随葬器物，三、结语，共三个部分。有彩照、拓片、手绘图。据介绍，这 3 座西晋墓，M2490 为前砖室、后土洞墓，墓主为女性，另有儿童骨架两具；M2491 为双室土洞墓，主室与侧室各有骨架一具；M2492 为单室土洞墓，内有骨架一具。3 座墓葬出土有陶器、铜器、银器、铁器、钱币及陶俑等计 174 件。M2490 还出土蛋壳 8 枚，似有某种宗教含义。这些墓葬皆为中原地区晋墓常见的形制，随葬器物亦较典型，应属西晋中晚期的墓葬。对研究西晋时期社会经济、文化艺术及墓葬，均是很好的实物资料。

607.河南偃师市首阳山西晋帝陵陪葬墓

作　　者：洛阳市第二文物工作队、偃师市文物局　严　辉、张鸿亮、卢青峰、
　　　　　刘俊卿、李校卿、王志远等
出　　处：《考古》2010 年第 2 期

2002 年 7 ～ 9 月，洛阳市第二文物工作队在偃师市首阳山镇香峪村北四方砖厂基建工程中，发掘清理西晋墓 2 座（编号简称 M1、M2）。2 墓东西并列，相距大约 15 米。2008 年 8 ～ 10 月，洛阳市第二文物工作队又在首阳山镇新庄村北六和饲料厂基建工程中，发掘清理西晋墓 2 座（编号简称 M4、M5）。2 墓南北排列，M5 洞室部分位于 M4 墓道西南角下方。简报分为：一、四方砖厂 M1，二、四方砖厂 M2，三、六和饲料厂 M4，四、六和饲料厂 M5，五、结语，共五个部分。有彩照、手绘图。

据介绍，这 4 座西晋墓中除 1 座为单室砖墓外，其余为单室土洞墓，均带长斜坡墓道。出土遗物有陶器、铜器和铜钱等，以陶器为主。M1 还出土"泰始二年"纪年漆片。其中 3 座墓的形制罕见，应为西晋帝陵陪葬墓。

简报称，西晋帝陵据记载有宣帝司马懿高原陵、景帝司马师峻平陵、文帝司马昭崇阳陵、武帝司马炎峻阳陵、惠帝司马衷太阳陵，共 5 座。西晋帝陵周围存在着为数众多的陪葬墓群。由于历史久远，文献散佚，再加上西晋帝陵不封不树的制度，其帝陵的具体地望、陵区的范围、陵区的结构无从知晓。1982 ～ 1983 年，中国社会科学院考古研究所洛阳汉魏故城工作队经过考古调查、钻探，初步确认鏊子山、枕头山墓地为西晋的崇阳陵和峻阳陵。但是，时至今日，帝陵之外的陪葬墓问题仍无大的进展，此次发掘的一些墓葬，对于我们认识西晋帝陵的陪葬墓群有重要意义。

简报指出，洛阳地区的西晋墓流行单方室墓、双方室墓，墓道多为长斜坡式；少量为竖穴土坑墓。个别形制较大的墓葬也使用内收台阶式的长斜坡墓道，但台阶不超过 5 级，墓室多为单方室，或是前方室、后长方室。这次发掘的 3 座墓葬则与之完全不同，差别在于内收多级台阶的墓道和长方形的顺室。这类墓葬在分布上有一个特点，即只出现在首阳山的南麓及其附近区域。最早发现的是鏊子山、枕头山墓地，鏊子山钻探 23 座墓，枕头山钻探 5 座墓，发掘 2 座墓（M4、M5）。四方砖厂 M1、M2 与六和饲料厂 M4 是上述两处帝陵之外发现此类墓葬的重要例证。以帝陵陵寝考察，鏊子山、枕头山的墓主是帝王、后妃，那么他们使用的墓葬形制应是皇室专有的。帝陵陵园之外、毗邻区域内出现相同形制的墓葬，规制低于帝陵，无园寝设施，无群组分布，它们绝非帝后的陵墓；墓主身份虽然无法确认，但是可以肯定的是，他们的地位显赫，与皇室的关系密切。帝陵近旁，其陪葬性质十分明显。

608.河南洛阳市汉魏故城发现北魏宫城三号建筑遗址

作　者：中国社会科学院考古研究所、日本独立行政法人国立文化财机构奈良
　　　　文化财研究所联合考古队　钱国祥、郭晓涛、刘　涛、肖淮雁等

出　处：《考古》2010 年第 6 期

2009 年，中国社会科学院考古研究所和日本独立行政法人国立文化财机构奈良文化财研究所联合考古队在汉魏洛阳故城北魏宫城遗址南部发掘清理了 1 座大型夯土建筑基址，编号为三号建筑遗址。这是继 2008 年发掘北魏宫城二号建筑遗址之后的又一项重要发现。三号建筑遗址位于北魏宫城阊阖门和二号建筑遗址的北面，南距二号建筑遗址的夯土台基约 80 米，其北面正对可能是宫城内最大殿址的太极殿。简报分为：一、地层堆积，二、大型夯土建筑基址，三、出土遗物，四、结语。共四个部分予以介绍，有彩照、手绘图。

据介绍，三号建筑遗址出土的建筑材料以北魏时期的磨光瓦为主，也有少量汉晋时期的瓦，初步推断该建筑基址的整体建造和使用时期大致为北魏时期，其后在北朝晚期可能还有局部的改造。至于始建于何时、是否沿用了前代的建筑基址，则还需要进一步的勘察研究。

简报称，三号建筑遗址位于二号建筑遗址正北，二者之间有南北向的御道相衔接；三号建筑遗址的北侧又正对宫城内最大殿址太极殿。结合北魏洛阳宫城的勘察平面图，可初步认定它是宫城主要轴线上自阊阖门后的第 3 座重要建筑，极有可能与北侧的太极殿宫殿建筑院落群有关。至于其性质，还有待于全面勘察后的分析研究。

简报认为，三号建筑遗址的发掘对于汉魏洛阳城北魏宫城的考古研究具有重要意义。可以确认三号建筑遗址也是北魏洛阳宫城主要轴线上的一座重要建筑，是经过阊阖门、二号宫门，进而进入宫城核心区太极殿建筑院落群的最重要屏障性建筑。这一发掘不仅对于深入探讨北魏洛阳宫城的内部空间配置具有十分重要的意义，而且对于研究整个中国古代都城宫城制度的形成与发展也有着重要的价值。

609.河南洛阳市邙山"大汉冢"东汉陵区西晋纪年墓

作　者：洛阳市第二文物工作队　张鸿亮、严　辉、王文浩等

出　处：《考古》2010 年第 10 期

"大汉冢"位于洛阳市孟津县送庄镇三十里铺村东南，是东汉帝陵之一。2007 年 5 月初，有百姓反映"大汉冢"东北约 200 米处的两座墓早年被盗，考古人员遂于 2007 年 5 ～ 7 月进行抢救性发掘。发现的遗迹除 2 座墓葬外，还包括 10 座灰坑、

4条沟、3道墙基。简报分为：一、陵园遗址地层堆积与遗迹分布，二、M1，三、M2，四、结语。共四个部分予以介绍，有彩照、手绘图、拓片。

据介绍，两墓均为单室土洞墓，带斜坡阶梯墓道，残存器物以陶四系罐、碗为主，具有典型西晋墓风格。M1出土刻铭砖，纪年为西晋惠帝元康八年（298年）。

M1、M2出土钱币数量较多且种类丰富，除常见的五铢、大泉五十外，还有大泉当千、直百五铢、太平百钱等。其中契刀五百和大泉五百则是首次在洛阳西晋墓中发现，一次出土上百枚大泉五十也是首次。据不完全统计，洛阳发掘的西晋墓至少200余座，公布材料的约120座，累计出土钱币1万余枚，除上述7种外，还有半两、货泉、布泉、定平一百、太平百金等共计10余种。本次出土的钱币，对研究洛阳地区钱币流通情况，尤其是西晋统一以后三国钱币的广泛使用具有重要的学术价值。

简报称，此次发现的"大汉冢"东汉陵园建筑遗迹主要有3道夯土墙基，而墙体已荡然无存，仅存夯土基槽。M1、M2建于墙基的南侧，墓室修在墙基的下方，说明该建筑基址至少在西晋时期已被彻底废弃，从东汉帝陵区沦为西晋时期的普通墓葬区。

610.洛阳瀍河区利民南街西晋墓发掘简报

作　者：洛阳市文物工作队　潘海民、宋　玮等
出　处：《文物》2011年第8期

2008年4月，洛阳市文物工作队配合工程建设进行考古勘探，在瀍河区利民南街西侧、西距瀍河约500米处发掘了3座古代墓葬。其中2座为长方形竖穴土坑墓，遭严重盗扰，无随葬器物；另1座为西晋墓（编号C3M723），保存较好。简报分为：一、墓葬形制，二、随葬器物，三、结语，共三个部分。有照片、手绘图。

据介绍，C3M723为单穹隆顶土洞墓，由墓道、封门、甬道、墓室及两个耳室组成。两耳室底部均铺有厚约1厘米的青灰，并残留有人骨架和棺木痕迹。C3M723未经盗扰，随葬器物基本处于原处，有陶器、钱币、银器、铁器等。简报判定该墓年代为西晋中晚期。

简报指出，C3M723的墓葬形制和随葬器物也与以往发现的晋墓不尽相同。如虽是单室墓，却有两个耳室，耳室底部均高于墓室底，甬道东端有单砖起券，其构筑方式既非砖室亦非土洞，为砖和土洞混筑。随葬器物中的陶罐形灶和平底罐在此前所发表的洛阳地区晋墓资料中未见。另外，该墓共出土铜镜6件，数量之多，也属少见。这座墓葬的发掘为研究西晋时期的墓葬提供了新的实物资料。

611.洛阳孟津大汉冢西晋围沟墓发掘简报

作　者：洛阳市第二文物工作队　马寅清、严　辉、侯　瑛等

出　处：《文物》2011 年第 9 期

2009 年，为配合连霍高速公路改扩建工程，考古人员在洛阳邙山陵墓群进行了考古调查、勘探和发掘。2009 年 7～9 月，在洛阳市孟津县送庄乡三十里铺村西南，大汉冢东汉帝陵陵园遗址建筑遗址群南侧，发掘了一处西晋时期的围沟墓。围沟墓地处邙山东汉陵区核心区域内，西北距大汉冢封土约 600 米，东距曹休墓 300 余米。简报分为：一、地层堆积和围沟结构，二、墓葬形制，三、随葬器物，四、结语，共四个部分。有照片、手绘图。

据介绍，共发掘西晋墓葬 3 座，以方形墓室为主体的附带 1～2 个侧室，墓道前端有天井，这在西晋墓葬中极为罕见。3 座墓有一围沟圈在一处，围沟既起到界定的作用，又起到保护的作用。3 墓必定有密切的关系。简报推测此为一家族墓地。3 墓均曾遭盗扰，随葬品残缺不全，仅出土劫余的陶器、铜器、铁器、铜钱等。

612.洛阳孟津大汉冢曹魏贵族墓

作　者：洛阳市第二文物工作队　严　辉、史家珍、王咸秋等

出　处：《文物》2011 年第 9 期

2009 年初，连霍高速公路改扩建工程开工建设，改扩建工程洛阳段全长 52 公里，线路穿越国家重点文物保护单位邙山陵墓群，路经邙山陵墓群的西区、中区和东区，计 2 个文物保护区和 3 个建控地带；影响到 4 处帝陵陵园遗址，2 处陪葬墓群，1 处墓葬集中区。由于涉及遗址和墓葬众多，考古调查、发掘以及文物保护的任务十分艰巨。2009 年 2 月至 2010 年 9 月，连霍高速公路改扩建项目洛阳段共发掘古代墓葬 177 座，主要为东汉、曹魏、西晋、北魏、唐宋时期墓葬。通过调查、发掘，发现邙山古墓葬的分布有明确的区域性，和以往对邙山地区的调查基本吻合。

邙山东汉陵区内绝少有东汉时期的小型墓，多数为西晋、北魏、唐宋时期的墓葬，这一现象应和东汉陵区的规划有关。考古人员在东汉帝陵区内发掘了 3 座大型墓葬，即大汉冢南侧 DM1、DM4 和大汉冢西侧 ZM44。这 3 座墓葬的形制相似、年代接近、规模宏大、结构复杂，且位于东汉帝陵区之内，因此非常重要。简报分为：一、地层堆积，二、墓葬填土，三、墓圹结构，四、墓葬形制，五、建筑材料，六、埋葬情况，七、随葬器物，八、墓葬的群组关系，九、结语，共九个部分，先行介绍 ZM44 的发掘情况，有彩照、手绘图。

据介绍，ZM44 位于洛阳市孟津区送庄乡三十里铺村东南，是在配合连霍高速洛阳服务区建设钻探时发现的。考古人员通过调查、钻探，认定这一带是 1 处东汉晚期到曹魏时期的大型墓葬群。该墓为一砖券多室墓，呈"甲"字形，出土遗物有陶器、铜器、铁器、金银饰等，由出土的一方"曹休"铜印可知，该墓主人应为曹操族子、魏国名将曹休。曹休，《三国志》有传，因功累迁征东将军、征东大将军、大司马。黄初七年（226 年），曹丕驾崩，曹休与陈群、曹真、司马懿等人受遗诏辅政。魏明帝曹睿即位后，进封长平侯。曹休生年不详，太和二年（228 年）病逝洛阳，谥壮侯。简报称，曹魏时期有明确纪年的大墓发现并不多，故 ZM44 的发掘，对认识曹魏时期墓葬、寻找曹魏帝陵等均有重要意义。

简报指出，东汉时期的帝陵、诸侯王墓为"甲"字形方坑明券墓，是以横列前室为主体的回廊墓。诸侯王以下列侯、公卿大夫则一般使用"十"字形、"干"字形方坑明券墓，内部结构减去了外回廊，为单纯的横前室顺后室或前后双横室墓。曹休为侯，墓葬也延用了东汉的"甲"字形墓，但似又有所缩减。这是由于战乱所致，还是曹魏时墓葬的普遍做法，还有待进一步的考古发掘。

613.洛阳厚载门街西晋墓发掘简报

作　者：洛阳市文物工作队　武　海、马春梅等
出　处：《文物》2011 年第 11 期

2006 年 8 月，洛阳市文物工作队在洛阳市洛南新区展览路以南、厚载门街以东，为配合洛阳宝龙城市广场工程建设发掘清理了 3 座西晋时期墓葬。这 3 座西晋墓保存较完整，随葬器物较丰富。简报分为：一、墓葬形制，二、出土器物，三、结语，共三个部分。有照片、拓片、手绘图。

据介绍，在这 3 座西晋墓中，CM3032、CM3034 为砖券甬道单室土洞墓，其年代简报推断为西晋晚期。CM3033 为单室穹隆顶砖室墓，该砖室墓的封门为空心砖砌成，空心砖西汉时使用广泛，东汉以后已不常见，西晋时更少见。该墓有兵器，墓主人似为军人或武士。其年代简报推断为西晋中期。

614.河南孟津县马村晋墓的发掘

作　者：山西大学历史文化学院、洛阳市文物工作队　刘　斌、黄吉博等
出　处：《考古》2011 年第 6 期

2010 年 6 月，为配合洛阳铁路枢纽建设，考古人员在孟津县平乐镇马村发掘了

1 座西晋时期墓葬（C10M823）。该墓位于汉魏洛阳城西北部约 6 公里，西距焦柳铁路约 0.5 公里，东距二广高速公路约 1 公里。简报分为：一、墓葬形制，二、随葬器物，三、结语，共三个部分。有彩照、手绘图等。

据介绍，该墓形制较特殊，由墓道、甬道、墓室和耳室组成，主室为砖室，耳室均为土洞。墓道位于墓室南部，因超出发掘区域未作发掘。甬道位于墓道和墓室之间，北接墓室，已被破坏，高度、长度不详。墓室平面近方形，四角攒尖顶，东壁、西壁各有 1 个耳室，北壁有并列的 3 个耳室，耳室内各置 1 具陶棺。出土随葬器物 47 件，有陶俑、陶器、石器、铜器及五铢钱等。

简报称，该墓形制较为特殊，正对墓道的北壁 3 耳室并列，内各置 1 陶棺，此种墓葬形制在洛阳地区还是第一次发现，在其他地区也未见报道。根据 3 具陶棺，简报判断应为迁入合葬墓。时代应为西晋早期。

简报指出，该墓出土 1 件铜玄武砚滴，砚滴为古代文房用具之一，用来向砚内滴水研墨。西晋傅玄有《水龟铭》，描述的应该就是这种砚滴。考古发现的砚滴多出土于汉晋墓葬中，数量不多，有瓷质和铜质两类。最早出现于汉墓中。这次出土的砚滴保存完好，是一件难得的艺术珍品，为古代砚滴研究提供了珍贵的实物资料。

615.河南洛阳市吉利区两座北魏墓的发掘

作　　者：洛阳市文物工作队　程永建等

出　　处：《考古》2011 年第 9 期

1987 年 8 月，考古人员在洛阳市黄河北岸的吉利区为配合洛阳炼油厂三联合装置车间的基建工程开始考古工作，发掘了一批古代墓葬。其中，编号为 C9M315、C9M279 的 2 座北魏墓葬规模较大，出土有 3 方墓志及一批精美随葬品。简报分为：一、C9M135，二、C9M279，三、结语。共三个部分予以介绍，有彩照、手绘图、拓片。

据介绍，从出土的墓志铭文可知，这两座墓的墓主应为父子关系。从志文看，吕达官职为"威远将军""积射将军""宫舆令"，后"天子哀悼……乃下诏追赠辅国将军、博陵太守"；吕仁的官职则为宁远将军。墓志中涉及吕家世系共祖孙六代，即吕牛—吕台—吕安—吕达—吕仁—吕叶，然而均不见于史书记载，他们的生平事迹亦无从详考。简报也未录志文。

简报称，吕达墓中所出嵌蓝宝石金戒指制作精美，这种饰有联珠纹、嵌有宝石而且充满异域风格的戒指，有学者认为应是西亚粟特人所制作。同墓中还出土了 4 件胡俑，无疑为西域人的形象。这些都反映了北魏迁洛以后以洛阳为中心的东西文化交流和丝绸之路商贸活动的频繁。从埋葬时间上看，吕达墓纪年为北魏孝明帝正光五年（524 年），吕仁墓纪年为北魏节闵帝普泰二年（532 年），两座墓相差仅 8 年。但两墓所出器物尤其是陶俑的风格差异很大。简报认为这是因为这时正处于北魏迁都洛阳后的转变期，造成前后风格的不同。

616.洛阳孟津朱仓西晋墓

作　者：洛阳市文物考古研究院　卢青峰、张鸿亮、严　辉
出　处：《文物》2012 年第 12 期

2009 年 4 月至 2010 年 4 月，考古人员在洛阳市孟津县平乐镇朱仓遗址区（第Ⅳ、Ⅴ发掘区）内，清理发掘了 14 座西晋墓。墓葬分布于朱仓 M708、M709 两处东汉墓园遗址内，均为小型墓，墓葬形制特殊，且出土一批较为重要的铭文砖，较为重要。简报分为：一、墓葬形制，二、出土器物，三、结语，共三个部分。有照片、拓片、手绘图。

据介绍，本次发掘的 14 座墓葬分为两种形制：竖穴土坑墓和短斜坡墓道土洞墓。墓葬中出土的陶瓷器主要有罐、碗，罐有四系、三系、双系之分，均为西晋时期常见器形。最重要的是出土了一批珍贵的铭文砖，其中 3 块有明确纪年，分别为西晋太康七年（286 年）、元康二年（292 年）、元康三年（293 年），为判断这批墓葬的年代提供了可靠的依据。简报称，据铭文说明这些墓主多来自西晋传统势力范围。

617.洛阳孟津朱仓北魏墓

作　者：洛阳市文物考古研究院　卢青峰、张鸿亮、严　辉、李继鹏
出　处：《文物》2012 年第 12 期

2009 年 3～8 月，为了配合连霍高速改扩建工程，考古人员在孟津县平乐镇朱仓村西部、北部的朱仓遗址地区和朱仓东段，清理了一批北魏时期的墓葬。

朱仓遗址区第Ⅵ发掘区位于大汉冢东汉帝陵陵园遗址和朱仓东汉帝陵陵园遗址之间。西侧有著名的曹休墓，东侧紧邻 M722 东汉帝陵陵园遗址的西垣，其南部至今还保存着一些北魏时期的封土墓冢。墓葬比较密集，已发掘北魏墓 15 座。朱仓东段位于东汉帝陵陪葬墓群内，墓葬较为分散，已发掘北魏墓 8 座。简报分为：一、墓葬形制，二、出土器物，三、结语，共三个部分。有照片、拓片、手绘图。

据介绍，本次发掘的两处小型墓群以中小型墓为主，墓葬排列有序，分布相对集中，地理位置靠近邙山北魏陵区东部边缘。23 座墓葬中的小型墓形制比较特殊，平面均为刀形，洛阳地区以往见诸报道的较少。刀形土洞墓的形制，与山西大同七

里村北魏墓群中的长斜坡墓道偏室墓相似。随葬器物均以陶壶、陶罐为主。简报推断墓葬年代大体在北魏晚期。

618.洛阳涧西南村西晋墓

作　者：西南民族大学民族研究院、洛阳市文物考古研究院　乔　栋

出　处：《文物》2012 年第 12 期

1997 年 7 月，在配合洛阳市安居工程建设时，考古人员在涧西区南村发掘清理了 4 座西晋墓葬（编号 EM263、EM264、EM267、EM268）。除 EM268 保存完整外，其余 3 座早期被盗现象严重，墓室顶部及四壁无一完整，有的铺地砖也被破坏，随葬器物残损。简报分为：一、墓葬形制，二、随葬器物，三、结语，共三个部分。有照片、拓片、手绘图。

据介绍，此墓区以西晋墓为主。这 4 座墓葬的形制基本相同，由墓道、甬道、墓室（或耳室）组成。随葬器物都是西晋墓的典型器物。简报推断这 4 座墓的时代应为西晋中晚期。简报称，其中并列的 3 座墓出土的陶灯盏，形制、大小基本相同。其中 M263 出土的为红陶，多达 12 件，这是以前西晋墓中罕见的器形，为西晋墓葬研究提供了新的资料。

619.河南洛阳市汉魏故城发现北魏宫城五号建筑遗址

作　者：中国社会科学院考古研究所、日本独立行政法人国立文化财机构奈良文化财研究所联合考古队　钱国祥、刘　涛

出　处：《考古》2012 年第 1 期

2010 年 10 ～ 12 月和 2011 年 3 ～ 5 月，中国社会科学院考古研究所与日本独立行政法人国立文化财机构奈良文化财研究所联合考古队，对汉魏洛阳故城北魏宫城西南角进行大面积发掘，编号为五号建筑遗址。这是继 2008 ～ 2010 年对北魏宫城二号和三号建筑遗址发掘之后，对北魏宫城遗址的又一次重要发掘，发掘面积 1964 平方米。简报分为：一、地层堆积，二、宫城城墙，三、给排水设施，四、其他晚期遗存，五、结语，共五个部分。有彩照。

简报认为通过此次发掘，北魏宫城五号建筑遗址明确了北魏宫城西墙、南墙及西南角基址的确切位置、规模和结构；发掘揭示出的宫城西墙和南墙有多个时期夯筑及重修沿用现象，确立了该宫城始建时代不晚于魏晋时期、历经北魏和北周时期重修沿用的演变序列；发现的不同时期水渠和水池遗迹，为复原宫城内外不同时期

的河渠水系、确定宫城内外的给排水系统与夯土城墙的位置关系等提供了明确的资料；发现的北朝晚期灶坑遗迹和房舍基址，为完整把握汉魏洛阳故城的时代内涵和演变提供了重要线索。出土的一批地层关系准确、时代特征明显、具有组合关系的建筑材料，为完善和深化汉魏洛阳故城遗址出土的遗物编年序列提供了丰富的资料。

620.河南洛阳市汉魏故城魏晋时期宫城西墙与河渠遗迹

作　者：中国社会科学院考古研究所、日本独立行政法人国立文化财机构奈良
　　　　文化财研究所　钱国祥、刘　涛、肖淮雁、郭晓涛、汪　盈等
出　处：《考古》2013 年第 5 期

2011 年 3 ～ 5、7 ～ 11 月，中国社会科学院考古研究所与日本奈良文化财研究所联合考古队在对汉魏洛阳故城北魏宫城西墙发掘解剖过程中，新发现了曹魏至西晋时期的宫城西墙、汉晋时期的大型河渠、北魏时期的排水暗渠、北魏与北周时期的路面等遗迹。这是继 2010 年秋季至 2011 年春季北魏宫城五号建筑遗址发掘之后北魏宫城的又一项重要考古发现。发掘地点位于河南孟津县平乐镇金村南约 1.5 公里处。简报分为：一、地貌与地层堆积，二、魏晋时期宫墙、河渠和房基遗迹，三、北魏与北周时期宫墙、路面和排水渠遗迹，四、结语。共四个部分予以介绍，有彩照等。

简报指出，此次发掘对于深入探讨汉魏洛阳故城宫城形制以及中国古代都城制度都具有重要意义。揭示出北周、北魏和魏晋时期宫城西墙的位置、走向、建筑结构和时代演变，以及各期宫墙与汉晋时期河渠的关系。发掘明确了此宫城西墙最早始建年代不晚于魏晋时期，北魏时期在其外侧重修或增筑宫城西墙，北周时期则继续沿用与增修，由此可确认北魏宫城是在曹魏洛阳宫基础上修建沿用。魏晋宫墙外侧发现的不晚于汉晋时期的大型河渠遗迹，是汉魏洛阳城河道水系的首次重要发现，基本可确认其就是《水经注》等文献记载的汉魏"阳渠"遗迹。发掘出土的大量具有明确地层关系的魏晋时期建筑瓦件，则完善和补充了汉魏洛阳故城建筑材料的编年序列。

621.洛阳市涧西王湾西晋墓发掘简报

作　者：洛阳市文物考古研究院　刘德胜、黄吉军
出　处：《华夏考古》2013 年第 4 期

2011 年考古工作者为配合基本建设，在洛阳市涧西区工农乡王湾村南发掘了西

晋墓葬3座。这3座墓均为砖室墓，形制较大，具有典型的西晋时期特征。随葬器物丰富，出有陶器、铜器、铁器等，为洛阳地区西晋墓葬的研究提供了新的资料。简报分为：一、M2044，二、M2042，三、M2046，四、结语，共四个部分。有照片、拓片、手绘图。

据介绍，这3座晋墓中，M2044的侧室以45°角向东北斜伸，这在以往洛阳地区晋墓中较为少见。该侧室面积较大，应不是放置随葬品的耳室，我们推测其可能用于夫妻合葬或不同辈分的人员埋葬，与主室之间存在一定的关系。从建筑角度来看，M2042墓采用了明券和暗券相结合的方法，这也是以往洛阳地区晋墓中极为少见的。这种方法既解决了暗券封顶的难题，同时也减免了明券对人力、财力和时间的浪费。这在晋墓建筑演变过程中是一种进步，也为晋墓形制演变的研究提供了新的例证。从随葬品来看，一方面承袭了汉墓中的放置格局和种类，如鸡、狗、井、灶、碓、灯等生活用品，但也有更换和增减。如汉代的仓已换成了罐，四系罐、多子盒、镇墓兽、牛车、空柱盘和武士俑、男女仆俑等，这些都是西晋墓中新增添的。此3墓的时代，简报推断为西晋中晚期。

简报称，通过此次发掘可知，从甬道进墓室正中偏前为祭祀区，主要器皿有案、耳杯、盘、扁壶等；进墓室左侧靠近甬道口为警界，主要有镇墓兽、武士俑、狗等；祭祀区之右为生活区，主要器物有灶、井、磨、碓、猪圈、鸡、仆俑等；墓室东北隅为仓廪区，主要有排列整齐的陶罐；墓室西部为停棺区，在棺之北端出土有铜镜、铜钱、铜饰、铁刀等；紧靠停棺区之右有7块帐座，帐座之右为车马区，随葬器物有车、马、车夫俑等。墓室布局和随葬器物的放置是当时社会人们生活的真实写照。

622.洛阳道北二路西晋墓发掘简报

作　　者：洛阳市文物考古研究院　褚卫红、王遵义

出　　处：《文物》2014年第8期

2010年4月，考古人员在洛阳市西工区道北二路以北配合洛阳市鹏祥小区二期工程建设时发现西晋墓1座（编号HM1545），遂对其进行了发掘清理。简报分为：一、墓葬形制，二、随葬器物，三、结语，共三个部分。有照片、手绘图。

据介绍，该墓由墓道、甬道及墓室组成，墓室呈方形，四角有角柱，砖砌成穹隆顶，这些特点与以往洛阳发掘的西晋墓形制一致。但是墓室分前室、侧室、后室，且三室均为方形，前室北壁有一假耳室，这种形制简报认为在以往发掘的西晋墓中较为罕见。陶井、陶槅、陶牛车、陶碓、陶猪圈、陶帐座、陶空柱盘等是洛阳地区西晋墓中的典型器物。简报推断，该墓年代为西晋中晚期。

623.河南孟津县刘家井村西晋墓的发掘

作　者：洛阳市文物考古研究院　王　炬、袁晓红、郑　莉、扈晓霞
出　处：《考古》2014 年第 10 期

2011 年 1 ~ 4 月，原洛阳市文物工作队为配合中国再生资源有限公司洛阳产业化园区项目建设，在洛阳市孟津县平乐镇刘家井村发掘了西晋墓葬 7 座，这批墓葬均被多次盗扰，随葬品已基本无存，其编号为 MJZM1 的墓葬虽被多次盗扰，但规模较大，形制保存较好。简报配以手绘图、照片予以介绍。

据介绍，此次发掘区位于洛阳孟津县邙山陵墓群区域内。此次清理的 M1 为带斜坡墓道的土洞墓，墓道长且宽，出土的青瓷器、陶器等造型精美，简报推断它的墓主或为地位较高的官僚贵族。简报称，这一墓葬区的发掘为研究洛阳地区西晋大型墓葬的分布提供了宝贵资料。

624.河南洛阳市汉魏故城发现北魏宫城四号建筑遗址

作　者：中国社会科学院考古研究所洛阳汉魏故城队　刘　涛、钱国祥、郭晓涛
出　处：《考古》2014 年第 8 期

2011 年 7 月至 2013 年 7 月，考古人员对北魏宫城四号建筑遗址进行了大面积勘察发掘。简报分为：一、夯土与地层堆积，二、大型夯土建筑基址，三、出土遗物，四、结语，共四个部分。有彩照、手绘图。

据介绍，四号建筑遗址位于北魏宫城中部偏西北处，北距河南孟津县平乐镇金村约 1 公里，南距宫城正门阊阖门遗址约 460 米。该遗址南面正对宫城阊阖门、二号和三号宫门遗址，地处当地俗称"朝王殿"或"金銮殿"的缓坡台地上，为宫城内规模最大、位置最为显赫的宫殿遗址，早年判断为北魏宫城正殿。现仅存地面 9 个大型破坏坑，东北角发现有一规格较高的独立院落。发掘出土的遗物以砖、瓦、石等建筑材料为主，还有少量的铁质"莲蕾"、铁钉、铜饰件等。瓦件多为北魏时期常见的磨光面筒瓦和板瓦，少量为魏晋时期的蓝纹面板瓦和素面筒瓦。出土的瓦当也以北魏时期的兽面纹瓦当和莲花纹瓦当为主，少量为魏晋时期外圈有三角缘的云纹瓦当。发现的铺地石板加工细致，饰直线和五字纹组合成的几何纹饰，为先前所未见，显示该建筑具有较高的等级。可以确认其就是北魏宫城的中心正殿"太极殿"及两侧的"太极东堂"。

简报指出，汉魏洛阳故城的太极殿是中国历史上第一座"建中立极"的宫城正殿，其始建年代可上溯至曹魏初年，历经西晋、北魏等时期的修补、沿用，其

中所蕴含的设计思想、所确立的宫室制度，不仅为后代所遵循，更远播东亚日、韩等国。

625.洛阳市洛南新区西晋墓（C7M3742）发掘简报

作　者：洛阳市文物考古研究院　王玲珍

出　处：《华夏考古》2014 年第 3 期

2008 年 10 月，为配合郑（州）西（安）高速铁路拆迁安置小区的基建工作，考古人员在洛南新区的关林路南、长兴街西侧的施工区域，进行了考古发掘。其中发掘清理了 1 座西晋时期墓葬，编号为 C7M3742（以下简为 M3742）。这座墓虽经盗扰，仍出土了一些时代特征明显的随葬品。简报分为：一、墓葬形制，二、随葬器物，三、结语，共三个部分予以介绍，有彩照、手绘图。

据介绍，此墓为单室砖券墓，出土有陶器、石器等。其墓葬形制和随葬品具有西晋中晚期特征，简报推断 M3742 的年代为西晋中晚期。简报称，该墓的发掘为西晋中晚期墓葬的系统研究，也为进一步研究西晋时期的丧葬制度提供了更为丰富的实物资料。

平顶山市

626.宝丰县发现一批窖藏铜钱

作　者：宝丰县人民文化馆

出　处：《河南文博通讯》1979 年第 2 期

宝丰县闹店公社贾寨大队于 1978 年 11 月下旬，挖渠时发现 1 瓮窖藏铜钱，考古人员前往现场进行调查清理，并将所有铜钱全部运回馆内。

据介绍，这次共发现铜钱 41.5 公斤，全部放在 1 个灰陶瓮内，瓮上用一陶盆封口，出土时陶瓮已破，铜钱多数成串地锈在一起，尚能看到串钱的绳索痕迹。经过初步拣选，铜钱的种类大体可分：西汉"半两"、两汉"五铢"、新莽铜钱、三国铜钱等。应是魏晋时埋入地下。

焦作市

627.孟县出土北魏司马悦墓志

作　者：孟县文化馆　尚振明
出　处：《河南文博通讯》1980 年第 3 期

1979 年元月，孟县城关公社斗鸡台大队第五生产队在修渠取土时，在村内大街路旁发现北魏司马悦墓葬。据说 1949 年前该墓土冢高 2 丈余，发掘前只是高出地面不到 3 米的土丘。发现后，百姓自行掘开。经实地调查，询问得知墓葬出土有墓志 1 合，瓷碗 8 个，唾盂 1 个，黑色陶瓯、陶碗各 1 个，铁器 7 件，铁钉 10 余件。现收藏孟县文化馆。简报分为：一、墓室结构，二、出土遗物，三、墓志，四、结语，共四个部分。有照片、手绘图。

据介绍，该墓葬分墓室、墓道两部分，砖结构，拱顶。出土遗物有墓志 1 合，志文正书，实有 661 字，简报节录部分志文。据墓志，司马悦祖孙三代均属北魏统治阶层，司马悦北魏永平元年（508 年）卒，永平四年（511 年）下葬。该志是魏体书法的佳品。墓室出土的整套瓷器，尚属完整，也是少见的。

628.博爱县出土的晋代石柱

作　者：刘习祥、张英昭
出　处：《中原文物》1981 年第 1 期

1978 年 12 月，博爱县聂村大队农民在村北平整土地时，在地下 1 米深处掘出一石柱（柱平放于地下）。发现后立即报告了县文化馆，遂派人进行了调查，并将石柱运至县文化馆保存。简报配以照片、拓片予以介绍。

据介绍，石柱系用红色石英砂岩雕刻而成，原应为三节，顶盖在发现时已无，现仅存底座，柱身二节，总高 3.1 米。在距顶端 26 厘米处的前方，突出一边长 40 厘米的方形石碑，上边阴文篆刻"晋故乐安相河内笥府君神道碑"13 个字，简报指出，"笥府君"或即苟晞，《晋书》卷六十一《苟晞传》云："苟晞，字道将，河内山阳人也。"今石柱所在的博爱县聂村大队西晋时正属河内郡山阳县，但传记载苟晞历任司隶部从事、平阳太守至大将军大都督等职，未记曾任乐安相一职，因此简报推断这个笥府君也可能是苟晞族人。

629.河南省孟县出土北魏司马悦墓志

作　者：孟县人民文化馆　尚振明

出　处：《考古》1983 年第 3 期

1979 年 1 月，孟县城关公社斗鸡台大队农民取土时发现古墓。考古人员予以清理。简报分为：一、墓室结构，二、出土器物，三、墓志，共三个部分。有照片、手绘图。

据介绍，该墓位于县城西南 2.5 公里的一处高岗上。墓葬为砖室拱顶墓，分墓道、墓室两部分，共用砖 4000 块左右。有 2 副棺木遗迹。出土瓷碗 7 件，瓷唾盂 1 件，陶碗、陶瓯各 1 件，铁环 7 件，铁钉十余件及墓志 1 合。墓志计 661 字，简报未录志文全文。

由志文，知墓主叫司马悦。司马悦字庆宗，祖父司马楚之，父司马金龙，《魏书》卷三十七皆有传。《魏书》："悦与镇南将军元英攻义阳，克之。……寻诏以本将军为豫州刺史。论义阳之勋，封渔阳开国子，食邑三百户。永平元年（508 年），城人白早生谋为叛逆，遂斩悦首，送萧衍。诏曰：司马悦暴罹横酷，身首异所，国戚旧勋，特可悼念……赠平东将军青州刺史，赐帛三百匹，谥曰庄。"志文中"乃刊幽石式照芳烈"的时间为"大魏永平四年二月"，正是司马悦死的第 4 年，故志文中有"越四年二月……窆温县西乡岭山之阳"之语。"温县西乡岭山之阳"是今孟县东部，可见北魏时期区域的划分，与后世有差异。此志书法潇洒稳健，字形朴实大方，是魏体书法的佳品。墓室出土的整套瓷器，也颇罕见。

630.焦作圆觉寺旧址出土的北齐石佛像

作　者：罗火金、索全星

出　处：《中原文物》1998 年第 2 期

1996 年 6 月，焦作市王褚乡新店村村民在圆觉寺旧址上挖掘出 1 尊有铭文题记的石佛造像。简报配以照片予以介绍。

据介绍，该造像系青石质，呈上宽下窄状，上部宽 0.8 米，下部宽 0.75 米，通高 1.1 米，厚 0.1 ~ 0.12 米。保存完整，仅局部残损。正面刻一佛二弟子像，基座上有题记，楷书，简报录有全文。上有北齐"皇建□年"年号。此年号仅用了两年，即 560 ~ 561 年。简报称，这尊造像是焦作地区首次发现的有明确纪年的北齐石造像，它为研究南北朝时期的佛教艺术、佛教史和佛教造像的分期断代，提供了新的实物资料和断代标尺。

631.河南焦作山阳北路西晋墓发掘简报

作　者：焦作市文物工作队　韩长松、冯春艳、李小龙、刘　勇、司洛平、
　　　　成文光等

出　处：《文物》2011 年第 9 期

2010 年 12 月，为配合基本建设施工，考古人员对 2 座西晋墓葬（编号简称 M1、M2）进行了抢救性发掘。发掘地点位于焦作市山阳北路东侧，东南距山阳故城 1.5 公里。M1 位于 M2 的南侧，并列修筑，相距约 11 米，均为东西向。简报分为：一、M1，二、M2，三、结语，共三个部分。有照片、手绘图。

据介绍，M1 为河南发现的首例西晋时期的仿木结构砖室墓，由墓道、甬道、墓室三部分组成，墓室的转角柱、立柱、斗拱、枋木、散斗、撩檐枋等保存完整。M2 为砖券甬道式土洞墓，修筑方法为先挖出墓道，后掏挖出墓廓，再砌筑墓门甬道。该墓应属西晋中期墓葬。

简报称，焦作古称山阳，战国时为秦长信侯嫪毐的居住地，汉置山阳县，东汉献帝被废，奉为山阳公，山阳县为其食邑。北齐废山阳县，并入修武县。此次发掘的两座墓葬位于焦作主城区北部，北距太行山约 1 公里，东南距山阳故城 1.5 公里，东距冯河墓区（山阳故城的附属墓区）约 800 米，应属于山阳故城墓地。此次发掘，为研究焦作地区的历史文化，也提供了新的资料。

632.河南焦作化电集团西晋墓发掘简报

作　者：焦作市文物工作队　韩长松

出　处：《中原文物》2012 年第 1 期

为配合焦作化电集团离子膜扩建工程，2003 年 10 月 16 日至 10 月 22 日，考古人员对工程范围内发现的 1 座西晋墓（编号 2003JHM1，简称 JHM1）进行了考古发掘。JHM1 位于焦作市解放东路南侧、全国重点文物保护单位"山阳故城"北城墙西端北 200 米处。墓中出土武士俑、牛车、角兽、马、灶、井、多子榼、俑等文物 23 件（套）。简报分为：一、墓葬形制，二、随葬器物，三、结语，共三个部分。有照片、手绘图。

据介绍，该墓为单室弧壁四角攒尖顶砖室墓，由墓道、甬道、墓室及耳室组成，砖铺地。随葬品中灰陶牛车、圈厕等较少见。该车由牛和轿车组成，可分离。车为长辕，车厢为长方体，拱形顶，前门敞开，后面右侧有长方形小门，车轮为圆饼状，每轮有 12 根辐条，车轴可能为木制，已不存。车长 36 厘米，宽 22.6 厘米，高 20.8 厘米。

牛头前伸，小耳，双目正视前方，头顶犄角弯曲前伸，躯体浑圆壮实，四腿直立，长尾下垂紧贴于臀后。牛颈上有半环形梭套，两端扣住车辕。牛长22厘米，高11.6厘米。该墓的时代，简报推断为西晋中期。

鹤壁市

633.淇县石佛寺田迈造像

作　者：曹桂岑、耿青岩
出　处：《河南文博通讯》1979年第4期

田迈造像位于河南淇县东北9公里石佛寺村石佛寺小学内。清代顺治《淇县志》记载："石佛寺在县东北十八里吴里社，魏永熙二年创建，明洪武三年重修。"田迈造像通高2.95米，碑身高2.75米，宽1.25米、厚0.17米。座高0.2米、宽1米。造像石刻整体呈莲瓣形，顶略残。简报配以手绘图予以介绍。

据介绍，碑上刻有佛像、大树、鸟、侍者等内容，简报推断为北魏孝文帝太和改制以后不久的造像。1979年3月，在小学内又发现一通残造像碑及李名能等造像碑座。应与前述北魏碑属同一时代。

634.河南淇县出土一件北魏铜双耳釜

作　者：淇县文管所　耿青岩
出　处：《考古》1984年第3期

1978年3月，河南淇县高村公社社员在杨晋庄村西南约1公里处修三八干渠时，距地表约1米深处出土1件铜双耳釜。据参加挖渠的有关干部介绍：铜双耳釜刚出土时，口朝西北斜放，器内塞满泥土，在该釜东约4米远的同一地层中，还发现了3枚五铢铜钱，因锈蚀过甚，出土即碎。简报配以照片予以介绍。

据介绍，铜双耳釜，半圆耳，直口，鼓腹，足分四瓣，倒置呈石榴形。口部残伤，有修复痕迹，范痕明显，外部满布烟炱。

北朝时，淇县属司州，河内郡，故境内北朝文物很多，但所发现铜双耳釜仍属仅见。根据釜的造型等特征，简报推断应是北魏时期的1件生活用具。

635.河南淇县高村发现泰始九年铭文神兽镜

作　者：耿青岩

出　处：《考古》1985 年第 4 期

1983 年 1 月，河南淇县高村砖厂工人在厂东北掘土时，在距地表 0.4 米深处发现泰始九年（273 年）铭文神兽镜。简报配以拓片予以介绍。

据介绍，此镜光洁如新，镜面微弧，镜背下凹。扁圆纽，圆座。镜背纹饰以锯齿纹为界分为两区，内区饰高浮雕人物、神兽及四枚环状乳；外区饰半圆方形带，每一方形中有铭文 4 字，共 56 字。简报录有铭文全文。镜铭明确记载了此镜铸于西晋泰始九年（273 年），"泰始"是西晋武帝的年号，以往河南省亦发现过同类镜，因无确切纪年，均定为东汉之物。这枚泰始九年铭文神兽镜为研究西晋铸镜工艺提供了珍贵的实物资料。

新乡市

636.河南新乡县所见两尊造像

作　者：张新斌、冯广滨

出　处：《文博》1988 年第 6 期

1984 年文物普查时发现和复查了一批碑刻造像。其中较重要的有东魏高永乐造像、北齐天统五年（569 年）交脚弥勒造像等。简报分为：一、东魏高永乐造像，二、北齐天统五年交脚弥勒石造像等几个部分予以介绍，有照片。

据介绍，东魏造像现存于洪门乡李村东南角土丘旁，当地称之为"佛爷岗"的地方。造像是由一块青石雕成，阳面为一佛二菩萨立像，阴面主要为题记，简报录有全文。北齐天统五年（569 年）造像系翟坡乡兴宁村农民史中秀于 1949 年犁地时所获，于普查时捐献给县文管会的。

637.河南省新乡县发现的三国铜器

作　者：冯广瑸、张新斌

出　处：《考古与文物》1990 年第 3 期

1986 年 4 月，河南省新乡县大召营乡代店村农民在该村西南地起土时，挖出了 3

件铜器并及时上报有关部门。后经实地调查得知，此地原为 1 个小土岗，中高而四周较低，俗称"龟盖地"，经长年起土，现已成为面积约 1 亩左右的土坑。在起土时发现有乱砖块、人骨等，所出铜器有弩机、镰斗、熨斗共 3 件，现收藏于县文管会。

据介绍，河南新乡，三国时属曹魏地，弩机铭文之"正始"，即为魏齐王曹芳的年号，正始二年为公元 241 年，而这批铜器亦为汉魏时期的典型器物。魏正始二年的铜弩机以前在其他地方曾有发现（详见周纬先生《中国兵器史稿》），但这批具有明确纪年的三国铜器，在位处豫北的新乡及其周围却属仅见。简报称，它们的发现为研究三国时期的历史和文化提供了新的资料。

638.河南新乡市发现一座魏晋墓葬

作　者：赵宇鸣、王春玲、何　林

出　处：《考古》2007 年第 10 期

2000 年 9 月，位于新乡市区东部的第三五水厂在建滤水池时，发现 1 座砖室墓（编号为 WJM1）。新乡市文物工作队派人赶赴现场清理。简报分为：一、墓葬形制，二、随葬器物，三、结语，共三个部分。有手绘图、拓片。

据介绍，该墓为砖砌双室墓，由墓道、甬道、前室、过道、后室等部分组成。后室内置人骨 2 具，仰身直肢葬，头向北，东侧为男性，西侧为女性。棺木已朽，留有铁棺钉数枚，钉长 6 厘米。

此墓共出土随葬器物 18 件，其中陶器 9 件、银手镯 2 件、铁镜 1 件、五铢钱 6 枚。

简报推断此墓的年代应为曹魏至西晋时期，指出带长斜坡墓道的双墓室是新乡一带东汉墓葬中较为常见的一种形制，而隋、唐以后的砖室墓则多为单室，墓道也较短。此墓的形制与新乡一带的汉墓有很大的相同之处，如带长斜坡墓道、甬道、前后室等。不同之处是，墓顶形制有所变化且过道较长。新乡一带的汉墓顶多为穹隆式，前室与后室也多是相隔一墙，过道也较短。而该墓的顶为四角攒尖结构，前后室则是通过砖砌券顶与过道相连。

639.河南卫辉大司马墓地晋墓（M18）发掘简报

作　者：河南省文物局南水北调文物保护办公室、四川大学考古学系　于孟洲、
　　　　胡松鹤、刘兵兵、白　彬等

出　处：《文物》2009 年第 1 期

大司马墓地位于河南新乡卫辉唐庄镇大司马村村北，太行山余脉谷驼岭以南，

为西北高东南低的丘陵地带。为市级文物保护单位,南水北调中线干渠从西南至东北穿过墓地。为配合南水北调中线工程建设,2006 年 6 ~ 10 月,考古人员对大司马墓地进行了抢救性勘探发掘,清理汉、晋、唐、宋、明、清时期墓葬 28 座,出土文物近 400 件。简报分为:一、墓葬形制,二、随葬器物,三、墓葬年代,共三个部分,配以彩照、手绘图,先行介绍其中的 M18 的发掘情况。

据介绍,M18 开口距地表深 0.73 米,为单室土洞墓,由墓道、甬道、墓室三部分组成。该墓曾被盗,但仍出土遗物近 400 件,其年代简报推断为西晋。出土遗物中金饰品较多,与山东临沂洗砚池晋墓所出几乎完全相同,二者似乎存在一定关系。

640.河南卫辉市大司马村晋墓发掘简报

作　者:河南省文物管理局南水北调文物保护办公室、四川大学考古学系
　　　　于孟洲、党志豪、龚扬民、胡松鹤、王占魁、白　彬等

出　处:《考古》2010 年第 10 期

大司马村墓地位于河南卫辉市唐庄镇大司马村村北,太行山余脉谷驼岭以南,为西北高东南低之丘陵地带。墓地东西长约 1700 米、南北宽 300 ~ 500 米,总面积约 70 万平方米,为市级文物保护单位。规划建设中的南水北调中线干渠从西南至东北穿过墓地,为配合南水北调中线工程建设,2006 年 6 ~ 10 月,考古人员对大司马墓地进行了抢救性勘探和发掘,清理出汉、晋、唐、宋、明、清等不同时期的墓葬 28 座,出土遗物 400 多件。简报分为:一、墓葬结构,二、出土器物,三、结语,共三个部分,先行介绍其中三座晋墓的发掘情况,有彩照、手绘图。

据介绍,3 座晋墓均为带长斜坡墓道的土洞墓,由墓道、甬道、墓室三部分组成,墓室有单室和双室。随葬品有陶房、磨、井、碓、罐、盘、钵、小钵、樽、多子槅、男女侍俑、武士俑、鸡、狗等,年代大致相当于晋中晚期。这批墓葬为研究中原地区西晋时期的墓葬分期及丧葬制度提供了新的资料。

安阳市

641.河南安阳北齐范粹墓发掘简报

作　者:河南省博物馆

出　处:《文物》1972 年第 1 期

范粹墓位于安阳县城西北 30 华里的洪河屯村,墓地在村西北约 0.5 华里外。

1971 年春，当地进行农田基本建设时，在距地表 3 米处发现大量灰色带绳纹的封门小砖，并露出土洞墓室。考古人员于 1971 年 5 月派人前往清理。简报分为：一、发掘经过与墓葬形制，二、随葬器物，三、小结，共三个部分。有手绘图等。

据介绍，墓室为一坐北向南的土洞，洞室部分坍塌，就残存痕迹看，墓顶应为穹隆状。墓室平面呈方形，墓道位于墓室南端的中央，室、道之间有长 0.5 米、宽 0.9 米的甬道相接。可能原有壁画，另从残留的遗迹中可以看出在墓室西侧有一"棺床"，用小砖并列平铺砌成。棺椁及人骨架已朽，仅有铁棺钉数枚，死者应为单身葬。出土的随葬器物共计 77 件，有武士俑、仪仗俑等陶俑。出土的黄釉椁瓷扁壶，绿彩、菊黄釉彩瓷等均十分精美，有墓志。据志文，此墓墓主叫范粹，为北齐高级将领。葬于北齐武平六年（575 年）。

642.河南安阳县清理一座北齐墓

作　者：安阳县文教局
出　处：《考古》1973 年第 2 期

1971 年 9 月，安阳县许家沟公社清峪大队第六生产队挖红薯窖时发现 1 座古墓，考古人员进行了清理。简报配以照片予以介绍。

据介绍，这座墓是北齐高洋（文宣帝）妃颜氏之墓。它位于水冶镇西北清峪村西的 1 个大土塚里，东南距县城 30 多公里；西北离清凉山 5 公里。颜氏墓是 1 座洞室墓，顶部已塌，形制不明。南壁中部，高 1.3 米、宽 1.26 米，甬道口用大块卵石封门。墓室北壁下有砖砌的东西向棺床。

643.安阳孝民屯晋墓发掘报告

作　者：中国社会科学院考古研究所安阳工作队　孙秉根
出　处：《考古》1983 年第 6 期

1973 年冬至 1974 年夏，考古人员在安阳殷墟西区的孝民屯南地，配合安阳钢铁厂的基建工程，先后发掘了一批殷墓、隋墓和晋墓。殷墓和隋墓的资料均已发表，简报分为：一、154 号墓，二、165 号墓，三、195 号墓，四、196 号墓，五、197 号墓，六、采集遗物，七、结语，共七个部分。介绍了这批晋墓的资料。

据介绍，这批晋墓共 5 座，位于孝民屯村南 300 多米，东距四盘磨约 1200 米，都未经盗扰。其中 154 号墓出土的我国目前发现的唯一的 1 套晋代鎏金铜马具，具有较大的学术价值。简报着重报导该墓的资料，同时把其余四座墓的资料和墓地采集到的另 1 套马具的零附件也一并附后，以供参考。

简报称，这几座墓相距很近，埋藏深度也比较接近，墓葬形制完全相同。它们都是南北向的竖穴土坑墓，位于头侧的墓壁都挖有小龛，龛内都随葬有陶瓷器或陶器和牛骨。随葬器物的种类、形制也相同。从墓葬形制或出土器物和埋葬习俗来看，这几座墓应属同一时期、同一性质。简报初步认为这批墓葬的年代定在西晋末、东晋初年的十六国早期（即 4 世纪初到中叶）是较恰当的。

考虑到墓中殉葬有马头、牛骨等，简报认为墓主人有可能是鲜卑人。

644.河南安阳宝山寺北齐双石塔

作　者：杨宝顺、孙德萱、卫本峰

出　处：《文物》1984 年第 9 期

在河南安阳县城西南 30 公里的宝山东麓，原有 1 座北朝东魏时的著名古刹——宝山寺。今寺已废，唯北齐建造的道凭法师塔尚完整保存。简报配以照片、手绘图予以介绍。

据介绍，此双塔为道凭法师所建，是东西并列的 2 座石塔。两塔皆为单屋石造墓塔，造型大体相同，平面都呈正方形。道凭法师为当时著名高僧，《续高僧传》二集卷七一有传。

645.安阳出土南北朝古钱窖藏

作　者：谢世平

出　处：《中原文物》1986 年第 3 期

1982 年底考古人员对安阳废品回收部门的一批古钱进行了调查，得知这批古钱是安阳市西郊农民建房挖地基时发现的。出土前曾经装在 1 个灰陶罐内，在出土过程中陶罐被打破。从成块的铜钱穿孔处，可以看出用绳子穿连成串的迹痕。这批古钱总重为 5911.1 克，共计 2885 枚。其年代从最早的西汉文帝"四铢半两"钱，到南北朝的"四柱五铢"与"金五""五朱"钱，共历经我国 7 个朝代，长达 700 余年（前 175 ～ 557 年）。简报配图予以介绍。

据介绍，西汉时期钱币计 34 枚、新莽时期钱币计 17 枚、东汉时期钱币计 1597 枚、三国时期钱币计 73 枚、两晋南北朝钱币计 1161 枚。简报称，通过这批钱币的分类和整理，我们了解到从西汉到两晋南北朝之间发行的主要货币种类以及 700 多年货币沿用的概况，和在南北朝时期继续流通使用的这一历史事实。从钱币大小互异穿连成串的现象分析，很可能在两晋南北朝时期通行的钱币都是以枚为单位，钱币本身重量已经不是权衡币值大小的主要依据。由上述情况推断，这一历史时期的货币经济十分混乱，钱币是极其庞杂的。民间私铸成风，官家也铸小钱，官府与百姓把历代沿用下来的古钱币重新加工、凿制，文钱与綖环钱的使用达到最高峰。

这批钱币的窖藏年代，应为南北朝时期。

646.安阳北齐和绍隆夫妇合葬墓清理简报

作　者：河南省文物研究所、安阳县文管会
出　处：《中原文物》1987 年第 1 期

1975 年 9 月，河南安阳县张家村百姓在平整土地中发现古墓 1 座。原河南省博物馆文物工作队、原安阳地区文管会以及安阳县文管会联合对此墓进行了清理工作。简报分为：一、墓葬形制，二、随葬器物，三、结语，共三个部分。有照片。

据介绍，和绍隆夫妇墓位于安阳市北约 20 公里的张家村西地。墓葬为砖室结构，出土的随葬器物共 250 余件，计有陶器、瓷器、墓志等。

和绍隆，史书无传，据墓志载，乃清都临漳人，生于北魏孝文帝太和十六年（492 年），卒于北齐天统四年（568 年）。墓志中详细地记载了他的家族史和他的升迁史。和绍隆的官宦生涯历经北魏、东魏、北齐三朝。前期多任内廷之职，屡次升迁，担任过的官职达 10 余种，死后诏赠，使持节部督东徐州诸军事、骠骑大将军、东徐州刺史。太常定谥曰恭子。荣宠有加。

妻元华，据墓志载，生于北魏宣武帝永平二年（509 年），卒于北齐后主武平四年（573 年）。其家族声名显赫，七世祖为昭成皇帝，曾祖、祖、父均位居显官，权重一时。死后夫妇二人合葬于邺城西南 15 华里。

墓志中所载的和绍隆夫妇二人的祖辈均为北魏显官，但《魏书》《北史》中均不见传记，《二十五史补编》中魏将相大臣年表、元魏方镇年表中也未见录入。故此墓志所载可补史书之缺。

简报称，北齐在历史上仅存 28 年，其所遗留之文物颇少。和绍隆夫妇合葬墓的发现，为研究北朝时期的政治、经济、官制、地域、风俗及民族史、服饰史、陶瓷史、雕塑艺术的发展均提供了一批新的实物资料。

647.河南安阳县固岸墓地2号墓发掘简报

作　　者：河南省文物考古研究所
出　　处：《华夏考古》2007年第2期

固岸墓地位于安阳市安阳县安丰乡固岸村，墓地范围南起固岸村，北至漳河南岸，西越固岸村，东过吉庄。南水北调总干渠中线工程在固岸村东墓地的中部呈西南向东北方向穿过。为配合南水北调中线总干渠一期工程建设，考古人员从2005年7月开始对固岸墓地总干渠范围内部分墓葬进行了考古发掘，并取得了重要收获。简报分为：一、墓葬形制，二、随葬器物，三、结语，共三个部分，先行介绍其中2号墓（编号为2006AGM2，简称为M2）的发掘情况，有手绘图。

据介绍，M2位于发掘I区的南部，地势西高东低，高出其东部1~2米。据村民反映，这里原来地势更高，有1个高约4米的大土台子，当地人俗称其"大坟冢"。由于建筑取土和平整土地，现在这里地表平坦，为农田。M2为土坑洞室墓，由墓道、甬道和墓室三部分组成。棺木横放于墓室北部，头西脚东，棺内葬1人，女性，年龄在60岁左右。侧身直肢。从出土情况看，尸体有移动，原来的葬姿应该是仰面直肢，应是摆放棺木时造成尸体移位。此墓没有被盗，随葬品较为丰富，以陶器为主，部分为瓷器，另有少量铜器、铁器、骨器，共计60多件。随葬品均出土于墓室内，多集中在棺木的前部、南部、西部和墓室的东南角。其中陶俑、镇墓兽十分精美。该墓的时代，简报推断为北齐时期。

648.河南安阳市固岸墓地II区51号东魏墓

作　　者：河南省文物管理局南水北调文物保护办公室、河南省文物考古研究所
　　　　　魏伟斌、裴　韬、薛　冰等
出　　处：《考古》2008年第5期

2005~2007年，为配合南水北调工程，考古人员对河南省安阳市固岸墓地进行了考古发掘，清理了一大批墓葬，其中以北朝晚期墓葬为主。截至2007年8月底，在固岸墓地共清理北魏墓葬10座、东魏墓葬90多座、北齐墓葬60座。在此之前所发现的东魏墓葬较少，而且均为东魏皇室、贵族墓葬，而此次在固岸墓地所发现的东魏墓葬均为平民墓。简报分为：一、地理位置，二、墓葬形制，三、出土遗物，四、结语，共四个部分，故先择其中1座（编号为M51）进行介绍，有彩照、手绘图。

据介绍，M51为单室砖墓，由墓道、墓门、甬道、墓室组成。墓室北部有砖砌的棺床，其上有并排的1男1女2具人骨，均为仰身直肢。出土遗物52件，以陶器为主，其

中又以彩绘陶俑为大宗，还有个别铁镜和铜钱。简报认为是东魏晚期墓。

简报称，东魏沿袭北魏的埋葬习俗，贵族墓葬除极个别的以外，都是单室砖墓，墓向朝南，墓室一般为青砖砌筑。墓葬皆由斜坡墓道、甬道和墓室三部分组成。墓室平面以方形居多，四壁稍稍向外弧出，一般为穹隆顶，少数作四角攒尖顶。砖砌棺床位于墓室西壁（或北壁）下。棺床前陈列陶俑及其他随葬品。随葬品一般包括陶镇墓兽、武士俑等人物俑和动物模型、牛车，以及红陶碗、灰陶罐、瓶之类。贵族的方形单室墓，往往加长墓道，扩大墓室，在南道内加砌砖墙，设石门，并在甬道上方砖砌门墙或作仿木构的门脸。平民墓多是土洞墓，一般由斜坡墓道、甬道、墓室组成，级别稍高的有1个天井，墓室有刀形和铲形之分。M51为墓向朝南、带有狭长斜坡墓道的单室砖墓，墓室平面呈方形，四壁微向外弧，具有典型的东魏墓葬特征。简报认为，从此墓有砖砌甬道和砖雕仿木结构墓门，以及随葬陶牛车、俑等来看，此墓的墓主身份虽说是平民，但绝不是一般的平民。

649.河南安阳市西高穴曹操高陵

作　者：河南省文物考古研究所、安阳县文化局　潘伟斌、朱树奎等
出　处：《考古》2010年第8期

曹操高陵位于河南安阳市西北约15公里的安阳县安丰乡西高穴村。该地西依太行，北临漳河，南倚南岭，地势较高。西高穴村向东7公里为西门豹祠遗址，14公里余为邺城遗址。东临安阳固岸北朝墓地，隔漳河向北为讲武城遗址和磁县北朝墓群。由于该墓葬西面是砖场取土区，墓扩西部填土被下挖约5米，使其局部暴露出来，引起多次盗掘。2008年春，有画像石等遗物被盗。为了抢救地下文物，避免墓葬遭到进一步破坏，考古人员于2008年12月中旬开始对此墓葬进行抢救性发掘。共清理了两座墓葬，分别编号为1号墓、2号墓。1号墓尚在发掘之中。2号墓位于西高穴村西南，位于1号墓的南面，地表现为农田。墓葬开口于地表下2米处，经发掘，墓上未见封土。墓室西部断崖处有一直径3.8米、深3米的大型盗洞，未盗到墓室。断崖下有南、北两个盗洞，其中1号盗洞由于上部地层已经被砖场取土时挖掉，时代不明；2号盗洞为现代，直径约1米。在清理1号盗洞时，在距地表下5米处的盗洞周围，出有大量画像石残块。简报分为：一、墓葬形制，二、出土遗物，三、结语，共三个部分，先行介绍了2号墓的发掘情况，有彩照、手绘图。

据介绍，安阳县西高穴村2号墓，为一座东汉末年大型砖室墓。墓葬平面呈"甲"字形，为多室砖室墓，由墓道、砖砌护墙、墓门、封门墙、甬道、墓室和侧室等部分组成。尽管曾遭盗掘，出土遗物仍多达400件。

此墓就是后来引起诸多争论的曹操墓。为何判断此墓为曹操高陵呢？简报列举了十点理由：

第一，该墓为东汉末期大墓，与曹操所处时代相符。

第二，该墓与同期墓葬相比，规模宏大，结构复杂，埋葬较深，仅其墓道就可见一斑。墓道长近 40 米、上口宽近 10 米、最深 15 米。宽度比已被认定为北齐开国皇帝高洋的湾漳大墓宽两倍还多，长度也多出 10 米。因此，此墓应为王侯一级的，与魏武王曹操身份相符。

第三，曹操于建安二十三年（218 年）六月，令曰："因高为基，不封不树。"（《三国志·魏书·武帝纪》）此墓葬所处位置海拔 103 ~ 107 米，比 3 公里之外的固岸北朝墓地海拔高出 10 米，符合其"因高为基"的要求。此次发掘，在墓室上面未见有封土，与曹操令曰"不封不树"的要求符合。

第四，该墓位于西门豹祠西，与曹操令曰"古之葬者，必居瘠之地。其规西门豹祠西原上为寿陵"相符。西门豹祠位于邺城故城西、漳河南岸，今漳河大桥南行 1 公里处，地属河南安阳县安丰乡丰乐镇。其故址尚存，现为一高台地，高出地面约 2 ~ 3 米，其上为一东汉至南北朝时期的遗址。在这里的地面上，至今还散落着不少东汉、东魏、北齐时期的砖瓦残片，这说明在当时该处曾存在地面建筑。

第五，1998 年 4 月，在西高穴村发现了后赵建武十一年（345 年）大仆卿驸马都尉鲁潜墓志。墓志记载："故魏武帝陵西北西行四十三步，北迥至墓名堂二百五十步。"此墓志是最早明确记载魏武帝高陵具体方位的出土文献，它将魏武帝曹操高陵的位置锁定在漳河南岸的西高穴村范围内。此墓志所记载的墓主人鲁潜去世的年代距曹操去世时仅 125 年，鲁潜墓志所记载的资料应该是可靠的。

第六，该墓出有刻"魏武王"三字的铭牌 7 块，以前室所出的刻有"魏武王常所用挌虎大戟"的石牌最为完整。石牌出土时已断为两节，一节的位置距南壁 1.4 米、西壁 3.75 米，另一节距西壁 2.7 米、南壁 1.15 米及墓底 0.5 米。石牌出土位置明确，所提供的信息也准确，是认定墓主身份的直接证据。

《三国志·魏书·武帝纪》记载，建安十八年（213 年）五月丙申，天子策命（曹）公为魏公。此后又分封为魏王，建安二十五年（220 年）一月，"庚子，王崩于洛阳，年六十六。……谥曰武王，二月丁卯，葬高陵"。同年十月，曹丕代汉自立，建立魏朝，追尊其父为武皇帝，庙号太祖。因此，曹操的爵位先为魏公，再为魏王，去世后谥魏武王，后为魏武帝，这是一个脉络十分清晰的过程。魏武王是曹操下葬时的称谓，因此其称谓相符。

第七，据《三国志·魏书·武帝纪》，建安二十一年（216 年）夏四月，天子册封曹操为魏王，邑三万户，位在诸侯王上，获得"参拜不名、剑履上殿"的权力。

此墓所出圭、璧体型较大，也可反映出该墓葬的王侯等级，而且圭、璧配套使用又是帝王陵墓的一个突出特征。这表明墓主人具有王一级的身份和地位。在目前已发现的7座东汉诸侯王墓中，该墓规格是很高的，也与文献记载的"位在诸侯王上"的内容相符。

第八，曹操在其《遗令》中叮嘱其后人要"敛以时服，无藏金玉珍宝"（《三国志·魏书·武帝纪》）。在该墓中未发现有为其安葬所制作的金玉礼器。所出土的金丝、金钮扣等均为衣服上的饰品，而且在记载其随葬品的石牌中也没有关于金银珠玉的记载。此外，圭和璧等大型礼器，均为石质。其中一件玉佩，其尖部已经残缺，说明是墓主生前常用的东西，这也是其"敛以时服"的有力证据。

第九，该墓所出陶器，器形偏小，做工粗糙，均为泥质素面灰陶，未见汉代墓葬中常见的彩陶。这也符合曹植在《诔文》中"明器无饰，陶素是嘉"的记载。

第十，在该墓的墓室中共出土了3具人骨，均被扰动。经鉴定男性人骨的年龄在60岁左右，与魏武帝曹操去世时66岁年纪相当。此墓葬中人骨的出现排除了该墓为疑冢的可能性，也是认定其为曹操墓葬的又一物证。

基于上述理由，简报最后再次肯定"初步认定西高穴二号墓的墓主为魏武帝曹操，该墓即是魏武帝曹操的高陵"。

650.河南安阳县东魏赵明度墓

作　者：河南省文物管理局南水北调文物保护办公室、安阳市文物考古研究所
　　　　孔德铭、焦　鹏、申明清等

出　处：《考古》2010 年第 8 期

该墓在 2007 年 6 月南水北调工程施工时发现，位于安阳县安丰乡洪河村东南。2008 年发掘。简报分为：一、墓葬形制；二、出土遗物；三、结语，共三个部分予以介绍，有手绘图等。

据介绍，该墓由墓道、甬道、墓室组成，发现 2 具散乱人骨，1 男 1 女。出土石墓志 1 合、青瓷罐 5 件（4 件有盖）、青瓷碗 6 件、陶瓶 4 件及铁钩、钱币等。据墓志，墓主人名赵明度，东魏泰州天水郡清水县崇仁乡礼贤里人。官宦子弟，本人官至博陵太守。天平四年（537 年）下葬。

简报认为此次发掘很有收获，因为东魏一朝只存在了 16 年，墓葬不多，尤其是有明确纪年的东魏墓，就更少见了。

651.曹操高陵考古发掘主要收获

作　者：河南省文物局

出　处：《中原文物》2010 年第 4 期

2009 年 12 月 27 日，河南省文物局正式对社会发布了曹操高陵重大考古发现。河南省文物考古研究所在安阳县安丰乡西高穴村抢救性发掘的 1 座东汉大墓，经权威考古学家和历史学家根据考古资料现场考证研究，认定这座东汉大墓为文献中记载的魏武王曹操高陵。简报分为：一、基本情况，二、认定依据，三、发现意义，共三个部分。有照片。

据介绍，大墓位于河南省安阳县安丰乡西高穴村南，曾多次被盗。2008 年 12 月进行了抢救性发掘。该墓平面为"甲"字形，坐西向东，是 1 座带斜坡墓道的双室砖券墓，规模宏大，结构复杂，主要由墓道、前后室和 4 个侧室构成。斜坡墓道长 39.5 米，宽 9.8 米，最深处距地表约 15 米；墓圹平面略呈梯形，东边宽 22 米，西边宽 19.5 米，东西长 18 米；大墓占地面积约 740 平方米。该墓虽被多次盗掘，但仍幸存一些重要随葬品。共出土器物 250 余件，有金、银、铜、铁、玉、石、骨、漆、陶、云母等多种质地。器类主要有铜带钩、铁甲、铁剑、铁镞、玉珠、水晶珠、玛瑙珠、石圭、石璧、石枕、刻铭石牌、陶俑等，其中以刻铭石牌和遗骨最为重要。此次共出土刻铭石牌 59 件，有长方形、圭形等，铭文记录了随葬物品的名称和数量。其中 8 件圭形石牌极为珍贵，分别刻有"魏武王常所用挌虎大戟""魏武王常所用挌虎大刀"等铭文。在追缴该墓被盗出土的 1 件石枕上，刻有"魏武王常所用慰项石"铭文。简报提出了 6 条"认定依据"：一是规模巨大，与曹操身份相等；二是遗物具有汉魏特征，年代相符；三是与文献记载相符；四是曹操主张薄葬，此墓装饰简单，玉器等也应是日常佩戴之物；五是刻有"魏武王"铭文的石牌和石枕；六是墓中发现的男性遗骨，经鉴定为 60 岁左右男性，与曹操终年 66 岁吻合。同刊同期有刘庆柱先生《曹操高陵的考古发现与研究》和武家璧先生《曹操墓出土"常所用"兵器考》两文，可参阅。

652.河南安阳县北齐贾进墓

作　者：河南省文物管理局南水北调文物保护管理办公室、安阳市文物考古研究所　孔德铭、焦　鹏、申明清等

出　处：《考古》2011 年第 4 期

2008 年 6 月 15 日，考古人员在巡护过程中于南水北调干渠安阳第九标段 37+500 处发现 1 座北齐时期洞室墓（编号 M54），进行了抢救性发掘。该墓墓葬形

制独特，器物组合完整，纪年明确，出土的一组北朝时期瓷器具有较高的文物价值和考古价值。

简报分为：一、墓葬形制，二、出土遗物，三、结语，共三个部分进行了介绍，有彩照、手绘图、拓片。

据介绍，该墓位于安阳县安丰乡北李庄以东。由墓道、迎风墙、墓门、甬道和洞室组成，墓道为斜坡式，部分被挖土机破坏。墓门、墓道及墓室原应有红、黄、褐、黑等色的彩画，但由于早期进水及保存环境差等原因，壁画大部脱落，只在墓室东壁和西壁保存有零散红色和黑色的线条，形状难辨。由于墓葬早期进水，棺已不在原来的位置。墓室的中部距墓底0.8米处发现棺痕及人骨，棺为东西向，人骨架较零乱，头在西，仰身直肢。该墓形制系首次在安阳地区发现。

该墓未经盗掘，出土器物丰富，有瓷器、陶器、陶俑、墓志、泥制品等，共计93件（泥珠未计算在内）。其中第二道封门左右两侧各置1件陶镇墓兽，西侧镇墓兽前还清理出1件陶子母猪。

根据墓志，墓主人为贾进，此人史书不载。墓志记载其为河南洛阳人，自称是西汉早期著名政治家贾谊的第11代孙，北齐车骑将军、雒阳王郎中令，死于北齐武平二年（571年）。墓志记载该墓位于邺城西宣范里，豹祠（西门豹祠）之西，与今天西门豹祠的地点相吻合。车骑将军为汉制，仅次于大将军、骠骑将军，金印紫绶，地位相当于上卿，或比三公。典京师兵卫，掌宫卫，属第二品，是战车部队的统帅。因此，贾进应是二品官或稍低，级别较高。

据介绍，墓葬迎风墙系在黄土上直接雕塑并施彩画，这在目前的北朝考古材料中尚属首次发现。墓内器物保存完整，其中瓷器、陶器、陶俑等具有典型北朝时期器物的特点。安阳地区发现的北朝墓葬不少，均位于安阳县漳河以南至洪河屯乡上柏村之间南北约15公里的范围内，多数以邺城和西门豹祠及野马岗为坐标点。西门豹祠位于今天安阳县安丰乡北丰村。野马岗大体是安阳市西北一条南北延伸的丘陵，历史上多有记载。

简报指出，安阳县安丰乡、洪河屯乡一带位于邺城的西南，从现有考古资料来看，以漳河为界，北部多为北朝时期的皇家陵寝所在，南部则为一般官员和贵族的墓葬，区别比较明显。特别是漳河南的墓地，从目前考古调查的情况看，时代集中在东汉至北朝时期，墓葬排列密集，规格相对较高，范围大，南北约15公里，东西约10公里。简报认为这一墓地与历史上邺城的兴衰有着密切的联系。

濮阳市

653.河南濮阳北齐李云墓出土的瓷器和墓志

作　者：周　到

出　处：《考古》1964 年第 4 期

1958 年春，考古人员在河南濮阳这河砦村西北约 7.5 公里处发现 1 座古墓，由出土墓志可知为北齐车骑将军李云夫妇合葬墓，葬于武平七年（576 年）。在该墓发现后，濮阳县文化馆将已掘出的青瓷罐 4 件、陶俑 1 件和墓志 2 合运馆保存，并将残墓封掩保护。现一部分出土物已送河南省博物馆陈列，但墓志和 1 件青瓷六系罐仍存县文化馆。简报配以拓片予以介绍。

据介绍，此次最大收获为发现的墓志共 2 合，李云及其妻郑氏各 1 合。李云墓志呈正方形，阴刻"齐故豫州刺史李公铭"9 字，字体潇洒豪放而有力。因墓室坍塌，志石已被砸断成 3 块，故有 10 余字已残缺。志文共 28 行，满行 28 字，共 740 余字。字体笔画流畅，近于楷书，但竖笔保留着魏碑特点，简报录有全文。其妻郑氏墓志，计 16 行，行 16 字，简报未录志文全文。

李云祖父李峻，《魏书》有传，见《魏书》卷三《外戚传上》。今据墓志，关于李峻事迹与传文基本符合，可证传文所记属实。但本传中说李峻"梁国蒙县人"。而志云"黎阳卫国人"，当是李氏改胡姓为汉姓后，迁居卫地（濮阳）的缘故。李云及其父李肃史书无传，志文亦可补史之阙。李云妻郑氏于东魏武定七年（549 年）四月十一日卒于邺，系在李云死后方迁葬在一起，故郑氏志文中"以二月二十八日迁于旧茔"一句，虽无明确年代，可据李云志文考定为北齐武平七年（576 年）事。

654.河南南乐出土北朝文物

作　者：史国强、孙佃杰

出　处：《文物》1988 年第 5 期

1983 年 3 月，河南省南乐县西 12.5 公里的郭村东卫河道清淤工程中，发现 1 座古墓，考古人员赶往现场，墓葬已严重破坏，仅收集得部分出土瓷器和铜器。简报配以照片予以介绍。

据介绍，器物有青釉鸡首瓷壶、黄釉双系瓷罐、黄青釉瓷钵、铜博山炉残件、其年代简报推断约当北齐、北周。

简报称，以上器物在河南东北边沿地带尚属首次发现，对于北朝瓷器研究无疑是有帮助的。

许昌市

655.许都古城遗址出土四方官印

作　者：赵文玺、黄留春
出　处：《中原文物》1991 年第 3 期

1978 年在许昌县张潘乡调查汉魏古城遗址时发现了铜质官印 4 方，收藏在许昌县文化馆，1979 年 4 月转交许昌博物馆收藏。简报配以照片予以介绍。

据介绍，计有铜质"奉车都尉"印 1 件、铜质"殿中都尉"印 1 件、铜质"偏将军印章" 1 件、铜质"广野将军章" 1 件。以上 4 枚官印为考证曹魏时的官职设置提供了可靠的实物资料。

656.汉魏许都故城窖藏铜钱

作　者：许昌博物馆
出　处：《考古与文物》1992 年第 4 期

1987 年 6 月上旬，许昌县张潘乡盆李村农民在责任田里挖井时，在其土井的东壁发现了一批铜钱，重 335 公斤。考古人员前往调查，简报配图予以介绍。

据介绍，这批铜钱出土于窖藏中。这个窖藏位于汉魏许都故城东城垣中段的两侧，铜钱距地表深 1.5 米。坑窖已被破坏，考古人员从 335 公斤铜钱中挑出 40 公斤予以介绍。简报认为窖藏时间应在三国时期，简报指出，三国时期铜钱使用变化颇大。从此窖相伴同出的西汉五铢，到董卓铸无文小钱，其 300 多年间，随着政治形势的变化和政权的强弱，铜钱亦随其由大变小，由重到轻，并由此给社会和人民带来了无可估量的危害。到刘蜀铸造直百、孙吴铸造大泉当千，以及曹魏废五铢、复五铢、又法定五铢等措施来平抑物价，使社会经济得到恢复发展和物价得以稳定。

简报指出，这批窖藏铜钱为研究三国时经济生活提供了重要实物资料。

漯河市

三门峡市

657.鸿庆寺石窟

作　者：河南省古代建筑保护研究所　陈　平

出　处：《中原文物》1987 年第 4 期

鸿庆寺石窟位于河南省义马市东 16 公里石佛村（原属渑池县）。南 50 米是陇海铁路，西去 1 公里有石佛车站，西北有白鹿山，山高 40 余米，上部为黄土，下部是砂岩石层，石窟开在山的东端岩石壁上。1985 年 10 月，考古人员进行了系统的调查。简报分为：一、石窟现状，二、石窟的开创年代，三、几点认识，共三个部分。有照片。

据介绍，现存的 4 个洞窟，门皆向东，计造佛龛 46 个，大小佛像 120 余尊，浮雕佛传故事 4 幅，碑碣 8 通。按自北向南顺序编号，为一、二、三、四窟。从窟龛形制、造像题材、艺术风格等方面所展现的面貌，简报推断它的开创时代不晚于北魏景明年间。

简报称，鸿庆寺石窟以其完整的布局、出色的雕造艺术，代表了北魏晚期中原地区小石窟的艺术成就。它与同时期的甘肃庆阳北石窟、泾川南石窟、辽宁义县万佛堂石窟等，同为北魏晚期的佛教造像重要遗存。1963 年公布为河南省第一批文物保护单位。

南阳市

658.河南南阳东关晋墓

作　者：河南省文化局文物工作队、南阳市文物管理委员会　王褒祥、刘建洲、
　　　　周　到

出　处：《考古》1963 年第 1 期

1962 年 3 月初，南阳县商业局在院里掘井时发现古墓 1 座。简报分为：一、墓

葬位置及形制，二、画像石和随葬品，三、墓葬时代，共三个部分。有手绘图。

据介绍，该墓位于南阳市东关外、南阳县商业局的后院（即汉代宛城的东南部）。墓顶距地表 2.1 米。由墓道、甬道、墓室组成，墓室为砖石结构，葬具不存，发现两个人头骨及下肢骨。随葬只有五铢钱 25 枚、铜卡子 1 件、瓷器 9 件、陶器 3 件、画像石 12 块等。简报认为画像石为汉代的，晋代人造墓时移用。

659.南阳市药材市场画像石墓发掘简报

作　者：南阳市文物工作队　王　伟、李伟男
出　处：《中原文物》1994 年第 1 期

1992 年 10 月，考古人员配合南阳市药材市场基建工程发现发掘了 1 座画像石墓，编号为 92YCM。简报分为"墓葬位置及结构""画像石位置及内容""随葬品""结语"，共四个部分予以介绍，有照片、手绘图。

据介绍，该墓位于南阳市东关汉代宛城遗址的东南部，西距医圣祠约 500 米。墓顶距地表 1.2 米，该墓平面略呈"古"字形。墓室南北长 6.36 米（不含墓道），东西宽 2.34 米，墓底距现地表深 4.1 米，由墓道、甬道、前室、中室和后室五部分组成。葬具、人骨已朽。该墓出土的随葬品包括豆青瓷器 13 件。其中四系罐 2 件，碗 3 件，碟 3 件，陶器 3 件。其中二系陶罐、陶盆、陶碗各 1 件，铜簪 1 件，铜钱 24 枚。该墓出土画像石 10 块，画像 17 幅。似系拆用前人墓地用料。该墓的时代，简报推断为魏晋时期。

660.河南省南阳住宅修缮公司晋墓发掘简报

作　者：南阳市文物工作队
出　处：《华夏考古》1994 年第 1 期

南阳市住宅修缮公司晋墓位于市八一路东、老城西门外。1990 年 12 月，在配合基建过程中经文物钻探发现晋墓 1 座，编号为 ZM1（简称 M1）。简报分为：一、墓室形制，二、出土器物，三、结语，共三个部分。有手绘图。

据介绍，该墓为单室砖墓，位于距地表 1.8 米下的浅黄色亚黏土中。据说此处曾为河沟低地，回填后才达到现在的高度。墓圹四周为熟土，墓门前填土中出一汉代陶鼎足。由墓道、前庭、甬道和墓室四部分构成。墓葬的最南端为斜坡土坑墓道，由于受建筑物影响而未发掘。出土有瓷器、铜钵、铜指环等少量随葬品，另有些许铜钱。简报认为该墓的时代当为魏末晋初，至迟不晚于西晋中期。

661.南阳市妇幼保健院东晋墓

作　者：南阳市文物研究所　张新强、乔保同、曹新州
出　处：《中原文物》1997 年第 4 期

1996 年 5 月中旬，南阳市妇幼保健院在院内施工中发现 1 座画像石墓，考古人员进行了发掘清理。简报分为：一、墓葬结构，二、画像石的位置与内容，三、随葬品，四、结语，共四个部分。有照片、手绘图。

据介绍，该墓位于南阳市妇幼保健院的北部，北临光武路（原北环路），东北 0.5 公里即南阳瓦房庄冶铁遗址。该墓所在位置属于南阳汉宛城遗址的西北部。该墓平面呈"十"字型，由墓道、墓门、甬道、横前室及主室几部分组成，全长 8.48 米，砖石混合结构。墓顶距地表最浅处仅 0.5 米，共用大小 24 块石料及大量长方形、楔形青灰砖砌筑而成。该墓共出土随葬品 39 件。其中瓷器 17 件，陶器 1 件，银器 13 件，铁器 3 件，铜器 1 套，料珠 4 颗。另有部分铜钱等。瓷器主要为实用器，器形有鸡首壶、盘口壶、四系罐、唾盂、小盘、碗、灯盏等。该墓所用石料中，共有画像石 10 块。画像石主要用于门楣、甬道侧壁、主室门楣、门柱及门扉等位置，共雕刻画像石 21 幅，内容有门吏、白虎、朱雀等。不少为汉代画像石二次利用。

简报认为，该墓就是一座东晋时期大中型墓。

662.河南南阳市东关晋墓发掘简报

作　者：南阳市文物考古研究所　乔保同、韩　罘
出　处：《华夏考古》2006 年第 1 期

2001 年 4 月，南阳市文物考古研究所在南阳市东关发掘晋墓 1 座。该墓为砖石混合结构，有画像 3 幅，出土器物有各式陶俑、陶磨、猪圈、井等。墓葬形制及出土物具有中原地区西晋晚期的基本特征。简报分为：一、墓葬结构，二、画像石位置及内容，三、随葬物品，四、结语，共四个部分。有照片、手绘图。

据介绍，该墓葬平面近长方形，砖石混合结构；墓葬主体由甬道、前室、主室组成；墓壁砌法三顺一丁，墓顶用石条横盖顶。未见葬具及尸骨痕迹。从该墓随葬物品来看，如陶盘、耳杯、甑、勺、灶、井、碓、牛车、陶俑等是洛阳西晋墓的典型器物。

简报认为，可以将此墓的时代定为西晋中晚期。不过简报也指出，虽然晋墓在南阳地区发掘不少，但像该墓这样的陶器组合还是很少见的。

商丘市

信阳市

周口市

663.太康县发现东魏造像碑

作　者：太康县文化馆
出　处：《河南文博通讯》1980 年第 1 期

1977 年冬，太康县文化馆普查文物时，在县东北 15 公里高朗公社玉皇岗大队赵寨村，发现 1 块东魏造像碑，现存县文化馆。简报配以照片予以介绍。

据介绍，这块造像碑高 34 厘米，宽 28 厘米，保存完整，碑阳造像 3 尊，为一佛二菩萨。可知这块造像为"比丘普朗造像"，其时代是公元 549 年，即东魏武定七年（549 年）。

简报称，这块造像碑雕刻刀法比较熟练，形象肃穆有神，衣纹平直，且似羊肠状，具有北朝末期的造像特征。题记文字楷书中带有隶意，为典型的魏碑书体。

驻马店市

664.沁阳县西向发现北朝墓及画像石棺床

作　者：邓宏里、蔡全法
出　处：《中原文物》1983 年第 1 期

1972 年 12 月 2 日，河南省沁阳县西向公社粮管所发现古墓葬 1 座，考古人员进行了清理。出土的瓷器具有较为重要的价值，尤其是线刻画像石棺床，更是不可多得的艺术资料。简报分为"墓室结构及随葬品""画像石棺床""墓葬的时代及画像的有关问题"，共三个部分予以介绍，有手绘图。

据介绍，该墓是 1 座砖券洞室墓，坐北朝南，墓室平面为"凸"字形，分甬道、墓室两部分。由于墓葬早期被盗，墓室已被扰乱，并积满了淤土，随葬物品在积土中清理出 8 件，瓷碗、瓷盅保存完好，其他数件已残破。这些遗物均为实用器。棺木与骨架已朽，仅在墓室北壁下留一画像石棺床，甚精致。画像内容有凤凰、异兽、薰炉、飞仙、虎头鸟身异兽、人物等。简报推断该墓为北朝晚期墓。

简报称，墓中石刻画像的发现，为南北朝时期美术史的研究提供了重要的实物资料。同时也提供了研究衣冠制度、车舆、起居等方面的资料，对了解当时的物质文化面貌有所帮助。

济源市

湖北省

武汉市

665.武昌莲溪寺东吴墓清理简报

作　　者：湖北省文物管理委员会　蓝　蔚
出　　处：《考古》1959年第4期

1956年12月，在武昌莲溪寺施工时发现了4座古墓。简报分为：一、墓室结构，二、随葬品，三、时代的推断，共三个部分，配以照片，先行介绍了其中的475号墓。

据介绍，该墓为长方形券顶砖室墓，自地表至墓底深达3米。由墓门、甬道、前室、主室、东西耳室组成，墓顶已毁。出土随葬品计56件，有陶器、釉陶、青瓷、铜器、铅器、铁器、石器等。出土的铅券上有"永安五年"字样，简报推断为东吴景帝永安五年（262年）。

666.武汉地区四座南朝纪年墓

作　　者：湖北省博物馆　王善才
出　　处：《考古》1965年第4期

自1953年5月到1958年11月，考古人员在武汉市郊先后清理和发掘了古墓539座，其中有4座南朝纪年墓。这4座纪年墓是：

一、墓101——宋元嘉二十七年（450年）
二、墓206、207——宋孝建二年（455年）
三、墓193——齐永明三年（485年）

简报分为：一、墓101，二、墓206、207，三、墓193，四、结语。共四个部分予以介绍，有手绘图。

据介绍，关于墓的形制方面，这4座墓很明显地表现出一个共同的特点，即皆为单室砖墓，券顶，带有短甬道，主室作长方形，底部有铺地砖和棺床，棺床前端有小供台。所不同的只是甬道的长短和位置有所差异。随葬品方面,除墓101的随葬器物较少外,其他3座均很丰富,尤其是墓193的出土物多达40余件,这在南朝墓中还是比较少见的。墓主的身份都应为地主。

至于各墓的纪年材料,最可靠的是墓193,据买地券,墓主人刘觊死于南齐永明二年（484年）,葬于永明三年（485年）。至于墓101、206、207三墓,只出土有纪年铭砖,简报认为墓101的下葬年代是450年或稍晚,墓206、207都是455年或稍晚。

667.武昌东北郊六朝墓清理

作　者：湖北省文物管理委员会
出　处：《考古》1966年第1期

1964年11月中旬,在武昌东北郊的水果湖发现1座古墓（编号543）。考古人员前往清理。简报配以拓片、照片、手绘图予以介绍。

据介绍,该墓为砖室墓,分前、后室和甬道三个部分,平面略呈"凸"字形。墓顶已塌,似为券顶。葬具、人骨已朽。随葬品有青釉瓷碗、青瓷盘、青瓷小碗等不多几件。该墓年代,简报推断为六朝中晚期。

668.湖北汉阳蔡甸一号墓清理

作　者：湖北省博物馆　程欣人
出　处：《考古》1966年第5期

1965年4月上旬,汉阳县粮食局在其后院挖水井,发现1座古代砖室墓,考古人员前往清理,以后程欣人同志参加了整理工作。简报配以手绘图等予以介绍。

据介绍,该墓分墓室及甬道两部分。总平面略近刀形,墓底铺砖。出土遗物共30余件,有青瓷器、铜器、铁器、银器等。该墓年代,简报认为下限当不晚于西晋。

669.宜昌东吴墓中出土的佛像散记

作　者：程欣人
出　处：《江汉考古》1989年第1期

此文为《江汉考古》创办人程欣人先生遗稿,草于1982年6月,是清理程欣人先生遗物时发现的。该手稿前附有1963年1月3日宿白先生致李振凡馆长（湖北省博物馆前任馆长）亲笔书信1则,宿白先生认为"武昌莲溪寺永安五年墓所出刻有佛像的鎏金铜饰片，是我国现知的最早的佛教遗物，此物虽曾在 59.4 期《考古》发表过，但以图版不清，叙述太简，所以未曾引起学术界应有的重视"。因此特邀程欣人先生就铜饰片撰一专稿。简报共分：一、佛像出土情况，二、三国及以前佛像多已失传，三、我国现存早期佛像大都晚于三国，四、武昌东吴墓佛像的名称与价值，共四个部分。有手绘图。

据介绍，1956 年 12 月下旬，考古人员在武昌大东门外莲溪寺东北约 100 公尺的丘岭上，清理了 1 座中字形的砖室墓。墓长 8.46 公尺、宽 5.60 公尺。该墓的田野考古编号为"武汉 M475"。墓中出土了几十件文物，其中特别值得重视的是一片鎏金铜件上镂刻了 1 尊佛像。据不全面统计，它是我国现已发现的鎏金铜佛像中最早的 1 件。即使在各种质地的佛像中，它也是仅次于连云港东汉石佛像的珍贵遗存。因该墓出有永安五年（262 年）买地券，知此佛像应不迟于此年。

简报称，这件镂刻了佛像的铜片状若杏叶，长 3.05 厘米、宽 3.1 厘米、厚 0.1 厘米。通体扁平而微弯曲，上部有管状长圆孔。这件文物看起来好像抽屉或柜门或箱盖上的拉手。通体鎏金，呈金黄色，佛像镂空处有铜锈绿。铜片正面有用透雕与线刻手法制成的佛像，佛像站立在 1 个鼓形的圆座上，两边各有"乌巴拉"花一朵，佛像头顶有肉髻，头后有"项光"，服饰为圆领，袖带飘举，腰部仿佛有覆莲四瓣，有可能是观音像。可见在三国的东吴初期，佛教已经传到现今的武汉与鄂城一带了。这件刻有佛像的鎏金铜件，它像箱、柜门上或抽屉上的拉手，也可能是译经师、和尚、信佛者等身上的佩饰，其用途与价值等，尚有待作进一步的探讨。

670.武昌石牌岭南朝墓清理简报

作　者：湖北省博物馆　胡志华

出　处：《江汉考古》1989 年第 1 期

1987 年 11 月，武昌石牌岭湖北省文化艺术干校在新建楼房的施工中，发现了 3 座南朝墓，考古人员进行了清理。简报分为：一、地理位置及墓葬形制，二、出土器物，三、结语，共三个部分。有手绘图。

据介绍，这三座墓位于武昌洪山南约 1 公里的石牌岭湖北省文化艺术干校内，这里是 1 处蜿蜒起伏向南延伸的岗地，曾是东晋、南朝时期的重要墓葬区。两墓为长方形小型砖室墓，1 墓为"凸"字形小型墓，曾被盗。3 墓共出土陶俑、陶器、瓷器、铁器、银器等共 22 件。时代应在南朝初年，墓主应属一个家族，身份应为地主。

671.武汉黄陂滠口古墓清理简报

作　者：武汉市博物馆　蔡华初等
出　处：《文物》1991年第6期

1986年秋，湖北省武汉市黄陂县滠口区刘集乡丁店蔡塘角农民在村西南平整土地时，发现1座古墓。简报分为：一、墓葬结构，二、出土器物，三、结语，共三个部分。有照片、手绘图。

据介绍，古墓位于武汉市与黄陂县交界的府河北岸，北与村子相连，东南有任凯湖，南距古镇黄花涝0.5公里。砖室结构，由券门、甬道、前室、东西侧室和后室组成。清理中发现东侧室扰乱严重，仅在填土中发现2件残俑，估计此墓早年曾被盗。出土器物共80件，其中陶器7件，其余为瓷器。简报推断该墓的年代为吴末晋初。

672.湖北黄陂横店南朝墓清理记

作　者：黄陂县文化馆　黄　锂
出　处：《考古》1991年第1期

1986年10月下旬，武汉市郊黄陂县横店镇的一所小学取土填沟时，在旧时名为"乱葬坡"的低岗地发现古墓1座，考古人员进行了发掘和清理。简报分为：一、墓葬形制，二、出土遗物，三、结语，共三个部分。有拓片、手绘图。

据介绍，横店镇位于黄陂县城西南约12公里的京广铁路上。古墓在距镇西1华里的学校院内。清理时，墓上的堆土已全被铲去，墓顶也全部崩塌，以甬道处尤为散乱，当时在场的人介绍，取完墓上的土后，他们看到的基本上就是现在这个情况，结合清理中发现墓内淤泥里夹有零星青花瓷片分析，该墓早期已被盗。此墓系长方形砖室墓，由墓室、甬道两个部分组成，其平面呈长"凸"字形，整个墓室地面前低后高。墓底距地表深1.78～2.54米。出土遗物有陶俑、陶器、铜镜等9件。简报将这座墓葬的年代暂定为南朝末期，同时，不排除它会晚至隋代初年的可能性。

673.武昌东湖三官殿梁墓清理简报

作　者：武汉市博物馆　蔡华初
出　处：《江汉考古》1991年第2期

1986年1月，考古人员在武昌东湖附近的三官殿清理了1座梁武帝元年（520年）铭文砖室墓。墓地在东湖之滨，今湖北省博物馆之北仅100米处。墓地西侧是

1981 年以来新建的高层建筑群，1985 年底，有关部门顺着建筑群修筑了一条南北向的公路，1986 年元月四日，东湖小学一学生在放学的路上好奇地拾回 1 块墓砖，交湖北省博物馆有关人员并报武汉市博物馆。发现时墓的南壁和西壁已全部推掉，其他部分由于受淤土保护而未遭损坏，故墓的结构形制仍可识别，且随葬物安然无恙。简报分为"结构""出土器物""墓砖""结语"，共四个部分予以介绍，有手绘图。

据介绍，该墓由前室、后室和甬道组成，通长 7.74 米。出土文物有青瓷器、陶器、陶俑、滑石动物等，均为南朝墓常见之物。在甬道近后室处发现少许人骨和几枚铁棺钉，人骨距棺床较远，似曾扰乱过。出土墓砖中有的上有梁普通元年（520 年）纪年。墓主人地位不下于中上阶层。武昌城始建于东汉末年，到南朝梁时仍为政治、经济、军事重镇，在此发现梁代贵族墓葬是毫不奇怪的。

674.湖北黄陂出土东吴青瓷跪俑

作　者：黄　锂
出　处：《考古》1993 年第 8 期

1987 年 2 月，黄陂县天河镇道店乡一农民上交给县文化馆 1 件瓷俑。据其口述，此器是他祖母在世时从附近地下挖出（可能出自墓中）。这里位于黄陂西南端，临近长江，南去数里之遥，就是武汉市汉口闹市区，即东吴时期长江中游的军事重镇夏口所在。简报配以照片予以介绍。

据介绍，此俑为青瓷器，瓷釉基本脱落，露出灰白色内胎，残存处釉色碧绿，并见均匀鱼子纹小开片。其造型是一男性跪坐在长方形底座后部。跪高 16.5 厘米。俑身看不出衣着，似为裸体。当为文吏。简报推断为东吴遗物。

675.湖北汉阳出土的晋代鎏金铜带具

作　者：刘森淼
出　处：《考古》1994 年第 10 期

1987 年 7 月，在武汉市汉阳县熊家岭一座小型砖室墓中，出土了 1 套颇为精致的鎏金铜带具。当时，武汉市第八砖瓦厂以推土机取土而导致墓葬遭到破坏，工人将其中文物捡出。考古人员闻讯后对现场进行了复查，但除对该墓形制有所了解外，别无发现。简报配以手绘图、拓片予以介绍。

据介绍，墓葬编号为 87HXM14。砖室为长方形，单砖顺砌，底铺人字形砖。墓砖上见有网状几何形模印纹饰。墓中发现 1 枚铜质棺钉，推测原有薄板木棺。随葬品中有铜带具 1 套共 10 件，均正面鎏金。因铜锈严重，部分鎏金脱落。

简报推断该墓时代在东晋前期，墓主人身份应为贵族官吏。

676.湖北新洲旧街镇发现两座西晋墓

作　　者：王善才、胡金豪
出　　处：《考古》1995 年第 4 期

1987 年 12 月，新洲县旧街镇农科所在一块棉花地里挖坑栽种桔子树时发现 2 座室墓，出土一批随葬器物。在调查中，除在已挖掉的 2 座砖室墓的墓砖中发现有西晋纪年铭文砖外，还在该墓地西北面不远的地方发现有 10 余座相类似的砖室墓露头，可知这里为 1 处晋代墓地。但因露头的墓葬均与栽树的矛盾不大，故建议旧街镇农科所将已露头的墓葬填土覆盖，加强保护。后来，为进一步弄清两座晋墓的出土文物及其详细的出土情况，考古人员又先后前往旧街镇作过两次调查。简报分为：一、墓葬结构，二、随葬器物，三、时代，共三个部分。有拓片。

据介绍，墓葬位于新洲县旧街镇西南 1 公里的得胜山南部月亮塘的东面，北距新（洲）旧（街）公路 0.5 公里，西距新洲县城 16 公里。两墓均为砖砌单室结构，长方形，券顶，东西向。两墓相距 1 米多。砌墓花砖种类繁多，随葬品有石俑等。出土的纪年砖为元康二年（292 年）。两墓的年代，应为西晋早中期。

677.江夏流芳东吴墓清理发掘报告

作　　者：武汉市博物馆、江夏区文物管理所　祁金刚
出　　处：《江汉考古》1998 年第 3 期

1998 年 4 月底，江夏区流芳镇关山村砖厂附近，因远东绿世界有限公司建筑施工发现 1 座砖室古墓。当年 5～6 月，考古人员进行了抢救性发掘。简报分为：一、墓室结构，二、出土器物，三、结语，共三个部分。有手绘图。

据介绍，此墓为多室砖墓，坐东向西，通长 13.8 米、宽 12.7 米。由券门、甬道、左右耳室、前室、南北侧室、后室和后龛构成。排水沟接于左耳室通向两面的港汊内，长约 130 米。清理过程中，在甬道和前室券顶发现有盗洞，结合墓内随葬器物散乱和残损严重的情况分析，此墓早年已多次被盗，但仍残存有一整套陶明器。

简报推断此墓为东吴晚期墓葬，墓主人应有一定地位。

678.六朝武昌城试掘简报

作　者：湖北省文物考古研究所、鄂州市博物馆　冯务建
出　处：《江汉考古》2003 年第 4 期

六朝武昌城位于湖北省鄂州市区中部，长江南岸。2000 年，考古人员对古城遗址的南城垣进行了首次发掘，同时发掘清理北宋墓葬 10 座、六朝早期古水井 1 座。通过此次发掘，弄清了城墙的结构和建筑方法。墓葬中出土了陶瓷器、铜器、银器和铜钱 30 余件（枚）；古水井中出土遗物丰富，以陶瓷器为主，数量达 100 多件。古墓葬和古水井的发现，为了解研究六朝武昌城的发展历史，提供了新的实物资料。简报分为：一、城垣，二、墓葬，三、水井，四、结语，共四个部分。有手绘图。

六朝武昌城位于鄂东南长江南岸的鄂州市区中部，俗称吴王城。城址大体上为长方形，东抵今凤凰路，西至熊家巷，南到王家墩、壕塘、陈家湾（通用小学）一线，北临长江。东西方向长度为 1100 米，南北方向宽度约为 500 米。是湖北省省级重点文物保护单位。简报指出，武昌城是三国初年一座新兴城市。其崛起是由三国时期特殊的政治和军事形势决定的。此次发掘，虽然仅对古武昌城南城垣进行了解剖发掘，但基本上弄清了城墙的结构和建筑方法。古水井和墓葬的发现，为了解研究古武昌城的发展历史提供了新的实物资料。古水井从位置看，位于古武昌城的南部，南距古城垣约 40 米，古武昌城的南部应为居民生活区。该墓的发现，从某种意义上讲，为研究武昌城的废弃年代提供了实物资料。尽管此墓的年代与武昌城废弃的年代相差甚远，但它确是通过考古发掘所取得的能证实武昌城废弃年代唯一的实物资料。

679.武汉江夏龙泉南朝墓发掘报告

作　者：武汉市文物考古研究所、武汉市江夏区博物馆
出　处：《江汉考古》2010 年第 1 期

2004 年 3 月，考古人员为配合西气东输工程，在武汉江夏龙泉发掘了 3 座南朝墓，皆为"凸"字形，是长江中游比较流行的南朝墓葬形制。出土了成组的青瓷日用器，其中青瓷蟾蜍供台是一件比较有特色的器物，为长江中游地区首次发现。简报分为：一、地理环境与墓葬形制，二、出土文物，三、结语，共三个部分。有手绘图。

据介绍，龙泉南朝墓发掘地点位于武汉市江夏区流芳街龙泉社区福利村余蔡湾东南 100 米处。3 座墓葬中 M1 没有出土器物，M3 由于部分墓室被毁，仅发现 3 件青瓷器，M2 出土 13 件器物。出土器物大多为青瓷实用器，少数为明器。器形有蟾蜍供台、碗、唾壶、罐、壶、台砚等。简报推断为南朝墓。

黄石市

680.大冶瓦窑塘村南朝墓清理简报

作　者：大冶县博物馆　余为民、王富国
出　处：《江汉考古》1985 年第 4 期

大冶县茗山公社范道大队瓦窑塘村农民在平整土地时，发现两座残砖室墓。考古人员于 1983 年 5 月 27 日至 30 日对这 2 座墓葬进行了清理。简报分为：一、墓室结构，二、墓砖的规格与纹饰，三、遗物，四、结语，共四个部分。有照片、手绘图。

据介绍,这两座墓均被严重破坏，但墓室结构绝大部分还很清楚。平面大致呈"凸"字形，棺木、尸骨已朽。M1 出土有永明六年（488 年）纪年砖，知两墓为南朝齐墓。出土有青瓷盏、青瓷五足砚等。

681.大冶市六朝墓清理简报

作　者：大冶市博物馆
出　处：《江汉考古》1997 年第 4 期

1993 年 3 月 5 日，大金公路金牛路段土方施工过程中，于殷老八自然村（北）150 米的金龟山西南坡地上，发现古墓 3 座，考古人员对其中 1 座墓（编号 M1）进行了发掘清理。简报分为：一、墓葬结构，二、出土器物，三、结语，共三个部分。有手绘图。

据介绍，M1 为券顶单室砖墓，墓顶离地表约 1.5 米，平面呈长方形。该遗址范围虽然较大，但实际发掘面积较小，出土遗物有限，可资对比的完整器形更少。尽管如此，其文化面貌及发展脉络还是比较清楚的。简报推断此墓的时代为六朝时期。

682.大冶河口镇六朝早期墓

作　者：大冶市博物馆　姜　胜、余锦芳
出　处：《江汉考古》1999 年第 2 期

1994 年 7 月 5 日，大冶市河口镇砖瓦厂在厂内土岗取土时发现砖室墓 1 座。墓内大部分随葬品随同取土一并挖掘出土。考古人员迅速追回了失散的文物，并对该墓葬进行了发掘清理。简报分为：一、墓葬形制，二、随葬器物，三、结语，共三个部分。有手绘图。

据介绍，此墓位于河口镇东北面约1.5公里的彭家湾村丘岗上。墓为券顶式，单室砖室墓，无墓道，墓圹呈长方形，墓室长3米、宽1.42米、高1.4米，墓内有棺木1具。随葬物品有22件，以陶器为主，另有铜镜、钱币、漆器等。此墓下葬年代，简报推断为六朝早期。

襄樊市

683.襄阳贾家冲画像砖墓

作　者：襄樊市文物管理处　崔新社、潘杰夫
出　处：《江汉考古》1986年第1期

1984年2月，襄樊市青山机械厂在襄阳城西虎头山的东北麓贾家冲筑路时，发现1座砖室墓。民众擅自将墓室后部的砖揭掉，考古人员对此墓进行了清理并追回部分墓砖。简报分为：一、墓室结构，二、墓砖状况，三、出土器物，四、结语，共四个部分。有照片。

据介绍，此墓为带甬道的券顶单室砖墓。平面呈"凸"字形，甬道、墓室顶部均已坍塌。早年被盗过，出土有瓷器、钱币等随葬品。该墓时代，简报推断为南朝，最晚为隋初。

684.湖北枣阳市王湾魏晋墓清理简报

作　者：襄樊市博物馆、枣阳市博物馆　李祖才、周龙成
出　处：《江汉考古》1993年第4期

1992年3月，湖北枣阳市粮食局新征地70亩兴建王湾养鸡分厂。考古人员通过对该地段进行了全面的文物勘探后，共发现古墓葬5座。随后，考古人员对这批墓葬进行了抢救性发掘清理。清理情况表明，除M1、M2外，其余3墓均为晚清墓葬。M1、M2的清理情况简报分为：一、地理位置与墓葬形制，二、出土器物，三、结语，共三个部分。有手绘图、照片。

据介绍，由于没有发现确切的纪年物，加之墓室遭受严重破坏，随葬器物大多被毁，从墓葬形制看，2墓均为多室结构，规模较大，已达到或接近中型墓葬的规模，

简报推断：王湾 2 墓当为中上阶层的豪门贵族墓葬；从出土器物看，2 墓的相对年代为魏晋时期。

简报称，虽然王湾 2 墓已遭破坏，但在枣阳的发现与发掘，仍为进一步研究鄂西北地区三国两晋时期贵族墓葬的结构提供了新的实物资料。

685.湖北襄阳城内三国时期的多室墓清理报告

作　　者：襄樊市博物馆　陈千万
出　　处：《江汉考古》1995 年第 3 期

1993 年 5 月，襄樊市新华书店在襄阳城东街南侧兴建综合楼处理基础时，发掘绳纹砖和"五铢"钱。考古人员在调查勘探之后于 1994 年 3 月 2 日至 4 月 6 日进行了清理（编号为 XZM1）。简报分为：一、简况，二、墓葬形制，三、出土遗物，四、几点启示，共四个部分。有手绘图。

据介绍，此墓位于汉水中游西南岸襄阳古城圈内的中部偏东处，东距东城墙约 400 米，南距南城墙约 800 米。墓上地表覆盖着密集的居民住房。因新建书店，居民建筑得以部分拆除，墓室的南端及东南角仍被居民住房覆盖。墓顶已被挖残，部分墓砖被取走，发现盗洞 2 个。该墓由前甬道、耳室、前室、中室、后室组成。简报认为此墓的年代为三国时期。其上限可能到达汉魏之际（按考古学划分历史年代，亦列为三国时期），下限在西晋政权建立之前，相对年代为公元 208 年至 265 年。据墓内人体残骸判断，此墓至少葬入 4 具尸体：前室 2 具、中室 2 具。其中，前室两具的葬式为仰身直肢，头北足南。中室 2 具的葬式不明。后室仅见 1 节肢骨，有可能是由于中室扰乱所致，或疑后室另有 1 具尸骨，因故已不复存在。墓内的遗物不仅陶、瓷、铜、铁、铅各类物品皆备，还见有贴金的铜器残片和玉器碎片。这些价值昂贵的东西在当时的社会非高级贵族莫有。此墓主当为官阶在 2000 石左右的都督、刺史或郡太守以上的官员。当时襄阳属曹魏政权，死者应为曹魏属官。此墓位于襄阳城内，简报认为可能是因战争而不得已葬在城内。

686.湖北老河口市李楼西晋纪年墓

作　　者：老河口市博物馆　徐昌寅、潘兆麟
出　　处：《考古》1998 年第 2 期

老河口市位于鄂西北汉水中游东岸，李楼位于老河口市东南约 3 公里处。1988年 8 月 31 日，李楼办事处在改造道路取土时，发现砖室墓 1 座（编号 M1）。考古

人员于9月1日至7日对该墓进行了抢救性清理。简报分为一、墓葬形制，二、随葬遗物，三、结语，共三个部分。有手绘图、拓片。

据介绍，李楼西晋纪年墓保存完好，形制清楚，纪年明确，是鄂西北不可多见的西晋时期大中型墓葬。简报推断纪年为墓主人下葬或二次葬时间，即公元273年，墓主为中下级官吏。

简报称，李楼西晋墓具有西晋早期墓葬的特点，该墓下葬年代确切，墓葬形制清楚，出土1组丰富的瓷器，无疑为西晋同类墓葬的年代推断树立了一杆标尺，对于研究这一时期的政治、经济、生活习俗及丧葬习俗均有重要的参考价值。

687.老河口市芦营六朝窑址清理简报

作　者：老河口市博物馆　符德明、艾志忠
出　处：《江汉考古》1999年第3期

芦营窑址位于老河口市区西南5公里处的酂阳办事处芦营村八组境内。西距汉江500米，为汉江东岸的二级台地，海拔高度85米。1995年3月，考古人员为配合汉江王甫洲水电站工程（坝址）进行文物钻探时发现六朝窑址2座，编号Y1和Y2，同年4月进行了清理。简报分为：一、窑的形状与结构，二、窑内堆积和遗物，三、小结，共三个部分。有手绘图。

据介绍，两窑形制相同，但方向相反，相距4米。均由窑前室、火门、火膛和窑床四部分组成。窑顶及烟囱已毁无存，一窑中堆积有大量烧结变形的次品砖。简报认为，此处为六朝时期专门烧制墓砖的作坊。

简报称，两座窑址近似于战国时期延续以来的半倒焰式馒头窑。建造方法为：第一步，在生土内挖成窑室的基本形状；第二步，加工窑壁和窑面，窑壁用经过多次搅拌的而黏性较大的黏泥涂抹；第三步，用木板拍打窑壁，使窑壁规整光滑；第四步，为防止窑顶塌陷，在窑床南端中间设1根立柱来支撑窑顶；第五步，整个窑室做好后，用火焙烤，使窑壁坚硬、密封，而后投入使用。

688.襄樊檀溪周家湾南朝墓

作　者：襄樊市考古队　曾宪敏
出　处：《江汉考古》1999年第4期

周家湾南朝墓位于襄城区檀溪办事处周家湾北。1998年3月，襄樊市民政局在该处征地建房过程中发现墓葬多座，考古人员进行了抢救性发掘，共清理墓葬14座（编

号 M1～M14），其中南朝墓 10 座，清墓 4 座。简报分为：一、墓葬形制，二、随葬器物，三、小结，共三个部分。有手绘图。

据介绍，10 座墓均遭到严重破坏，仅存铺地砖或数层壁砖，顶全部被毁。全为长方形单室砖墓，方向除 1 座朝向西南外，余 9 座朝向东南。长度在 2～3.6 米之间，宽度在 0.6～1.5 米之间，深浅不一。棺木皆不存，仅有 3 座墓葬存人骨架，为仰身直肢葬。出土器物有瓷器、陶器等。该批墓的时代，简报推断为南朝时期。简报称，这批墓葬的发掘填补了襄樊区南朝时期墓葬的空白，为研究南北朝时期襄樊作为该时期南北双方争夺重镇的历史及民族交融提供了实物资料。

689.湖北襄樊樊城菜越三国墓发掘简报

作　者：襄樊市文物考古研究所　刘江生等

出　处：《文物》2010 年第 9 期

2008 年 10 月，考古人员在湖北省襄樊市樊城区建设路与长虹路交叉口的东南部抢救性发掘了 1 座三国时期的墓葬。墓葬所处位置隶属于襄樊市樊城区菜越居委会，遂编为樊城菜越 M1（简称 M1）。简报分为：一、墓葬形制与葬具，二、随葬器物，三、结语，共三个部分。有彩照、手绘图。

据介绍，该墓为土坑竖穴多室砖墓，发掘前前室、后室顶部等已被施工破坏。墓葬中出土了大量的随葬器物，有陶器、瓷器、铜器、铁器、漆器、玉器、石器、银器、金器等，其中出土的铜马是目前国内最大的铜马。根据墓葬形制及随葬器物判断，该墓应是较列侯一级略低的三国早期将军夫妇合葬墓。男性墓主约 45 岁。该墓的发掘为研究东汉末至三国时期的埋葬制度、丧葬习俗等提供了重要的实物资料，对于研究东汉末至三国时期的文化具有重要意义。

690.湖北谷城六朝画像砖墓发掘简报

作　者：谷城县博物馆　李广安、程红敏等

出　处：《文物》2013 年第 7 期

2010 年 12 月，考古人员抢救发掘了 1 座六朝画像砖墓（编号 GCX2010M1，以下简称 M1）。该墓位于湖北省谷城县城西郊南河北岸的龙家湾村，南临南河，北连银城大道，西距肖家营遗址及襄渝铁路复线 500 米，东北距谷城县政府约 1600 米。分为四个部分予以介绍，配有多幅彩照、拓片和手绘图。

第一部分为"墓葬形制"，简报介绍说，M1 为带斜坡墓道的券顶单室砖墓。由斜坡墓道、甬道和长方形墓室组成，甬道顶和墓室顶均已被破坏（可辨为券顶）。甬道壁和墓室壁均用花纹砖、画像砖装饰，排列规整，砖单侧面浅浮雕不同类型的装饰图案，图案均朝向墓室。墓室均用素面砖斜行错缝平铺三层。棺床上东、西两边近墓壁处散存2个头骨，棺床中部偏北位置散存1具人骨架，葬式不详。

第二部分为"画像砖"，简报介绍说，画像砖分为长方形砖和模形砖2类，每类砖又分别有大小不同规格。至于画像砖的内容，有"二龙戏珠""持博山炉仕女""负箭箙武士""吹笛飞天""吹笙飞天"等。另有花纹砖，花纹有"香莲纹""一支香莲纹""二支香莲纹""三支香莲纹"，以及"缠枝忍冬纹""菱形几何纹"等。还有一些砖上刻有文字如"钝斧""大利卜""钝""利"。

第三部分为"出土器物"，以瓷器为主，包括盘口壶1件、莲花纹碗1件、托盘1件。另有铜钱2枚，锈蚀严重。

第四部分为"结语"，推断该墓为六朝时期墓葬，虽已遭破坏，但仍有研究价值。例如墓壁上模印或刻划"钝斧"文字砖、甬道内模印"大利卜"文字的楔形砖等铭文砖，在襄阳地区尚属首次发现，为研究南北朝时期的丧葬习俗提供了珍贵的实物资料。墓葬内出土的反映佛教艺术的飞天形象，姿态优美，动感十足，与敦煌早期壁画上的飞天极为相似，都是在吸收外来飞天特点的基础上融合中原文化而形成的，反映了当时佛教盛行的情况。墓葬内出土的武士、仕女、番莲、二龙戏珠等内容的画像砖，题材广泛，内容丰富，为研究六朝的画像艺术、佛教艺术等提供了资料。

简报认为，南北朝时期，谷城先后属于南朝的宋、齐、梁，北朝的西魏、北周所管辖。特殊的地理位置使谷城地区文化受到南北文化的冲击，出土文物具有典型的南北文化交汇特征。

691.湖南襄樊樊城菜越三国墓发掘报告

作　者：襄樊市文物考古研究所　刘江生等
出　处：《考古学报》2013年第3期

2008年10月，为配合基本建设，考古人员在襄樊市樊城区建设路和长虹路交叉口之东南，抢救性发掘了1座三国时期的土坑竖穴砖室墓葬。墓葬位于樊城区菜越居委会，遂编号为樊城菜越M1。简报分为：一、墓葬形制，二、出土文物，三、随葬器物，四、其他遗物，五、结语，共五个部分。有彩照、拓片、折页手绘图等。

简报指出，菜越三国墓是湖北省近年来发现的1座大型三国早期砖室墓，该墓规模较大，形制独特，随葬品种类多样，多达数百件，且大多数保存完好，特别是出土的陶模，被认定是我国最早佛寺浮屠祠的模型，十分珍贵。瑞兽形铜灯、铜马以及铭器、墨等，也均为近年少见的珍贵文物。墓主为约 45 岁的男性，简报推断此墓为较列侯一级略低的将军夫妇合葬墓。

简报指出，此次发掘为研究三国时期墓葬增添了新的内容，丰富了三国时期的文化内涵。

十堰市

692.湖北均县"双塚"清理简报

作　者：湖北省文物管理委员会　程欣人、陈恒树

出　处：《考古》1965 年第 12 期

长江流域文物考古队湖北分队，于 1959 年 2 月 19 日至 4 月初、11 月 15 日至 12 月 4 日，清理了均县"双塚"墓 2 座（见《文物》1959 年第 11 期第 75 页简讯）。"双塚"位于县城正南 7.5 公里之吕家村，是 1 对高大的土堆，故当地人称为"双塚"。双塚南北相连，而南塚略偏于东。为了便于叙述，将南塚编为墓 1，北塚为墓 2。塚高约 6 ~ 7 米、南北长 70 米、宽 50 米。简报分为：一、墓葬结构，二、随葬器物，三、结语，共三个部分。有拓片、手绘图。

据介绍，这两座墓葬，是在地面上建筑而成的砖室墓，然后挖掘附近的黄沙、褐色泥土掺合掩盖。墓室顶部封土厚 1.6 ~ 2.8 米，距墓室周围 0.4 ~ 0.5 米以外的封土经过夯打，夯窝和层次明显，每层厚约 16 ~ 20 厘米。封土中亦夹杂着破碎的墓砖及少许的残骨和瓦片。在墓 1 主室顶部东北角的盗洞口外，发现有七八个似牛、羊的残骨堆在一起，在盗洞口内距墓底高约 2 米处有铁斧 1 件，可能是盗墓者遗留下来的。墓 2 前室顶部前端的盗洞口上遮盖有倒置之石方桌 1 面。后室下压有与该墓墓砖相同的残墓 1 座，为长方形，券顶，东西向，内长 7.98 米、宽 2.04 米、高 1.96 米，单砖砌壁（交错平砌），底砖一层铺成人字形。其时代应早于墓 2，但墓中未见器物。墓前封土外距墓门约 4 ~ 8 米处，各置一长方形石祭台，台的两侧各有石人骑兽 1 具，仅墓 2 左侧 1 具完整，均系石灰岩石。石碑 1 通，置于墓 1 祭台前左侧 3 米处，乃清代康熙年间所立，主文刻"净乐国王圣父圣母之墓"，显系后世附会。两墓早年多次被盗，已见盗洞 7 处（墓 1 有 3 处，墓 2 有 4 处）。墓 1 遗物甚少，墓 2 还出土了大量绿釉陶器，并发现 7 具人骨架。

墓 1 的年代，简报推断为六朝早期。墓 2 或比墓 1 稍晚。

693.房县郭家庄南齐纪年墓发掘简报

作　者：房县博物馆　车　轶、闫一然
出　处：《江汉考古》1992 年第 3 期

1991 年 11 月 17 日，房县军店镇羊峪管理区郭家庄农民郭安国等在为村小学修建厕所时，发现 1 座砖室墓。考古人员对该墓进行了清理发掘。简报分为：一、墓葬形制，二、随葬器物，三、结语，共三个部分。有手绘图。

据介绍，郭家庄村位于房县城西 9 公里，距军店镇 2 公里，背靠龙角山，面对军马河，东接何家村，西距村子口约 1 公里。砖室墓坑位于村委会和村小学右侧的大路坎下 10 米处，外表为一小土包。由甬道、主室组成，呈"凸"字形。有纪年砖，上有齐永明十年（492 年）纪年。该墓没有发现棺木痕迹，人骨架被严重扰乱，从现场观察，该墓可能系单人葬。由于该墓被施工单位严重扰乱，出土器物被人搬动。从残存的完整的器物看，瓷器类有盘口壶、碗、四系罐；银器有钗；铜器有鎏金簪、镯；铁器有剪刀等。

694.武当山玉虚宫教兵场内南北朝墓葬清理简报

作　者：武当山文物管理所　赵本新
出　处：《江汉考古》1997 年第 4 期

武当山玄天玉虚宫，位于湖北丹江口市武当山集镇南侧，为世界文化遗产武当山古建筑群中的八宫之首，占地面积 10 万平方米。宫内建有紫金城、里乐城、外乐城，里乐城早在明永乐十年（1412 年）就被辟为训练士兵的校场。1997 年 6 月初，文物部门在进行文物古建筑遗址修缮时，意外地发现了 1400 年前的墓地，除唯一 1 座保存了形制外，其他墓葬全部在明初就被毁，仅存的 1 座位于山门内西侧 40 米与南北交 30 米处，其墓地略高于原水平位置，由于该地的地理位置十分特殊，武当山文管所报请湖北省文化厅批准，对该墓进行抢救性发掘。简报分为：一、墓地介绍，二、墓葬结构，三、随葬品，四、结语，共四个部分。有手绘图。

据介绍，该墓为券顶式，单室刀型砖室墓，该墓由于早期被盗掘，大部分器物被盗走，仅存有 1 件瓷碗、1 件陶碗等器物。墓葬虽出土器物不多，但颇具代表性。简报通过综合分析推断，该墓应属南北朝（420 ~ 589 年）时期的家族墓。

简报称，南北朝瓷业有较大发展，三国两晋南北朝又是我国瓷业发展史上的一个极其重要的阶段，为后代的发展奠定了扎实的基础，武当山这一时期流通该类瓷器以及该陶类器物的制造，说明武当山历史上经济发展较为繁荣，该墓的发掘为研究武当山的历史又提供了新的实物资料。

荆州市

695.江陵黄山南朝墓

作　者：江陵县文物局　陈燕萍、罗忠武
出　处：《江汉考古》1986 年第 2 期

黄山南朝墓，位于纪南区郢东乡黄山村一组，西北距楚故都纪南城约 5 公里，西南距荆州城约 6 公里。1983 年 11 月，村民在一个土堆上建牛棚，发现该墓的封门墙。考古人员及时进行了抢救性清理。简报分为：一、墓葬形制，二、随葬器物，三、结语，共三个部分。有照片、手绘图。

据介绍，此墓封土已不存，系长方形砖室墓，由墓室、甬道、封门墙构成，平面呈"吕"字形，整个墓室地面前低后高。墓底距地表深约 2.29 米。墓内出土刻有"元嘉三年刘氏"的纪年砖，考之"元嘉"年号应是南朝宋文帝刘义隆的年号，"三年"即公元 426 年。因此，该墓的绝对年代当在公元 426 年或稍后的一二年里。"刘氏"应是墓主，从墓葬规模和随葬器物看，墓主的身份应为中等官僚地主阶级，也许还是刘宋皇室的远房亲属。

简报称，南朝墓多发现于南京、武汉等地，而在长江中游的江陵，发现有确切纪年的南朝初期墓葬，这还是第一次，它为今后这一地区南朝葬的研究，提供了实物资料。

696.洪湖出土青铜马镫

作　者：余向东
出　处：《江汉考古》1987 年第 1 期

1976 年，洪湖县石码头区黄蓬乡萧家湾一牧童在归途中发现一处田地中有 1 件奇怪的东西露头，便挖了出来，并当即通过大队干部交给了县博物馆，经鉴定是 1 具青铜马镫。简报配以照片、手绘图予以介绍。

据介绍，该马镫，梯形扁平柄，两侧有棱节数道，柄中、下部有长方形穿孔，其体近似鸭蛋形。铜质纯净，色泽光润，造型精致。惜无铭文纪年。

简报称，萧家湾区域是东汉末年"火烧乌林，赤壁大战"的腹心地带，有可能是这场大战的遗物。

697.江陵纪南城出土黄武元年弩

作　　者：张吟午

出　　处：《文物》1991 年第 1 期

1972 年湖北江陵纪南城南水门出土 1 件三国时期的弩。出土时木臂保存情况欠佳，后依原式进行了复制。现藏湖北省博物馆。简报配以照片、手绘图予以介绍。

据介绍，全器由木弩臂和铜弩机两部分构成，缺弩弓。平面呈窄长的"凸"字形。铜弩机由望山及牙、郭、悬刀、枢等部件构成。弩机上有 4 处刻铭，笔画稚拙，其中提及黄武元年（222 年），简报据以推断此器为三国吴弩。

简报称，此弩铭文有"校尉董嵩士陈奴弩""都尉董嵩士谢举弩"，董嵩官职是校尉，陈奴、谢举是其下属，是使用此弩的人。吴弩上习惯铭刻使用者职务、姓名。这种作法或可表明当时吴军的弩是由专人管理和使用的，平时便于保养，战时便于使用。黄武元年弩同时并刻上级军官和使用者的姓名，有标明隶属关系的含意，起着与现代军队编有番号相类的作用。黄武元年（222 年）弩款式多样的铭文，给予我们许多有益的启示。

698.荆州市施家山南朝墓清理简报

作　　者：荆州市博物馆　邓启江

出　　处：《江汉考古》2000 年第 1 期

施家山位于湖北省荆州市荆州区八岭山林场内，1999 年 3 月 20 日因林场取土暴露出墓葬 1 座，考古人员对其进行了抢救性发掘。简报分为：一、墓葬形制，二、出土器物，三、结语，共三个部分。有手绘图。

据介绍，墓葬为单室砖砌墓，由神道、墓门、甬道、墓室四部分组成。神道前部因取土破坏，墓室顶部有一直径达 1.26 米的早期盗洞。出土遗物有陶凭几、陶鸡首壶、滑石猪等。简报推断此墓为南朝宋、齐时期墓。

699.荆东高速公路公安县大北山六朝墓葬发掘简报

作　　者：荆州博物馆　杨开勇

出　　处：《江汉考古》2005 年第 4 期

2003 年 4～9 月，为配合公路建设，考古人员调查并发掘了大北山六朝墓葬。简报分为：一、地理环境及墓地概况，二、墓葬形制，三、出土遗物，四、墓葬年代，

五、几点认识，共五个部分。有手绘图。

据介绍，大北山墓地位于公安县虎渡河以西狮子回镇保卫村五组，东北距公安县城约 26 公里，南距淌水河约 2 公里。4 座"刀"形砖室墓，分布集中，方向接近，形制相似。除 M1 外，其余 3 座各有构造不同的排水系统。共出土瓷器、陶器、铜器、铁器及银器等 20 余件遗物，应是东吴末至西晋初当地一比较富有的家族的墓地。该墓的发掘，为荆州地区六朝早期家族墓葬的研究提供了难得的资料。

宜昌市

700.湖北长阳县发现一批窖藏古钱

作　者：长阳县人民文化馆　张典维

出　处：《文物》1977 年第 3 期

1976 年 1 月，湖北省长阳县贺家坪公社三友五队农民平整土地时发现一批古钱。重达 35 公斤，约 17000 枚。这批古钱用棕绳穿起，一串串放在 1 个铁鼎内，用一件铜洗作盖。鼎浅腹，器身弦纹四道，通高 15 厘米、沿直径 39 厘米。这批古钱中，对文五铢（即剪边五铢）、剪廓五铢及新莽的钱币最多，还有不少是东汉末年及三国时期的铸币。简报配以拓片予以介绍。

据介绍，此批古钱有西汉早期汉半两钱、新莽大泉五十、货泉、五铢钱、更始五铢、东汉末年五铢、直百五铢、直百小钱、大泉当千等。简报认为此处为三国魏晋时期的窖藏。

701.湖北宜昌发现一面神兽纹铜镜

作　者：卢德佩

出　处：《文物》1982 年第 10 期

宜昌地区文物工作队在宜昌市葛洲坝清理六朝残墓时，发现 1 面铜镜。简报配以照片予以介绍。

据介绍，镜面微弧，光滑发亮，可清晰地照出影像。扁圆纽，圆座，缘内铸铭文一周"大阈通万福来钱穷天毕地鲍氏之作子孙享迁"。方格内分别铸有"大丰丰七主大七主七大丰七"12 字。这种铜镜在三国时期流行较多，简报推断当是当时吴国会稽有名的匠师鲍氏所作。

702.湖北枝江姚家港晋墓

作　者：姚家港古墓清理小组　郭德维、黄道华
出　处：《考古》1983 年第 6 期

姚家港是枝江县境内靠长江北岸的一个码头，在枝江县城与枝城之间，这一带地处丘陵。1974 年 3 月，县砖瓦厂在取土过程中，发现西汉木椁墓 1 座（《枝江西汉早期木椁墓清理》，《江汉考古》1980 年第 2 期），考古人员调查中发现附近还有一些砖墓，即组成清理小组对已暴露的西汉墓和 3 座晋代墓进行了清理发掘。3 座晋墓的资料简报分为：一、墓葬形制，二、随葬器物，三、结语，共分三个部分对 3 座晋墓予以介绍。有手绘图。

　　3 座墓编号为姚港 2、3、4 号。2 号和 3 号在砖瓦厂内的小山坡上，2 墓并列，相距约 7 米。4 号墓在 2、3 号墓西 250 米左右。3 座墓均早年被盗，近年来又遭不同程度的破坏。2 号墓破坏最甚，仅存墓底、残西壁和甬道；3 号墓保存较好，仅拆去了后壁，其结构均可复原。3 座墓均为单室、券顶、有短甬道、平面呈凸形的墓葬，大小、形制基本相同，唯 3 号墓甬道略偏一边，其他两墓的甬道在正中。3 号墓的封门砖有两重，其他两墓只有一重。3 墓随葬品有青瓷器等。4 号墓有"隆安三年"（399 年）纪年砖。简报推断这 3 座墓均为东晋墓。从随葬器物看，其墓主的身份可能是中小地主。

703.当阳长坂坡一号墓发掘简报

作　者：宜昌地区考古队　全锦云、张德宏
出　处：《江汉考古》1983 年第 1 期

1979 年 4 月，地处当阳县城关长坂坡的驻军某医院，在院内铺筑道路时发现 1 座古墓。简报配以照片、手绘图予以介绍。

　　据介绍，当地老乡反映，墓葬原在一片枣树林中，地面有一大土包，估计应是墓葬的封土堆。驻军医院平土时将大土包推平，墓葬的部分券顶也被削去，墓室其他各部分及随葬品皆保存尚好，未经盗扰。葬具、人骨已朽。出土有瓷器、铜器、铁器等共 27 件。简报认为该墓的大致年代应属南北朝时期。南朝墓葬在长江流域虽陆续有所发现，但是出有如同此墓所出的铜瓶、铜薰、铜唾盂的墓尚无它见。遗物同时具有南北朝时期南、北的不同风格，简报推测属北魏墓葬的可能性较大。

704.湖北枝江巫回台东晋墓的发掘

作　者：宜昌地区博物馆　卢德佩
出　处：《江汉考古》1983 年第 1 期

巫回台位于枝江县百里洲公社高山大队第三生产队。西北面距刘巷镇 2 公里，又距汉北的枝江县城约 7 公里，此地为平原。墓葬封土堆高约 2 米，面积约 1 亩地，呈圆形台地。相传楚怀王死于巫山，葬于此地，故被称为巫回台。1977 年 9 月，村民平整土地时发现此墓，当年 10 月进行了清理。简报分为：一、墓室结构，二、墓葬保存情况和出土器物，三、几点看法，共三个部分。有手绘图。

据介绍，该墓为平底券顶砖室墓，全长 9.2 米，底宽 2.74 米，通高 3.3 米，方向南偏西 80 度。平面呈长方形，由通道、前后室组成。约在 1.2 米处开始起券，呈船棚形，并在起券处向外伸出 5 厘米，故内壁上形成宽 5 厘米的窄台子。出土有青瓷器、铁器、金器、石砚台等。该墓较大，形制特殊，结构复杂，在宜昌地区是首次发现。青瓷盘口鸡首壶、铁镜、青铜弩机、早期的石砚等器物在当地还是第一次出土。出土墓砖中有"此灵狗位中牛头场""李子见"等铭文。

该墓的时代，简报推断为东晋中期。

705.宜昌市一中三国吴墓清理简报

作　者：湖北省博物馆　程欣人、陈振裕
出　处：《江汉考古》1983 年第 2 期

宜昌市第一中学的操场，原是清代宜昌县的大校场，位于当时宜昌县北门外半里许。1970 年元月中旬，宜昌市第一中学的学生在该校操场上挖防空洞，挖至 1.27 米深时，发现了这座墓前室的砖顶，考古人员前往清理。简报分为：一、墓葬形制，二、随葬器物，三、结语，共三个部分。有照片、手绘图。

据介绍，此砖室墓有前后 2 室，2 室间有一过道。随葬品有青釉碗、青釉罐、青瓷虎子、陶器、铜器、铁器、玉器等共 68 件。简报推断为三国时吴国墓。随葬品中圆形的陶碓房很少见到。

简报称，这座墓出土了许多青瓷器，其中有些是过去少见的。例如过去只见到青瓷卧羊、羊形灯和羊形水注等，而羊形虎子尚属罕见。更值得特别提出的是青瓷人顶灯，其造型之新颖、风格之别具，堪称我国早期青瓷珍品之一。

706.宜昌市六朝墓清理简报

作　者：宜昌市文物处　周之梅
出　处：《江汉考古》1984 年第 1 期

1983 年元月二十七日，宜昌市机床工业公司在挖掘仓库基础时，发现砖室古墓1 座。考古人员追回了散失文物，并对残墓进行了清理。简报配以照片、手绘图予以介绍。

据介绍，古墓位于宜昌城东门外半公里的樵湖岭，该地为一东西走向的山岗。于 1978 年前，先后发现过 2 座古墓，据当地人反映，这一地带过去坟丘很多。这座墓编号为（市机 M3），由墓道、墓室两部分组成。葬具、尸骨已不存。随葬品有陶器 16 件、瓷器 9 件、铁刀等铁器 2 件、铜镜 1 件。

该墓的时代，简报推断为西晋中晚期。

707.湖北枝江县拽车庙东晋永和元年墓

作　者：宜昌地区博物馆、枝江县博物馆　黄道华
出　处：《考古》1990 年第 12 期

枝江县马店镇第四砖瓦厂所在地拽车庙，在马店镇西北 3.4 公里处，其地貌为平原小丘，亦为三国传说地点。清同治五年（1866 年）《枝江县志·地理志·古迹》载："相传昭烈入蜀，张桓侯为帝拽车于此。"小丘南端有一封土冢，俗称古董包，60 年代被当地群众取砖挖毁，文物普查时编为拽车庙 1 号墓。1987 年 2 月 12 日砖瓦厂取土时，在 1 号墓南约 150 米处发现一砖室墓。地、县专业部门根据厂方报告，在现场商订保护措施，申报发掘，该墓编为 2 号墓。经上级批准后，1988 年 12 月 2日至 22 日，考古人员对该墓进行了清理。

简报分为：一、墓葬形制，二、随葬器物，三、结语，共三个部分。有手绘图、照片。

据介绍，拽车庙 2 号墓是一座中型砖室墓，因早年被盗，出土器物仅 7 件。该墓自铭造于东晋穆帝"永和元年（345 年）七月十五日"。墓主名刘佳，《晋书》无传。生前官职为"上官参军"。

简报指出，宜昌地区目前所知的东晋墓中，以拽车庙 2 号墓规模最大，墓砖铭文纪年纪名、官职清楚，结构特点尤其明显，反映了地方文化面貌。

708.湖北宜昌县土城青铜器窖藏坑

作　者：宜昌博物馆　卢德佩

出　处：《考古》2002 年第 5 期

1994 年 2 月下旬，湖北宜昌县土城乡三岔口村村民在责任田内发现 1 组青铜器物。3 月上旬，考古人员前往现场调查，并将出土铜器地点进行了清理。经调查、清理和文物整理，确认所出青铜器物的地点系古代青铜器窖藏坑。简报配以照片、拓片予以介绍。

据介绍，窖藏坑距地表深 0.3 米，坑内出有釜、鉴、洗、盘、錞于、钺等 12 件青铜器和"五铢""货泉""大泉五十""半两""直百五铢"等 11000 余枚铜钱币。窖藏坑中所出文物的时代，经鉴定上限为商代，下限为三国时期，由此简报推断窖藏坑的时代，当为三国时期或稍晚。

简报称，这批青铜文物的出土，特别是錞于及大量钱币的发现，为研究我国古代青铜器提供了重要的实物资料。

709.三峡库区发现六朝大墓

作　者：罗运兵

出　处：《江汉考古》2002 年第 3 期

2002 年夏，湖北省文物考古研究所对秭归泄滩小厶姑沱遗址进行了抢救性发掘，清理出 1 座六朝时期大型石室券顶墓（M1）。简报配以照片予以介绍。

据介绍，该墓位于长江北岸山坡上，墓平面呈"凸"字形，整体宽 12.8 米、进深 12 米以上，占地面积 150 多平方米。由墓室、甬道、墓道组成，墓道前有牌墙、台阶等，均用加工规整的大型条石砌成，牌墙上盖有大型石瓦和石瓦当，墓道前面两侧各有 1 尊石人和石羊，雕工栩栩如生。墓圹呈长方形，墓圹内用条石垒砌墓室、墓道等，墓圹与墓外壁之间空隙用碎砂石混泥浆土夯实，墓室、甬道底部在凿平的基岩上平铺一层小河卵石以渗水，最后在墓道前置石牌墙以屏障主室。人骨架在甬道、墓室内都有发现，分布散乱，至少在 4 具以上。室内见有棺钉、漆皮痕。M1 内保存随葬品还有 100 多件（均已破碎），发现有大量陶俑、陶仓、灶等；瓷器和釉陶器有四系罐、盘口壶、双系罐、碗、钵、盏、壶、瓮、器盖等，少量还饰有小方格纹；铜钱多"五铢""大泉五十"等。初步推断 M1 年代为蜀汉至西晋时期。另在 M1 中出有一组北宋瓷罐、碗、铜钱，当为后世混入。

简报称，这样高级别六朝墓在三峡地区是首次发现，墓主人应有显赫地位或雄厚财力。在此墓附近还发现有六朝早期石室墓，或与此墓有一定关联。

710.三峡库区秭归小厶姑沱六朝墓清理简报

作　者：湖北省文物考古研究所

出　处：《江汉考古》2005 年第 2 期

M1 结构严谨，布局独特，石料加工规整，出有大型的石羊、石人俑。这种高级别的石室墓在三峡地区尚属首次发现，对研究三峡地区六朝早期社会历史、政治经济、埋葬习俗、墓葬结构具有重要意义。简报分为：一、墓葬形制，二、出土器物，三、结语，共三个部分。有拓片、手绘图。

据介绍，小厶姑沱遗址位于三峡库区湖北省秭归县泄滩乡陈家村一组，坐落在长江北岸的坡地上，2002 年夏进行了抢救性发掘。该墓（M1）占地 150 多平方米，由墓室、甬道、墓门组成。甬道前端有牌墙、台阶、护墙等，除护墙外均用加工规整的大型条石砌成。牌墙顶部盖有大型石瓦，东端置有一小型石棺，甬道前端两侧的台阶上有 1 尊石人和石羊，石人和石羊已被移动，但甬道前端的左侧台阶上尚有未被移动的方形石板，应是石人或石羊底座的垫石。20 世纪 70 年代此墓即被发现，当地人以为是古代庙祀。此后 M1 甬道石、台阶的大部分规整条石和石瓦陆续被当地老乡撬走修堰或盖猪圈，从 M1 左侧 50 米左右的农家猪圈盖板中即可打到该墓条石。出土器物有陶俑、陶器、钱币等。简报认为该墓的墓主人有可能是当地望族显贵。墓前武士石俑或是昭示其赫赫勋功，石羊则表达了战乱时期人们对和平的向往与祈求。

荆门市

711.湖北荆门市十里铺镇何桥古城遗址试掘简报

作　者：湖北省文物考古研究所　黄凤春、方　萍

出　处：《江汉考古》2001 年第 4 期

何桥古城遗址位于荆门市沙洋县十里铺镇东北方向，西南距十里铺镇约 10 公里，现隶属于荆门市沙洋县十里铺镇何桥村五组，当地村民称之为"古城"。经实地踏勘，地面现今仍可见封闭的土筑城垣，城垣保存完好。襄（樊）荆（州）高速公路规划线路从城垣的西北部通过，其中西部城垣大多属于施工区域。2000 年 5 ～ 6 月，考古人员进行了小规模试掘。简报分为：一、地层堆积，二、遗迹，三、遗物，四、结语，共四个部分。有手绘图。

据介绍，何桥古城的面积不大，坐落在一岗地的东部，其中南、西、北地势较平坦，

四周土筑城垣基本完好，环城一周皆为洼地，可明显看出为当时的护城河遗迹，昔日固若金汤的城池风韵犹存。经实地踏勘，整个城垣除东城墙中段有一缺口，可能为出入的城门外，其他三面皆为全封闭的土筑城墙。这应是一座坐东向西的独门城池，建筑年代当在六朝时期，废弃年代不详。

712.荆门市麻城镇斗笠岗南朝墓发掘简报

作　者：荆门市博物馆　陈　勤、李　湘

出　处：《江汉考古》2006 年第 2 期

2001 年 5 ~ 6 月，考古人员为配合公路建设，在荆门麻城镇斗笠岗墓地发掘了7 座南朝砖墓，均早期遭破坏，但墓葬形制仍较清晰，具有较多的地方特征。特别值得一提的是此批墓葬的墓砖种类繁多，纹饰丰富。这批墓葬的发掘，丰富了该地区的文化面貌。简报分为：一、墓葬形制，二、出土器物，三、墓砖，四、结语，共四个部分。有手绘图。

据介绍，斗笠岗位于荆门市掇刀区麻城镇斗笠村四组，西北距荆门城区约 10 公里，南距荆潜公路 500 米，东距新建的襄（樊）荆（州）高速公路路基 800 米。此次发掘最大收获就是墓砖，有纪年铭文砖、人像砖、花纹砖等。纪年砖中有"中大通五年"（533 年）纪年。故此批南朝墓的时代，应在南朝梁武帝时期左右。墓中出土大量莲花纹饰砖，形式多样。莲花纯洁高雅，超凡脱俗，一向被当作佛教的象征，莲花砖曲折反映了南朝佛教的盛行。7 座墓中，5 座较大者，后壁都砌有祭祀台，里面设龛，数量不一，供奉物现不明，但可推想这和南朝广泛信仰佛教也有一定的联系。

鄂州市

713.鄂城东吴孙将军墓

作　者：鄂城县博物馆

出　处：《考古》1978 年第 3 期

孙将军墓位于鄂城城西西山南麓，1976 年 4 月，鄂城钢铁厂兴建职工浴室工程施工时发现，在厂党委大力支持下，博物馆进行了清理。简报分为：一、墓室结构，二、随葬器物，三、小结，共三个部分。有手绘图。

据介绍，该墓有前、后二室，前室左右各有一耳室，铺底砖为斜行错缝平铺。

墓内葬具仅见棺钉，人架腐朽无存，葬式不明。这座墓早年曾被盗过，清理时仅见一些瓷器和少量金、铜饰品，共计79件。这座墓的时代，根据出土器物类比，简报推断：其时代为东吴晚期。根据器物铭文推测，这座墓也有可能是东吴将领孙述的墓。

简报称，现在的鄂城即东吴时的武昌，曾是其西都，它处于"左控肥庐，右连襄汉""抨御上流""西藩建康"的战略要冲之地，经常"万骑云屯"驻以重兵，并一直派有名将镇守，孙将军墓的发现与发掘正是这种政治军事地位的有力说明。

714.湖北鄂城四座吴墓发掘报告

作　者：鄂城县博物馆　熊亚云、丁堂华
出　处：《考古》1982年第3期

鄂城位于湖北省东南部长江南岸。在县东杨岭大队、鄂钢五四四工地、鄂城水泥厂取土工地、鄂钢西山铁矿工地，先后发掘了三国吴墓4座。这4座墓葬分别编为杨M1、钢M21、水M1、铁M105。简报分为：一、墓葬形制，二、随葬器物，三、结语，共三个部分。有手绘图等。

据介绍，这4座墓葬均为砖室墓，除铁M105的形制结构较为突出外，其余3座皆为长方形砖室墓。铁M105为一砖室墓，由甬道、前室、后室组成，可能是夫妻合葬，出土器物123件。水M1为竖穴砖室墓，出土木牍说明墓主人是史绰，字浇瑜，广陵高邮人氏，年未满19岁。为何客死鄂城，原因不详。简报推断此4墓为吴墓，其中水M1应为吴初墓。

简报称，铁M105出土陶瓷器63件之多，其中陶器占百分之五十以上，多属明器。而瓷器仅21件，质量较高的青瓷仅5件，属半瓷半陶的居多。

715.鄂城两座晋墓的发掘

作　者：湖北省博物馆　贺忠香
出　处：《江汉考古》1984年第3期

1983年1月，鄂州市石山农机厂在厂院内基建时发现2座砖室墓（石山M1、石山M2），同年2月考古人员进行了清理发掘。简报分为"石山M1""石山M2""结语"，共三个部分予以介绍，有手绘图。

据介绍，石山农机厂位于鄂州市南7华里处，故名七里界。两墓位于农机厂院内左侧，相距5米左右。这次发掘的两座墓葬，因结构完整，较具特色。M1这种前后穹窿顶的结构，一般说来是孙吴中后期流行的一种新的建造方法，像石山M2后室的左右壁仅在一层平砖之上即"V"字形砌造穹窿顶的情况又是西晋时期较常见的。出土遗物有青瓷器、弩机、银戒指、银顶针等。两墓的时代，简报推断为西晋。

716.湖北鄂城吴晋墓发掘简报

作　者：鄂州市博物馆　徐劲松
出　处：《考古》1991 年第 7 期

1982 ~ 1984 年间，考古人员配合城乡基本建设中，先后在百子畈、鄂城火车站、西山南麓等地清理发掘了 6 座六朝时期的砖室墓。这 6 座墓葬的编号分别为：82 百子畈 M18、M19，83 鄂城火车站 M1、M2、M3，84 西山南麓 M2。由于历史上的原因及施工过程中的破坏，这几座墓葬均遭受到不同程度的毁坏。虽然如此，仍出土了一批重要文物。简报配以拓片、手绘图予以介绍。

据介绍，西山南麓墓出土青瓷作工较差，其时代简报推断为孙吴初期。百子畈 2 墓出土青瓷，胎釉结合不好，其时代简报推断为吴、晋之际，至迟不会晚于西晋前期。鄂城火车站 3 墓，可能为一家族墓地，出土瓷器比较精美，年代当至迟不晚于东晋早期。

简报称，鄂城，古为武昌，三国时孙权曾在此建都，以后这里一直是江南的重镇。这几座墓葬的发掘，为研究当时的社会历史状态提供了重要的资料。而墓中所出土的带有模印钱文的釉陶残片，模仿当时的滑石猪形态而制作的陶猪，则为研究当时制陶业的发展提供了重要资料。带有残漆皮的黛板，则是研究当时社会习俗的重要资料。

717.鄂州市泽林南朝墓

作　者：武汉大学历史系考古专业、鄂州市博物馆　向绪成等
出　处：《江汉考古》1991 年第 3 期

1987 年，为配合公路建设，考古人员在宜黄公路鄂州泽林段先后清理了 6 座砖室墓（M1 ~ M6）。简报分为：一、墓葬形制，二、随葬器物，三、结语，共三个部分，介绍了 M5、M6 两墓。有拓片、手绘图。

据介绍，M5 为双室墓，M6 为三室墓，从每室单个独立的结构来看，实为长方形单室墓。墓内装饰十分讲究，墓葬内壁全部由花纹砖砌成，有砖砌棺床、排水沟、祭台、直棂窗、小龛、砖柱等设施。出土遗物有瓷器、花砖等。简报认为两墓为家族墓，M5 为父辈，约为齐梁之际的墓葬。M6 为子辈，约为梁末至陈时的墓葬。

简报称，M5 为双室墓，M6 为三室墓，从墓葬的构筑、墓道的设置、封土的情况来看，均为一次性安葬，从当时的埋葬习惯来看，双室墓多为夫妇合葬墓，三室墓多为夫、妻、妾合葬墓，无论是二人，还是三人的一次性安葬，墓主同时死或殉葬的可能性不大，而可能是当时先死之人暂时"安厝"，而后同后死之人合葬的习俗的具体表现。这同当时中原流行的后死之人葬于先死之人墓穴的习俗不同，是我们今后值得重视和研究的一个课题。

718.鄂州市五里墩晋墓发掘简报

作　者：鄂州市博物馆　江立宏、叶剑清、冯务建、徐劲松
出　处：《江汉考古》1993 年第 4 期

为配合鄂州市集装箱货场的建设工程，1992 年 9 月，考古人员对五里墩六朝墓地进行了一次抢救性发掘，共发掘两晋时期的墓葬 11 座，出土了一批珍贵文物。简报分为：一、墓地的地理位置及发掘经过，二、墓葬形制，三、出土遗物，四、墓葬时代，五、结束语，共五个部分。有手绘图。

据介绍，11 座墓葬的时代约在西晋初年至东晋中后期。简报推断：M6、M11 的时代为西晋初年或稍晚；M9 和 M8 的时代为西晋中后期；M7 的时代为东晋初年或稍后；M5 的时代为东晋早中期；M12 的时代为东晋中后期或更晚；M1、M3、M4、M10 等几座墓的时代，为西晋至东晋初。

719.鄂钢综合原料场 M30 发掘简报

作　者：鄂州市博物馆　徐劲松、冯务建
出　处：《江汉考古》1995 年第 3 期

1979 年，考古人员在配合鄂城钢铁厂扩建厂区铁路的工程中，发现了 1 座砖室墓，由于铁路施工紧迫及其他诸方面的原因，未能将墓葬清理完毕。1988 年，鄂钢修建新型综合原料场地，考古人员在配合工程施工中，对该墓进行了第二次清理（编号：鄂钢综合原料场 M30）。通过 1988 年的清理，不仅纠正了 1979 年在发掘工作上的失误，还有新的发现。简报分为：一、形制与结构，二、出土遗物，三、结语，共三个部分。将两次发掘的情况作综合报告，有手绘图。

据介绍，墓葬由墓圹、墓道、墓室组成，为一多室墓。出土有陶器、滑石猪、铁镰斗、铜钱等，曾被盗。简报推断为吴末西晋初墓，墓内出土的刻划有文字的双耳瓷罐，为研究书法的重要实物资料。

720.鄂州市观音垅南朝墓发掘简报

作　者：鄂州市博物馆

出　处：《江汉考古》1995 年第 4 期

1993 年 6 月，鄂城钢铁厂在石山乡观音垅兴建汽车运输处工程时发现 6 座砖室墓，考古人员进行了抢救性清理发掘。简报分为：一、地理位置，二、墓葬形制，三、随葬器物，共三个部分。有手绘图。

据介绍，观音垅位于鄂州市南郊，距市中心约 5 公里。墓葬分布在观音域南侧的高岗地上，计单室墓 3 座、双室墓 3 座。M3 已遭破坏，无随葬品，其他 5 墓出随葬品 48 件。简报认为此处为南朝 1 处家族墓地。

721.湖北鄂州鄂钢饮料厂一号墓发掘报告

作　者：鄂州博物馆、湖北省文物考古研究所　陈贤一、丁堂华、李桃元、
　　　　徐劲松、徐国胜、付守平、熊亚云、冯务建、熊寿昌等

出　处：《考古学报》1998 年第 1 期

鄂钢饮料厂一号墓（简称鄂饮 M1），位于鄂州市区西山南麓，东距吴王城址约 2000 米，西约 200 米为鄂城钢铁厂办公大楼，南邻武昌大道与樊湖相望。该墓是 1991 年 7 月鄂钢饮料厂扩建厂房时发现的。同年 7 月至 10 月，鄂州市博物馆与湖北省文物考古研究所合作进行了抢救性发掘。简报分为：一、墓葬形制，二、随葬器物，三、结语，共三个部分。有照片、手绘图。

据介绍，该墓分墓圹、墓道两部分，墓圹在棕色砂岩层中凿穴而成，多室，墓道仅存 1 段，内有大石，似为防盗之用，下有砖砌排水沟。此墓曾经被盗，共有盗洞 2 个。1 个在棺室北端券顶上，盗洞呈不规则的长方形，长 2.74 米、宽 2.2 米。盗洞内积土有灰黑土、灰土及灰褐土，扰土一直到棺床下的方坑。铺底砖多处被撬，金银器大都被盗，其他随葬品也遭破坏，原来的位置已经移动，铺底砖上、扰土中都发现残瓷器。另 1 个位于横前堂与过道西南角交界处，盗洞略呈圆形，直径 1.1 米，扰乱直至铺底砖。此次发掘，出土劫后随葬器物约 400 件，其中青瓷器 198 件，约占一半。

简报指出，鄂州（鄂城）曾是吴、晋时的"王都"、"陪都"、郡治所在，是门阀豪族集居之地。此次发掘的鄂饮 M1，简报推断其年代为东吴中期，墓主人为孙邻（此墓发现的铜弩机上有铭文）。据《三国志·吴书·宗室传·第六》记载，墓主孙邻卒于赤乌十二年（249 年）。其祖父孙羌，系孙坚之兄，父孙贲，曾先后任过

郡里督邮守长、豫州刺史、丹杨都尉兼征虏将军、九江太守、豫章太守，封为都亭侯。孙邻9岁接替父亲统理豫章，进封为都乡侯，任郡守职务近20年，后被召回武昌，任绕帐督，之后又改任夏口河中督、威远将军，赤乌十二年（249年）卒，儿子孙苗继承爵位，另一儿子孙述及其叔孙安、孙熙、孙绩均在朝中身居要职。

简报指出，此墓墓制及葬俗值得注意。此墓墓制基本承袭汉制。墓室结构复杂，铺地砖纵横错缝平铺，墓砖的侧面饰有菱形几何纹图案和钱纹。墓室布局为横前堂单后室，二室间设过道，横前堂之南有甬道通往墓门，横前堂顶应高于后室顶。一般六朝墓耳室多设在横前堂两侧，而这座墓则设在甬道两侧，且面积较大。墓门北端立一镇墓兽，人面兽身，望而生畏，起守卫压邪作用。甬道在近墓门处，堆放石灰重达百斤，当为墓室防潮的象征。在横前堂的东祭台之上，发现有规律排列的铁钉，推断与帷帐遗迹有关。祭台上放置有铜弩机、青瓷碗，还有骨片40余枚。骨片似经加工，应与棋类有关。东祭台的西南角留有朱砂，范围约0.5平方米，似与设奠祭祀有关。墓室内设排水沟，已发现的水沟直线距离长达21.2米，因建筑物所阻，尚未及尽头。是六朝墓已发现最长的一条排水设施。此墓随葬品丰富，因而棺室被盗，金银器被劫。推断墓主下葬时会有更豪华的金银饰物随葬。在棺室的四隅及木棺内，横前室中，出土铜钱近万枚，铜钱有的成串放置，大部分散置于墓室内，显示墓主生前拥有大量财富。随葬品以青瓷器居多，陶器比东汉墓显著减少，可见青瓷器已代替了陶器及漆木器。象征地方富豪的坞堡建筑，反映了东吴贵族阶层厚葬之风的再度兴起。

722.湖北鄂州市塘角头六朝墓

作　者：湖北省文物考古研究所、鄂州市博物馆　李桃元、徐劲松
出　处：《考古》1996年第11期

塘角头六朝墓地，位于湖北省鄂州市石山乡塘角头村南部一片低矮的丘陵岗地上，北距鄂州市区6公里。文物普查时确认这里是1处六朝墓群，属鄂州市重点文物保护单位。1989年，鄂州市博物馆在此发掘了1座南朝墓（M1）。1992年初，鄂州市亿斤粮库建设施工时再次发现墓葬，共探明墓葬15座，考古人员进行了抢救性发掘，清理东吴至南朝时期墓葬11座。简报分为：一、墓葬形制，二、随葬器物，三、结语，共三个部分。有手绘图等。

据介绍，两次发掘清理的12座墓，只是塘角头墓地的一部分。由于墓地曾有砖厂取土及铁路、公路通过等原因，墓葬封土多已无存，墓室也遭到不同程度的破坏，但皆存有墓圹、墓道及完善的排水系统。依墓葬形制可分多室墓、单室墓、异穴合葬墓等。埋藏方式有同穴合葬、并穴合葬、异穴合葬等。出土的刻有尺寸的墓砖、

釉陶佛像、蛙形水注等值得注意。同刊同期有杨泓先生《跋鄂州孙吴墓出土陶佛像》一文，可参阅。M2 出土有东吴永安四年（261 年）铭文砖，知其为东吴墓。M4 稍早于 M2，M8、M9、M10 的年代也大体为东吴时期。M3、M11、M13 为西晋墓，年代最迟不会晚于东晋初年。M1、M7、M12、M15 的年代为东晋中后期至南朝。

723.湖北鄂州市吴王城内三座古井的发掘

作　者：鄂州市博物馆
出　处：《考古》1997 年第 12 期

湖北省鄂州市是三国吴王孙权曾一度建都过的地方，并筑有武昌城——吴王城。吴王城城址在今市区之内，东枕虎头山（即凤凰台，又称"凤阙"），西傍樊山（即西山），南依南湖（即洋澜湖），北临大江。城址平面呈长方形，东西长约 1000 米、南北宽 500 米，为我国南方现存六朝古城址中最早的 1 座。在城址的内外，散布有大量汉三国六朝时期的遗迹和遗物。

1981 ～ 1983 年，湖北省文物考古研究所、南京大学历史系和鄂州市博物馆联合整理编写《鄂城六朝墓》报告时，曾对吴王城城址进行了调查与勘探。并先后在吴王城的北垣——窑山西麓江滩、南垣——市五七异型轧钢厂、市楚剧团等处，共清理发掘古井 3 座。分别编号为北垣内一号井（窑山西麓江滩），南垣内一号井（市五七异型轧钢厂），南垣内二号井（市楚剧团）。简报分为：一、北垣内一号井，二、南垣内一号井，三、南垣内二号井，四、古井时代，共四个部分。有手绘图。

据介绍，吴王城内这三座古井，在时代上虽然有早晚差别，但都未离开六朝时期的范畴。如北垣内一号井的下限为孙吴初期，南垣内二号井的时代与孙吴相始终，南垣内一号井砌造于西晋时期。由此看来，这 3 座古井的使用与废弃，与古武昌的兴衰是紧密相关的。

简报称，古武昌是三国初期特殊政治军事形势下的一个临时性都城。吴王城内这三座古井的发掘，为了解古武昌的历史提供了很有价值的实物资料。

724.湖北鄂州郭家细湾六朝墓

作　者：湖北省文物考古研究所　鄂州市博物馆　黄义军、徐劲松、何建萍
出　处：《文物》2005 年第 10 期

郭家细湾墓地位于鄂州市司徒村，西北距六朝武昌城遗址约 1500 米，北距长江约 1000 米，在洋澜湖东岸的低矮丘陵上。2002 年 10 ～ 11 月，为配合公路建设，考

古人员在此进行勘探、发掘，共清理10座六朝墓及2座唐墓。简报分为：一、墓葬形制，二、出土器物，三、结语，共三个部分，先行介绍六朝墓的发掘情况，有照片、手绘图。

据介绍，墓葬均为砖室墓，其中多室墓1座（M3）、双室墓1座（M8）、单室墓8座。单室墓依其平面形制，又可分为"凸"字形墓（M1、M2、M5）、"刀"字形墓（M7、M10、M12）和长方形墓（M9、M11）三种。共出土遗物9件，有青瓷器、陶器、铜器、铁器、滑石器等。这10座六朝墓的年代可分两组：第一组包括M2、M3、M5、M9、M10，其时代从孙吴到东晋早期。其中M3、M2、M9的时代为东吴至西晋，M5的时代可到东晋早期。第二组包括M1、M7、M8、M11、M12，其时代为东晋中晚期到南朝前期。简报称，这10座墓多为中型墓，墓主估计为平民。

孝感市

725.汉川严家山发现西晋墓

作　者：汉川县文物管理所　张远栋
出　处：《江汉考古》1987年第4期

1984年6月，湖北省汉川县马口镇严家山村发现1座古墓，考古人员赴当地调查，并将文物全部征集。简报分为：一、墓葬的位置及基本形制，二、出土器物，三、结语，共三个部分。有手绘图、照片。

该墓为砖室墓，位置在汉川汉南（汉水以南的简称）丘陵中部，北距汉川县城约10公里，西北距马口镇2公里。该墓为砖室结构，已全破坏，仅存墓圹残部，经清理，长约4.6米、宽约2米，距地表约1米深的地方为券顶、单室，墓门向南，棺木、尸骨已朽，仅取出铜棺钉8枚。这座墓中出土的器物主要有铜器、银器、陶瓷器、料珠、药草等，计30余件。药草，重4.5克，呈黑色，茎枝分明，经本县中药材批发站老药检员熊石成鉴定为广木香，此药系辟疫防腐之用。该墓的时代，简报推断为西晋时期。

726.湖北汉川严家山发现西晋墓葬

作　者：湖北省汉川县文管所　张远栋
出　处：《考古》1989年第9期

1984年6月，湖北省汉川县马口镇严家山村张周湾农民在村东北的土丘上平地，发现1座古墓，并出土一批文物，文物全部征集。简报分为：一、墓葬位置及形制，

二、出土器物，三、结语，共三个部分。有手绘图、照片。

据介绍，该墓的位置处汉川县汉南（汉水以南的简称）丘陵中部，北距汉川县城约 10 公里，西北距马口镇 2 公里。该墓为砖室结构，已全破坏，文物已经全部取出，仅存墓圹残部，券顶，单室，墓门向南，棺木及尸骨已朽，仅取出铜棺钉 8 枚，墓砖分条砖和楔形砖两种。这座墓中出土的器物主要有铜器、银器、陶瓷器、料珠、药草等，30 余件。简报推断，该墓的年代应属西晋时期。

简报称，西晋墓在湖北地区目前发现尚不多，特别是出土的铜洗，其底内花纹线条流畅，布局合理，想象力非常丰富，这种反映天上、人间、水里的生物图案，在一般西晋墓中是少见的。这一发现，为研究湖北地区西晋时期的军事、政治、文化、医药防腐及宗教信仰等方面，提供了重要的实物史料。

727.应城狮子山遗址试掘简报

作　者：孝感地区博物馆、应城市博物馆
出　处：《江汉考古》1989 年第 4 期

狮子山遗址在应城市东南约 4 公里处，依山面湖，北高南低。1984 年春，应城县在此修建粮库时发现了古代文物。同年，考古人员对狮子山进行了调查，发现周代遗存和南朝墓葬。周代遗址位于狮子山的中部并延伸到整个西坡，高出地面约 2 米，面积近 20000 平方米。南朝墓葬在狮子山的北部岗地上。简报分为"周代遗址""南朝墓葬""墓葬年代推断"，共三个部分予以介绍，有手绘图。

据介绍，周代遗址遗物有陶、石器，年代包括西周、东周。南朝墓葬 5 座，其中 M1、M2、M3 三座保存较好。M2 为长方形砖室墓，M1、M3 为"凸"字形砖室墓。3 墓共出土随葬品 44 件，3 座墓均曾被盗。简报推断，应城狮子山 M1、M2、M3 等 3 座墓的时代定在南朝梁代普通元年（520 年）前后为宜。

728.应城市高庙南朝墓清理简报

作　者：应城市博物馆　夏　丰、李怡南
出　处：《江汉考古》1990 年第 2 期

1987 年 3 月 14 日应城市北 10 公里高庙林场在清理山坡挖树时发现该墓，考古人员进行了抢救性清理。简报分为"墓葬结构""随葬器物""结语"，共三个部分予以介绍，有手绘图。

据介绍，墓室为单室砖墓券顶结构，由甬道和墓室组成"凸"字形，全长 6.8 米，

宽 2.26 米，高 2.72 米，墓室南北两壁各有两小龛。两壁小龛呈正方形，边长 12 厘米 ×10 厘米，深 9 厘米，四小龛中均置一青釉盏，后壁有仿木棂窗，窗扉高 36 厘米，宽 92 厘米，窗扉上端呈弧线凸出，窗底距棺床 96 厘米。该墓出土器物 20 余件，以青瓷器为主，另有青铜器、铜钱、铁器以及滑石猪等。该墓的时代，简报推断为南朝晚期。

729.应城杨岭新四砖瓦厂南朝墓

作　者：应城市博物馆　李怡南、夏　丰
出　处：《江汉考古》1990 年第 2 期

1987 年 12 月上旬，应城市杨岭新四砖瓦厂在取土场地，用推土机推出古墓砖，考古人员当即赶赴现场勘察，发现有 6 座古墓葬被推出外露，墓砖基本上均被当地农民取走。为保护好这批文物，1988 年 4 月 20 日，考古人员对破坏较严重的二座墓葬进行了抢救性清理，分别编号为 M1、M3。简报分为：一、墓葬位置，二、墓葬形制，三、随葬器物，"结语"，共四个部分。有手绘图。

据介绍，杨岭镇新四砖瓦厂墓地位于应城市境西边缘，距城关 27 公里。均为砖室墓，有一"天监十七年（518 年）造"纪年砖。出土有青瓷器等。两墓的时代，简报推断为南朝。

黄冈市

730.湖北蕲春县蕲州土台一号墓

作　者：张寿来
出　处：《考古》1989 年第 11 期

1986 年 12 月中旬，蕲春县蕲州麻纺总厂在扩建厂房的施工中，在 1 米左右的地表深处，发现了零散的花纹砖和 1 座砖室墓的券顶。施工单位当即局部停工，并报告了县文物管理所。简报配以手绘图予以介绍。

据介绍，墓地位于蕲州东门外约 1.5 公里，西北相距长江约 2.5 公里。这里为一土丘，地势东高西低，当地居民俗称"土台"。该墓系 1 座长方形竖穴券顶砖室墓。此墓葬早年被盗，随葬器物绝大部分被盗走，但也保存了一部分。这次共出土 20 件陶瓷器。简报推断该墓时代应属西晋中期或稍晚。

731.黄冈铝厂南朝墓葬

作　者：黄冈市博物馆　刘　瑜、郑　华
出　处：《江汉考古》1997年第4期

1992年8月，黄冈铝厂电解车间扩建过程中发现1座古墓葬。墓葬南部被破坏，部分器物已露出。黄冈地区博物馆闻讯后立即组织专业人员进行清理发掘。简报分为：一、墓葬形式，二、随葬器物，三、结语，共三个部分。有手绘图。

该墓位于黄冈市城区东部，西约200米是新港路，距市中心约5公里，南约400米是黄州科技经济开发区管理委员会，北距106国道约1公里，墓葬位于厂区的中央。

据介绍，黄冈铝厂南朝墓没有明确的纪年材料，根据墓室形制结构、砖纹、出土器物的特点，并结合周边地区的考古发现，简报推断该墓的相对年代为南朝中晚期。

简报称，南朝埋藏的墓葬在长江中下游地区多有发现，但在黄冈境内目前发现较少。因此，黄冈铝厂南朝墓的发现为研究该地区的历史文化面貌和丧葬风俗提供了不可多得的实物资料。

732.湖北黄梅县松林咀西晋纪年墓

作　者：黄冈市博物馆　刘松山等
出　处：《考古》2004年第8期

黄梅县松林咀西晋墓位于湖北省黄梅县濯港镇刘挠村松林咀山南坡，北距黄梅县城8公里，在318高速公路黄（梅）九（江）联络线的西侧。1999年5月工程施工时被发现。同年，黄冈市博物馆会同黄梅县博物馆对该墓（M1）进行了抢救性发掘。简报分为：一、墓葬形制，二、出土遗物，三、结语，共三个部分。有手绘图。

据介绍，墓由墓坑、墓道和排水沟组成。墓坑位于山坡的高处，平面呈双"凸"字形，墓道位于山坡的低处，平面呈长方形，排水沟从墓道延伸至山坡下，坑内填土为褐红色花土。墓坑之中用砖砌出墓室。随葬品有陶器、墓砖、铜器等。

简报称，根据墓砖铭文内容"元康四年九月大岁甲寅晋故中郎汝南冯氏造"可知，该墓年代应在公元294年后不久。墓砖铭文中明确记载了墓主人的身份。墓主人姓"冯"，"汝南"人，官居"中郎"。"汝南"西晋时为郡名，治所在今河南息县；西晋时期的黄梅县为寻阳县，隶属庐江郡。显然墓主冯氏应是客葬他乡。

简报指出，双"凸"字形墓型和"三顺一丁"砌法均为西晋时期流行的形式。

而室内四角砌砖柱这一特点在北方较常见，四壁券进式穹窿顶的砌法不同于南方常见的倒"人"字形斜砌法。随葬器物中，青瓷器属南方产品；陶牛似黄牛，为北方饲养的主要牲畜，牛在晋代官僚士族的生活中很重要。由此可知，该墓以北方文化因素为主，兼有南方的文化因素。

咸宁市

733.蒲圻赤壁西晋纪年金氏墓

作　者：蒲圻赤壁西晋考古发掘队　王善才、王汝清、李玉川
出　处：《江汉考古》1992 年第 4 期

1991 年 8 月 29 日，在赤壁大战陈列馆基建工地发现古墓，考古人员于 9 月上旬开始对该墓进行了抢救性清理发掘。简报分为：一、葬墓的地理位置与墓室结构，二、出土文物与纪年墓砖，三、结语，共三个部分。有手绘图、照片。

据介绍，墓葬位于蒲圻城西北 38 公里处的赤壁山东面，北距长江约 300 米，西距赤壁山约 50 米。经过清理，墓为青砖砌筑，正东西向（即坐西向东），单室，券顶。墓室长 4.7 米、宽 1.9 米、高 1.7 米，有"永兴"年号纪年砖。简报认为系西晋惠帝永兴年间（304 ~ 306 年）墓。随葬品共 18 件，有陶瓷器、金银器。墓主应姓金。

734.湖北赤壁古家岭东吴墓发掘报告

作　者：湖北省文物考古研究所　韩楚文、崔仁义
出　处：《江汉考古》2008 年第 3 期

古家岭（亦名古家坟）位于湖北东部长江南岸的石头口。东南距赤壁市区约 30 公里，西北濒临长江。现隶属于赤壁市赤壁镇芦林畈村三组（江家湾）。古家岭东吴墓位于岗地的南缘中部，1999 年 10 月，当地农民在古家岭兴建房屋时，暴露部分墓砖。经调查，确认为 1 座古代墓葬，编号为 M1。简报分为：一、墓葬形制，二、随葬器物，三、结语，共三个部分。有手绘图。

据介绍，M1 为竖穴土坑砖室墓，随葬器物按其用途分为实用器、明器和钱币 3 大类。从墓室的营造，残存的器物形态、质料和组合状况来看，简报推断该墓的年代应在公元 238 年之后，其下限不会晚于西晋太康元年（280 年）东吴灭亡。东吴墓墓主应曾担任过东吴时期的要职，社会地位显赫，其身份在"将军"之上。

随州市

恩施州

735.湖北巴东出土三国银印

作　者：王晓宁、杨发富
出　处：《考古》1994 年第 1 期

1979 年，鄂西自治州巴东县茶店区风吹垭乡出土了 1 枚银印。此印方形龟纽，通高 2 厘米、印面边长 2.2 厘米。阴铭"虎牙将军章"5 字，印文规整，雕刻精致，为鄂西自治州境内出土的第一枚时代较早的印章，现藏巴东县博物馆。简报配以钤本予以介绍。

据介绍，《汉书·百官公卿表》颜师古注引《汉旧仪》云："银印背龟纽，其文曰章，谓刻曰某官之章也。"三国时期印制与此相同。巴东银印全合此制，无论印制及风格，都与汉代、三国官印相符。因此，简报推断此印时代应为三国时期。

736.三峡库区宝塔河遗址六朝墓葬发掘简报

作　者：三峡湖北工作站、武汉大学考古系、巴东县博物馆　贺世伟、王　然、
　　　　徐承泰、熊跃泉
出　处：《江汉考古》2002 年第 1 期

宝塔河遗址位于三峡淹没区巴东县，1998 年考古人员在该遗址发掘了 3 座六朝墓葬，其中 M9 是砖石瓦混砌墓，规模大，随葬品丰富，是近年三峡考古的重要发现之一。这些墓葬为研究三峡地区六朝葬俗提供了重要的实物资料。简报分为：一、墓葬概况，二、随葬品，三、结语，共三个部分。有手绘图、照片。

宝塔河遗址位于巴东县东瀼口镇绿竹筢村西南长江北岸的台地上，西距县城约 3 公里。该遗址于 1993 年发现，1998 年发掘。共发掘清理商代至清代的房址、灰坑、窑炉、墓葬近百处，出土文物近万件，其中共发掘墓葬 20 余座，出土文物近千件，而以位于遗址北面的 3 座六朝墓（M4、M9、M14）较为重要。出土遗物有陶器、瓷器、金银、铁器、玉石器、骨器等。M4 为六朝墓，M9 为三国后期至西晋中期之间墓，M14 为西晋中期墓。

仙桃市

737.湖北沔阳县出土"青羊"铜镜

作　者：姚高悟
出　处：《考古》1987 年第 6 期

1983 年 11 月，沔阳河城镇居民在改田时，挖出 1 面古代铜镜，现收藏在县博物馆。简报配以拓片予以介绍。

据介绍，镜为圆形，直径 11.2 厘米、缘厚 0.6 厘米。半纽钮内圈主题纹饰为四个辟邪镇妖的神兽，两两相对，头部如狮，貌似凶猛，颇有动感。四兽之间有 4 个匀称的方格铭，每格 1 字，合为"青羊作竟"，外圈有道变形流云纹。纹饰风格为高浮雕，与东汉神兽镜相似，但其镜铸造没有东汉镜精致，纹饰也显得简单。据王仲殊先生在《"青羊"为吴郡镜工考》（《考古》1986 年第 7 期）一文中考证，这种铜镜是汉末、三国、西晋的遗物。"青羊"是当时吴郡、吴县的镜工。"羊"应为祥，"竟"应为镜。

潜江市

天门市

738.天门赵家岭三座残墓的清理

作　者：程欣人、刘安国
出　处：《江汉考古》1985 年第 1 期

1973 年 3 月，考古人员在对李场公社文物较多的地方进行古遗址、古墓葬调查时，发现兴隆大队赵家岭渠道线上有 3 座被毁的残墓（M1、M2、M3），进行了清理。简报配以手绘图予以介绍。

据介绍，3 墓古时已坍塌，M1 为"中"字形墓，M2 为长方形墓，M3 为"凸"字形墓。出土遗物有磨光石斧 2 件、小铜斧 1 件、铜镜 8 件、铜带钩 1 件、顶针 1 件及陶器、五铢钱等。简报推断为六朝前期时墓。

神农架林区

湖南省

长沙市

739.长沙赤峰山 3、4 号墓

作　者： 周世荣

出　处：《文物》1960 年第 2 期

长沙赤峰山位于长沙市南郊 5 公里金盆区，是南朝墓的群葬区，这里所介绍的 2 座墓葬，时代相当于南朝末期与隋唐之际，过去湖南省对于这个时期的墓葬发掘很少，这次赤峰山 3 号墓不仅墓室与随葬品完好无缺，而且遗物数量很多，可以算作湖南地区南朝末期与隋唐之际代表性的墓葬。

简报分为：一、墓室结构，二、出土器物，共两个部分。有照片。

据介绍，3 号墓是 1 座长条形单室砖券墓，作三横一竖排列，砖墙的两侧壁上砌有壁龛各 2 个，龛内无物，墓室后端底部有长方形棺台 1 方，棺台纵错列平铺，随葬品 66 件全部置于死者头部。

4 号墓稍残，方向北偏西 20 度，墓室作凸字形，墓室分墓道和主室两部分，羡道窄长，主室近方形，主室后端砌有棺台，随葬品置于墓道口及主室前端，因被扰乱，略有残缺，但绝大部分可以复原。

该墓出土的随葬品除个别的是酱色釉外，其他生活用具如杯、盘、壶、盒之类都属于开片的青瓷系统。这种青瓷是六朝时期瓷器最大特征之一。青瓷的近底处都是露胎的，这也是六朝时期青瓷的特征。另外从器形来看，多足炉、盘口多纽青瓷壶、高足瓷盘和瓷灶、虎子等，都是南朝墓所常见的，到隋唐时代不是形制变了就是不复出现，这说明 2 座墓带有较多的南朝时代的风格。

根据墓室结构及文物本身的特征来看，简报推断 2 墓时代应相当于南朝末期至隋唐之际。

740.湖南长沙左家塘西晋墓

作　　者：刘廉银

出　　处：《考古》1963 年第 2 期

1960 年 10 月，考古人员在长沙市左家塘清理了 1 座西晋墓，这座墓是砖券墓。简报配以照片予以介绍。

据介绍，墓内人骨和棺木已腐朽，仅有扁平铁棺钉 2 颗，出土器物 16 件。又在墓道口离墓门 1 米处发现 1 件残铁口锄，弧形单面刃，銎上有槽。简报推断该墓应属西晋时期墓葬。

741.湖南望城县东吴墓

作　　者：长沙市文物工作队　　何　强

出　　处：《文物》1984 年第 8 期

1982 年 1 月，湖南望城县白若公社黄泥大队响塘生产队在栽树时，挖出 1 座古墓，考古人员进行了清理。简报分为：一、墓室结构，二、随葬器物，三、结语，共三个部分。有拓片、照片、手绘图。

据介绍，此墓为砖结构，分前、中、后三室，均有过道连接，总长约 6 米。葬具、人骨均已不存。出土有陶器、青瓷器、铜钱等 20 余件。简报推断该墓为三国时东吴墓。

742.长沙市新港晋墓的清理

作　　者：长沙市文物考古研究所　　黄朴华、马代忠

出　　处：《考古》2003 年第 5 期

该墓位于长沙市开福区新港镇大塘村月塘组一座小山顶上，距长沙市区 6 公里。当地村民在此架设电杆时，于开挖的深洞内发现古墓青砖。考古人员于 2001 年 12 月对该墓进行了抢救性清理。简报分为：一、墓葬形制，二、出土遗物，三、结语，共三个部分。有手绘图、拓片。

据介绍，该墓保存较完整，为券顶砖室墓，平面呈"凸"字形，由甬道和墓室两部分组成，出土遗物主要分布在甬道西北角和墓室前部，共 20 件（套），包括青瓷器、铜器、铁器、滑石器及金银器。简报推断：该墓的绝对年代为公元 335 年或稍后；从墓葬形制和其他随葬器物分析，墓主应为当时比较富有的下层贵族，墓主应为女性。

简报称，该墓出土的遗物较丰富、精美，特别是出土了刻有明确纪年的随葬器物，为长沙地区晋墓的分期、断代提供了重要的参考。

株洲市

743.湖南攸县出土东吴窖藏文物

作　者：陈少华

出　处：《考古》1990 年第 2 期

1986 年秋，攸县网岭连滩出土一批文物，考古人员前往现场考查。这批文物出土于攸水岸边的一级台地上。南距攸县县城 25 公里，北距网岭镇 2 公里。这批文物有铜器 20 件，保存尚好的有 14 件，余均锈蚀。此外还有青瓷罍形扁壶 1 只、网格纹灰陶罐 1 只，器物出土时是按器型大小叠置于一坑的。这批文物现藏攸县文化局。简报配以照片予以介绍。

据介绍，关于这批文物的年代，简报从文物的器型上进行分析，认为这批文物全是实用器，且按器型大小叠置于一坑，实为一古代窖藏。出土的铜器除部分具有东汉晚期风格外，大部分铜器以及青瓷罍形扁壶和东吴朱然墓或同期的东吴墓所出土的同类器物相同，或制作风格一致。因此，这批文物入窖年代，简报推断大致与朱然墓的年代相当，为东吴时期。

湘潭市

衡阳市

744.湖南衡东城关南朝墓清理简报

作　者：衡阳市文物工作队、衡东县文物管理所　愚　如

出　处：《江汉考古》1992 年第 2 期

1991 年 4 月 15 日，衡东县城关湖南机油泵厂在修建沼气池施工中，发现古墓 1 座，并出土青瓷壶 1 件。考古人员进行了抢救性的发掘清理。

据介绍，湖南机油泵厂位于衡东县城北约 1 公里处。为长方形砖室墓，由甬道、墓室两部分组成，呈"凸"字形。葬具、人骨已朽。随葬品有青瓷碗、青瓷盘口壶、青瓷四系罐、铜镜等。该墓的年代，简报推断为南朝。

邵阳市

745.湖南邵阳南朝纪年砖室墓

作　者：邵阳市文物局　曾晓光等
出　处：《文物》2001 年第 2 期

1996 年 1 月，湖南邵阳市文物局在对市资江二桥引桥工地调查勘探的基础上，对所发现的 2 座南朝纪年砖室墓葬进行了发掘清理。

简报分为：一、墓葬位置，二、墓葬形制，三、随葬器物，四、结语，共四个部分。有拓片、手绘图。

据介绍，2 座墓葬位于邵阳市郊神滩村姜家山的引桥公路上，东距资江河 1 公里，墓前是狭长的山冲。20 世纪 70 年代初平整土地时，墓葬遭到毁坏，此次清理只出土 3 件青瓷器，但墓葬形制还基本保存，并出土大量模印纪年、官职、姓氏文字和多种图案花纹的墓砖。M5 为券顶砖室墓，由很长的排水沟、甬道和墓室三部分组成，墓室前为甬道，中间为主墓室，后为一小墓室。后室地面高于前甬道，便于自然排水。在甬道和墓室左右两壁以及后壁，设有排列对称的小龛 26 个。排水沟位于墓室前，残长 9.5 米，一端起自墓室底部，为阴沟，以泄墓内积水，一端直抵墓前低洼之地。M6 位于 M5 南侧 1 米，规模比 M5 小，只存底部部分，但墓葬朝向、墓葬形制、墓砖文字和图案与 M5 一致。两墓为同一墓坑。M5 出土随葬青瓷器 3 件，M6 因毁坏严重未发现随葬器物。两墓葬出土大量相同的文字、图案墓砖。

简报称，出土的长条形墓砖用于砌墙和铺地，规格为长 37 厘米、宽 18 厘米、厚 6 厘米。砖侧面印有文字及鱼纹、莲花等纹样。模印文字有"梁普通十年□月十六日""李府君""之事本州主簿""本州主簿""阳王议□"等。这两座墓墓砖上模印的"普通"2 字，系南朝梁武帝萧衍的年号，普通年号只行 7 年（520～527 年），而墓砖上却是梁普通十年。此时梁武帝改年号为"大通"已 3 年之久，而远离都城南京千里之遥的邵阳，在更改年号 3 年之后仍然沿用"普通"年号。

岳阳市

746.湖南湘阴城关镇西晋墓

作　　者：湘阴县博物馆　周晓赤

出　　处：《江汉考古》1989 年第 4 期

1987 年 11 月，湘阴县信用联社宿舍（原县法院宿舍）房基加固护坡工程中，发现 1 座砖室墓，考古人员发现早在 1985 年县法院建宿舍时，就将该墓南半部分浇注了混凝土，压在了宿舍北边的房基下，这次房基护坡工程又将墓室北半部分挖残。为此，进行了抢救性清理。简报分为：一、墓葬形制，二、出土器物，三、结语，共三个部分。有手绘图、照片。

据介绍，该墓位于湘阴城关镇剑坡里，西距湘江约 0.8 公里，为券顶式砖室墓。由前室、后室、4 个侧室和 2 个耳室组成。由于该墓破坏严重，出土器物主要在前室靠近后室处，有碗、杯、勺、薰炉、仓、鸡圈、鸡俑、羊俑等青瓷器及许多器物碎片，还有小部分器物从民工手中收回；后室扰乱严重，未见器物，可能早年被盗。经整理修复出土青瓷器共 22 种，共 38 件。简报推断为西晋时期墓，墓主人应为有一定地位且较富有的人。

常德市

747.湖南澧县六朝墓出土陶囷陶磨

作　　者：湖南澧县博物馆　安　蔷

出　　处：《农业考古》1991 年第 3 期

1987 年 7 月，湖南澧县张公庙澧水大桥工地，因工程施工破坏了 1 座六朝时期的刀形砖室墓。经澧县博物馆工作人员清理，出土有陶囷、陶磨、陶鸡、瓷罐各 1 件。其中与农业有关的陶囷和陶磨等文物，简报配以图片予以介绍。

据介绍，此墓破坏严重，所清理出土的器物绝非全部随葬品，无法反映其组合情况，既不见有明确纪年的物品，亦缺乏可资断代的瓷器，这就给我们的断代带来困难。简报通过与同地区相关墓葬出土的器物进行类比和分析，推断此墓的时代在六朝时期，也可能上至东汉晚期。

748.湖南常德东吴墓

作　者：周　能

出　处：《考古》1992 年第 7 期

1967 年常德郭家铺因修水渠发现一东吴砖室墓，考古人员前往清理，编号 1967 红 M1。该墓为券顶式砖室结构，主室两侧设有耳室，因破坏而残缺不全。"文化大革命"期间，原图纸因无人接管而无法查找。兹简报将现存资料配以手绘图予以介绍。

据介绍，该墓出土随葬品 40 多件，以陶器、铜器最多，银器次之，此外还有少量的象牙、琥珀、水晶等饰物。此外，墓中还出土 1 枚剪轮五铢铜钱，以及 1 块紫砂石块。该墓出土的白胎开片淡青色釉平底钵则类似东吴青瓷，所出的剪轮"五铢"铜钱也多见于三国。三国时，今常德属东吴管辖，简报推断该墓为东吴墓。

简报称，该墓弩机的数量较多，这在湖南同时期墓葬中是少见的。从出土印章可知墓主人曾任"军司马"。墓中所出的套印及象牙俑，在湖南属首次发现。此外，墓中随葬的指环数多达 28 只，并出土装饰品水晶珠和玛瑙珠等。

749.湖南安乡西晋刘弘墓

作　者：安乡县文物管理所　雷　明、雷　芬等

出　处：《文物》1993 年第 11 期

湖南省安乡县黄山头南距县城 32 公里，山阴属湖北省公安县，山南湖南省境内有南禅湾汉至宋代古墓群。1991 年 3 月，安乡县黄山镇城建办公室在墓群西端取土时发现 1 座砖室墓。4 月 26 ～ 27 日，考古人员对墓葬进行了清理，据出土印章可知墓主为西晋镇南将军刘弘。简报分为：一、墓葬形制，二、随葬器物，三、结语，共三个部分。有照片、手绘图。

据介绍，墓葬由墓道、甬道、墓室三部分组成。发掘清理出向山腹掘进的斜坡形墓道，坑底有条形砖砌成的水道，水道截面呈三角形。棺椁、尸骨均已无存。随葬品中的金印、金带扣、玉印、玉尊、玉尼、错金铜弩机、镂雕玉佩、贴金铁匕首等都是较为罕见的珍品。

简报指出，墓葬出土的印章，明确提供了墓主身份。双面玉印印文分别为"刘弘""刘和季"，为墓主的姓名及字。据《晋书·刘弘传》及《资治通鉴》等文献记载：刘弘，封宣成公、赠新城郡公，官历荆州刺史、侍中、镇南大将军、开府仪同三司、车骑大将军等，所出金印"镇南将军章""宣成公章"与其官爵相符。刘弘"少家洛阳"，与晋武帝"同居永安里，又同年，共研席"。祖刘馥，魏扬州刺史，史书有传。父刘靖，为镇北将军。刘弘于西晋光熙元年（306 年）秋八月卒于襄阳军中。晋承汉制，晋官

品第一品：公，诸位从公，开国郡公、县公爵，"金印紫授"。这次出土的金印与史书记载正相符合。

张家界市

益阳市

郴州市

750.湖南资兴晋南朝墓

作　者：湖南省博物馆　傅举有等
出　处：《考古学报》1984 年第 3 期

1978 年 5 月至 1980 年 12 月，湖南省东江水电站工程指挥部文物考古队配合东江水电站的建设工程，在资兴县旧市、厚玉等地，发掘了 584 座古墓。简报分为：一、晋墓，二、南朝墓，结语，共三个部分，先行介绍了其中 24 座晋墓和 5 座南朝墓葬的资料，有照片、手绘图。

据介绍，晋墓 24 座，18 座在厚玉，6 座在旧市。南朝墓 5 座，3 座在旧市，2 座在厚玉。出土有 3 块陶制墓券，简报录有全文。简报指出，我国各地曾出土过一些汉代以来的"墓券"，其中绝大多数是买地券，还有衣物券等。但这次出土的 3 块墓券，里边没有买地内容，严格地讲，不能算作"买地券"；也没有衣物清单，更不是衣物券。这次出土的墓券，没有"物目"，只有前往阴府"护照"的性质。券文所反映信仰道教及迷信上竟然如此一致，几乎出自一个版本，这就说明了道教神仙迷信思想在宋、齐、梁三朝均是广为流传的，如果从这批墓中出土的反映佛教思想的青瓷莲花罐、青瓷莲花带盘三足炉与反映道教思想的墓券同时并存于一个时期的墓葬中，甚至共存于同一墓葬（M413）中的情况看，显然地表明了南朝统治阶级提倡儒、佛、道"三教同归"已深入到广大民间了。此外，墓券朱笔行书的字体秀丽，并且有不少字是当时所特有的，这为我国书法的研究提供了新资料。M413、M474 两墓均位于资兴旧市曹龙山，但 3 件券文均称为"桂阳郡晋宁县都乡宜阳里"，这为资兴历史地理的研究，也提供了一件新的实物资料。

751.湖南临武县马塘出土三国吴镜

作　者：临武县文物管理所　龙碧林

出　处：《考古》1997年第3期

1991年1月，临武县南强乡马塘职业学校基建推土时，推毁1座砖室墓，发现2面青铜镜，出土时保存完好，编为马塘1号、2号镜，简报配以照片予以介绍。

据介绍，马塘1号镜，有铭文；马塘2号镜，边缘刻一周铭文。这2面铜镜的形制、纹饰基本相似，颇具汉末铜镜的风格，但是2镜主纹有明显的区别。马塘1号镜，简报列为建安纪年铭对置式神兽镜的第九面；马塘2号镜与前述九面铜镜比较，有所不同。简报推测，在时间上马塘2号镜在前述九面建安纪年铭对置式神兽镜之前。虽然2号镜无纪年，但它与1号镜同出于一座墓内，简报由此肯定2号镜是同时代、典型的三国吴镜，并与上述九面铜镜存在着前后传承关系。

永州市

怀化市

752.湖南靖州县晋墓出土储粮罐

作　者：怀化地区文物管理处　何开旺

出　处：《农业考古》2001年第1期

1992年6月，考古人员在靖州水酿塘电站淹没区内鸬鹚江发掘的一批晋代墓葬中，发掘36件陶罐，形制特别大，从器形看应为实用的储藏之器。这批材料虽已整理发表，但对陶罐用途还未作讨论。简报配以照片、手绘图予以介绍。

据介绍，这批陶罐高38厘米，底径25.6厘米，底部有一圆孔，因此不可能是盛水用具，而应是储存谷物的器具。

娄底市

湘西州

广东省

广州市

753.广州沙河镇狮子岗晋墓

作　者：广州市文物管理委员会　麦英豪
出　处：《考古》1961 年第 5 期

1957 年 10 月 31 日广州市东郊沙河镇发现 1 座砖墓，墓室略有破坏，部分遗物被移动。简报分为：一、墓室结构，二、墓内情况，三、出土遗物，四、结语，共四个部分。有手绘图、拓片、照片。

据介绍，墓址位于广州市东郊沙河镇西北角的狮子岗南麓。在左墓棺室的前端有 1 个盗洞，在左墓封门之前又被近代墓葬扰乱过。由对称的左、右两座墓组成，结构相同，当中以通道相联，各具甬道、前室、过道和棺室四部分，棺木及骨架均腐朽无存。出土遗物共 74 件，其中除铁刀、金钗等外，其余全是陶器。从此墓的所在地区和墓葬形制与出土物来看，简报推断该墓年代属晋代。

754.广州沙河顶西晋墓

作　者：广州市文物管理委员会考古组　黄森章、洗　乐
出　处：《考古》1985 年第 9 期

1981 年 4 月上旬，广州东郊沙河顶永福村广州音乐专科学校在基建工程中，发现 1 座西晋砖室墓，考古人员进行了清理。简报分为：一、墓葬形制，二、出土器物，三、结语，共三个部分。有手绘图、拓片、照片。

据介绍，这是一座竖穴券顶砖石墓，由墓道、甬道、前室、过道和后室组成，此墓曾被盗，现存遗物多为青釉器。值得一提的是，"簋"是广州东汉墓中常见的随葬器物，到了晋代，墓中已很少用簋随葬了。这座晋墓发现 1 件制作颇精的"簋"，也许是其年代离东汉较近，东汉一些制度仍沿袭下来，所以仍有用簋陪葬的情况。

这座晋墓中，出土不少青釉器，使大家了解到西晋前期广州地区青釉器制作和发展的状况。简报根据广州考古发掘的材料看，两汉时期，广州墓葬中陶器是主要的陪葬品。而一到晋代，则与以前迥然不同，出现了大量造型美观、制作精美、釉色晶莹的青釉器。其制作和烧造技术与东汉相比，有较大的进步和发展。简报称，这一突然的变化，与中原人民南迁、先进技术的传播不无关联。

755.广州市下塘狮带岗晋墓发掘简报

作　者：广州市文物管理委员会　全　洪等

出　处：《考古》1996 年第 1 期

下塘狮带岗地处广州市区北部，岗东北靠麓湖，西与花果山相对，这一带起伏不大的山岗自古是坟墓集中的地方。考古人员先后于 1986 年 8 月和 1989 年 3 月在位于狮带岗的广州大学内清理了 4 座晋代砖室墓。这些墓葬除形制、结构特别以外，还出土了一批颇具特色的青瓷器以及可能是舶来品的玻璃器和铜器，尤其重要的是出土了 1 方广州迄今年代最早的墓志砖。简报分为：一、墓葬位置，二、墓室结构与室内情况，三、随葬物品，四、墓葬年代，五、结语，共五个部分。有照片和手绘图。

据介绍，1986、1989 年先后两次发掘的 4 座晋墓均位于广州大学校园内实验中心大楼前。可分为单室、双室两种形制。随葬器以青瓷器为主，计 37 件，另有银器、铜器、玻璃器、滑石猪等。M5 出土的铜碗、玻璃器，简报怀疑来自国外。简报推断，M3、M4 的年代为西晋晚期，M5 为两晋之间或东晋早期，M6 为东晋中晚期。M6 出土的墓志砖是广州出土的已知年代最早的墓志砖。自魏晋时期严禁在墓前立碑后，墓碑就由地面埋入墓里，而广州地区到东晋墓里才发现这一小型墓志，无疑为研究广州六朝墓志的出现、发展提供一个良好的线索。

756.广州南越国宫署遗址东晋南朝的铁甲和皮甲

作　者：广州市文物考古研究所、中国社会科学院考古研究所、南越王宫博物
　　　　馆筹建处　莫慧旋、白荣金、韩维龙、白云燕等

出　处：《考古》2008 年第 8 期

2004～2006 年，考古人员在南越国宫署遗址第一发掘区东南部的 1 口砖井 (J270) 内清理出铁甲 1 件，在宫署遗址第三发掘区西南部的一口土壁井 (J302) 内清理出皮甲 1 件。简报分为：一、J270 出土铁甲，二、J302 出土皮甲，三、结语，共三个部分。

有彩照、手绘图。

据介绍，2004～2006 年，考古人员在南越国宫署遗址的两口水井内清理出东晋南朝时期的铁甲和皮甲各 1 件，铁甲有 53 片形状不同的甲片，皮甲应为马甲上的胸甲。这类铠甲的出土在岭南属首次发现，同时也填补了这一时期铠甲资料的欠缺，为研究中国军事史提供了珍贵的实物资料。

简报称，铁甲的年代，应不会晚于东晋；而皮甲的年代，应不会晚于南朝，属于南朝的可能性较大。

简报指出，这次出土的铁甲片颇为散乱，可能是属于古代铁甲修缮中被淘汰的一些残锈片，与北方同一时代出土的铁甲片颇有相似之处。

深圳市

757.广东深圳宝安南朝墓发掘简报

作　　者：深圳博物馆　文本亨、容达贤等
出　　处：《文物》1990 年第 11 期

1988 年 4 月，在距深圳市以西约 40 公里的宝安县西乡铁仔山发现 1 处古墓区。铁仔山海拔约 100 米，南面距海约 3 公里。古墓区坐落于山脚，背山面海，墓区内有南朝及明清时期的墓葬。此次清理南朝墓 22 座，均曾遭盗扰，多数扰乱严重，有的仅余墓室一角。简报分为"墓葬形制""随葬器物"共两个部分予以介绍，有照片、拓片、手绘图。

据介绍，均为砖室墓，除 M5 因盗扰严重、形制不明外，其余 21 座墓可分为长方形券顶单室墓、前后室券顶墓等。出土有青釉陶器 101 件、陶器 3 件、滑石器 3 件、铁剪 1 件等。简报推断这批墓葬的年代为南朝早期。

简报指出，通过历年的考古调查和发掘可知，深圳地区东晋至南朝时期墓葬的数量较多。据清道光版《广东通志》记载："东晋南朝，衣冠望族向南而迁，占籍各郡。"墓葬的情况正反映出南朝早期南方沿海一带社会安定，人口增加，经济也得到发展。

珠海市

汕头市

韶关市

758.广东曲江东晋、南朝墓简报

作　者：广东省文物管理委员会
出　处：《考古》1959 年第 9 期

1956 年，考古人员在距广州 250 公里的曲江发现了 1 处古墓葬群，并清理了其中已暴露的 6 座墓。简报分为"墓室结构与墓内情况""出土遗物""墓的年代"，共三个部分予以介绍，有照片等。

简报介绍，6 座墓均为长方形单券单隔墙砖室墓，墓砖多为青灰色，有的上有铭文。人骨全朽，有的墓下葬不久即已被破坏。遗物除了 5 号墓出土了一件滑石小猪外，其余都是陶器，主要是青釉陶器。据铭文砖，1 号墓出有咸康八年（342 年）、建元元年（343 年）纪年砖，基本可确定为东晋建元初年墓。4 号墓年代大体与 1 号墓相同。3 号墓有刘宋永初二年（421 年）纪年砖。6 号墓、2 号墓的年代应与 3 号墓大体相同。5 号墓已遭破坏，年代应为东晋至南朝时期。

759.广东乳源县虎头岭南朝墓清理简报

作　者：韶关市文物管理办公室、乳源县博物馆　罗耀辉、陈松南
出　处：《考古》1988 年第 6 期

1984 年冬至 1985 年春，当地农民在虎头岭上取土制砖时，暴露出 3 座古墓葬。1985 年 7 月，考古人员对这 3 座墓进行了清理。墓葬编号为 85rHFM1、M2、M3。简报分为：一、墓葬结构，二、出土器物，三、结语，共三个部分。有手绘图、拓片。

据介绍，乳源县昔为曲江县地。虎头岭 M1、M2、M3 的两种墓葬形制，皆为韶关市郊南朝单室墓所习见，其出土器物也基本相似，简报推断 3 座墓为南朝墓葬。M3 有南朝齐永明十一年（493 年）纪年砖，则为这 3 座墓的断代提供了直接的依据。在韶关地区的南朝墓中，有纪年的铭砖，曾在英德市浛光镇和韶关市郊发现，但"永明"年号似为首次发现，这为今后粤北境内南朝墓葬的断代问题，增添了新的资料。

简报称，虎头岭 3 座墓室的拱、壁、底砖缝都模以铁矿物，尤以 M3 为最，四壁及底砖缝均楔进铁矿物，其中有些似为炼过的铁渣，这样的构筑在广东少见，在韶关仅见于韶关市郊外的曲江边的东晋"咸康八年"（342 年）墓中。这两地的墓葬，在年代上相去不远，地理上靠近，且都位于水运交通方便的河岸坡地，墓主人是否与冶铁业有关，值得研究。乳源境内首次清理的南朝墓葬，为进一步研究粤北地区南朝墓葬的特点，增添了有益的实物资料。

760.广东始兴发现南朝买地券

作　者：始兴县博物馆　廖晋雄
出　处：《考古》1989 年第 6 期

几年前，在广东省始兴县城东约 20 公里的都圹村一带挖掘灌渠时出土 2 块买地券。目前，这种买地券在广东仍较罕见。它们的发现，为研究南北朝时期的土地制度、社会性质、行政建制等提供了重要的实物资料。简报配以拓片予以介绍。

据介绍，2 块买地券同一地方出土，是用黄灰色石块人工琢磨制成，石质较软，底面均刻划竖行格线，格内竖刻文字，刻工较粗，但凡残留的文字基本可识读。简报录有全文，并对有残缺的文字作了一些识补。第 1 块严重残缺，第 2 块与第 1 块有如下几个共同点：一，出土同在一处；二，石质和磨制状况几乎一致；三，第二块开头的"岁壬午十一月癸卯□廿"这几个字与第一块记载相同，而且笔划的横、撇、捺、勾、点均极相似。特别是卯下一字几乎相同。据发现者说，第二块开头残缺的字正好与第一块所记载的"元嘉十九年"字样相同，后因不慎摔损而失。因此，简报推断两块买地券应同是元嘉十九年（442）年的买地券。

761.广东始兴县老虎岭古墓清理简报

作　者：始兴县博物馆　廖晋雄
出　处：《考古》1990 年第 12 期

1987 年 12 月，广东省始兴县农科所在老虎岭开山种果时，百姓挖柑穴挖出一批古墓葬，考古人员赶至现场马上进行抢救性清理。共清理 8 座古墓葬。

老虎岭，位于始兴县城东 10 公里。该地地势起伏，丘陵连绵。墓葬分布在南北走向的山冈东面坡。在面积约长 300 米、宽 200 米的坡地上，过去曾发现几十处晋到宋的古墓葬。现仍有古墓存在。是一处古墓葬区。此次清理的古墓葬情况（编号为始农虎 M1～M8）简报分为：一、M1 咸康元年墓，二、M2 晋墓，三、M3 晋墓，四、

M4 晋墓，五、M5 咸和四年墓，六、M6 晋墓，七、M7 隋墓，八、M8，九、结语，共 9 个部分。有手绘图、拓片。

据介绍，老虎岭发现的八座古墓葬，除 M7、M8，其余墓葬从形制、砖纹及随葬品与本地发现的已发表和尚未发表的众多晋墓中出土的同类器物有相似处，亦与广东曲江、广东揭阳、南京北郊、南京郊区等地东晋墓出土的同类器物相近似。简报推断：M1 咸康元年（335 年）、M5 咸和四年（329 年）同是东晋晋成帝司马衍时期墓，它们之间相距 6 年。M67 的砖纹、大小与 M1 中的双线半圆圈纹砖极相近，年代应相距不远。这些纪年墓为这批晋墓的断代提供了直接的依据。M7 出土陶器的造型、釉色均具有南朝末至隋的风格，砖纹中的卷草纹、叶脉纹也是这一时期墓砖中常见的纹饰。

简报称，这批古墓葬的出土为研究广东古代的历史和始兴县的地方史增添了新的资料。

762.广东始兴县清理两座晋墓

作　者：始兴县博物馆　王晓华
出　处：《考古》1991 年第 11 期

1988 年 9 月，在扩建始兴至翁源的公路工程中，在太平岭发现了 2 座砖室墓，考古人员前往现场抢救清理。太平岭位于始兴县县城东约 4 公里处的一片小山岗上，这里是一片乱葬岗。按墓葬出土的先后顺序，分别编号为始太 M1、M2。简报配以手绘图予以介绍。

据介绍，M2 是 1 座较为少见的平面呈亚字形的砖室墓。此墓早年曾被盗，无一遗物出土。M1 是 1 座较为常见的平面呈长方形的砖室墓。该墓出土的遗物都是一些生活用器，除有 1 件残的铁剪刀外，其余均为陶器，计有罐、碗、钵、杯等共 10 件遗物。两墓的年代，简报推断为两晋时期。

763.广东始兴县南朝墓清理简报

作　者：始兴县博物馆　廖晋雄
出　处：《江汉考古》1983 年第 4 期

1987 年 7 月，始兴县始（兴）翁（源）公路扩建施工中，推土机推出 1 座南朝墓，考古人员进行了抢救性清理。简报分为：一、地理位置及墓葬形制，二、随葬器物，三、结语，共三个部分。有手绘图。

据介绍，墓葬位于始兴县城东约 4 公里的县造纸厂大门东 40 米处。1949 年以来，建筑工厂和农民取土打砖时曾在此发现大量古墓葬，为汉晋南北朝时期的重要墓葬区。此墓无明确纪年记载，其绝对年代难定，按墓室形制结构、砖纹、出土物的造型风格与特点，结合本地的南朝墓及与长江中下游地区六朝墓和出土物比较，有颇多相似处，又根据罐腹下收、底外撇明显，碗足高而带深旋纹、已具有隋唐时期圈足碗的过渡特征，简报推定此墓为南朝晚期墓。

764.广东始兴县缫丝厂东晋南朝墓的发掘

作　者：廖晋雄

出　处：《考古》1996 年第 6 期

1992 年 5 月 28 日至 6 月 15 日，广东始兴县缫丝厂筹建工地在施工推土时，推出一批古墓葬。部分墓葬已被推土机所毁，仅剩墓室残迹，有些则保存尚好，考古人员进行了抢救发掘。简报分为：一、墓葬地理位置，二、墓葬形制，三、随葬器物，四、结语，共四个部分。有手绘图。

据介绍，此次清理了 3 座南朝单室墓和 1 座东晋双室墓，编号为始缫厂 M1～M4。东晋墓曾被盗。4 墓出土有陶器、铁器、滑石猪等。M3 中出土有一把小铁叉，说明此物在当时较为流行且使用时间较长。

765.广东始兴县发现一座晋墓

作　者：始兴县博物馆　王晓华

出　处：《考古》1996 年第 10 期

1981 年 11 月，县农科所在搞农业开发时发现 1 座砖室古墓。该墓已被推土机推平，器物全部被民工取出。简报配图予以介绍。

据介绍，该墓位于县城东约 12 公里处的农科所园岭矮山岗上。墓为砖室墓，平面呈长方形。出土有釉陶器、铁器、铜器等。出土遗物中铁刀不多见。该墓的年代，简报推断为晋代。

766.韶关发现南朝刘宋纪年铭文砖

作　者：广东省韶关市博物馆　毛　茅

出　处：《文物》1998 年第 9 期

1995 年 4 月下旬，广东省韶关市城建局施工人员在市西河齿轮厂附近筑路时推毁 1 座古墓。考古人员闻讯赶到时现场仅存部分墓砖。在这些墓砖中，发现 1 种两侧都有纪年的铭文砖。简报配以拓片予以介绍

据介绍，砖长 33.7 厘米、宽 26.7 厘米、厚 5.5 厘米，青灰色。砖的正面布满网纹。两端铭文分别是"六合""大吉"；一侧铭文"宋元嘉十七年庚辰立砖吕氏记"，铭文外有边框。另侧铭文"以辛巳岁凿旷吉"，铭文外无边框。此砖特别之处在于两侧都有纪年铭文。其一侧记的是墓砖烧造时期，刘宋元嘉十七年庚辰年是公元 440 年。而一侧记的则是做墓时间，辛巳年是元嘉十八年，即公元 441 年。六朝墓砖一般或有纪年，或记做砖时间。像这样一砖上同时具有两种造作纪年的情况，以前未见到，其发现为砖志或古代葬俗研究提供了新的资料。

767.广东韶关东岗岭墓地 M1 发掘简报

作　者：广东省文物考古研究所、韶关市博物馆
出　处：《四川文物》2008 年第 4 期

东岗岭墓地 M1 为东晋砖室墓，出土有罐、碗、铜镜等，其组合形式和纹饰与长江以南晋墓基本相同。简报分为：一、墓地概况，二、墓葬形制，三、随葬品，四、结语，共四个部分，配以手绘图予以介绍。

据介绍，该墓地是 2006 年为配合当地房产建设而发掘。共清理汉至明代墓葬 12 座，先行介绍的 M1 保存完好，为长方形砖室墓，由棺室、前室、通道和排水沟组成。墓葬总长度 5.82 米、最大宽度 2.1 米、残高 1.73 米。葬具、人骨已朽。有随葬品 19 件。据出土铭文砖，该墓下葬时代为东晋永和元年（345 年）。

佛山市

768.顺德县发现十二角形塔座角腰石

作　者：王　维等
出　处：《文物》1963 年第 4 期

考古人员在广东顺德县县城东南 8 里许的太平山大岭峰顶，发现了 3 块新奇的塔座角腰石。简报配以照片予以介绍。

据介绍，此角腰石与河南嵩山嵩岳寺塔所见北魏正光四年（523 年）所见相似，为十分罕见的发现。

江门市

769.广东鹤山市雅瑶东晋墓

作　者：广东省文物考古研究所　刘成基
出　处：《考古》1998 年第 9 期

1995 年秋，鹤山市雅瑶镇昆东管理区小江村寺山的东南坡发现一批古墓。9 月下旬，考古人员对已暴露出的 3 座东晋时期的墓葬（编号为寺山 M1～M3）进行了清理。简报分为：（一）墓葬结构，（二）随葬器物，（三）结语，共三个部分。有手绘图。

据介绍，墓葬结构均为单室长方形砖室墓，3 墓共出土 21 件器物，器形有罐、盂、器盖、洗、碟和三足砚等。

这次清理的 3 座墓葬虽然没有明确的纪年，但具有十分明确的时代特征，简报推断这 3 座墓葬的年代应是东晋时期。

770.广东鹤山市大冈发现东晋南朝墓

作　者：广东省文物考古研究所　邓宏文
出　处：《考古》1999 年第 8 期

1996 年 4 月，在广东省鹤山市古老镇下六管理区大冈发现 2 座砖室墓，考古人员进行了抢救性发掘。

据介绍，大冈又称红冈，是一个东西向小土冈，两座墓均位于其南坡山腰，墓门朝南，分布大致平行，靠东的 1 座编号为 M1，另 1 座为 M2。M1 封门已残毁，墓顶塌落，墓室后部保存稍好；M2 则仅残留墓室后段小部分。

据介绍，M1 为长方形单室砖墓，随葬品共有瓷器、陶器、铁器、竹木器等共 14 件。其中方格纹、米字纹、刻划纹陶片，简报认为属西汉早期器物。M2 为长方形单室砖墓，残毁严重，无随葬品出土，但根据其中"元嘉十二年"（435 年）纪年砖的发现，简报推断该墓应属南朝刘宋时期墓葬。

湛江市

771.广东遂溪县发现南朝窖藏金银器

作　者：遂溪县博物馆　陈学爱
出　处：《考古》1986 年第 3 期

1984 年 9 月 29 日，广东省遂溪县附城区边湾村女青年邹银在平整屋基时发现 1 个带盖陶罐，里面装有一批金银器。考古人员共收回完整及破碎银器 7.1 斤，金环 2 个，鎏金盅 2 个，波斯银币 20 枚，尚有部分器物流散在百姓手中。简报分为：一、窖藏的位置及状况，二、出土器物，三、几点认识，共三个部分。有照片、手绘图。

据介绍，附城区边湾村位于遂溪县城东 2 公里，该村处于高坡地，约 10 公里为海边。金银器埋藏于村背空地，盛藏金银器的陶罐仅离地表 15 厘米左右。地面曾建过生产队牛栏，一些器物易碎，亦是此原因造成的。此次重大发现为波斯银币 20 枚及刻有波斯文银碗 1 只。出土的萨珊朝银币是广东省出土数量较大的一批，经初步鉴别，其铸造年代大约在沙卜尔三世至卑路斯之间（383 ~ 484 年）。Ⅰ式银币为沙卜尔三世，Ⅱ式为伊斯提泽二世，Ⅲ式为卑路斯 A 型，Ⅳ式为卑路斯 B 型。同一式中铭文亦有所不同，特别是背面缩写铭文有较大的区别，可能因铸造地点的不同而有所差别（详见夏鼐先生《综述中国出土的波斯萨珊朝银币》，载《考古学报》1974 年第 1 期）。该窖藏年代，简报推断为南朝后期。

茂名市

肇庆市

772.广东肇庆四会市六朝墓葬发掘简报

作　者：广东省文物考古研究所、肇庆市文化局、肇庆市博物馆、四会市博物馆
　　　　邓宏文
出　处：《考古》1999 年第 7 期

1994 年 7 月，在广东省肇庆市牛岗发现 1 座砖室墓，同年 11 月，考古人员对其

进行了抢救发掘。1995 年 8 月，在修筑广东 1960 号省道（四会至连山）时，于四会市清塘镇白沙管理区大墟发现两座相距约 100 米的砖室墓。1995 年 10 月，对两座墓进行了清理。简报分为：一、肇庆牛岗墓葬，二、四会市大墟墓葬，三、结语，共三个部分。有手绘图。

据介绍，肇庆、四会市三座墓葬的年代，由于没有发现确切纪年遗物，通过墓葬结构和随葬品的特征简报推断：M1 应属于东晋晚期墓，M2 墓应为东晋墓，牛岗 M1 应属南朝早期墓。

773.广东肇庆市康乐中路 M8 发掘报告

作　者：广东省文物考古研究所　尚　杰
出　处：《四川文物》2008 年第 3 期

肇庆市康乐中路 M8 系基建过程中发现并进行了抢救性发掘。墓葬年代为东晋晚期，出土器物有瓷器、银器、铜器等，为研究东晋时期西江流域社会面貌提供了实物资料。简报分为：一、墓葬形制，二、随葬器物，三、结语，共三个部分。有照片、手绘图。

据介绍，该墓保存情况一般，随葬器物有青瓷器、银器、铜镜、铜钱等共 20 件。简报推断为东晋晚期墓。

惠州市

梅州市

汕尾市

河源市

阳江市

清远市

东莞市

中山市

潮州市

揭阳市

云浮市

774.广东新兴县南朝墓

作　者：古运泉

出　处：《文物》1990 年第 8 期

1987 年 6 月，新兴县农民制砖取土时发现 1 座砖室墓，县文化局迅速向地区文化处和省文化厅作了汇报，地区文化处和省博物馆先后对该墓进行了调查，并将全部出土文物收归新兴县文化部门收藏。简报配以拓片、照片予以介绍。

简报介绍，墓葬位于新兴县东城镇扶桂乡虎曼山的西北坡，离新兴县城 10 公里。农民过去在这里挖土时还曾发现两座砖室墓，据说形制与这次发现的墓相似，但已被毁。墓葬分甬道、过道、主室，全部用印有花纹或有纪年铭文的砖砌筑，出土器物有瓷器、铜器、金饰等。

简报推断此墓属南朝刘宋时期墓葬。

775.广东罗定县鹤咀山南朝墓

作　者：罗定县博物馆　陈大远
出　处：《考古》1994 年第 3 期

1983 年 8 月，罗定县文物普查队发现砖室墓 1 座，因开荒券顶部分露出地面，省博物馆随后派考古人员协助清理。简报分为：一、地理位置与墓葬形制，二、随葬器物，三、结语，共三个部分。有手绘图、拓片。

据介绍，墓葬位于罗定县南部罗镜镇水摆村鹤咀山，离县城 43 公里。在墓室之间用砖砌成台阶连接的做法已见于广东揭阳揭仙赤 M3 南朝墓、广西融安安宁南朝墓和深圳宝安南朝墓，而在甬道用砖砌置台阶走下墓道的做法是第一次发现。该墓两主室南侧，前室柱角下置一件不同于其他随葬器物（南室皿式碗，北室 N 式碗），不可能是位置的漂移，很可能是具有地方特色的一种葬俗。出土有金饰器、铜器、铁器、滑石猪、棺钉等。从墓葬的形制及随葬品的特征看，简报推断该墓时代为南朝晚期。

简报称，鹤咀山南朝墓是 1 座多室墓，凿山砌筑，出土随葬品多而且精美，应该是南朝岭南地方豪族的 1 座墓葬，对研究南朝晚期广东经济文化发展具有重要的价值。

广西壮族自治区

776.广西出土的六朝青瓷

作　　者：覃义生
出　　处：《考古》1989 年第 4 期

　　六朝是我国南方青瓷烧造业发展的重要时期。广西僻处祖国南疆，考古工作开展得比较晚，过去六朝青瓷发现也较少，亦极少见于著录。10 多年来，考古人员通过文物普查，先后在桂林、兴安、恭城十几地，发现了一批六朝时期的墓葬、窑址和城址，清理发掘了数十座墓葬，出土了大批青瓷器。简报分为：一、发现概况，二、器物特征，三、产地问题刍议，共三个部分。对历年广西六朝青瓷的发现情况予以介绍，有手绘图。

　　据介绍，1962 年在滕县清理 3 座晋墓，出土各种随葬品 30 余件，其中青瓷器 23 件，器形有鸡首壶、盘口唾壶、罐、碗、钵、碟等。

　　1962 年在桂林市郊尧山清理一座南齐墓，出土各种随葬品 12 件。其中有青瓷碟 1 件。

　　1964 年在贺县将军岭清理了一座南朝墓，因墓葬已受破坏，仅发现 3 件青瓷器，器形有罐、碗两种。继后又在铺门清理晋和南朝墓各 1 座，出土 9 件青瓷器，器形有罐、碗、盘 3 种。

　　1972 年在梧州市文化路发现一座晋墓，出土青瓷器、铜器、银器、金器共 30 多件，其中青瓷器有 11 件，器形有罐、钵、碗、鸡首壶、盘口唾壶等。继后又在市郊北山清理 1 座晋墓，随葬品皆为青瓷器，共有 9 件，器形有罐、鸡首壶、碗、洗、钵等。后又在富民坊发现 1 座南朝墓，出土各种随葬品 60 余件，其中青瓷 5 件，器形有罐、碗两种。

　　1972 年在平乐县银山岭清理了 1 座晋墓，出土各种遗物 10 件，除 4 件为青铜器外，其余均为青瓷器。

　　1972 年在恭城县长茶地清理了 3 座南朝墓，出土各种随葬品 113 件，其中青瓷器 100 余件，器形有罐、盘口壶、盘口唾壶、三足炉、盘、碟、碗、盒、钵、盂、砚、灯等。这是广西出土青瓷器数量最多，器形最丰富的 1 处墓葬。

1980 年在融安县安宁一带清理了 2 座南朝墓，其中一号墓已被盗掘一空，二号墓也被破坏，尚存各种器物 11 件，其中青瓷器 2 件，器形有碗、砚两种。1982 年又在一、二号墓附近清理了 3 座南朝墓，其中四号墓中的随葬品已被盗掘殆尽。五、六号墓保存尚好，出土各种遗物 22 件，其中青瓷器 9 件，器形有鸡首壶、碗、盘 3 种。

1981 年在苍梧县倒水清理 1 座南朝墓，出土各种遗物 46 件，其中青瓷器 17 件，器形有罐、钵、碗、虎子、俑 5 种。

1981 年 10 月在永福县寿城发现一座南朝墓，出土 20 余件随葬品，其中青瓷器 6 件，器形有盘、碟、杯、俑 4 种。

在象州县寺村曾发现过 1 座晋墓，出土有 5 件青瓷器，器形有盘、碗、罐等。

此外，在贵县、兴安、昭平、梧州、容县、北流及合浦等县境内，都发现有六朝时期的墓葬，也出有青瓷器。但上述地区的墓葬尚未进行正式发掘，青瓷器多为基建时发现，且多系采集品，数量也比较少，器形较为残破，故不一一列举。

简报称，广西六朝青瓷的分布地域颇为广泛，几乎遍布桂北、桂东及桂东南地区，尤以桂东北及桂东南地区分布最为密集。在这一时期的墓葬里，青瓷器是最为常见的一类器物，几乎每座墓葬都有发现，有的还以青瓷器为主，其中以生活日用器为主，也有专门为随葬而烧制的明器。一座墓用于随葬的青瓷器少的也有二三件，多者可达数十件，可见当时广西地区使用青瓷器的普遍性以及墓主拥有青瓷器的众多。

除了瓷器，铜钱也时有发现，据《文物》1984 年第 11 期报道，桂林荔浦县兴坪公社 1981 年曾发现一窖中有古铜钱 15 公斤，应是东晋时期埋藏的。

南宁市

柳州市

777.广西壮族自治区融安县南朝墓

作　者：广西壮族自治区文物工作队　覃义生、张宪文
出　处：《考古》1983 年第 9 期

1979 年 5 月、1980 年 3 月，融安县大巷公社安宁大队黄家四队社员先后发现 2 座南朝墓。广西壮族自治区文物工作队两次派人前往清理。两座墓北距融安县城 10 公里，位于融江西岸安宁大队北边。M1 位于西边被称为锅铲坡的矮坡上，墓向东南；

M2 位于东边被称为半奶坡的稻田中，墓向西南，2 座墓东西相距约 400 米。简报配以拓片予以介绍。

据介绍，M1 为长方形砖室墓，已残。由甬道、墓室、供台三部分组成，早年被盗，未见随葬品。M2 为略呈"凸"字形砖室墓，亦由甬道、墓室、供台组成。墓顶已塌，未见葬具、人骨。出土瓷器、滑石器 11 件。其中滑石俑 4 件、滑石买地券 1 件。简报录有券文全文。文中有纪年，为梁天监十八年（519 年）。

简报称，这两座墓所出的遗物虽不多，但出土的瓷碗胎质细腻，釉色光泽莹润，制作精细，反映出南朝时期的烧瓷技术已达到一定的水平。至于滑石器，或与广西北部盛产滑石矿有关。

778.广西融安安宁南朝墓发掘简报

作　　者：广西壮族自治区文物工作队　覃彩奎、郑超雄
出　　处：《考古》1984 年第 7 期

融安县地处广西北部，北面有 1 条长约 10 公里、宽约 3 公里的狭长谷地，融江自北向南穿流其间。安宁即位于谷地的南端，南距县城约 14 公里，东面濒临融江，西面为巍峨绵亘的西山。考古人员根据线索调查，发现了许多露土的砖室墓，并征集了一批文物，证实这是 1 处南朝时期的墓群。1980 年春，在黄家寨西面的锅铲坡和半奶坡上，清理了 2 座砖室墓（编号为融安 M1、M2）。1982 春，木寨农民在修建水渠时，又在附近的娃仔坡、大汶坡和木寨村旁的稻田里，发现了 3 座墓葬。考古人员前往清理，并将其编号为融安 M4、M5、M6。关于 3 座南朝墓的清理和出土文物情况简报分为：一、墓葬形制，二、随葬器物，三、结语，共三个部分予以介绍。

据介绍，M4，长方形砖室墓，由前室、中室及后室 3 个部分组成；M5，长方形竖形土坑墓；M6，长方形砖室墓，单室。这 3 座墓葬除 M4 受到扰乱且较残破外，M5 和 M6 基本保存完好，从随葬器物的排列情况看，原位置似未被移动。3 座墓共出土随葬品 28 件，计有青瓷器、滑石器、陶器、铜器及金器。其中以滑石器居多，器形也较丰富，青瓷器次之，陶器、铜器、金器数量较少。因无明确的纪年，根据它们的形制、墓砖及随葬的器物，简报推断：M6 年代为南朝刘宋年间，M4 与 M6 相近，M5 属南朝宋齐时期墓。

桂林市

779.桂林发现南齐墓

作　者：黄增庆、周安民
出　处：《考古》1964年第6期

1962年3月，考古人员在桂林市郊尧山发现六朝砖室墓两座，清理了其中的1座南齐墓。简报配以照片予以介绍。

据介绍，两墓均遭破坏。墓室平面呈"凸"字形，分甬道和墓室两部分，葬具及人骨均腐朽。出土随葬品有青瓷器、滑石猪、石俑、石制钱币等，有买地券1方，已碎。简报录有券文全文。知死者叫秦僧猛，死于齐永明五年（487年）。

780.平乐银山岭晋墓

作　者：广西壮族自治区工作队　蒋廷瑜等
出　处：《考古学报》1978年第4期

本简报作为"平乐银山岭汉墓"的附录。据介绍，平乐银山岭发现晋墓1座(M140)，位于银山岭墓群的极西部山脚，是1座石室墓。墓室平面呈凸字形。墓室宽2.1米、长3.2米，拱券顶，发掘前已自然塌陷，高度不明。所用石料均是经火烧烤过的石灰石块，向内的一面平整。甬道长方形，未砌石，长1米、宽1.4米。葬具已朽，仅于淤土中发现铁棺钉2枚。人骨仅存一小节，余已朽，葬式不明。随葬品分置于国道和墓室后端，计有青瓷器6件，铜镜1件，铜五铢钱3枚。年代简报推断为东晋。简报配有照片、手绘图。

781.广西恭城新街长茶地南朝墓

作　者：广西壮族自治区文物工作队　王振镛、覃圣敏
出　处：《考古》1979年第2期

1974年2月，恭城县和平公社新街大队凤凰村在长茶地搞农田基本建设时，发现了3座南朝墓。考古人员前往该地清理了其中的1座墓（M3），并征集了另外2座墓(M1、M2)出土的文物。这3座墓坐落在稻田中，北边为凤凰村，东面为东岭山。

3墓从北往南依次排列，M1最北，M3最南，M2距M1为2.5米，M3距M2为1.5米。简报配以照片、手绘图予以介绍。

据介绍，M3为长方形单室砖室墓，有甬道，平面略呈"凸"字形。葬具、尸骨已不存，墓内已经扰乱，但仍出土青瓷器35件及陶器、滑石器、银器总计53件。M1出土遗物48件，M2出土遗物15件。3墓总计出土遗物100多件，以青瓷器为大宗。简报推断M2为刘宋墓，M1、M3为南齐墓。

782.广西永福县寿城南朝墓

作　者：广西壮族自治区文物工作队
出　处：《考古》1983年第7期

1981年10月，永福县寿城供销社在基建中，发现1座砖室墓，考古人员到现场进行了清理。简报配以照片、手绘图予以介绍。

据介绍，墓葬位于寿城供销社油库围墙内的西南角，南距寿城公社所在地约500米，东面是东江。墓葬结构为单室砖墓，带短甬道，平面呈"凸"字形。券顶。墓砖有青灰、红色两种。清理前随葬品多数被取出，但根据墓内残留的遗痕可判别出大部分置于甬道和墓室的前部。后一部分则安放棺材。葬具及人骨架均朽无存。随葬品中最具特色的是由瓷制骑马俑、步辇俑、扛旗俑、侍从俑、武士俑、击鼓俑组合而成的外出仪仗俑队，简报认为这座墓的年代定为南朝比较合适。

783.桂林市东郊南朝墓清理简报

作　者：桂林市文物工作队　曾少立、赵　平
出　处：《考古》1988年第5期

1984年12月，桂林市东郊横塘农场二中队砖厂在推土时，发现了3座南朝墓（编号为M1～M3）。考古人员前往现场进行了抢救性的清理发掘。墓群坐落在东郊桂（林）大（圩）公路龙门站的横塘岭上。基本呈南北向排列。3座墓的清理情况，简报配以照片予以介绍。

据介绍，3墓均为带甬道的单室券顶墓，平面呈"凸"字形。这是各地南朝小型墓葬常见的一种形制。3座墓葬共出土遗物91件，其中瓷器计有42件，且保存较好。其釉色青黄，器物的装饰以素面为主，有的仅在器物的肩部或底部饰一至二道弦纹。3座墓的器物造型和装饰均为南朝墓中所习见，并且具有南朝中晚期的特征。简报推断，M1为南齐墓，M2、M3的年代亦与M1相当或稍晚。

简报称，桂林市东郊横塘岭出土的这批瓷器，器物典型，胎质坚硬，釉色晶莹，在一定程度上反映了当时南方制瓷的技术水平，为研究南朝中晚期的青瓷特点和广西桂林古代经济文化的发展提供了新的实物资料。

784.广西恭城县黄岭大湾地南朝墓

作　者：俸　艳

出　处：《考古》1996 年第 8 期

1993 年 4 月，恭城瑶族自治县平安乡黄岭村村民在大湾地果园里挖排水沟时，发现了 3 座南朝墓，并将其中 1 座墓（M1）中的器物全部挖出并送给县文管所。县文管所及时派人清理了这 3 座墓。黄岭村在县城东南 6 公里，大湾地在该村的南面约 500 米处。3 座墓从东往西依次排列。简报分为：一、墓葬结构，二、随葬器物，三、结语，共三个部分。有手绘图等。

据介绍，M1、M2 均分甬道、墓道两部分，平面呈"凸"字形，可能是夫妇异穴合葬；M3 规模略小，平面也呈"凸"字形。出土遗物中以青瓷器为大宗。3 墓的年代，简报推断为南朝时期。

梧州市

785.广西梧州市晋代砖室墓

作　者：梧州市博物馆　黄鸿植

出　处：《考古》1981 年第 3 期

1972 年 12 月底，梧州市工程部门在市内修建地下水道时，在文化路中间挖下 1.82 米处发现了古墓 1 座。这座古墓是梧州市 10 多年来出土的数百座墓葬中较完整的 1 座砖室墓。墓内遗物排列整齐有序，器物完好。简报配以手绘图予以介绍。

据介绍，该墓为平面呈"凸"字形砖室墓，分前后两室，葬具、人骨已朽。墓中随葬品有青瓷器、铜器、铁器、银器、金器等计 14 件。该墓的时代，简报推断为东晋初或早到西晋末。青瓷器与长江流域的同时代青瓷器相似，对于研究我国古代文化交流有一定价值。

786.广西壮族自治区梧州市富民坊南朝墓

作　者：梧州市博物馆　李乃贤
出　处：《考古》1983 年第 9 期

1980 年 4 月中旬，梧州市第一建筑公司在富民坊基建工程中发现 1 座砖室墓。简报配以照片、拓片、手绘图予以介绍。

据介绍，该墓位于市区桂江西岸富民坊一建公司内，墓室呈"中"字形。券顶大部分已不存在，内填满乱碎砖，墓底到地表约 4 米。葬具、尸骨已朽。出土遗物有瓷器、铜器、铁器、金器、银器、玫石、玛瑙、琥珀等计 17 件。墓主可能是女性。该墓年代，简报推断为南朝。

787.广西藤县跑马坪发现南朝墓

作　者：藤县文化局、藤县文物管理所　吴桂盈
出　处：《考古》1991 年第 6 期

1981 年 10 月 30 日，藤州糖厂基建工地挖土机推出 4 座砖室古墓。考古人员进行了抢救性的清理工作。简报分为：一、墓葬结构，二、出土器物，三、结语，共三个部分。有手绘图。

据介绍，4 座墓葬位于藤城镇东面 3 公里，西江南岸的雅瑶村后背山，即藤州糖厂基建工地，土名叫"跑马坪""晒地顶"。墓葬编号分别为 M1、M2、M3、M4。其中 M3、M4 未发现遗物。M1 出土青瓷器 16 件，M2 随葬品已被取出。简报推断M1 的年代，当为南朝宋齐时期。M2 的结构和出土器物与 M1 无大差异，两墓年代不会相差很远。M3、M4 无随葬品，墓砖和砌法同 M1 一致，应为同年代的墓葬。

北海市

崇左市

来宾市

贺州市

788.藤县清理一座晋代墓葬

作　者：黄增庆

出　处：《文物》1962 年第 1 期

1960 年 6 月间，藤县中学扩建教室，在两亩左右面积内，清理出 4 座同类型的砖室墓，其中 1 座未被盗过，器物和墓室完整。简报配以照片予以介绍。

据介绍，墓用单层红色长方砖砌成拱形墓室，墓内分甬道、中室、后室三部分。人骨及棺木均已腐朽，从发现的棺板和棺钉来看，死者置于后室。随葬品除铜钱、石猪等外，其余均为青瓷器，涂釉均匀。简报初步推断墓葬的年代属于西晋晚期或东晋。

789.广西苍梧倒水南朝墓

作　者：广西梧州市博物馆　李乃贤

出　处：《文物》1981 年第 12 期

1980 年 6 月，苍梧倒水公社农民在梧太公路边发现 1 座砖室墓。简报配以照片、拓片予以介绍。

倒水距离梧州市约 32 公里，墓葬在一个丘陵边，墓室内部被扰乱不堪，其结构是单室砖墓，平面是"凸"字形，墓门向东，带短甬道。出土器物有瓷器、陶器和家禽、牲畜俑、人俑等。简报推断此墓晚于晋代，定为南朝时期较为合适。

简报称，此墓结构简单，但随葬器物丰富，形制与南京地区同时期墓葬所出土的器物接近。墓中出土的青瓷器，釉色莹润，多数是墓主生前的用品。以此推知墓主人可能是当时社会的有地位人物。同时这些器物的发现，在一定程度上也反映了当时人们的生活状况和烧制陶瓷的技术水平。

790.广西贺县两座东吴墓

作　者：广西壮族自治区文物工作队　兰日勇、覃义生、覃光荣

出　处：《考古与文物》1984 年第 4 期

贺县贺城公社寿峰大队与莲塘公社永庆大队交界地的芒栋岭一带，分布有许多

古墓，1982年3月，当地平整土地时，挖破了其中的两座，考古人员进行了清理，编号为贺·芒M1、M2。

简报分为：一、墓葬概况，二、出土遗物，三、结语，共三个部分。有手绘图、照片。

据介绍，一号墓是1座石室墓。由于被挖开起石，其具体形制已经不详。根据现场的遗存得知，墓葬东西方向，由墓道和墓室两部分组成。墓室顶部为券顶，推测可能是船棚形单券顶。墓内葬具已腐烂，人骨架也大部朽成灰并混于淤泥，仅见到两具头骨，疑为夫妻合葬。二号墓为竖穴土坑墓，南北方向。墓坑为竖穴式，墓道呈斜坡式。坑内原置木棺1具，已朽，葬式不详。两墓共出土铜器、铁器、陶器、瓷器等计79件。其中铁器19件、瓷器14件、陶器6件。

简报推断为东吴时墓葬。随葬品中铁器、瓷器之多，表明似为当地生产。

791.广西钟山县发现一座西晋纪年墓

作　者：莫测境

出　处：《考古》1988年第7期

广西钟山县红花乡西岭东麓分布有许多古墓，列为钟山县重点文物保护单位。1986年11月，红花乡财政所在该处建楼房，民工在挖围墙地时发现1座砖室墓。此墓封土早年已被削平，近年来又遭到不同程度的破坏，墓葬形制也在连续破坏中而无迹可考。现在唯一可以考证的是该墓残存的墓室铺地砖。铺地砖为淡红色断折残砖，砖的形制有长方形和长方楔形两种，朝上一面饰网格纹，一侧印有铭文，经拓片可以辨认的铭文有："永嘉六""富且贵""日已卯化"等。墓中没有发现1件金属器物，遗物除1件瓷碗和1件瓷碟保存完整以外，其余的瓷器均已破成碎片，被民工抛出室外。据民工反映，陶瓷残片遍布于墓室。现经拼对，有的能复原，有的已无法复原。归纳统计，有20多件。简报配以手绘图、拓片对出土的器物予以介绍。

据介绍，红花西岭这座砖室墓，虽然墓室被毁坏，墓葬形制也无法辨认，并且没有收集到一块完整的墓砖铭文，但残砖中出有"永嘉六"的铭文，可以推测，六字下面是"年"字无疑，即永嘉六年。根据墓内出土陶、瓷器，简报推断该墓年代为西晋，永嘉六年即公元312年。

简报称，这座砖室墓的发现，又为广西地区西晋墓提供了一批断代的标准器。

792.广西钟山县西门岭发现六朝墓

作　者：钟山县文物管理所　莫测境

出　处：《考古》1994 年第 10 期

1985 年 1 月，钟山县小水电公司在汽车库内挖一条汽车修理槽，在距地表 50 厘米深处，发现了 1 座砖室墓的后壁，考古人员对该墓进行了清理。简报配以手绘、拓片予以介绍。

据介绍，该墓位于钟山县县城北面的西门岭南侧，东西以一墙之隔与水电局为邻，西面紧靠县土产公司仓库，南面为穿城公路。墓室距地表 50 厘米，墓向正东。墓为券顶结构砖室墓，由墓道、甬道、墓室组成，平面呈凸字形。尸骨、棺木腐朽无存，葬式不明。出土器物共 11 件，瓷器 6 件、陶器 5 件。这是 1 座小型砖室墓，随葬品十分简单，表明墓主生前身份较低。在出土遗物中未发现可作为断代依据的纪年铭文，根据墓葬形制、墓砖铭文和器物的造型及纹饰等特征，简报推断为六朝时期的墓葬。

玉林市

百色市

河池市

钦州市

防城港市

贵港市

海南省

海口市

三亚市

三沙市

重庆市

793.四川忠县涂井蜀汉崖墓

作　者：四川省文物管理委员会　张才俊等
出　处：《文物》1985 年第 7 期

四川忠县涂井西南不远有一座山，名卧马凼，东南距石宝寨 12 公里。四周山峦起伏，涂井溪（古名涂溪）由北向南蜿蜒流入长江。卧马凼山的南面有古代崖墓群。1981 年 5 月，考古人员配合修筑公路，对墓葬进行了发掘。历时月余，一共发掘蜀汉墓 15 座，出土器物近 3600 件（其中铜钱 3000 多枚）。简报分为：一、墓葬形制，二、随葬器物，三、结论，共三个部分。有手绘图、照片、拓片。

简报介绍，这一批蜀汉时期崖墓及随葬器物有以下共同特征：墓葬形制仍保留东汉崖墓多墓室的结构，以双室和双后室为主，也有不少单室。器物中以浅腹平底碗、Ⅰ 式盘口壶、四耳罐、蛙式水盂和 Ⅰ 式、Ⅱ 式铜釜等为特征性较强的器物。这批蜀汉崖墓出土的器物，明器占相当比重。忠县原名临江县，因产盐而得名。涂井崖墓的主人，简报认为可能与盐商或盐官的家族有关；墓葬时代，简报推断应在蜀汉前期至后期。

简报称，成批蜀汉崖墓的发掘这还是第一次，这一发现为四川蜀汉时期墓葬的分期和研究，为蜀汉时期的政治、经济、文化以及蜀汉与东吴的文化交流的研究，提供了珍贵的资料。

794.重庆市江北县出土蜀汉窖藏钱币

作　者：邹元良
出　处：《考古》1991 年第 3 期

1987 年 8 月中旬，江北县集真乡罗坪林七组农民李享富，因扩建住房在屋后竹林靠下 1.7 米的生土层中掘出窖藏三国蜀汉"直百五铢"钱币一批。计 5400 余枚，重 45 公斤。另盛钱的铜釜 1 个，釜口上覆盖铜洗 1 个。釜内钱币上面叠放方头锄具 2 件，圆头铁铲 2 件（均无木柄，铁件锈蚀严重）。盖上面还平放两把铁刀。简报配以拓片予以介绍。

据介绍，几千枚钱币中，全是三国蜀汉所铸的"直百五铢"钱，其中一部分"为"字钱，背面有阳文篆体"为"字，"为"，即犍为郡，表明此钱为犍为郡铸造。犍为郡乃当时经济发达地区，郡在今四川彭山县。"为"字"直百五铢"钱，是我国最早的地名钱。

795.巴县白市驿发现蜀汉砖室墓

作　者：巴县文化馆　李国良
出　处：《四川文物》1994 年第 5 期

1991 年 10 月，四川巴县白市驿镇新店村农民曾方鑫在翻土种麦时，发现砖室墓 1 座。考古人员前往现场调查，在地方政府和群众的支持下，进行了清理。

简报分为：一、墓葬环境和墓室情况，二、出土遗物，三、结语，共三个部分。有照片、拓片。

据介绍，白市驿镇，为古代重庆至成都大道的第一驿站，因为古道驿站，故称白市驿。砖室墓位于驿镇东南约 6 公里，坐落在中梁山西的小山咀。该墓虽构式一般，为川东一带东汉墓式之常见者，然在重庆地区蜀汉时期，全国模形砖构砌之券拱、室壁、三层室底，这是首次发现。据所遗存的陶器、铜器和钱币以及砖饰图案，简报推断该墓系蜀汉后期的墓葬。

简报称，所出土的"直百五铢"和大小"定平百"钱，为钱币史的研究提供了有价值的实物资料。

796.重庆万州区上沱口南朝墓葬发掘简报

作　者：山东省博物馆、重庆市博物馆、重庆市文化局
出　处：《华夏考古》2003 年第 4 期

上沱口墓群位于重庆市万州区五桥办事处扁砦村村北，长江南岸的二级台地上。2000 年，考古人员为配合三峡库区建设，在此进行了抢救性发掘。简报分为：一、概况，二、墓葬结构，三、出土遗物，四、结语，共四个部分。有手绘图。

据介绍，共清理了 3 座南朝墓，墓葬形制呈刀形，墓室、券顶均遭破坏，但随葬品保存较好，出土陶器、瓷器、铁器、钱币及装饰品 46 件，其中青瓷器十分珍贵。

797.重庆奉节县三峡工程库区崖墓的清理

作　　者：吉林大学边疆考古研究中心　滕铭予、赵宾福、李　言等
出　　处：《考古》2004 年第 1 期

1994 年 3 ～ 4 月，考古人员对重庆奉节县三峡工程库区内的三塘和拖板崖墓群进行了清理，共清理崖墓 20 座。简报分为：一、三塘崖墓群，二、拖板崖墓群，三、结语，共三个部分。有手绘图。

据介绍，在重庆奉节县三塘村和拖板村清理了 20 座崖墓。除了拖板村 7 号墓为双墓道双墓室外，其余均为小型单室墓，多凿有墓道，墓室多为长方形，有的还有壁龛。均未见葬具。出土遗物包括铜器、陶器、瓷器、铁器等。这批墓葬的年代分属东汉中期、东汉后期、蜀汉初期、西晋末到东晋初年和南朝前期这五个阶段，计东汉中期墓 2 座（TM5、TM4），东汉晚期墓 2 座（SM8、SM2），蜀汉前期墓 3 座（SM4、SM5、TM3），西汉末至东晋初年墓 1 座（SM10），南朝前期墓 1 座（TM6）。多座墓曾被盗。

简报指出，根据在奉节县境内已发现的崖墓可知，这里一直到西晋末东晋初年，除了表现出与长江中游以及中原地区同时期墓葬的相似之外，同时还或多或少地保留了一些具有地方特点的东西，如大口圜底釜、小口直领圜底罐等。而到了南朝以后，这里已与长江中游其他地区没有什么区别了。

798.重庆晒网坝一座晋代墓葬的发掘

作　　者：山东省博物馆　杨　波、于秋伟
出　　处：《江汉考古》2004 年第 1 期

2002 年秋，在重庆市万州区晒网坝村发掘了一批六朝时期墓葬，其中的 6 号墓保存较好，随葬物较为丰富。6 号墓共出土器物 66 件（套），瓷器 55 件，有碗、罐、盘口壶、鸡首壶等器形，根据瓷器特征，暂将该墓时代定为晋代。另外，墓中还出土了具有北方少数民族特征的金饰品。简报分为：一、地理位置，二、墓葬形制，三、出土器物，四、结语，共四个部分。有手绘图、照片。

该墓群位于重庆市万州区五桥陈家坝办事处晒网村，距万州市区约 10 公里。墓群分布于一处平坦的坪坝上，坝子原来传说为三王坝，后因渔民常在此晒网，且坝子又像一张撒开的网，故又叫做晒网坝。其地处长江南岸，1995 年发现，2000、2001 年进行过两次发掘，2002 年进行了第 3 次发掘。3 次发掘共清理东汉至南朝时期砖、石室墓 26 座，窑址 2 座。简报重点介绍了其中的 6 号墓。该墓的时代，简报推断为西晋晚期至东晋早中期。

799.重庆忠县泰始五年石柱

作　者：北京大学中国考古学研究中心　孙　华

出　处：《文物》2006 年第 5 期

2003 年夏，泰始五年石柱在重庆忠县乌阳镇将军村的长江边上被发现，小地名叫"花坝河"。该石柱现存于忠县白公祠（忠县文物保管所）内，因柱上有"泰始五年"的铭文，故简称作泰始五年（269 年）石柱。该石柱是重庆唯一现存的南朝石柱，也是已发现石柱中铭文字最多的 1 件。简报分为：一、石柱形态及铭文概述，二、石表铭文的简单考释，三、泰始五年石柱的年代，四、石柱铭文反映的墓主身份，五、从墓前立阙到墓前立柱，共五个部分。有拓片、实测图。

据介绍，石柱仅存一段石身，柱的两端有榫卯，底座和顶盖都已缺失。石柱通高 266 厘米。其中柱身高 237 厘米，向上略有收分；柱身下端宽 25 厘米、厚 21 厘米，上端宽 21 厘米、厚 20 厘米。该柱为横截面大致呈长方形的十二角瓜棱柱，柱身下端约 19 厘米长的一段，被削成榫头，为上大下小的方台形，以便能够稳固地插在其下的底座之上。柱身被辫状箍带分为两段，上段两端各有辫状箍带一道，下端箍带前侧各雕一个双腿弯曲、两手上举的人像，他们共同托举着一块横长方形的石表。石表正面镌刻铭文，铭文左起，共 10 行。除第七行为 5 字、第十行为 8 字外，其余均为每行 9 字，共 85 字。文字介于隶楷之间，字大 2.5 厘米左右。

泰始石柱铭文断句如下：

晋故试守江川令、文卫尉適孙讳观。长祖梁水令讳晃，二祖平武令讳圣，第二祖讳轨，第四祖□国府参军事讳桓，二父试守江川令讳忠等府君之神道。

泰始五年二月辛未朔廿一日辛卯，江川主簿□之、□起、龙之并立。

简报认为，该铭文分为两段，段落间提行以示分别。第一段讲述该墓地主要成员的亲缘关系、担任官位和名讳，第二段则记录建立石柱的时间，以及主其事人员的官位和姓名。铭文第一段的内容主要有两个，一是叙述该家族远祖的显贵身份和分族的开端，二是叙述从高祖到父辈五世的官位和名讳。铭文开头的"试守江州令"，并不是文卫尉曾经担任的另一个官职，而应是文尉卫的嫡孙文观担任的官职。简报指出，该表铭文与通常墓碑、墓志、石表铭文均不同，比较怪异，易有误解，需要细读。简报给出了文氏家族世系表，并指出泰始五年是指刘宋明帝泰始五年（469 年），而不是指西晋泰始五年。前不冠"宋"名却冠"晋"名，是因其祖上在晋为官，立柱人委婉地表达对前朝的留恋。

简报称，墓表上的铭文以宗族中地位最高的"晋故……文卫尉"开始，接着叙述从文卫尉的嫡孙文观的庶子开始，分族另立家支。然后，铭文介绍该家支的始祖文晃到亡父文惠共五代的名讳、官职。据此推知，该石柱是文氏家族墓地神道两侧的石柱。文姓是两汉至两晋时期忠县的大姓望族。《华阳国志·巴志》《晋书·儒林传》等多有记载。文立先在蜀汉为官，蜀灭后，在西晋王朝先后官至太子中庶子和卫尉，并死于任上。其居家和葬地应在当时的都城洛阳，不大可能在其老家临江（今忠县）。文立的嫡孙文观担任江州令这样的地方官，他的庶子文晃及其子孙长期定居并葬在老家伍江。文晃第五世孙亡故后，五世孙的儿子主持设立了墓地的石柱。据此推测，葬在花坝河的两晋至刘宋文氏家族的直系男性成员有长祖文晃、二祖文圣、三祖文轨、四祖文桓和亡父文惠。简报认为多留意该石柱与附近墓地之间的关系，找到文氏家族墓地也不无可能。

简报附带考证了石柱的历史，石柱多出现于东汉，此前多为木柱。晋灭蜀后，曾迁徙蜀国豪强大族到京畿，四川地区大肆营建家族墓地之风陡然停息。直至东晋以后，此风才又兴起，并影响到四川盆地。

800.重庆忠县邓家沱石阙的初步认识

作　者：郑州大学历史学院考古系　李　锋

出　处：《文物》2007 年第 1 期

2001 ～ 2003 年，考古人员对重庆忠县邓家沱遗址进行了考古发掘，获取了一批颇具研究价值的考古资料。其中的邓家沱墓阙尤为重要。因其被深埋于地下，虽然在废弃前也曾遭到严重损毁，但其残存部分的石阙画像却保存较好。简报分为：一、石阙的位置及埋藏情况，二、铭刻和画像，三、石阙的年代，四、画像的渊源与特色浅识，共四个部分。有彩照、拓片、手绘图。

据介绍，邓家沱是长江左岸河床边上的一级山前台地，隶属于忠县新生镇邓家村第二村民组。西南距新生镇约 7 公里，东北距县城近 10 公里。石阙发现于台地的右侧，东距今长江河床 10 米左右。据当地老人讲，其父辈在修建房屋时曾挖出过大型砖墓，出土物已经流失，砌墓用的车轮纹和富贵纹砖还残留在现在的民宅墙基中，故疑该石阙与村民破坏之墓有关。石阙上部被唐宋时期遗存所叠压，其下又叠压着西周时期文化遗存。该石阙现存 9 个构件，分别是基座 1 件、阙身 3 件、枋子层 2 件、斗石 2 件、阙顶 1 件。风格与成都出土石刻相近，其年代简报推断不早于三国时期。

简报指出，石阙上的图案尤重凤凰，虽然两汉时期的文献中也有不少关于凤凰或凤鸟灵瑞的记载，但对凤凰或凤鸟灵瑞的崇拜莫过于三国时期的东吴，在东吴近 60 年的立国时期内，曾 3 次因凤凰或凤鸟灵瑞而改年号，并在公元 272 年直接以凤凰之名作为年号。此外，画像石中常见的龙、赤乌、嘉禾等灵瑞，也都曾出现在东吴的年号中。这种灵瑞崇拜时尚对于当时画像题材的影响应该是不言而喻的。

简报认为，邓家沱石阙上的凤凰、天马、天鹿、天禄等灵瑞的造型，与现实生活中的孔雀、马、鹿的形态几近相同，而与两汉时期以升仙题材为主、连环画式构图以及抽象、夸张的艺术风格有着明显差别。邓家沱石阙的发现，为研究川渝地区的画像石艺术提供了重要的实物资料。

801.重庆晒网坝一座蜀汉墓发掘简报

作　者：山东省博物馆　肖贵田、李大营

出　处：《江汉考古》2007 年第 4 期

2001 年，在重庆万州晒网坝遗址发掘的编号为 CWTM10 的墓葬被确定为蜀汉时期墓葬，这是该遗址中唯一 1 座可确定的蜀汉墓。该墓出土的 30 件陶器和陶俑成为遗址断代的重要依据。简报分为：一、发掘概况，二、墓葬形制，三、出土器物，四、结语，共四个部分。有手绘图。

据介绍，万州晒网坝遗址位于重庆市万州区五桥陈家坝办事处晒网村，距万州市区约 10 公里。遗址在长江地岸的一处平坦的坪坝上，应为一面积超过 10 万平方米的东汉南朝墓葬区，M10 不过是其中的 1 座墓。该墓为"刀形"砖室墓，由甬道和墓室组成，总长 4.8 米。甬道长 1.84 米、宽 1.34 米，墓室长 2.08 米、宽 2.42 米。下部保存状况尚好，墓道上部的竖券砖层已被破坏，但似未被盗过，人骨保存不好，似不止 1 人。墓内出土陶器、陶俑 30 件，银钗 1 件、80 枚铜钱，另外在墓室内发现了一些红色和黑色漆皮，均已看不出器形。陶器以红陶为主，火候较低，很多应是冥器，有的施釉。主要器形有钵、罐、壶、瓿、杯、熏炉等。

简报指出，该地区的瓷器作为随葬品似乎是突如其来的，并没有渐变的过程。考察瓷器代替陶器随葬的突发时间，可以以该座蜀汉墓作参考，这座蜀汉墓没有发现一件瓷器，看来瓷器和陶器的交替时间只能是在蜀汉或蜀汉之后了。

802.重庆巫山江东嘴晋墓的发掘

作　者：南京大学历史系考古专业　刘兴林、夏　寒

出　处：《江汉考古》2010 年第 3 期

2001 年秋，考古人员发掘了重庆巫山县江东嘴遗址，西晋大墓（M7）是本次发

掘最重要的收获，该墓为券顶砖室墓，平面呈"凸"字形，有5人合葬。出土青瓷器皿、金银发饰、串饰、铜带钩、铜镜、铜弩机等30余件（组），出土器物的形制、种类与同时期北方地区晋墓所出十分接近，为研究西晋时期峡江地区的葬俗和生活习俗提供了重要资料。简报分为：一、墓葬形制和埋葬情况，二、随葬器物，三、相关的问题，共三个部分。有手绘图、照片。

据介绍，江东嘴隶属重庆市巫山县巫峡镇原江东村二组和三组，位于长江与大宁河交汇处，长江北岸，大宁河的东岸。墓为竖穴土坑砖室墓，有5棺，内各有1具尸骨，均为仰身直肢葬。出土器物32件（组），其中青瓷器14件，还有铜镜、铜带钩、铁钱、银器、金器、料珠等。该墓未经盗扰，估计为一男性主人与妻妾合葬墓。后入土的2具尸骨随葬品甚少，似为一处于衰落中的家族。

803.重庆万州区龙门壕墓地发掘简报

作　者：重庆市文物考古所、开封市文物考古研究所、万州区博物馆　葛奇峰、
　　　　　王三营、刘春迎

出　处：《华夏考古》2011年第4期

2005年，为配合三峡工程，考古人员对万州区太龙镇向坪社区龙门壕村墓地进行了发掘，共发现墓葬6座。简报分为：一、概况，二、墓葬形制，三、随葬品，四、结语，共四个部分。有手绘图。

据介绍，6座墓包括1座土坑墓（M2），5座砖室墓。共出土瓷器、陶器等29件。简报推断，M2为战国墓。M1时代应为南朝时期，M6时代应为两晋时期。M3、M5没有出土随葬器物，从墓葬位置分布及墓室砌筑结构分析，M3、M5年代与M1接近，M4出土遗物较少，年代不详。

四川省

成都市

804.四川崇庆县五道渠蜀汉墓

作　　者：四川省文物管理委员会、崇庆县文化馆　陈显双
出　　处：《文物》1984 年第 8 期

1981 年 7 月，崇庆县王场公社一大队一队在五道渠砖瓦厂侧取土时，发现古墓1 座。1982 年 3 月，考古人员对此墓进行了清理。简报分为：一、地理位置及墓葬结构，二、随葬遗物，三、结语，共三个部分。有拓片、手绘图。

据介绍，崇庆县位于川西平原西部近山地带，距成都市区约 40 公里。王场是崇庆县与大邑县之间的一个繁华集镇，这里土家密集，古墓甚多，五道渠古墓是靠近场口的 1 座。这座墓为长方形券拱砖室墓，由墓门、甬道、墓室组成。早年被盗，现存封土残存高 0.5 米，墓室顶部已损坏，券拱塌陷，墓内积满淤土，遗物损失较重。仅出土铜釜、铜锅、陶罐、银算、铁锄、铜钱等少量遗物。简报推断该墓为三国时蜀汉墓葬。

805.成都市西安路南朝石刻造像清理简报

作　　者：成都市文物考古工作队　雷玉华、颜劲松等
出　　处：《文物》1998 年第 11 期

1995 年 5 月，在成都市西安路拓宽工程施工中发现了一批石刻造像。这批造像出土于西安路中段东侧的 1 个灰坑中，应为 1 处造像窖藏。考古人员到达现场时，坑的一角已被挖开，且有 4 尊造像已被取出。简报分为：一、地层堆积及窖藏形制，二、出土遗物，三、结语，共三个部分。有彩照、拓片、手绘图。

据介绍，共出土 9 尊造像。其中有确切纪年的 4 尊：南朝齐永明八年（490 年）、

南朝梁天监三年（504年）、梁中大通二年（530年）、梁大同十一年（545年）。

简报认为，通过这批石刻造像可以断定：四川的佛教石刻艺术并不是如过去传统所说，仅是由西北传入的，自长江溯水而上也应是其主要传播路线之一。

806.成都东门大桥出土佛顶尊胜陀罗尼石经幢

作　者：成都市文物考古研究所　黄晓枫
出　处：《文物》2000年第8期

1997年3月，四川成都成铁二公司在拆除成都市老东门大桥过程中，在西岸桥墩发现一佛顶尊胜陀罗尼石经幢。

据介绍，经幢通身满刻阴文楷书"佛顶尊胜陀罗尼经咒""尊胜心陀罗尼咒""大宝广博楼阁善住秘密陀罗尼咒""心陀罗尼咒""灭决定业真言""最胜佛顶辟地狱真言""如来拔挤苦难灭罪大陀罗尼咒"7个咒语、真言及偈语。在《佛顶尊胜陀罗尼经咒》之后有7个独立的咒语、真言及偈语，这部分计有251字。从经幢出土的情况看，它并非弃置于桥墩中，而是人为刻意竖置其中的，其目的或是为保佑桥的坚固。

简报称，东门大桥最后一次重修是在清光绪年间，桥洞的石条上有"大清光绪丙戌年正月初八辰时重建"字样。而经幢第一面有明确的纪年，为"永平五年乙亥岁四月八日毕工记"，即前蜀王建永平五年（915年）。造此幢的人为"女弟子史戒满"，书此幢的人为"前摄华阳县丞郑儒"。

807.成都市商业街南朝石刻造像

作　者：四川省文物考古研究所、成都市考古研究所　张肖马、雷玉华
出　处：《文物》2001年第10期

1990年6月26日，成都市商业街16号院暖气管道的施工中，于距地表2米深处发现4尊石造像，立即被送至成都市博物馆。考古人员前往调查，发现还有造像压在土中，便组织试掘。在东西向沟槽中段进行扩方，又出土部分造像。简报分为：一、地层关系，二、石刻造像，三、年代与初步认识，共三个部分。有彩照、拓片。

据介绍，出土的9件南朝石刻造像中，两件有明确纪年，一为南朝齐建武二年（495年），一为南朝梁天监十年（511年）。这些造像都有背屏式莲瓣形大背光，题材主要有一佛二菩萨、一佛四菩萨、一佛四菩萨二力士及浮雕四弟子，另外还见

双身佛像。造像的题材、雕刻技法和风格与过去发现的著名成都万佛寺造像、西安路造像相同，应是受南朝建康佛教造像样式影响的产物。

简报还对将建康佛教造像样式带到益州，把江南佛教传至西蜀的具体僧人是谁进行了考证。

自贡市

攀枝花市

泸州市

德阳市

808.绵竹县出土南齐纪年砖

作　者：宁志奇

出　处：《四川文物》1987 年第 1 期

1985 年 6 月，绵竹县教育局饮料厂在城西郊的诸葛双忠祠侧挖窖坑取土时，于地下 2 米深处发现有南齐纪年铭文的方砖 1 块。简报配以照片予以介绍。

纪年砖长 31 厘米，宽 19 厘米，厚 5.5 厘米，色青灰，基本完整。砖的上、下、左、右四面皆素，无纹饰，唯在前楞面和后楞面有图纹，前楞面的纹饰为环带莲花纹。纹样正中部有竖行铭文"永明五年"（487 年）4 字。其书体介于隶、楷之间，单个字大约 1.5 厘米至 2 厘米不等。砖的后楞面烧造有 2 方连续的菱形图案。考其形制和纹饰，为典型的南北朝风格。同时出土的还有 1 件残青瓷碗。

简报称，这块南齐纪年砖的出土，在四川省尚为首次发现，为研究四川省的南北朝地方史提供了物证。

绵阳市

809.四川绵阳西山六朝崖墓

作　者：绵阳博物馆　何志国

出　处：《考古》1990 年第 11 期

西山位于绵阳市西郊，1984 年 4 月，基建中发现崖墓。崖墓在比较深软的砂岩上穿凿而成，共计 22 座，墓均为长方形，由墓道和墓室两部分构成。M1 单室无甬道，M2 单室有甬道，拱券顶。简报分为：一、出土文物，二、结语，共两个部分。有手绘图、照片。

据介绍，共出土遗物 536 件，包括瓷器、陶器、铜器、钱币、铁器及其他遗物。四川地区发现六朝崖墓的地方较为广泛，除绵阳外，还有多处。但是，发现纪年墓葬较少。即使在这些屈指可数的纪年墓中，也缺少可比较的资料。绵阳西山六朝崖墓由于随葬遗物在发现时就被施工人员取出，脱离了墓葬，只能对出土遗物进行大致的年代分析。瓷器中最早的是 AI 盘口壶，可早到东晋早期（约 328 年前后），最晚的是 AVII 碗。简报认为绵阳西山崖墓出土瓷器就是九岭窑的产品。

简报称，绵阳西山崖墓出土瓷器是四川六朝崖墓历次发现最多的一次，数量之大，在全国也不多见，无疑是研究我国早期瓷器的重要实物资料。

810.绵阳北郊龟山发现六朝墓

作　者：邓世红

出　处：《四川文物》1991 年第 4 期

1989 年 4 月，绵阳市真丝针织厂建筑工地工人在挖礼堂基础时发现 1 座墓穴，出土了一批随葬器物。该厂保卫科将器物收回，考古人员前往清理。简报分为：一、墓葬位置及形制，二、随葬器物，三、结语，共三个部分。有照片。

据介绍，该墓位于绵阳市北郊龟山半山脚，距绵阳城区约 4 公里。该墓为一券顶砖室墓，平面呈刀把形。墓道及墓门已破坏，仅存甬道及墓室。甬道长 1.2 米，宽 0.7 米。墓室为长方形，长 2.15 米，宽 1.65 米。墓顶已坍塌，随葬品为泥质灰陶、动物模型等。

该墓的年代，简报推断为六朝时期。

811.四川江油出土三件有铭铜弩机

作　者：黄石林

出　处：《文物》1994 年第 6 期

1975 年 7 月，四川省江油市河西乡普照村农民在汉王台挖沼气池时，于距地表 1.2 米深处发现 3 件有铭铜弩机和 1 枚铜棺钉。弩机后移到市文管所收藏。经清洗除锈，铭文多可辨认。简报配以拓片、照片予以介绍。为叙述方便，现将 3 件弩机分别编为 1、2、3 号予以介绍。

据介绍，3 件铜弩机上均有铭文。其中 2 号弩机有明确年款，为曹魏弩机。年代为景初二年（238 年）。另两件也为汉或三国遗物。它们的发现地点距今江油市区 6 公里，距今绵阳市 30 公里，正在邓艾袭取江油关后直取涪城的路线上。据清代所修地方志记载，相传汉王曾驻兵于汉王台，说明三国时这里确曾驻扎过军队。简报推测这 3 件弩机可能与邓艾伐蜀有关。

812.四川绵阳市园艺乡发现南朝墓

作　者：绵阳博物馆　何志国、唐光孝

出　处：《考古》1996 年第 8 期

1991 年 10 月，绵阳市园艺乡一村在姜家坡建砖瓦厂时发现 1 座南朝砖室墓。大部分随葬器物已被取出，部分遭到破坏。简报配图予以介绍。

据介绍，该墓（编号为 YJM1）为单室，墓道已遭破坏，情况不明。墓室平面大致呈长方形，券顶。据村民回忆，随葬器物都放于墓室前部，有陶器、瓷器、铜器、铁器、银器、滑石器和钱币。由于随葬品被挪动过，摆放位置不明，人骨已不存。随葬器物计 21 件，其中陶器 2 件、瓷器 3 件、铜器 6 件、铁器 1 件、银器 3 件、滑石器 2 件、钱币 4 枚。该墓年代，简报推断为南朝齐、梁年间。

813.三台老马乡和里程乡出土的两晋南北朝文物

作　者：三台县文管所　景竹友

出　处：《四川文物》1998 年第 6 期

1998 年元月，三台县老马乡和里程乡的公安派出所向县文物管理所移交了一批 1997 年冬天出土的被盗文物。这些文物都出土于两乡的崖墓之中，其中有青釉瓷器 40 件，铜镜 1 件。青瓷中有虎子 1 件、盖罐 1 件、唾壶 1 件、盘口壶 14 件、碗和钵

23 件。简报分为：一、青瓷，二、铜镜，三、结语，共三个部分。有照片。

据介绍，青瓷虎子为西晋遗物，卷草莲纹六系盘口壶为南朝遗物。此外还有东晋、南北朝时期遗物。铜镜也十分精致。简报称，这批文物为研究两晋南北朝时期三台涪江流域与外界的交流等提供了实物资料。

广元市

814.四川昭化宝轮镇南北朝时期的崖墓

作　者：四川省博物馆文物工作队　沈仲常
出　处：《考古学报》1959 年第 2 期

昭化宝轮镇东距宝成铁路昭化站 1 公里，1957 年 3 月，考古人员在宝轮镇屋基坡、牛沟两处发掘崖墓 34 座。计有东汉墓 2 座，南北朝墓 32 座。简报分为：一、墓葬形制，二、墓内情况，三、随葬品，四、结语，共四个部分，先行介绍其中的南北朝墓，有照片。

据介绍，南北朝崖墓一般较东汉崖墓简单、小。32 座墓中有 12 座曾被盗扰。出土遗物有陶器、铜器、铁器、青瓷、银器等。M23 所出"阴平太守"铜印 1 枚，值得注意。阴平在西汉时为阴平道，属广汉郡。东汉时的阴平道属广汉属国。蜀汉后主建兴二年（224 年）又以广汉属国置阴平郡。永嘉中晋人流寓梁、益者仍于二州设南北二个阴平郡。由晋至宋、齐，皆在现在的梓潼县西北设北阴平郡。从北阴平郡地望上看，与昭化接近，则此一铜印或为北阴平郡太守的印了，这为当时的郡县设置及官制等方面提供了研究的资料。另外，M1 为空墓。墓内满塞淤土，封门砖亦完好无缺，室内有砖砌棺台，但未发现任何葬人的痕迹及随葬品。这一发现，使我们了解到当时有一种在生前即着手选择墓地并经营墓室的风气。当然，这一空墓室，也可能由于原营造的人死后因故没有葬人，所以成为空室。

815.四川广元鞍子梁西晋崖墓的清理

作　者：广元市文物管理所　郑若葵、唐志工等
出　处：《文物》1991 年第 8 期

鞍子梁地属今广元市市中区下西乡民权村，位于嘉陵江之西，东距西山皇泽寺石窟约 1.5 公里。1986 年 4 月，民权村百姓在鞍子梁东侧的山顶发现 1 座崖墓，保存较好，考古人员前往清理。简报分为：一、墓葬形制，二、随葬遗物，三、小结，

共三个部分并配以照片予以介绍。

据介绍，这座崖墓为横穴单室，开凿于深红色砂岩中，分墓道、墓门、甬道、葬室四部分。随葬遗物共发现6件，有瓷器、陶器和铜钱。简报推断墓葬年代下限为西晋，上限或可早至蜀汉时期。

简报称，鞍子梁崖墓的发现，为四川崖墓的分期、分区研究增添了新的实例；对重新认识广元地区以往积累的崖墓发掘资料，进一步探讨分期分类型等问题，具有直观的价值意义。

遂宁市

内江市

乐山市

南充市

宜宾市

816.江安县黄龙乡魏晋石室墓

作　者：宜宾地区文化局　崔　陈
出　处：《四川考古》1989年第1期

1986年11月，考古人员在距离县城约10公里的黄龙乡桂花村民组，发现1座魏晋石室墓。简报分为：一、墓葬形制，二、出土器物，三、石棺画像，四、结束语，共四个部分。有照片。

据介绍，此墓建在一土丘下，四周为平地。土丘高8米，周围100米。墓由墓门、甬道、墓室组成。墓门用石条作券拱形，门向东西，高1.8米，宽1.4米，用两块高约1.7米、宽约0.7米石板封门。该墓曾被盗，劫余遗物仅有钱、陶罐、瓷罐等。

该墓两口石棺上的画像，共有13组，其题材多为汉画像中常见的神话传说、祥瑞禽兽、传统礼仪、舞乐百戏等。画像技法采用平面浅浮雕，边框凿水波纹、锯齿纹和双涡纹饰。

该墓的年代，简报推断为下限不晚于魏晋时期。

广安市

达州市

眉山市

雅安市

817.四川荥经县同心村巴蜀墓的清理

作　者：荥经严道古城遗址博物馆　李炳中
出　处：《考古》1996年第7期

1987年元月，荥经县泡草湾伐木场在荥经县城北的同心村二社修造综合楼时发现一批文物，考古人员前往调查，发现是一批巴蜀墓。墓地位于1984年清理的5座战国巴蜀墓的西南面300米左右，西距严道古城遗址2公里，原为稻田。简报分为：一、墓葬概况，二、出土器物，三、结语，共三个部分。有手绘图等。

据介绍，这次共清理巴蜀土坑墓4座（编号87YTM1～M4）。其中除M2保存基本完好外，其余3座均破坏严重。4座墓的墓坑都是长方形土坑竖穴，未发现葬具，骨架已朽，葬式不明。4座墓共出土器物53件，以陶器为主，另采集铜器4件。简报推断此4墓的年代为战国中期。

巴中市

资阳市

阿坝州

818.四川汶川出土的南朝佛教石造像

作　者：兰州大学敦煌学研究所、中国社会科学院考古研究所、汶川县文物管
理所　雷玉华、李裕群、罗进勇

出　处：《文物》2007 年第 6 期

1989 年 12 月，四川省汶川县村民汪有伦在县城威州师范附属小学平整地基时，在一坑中挖掘出南朝佛教石造像数件，其中汶川县文管所征集到 4 件，另有 2 件散失。据考察，出土地点为唐代仁寿寺的旧址，由此判断这批造像原来应是寺院所供奉的。这是继 1921 年四川茂县出土南朝齐永明造像之后，又一次在岷江上游地区出土南朝佛教造像，因而具有重要的学术意义，这为研究四川地区南朝佛教造像样式、题材内容以及传播路线等问题提供了新的图像资料。2001 年曾经报道过其中的 1 件。简报分为三个部分，配以照片，将完整资料予以介绍。

据介绍，造像中有一释迦二弥勒佛的三佛题材，以及双观音的组合形式，佛像的年代有的是梁朝，有的可能已是西魏，甚至北周时期。这为研究四川地区南朝佛教造像样式、题材内容以及传播路线等问题提供了新的重要图像资料。

简报指出，古代的交通路线往往也是佛教文化艺术的主要传播途径。四川地区佛教及其造像有来自江南建康的因素，也有来自西域的因素。而建康在南朝时期海上交通已很发达，尤其梁朝时期。汶川发现的这件双观音造像样式就有极浓的南印度造像风格，简报推测应是经建康传到四川的。这种造型又向西北传播到甘肃天水麦积山石窟，比较典型的例子是麦积山北周洞窟中第 62 窟。该窟菩萨像的造型与汶川双观世音像十分相似。而这种菩萨造型在北周统治中心的长安地区并未见到，从长安出土的雕刻精美的菩萨像看，仍是传统的笔直站立之姿。因此，这种菩萨造型有可能是通过岷江支道传播到甘肃的。

甘孜州

凉山州

819.西昌市西郊乡发现成汉墓

作　者：刘世旭、刘　弘
出　处：《四川文物》1991 年第 3 期

1989 年元月，西昌驻军某单位在基建施工中揭露出成汉墓 2 座。考古人员进行了调查与清理。简报配以照片等予以介绍。

据介绍，墓葬位于西昌市南里许的西郊乡大石板村附近，面向邛海，坐北向南，东西向排列，墓距仅 1.9 米。调查时得见，靠东的 1 墓已被民工掘毁，后只采集到从墓内挖出的陶猪 1 件、小陶罐 2 件和一些花纹砖。靠西 1 墓的墓室则被压在一幢刚竣工的三层楼基下，后仅对出露的基道作了清理，获得造型特殊的镇墓武士俑和小陶钵各 1 件。出土时，陶俑立置，面向墓门外，保存完好。根据现场的调查，这两座墓的平面均呈"凸"字形，有墓道，有券拱。墓壁和墓底系分别采用长方形花边砖嵌砌和平铺，仅券拱使用梯形砖。该墓出土遗物计有武士俑 1 件、陶猪 1 件、陶罐 2 件、陶钵 1 件。简报诊断，此两墓为十六国时期的成汉国墓葬。

820.西昌小花山出土的墓砖

作　者：凉山彝族奴隶社会博物馆　黄承宗
出　处：《四川文物》1996 年第 3 期

四川西昌市川兴镇东邛海北岸的小花山是古代通达昭觉县的必经要道。在小花山西麓坡上，1968 年考古人员调查时，发现一座早年已毁坏的砖室古墓。墓地依山势坐东向西，墓坑是长约 3 米、宽 2 米的竖穴单室砖墓。出土大量残断的模印有几何花纹的墓砖，其中文字砖长 33.5 厘米、宽 19 厘米、厚 6 厘米。这类砖经采集粘对复原，在砖的一侧面，模印有阳文"新都大（即'太'字）守庞府君墓"8 个带隶书书法意的文字。文字书写分正书和反书两种：正书的字形略大，反书字形略小些。在西昌市发现这样记有高级官职的古墓葬，实属首次。

简报考证说，此墓砖当为西晋时（266～303 年）这一段时间新都郡太守庞氏墓葬所用砖。太康七年（286 年）当地曾发生了强烈地震。简报估计庞氏太守有可能是持节来西昌等地处理与山崩、地震有关事宜，卒后安葬西昌。

贵州省

贵阳市

六盘水市

遵义市

821.贵州习水县发现的蜀汉岩墓和摩崖题记及岩画

作　　者：黄泗亭

出　　处：《四川文物》1986 年第 1 期

1952 年 5 月 24 日，考古人员在贵州习水县良村区三岔河乡发现古代人工开凿在一石壁上的岩墓 5 座。在这些岩墓旁，有刻于蜀汉章武三年（223 年）的摩崖题记，还环刻有双阙、浮雕鲤鱼、《捕鱼图》等。简报分为：一、岩墓，二、摩崖题记和岩画等几个部分予以介绍，有手绘图等。

据介绍，三国时期遗留下来的碑铭石刻为数甚少，而其中又多属于曹魏的遗物遗迹，如：《曹真碑》《三体石经》《荆州使吏王基墓碑》，曲阜孔庙有曹植撰文、梁鹄所书的《孔子庙碑》，汉中则有摩崖《李苞题记》和曹操书《衮雪》等。属于孙吴的有江苏宜兴现存的碑刻 2 通。至于在三足鼎立中蜀汉所辖范围内，发现了贵州习水县三岔河岩墓旁的章武三年（223 年）摩崖题记以后，算填补了该类文物的空白。因此，贵州习水三岔河蜀汉章武三年（223 年）摩崖题记的文物价值十分珍贵。

简报称，岩墓开凿在习水县良村区三岔河乡政府驻地以东约 1 公里的一段东西走向、高 3～7 米不等、长百余米的白沙岩质岩壁上（小地名"桐半丘"），共有 5 座。均未见葬具、遗骸、随葬品。较有价值的是当时姚、曾两家买卖位于岩壁右端（即题记"梁右"的一座岩墓，今编号 M2）的据约。立据时间为蜀汉章武三年（223 年），即公元 223 年。岩画内容为"双阙"。

安顺市

822.贵州平坝县尹关六朝墓

作　者：贵州省博物馆
出　处：《考古》1959 年第 1 期

贵州省博物馆 1957 年在平坝县尹关清理了 4 座古墓（编号 7 ～ 10）。简报配以照片、手绘图予以介绍。

据介绍，出土有石砚、水注、银器、金器、铜器、铁剪等。简报推断为南朝时墓葬。

823.贵州平坝马场东晋南朝墓发掘简报

作　者：贵州省博物馆考古组
出　处：《考古》1973 年第 6 期

1965 年底至 1966 年初，考古人员发掘清理了平坝县马场附近的 34 座古墓，其中有东晋墓 2 座（墓 35、38），南朝墓 14 座（墓 34、36、37、41、42、44 ～ 50、54、55）。简报分为：一、墓葬结构，二、随葬器物，三、时代，四、两点看法，共四个部分。有手绘图等。

据介绍，马场在贵阳西南约 44 公里的滇黔公路线上，这批墓分布于马场万人坟、熊家坡和大松山三个地点。马场四面环山，周围有约数平方公里的平地，当地人称"坝子"，万人坟、熊家坡和大松山均在坝子边缘的小山坡上。这批墓的封土及其周围多已开垦耕种，少数封土未动，杂草丛生。除两座东晋墓为土坑墓外，余皆为南朝时的石墓，不见南京地区流行的砖墓。石墓主要是长方形、凸字形券顶单室墓两种，未见平顶、穹庐顶和多室墓。墓室中没有南京地区常见的壁龛、祭台。随葬品一般陈放于墓室后部，而不置于墓室前部或祭台上。同时，石墓中还没有棺床和排水沟。随葬品主要是实用器和装饰品，未发现陶屋、俑、羊圈、猪圈、鸡舍、仓、灶、井等明器，也没有发现当时盛行的墓志铭和铅地券。有青瓷器和铜器，还有数量很多的金、银、铜、玛瑙、琥珀和琉璃等质料的装饰品。这为研究贵州东晋南朝时期的政治、经济和文化等情况，提供了重要的实物资料。

37 号墓出土 1 件刻有隶体铭文的釉陶罐，铭文 27 字，中有"永元十六年"(104 年)纪年。为东汉纪年，简报认为此罐为传世品。

铜仁市

毕节市

黔西南州

黔东南州

黔南州

云南省

昆明市

曲靖市

玉溪市

保山市

昭通市

824.昭通发现晋霍君壁画墓

作　　者：昭通县凉风台煤矿　怨　波
出　　处：《文物》1963 年第 9 期

云南省昭通县于 1963 年 3 月 6 日发现古墓 1 座。该墓坐落昭通县后海乡中寨。3 月农民取土做瓦，发现石门 1 道，当即进行挖掘。昭通师范学校教师谢允鉴老先生闻讯即前往参观。进入墓室，发现该墓早年曾被盗。室内右角已有盗孔，器物盗窃一空，仅剩四壁壁画。

据介绍，该墓为条石垒砌，室内四壁涂石灰。在涂平的石灰壁上面墨绘壁画。墓门上方绘朱雀。右壁上方绘青龙，题"右青龙"3 字。左壁上方绘白虎，题"左白虎"字样。青龙、白虎之下方绘兵士，有手持环刀者，有披毡衣者，有骑马挽弓者。墓室中壁上方绘龟蛇，题"玄武"2 字。下方绘墓主像，墨勾，衣服着朱色，盘膝正坐。

像左侧绘各种兵器，有戈、矛、盾、刀等。像右侧题墓志，共8行，简报录有全文，中多缺字。

经谢允鉴老师考证，墓志中墓主之名，可能是霍彪。霍彪，《三国志》有传，曾任越巂太守、建宁太守、宁州刺史。

825.云南省昭通后海子东晋壁画墓清理简报

作　　者：云南省文物工作队

出　　处：《文物》1963 年第 12 期

1963 年 3 月 5 日，云南省昭通县后海子中寨砖瓦工人，在取"梁堆"土烧砖瓦时，无意中发现了 1 座东晋太元十余年间的壁画墓。此墓在墓门左上方处（即东南角）发现有盗洞，尸骨、棺材与随葬器物均已无存。简报分为：一、墓的结构，二、墓的壁画，三、几点认识，共三个部分。有照片。

据介绍，此墓位于昭通县城东北 10 公里。墓室外有高大的封土堆（即当地老乡所俗称的"梁堆"），高 5.2 米。墓室位于封土堆中心，内有壁画，内容大多反映现实生活。墓主人、侍从、家丁、部曲、中闾侯与玉女等人物的服饰形象，仪仗架上的仪仗以及楼阙等，皆为研究东晋时期的社会生活、仪仗制度、服饰建筑，提供了珍贵的资料。值得注意的是，部曲中有少数民族的形象，梳"天菩萨"（发髻）、披毡、赤足，与今天大小凉山彝族的装饰相同，无疑是彝族的先民了。墨书铭记中有"太元十□□"字样，其年代当为太元十一年至十九年（386～394 年）之间。墓主人为三国蜀时兴起的"南中大姓"之一霍承嗣，官居建宁、越巂、兴古三郡太守，此人应为霍峻后裔。霍峻，《三国志》有传。

丽江市

普洱市

临沧市

文山州

红河州

西双版纳州

楚雄州

大理州

826.大理市荷花寺村西晋墓清理简报

作　者：大理市文管所　杨奋清
出　处：《考古》1989 年第 8 期

1985 年 12 月底，大理市郊荷花寺村农民在村东南角一片空地上取土，在距地表 40 厘米处发现 1 座券顶石室墓。当时农民已将墓室前部撬开一洞，乡政府即时报告市文化局，随即由市文管所予以抢救性清理。简报分为：一、墓室结构，二、遗物状况，三、出土器物，四、铺地砖，共四个部分。有手绘图、拓片、照片。

据介绍，墓东西向，前室完整，后室顶部早已人为毁坏。自东向西顺次为墓门通道、前室、甬道及后室。墓内残存器物有陶器，包括部分夹砂陶片和釉陶片，所出器物碎片经清理粘对后得器物 2 件及碎片 100 余片。此墓前、后室及甬道均为大砖墁地，砖大小略不一致，有铭文。据墓砖大小不一致、铭文年款不同等情况看，此墓墓砖非同时生产，当向砖窑拣购旧砖所致。其中除"大康十年"（289 年）可以确定为晋武帝司马炎的年号外，其余 2 种不能确认为何年，其间当有一定的距离，但也不会相去太远，不出西晋时期，所以简报推断这座券顶石室墓当是西晋墓。

827.云南大理市喜洲镇发现两座西晋纪年墓

作　者：大理州文管所、大理市博物馆　杨德文
出　处：《考古》1995 年第 3 期

1988 年 12 月至 1989 年 1 月，考古人员对大理市喜洲镇文阁村、凤阳村 2 座西晋古墓（文阁 M1、凤阳 M2）进行了抢救性清理发掘。简报分为：一、墓葬形制，二、随葬器物，三、结语，共三个部分。有拓片、手绘图。

据介绍，M1 为单室砖室墓，尸体仅剩 2 厘米长两段。M2 为"凸"字形单室、石室混合墓，由墓道、甬道、墓室三部分组成。出土有陶器、铁器等。M1 仅有一种纪年铭文，为"大（太）康六年正月赵氏作吉羊（祥）"。M2 有三种纪年：一种为阳文正刻"泰始三年县官作"，一种为阳文反刻"泰始五年造作大吉羊（祥）"，还有一种为有"五年"两字的铭文砖。"五年"可能指"泰始五年"。M2 应为泰始五年所葬。"泰始五年"为公元 269 年，"太康六年"为公元 285 年，皆为西晋开国皇帝司马炎的年号。说明两座墓都是西晋初年的墓葬。M2 用砖杂有"泰始三年"纪年铭文砖，说明这一带还有更早的西晋墓葬存在。泰始三年（267 年）上距蜀亡不过 3 年，这反映了魏灭蜀后，中原政权极为迅速地控制了西南边郡。

简报称，M1 出土有 1 件陶蛇，以蛇作明器随葬不多见。M1 所葬之年"太康六年"，正是干支纪年的乙巳（蛇）年。两者之间是否在丧葬习俗上有某种联系，有待进一步研究。

德宏州

怒江州

迪庆州

西藏自治区

拉萨市

昌都地区

山南地区

日喀则地区

那曲地区

阿里地区

林芝地区

陕西省

828.陕北发现一批北朝石窟和摩崖造像

作　者：靳之林
出　处：《文物》1989 年第 4 期

1978 年到 1982 年，考古人员在陕北石窟的考察中，与宜君县文化馆孙相武先生一道发现了一批北朝石窟和摩崖造像，其中除富县川庄石窟外均未作过报道。简报分为：一、陕北北部的北魏石窟，二、陕北南部北朝石窟，三、小结，共三个部分并配以拓片、照片予以介绍。

据介绍，陕北北朝石窟有两条走向。北线主要分布在陕北北部由古凉州（甘肃武威）经陕北北部的吴旗、安塞、横山通往平城（山西大同）的古道附近。这条古道西通西域，向东北可达大同云冈石窟及辽西、辽东，大致沿秦长城走向。本文介绍的横山县接引寺摩崖造像以及安塞县云山品寺、界华寺、吴旗县石窟寺等都分布在这一条线上，开窟造像时代简报推断约当北魏孝文帝改制以后的云冈二期、三期至北朝晚期。

简报称，陕西北部自古以来就是我国多民族融合之地，许多内迁的少数民族与当地汉族人民共同开窟造像，留下了宝贵的文化遗产。陕北石窟的造型和雕刻艺术，反映了较明显的民间艺术风格和地域特征。

今有《北周石窟造像研究》（甘肃教育出版社 2017 年版），可参阅。

西安市

829.西安南郊草厂坡村北朝墓的发掘

作　者：陕西省文物管理委员会　阎　磊
出　处：《考古》1959 年第 6 期

草厂坡村位于西安市南郊，距城约 1.5 公里。1953 年 10 月 24 日，农民在村西南挖土积肥，挖出来一部分陶马陶俑。清理工作先从农民挖出破坏的墓道西侧侧室着手，由此陆续清理出墓道及墓道的东侧侧室，最后清理发现后室的东北角，有盗坑一处。除墓道两侧侧室完整外，其余全部被外界扰乱破坏。此外，由于长期在这里挖土积肥，墓道墓室上部均被挖去，该墓的结构无法知道。简报分为：一、墓葬的形制结构，二、随葬器物，三、结语，共三个部分。有照片、手绘图。

据介绍，该墓由墓道、前室、后室等组成，葬具、葬式不明。出土有陶俑、陶器158件，铜器13件。简报推断此墓的年代应为北朝早期。

830.陕西临潼的北朝造像碑

作　者：临潼县博物馆　赵康民
出　处：《文物》1985年第4期

佛教自东汉明帝时传入中国以来，至北朝、隋、唐，可以说是已达鼎盛阶段。此时，修寺建庙、刻经造像蔚然成风。据《临潼县志》记载，仅临潼一县之地，就曾有佛家十院十二寺。历年来，常常发现铜铁造像和石刻造像碑。简报配以照片、拓片，重点介绍了几通造像碑。

据介绍，简报重点介绍了北魏正始二年（505年）造像碑、正光四年（523年）造像碑、孝昌三年（527年）造像碑等，刻有发愿文及数十发愿人姓名。这些发愿人往往自称"道民某某"，这是道徒的称谓，而碑上又刻有佛像，显示当时道佛合流的趋势。简报还介绍了永元三年（91年）造像碑，上有蓄长须的坐佛，也是实证。

831.西安东郊田王晋墓清理简报

作　者：陕西省考古研究所、配合基建考古队　刘呆运、谭青枝
出　处：《考古与文物》1990年第5期

1987年向阳公司迁建工程中，在此发现大批古墓。墓地东是铜人原，西临灞河。省考古研究所于当年派员发掘。其中1988年清理了5座晋墓，其编号为：M454、M456、M460～M462。简报分为：一、墓葬形制，二、出土器物，三、结语，共三个部分。有手绘图、照片。

据介绍，这五座墓中，有纪年的仅M462。据查，有"元康四年"年号的皇帝有两位：一是西汉宣帝刘询，一是西晋惠帝司马衷。因该墓中出土有王莽货泉、东汉五铢及富有晋代特征的果盒等物，故简报推断此墓时代应为西晋。"元康四年"即公元294年。M461和M456年代与M462相近，即元康四年前后；M460、M454为斜坡墓道的单

室土洞墓。因盗扰严重，未出任何随葬品，故无法断定其具体年代。但据这 5 座墓的分布情况以及汉魏以来家族合葬的习惯，简报推测可能是同宗同族的墓地。由此简报推测 M460、M454 与其他 3 座墓相差时间不会太远。

832.长安县北朝墓葬清理简报

作　者：陕西省考古研究所　王育龙、刘呆运
出　处：《考古与文物》1990 年第 5 期

1986 年在长安县韦曲镇北原上，配合兵器工业部 206 所基本建设时，于其现场东北隅，清理了两座北朝墓葬。简报分为：一、墓葬形制，二、出土器物，三、葬式葬具，四、结语，共四个部分。有手绘图。

据介绍，两座北朝墓共出土器物 77 件。其中陶器 63 件、金器 2 件、银器 8 件、铜器 2 件、铁器 2 件。在 M2 墓道中所出的墓志砖以及这种墓葬形制的使用，表明使用这种墓葬的主人是有相当高的级别，韦氏家族在北朝时已有相当高的政治地位和经济势力。韦氏家族的坟茔之地的营造早在北朝时就已开始，唐代只不过在此基础上有了进一步的扩展。

简报称，房屋以及多重楼阁模型的发现，在墓葬形制中极为少见，一方面为研究北朝时的建筑提供了现实资料，另一方面为系统地研究我国古代墓葬形制的演变提供了新的资料。证明了北朝、隋朝、唐朝在墓葬形制方面的发展是一致的并成系列。

833.韦孝宽墓志

作　者：戴应新
出　处：《文博》1991 年第 5 期

京兆韦曲韦氏，源流长远。隋唐时间，韦家宗族繁盛，声势烜赫，出将入相，人物辈出，甚至与皇室互婚，参与朝枢。而奠此基业者，当推仕于北魏、西魏和北周三朝的韦孝宽。此人《周书》卷三十一、《北史》卷六四和《通志》卷一五七有传，三传文字几乎相同。韦孝宽墓志，1990 年春出土于长安县韦曲镇北原上，同出的还有其妻贺兰（郑）毗罗墓志两方。简报录有志文并加以解说。

据志文，宽，字孝宽（本传云名叔裕），以北周大象二年（580 年）十一月死，年 72，由此知其生于北魏宣帝永平二年（509 年）。志文很概括，年代都略去不书，不过志传合参，其事功经历还是比较清楚的。孝宽的官阶之所以扶摇直上，除作战勇敢外，亦得力于他与北国的创建者宇文泰的密切关系。孝宽最辉煌的战绩当推他

在晋州刺史任的玉壁保卫战的胜利，高欢即因这一恶战的失败忧愤而死。孝宽自青年时期从军到去世（527～580年）的50多年间，值北魏衰亡，中原分裂，北周灭北齐的"龙战之秋"，他先后追随宇文泰和杨坚竭尽全力，南征北战，屡建军功，并为尔后隋文帝杨坚的灭陈和统一中国，创造了条件。因而也就为其韦氏家族在隋唐两代继续保持高显地位奠定了基础。孝宽妻华阴杨氏，乃其老上司原都督杨侃女，侃后为尔朱天光杀害。

834.西安出土一尊北周石雕佛像

作　者：张连喜
出　处：《考古》1995年第4期

西汉的都城长安城历经2000余年的沧桑，当年精心建造、规模宏大的宫殿、楼阁等建筑，往往在地面遗留着高台遗迹和孤立的土丘，如未央宫前殿遗址，藏书库石渠阁、天禄阁，其残迹至今地面上尚可窥见。汉以后的朝代，前秦、后秦、西魏、北周等朝代都在这里建都。但地面上未留有遗迹，而地面下是否会留下痕迹呢？回答是肯定的。1982年春，考古人员发掘未央宫北椒房殿遗址时，在3号探方内距地表80厘米的扰土中，出土1尊石雕佛像。但周围未见到有确切年代可考的遗物，根据地层关系，其时代应在汉代以后。简报配以照片予以介绍。

据介绍，造像由灰色砂石雕成，通高36厘米。正面分上下两部分，上部雕成一佛二胁侍。此雕像刻纹较粗，面部圆胖笨拙，头大，上身长下身短，比例不够匀称。再从肉髻、面相方圆、身着通肩袈裟、衣纹为阴刻并较有规则等方面来看，与延安地区鄜城村出土的北周建德二年（573年）郭乱颐造像的风格相似（见《考古与文物》1984年第5期）。故简报推断此雕像为北周时期的作品。

835.西安北郊出土北周白石观音造像

作　者：西安市文物局　王保平
出　处：《文物》1997年第11期

1992年9月，西安市北郊汉城乡西查村农民挖渔塘时发现3尊白石观音造像，1996年初私下出售时，被西安市未央公安分局查获，上交西安市文物局。简报分别予以介绍。

据介绍，3尊白石菩萨像造型基本相同，表现了较为典型的晚期艺术风格。简报指出，3件造像的雕刻手法以圆雕为主，加以浮雕、线雕、施彩与贴金，身上的衣纹，所带的璎珞，线条奔放简劲，平直舒展。加之彩绘贴金表现细部、各种艺术手法的刻划，使整体与各部位相互呼应，构成一个统一的有机艺术整体，表现了当时很高的佛教造型艺术水平，简报推断 3 尊白石菩萨像应属北周时期的作品。

836.西安北郊出土北朝佛教造像

作　　者：西安市文物保护考古所　王长启、高　曼、翟春玲
出　　处：《文博》1998 年第 2 期

1971 年至今，西安市北郊地区征集出土 40 余件北周时期的佛教石刻，有佛、菩萨、造像碑、佛座等。简报配以照片、拓片予以介绍。

据介绍，菩萨立像，有铭文；青石立佛 2 件。以上 3 件是汉城乡中官亭村出土的北周时期的遗物。

汉白玉贴金绘彩观音立佛 3 件系 1991 年汉城乡西查村出土。

青石立佛出土于汉城公社范家村，青石龙首佛使造像于 1971 年在汉城乡高庙村出土，为北朝时期遗物。

青石佛座，有愿文，白石菩萨头、白石观音残躯 3 件系汉城公社雷家寨村出土的北周遗物。

长方形白石佛龛、长方形白石造像、长方形白石佛龛。造像件系 1975 年 4 月北草滩李家村出土的北周遗物，这次共出土 17 件。

砂石释迦、多宝、弥勒造像碑，神龟三年（519 年）造像碑，四面造像碑，3 件系 1973 年张家堡公社南玉丰村出土的北魏遗物。同时，出土还有北周时期有纪年的残石块。

简报称，西安市北郊出土的这批石刻造像，从出土情况看多数埋藏的没有规律，有的属半成品。石造像出土地点，位于原西汉长安城遗址内外，此地也是北周王朝的都城遗址。可能是建德三年（574 年）灭佛时被埋入地下的。

837.后晋兵部尚书任景述墓志考释

作　　者：王建荣
出　　处：《文博》1998 年第 3 期

后晋故兵部尚书西河任景述墓志，1997 年陕西省西安市西郊鱼化寨章浒村出土。1997 年 10 月陕西历史博物馆征集，志盖为覆斗形，篆书"大晋故西河任公墓志"，3 行，行 3 字，共 9 字。楷书 39 行，除空格外，共 1383 字。简报附图予以介绍。

简报录有志文全文并加以介说，指出《任景述墓志》刻于后晋天福七年（942 年）。

五代时期的墓志，特别是后晋的墓志在陕西出土较少。《后晋任景述墓志铭》的出土，填补了陕西碑石墓志中后晋墓志的空白。它为研究后晋历史提供了许多重要的资料。志文所载的问题，有些是史书缺载或记载不详。如任景述是京兆长安人，在后晋石敬塘政权下，曾任过 10 多种重要官职。如：留守孔目官、银青光禄大夫、检校左散骑常侍兼御史大夫、工部尚书、右厢马步使、左都押衙，两任刑部尚书，终于兵部尚书任。这些官职都很重要，有些还是皇帝的近臣，但新旧《五代史》有的未见记载，可补史书之阙。

838.西安北郊出土北周佛造像

作　者：马咏钟

出　处：《文博》1999 年第 1 期

1992 年西安北郊雷寨村村民在修整水田时，出土了石佛像 1 躯。佛像为青石圆雕而成。通高 58 厘米，作立姿。简报配以照片予以介绍。

据介绍，佛像座下有题记，知是北周保定五年（565 年）妇人范令为亡夫景略所造。简报认为，佛教造像自北魏中晚期开始变化，至北周时变化基本定型。虽然后来隋唐造像在体态、服饰、佛座等方面有所创新，但仍未突破北周造像的基本轮廓。因此，北周立国时间虽短，却是我国佛教造像艺术发展的重要转折时期。如此来看，这 1 尊北周佛造像就十分重要了。

839.西安北郊北周安伽墓发掘简报

作　者：陕西省考古研究所　尹申平、邢福来、李　明

出　处：《考古与文物》2000 年第 6 期

2000 年 5 月底，考古人员在配合省政府二号小区工程文物清理工作中，发现了 1 座罕见的北周大型墓葬。该墓位于西安市北郊大明宫乡炕底寨村，西距汉长安城遗址约 3.5 公里，南距唐大明宫遗址约 300 米，这是继咸阳原北周大型墓葬群之后，首次在北周长安城附近发现这一时期的大型墓葬。发掘工作自 5 月 24 日开始至 7 月初结束，出土的文物虽然数量很少，但其精美和稀有程度却是空前的，甫一面世，便引起了国内外学术界的广泛重视。关于墓葬结构和发掘情况及出土物，简报分为：一、墓葬结构，二、出土遗物，三、结语，共三个部分予以介绍，有手绘图、照片、拓片。石刻画的具体内容将另行刊发报告。

据介绍，该墓系长斜坡墓道多天井砖砌单室墓，由斜坡墓道、5 个天井、5 个过

洞、甬道和墓室组成。随葬品除了装饰精美的石门和围屏石榻外，仅有1合墓志和1副铜带具，以及若干鎏金铜薄片。墓志，志文楷书，共计303字，简报录有志文全文。据墓志志文记述墓主人姓安，名伽，字大伽，姑藏昌松（今甘肃武威）人。姑藏是凉州的治所，凉州接近西域，很多胡人聚在那里。从安伽的姓氏和籍贯来看，他属于昭武九姓，是粟特人，来自西域的安国。志文载安伽因病于周静帝大象元年（579年）五月"终于家"，享年62岁，同年十月己未朔"厝于长安之东，距城七里"，察该墓之地点正好在汉长安城亦即北周长安城遗址正东3.5公里左右。

简报称，安伽墓的发掘，特别是石门和围屏石榻的出土，具有非常重要的学术意义。

840.西安发现的北周安伽墓

作　者：陕西省考古研究所　尹申平、邢福来、李　明等
出　处：《文物》2001年第1期

北周安伽墓的发掘，引起学术界的普遍关注。为了早日将资料公布，考古人员先编写了这份简报。由于资料正在整理认识之中，错漏之处在所难免，故对资料的解释及研究以后出版的报告为准。简报分为：一、墓葬形制，二、石刻，三、结语，共三个部分。有彩照、拓片、手绘图。

据介绍，安伽墓位于西安市未央区大明宫乡炕底寨村西北约300米处，西距汉长安城遗址3.5公里，地处西安北郊龙首原。2000年5～7月，为配合基本建设，陕西省考古研究所对此墓进行了抢救性发掘。北周安伽墓由斜坡墓道、5个天井、5个过洞、砖砌甬道和墓室组成。石门额彩绘雕刻祆教祭祀图。墓室中有一围屏石榻，石屏内面有浅浮雕贴金彩绘的图案12幅，内容有出行、狩猎、宴饮、乐舞、家居等，人物、情景等充满异域风情。据出土墓志，安伽为姑藏昌松人，北周时官为同州萨保，卒于大象元年（579年）。安伽墓出土的石刻极为珍贵，为研究祆教的流传及中西文化交流提供了新的重要资料。简报附有安伽墓志全文。

简报称，粟特人的葬俗，《通典》卷一九三引韦节《西蕃记》述康国："国城外有二百余户，专知丧事，别住一院，院内养狗。姆有人死，即往取尸，置此院内，令狗食肉尽，收骸骨埋殡，无棺椁。"《隋书·石国传》中记载："正月六日、七月十五日，以王父母烧余之骨，金瓮盛之，置于床上，随绕而行，散以花香杂果，王率臣下设祭焉。"粟特人的葬具为盛骨瓮，皇室用金瓮，平民用陶瓮。这种盛骨瓮在中亚地区发现较多。安伽墓没有被盗，骨架置于甬道内墓志后，有些散乱，股骨留有明显的火烧烟熏痕。值得一提的是，两重封门砖及甬道内有明显的烟熏痕，

但烟灰发现较少，似乎甬道内经大火烧过，但这场大火似乎没有对围屏石榻产生任何影响。另一方面，围屏石榻榻板上面除边沿外凿成涩面，似乎为铺毯而设。墓室中只有围屏石榻，而墓主人却蜷缩于甬道内，不知围屏石榻为墓主人而设抑或是为神而设。这种情况是否代表一种独特的葬俗尚待研究。

841.西安北郊晋唐墓葬发掘简报

作　　者：陕西省考古研究所　胡松梅、阎毓民
出　　处：《考古与文物》2003 年第 6 期

1998 年 5 ～ 6 月，为了配合西安迈科工贸公司新建厂房建设，研究所对其在西安北郊海红路中段北侧的征地范围进行了考古钻探，共发现古墓葬 7 座。同年 10 ～ 11 月，对钻探的墓葬进行了全部发掘。墓葬分布较为零散，墓葬编号按照发掘顺序依次编排，经过发掘确认，这批墓葬分别属于晋墓和唐墓。简报分为：一、晋墓，二、唐墓，三、发掘收获，共三个部分。有手绘图、拓片。

据介绍，4 座墓葬（编号 98MKM4、M5、M6、M7）均为长斜坡墓道洞室墓，其中 M4、M7 为砖室墓，M5、M6 为土洞墓。简报推断这 4 座墓应为晋代墓葬，但其中 M5 时代可能稍早，最早到东汉晚期。这四座墓是否属于同一家族，还待更多墓葬的发掘。根据墓葬形制及各墓器物组合，简报推测：M7 墓主身份最高，M4、M6 其次，属中小地主阶层。M5 墓主属平民。

3 座墓葬（编号 98MKM1、M2、M3）均为长斜坡墓道单室土洞墓。3 座墓葬的相对年代，简报推断为唐代早期。

简报称，双甬道墓一般出现在关中东部东汉晚期等级较高的墓葬及晋墓中，但这两者结合起来的墓葬在关中汉墓中还属首次发现，这为研究晋墓又提供了难得的新的实物资料。

842.西安市北周史君石椁墓

作　　者：西安市文物保护考古所　杨军凯、孙福喜等
出　　处：《考古》2004 年第 7 期

2003 年 6 ～ 10 月，考古人员在西安市未央区大明宫乡井上村东距汉长安城遗址 5.7 公里处发掘了 1 座墓葬。该墓与北周安伽墓相距约 2.2 公里。墓内出土石门、石椁、石榻、金戒指、金币和金饰等珍贵的文物，其中石刻上均采用浮雕彩绘贴金做装饰，经初步观察，金像内容涉及汉文化和祆教等。据石椁上的题刻记载，墓主姓史，

为北周凉州萨保。这是有关中西方文化交流的又一重大考古发现。简报分为三个部分予以介绍，有彩照、手绘图等。

据介绍，2003 年考古人员对未央区的史君墓进行了发掘，该墓为长斜坡土洞墓，由墓道、天井、过洞、甬道和墓室组成，有 5 个过洞和 5 个天井。葬于北周时期，墓内的浮雕彩绘贴金图像有袄教和汉文化两种因素。墓主人当为入华粟特人。这为研究丝绸之路及中西文化交流提供了珍贵的资料。

843.西安北周凉州萨保史君墓发掘简报

作　者：西安市文物保护考古所　杨军凯、孙　武等
出　处：《文物》2005 年第 3 期

史君墓位于今陕西省西安市未央区井上村东，西安市中级人民法院新征地范围内。墓西距汉长安城遗址约 6.6 公里，南距唐大明宫遗址约 1.6 公里。2003 年 6～10 月，西安市文物保护考古所在此共清理发掘汉、西晋、北周墓葬 13 座。其中北周史君墓（M12）发现了石门、石堂、石榻，出土金戒指、金币和金耳坠等珍贵文物。所出土的石刻上均采用浮雕彩绘贴金图像做装饰，内容十分丰富，涉及袄教以及中西文化交流等题材。据石堂上的汉文题记，墓主人史君为北周凉州萨保。该墓的出土是有关中西方文化交流的又一重要考古发现，目前这批资料正在整理中。简报分为：一、地层堆积，二、墓门石刻，三、石堂石刻，四、随葬器物，五、结语，共五个部分。先仅就目前掌握的资料予以介绍，配有彩照、手绘图。

据介绍，该墓曾严重被盗，但所幸石堂门楣及其上题铭还在。题铭为粟特文和汉文两种文字，汉字有许多别字和错字，文字书写也极不规范，可能是一位不甚熟悉汉字的粟特人书写的。另外，该题铭中虽然有"刊碑墓道"的记载，但除此之外，墓葬内及周围没有发现其他碑刻，也没有在墓葬甬道中发现墓志。所谓"刊碑墓道"，所指或许就是这则题铭。此类用粟特文与汉文两种文字刻写的仿汉人墓志的题铭方式以往从未发现。简报录有汉、粟特文题铭全文。

据石刻题铭，由此知墓主人为史国人，本居西域，其后迁居长安。《北史·西域传》卷九十七有"史国"条。墓主人当为北周皇帝任命的萨保，管理当地政、教事务。葬俗及石刻图像，都反映出此地为居于长安的粟特人墓地，融和了不同民族的文化。简报指出，史君墓是北朝考古的重要发现，对研究中西交通史和中国美术史具有珍贵价值。同刊同期发表有《北周史君墓石椁所见之粟特商队》《北周史君墓出土的拜占庭金币仿制品》等文，可参阅。

今有雷依群先生《北周史稿》（陕西人民教育出版社 1999 年版）一书，可参阅。

844.西安市东郊出土北周佛立像

作　　者：西安碑林博物馆　赵力光、裴建平

出　　处：《文物》2005 年第 9 期

2004 年 5 月，陕西省西安市灞品桥区湾子村出土 5 尊大型佛立像和 4 件佛像莲花狮子座。经村民与文物管理部门联系，将佛像和莲花座送交西安碑林博物馆收藏。湾子村位于西安市东郊浐河东岸河湾处，距城区约 10 公里，村东侧紧靠白鹿塬。佛像出土于土塬之上靠近崖边的坑穴中，除一尊平卧于坑底外，其余呈立姿埋于坑内，应为一处造像窖藏。简报分为：一、佛像状况，二、佛像窖藏概况，三、佛座神兽的题材，四、艺术风格及时代和地域特征，共四个部分。有彩照、拓片。

据介绍，出土了 5 尊大型石质佛立像和 4 件佛像莲花座。佛像连座均高达 2 米以上。其中 1 件佛座前面刻有铭文，记此件释迦佛像雕造于北周大象二年（580 年）。这批佛像造型典雅，雕工精细，保存基本完好，具有较高的艺术水平和研究价值，是我国佛教造像由南北朝向隋唐过渡时期的优秀作品。

845.西安北郊北朝墓清理简报

作　　者：陕西省考古研究所

出　　处：《考古与文物》2005 年第 1 期

1996 年 12 月，为配合西安北郊经济技术开发区顶益制面厂（XDY）与西安三菱公司（XSL）基建工程，考古人员对厂区进行了详细的考古勘探和科学的清理，其中发掘属于北朝时期的墓葬 5 座，分别编号为 XDYM205、XDYM217、XDYM223、XDYM225、XSLM57。

通过发掘发现，这 5 座北朝墓葬皆为有斜坡墓道、带甬道的穹窿顶洞室墓，且不同程度地出土有一些骑马陶俑、陶马等，为陕西地区再次发现的一批北朝墓葬资料，丰富了本地区北朝墓葬的材料。关于 5 座北朝墓的情况，简报分为：一、墓葬的形制与结构，二、葬具、葬式，三、随葬品，四、结语。共四个部分予以介绍，有手绘、照片。

据介绍，这 5 座墓葬均是长斜坡墓道穹窿顶洞室墓。除 XDYM205 外，其余 4 座墓皆因保存状况差，葬具及葬式不甚明了。XDYM205 残留有长 2 米、宽 0.8 米的棺木灰迹，其葬式为仰身直肢葬，XDYM217 残存有朽棺钉。简报据此推测这 5 座墓葬葬具为木棺。5 座北朝墓虽经盗扰，但仍出土有丰富的随葬品，有陶俑、陶马、骑马俑、陶罐等。

简报称，此次发掘的 5 座北朝墓葬出土了一批伎乐俑、骑马奏乐俑、身披铠甲的陶马、武士俑及侍俑等，丰富了对西安地区北朝墓葬的认识。

846.陕西蓝田县发现的西魏纪年墓

作　者：陕西省蓝田县文管所　阮新正

出　处：《考古与文物》2006 年第 2 期

1997 年 8 月 27 日，蓝田县冯家村乡营坡砖瓦厂在推土过程中，于距地表深约 10 米处，推出 1 座西魏土洞墓。考古人员进行了调查，但该墓已遭破坏，出土之物已遭哄抢。出土文物被追回后，现入藏蓝田县文管所。有陶俑、墓志、铁镜等 15 件。简报配以照片予以介绍。

据介绍，计有陶俑 12 件、镇墓兽 1 件、铁镜 1 件、青石墓志 1 方。简报录有志文全文，中有多处缺字。据志文记载，墓主为洛平鲁阳人，从小入宦，正始五年（508年）任督殿中司马等职，享年 62 岁，死于长安，葬于蓝田。鲁阳，即今河南鲁山县治。墓主生平不见于史书，从所授职衔看，大多为虚衔。

此碑立于西魏废帝元钦元年（552 年），有明确纪年的西魏墓发现不多，故此墓有其价值。

847.西安南郊西晋墓发掘简报

作　者：陕西省考古研究所、西北大学文博学院　肖健一、张小涓、孙安娜、
　　　　汪幼军等

出　处：《文物》2007 年第 8 期

2004 年 12 月，考古人员在西安市南郊为配合基建工程清理了 3 座西晋时期的墓葬（编号为 M1～M3），墓葬位于雁塔区曲江乡庙坡头村东。简报分为：一、墓葬形制，二、出土器物，三、结语，共三个部分。有照片、手绘图。

据介绍，M1 为斜坡墓道带甬道的单室墓，M2、M3 为斜坡墓道带甬道的前、后室墓。M1 的墓室虽为单室，但分为两部分，前部放置随葬器物，后部放置木棺；M2、M3 的前室放置随葬器物，后室放置木棺，三者的布局相同。此外，3 座墓葬放置随葬器物的空间较大，M2、M3 的前室甚至是专为随葬器物而设。3 墓共出土遗物 97 件，有陶俑、陶多子盒、陶耳杯、陶勺、陶灶等。

简报推断 M1、M2、M3 均为西晋墓葬。

848.西安三国曹魏纪年墓清理简报

作　者：西安市文物保护考古所　张全民、李小武、杨平凯

出　处：《考古与文物》2007 年第 2 期

2005 年 5 月，考古人员在长安区郭杜镇西安高新区新型工业园区广丰公司基建工地清理了几座古墓。其中 M13 出土了曹魏元帝景元元年（260 年）朱书镇墓陶瓶，这是西安地区首次确认的三国曹魏纪年墓。在这座墓东侧偏南不到 10 米处还有 1 座墓葬 M14，其形制及出土器物都与这座纪年墓相近，推测时代大致也应属于同一时期。简报分为：一、拾叁号墓，二、拾肆号墓，三、小结，共三个部分对这 2 座古墓资料予以介绍。有手绘图、照片。

据介绍，三国时期从公元 220 年曹丕称帝建魏开始，至 265 年晋武帝废魏帝结束，时代短暂，墓葬发现很少，仅根据考古学资料，往往难以与汉墓区分开来，进行时代的判断。过去谈到曹魏墓，人们都要提起洛阳涧西发现的 1 座多室砖墓，这是中原地区发现的 1 座可以明确认定的三国纪年墓。该墓为长斜坡墓道，砖券甬道，前后砖室，前室左右各有 1 个小耳室。根据出土的曹魏"正始八年（247 年）八月"纪年铭文铁帐钩等遗物，简报综合判断属于曹魏时期墓葬。

简报称，景元元年墓墓主是军假司马，属于中级武官，身份明确。这 2 座墓葬，尤其是纪年墓的发现为研究西安地区乃至整个北方地区三国时期墓葬的发展演变提供了不可多得的实物资料，为墓葬分期断代的研究提供了重要参考依据。

同刊同期有张全民等《曹魏景元元年朱书镇墓文读解》一文，可参阅。

849.西安北周康业墓发掘简报

作　者：西安市文物保护考古所　程林泉、张翔宇等

出　处：《文物》2008 年第 6 期

2004 年 4 月，在西安北郊配合上林苑住宅小区的基建工程中，考古人员发掘了 1 座北周时期墓葬。简报分为：一、墓葬形制与出土器物，二、壁画与线刻，三、结语，共三个部分。有彩照、手绘图。

据介绍，康业墓（M1）位于西安市北郊未央路与北二环交汇处东南，炕底寨村西北。康业墓形制为斜坡墓道穹隆顶土洞墓，全墓由墓道、甬道和墓室三部分组成。顶已塌毁，高度不详。墓壁绘有壁画，剥落严重，仅可辨识画面界格。墓室紧靠北壁置围屏石榻 1 具，墓室口置墓志 1 合，墓志西侧置有用以祭祀的动物骨髓，墓室中部有面积约 1 平方米的烧土面。简报未录志文。据志文知墓主人名业，为粟特地

区的康国人，是西安地区迄今为止发现的第 3 座粟特人墓葬。墓内出土的围屏石榻线刻精美、内容丰富，出土的墓志字体俊秀、内容翔实，是研究北周时期中西文化交流及中国古代绘画、书法艺术的珍贵资料。

850.西安市十六国至北朝时期长安城宫城遗址的钻探与试掘

作　者：中国社会科学院考古研究所汉长安城工作队　刘振东等

出　处：《考古》2008 年第 9 期

在西安市未央区汉城街道办事处楼阁台村西有 1 座大型建筑遗址，一般称作楼阁台遗址。遗址的南面被辟为鱼塘，对遗址安全构成了威胁。2003 年 4 ~ 7 月，为配合西安市汉长安城遗址保管所对楼阁台遗址的保护工程，考古人员对该遗址进行了考古钻探。在钻探过程中发现该遗址的东边和西边各有一条夯土向东西方向延伸，于是顺着夯土墙追寻，发现墙的东西两端分别折向北方，最终与汉长安城的北城墙相接，形成一个闭合的小城。查阅有关文献，了解到十六国至北朝时期的长安城内有东宫、西宫两个宫城。简报分为：一、钻探情况，二、试掘情况，三、结语，共三个部分，介绍了这两个宫城遗址的发掘情况，有照片、手绘图。

据介绍，此次发现了东西并列的两个小城及城内的主要道路和部分建筑遗址，并在西小城南墙北侧进行试掘，出土遗物大部分为建筑材料。西小城南墙可能始建于十六国时期，沿用至北朝时期。东、西小城应是自前赵以来，经前后秦、北朝直至隋初长安城的东西宫城遗址。

简报认为，十六国至北朝时期，长安城中心的宫城已不再沿用汉时的旧宫。此次发现的东西宫城遗址，东宫为太子宫，西宫为皇宫。西宫内的楼阁台建筑遗址应是前后秦时期太极前殿、北周时期露（路）寝的旧址，而两阙之间或者就是露（路）门所在。

简报指出，十六国时期邺城（北城）和东魏、北齐新筑邺南城的宫城均位于城北的中部，曹魏、西晋、北魏洛阳城宫城位于城北略偏西部，十六国至北朝时期长安城的宫城位于城的东北部，符合该时期宫城位于都城北部的规律。

851.西安南郊北魏北周墓发掘简报

作　者：西安市文物保护考古所　王久刚等

出　处：《文物》2009 年第 5 期

京科花园小区位于西安市南郊长安区韦曲镇的塔坡村以东。2001 年 6 月，在京科花园探出古墓5座。为配合工程建设，考古人员对这5座墓（包括西汉初年墓2座、北魏北周墓3座）进行了清理发掘。简报分为：一、墓葬形制，二、出土器物，三、结语，配以彩照、手绘图，先行介绍3座北魏北周墓（编号为M3、M4、M5）。

据介绍，此次发掘了北魏墓2座（M4、M5）、北周墓1座（M3）。3座墓均为南北向"甲"字形长斜坡墓道土洞墓，由墓道、过洞、甬道、封门、墓室五部分组成，有的曾被盗。但仍出土有大量精美彩绘陶俑，包括人物俑、骑马俑、镇墓俑、动物模型、牛车等。M4、M5各出土墓志1块。据墓志，M4墓主是韦辉和，葬于北魏孝武帝永熙二年（533年）；M5墓主是韦乾，葬于永熙三年（534年）。M3虽未出墓志，但根据其墓葬形制和随葬器物，简报推测应属北周时期墓葬。M3与M4、M5东西并列分布，应属家族墓葬。

简报指出，此次发掘对于研究北魏晚期至北周时期的丧葬习俗、陶俑艺术、青瓷器等均有价值。

852.西安窦寨村北周佛教石刻造像

作　者：西安市文物保护考古所　杨军凯等
出　处：《文物》2009年第5期

西安窦寨村北周佛教石刻造像窖藏位于今西安市未央区汉城乡窦寨村东，地处国家重点文物保护单位汉长安城遗址中心区偏北。2007年4月14日村民开挖房基时，在距地表1.2米左右处发现两尊石刻佛像。考古人员赶赴现场，对佛像出土周围地区做了勘探和清理发掘，共出土石刻佛像6尊、菩萨像6尊，以及大量的石刻残块和陶片。青石立佛像6尊，均有不同程度的残缺，其中仅2尊头部尚存。但身上的贴金彩绘保存较好。从制作手法和造型风格等方面推断，造像的时代应为北周时期。被毁是否与北周灭佛有关，尚待考证。窦寨村北周佛教石刻造像窖藏的发现，为研究汉唐之间长安地区佛教寺院的发展情况提供了重要资料。

简报称，北周建都长安，立朝仅25年，但在中国佛教史上却留下重要印迹。北周中前期，佛教盛极一时，长安地区寺院林立，僧侣众多，造像成风。但后期又曾灭佛。

简报认为，西安窦寨村北周佛教石刻造像窖藏的发现，为汉长安城遗址内佛寺的研究提供了重要的实物资料和明确的出土地点，如能结合历年汉长安城遗址内佛教石刻出土情况作进一步的综合研究，对于了解汉唐之间长安地区佛教寺院的发展将起到重要作用。

853.西安韦曲高望堆北朝墓发掘简报

作　者：西安市文物保护考古所　张全民、郭永淇等

出　处：《文物》2010 年第 9 期

2009 年 10 ～ 11 月，为配合中国煤炭地质总局一处基地建设，考古人员清理了 1 座北朝墓葬（编号 M1）。此墓葬地处西安市长安区韦曲高望堆村，位于西安国家航天民用产业基地飞天路东段，东西介于神舟三路和神舟四路之间。简报分为：一、墓葬形制，二、随葬器物，三、结语，共三个部分。有彩照、手绘图。

据介绍，M1 为长斜坡墓道带两个天井的双室土洞墓，坐北朝南，由墓道、过洞、天井、甬道和墓室组成，限于条件，墓道和天井仅进行了局部清理。甬道和墓室绘有表现木构建筑的简单壁画。墓中出土随葬器物 130 件（组），主要是陶俑、模型明器以及日用陶器等，其中骑马鼓吹仪仗俑出土 31 件，是目前北朝墓出土此类俑最多的一例。根据陶俑的造型特点，初步判定此墓的时代应为西魏初年，介于大统元年至大统六年（535 ～ 540 年）之间。墓主人可能是长孙家族的一位官员。

854.西安曲江雁南二路西晋墓发掘简报

作　者：西安市文物保护考古所　张小丽、翟霖林等

出　处：《文物》2010 年第 9 期

2007 年 6 月，施工单位在西安南郊曲江大雁塔南的雁南二路开挖道路管道沟时发现 1 座古墓（编号 M1），考古人员闻讯进行了发掘清理。M1 所在雁南二路北临庙坡头村。简报分为：一、墓葬形制，二、墓室壁画，三、随葬器物，四、结语，共四个部分。有照片、手绘图。

据介绍，M1 为长斜坡墓道前后室土洞墓，由墓道、甬道、前室、过洞、后室五部分组成。出土随葬器物 28 件，另有铜钱 10 枚。此次发掘的墓葬也有壁画，但十分简单，墓室应象征天穹，东西两侧墨线圆形图案象征太阳和月亮。壁画内容以天象为主，相比汉墓壁画，显得十分粗糙简单，这大概也是西安地区西晋中小型墓葬壁画的特征之一。

855.西安南郊清理两座十六国墓葬

作　者：西安市文物保护考古所　王久刚、辛　龙、郭永淇

出　处：《文博》2011 年第 1 期

2005 年元月，考古人员在秀水园工地，西柞高速工地配合工程建设时清理了

一批古墓。秀水园工地位于雁塔区雁塔南路与雁南三路十字的东南角。西柞高速工地在长安区浦河西岸杜曲乡西坡村后的少陵晾二层台地上。两处工地各清理了 1 座十六国墓。分别编号为秀水园 M5，西作高速 M29。简报分为：一、墓葬形制，二、出土器物，三、结语，共三个部分。有手绘图等。

据介绍，秀水园 M5：该墓墓道开口于耕土层下，距现地表 0.4 米，为长斜坡墓道土洞式多室墓，墓道在墓室东。该墓由墓道、甬道、前室、后室、南侧室、北侧室六部分组成。后室及四座侧室各有骨架 1 副，骨架保存较差，仰身直肢，头均朝向墓室。未见明显棺迹，其葬具均不清。西柞高速 M29：距现地表 0.6 米，为长斜坡墓道土洞式墓，墓道在墓室西。该墓由墓道、甬道、墓室三部分组成。有 2 木棺已朽，内各有 1 具骨架，仰身直肢。

简报称，秀水园 M5 出土陶器 14 件、银器 4 件、铜器 8 件、铁器 1 件、石器 1 件、角器 1 件共 30 件。M29 共出土陶器、铜器共 14 件。简报推断 M29 为十六国早期墓葬，M5 为十六国前秦、后秦时墓。

856.西安南郊清理两座小型北周墓

作　者：西安市文物保护考古所　辛　龙、王久刚、郭永淇
出　处：《文博》2011 年第 2 期

西安航天基地服务外包产业园项目位于长安区韦曲东原上的航天基地产业园内，南邻航天中路，北邻飞天路，东距高望村约 1 华里，西邻开泰动漫。2010 年 6 月，考古人员对该项目征地范围内探出的古墓进行了清理发掘。共清理汉至明清时期的古墓 34 座，其中 M5、M11 为两座小型北周墓。简报分为：一、墓葬形制，二、出土器物，三、结语，共三个部分。有手绘图。

据介绍，M5 在北，M11 在 M5 南偏东约 4 米处，两墓南北相距 14 米。两座墓均为长斜坡墓道方形土洞式墓，平面呈"甲"字型。两墓葬具、葬式不清，M11 曾被盗，有墓志。两墓共出土器物 11 件，有陶俑、铁镜、铜钱、石墓志。M11 出有墓志一合，简报录有志文全文。据墓志可知，墓主姓张，讳猥，字奴猥，南阳白水人，后移居长安。墓志记其为战国时韩国昭侯、宣惠王、襄哀王、釐王、悼惠王五君的国相张开地、张平及汉代张良的后裔。墓志未记其生卒年月，只记死时高龄 91 岁。由其长子景遵、仲子景保、季子景兴等在北周武帝宇文邕天和二年（567 年）十月十七日迁葬万年县。原葬何处，未有记述。张猥一生笃信佛教，好讲佛经。

简报指出，M5 出土陶俑着装与造型风格多接近于隋代俑。其年代应在北周静帝大象元年（579 年）至大定元年（581 年）北周灭亡这 3 年之中，晚于 M11 约十三四年。

857.北周莫仁相、莫仁诞墓发掘简报

作　　者：陕西省考古研究院　李举纲、袁　明、张　彦
出　　处：《考古与文物》2012 年第 3 期

2009 年 5 月，考古人员在西安市南郊的长安区韦曲街道夏殿村西发掘了北周宣政元年（578 年）莫仁相墓及建德六年（577 年）莫仁诞墓，莫仁相为莫仁诞之父。两座墓皆为长斜坡墓道多天井单室土洞墓。虽遭盗扰破坏，随葬品多被毁损，但出土陶俑群组合关系完整，种类较为齐全，尤其是两合墓志的发现为北周时期高品秩官员家族及北朝史的研究提供了新的文献资料。简报配以手绘图予以介绍。

据介绍，莫仁相墓已被盗过，葬具、葬式不详。出土陶俑、陶器、墓志等 97 件（组）。墓志楷书，1024 字，简报录有全文。莫仁诞墓与莫仁相墓相距 19.5 米，也被盗过，木棺、人骨散乱。仅出土陶钵 1 件、墓志 1 合。墓志 983 字，简报也录有全文。

简报称，莫仁相墓及莫仁诞墓，是西安南郊新发现的两座规格较高的北周纪年墓，墓葬形制完整，墓主身份明确，随葬器物较丰富，为探索陕西地区北周墓葬分布规律及形制特点补充了新资料。简报指出，西安西北方向的咸阳底张湾一带的北周墓是北周皇族和高官的墓葬区；东北大明宫乡一带为在华外族人墓葬区。此两墓发现于西安南郊，为我们寻找北周大墓提供了新的线索。

858.西安南郊郭杜镇西晋墓发掘简报

作　　者：西安市文物保护考古研究院　杨军凯、辛　龙、郭永淇、郑旭东等
出　　处：《文博》2013 年第 3 期

2001 年 5 月，考古人员在西安市长安区郭杜镇羊村以西约 1000 米处，长安产业园西古光缆有限公司建筑工地内，发掘了 22 座古代墓葬，其中 1 座为西晋晚期墓葬，编号为 M22。该墓形制保存基本完整，出土了陶俑、陶牛车、陶器、铜钱及银钗等物。分四个部分进行了介绍，有手绘图。

据第一部分"墓葬形制"介绍，该墓为长斜坡墓道前后室土洞墓，由墓道、甬道、前室、过洞、后室组成，墓室底距现地表 8.5 米。

第二部分"葬具葬式"说，墓葬后室中部南北向置 1 木棺，棺内有 1 具人骨，头南足北，面向西，仰身直肢而葬。

第三部分"随葬器物"介绍说，该墓共出土器物 20 件，其中陶器 18 件，铜钱和银钗各 1 件。

第四部分"结语"中指出，该墓出土的陶俑，尖头，深目，用利器刻划出眉、眼、

嘴，双手拢于腹部。M22还出土了1辆牛车和1匹鞍马。从已发表的资料看，关中地区的牛车开始出现在西晋中晚期，即3世纪70年代到4世纪初。

M22出土的陶俑形制单一，未见镇墓兽、武士俑和女侍俑等其他类。同时，该墓出土陶俑具有制作粗糙、工艺简单的特点。质地均为泥质红陶，烧造温度低。以捏塑为主要制作工艺，再简单地刻划细节。制作工艺单一，随意性较强，未见模制痕迹，可见不是批量生产。从东汉末年至十六国早期，由于战乱，关中地区经济破坏严重，统治者提倡薄葬。M22出土器物外形粗糙，制作工艺简单，是这一时期薄葬葬俗的一个例证。

简报推测，M22的时代为西晋晚期，即3世纪末至4世纪初。

859.西安航天城北朝墓发掘简报

作　者：西安市文物保护考古研究院　柴　怡、辛　龙、郭永淇、马　遥、铁　睿
出　处：《文博》2014年第5期

2011年12月，为配合航天神光外包项目基础建设，考古人员在长安县杜陵乡焦村西北约1200米处，清理了一批汉、晋、北朝、隋唐时期墓葬，其中1座为十六国晚期到北魏初年的墓葬。该墓葬规模较大，随葬品种类丰富，出土陶俑造型罕见，编号M7。关于该墓葬发掘情况，简报分为：一、墓葬形制，二、随葬器物，三、结语，共三个部分予以介绍。有彩照、手绘图。

据介绍，M7为长坡形墓道单室土洞墓，该墓随葬器物27件（组）。简报认为M7墓葬形制具有典型的关中地区十六国至北朝早期墓葬特点，从陶俑造型看，简报推断M7应为一座北魏初期的墓葬。

860.西安南郊茅坡新城西晋墓清理简报

作　者：西安市文物保护考古研究院　邰紫琳、马　遥、铁　睿
出　处：《文博》2014年第6期

2012年5月8日，为配合茅坡新城住宅项目建设，考古人员在已开挖4.5米深的基坑内清理1座晋墓。简报分为：一、墓葬形制；二、出土器物；三、结语，共三个部分。有手绘图。

据介绍，该墓形制为多室土洞墓，出土随葬器物18件，根据其中陶灶、陶磨、陶房、陶俑等器物特征，简报推断该墓是1座西晋时期墓葬。简报认为，该墓虽遭两次盗扰，葬具、葬式也都已无存，但陶器组合保存比较完整，为西安地区西晋墓葬的研究增添了新资料。

铜川市

861.陕西耀县药王山北周张僧妙碑

作　者：韩　伟
出　处：《考古与文物》1988 年第 4 期

北周张僧妙碑，清宣统年间出土于陕西耀县西乡文家堡，原存耀县学堂，现由药王山文管所收藏。全文共 23 行，行 46 字，无撰文、书刻、立碑者姓名，共约 1040 字。是碑虽曾收入《陕西金石志》，然录文讹误过多；其拓片曾发表在《考古》1965 年第 3 期，却没有录文，亦未进行考证。所以这些讹误一直未得到纠正。此碑为研究宇文周与汉族高门右族的关系、佛教在周武帝灭佛前之地位，以及北周统治者与佛教关系等方面，提供了有用的资料，是陕西极为重要的一通北周碑版。故而简报录以校正后的全文并加解说。

据介绍，该碑对张僧妙法师世系叙述较详。自张僧妙起上溯五世，均不见于史书。曾祖亮，仅官功曹，祖谟仅官郡守，史书未载不足为怪。然其五世祖雅，曾为荷秦司徒公，父曾为西魏冠军将军、浙州刺史，史书阙载就堪称疏漏了。张氏出自宜州豪强，本人又是一位擅长游说上层的高级僧侣，北周多位皇帝都给了他很高礼遇，研究北周佛教史，此人是一关键人物。张氏卒于北周天和五年（570 年），享年 48 岁。

862.耀县出土北朝莲花纹瓦当范

作　者：铜川市考古研究所
出　处：《文博》1997 年第 6 期

1997 年 2 月，考古人员在陕西省耀县董家河镇铜川市铝厂自备电厂工地清理北朝晚期灰坑 1 个，出土有莲花纹瓦当范、铜质镂孔三足器及钱币各 1 件。简报配以拓片予以介绍。

据介绍，计瓦当范 1 件、永安五铢、三足镂孔器 1 件。永安五铢是北魏永安二年（529 年）发行的，故此瓦当范等应为北朝遗物，北朝瓦当范此前尚未见诸报导。从此瓦当范可以看出，北朝有一部分瓦当是分当心与当轮两次制成，这应是汉代瓦当制作工艺的延续。它为研究北朝晚期的制瓦工艺提供了珍贵的实物资料。

宝鸡市

863.陕西扶风县崇正镇发现古城

作　者：梁星彭
出　处：《考古》1963 年第 4 期

崇正镇在扶风县的正北 15 公里，即在传说的周原上。镇北 15 公里有美山，镇东紧临着南流入小㳇川的美水。1962 年夏季，考古人员在崇正镇外围见到有断断续续的城墙，并发现了唐代灰坑打破城墙的情况，于是作了简单的调查。简报配以手绘图予以介绍。

据介绍，古城略作拐角圆钝的三角形。南城墙保存情况较好，只有 3 处宽不到 100 米的豁口。北墙和西墙多已残毁，其中北墙的东段全部无存，可能已倒塌在紧临着的美水之中；西墙的中段在地面上已无残迹，只能从壕沟的断面上看出墙基。

简报称，崇正镇的美阳城既不始建于汉，又不废弃于唐，它应当是南北朝到隋时的建筑物。据唐释道世《法苑珠林》，此城建筑于隋。但是，《扶风县志》认为古城的建筑年代更可上推到北周天和年间。至于城墙的二次修补和增筑马面，说明此城在唐以后曾有一个继续被使用的时期。

864.陕西岐山出土西晋官印

作　者：刘少敏、庞文龙
出　处：《考古》1994 年第 5 期

岐山县博物馆新近征集到 1 方古代铜印，经调查，此印系 1990 年初出于本县东部益店镇附近。印面为正方形，驼纽，重 48.2 克。驼呈蹲卧状，腹下中部有圆形穿孔，纽环铁。印面阴刻篆书 6 字。此印与"魏率善氐仟长"印形制、规格及字体相同，盖因司马氏代魏，承袭魏制之故。简报配以照片予以介绍。

据介绍，晋初实现的全国统一为时不久便又进入了一场规模更大的民族分裂和混战时期。晋武帝死后，阶级矛盾和民族矛盾逐渐激化，各地反晋斗争风起云涌，聚居关西秦州、雍州一带的氐族，于公元 296 年推氐人齐万年为首领，举兵反晋。此期氐民不会率众归附于晋，晋王朝更不可能再给民人封号，简报推断此印铸行当在晋初。

865.北周建德二年观音石像座

作　者：凤翔县博物馆　孙守贤、曹建宁
出　处：《考古与文物》2013 年第 6 期

2008 年 1 月，凤翔县博物馆在位于县城东北约 20 公里处的田家庄镇河北村，发现当地村民在拆迁 1 古庙宇时暴露 1 方石质像座，县博物馆随即征集收藏。简报配以照片予以介绍。

据介绍，此像座为青石质，呈上圆下方的阶梯形，高 35 厘米。自上而下分别由上小下大三阶层组成，上层为浮雕覆莲纹，中层为八棱柱及圆雕石狮，下层为正方体方座。正面阴刻隶书铭记 12 行，每行 7 字，简报有录文。

简报称，北周是北朝佛教石窟寺大发展时期最末的一个朝代，周武帝宇文邕面对佛教泛滥、兵源短缺、财政枯竭的局面，宣布了中国历史上第二次大规模灭佛法令。此像座铭文正好从一个侧面反映了当时毁佛运动的历史过程。

简报指出，它确切的纪年和鲜明的制作风格，为研究这一时期石雕造像艺术提供了珍贵的实物资料。

咸阳市

866.陕西咸阳发现北朝石辟邪

作　者：张子波
出　处：《考古》1960 年第 5 期

1959 年 12 月 4 日在咸阳西郊约 0.5 公里的地方，发现了石辟邪 1 对。当市文教卫生局闻讯来了解时，这对石辟邪已被移出原来坑位，同时发现了少许汉代陶片。简报配以照片予以介绍。

简报介绍，这对石辟邪为立体圆雕，全长 2.2 米，高 1.05 米。1 只头部有被毛少许，1 只全无。口部均涂有朱红色，身部因损坏很多不知是否涂有颜色。

这对石辟邪的年代，简报推断可能为北朝时期。

867.陕西长武县出土太和元年地券

作　者：刘庆柱

出　处：《文物》1983 年第 8 期

长武县出土 1 块太和元年地券，现存咸阳地区文管会。砖质，长 36 厘米、宽 18.6 厘米、厚 5.4 厘米。券文 7 行，地券左侧下部还有 3 字，总计 117 字。简报配以拓片予以介绍。

简报录有券文全文。券文所书"鹑觚"为灵台、长武二县的古地名。券文所著"鹑觚"与其出土地点相符，这说明此券原属本地。灵台、长武一带，曾先后为曹魏和北魏所管辖。曹魏明帝及北魏孝文帝都曾用"太和"年号。券文称太和元年，应为 5 世纪末的北魏孝文帝太和元年（477 年）。

简报指出，过去所见地券均为幽契一类，而此券为生券。可能因为是生券，所以它明确记述了土地所有者、土地范围、地价、券约效力、书写人、证明人等，而未见幽契中的迷信用语。

简报称，由券文可以看出，南北朝时，内战频繁，国家四分五裂，货币经济受到严重破坏，这一地区出现了以谷、布为本位的买卖活动。

868.陕西省长武县出土一批佛教造像碑

作　者：陕西省考古所、长武县文管所　张　燕、赵景普

出　处：《文物》1987 年第 3 期

1972 年，陕西省长武县出土一批佛教造像碑，其中有长武县马寨乡司家河村出土的北魏造像残碑 4 通；长武县昭仁寺内出土的北魏、北周、隋、唐造像残碑 7 通，石造像 3 件，造像残碑头及经幢各 1 件。简报配以照片予以介绍。

据介绍，有司家河北魏永平二年（509 年）成愿德造像碑。简报录有发愿文及供养人姓名。出土于长武县马寨乡司家河村北。司家河北魏造像碑，出土地点同上。司家河北魏重云造像碑，出土地点同上。司家河北魏晚期造像碑，出土地点同上。另有长武县城内东街的昭仁寺发现的昭仁寺唐释迦牟尼石造像、昭仁寺唐代残碑额等。

简报称，此批北魏、北周、隋、唐代佛教造像碑及造像，大多残损。推测当与唐武宗灭佛有关。

今有魏宏利先生《北朝关中地区造像记整理与研究》（中国社会科学出版社 2017 年版）一书，可参阅。

869.咸阳市胡家沟西魏侯义墓清理简报

作　者：咸阳市文管会、咸阳博物馆　孙德润、时瑞宝等

出　处：《文物》1987 年第 12 期

胡家沟西魏墓位于陕西省咸阳市渭城区窑店乡胡家沟仓张砖厂内，东南距窑店镇 1 公里。1984 年，当地百姓从墓内取出陶俑 41 件和墓志 1 方，当地政府立即收回了这些文物；当年 12 月至次年 1 月，考古人员对此墓进行了清理。简报分为：一、墓葬形制，二、随葬器物，三、结语，共三个部分。有照片、拓片、手绘图。

据介绍，墓葬为单室土洞墓，由墓道、甬道和墓室组成。因早年被盗及进水，墓内积满淤土和坍土。墓道大部分已在砖厂取土时受到破坏，残存部分为斜坡台阶式。此墓早年被盗，这次清理中发现以及收回的出土文物共计 160 余件，主要是陶器，其他有零散铜器、铁器、漆器和墓志。简报未录志文全文。

简报称，根据墓志及史书记载可知，墓主侯义为北魏武阳公侯刚之孙，燕州刺史侯渊之子。侯刚在《魏书》卷九三、《北史》卷九二均有传。侯渊无传，但《魏书》卷十、《北史》卷五中均提及（在《魏书》卷十中误为"崔渊"，在《北史》卷五中为避李渊讳而作"侯深"），《魏书》卷二五记载侯渊为侯刚之子，上党王长孙稚之婿。

简报指出，侯义墓是首次发现的有明确纪年的西魏墓，通过这次发掘，可以了解到西魏时期墓葬的形制和特点。此墓出土的陶俑种类繁多，有武士俑、文吏俑、胡俑、女俑、骑马乐俑等，为研究当时的服饰、乐器等提供了依据。此墓出土的 I 式骑马乐俑所执的角，长大呈曲尺形，与以往发现不同。墓中出土的"五铢"钱，字画细而清晰。"五"字中间两笔较直，"朱"字上下两笔方折，穿右侧有一竖边，外郭较宽，不同于西晋和南朝的"五铢"钱，有可能即是《北史》卷五中记载的大统六年（540 年）"二月，铸五铢"所铸之钱。

870.咸阳博物馆征集到"部曲督印"

作　者：刘晓华

出　处：《考古与文物》1990 年第 4 期

1989 年 4 月，咸阳博物馆征集到铜印章 1 枚，该印章是渭城区石河羊砖厂的工人用推土机推土时发现的。简报配以拓片予以介绍。

据介绍，"部曲督印"为铜质，桥纽方形。字为篆体白文，凿刻而治，笔划轻细，章法结构严整。从印的形制和篆刻字体及历史文献记载分析，简报推断应为东汉末到三国的官印。据文献考证，"部曲督印"当为东汉末三国时官印。

871.咸阳市渭城区北周拓跋虎夫妇墓清理记

作　者：咸阳市渭城区文管会　李朝阳、马先登等
出　处：《文物》1993 年第 11 期

拓跋虎夫妇合葬墓位于咸阳市渭城区渭城乡坡刘村西,北距西汉哀帝义陵 1 公里。1990 年 7 月,砖厂使用推土机取土,推出 2 合墓志及部分陶俑,考古人员进行了抢救性清理。简报分为:一、随葬器物,二、小结,共两个部分。有照片、拓片、手绘图。

据介绍,出土有陶俑。多残损,放置位置不详。墓志 2 合,一为拓跋虎墓志,计 742 字;一为夫人尉迟氏墓志,计 267 字。简报均未录全文。由志文,知该墓墓主人为拓跋虎夫妇。拓跋虎为北魏宗室。

872.咸阳市郊北周独孤浑贞墓志考述

作　者：李朝阳
出　处：《文物》1997 年第 5 期

独孤浑贞墓位于咸阳市渭城区北杜镇成仁村南 0.5 公里,机场跑道邻北的田野里,地面无封土。1993 年冬被盗后,被北杜公安派出所查获了墓志及部分陶俑。简报配以拓片,先行介绍了墓志。

据介绍,墓志青石质,呈方形。志盖覆斗形。志顶、刹侧、唇均无纹饰。盖顶亦无题铭。志石左侧有 2 行刻字是志石正面志文的一部分。志石线刻界格,志文阴刻,书体"隶楷",共 23 行,行 23 字。字体俊柔飘逸,书法精灵。简报录有全文。

据志文,墓主独孤浑贞,姓三字独孤浑,名贞,字欢喜,史书不载。北魏桑干郡、桑干县侯头乡随厥里(山西山阴县南)人。青年从军,屡立战功,死于北周武成二年(560年),终年 61 岁。推其生于公元 500 年。其最高官爵为使持节,大将军,小司空,晋原郡公。此志文可补史书之阙。

873.北周武帝孝陵发掘简报

作　者：陕西省考古研究所、咸阳市考古研究所　张建林、孙铁山、刘呆运
出　处：《考古与文物》1997 年第 2 期

1993 年 8 月 2 日,咸阳市底张镇陈马村东南约 1000 米处的 1 座古墓葬被盗掘,同年 12 月 1 日,陈马村村民王满社夫妇,迫于咸阳市及渭城区打击盗掘古墓、倒卖走私文物犯罪活动的强大压力,主动将自己从别人已盗过的盗洞中捡回的"武德皇

后志"上交。志铭中明确镌有武德皇后阿史那氏于开皇二年（582年）合葬孝陵的内容，与《北史》《周书》所载武帝皇后之一阿史那氏的丧葬时、地相合（史书记载封"武成皇后"）。但当时尚不清楚北周帝后合葬是否为同茔同穴，未敢断定该墓即武帝孝陵玄宫。1993年12月至1994年1月，考古人员对此墓进行了钻探调查，初步探明了墓葬位置及形制。1994年9月该墓再度遭到盗掘，考古人员进行抢救性发掘。发掘工作于1994年9月30日正式开始，1995年1月20日基本结束。因该墓在被盗时多用爆破挖掘盗洞，致使墓室上的原生土层出现数处垂直裂缝，墓室内已全部坍塌，所以在发掘墓道、天井的同时，对墓室部分用大揭顶的方式同步进行发掘。出土的武帝孝陵志石、墓室内的棺椁遗迹，以及先后收缴的武德皇后志石、天元皇太后金玺，完全证实此墓确为北周武帝与皇后阿史那氏合葬的孝陵。

简报分为：一、地理位置及墓葬形制，二、出土随葬器物，三、结语，共三个部分。有拓片、手绘图。

据介绍，葬具保存不好，人骨仅剩残骨。因盗掘严重，原随葬器物仅有清理出土及破案追回的孝陵志、武德皇后志各1合，天元皇太后印1方，铜镳斗1件及少量装饰品。壁龛中的遗物未遭盗扰，有陶俑、陶模型明器、陶罐及少量玉、玻璃装饰品。现仅清理了总数的三分之一，可分为陶器、玉器、铜器、金器、志石五类。

简报称，志石2合，一为武帝孝陵志，一为武德皇后志。北周武帝宇文邕是北周第三位皇帝，在位19年间颇有作为，克己励精，用法严整，诛杀宇文护，灭北齐，进而欲平突厥，定江南，一统天下。武帝临终曾有遗诏："……丧事资用，须使俭而合礼。墓而不坟，自古通典。随吉即葬，葬讫公除。"（《周书》卷六）通过发掘和钻探调查，没有发现孝陵有陵冢封土、陵前石刻及陵寝建筑等遗迹，看来当时孝陵的营建和武帝的葬事基本上是遵照遗诏行事的。

简报还指出，《北史》《周书》中有关北周帝陵的记载极为简略，仅可知孝闵帝葬静陵、明帝葬昭陵、武帝葬孝陵、宣帝葬定陵、静帝葬恭陵，但这5座帝陵究竟位于何处，史书中却无任何信息。加之北周帝陵不封不树，地面没有永久性标识，随着岁月推移，后世全不知其所在。孝陵的发掘不仅确定了武帝的埋葬之地，也为探寻其他几座北周帝陵提供了重要线索（宇文泰埋葬时宇文氏尚未代魏称周，故葬于西魏文帝永陵附近的富平县宫里乡，有封土，后称成陵。不在北周五陵之列）。自孝陵所在的陈马村至底张镇一带地势高亢开阔，东有孝陵，西南有谯王宇文俭、骠骑大将军叱罗协等皇族、勋贵之墓，是迄今发现北周大、中型墓葬最多的区域，显系北周皇室及贵族的重要墓葬区。北周一朝也会将帝陵选择在一处相对集中的区域。因而咸阳塬北部一带将是寻找其他北周帝陵的重要地区。

874.咸阳市郊清理一座北朝墓

作　者：李朝阳

出　处：《考古与文物》1998 年第 1 期

1992 年 2 月，咸阳市北郊渭城区周陵乡南贺村村民在村南土壕发现 1 座古墓。考古人员进行了抢救清理。简报配图予以介绍。

据介绍，墓葬顶部被毁，地层高度不详。仅从残圹来看为南北向。墓道在南，宽 1.2 米，为斜坡形。墓室近乎方形，边长 3.5 米，西侧有一高、宽各 0.8 米的侧室，长约 1.2 米。随葬器物除侧室出土 1 陶罐外，其余皆出土于墓室东侧，共计 9 件，皆是汉魏墓中常见明器。如陶马、陶侍俑和陶仓等。简报称，该墓当为北朝墓葬。咸阳市中小型北朝墓葬比较少见，该墓的清理为研究关中北朝小型墓葬提供了重要参考资料。

875.咸阳师专西晋北朝墓清理简报

作　者：咸阳市文物考古研究所　刘卫鹏

出　处：《文博》1998 年第 6 期

咸阳师范专科学校位于咸阳头道塬上的文林路北，隔路同铁二十局相望。1995 年 4 月 20 日至 5 月 5 日，为配合咸阳师专图书楼基建工作，考古人员在其操场东南抢救发掘了 11 座古墓葬，其中西晋北朝墓 10 座，唐墓 1 座（已发表）。这次发掘是在地基开挖东 80 米后进行的，墓道及墓顶均被破坏。M2 的墓道由中部被东西向切开，一半残留于坑壁上，从开挖的坑壁上可以看出墓葬开口距地表 1.3 米。墓葬均为带斜坡墓道的土洞墓，由墓道、甬道（封门）及墓室组成。西晋北朝墓均东西向平行排列，可分两排，东排 6 座，西排 4 座，两排间距 24 米，墓葬间距 3～8 米；唐墓仅一座（M7），南北向，位于 M10 和 M3 之间。关于西晋北朝墓的发掘情况，简报分为：一、墓葬形制，二、随葬器物，三、墓葬时代，四、结语，共四个部分。有手绘图。

据介绍，根据墓室的变化分为单室、前后室、后室带侧室墓三种形式。随葬器物有陶器、铜器、铁器、泥器、银器、玉器、贝器 7 大类，共 134 件。其墓葬时代，简报推断：M1、M2、M4、M8 应是西晋时期；M5 上限不会超过东晋元帝大兴二年，即公元 319 年；M9、M11 为北朝早期魏孝文帝迁洛以前，比 M5 稍晚；M6 其时代可能早于西晋时期。简报认为，这批墓葬的总体风格（如器类、形制等）比较接近，具有一定的相似性和继承性；其排列整齐、间距均匀、相互平行且方向一致，应是以家庭为单位的、聚族而葬的家族墓地。

876.北周宇文俭墓清理发掘简报

作　者：陕西省考古研究所　刘呆运、孙铁山、石　磊
出　处：《考古与文物》2001 年第 3 期

北周宇文俭墓位于陕西省咸阳国际机场新建停机坪西南部，东距机场候机楼 200 余米，南距机场东西公路 250 余米。1986 年至 1990 年，机场建设初期，在宇文俭墓东发现有王德衡墓、王士良墓、若干云墓、独孤藏墓等，在其东北有尉迟运墓，西北有叱罗协墓等，总计 10 余座。1993 年 12 月，机场在候机楼西侧建设停机坪时又发现了宇文俭墓，考古人员对其进行了抢救性清理。关于发掘情况，简报分为：一、墓葬形制，二、遗迹，三、出土文物，四、结语，共四个部分予以介绍。有手绘图、拓片、照片。

据介绍，宇文俭墓为一斜坡式带天井土洞墓。由墓道、过洞、天井、甬道、墓室几部分组成。共出土文物 166 件，其中陶器 156 件、玉器 2 件、铜器 1 件、铁器 6 件、墓志 1 合。墓志隶书，全文 235 字，简报录有全文。据墓志，宇文俭 9 岁（武成元年，559 年），封谯国公。17 岁（天和二年，567 年），封为柱国。20 岁（天和五年，570 年）任益州总管。24 岁（建德三年，574 年）封王。26 岁（建德五年，576 年）参加伐齐战争，实现北周的统一。其年，还参加了镇压匈奴族的叛乱。结合文献可排其世系如下：

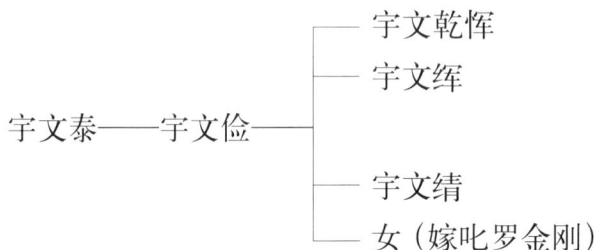

```
                            ┌── 宇文乾恽
                            ├── 宇文绎
宇文泰──宇文俭──┤
                            ├── 宇文绪
                            └── 女（嫁叱罗金刚）
```

简报称，宇文俭墓的发掘，以及其周围其他北周墓葬的发掘，为研究北周的墓葬形制、出土文物及北周的物质文化提供了丰富的资料。特别是在此发现了北周的王陵——北周武帝孝陵，为以后寻找其他陵墓提供了重要线索。

877.咸阳西魏谢婆仁墓清理简报

作　者：刘卫鹏
出　处：《考古与文物》2003 年第 1 期

陕西省邮电学校位于咸阳市文林路北、马家堡对面的咸阳头道塬上，北距汉成帝延陵 2 公里。1991 年 9 月，为配合该校基建工作，咸阳市文物考古研究所在其院

内清理汉、北朝、宋墓 6 座，其中的 M19 为西魏时期墓葬。关于此墓发掘情况，简报分为：一、墓葬形制，二、随葬器物，三、结语，共三个部分。有拓片。

据介绍，M19 由墓道、甬道和墓室三部分组成，墓志有砖制。棱角残缺，磨蚀较甚，青灰色，正面刻有"大统十六年七月九日，谢婆仁铭，住在谢营中" 3 行 18 字，楷书，魏碑体，"大"字上部残缺。"大统"是西魏文帝所用年号，"大统十六年"即公元 551 年。简报未录志文全文。另有五铢钱 1 枚。

简报称，西魏墓发现极少，在陕西见于报道的仅有咸阳胡家沟西魏侯义墓和汉中市崔家营西魏墓。

878.咸阳平陵十六国墓清理简报

作　者：咸阳市文物考古研究所　刘卫鹏、岳　起等
出　处：《文物》2004 年第 8 期

平陵是西汉昭帝的陵墓，位于咸阳市秦都区平陵乡（现属双照镇）王家庄至互助村之间。平陵乡因平陵而得名。2001 年初，咸阳市秦都区交通局修建过双公路（咸阳市境内过塘至双照），该公路从王家庄与互助村两村之间、平陵封土西部穿过。当年 5 月在平陵南部、高干渠北部的公路施工中发现古墓葬一座，墓室中的文物已经暴露。考古人员进行了抢救性发掘。简报分为：一、墓葬位置和形制，二、随葬器物，三、结语，共三个部分。有彩照、手绘图。

据介绍，该墓是一座南北向的斜坡土洞墓，由墓道、过洞、天井和墓室四部分组成。其上部 6.7 米已被修路机械推掉，发掘是在距地表 6 ~ 7 米进行的。墓道平面基本呈梯形。未遭盗扰。出土遗物包括骑马鼓吹俑、女坐乐俑、女侍俑、牛车、轺车、铠马等仪仗出行群以及日用生活器模型仓、灶等，种类丰富，组合完整。特别是由十六骑组成的鼓吹乐俑中，有吹角者 8 人，击鼓者 7 人，吹排箫者 1 人，极为引人瞩目。说明墓主人可能是身份较高的军事首领。该墓出土的釉陶虎子，前边带流，后部有气孔，放置于棺外离墓主很近的墓室北壁下，应属于一件实用器，在北方地区较为罕见。此墓年代，简报判断为十六国时期，或当前秦、后秦时代。

879.咸阳西魏谢婆仁墓

作　者：刘卫鹏
出　处：《文博》2004 年第 1 期

西魏谢婆仁墓位于咸阳市文林路北的陕西省邮电学校内，北距汉成帝延陵 2 公

里。1991 年 9 月，考古人员对其院内钻探出的古墓葬进行了发掘，共清理汉墓 2 座、北朝墓 3 座、宋墓 1 座。墓葬均被严重盗扰，随葬品很少。其中的 M19 出土墓志砖 1 块，记载此墓属西魏时期墓葬。简报分为"墓葬形制""随葬器物""结语"，共三个部分予以介绍。有拓片、手绘图。

据介绍，M19 是由墓道、甬道和墓室三部分组成的方形单室土洞墓，总长 11.2 米。墓葬开口距地表 2.16 ～ 2.4 米。未见葬具，人骨 1 具，仰身直肢葬，性别、年龄不详。仅发现钱币、砖墓志 2 件随葬品。据墓志砖铭文，知此墓主人叫谢婆仁，西魏大统十六年（551 年）下葬。

880.陕西咸阳市文林小区前秦朱氏家族墓的发掘

作　者：咸阳市文物考古研究所　谢高文等
出　处：《考古》2005 年第 4 期

咸阳市北郊文林小区在小区建设时，经考古勘探发现古墓群。考古人员于 1999 年 3 ～ 9 月对其进行了抢救性发掘。此次发掘共发现古墓葬 114 座。其中唐墓 97 座，前秦墓 9 座，东汉墓 5 座，西晋、北周及清代墓各 1 座。简报分为：一、墓地概况，二、墓葬形制，三、随葬器物，四、结语，共四个部分，先行介绍其中的 9 座前秦墓，有照片、手绘图。

据介绍，这 9 座前秦墓墓葬形制相同，均由墓道、甬道和墓室组成，葬具为木棺。墓内随葬品有陶器、铜器、银器、铁器等 167 件，另有明确纪年的砖志。应为家族墓，据砖志知为朱氏家族。这批墓葬的发掘，为研究关中地区前秦墓葬形制、埋葬习俗和十六国历史，以及建立关中地区汉魏十六国墓葬的年代序列提供了重要资料。

简报称，关于家族墓的具体排列方式，徐苹芳先生认为有以下几种方式：一种是父子兄弟以死葬先后为序一行排列；一种是祖穴居前，平辈左右分列在后，同辈同在一行；一种则是坟院式茔域。从徐先生的分类看，文林小区朱氏家族墓应是以死葬先后顺序排列的。这批墓葬规模较大且埋葬较深。在十六国时期四方纷争，各民族、各政权间相互攻伐，政治局面较复杂的形势下，这种大规模的筑墓工程绝非一般百姓所能承担，而应是有一定政治权利和经济基础的人才能做到。从出土器物分析，这批墓葬多数出土陶牛车。汉魏十六国时期，高官贵族以乘牛车为荣，死后墓内随葬牛车亦应是身份的象征。墓内随葬的鞍马及侍俑也应是有一定身份地位的人才能享用。

从以上分析看，简报认为墓主应为东汉以来的新兴的名门望族。

881.陕西咸阳市头道塬十六国墓葬

作　者：咸阳市文物考古研究所　刘卫鹏、赵旭阳等

出　处：《考古》2005 年第 6 期

铁一局三处（现名中铁七局三处）位于咸阳市文林路南的头道塬上西郊双泉村。1999 年 12 月至 2000 年 1 月，为配合该单位 17 号住宅楼的建设，考古人员对施工区域进行抢救性发掘，在楼基下清理古墓葬 5 座，包括 3 座十六国墓（M1～M3）和 2 座唐墓（M4、M5）。简报分为：一、1 号墓（M1），二、2 号墓（M2），三、3 号墓（M3），四、结语，共四个部分，先行介绍其中 3 座十六国时期墓葬的情况，有照片、拓片、手绘图。

据介绍，这 3 座十六国时期的墓葬，均为带长斜坡墓道的多室土洞墓，随葬器物以砖雕或陶质的生活明器以及家畜、家禽和仆侍俑为主，还有部分铜器、铁器、玉器等。女俑服饰与中原地区相近。简报推测墓主可能是十六国时期进入关中的氐、羌等少数族人，也可能是已部分胡化的汉族地主或官员。简报指出，十六国时期政权频繁更替、民族冲突激烈、社会动荡不安，关中地区保存下来的这一时期墓葬极少。这 3 座墓葬的发掘，为研究十六国时期的丧葬习俗、经济状况等提供了宝贵的实物资料。

882.陕西长武出土一批北魏佛教石造像

作　者：长武县博物馆　刘双智

出　处：《文物》2006 年第 1 期

1996 年 7 月，陕西省长武县丁家乡直谷村发现 1 处佛教石刻造像窖藏，共出土砂岩质地的佛教造像 24 件。近半数刻有明确的纪年题记，多为北魏时期的作品，包括太和、景明、延昌等纪年。形制为背屏式高浮雕和背龛式高浮雕，题材多为一佛二菩萨三尊像。其中 1 件延昌二年（513 年）造像，主尊为交脚坐弥勒，雕刻精美，彩绘尚存。这批北魏佛造像数量较多，时代较早，保存基本完好，是近年陕西佛教考古的重要发现，对研究北朝至隋关中地区佛教发展及造型艺术有重要意义。

883.西安咸阳国际机场专用高速公路十六国墓发掘简报

作　者：陕西省考古研究院　王　东、马永赢

出　处：《文博》2009 年第 4 期

2007 年 4～8 月，考古人员在咸阳市渭城区正阳镇伯家咀村北二道塬上发现了

7 座十六国时期的墓葬。墓葬呈南北两排，线性排列，整齐有序，应为 1 处家族墓地。简报分为：一、墓葬形制与结构，二、葬具与葬式，三、遗迹与随葬遗物，四、结语，共四个部分，重点介绍了其中的 M66，有手绘图。

据介绍，该墓为斜坡墓道多室土洞墓，该墓葬水平总长 20.8 米，墓室地面距现存地表深约 10 米。由墓道、封门、前室、过道、后室、东侧室六部分组成。该墓为 3 人 3 棺合葬墓，棺具均为木质，分别编号：棺 1 ～ 3 号。1 号棺具置东侧室，2、3 号棺具并列放置于后室，两棺摆放时呈"八"字形向外斜置。墓主三人骨架均保存极差，大多数骨骼已朽成黄色粉末，加之盗扰破坏，残存朽骨比较凌乱，难以采集，故而墓主性别、年龄均不详。该墓已严重被盗，从盗洞开口地层观察，似为现代人所盗掘。该墓出土随葬遗物共 46 件（组），计 45 件陶器、1 件铜簪。

简报推断，此墓为十六国前、后赵时墓葬。

884.北周郭生墓发掘简报

作　者：陕西省考古研究院　马永赢、王　东

出　处：《文博》2009 年第 5 期

西安咸阳国际机场屡有北周时期墓葬发现。2007 年 4 ～ 8 月，考古人员于咸阳市渭城区正阳镇柏家嘴村北又发现了北周郭生墓，编号为 M59。简报分为：一、墓葬形制与结构，二、葬具与葬式，三、石棺线刻，四、遗迹与随葬遗物，五、结语，共五个部分。有手绘图、拓片。

据介绍，该墓为斜坡墓道带天井双室土洞墓，平面呈"甲"字形。墓葬水平总长为 10 米，其结构由墓道、过道、天井、封门、甬道、主室、侧室等部分组成。为 2 棺 4 人合葬墓，木棺 1 具，石棺 1 具，石棺内有 1 男 2 女，应为墓主人及 1 妻 1 妾。木棺似为墓主人之女，20 岁左右。该墓 3 次被现代人所盗，仅出土银泡钉、小串珠、小铜饰等少量劫余。有墓志 1 合，计 217 字，简报录有全文。由志文知墓主人叫郭生，史书无载，由志文知其生于 486 年，永熙元年（532 年）46 岁任武功郡守。魏前元年卒，卒年 65 岁。魏后三年下葬，魏后五年其妻韩氏死后，出于防盗的考虑迁葬。

简报称，郭生墓虽经盗扰，出土器物不多，但是其墓葬规模较大，出土的石棺更是同类墓葬中少有。石棺上的线刻内容丰富生动，为古代美术、音乐、神话研究提供了珍贵的实物资料。石棺前挡线刻武士身穿交领左衽阔袖长袍，更是北周时期汉族与鲜卑等少数民族文化交流的明证。

885.咸阳师院附中西晋墓清理简报

作　　者：咸阳市文物考古研究所　陈秋歌、程　义
出　　处：《考古与文物》2012年第1期

2003年，咸阳师院附中发掘了1座西晋墓，该墓形制为斜坡墓道土洞墓。共出土随葬器物26件，器物种类主要有陶器和铜器，其中1件镇墓瓶上有西晋"永兴"年号，可知该墓时代为西晋晚期。简报分为：一、墓葬形制及结构，二、随葬器物，三、结语，共三个部分。有手绘图。

据介绍，该墓为长斜坡墓道土洞室墓，由墓道、封门、甬道及墓室四部分组成。木棺、人骨已朽。随葬品基本陈放于前室后部及棺木附近，前室棺内出有铜钗、弩机、镜、削等铜器，后室出土有铜印1枚。陶器主要分布于前室西南部及东北角，有镇墓瓶、罐、灶、井、盆、磨等及鸡、狗类禽畜俑等共计26件（组）。出土的5件镇墓瓶（罐）是一套完整的组合，分别代表和压镇墓冢东、南、西、北、中五方，为研究我国古代镇墓习俗及道教考古提供了一份珍贵的新资料。随葬的"军曲侯印"铜印说明墓主是一名中下级军官，秩六百石。下葬于西晋惠帝永兴二年（305年）。

渭南市

886.陕西华阴县晋墓清理简报

作　　者：夏振英
出　　处：《考古与文物》1984年第3期

华阴县城西1.5公里的西关生产队，有南北并行的古墓2座。该墓南靠西岳华山，北临渭河，处于第一台地。墓原有圆形封土堆，高达6米左右，2墓封土相连，占地面积3亩余。靠北的1座墓（M1）前，原竖有清乾隆陕西巡抚毕沅所立"前苻秦清河侯王公猛之墓"碑石1通，此碑在"文化大革命"中遗失。距该墓南2公里的华山北坡有王猛台，相传为东晋王猛隐居之处，1974年冬平整土地时，封土被夷平。1977年冬至1978年春，考古人员对这2座墓葬进行了清理。简报分为：一、墓葬形制，二、随葬器物，三、结论，共三个部分。有手绘图。

据介绍，M1为券顶砖室墓，分墓道，前后室、南耳室、北耳室，皆方形。前室与后室、耳室间设甬道相连。棺木已朽，人骨为仰身直肢。M2与M1略同，只是比M1小一些。简报推断两墓均为东晋中晚期（4世纪中叶至末期）墓葬。出土有金银

器 4 件、铁器 2 件及玉器、象牙器、绿松石等。简报称，M1 的规模显示该墓显然是显要之墓，但是否是王猛之墓，还有待进一步的证据。

887.华阴潼关出土北魏杨氏墓志考证

作　者：杜葆仁、夏振英
出　处：《考古与文物》1984 年第 5 期

华阴杨氏，也称弘农杨氏，是历史上著名的高门望族。1949 年以来，陕西华阴县西五方村、孟塬迪家、潼关县管南先后出土了 6 方杨氏家族墓志。计有杨播、杨颖、杨泰、杨阿难、杨泰妻元氏、杨胤季女等。简报配以拓片予以介绍。

据介绍，简报录有此 6 方墓志志文全文。志文可补《魏书·杨播传》等杨氏诸传处甚多。华阴出土的北魏杨氏墓志，为研究历史上的门阀制度提供了一些新的资料。可以补充文献记载之不足，也可以纠正一些记载失实的地方。墓志的出土地点则准确地告诉了弘农杨氏这一历史上有名的高门望族的家族茔地所在地，如果抓住这条线索对这座墓地进行发掘，应该会获得更丰富的材料。

888.陕西华阴北魏杨舒墓发掘简报

作　者：崔汉林、夏振英
出　处：《文博》1985 年第 2 期

杨舒墓，位于华山北麓，华阴县城西南五方乡杨家城之北 2.5 华里的简易公路西侧。东北距王家寨 1.5 华里，距华阴县城 12 华里。简报分为：一、墓葬形制，二、出土器物，三、几点收获，共三个部分。有拓片、手绘图。

据介绍，此墓为斜坡砖室墓，长 24.6 米，宽 5.08 米。由墓道、甬道、墓室三部分组成。曾被盗，棺椁已散乱，只剩少许骨沫。出土瓷器 2 件、陶器 32 件、墓志 1 合。墓志全文 761 字，简报未录志文全文。

由志文知墓主人为杨舒。华阴杨家，北魏望族，为北魏王朝支柱之一。杨舒为北魏王朝官吏，但在《魏书》上没有单独列传。杨氏家族，均记载于《魏书·杨播传》里，简报绘出了杨氏家族世系表。

杨舒于熙平二年（517 年）去世，享年 46 岁。该墓为仿木结构砖雕门楼，在陕西并不多见。墓志中记载了北魏王朝后期与南朝萧梁作战的事件，具有史料价值。墓志上的书体和墓砖上的刻字，均为较规范的魏体楷书，字体结构严谨有力，为我们研究北魏的书法艺术提供了十分有价值的实物资料。

延安市

889.陕西安塞云山品寺石窟调查报告

作　　者：西北大学文博学院　冉万里

出　　处：《考古与文物》2005 年第 4 期

云山品寺（当地人称杨石寺）石窟位于安塞县镰刀湾乡杨石寺村东北的寺凉山的崖壁上，东南距安塞县城 60 余公里。在崖壁大约 40 余米的范围之内，自西向东横列 7 窟，是 1 处规模不大但却较为重要的陕北早期石窟。石窟所在地属红色砂岩质，较疏松，易雕凿也易风化。延安地区文管会靳之林先生曾对云山品寺石窟进行过调查，但所公布的材料缺乏各窟的平、剖面图及总立面图，而且方位、数据也有不确之处，同时漏查 1 窟。李淞先生在其《陕西古代佛教美术》一书中也有简单介绍。2000 年 7～8 月，西北大学陕北石窟调查队对该石窟进行了为期一个多月的系统调查、测绘、记录及摄影。此次调查的石窟自西向东依次重新编为 1～7 号。调查结果按窟号顺序简报配以手绘图予以介绍。

据介绍，从云山品寺石窟形制、题材内容和造像特征来看，简报大体分为两组：第一组为第 3、5、6、7 窟，第二组为第 1、2、4 窟。就其年代而言，第一组石窟要早于第二组石窟。简报推断：第 3 窟的年代约在北魏晚期至西魏时期；第 5 窟的年代在北魏末期至西魏之间；第 6、7 窟的年代在北魏晚期至西魏时期；第 1、2、4 窟的年代极有可能在宋代。以上分析说明，关于云山品寺石窟的开凿年代，第 3、5、6、7 号窟的开凿年代上限约在北魏末，下限约在西魏时期。

简报称，5 号窟的中心塔柱的形状和雕刻，显然是受到云冈石窟的影响。这对于研究陕北地区北朝石窟与云冈石窟的关系，是非常重要的资料。

890.陕西安塞县大佛寺石窟调查简报

作　　者：陕西省考古研究院、延安市考古所、安塞县文物旅游局　肖健一、尹夏青、吴桂荣、张小涓等

出　　处：《考古》2013 年第 12 期

2007 年 7 月，陕西安塞县大佛寺管委会在拆建窑洞时新发现 2 处佛教洞窟。具体位置在安塞县真武洞镇真郊村委会滴水沟自然村。同年 8～9 月，考古人员对石窟进行

考古调查，并收集了大佛寺管委会保存的石碑、造像残块等，进行了绘图、照相。简报分为：一、石窟概况，二、1号窟，三、2号窟，四、3号窟，五、4号窟，六、5号窟，七、6号窟，八、探沟与出土遗物，九、结语，共九个部分。有彩照、拓片和手绘图。

据介绍，安塞大佛寺石窟的平面形制有三种：1、3、4、6号窟为方形，2号窟为马蹄形、尖拱形、圆拱形。造像组合有一佛二菩萨、一佛二力士、一佛二菩萨二弟子、一佛二菩萨二弟子二力士等。除了佛教造像，3、4号窟顶部也出现了龙、雷神、天人等中国传统文化因素。

简报认为，大佛寺石造像龛群整体年代应为北魏晚期至北朝晚期，个别为隋唐及稍后时期。值得注意的是，早期的造像风格、服饰、外貌特征与山西云冈石窟第二期有明显的传承关系，而与关中地区造像差异较大。

简报指出，通过安塞大佛寺发现的碑石，可知该寺又称为崇庆禅寺或大佛禅寺。碑文中出现有武德年号及出土的开元通宝，说明直至唐代该寺仍有佛事活动。

汉中市

891.汉中市崔家营西魏墓清理记

作　者：汉中市博物馆　刘长源
出　处：《考古与文物》1981年第1期

汉中市武乡公社崔家营大队三队，1977年元月10日在改土造田中发现古墓一座。考古人员赶往现场，发现券顶已被打碎，将军俑已被毁坏。简报分为：一、墓葬结构，二、随葬器物，三、小结，共三个部分。有拓片、手绘图。

据介绍，该墓为双室砖墓，墓门开在南端，墓道不明，墓室平面呈"土"字形，由前后甬道和前后室组成。随葬品绝大部分出于前室，后室棺床上仅出鸟纹残铜镜1面。陶俑大部分破碎。经修复完整者20余件，较完整者50余件。简报推断此墓为西魏墓。

892.勉县出土一件三国魏弩机

作　者：郭清华
出　处：《文博》1985年第5期

1984年11月初，勉县温泉乡牟营砖厂取土时，发现1件有纪年铭文的三国魏弩机。简报配以照片予以介绍。

据介绍，弩机铜质，完整无损，重 3 斤。在箭箱上面的右边尾部，阴刻有 3 行文字，一半已剥蚀难识。文曰："黄初七年六月一日，□□□监作吏萧诗已，□□□师张佝耳师造□。"在箭箱右侧，阴刻有"才廿二"3 字。黄初，是三国魏文帝曹丕的年号，黄初七年即公元 226 年。自蜀夺汉中至景耀六年（263 年）魏灭蜀前的 44 年中，汉中始终归蜀所辖。因此，这件魏国"黄初七年"弩机在今勉县城东南 10 余里的温泉牟营出土，其来历很可能是蜀汉北伐期间缴获的战利品。当然，也有可能是魏灭蜀时所遗。

893.扎马钉

作　者：郭清华

出　处：《文博》1986 年第 2 期

在勉县城南定军山一带，经常出土三国扎马钉，当地妇孺皆识。勉县文管所即藏有很多种类不同的扎马钉。由于这一带曾是三国蜀汉丞相诸葛亮屯兵北伐的军事要地，所以，民间一直认为扎马钉是"武侯发明"而代代相传。简报配以照片予以介绍。

据介绍，扎马钉，本是古代军事战争中的一种暗器，状若荆蒺刺，故学名蒺藜，铜质曰铜蒺藜，铁质称铁蒺藜。蒺藜有四个锋锐尖爪，随手一掷，三尖撑地，一尖直立向上，推倒立尖，下尖又起，始终如此，使触者不能避其锋而被刺伤。在古代战争中，蒺藜多撒在战地、险径，用以刺伤敌方马匹和士卒，故俗称为扎马钉。

扎马钉历史悠久，应用广泛。据《六韬·虎韬》"军用"篇载，扎马钉在战国以前就已经出现并用于战争。西汉初年，扎马钉又曾名"渠答"。三国蜀、魏交战时期，曾大量使用。

简报称，扎马钉在军事上有一定实用价值而被历代沿用。但是此物除在诸葛亮当年戍兵八年的勉县汉江之滨与定军山一带较多发现外，别处却较少见。所以，扎马钉一直被誉为"武侯之物"而与诸葛亮的智慧、业绩共存。

894.陕西城固蜀汉墓葬清理记

作　者：王寿芝

出　处：《考古与文物》1992 年第 3 期

1979 年冬，宝山大队修建小学，在宝山上挖土，发现 1 座砖砌墓葬。1978 年 3 月 14 日，第五生产队修涵洞无砖，挖墓取砖时发现墓里有东西，即报县文化部门。县文化馆于 3 月 15 日派人清理。简报分为：一、地理环境与墓葬形制，二、出土遗物，共两个部分。有照片、拓片。

据介绍，该墓位于城固县东8公里宝山公社宝山大队第五生产队。东接洋县马畅公社，西靠湑水河东岸，北近连绵不断的红土丘陵，三国时属赤坂的一部分。墓在宝山小学教室后边，离第五生产队院场约100米。此墓形制，系由墓道、墓室组成的单室铲形砖砌墓。同时出土双鱼纹铜洗1件、龙首把铜灯1件、铜弩机9件、麻织物1块、定平一百铜币38枚。定平一百，全国其他地方出土很少。简报推断，这座墓葬可能是蜀汉军人死后埋在此处。

895.城固发现东晋升平四年墓

作　者：王寿芝

出　处：《文博》1994年第5期

1989年，城固县五郎乡谢家井村粟子园生产队农民在田里挖土，发现砖砌石墓1座。农民将墓顶挖开，发现砖上有字，即向县文教部门报告。县文物事业管理委员会即派考古人员作了清理。简报配以手绘图、照片、拓片予以介绍。

据介绍，墓葬为刀形砖砌小墓。刀柄为墓道，刀叶为墓室。出土器物有铁矛1件、陶温器1件、铭文砖10页、花纹砖44页。此墓墓砖侧面模印有"升平四年岁在申二月甲晨朔十日造"字样，为墓葬断代提供了确切的依据。升平为晋穆帝司马聃年号，四年即公元360年。城固清理的升平四年的墓葬，是属于仇池国的墓葬，出土的器物虽不多，但为研究氐人在汉中盆地的活动提供了珍贵的实物资料。

榆林市

896.统万城城址勘测记

作　者：陕西省文管会　戴应新

出　处：《考古》1981年第3期

统万城是北朝十六国之一"夏"的都城，故址在陕西省靖边县红墩界公社白城子大队，无定河北岸原上。史载公元407年，匈奴族首领赫连勃勃"僭称天王、大单于"，雄据朔漠，413年驱役十万各族人民于朔方水北、黑水之南营筑都城，取名"统万"，寓"统一天下、君临万邦"之意，反映了这个割据政权囊括宇内的主观愿望。427年，魏灭夏，置统万镇。487年，改置夏州，隋唐因之。五代及北宋，这一带是党项羌族平夏部聚居区，经常与北宋相冲突，到994年，宋廷为防止羌族头目据城自雄，下令毁城，迁其民到银、绥二州（今横山、米脂、绥德一带）。从此，有 600 年历史的统万城遂沦为废墟，"销声匿迹"在一望无垠的毛乌素沙漠里了。迨至晚清，即 1845 年，榆林知府、著名地理学家徐松派横山县知事何炳勋亲往调查，确定了白城子就是统万城的故址。1949 年后，陕西省文管会和北京大学侯仁之先生先后调查该城址，各有简报或论文发表。自 1975 年以来，考古人员又 3 次到现场考察，对城址进行了测绘和试掘，有不少新收获。简报分为：一、城垣、隔墩与地面台基，二、建筑遗址，三、马面内仓库建筑，四、采集和出土文物，五、结语，共五个部分予以介绍，有照片、手绘图。

据介绍，城址基本在一个平面上，西北略高。分为外郭城、东城和西城，当地人称为头道城、二道城和三道城。外郭城依无定河北岸原边地势，呈西南—东北走向，然后西折，趋向东城北垣，破坏严重，但十分坚固。虽屡遭人为破坏和 1500 多年鄂尔多斯高原劲烈的风蚀，犹保持着挺拔峻伟的历史风貌。遗址有角楼。宫殿建筑遗址由门厅、前殿、后殿组成。可能是主体宫殿的附属建筑。城址内遗物相当丰富，瓦砾成堆；生活日用的陶瓷碎片俯拾皆是；残破石雕、石刻以及铜币、铜佛像和印信等均有发现；石柱础、石臼、石磨则多被当地人拣回家去继续使用，几乎户户皆有。

897.榆林发现一件南朝刘宋鎏金铜佛像

作　者：张钟权、郝建军

出　处：《文博》1990 年第 1 期

1986 年，榆林地区文管会征集到南朝刘宋时期鎏金铜佛像 1 尊。造像雕法拙朴，衣纹形式化，北部阴刻铭文。简报录有铭文全文并配图予以介绍。

据介绍，"景平"是南朝宋少帝刘义符的年号，景平元年为公元 423 年，金属铸造佛像大致也在南北朝时期开始盛行，传流至今为数不多，刘宋王朝流传下来的更属稀少。简报称，这件南朝鎏金铜佛像，为研究当时造像艺术及其他有关问题提供了珍贵的实物资料。此佛像原系家藏，故具体出土地点不明。

898.陕西靖边县统万城周边北朝仿木结构壁画墓发掘简报

作　者：陕西省考古研究院、榆林市文物保护研究所、榆林市考古勘探工作队、
　　　　靖边县文物管理办公室、靖边县统万城文物管理所　邢福来、席　琳、
　　　　马　瑞、乔建军、康宁武、李文海、高　展等

出　处：《考古与文物》2013 年第 3 期

2011 年 9 月初，根据当地文保员提供的线索，靖边县文物管理办公室对该县红

墩界镇白城则组村八大梁墓地 1 座被盗扰的墓葬进行了考察，发现墓室内保存有较好的仿木结构和内容丰富的壁画，在陕北地区尚属首次发现，考古人员对该墓（M1）进行了抢救性发掘，对墓葬结构和壁画进行了 3D 摄影，对壁画进行了加固保护及揭取。该墓发掘结束后，考古队又对八大梁墓地另外 2 座被盗的墓葬进行了抢救性发掘。10 月 20 日，根据当地人提供的线索，考古队又对席季滩村刘梁组谷地梁墓地的 2 座被盗墓葬进行了抢救性发掘。简报分六个部分介绍了 5 座墓葬的发掘情况，配有手绘图。

第一部分"八大梁墓地 M1"、第二部分"八大梁墓地 M2"、第三部分"八大梁墓地 M3"、第四部分"谷地梁墓地 M1"、第五部分"谷地梁墓地 M2"，分别对这 5 座墓的墓葬结构、随葬器物等进行了介绍。

最后一部分"结语"称，此次抢救发掘的 5 座墓葬距十六国时期的大夏国（407～431 年）都城统万城不足 4 公里。一直是北方重镇，周边地区墓葬分布密集，数量庞大。八大梁墓地 M1 墓室壁画具有浓郁的佛教色彩和鲜明的胡风因素，与周边地区已经发现的墓室壁画内容和题材均有较大不同。墓室北壁西侧的礼拜佛塔跪姿胡人头戴虚帽、身穿圆领窄袖袍服，应为一位粟特信徒，很可能为该墓墓主人的形象。此位墓主无疑应为北朝时期统万城居民。

简报认为，此次发掘的 5 座仿木结构壁画墓的时代上限应不早于 5 世纪末至 6 世纪初，即北魏晚期，下限可能到西魏。此次发掘的成果，为研究北朝时期统万城及周边地区在中西交通中的地位和作用以及该地区的民族、宗教、文化、丧葬习俗，提供了非常重要的新材料，具有极其重要的学术研究价值。

安康市

899.旬阳出土的独孤信多面体煤精组印

作　者：旬阳县博物馆　张　沛
出　处：《文博》1985 年第 2 期

独孤信印是一枚用煤精制作的纵横各呈八棱的多面体组印。其中正方形印面 16 个，三角形印面 8 个，共有印面 24 个。印面边长均为 2 厘米。通体高 4.5 厘米、宽 4.35 厘米，重 75.7 克。因年久浸蚀，印体表层已有多道横向裂纹，印面局部剥落，棱、角略有残损，但保存基本完好。简报配以照片予以介绍。

据介绍，在 16 个正方形印面中，有 14 个印面镌有印文，分别为"臣信上疏""臣信上章""臣信上表""臣信启事""大司马印""大都督印""郑史之印""柱国之印""独孤信白书""信白笺""信启事"及"耶勑""全""密"。除"耶勑""全""密"3个印面的字体较大、笔划较粗外,其余各个印面的字体大小和笔划粗细大体一致。印文均系阳文楷书。书法雅健劲拔,含有浓厚的魏碑意趣。

据《周书·独孤信传》及有关资料,可知独孤信是鲜卑族人,祖籍云中县(今山西原平县西南),其家族是与北魏一道兴起的。他生于北魏宣武帝景明四年(503年),本名"如愿"。史载,独孤如愿"美仪容,善骑射"。先后出任过荆州新野镇将和防城大都督,孝武帝永熙三年(534年),高欢起兵入洛阳,孝武帝西奔关中,北魏分裂为东魏、西魏。西魏初年,独孤如愿平定东魏占据的三荆地区,被拜为车骑大将军、仪同三司。其后在与东魏交战中因寡不敌众,率部投奔梁朝。大统三年(537年)返回长安,上书谢罪。诏令为骠骑大将军,加侍中。简报认为,此批印似出自一明代墓。估计该批印在唐代之后失落民间,尔后传至明代,埋在了旬阳。

900.陕西安康市出土龟纽银印

作　者:李启良

出　处:《文物》1996年第5期

1994年春安康市早阳乡东湾村农民在耕地时,发现1枚龟纽银印。现藏安康市博物馆。简报配以照片、拓本予以介绍。

据介绍,该印银质,正方形,白文篆刻"裨将军印章"5字。龟纽。龟纽经辗转摩挲,棱角突出部位成色光亮莹润,背甲及鳞趾纹理清晰。此印印文风格严谨,"将""军""裨"字,书体一笔不苟,方圆得宜。汉末三国时期,曹魏、蜀汉均见银印龟纽"裨将军印章"。偏,裨,牙门将军皆将军之属官。另外,《三国志·魏志·徐晃传》《三国志·蜀志·李严传·王平传》均见"裨将军"之记载。据目前对印章分国断代来推断,简报推断可能属于三国时期蜀汉之印。

901.陕西安康长岭南朝墓清理简报

作　者:李启良、徐信印

出　处:《考古与文物》1986年第3期

安康盆地位于陕西南部,是川、鄂、陕之间的交通要冲。在两汉时期,这里就得到大规模的开发;南北朝时期,人口大量移徙于汉水流域。安康一度设置过许多郡县,经济、文化有了进一步的发展。在今安康境内的汉江南北分布着许多秦汉和南北朝时期的墓葬。1982年11月，安康县长岭乡红光村一农民在修建房屋取土时，发现了1座砖室墓。考古人员赶到现场收集遗物，并对该墓残部进行了清理。简报分为：一、墓葬形制，二、出土遗物，三、结语，共三个部分。有照片。

据介绍，墓室早年坍塌，复经挖掘，尤为混乱。有墓室、耳室。随葬品全部为陶器、瓷器，复原后有近百件。陶俑的发髻和服饰形式多样，有的前所未见，为研究南北朝时期的生活习俗提供了新的资料。墓中出土的青瓷器虽然不多，但制作工整，胎釉精细，薄厚均匀，富于光泽，反映出南北朝时期较高的青瓷烧造水平。简报推断为南朝晚期墓。

简报称，长岭南朝墓中的随葬品，既有中原文化的特点，又有南方文化的特点，表明了南北文化的交流。墓葬中出土了众多的随葬品，可以推断出墓主人生前具有一定的权势，很可能是当地的一位豪强地主。

902.安康长岭出土的南朝演奏歌舞俑

作　者：徐信印
出　处：《文博》1986年第5期

1982年11月5日，汉水北岸长岭乡农民在修建房屋取土中，发现1处砖室古墓，经抢救清理，共出土南朝时期各类文物近百件。简报配以照片予以介绍。

据介绍，出土遗物中比较重要的是演奏歌舞俑。计有男击鼓俑2件、男吹奏俑2件、女奏乐俑1件、男歌唱俑2件、女歌俑5件等。简报推断为南朝遗物。

903.陕西安康市张家坎南朝墓葬发掘纪要

作　者：安康历史博物馆　刘康利、张树军
出　处：《华夏考古》2008年第3期

1988年6月，安康市城区西南角张家坎的一所制砖场，在取土中发现1座砖室墓葬（编号为88AZM1，简称M1）。考古人员赶赴现场拣选并追回文物近百件，同时对墓室残存部分进行了清理发掘。由于墓室早年崩塌，加之机械取土损毁严重，大批陶俑散乱残缺，修复管理相当困难，整体的墓葬发掘资料迟迟未能报道。近年来该墓葬的一些材料常常被一些国内外研究者采用，由于此墓葬有确切纪年，对于了解南北朝时期的历史面貌十分重要。简报分为：一、墓葬形制，二、铭文、画像砖，三、随葬器物，四、几点认识。共四个部分予以介绍，有手绘图、拓片。

据介绍，墓葬出土有"天监五年太岁丙戌十月二十日"纪年铭文砖1块，提供了该墓葬的确切年代，简报认为这是一项有着重要意义的考古发现。简报称，张家坎南朝墓葬内涵丰富，陶俑和画像砖是其中的突出材料，不仅丰富了该时段文物考古中的实物资料，也为研究南北朝时期的社会历史提供了重要的依据。这时期的砖室墓葬特色明显，是当时社会思想及文化艺术的折射，十分难得。

904.陕西省旬阳县大河南东晋墓清理简报

作　　者： 旬阳县文物管理所、旬阳县博物馆　刘国强、向丽君、江宏山、李宏波
出　　处：《文博》2009 年第 2 期

2007 年 4 月 22 日，陕西省安康市旬阳县城关镇基建工地暴露出晋代墓葬，考古人员进行了抢救性清理，清理出 2 座东晋墓葬。1 号墓葬（M1）已经完全塌陷，3 号墓葬（M3）基本保存完整，出土文物种类丰富。简报分为：一、墓地概况，二、1 号墓（M1），三、3 号墓（M3），四、结语，共四个部分。有手绘图。

据介绍，M1 和 M3 位于旬阳县老城对岸的缓坡农耕地中，南倚山坡，北临汉江，周围地形较为平坦。两座墓葬东西相邻，相距 20 米左右，均为单室砖券墓。M1 为单室砖券墓，由甬道、墓室、后室组成，全长 6 米，受损严重。简报认为是一座空墓。M3 为单室券顶"凸"字形砖墓，长 6.1 米，为男女合葬墓。随葬器物共 28 件，分为铜器、金银器、铁器、琥珀、水晶、云母等。

2 座墓葬的年代，简报推断为东晋中期。M3 的墓主人应有尊贵不凡的身份，墓砖上有"鹰杨将军"官职名称，此官据史书为五品，晋与南朝时多为加官、散官性质，但晋世也有兼领刺史的，地位较高。

商洛市

甘肃省

兰州市

嘉峪关

905.嘉峪关新城十二、十三号画像砖墓发掘简报

作　者：嘉峪关市文物管理所　宋子华、杨会福
出　处：《文物》1982年第8期

1979年11月，嘉峪关市文物管理所在新城古墓区发掘了2座画像砖墓。2墓东西向并列，位于1973年发掘区M6南约200米处，编号分别为M12和M13。简报分为：一、墓葬形制与墓内情况，二、画像砖，三、随葬器物，共三部分。有照片。

据介绍，两墓形制大体相同，都有较大的坟冢，墓四周有围墙的痕迹，共出土各形陶罐、陶壶、陶灶、小五铢、剪轮五铢、木器、铜尺等，还有大量的丝织品残片和100余块画像砖，出土文物较为丰富。两座墓葬的时代，简报推断为魏晋时期。

简报称，2座墓出土的文物，都有很重要的研究价值，为研究魏晋南北朝时期政治、经济和文化艺术提供了很有价值的新资料。

今有卢冬先生《地下画廊：河西走廊出土壁画彩绘画砖》（甘肃人民美术出版社2017年版）一书，述及魏晋十六国时期嘉峪关、敦煌、酒泉、张掖、武威等地出土的数百幅壁画。

906.记新发现的嘉峪关毛庄子魏晋墓木板画

作　者：太原师范学院美术系、嘉峪关长城博物馆　孔令忠、侯晋刚
出　处：《文物》2006年第11期

2002年9月，甘肃省嘉峪关魏晋墓文管所发现管理区内的1座古代墓葬有人为

盗掘痕迹，考古人员对这座古墓葬进行了抢救性发掘。共清理出土丝绸、陶器、木板画、漆器等文物113件。其中棺板画和推测原为奁盒的木质散片绘画尤为重要。这座墓葬目前尚未与保护区内已发掘的其他墓葬连续编号。由于其位置在毛庄子村南约2公里处，故称为毛庄子魏晋墓。简报分为：一、墓葬概况，二、木板画，三、结语，共三个部分。有彩照、手绘图。

据介绍，墓葬坐南向北，由墓道、墓门楼、前室、后室组成，为素砖结构墓葬。墓葬深11.4米、南北长30米、东西宽5米。清理出一批木棺板画和数件原为木奁盒的木板画。其中棺板画题材为伏羲女娲日月星河图。木奁盒板画题材有树下人物、龟纹、叶纹、云纹装饰图案，青龙、白虎、朱雀、玄武四神和飞马异兽等。其题材和绘画技法与汉代中原同类艺术题材和技法完全相同。墓中还出土陶器、漆器和丝织品等遗物百余件。是中国美术考古的一大收获。

金昌市

白银市

天水市

907.甘肃张家川发现"大赵神平二年"墓

作　　者：秦明智、任步云

出　　处：《文物》1975年第6期

1972年3月，甘肃省张家川回族自治县木河公社平王大队修造大寨田时，发现1座古墓。收集到出土文物20余件，存于省博物馆。简报分两个部分予以介绍，有照片。

据介绍，该墓位于陇山山区，在北魏的略阳郡陇城县境。由墓道、甬道、墓室组成，葬式不明。随葬品有灰陶、铜器、铁器、银器等类。其中形制较大的铁灶铜釜甑和一墓内同出的五件龙头铜幡首，是其他墓葬较为少见的。墓志2块，简报录有全文。出土墓志的末尾有"大赵神平二年岁次己酉十一月戊寅朔十三日庚寅记"的题款。查"大赵神平"这一国号和年号，史书失载。简报考证"大赵"系万俟丑奴建立，所谓"大赵神平二岁"应为公元 528 年。由墓志知此墓主人为王真保，略阳人，也非汉族。

908.甘肃武山水帘洞石窟群

作　者：董玉祥、臧志军
出　处：《文物》1985 年第 5 期

甘肃武山水帘洞石窟群，位于甘肃省武山县县城东北 25 公里处的榆盘乡钟楼湾村鲁班峡丛山中，是陇南地区规模仅次于麦积山石窟的 1 处较大的石窟群。简报配以手绘图予以介绍。

据介绍，武山地处渭河上游，这里不仅是古代的军事重镇，而且也是中原地区通往西域的必经之地。汉代以来，随着佛教的东传，武山鲁班峡幽静的山谷也成为佛教信徒们修窟造像的理想之地。地面所建"七寺""五台"等绝大部分已湮没无存，只有水帘洞石窟群保存较完整。此石窟群由包括水帘洞、拉梢寺、千佛洞及显圣池在内的四处石窟组成，坐落在峡谷中相距不足 2.5 公里的范围之内。根据有明确纪年的拉梢寺大佛造像题铭和几处造像、壁画的风格推知，此窟群创建于北周明帝武成元年（559 年）前后，距今已有 1400 余年的历史。1963 年 2 月，甘肃省人民政府公布水帘洞为省级文物保护单位。

909.北周王令猥造像碑

作　者：吴怡如
出　处：《文物》1988 年第 2 期

王令猥造像碑，通高 113 厘米，分碑额、碑身、底座三部分，四面开龛造像。碑造于北周建德二年（573 年），1973 年甘肃省张家川回族自治县出土，现存甘肃省博物馆。简报配以照片、拓片予以介绍。

据介绍，碑身下部三面刻发愿文。先在右侧下半部刻 4 直行，每行 13 字；转接碑阳下部刻 14 直行，每行 4 字；再转左侧，与碑阳文字并齐处刻 5 直行，每行 4 字，然后在上方改按自右向左横行刻字，共 11 横行，每行 5 字。简报录有全文。

简报称，北周是鲜卑族建立的北朝最后一个王朝，当时佛教兴盛。武帝建德三年（574 年）禁止佛道二教，造成历史上有名的"周武灭佛"，但是为时短暂。王令猥造像碑是武帝灭佛前一年所造，碑上供养人服饰说明他们是鲜卑族人。北周王朝统一北方后，大量吸收中原文化，同时又积极与西域交往，其文化受两者影响很深。

造像碑上的佛像，就既有南朝面容清瘦的所谓"秀骨清像"的遗风，又有西域形体健壮、面相圆润的余韵，创造出脸型方而丰满，"面短而艳"的新风格。它为以后隋唐石窟艺术风格的形成创造了条件。

武威市

910.甘肃武威出土一件魏晋时期彩画灰陶盆

作　者：武威地区博物馆　钟长发
出　处：《考古与文物》1986 年第 4 期

武威地区博物馆在 1982 年 8 月修建文物陈列厅时，发现一座魏晋时期的土坑墓。清理出灰陶罐 2 件，其中有彩画灰陶盆 1 件，五铢钱 7 枚，棺木 1 具已腐朽，人骨架尚存，从骨架上分析死者是男性。简报配以照片予以介绍。

据介绍，图画内容为太阳里绘三足金鸟，月亮内绘蟾蜍、玉兔等神话内容。白底黑墨，构图清晰，线条流畅。

911.甘肃武威南滩魏晋墓

作　者：武威地区博物馆　钟长发等
出　处：《文物》1987 年第 9 期

1976 年 5 月，武威市金沙乡赵家磨村林场在南滩开荒造林时发现 1 座砖室墓。市文管会即派人清理，出土各种随葬品 30 余件。同年 6 月，考古人员对这里的墓葬作了全面调查。南滩是一个古河床，在东西约 1 公里、南北约 3 公里的地面上分布着大小 50 多座墓冢。考古人员发掘了其中的两座，编号为一号、二号墓（WNM1、M2），出土一批陶器、金器、铜器、漆器等随葬品。

简报分为"一号墓""二号墓""结语"，共三个部分予以介绍，有手绘图。

据介绍，一号墓为砖室墓，上有封土。有墓道、墓门、甬道、前室、后室。清理过程中发现盗洞 2 处：1 处在甬道顶部，另 1 处在后室底部。二号墓也为砖室墓，出土有陶器、金器、琥珀珠等。简报推断两墓年代均属魏晋时期，一号墓墓室绘有黑白两色菱形、折带和条形图案，简报认为是魏晋壁画的雏形。

除了墓葬，据《文物》第 2 期所载"武威金沙公社出土前秦建元十二年墓表"一文，1975 年 3 月，在武威县城西北 7.5 公里的武威金沙公社赵家磨大队，发现一上有文字的前秦建元十二年（376年）墓表也十分珍贵，墓主人梁舒应为当地强族，《晋书·张天锡传》中有记载。

912.武威出土的一批窖藏古币及"凉造新泉"

作　者：武威市文管会　黎大祥
出　处：《考古与文物》1990年第1期

1984年3月，武威市东关在修地下水道时，发现了一批窖藏货币，这批货币装在陶罐内，在距地表2米多深处放置。发现之后，陶罐破碎，部分铜钱被民工及周围观看群众拿走，剩下部分文管会收回。货币因保存较好，字迹清晰可辨。经整理得知：有秦汉半两，两汉五铢，王莽货泉、大泉五十、无文钱、魏晋五铢、直百、丰货和凉造新泉等。简报配图予以介绍。

据介绍，在出土的这批铜钱中，以秦铸"半两"为最早，以后赵石勒（319～351年）时铸的"丰货"钱为最晚。因此，这批货币当视为东晋十六国时期的前凉（317～376年）时所窖藏。出土的铜钱数量之多，品种之繁杂，反映了这一时期的货币流通和经济状况，出土的"凉造新泉"和五铢别品都是罕见的，因此这批窖藏货币的发现为研究这一时期我国的铸币及货币经济提供了珍贵的实物资料。

913.甘肃武威旱滩坡出土前凉文物

作　者：田　建
出　处：《文博》1990年第3期

旱滩坡位于武威市西南约12公里处。墓葬分布于祁连山北的山间冲积扇上，北0.5公里处为松树乡三畦村，西0.5公里处为松树乡林管站，地表为砾石覆盖。部分墓葬顶部残存有70～80厘米高的封土，封土顶部置石数块。1985年7～8月，考古人员在此进行了发掘。简报配以手绘图、照片加以介绍。

据介绍，这次发掘共清理西晋至五凉时期的墓葬28座。其中以十九号墓保存最为完整，这是1座前凉时期的双人合葬墓，墓中出土了一批较为精致的、颇具研究价值的文物。如毛笔及笔筒、驸马都尉板、建兴四十三年（355年）本郡清行板、木俑、建义奋节将军长史板等。简报录有其中所有文字。知墓主人为前凉姬瑜夫妇。

简报称，前凉时期的墓葬在河西地区屡有发现，但是出土文物并不丰富。这次姬瑜夫妇墓的发掘，为研究前凉时期的经济、文化、职官制度提供了十分珍贵的资料。

前凉与后凉、北凉、南凉、西凉是十六国时期的五个政权，合称"五凉"。今有赵向群先生《五凉史探》（甘肃人民出版社 2005 年版）。

914.甘肃武威十六国墓葬清理记

作　者：武威市博物馆　黎大祥等
出　处：《文物》1993 年第 11 期

1986 年 9 月，甘肃武威煤矿机械厂在基建中发现 1 座砖室墓，考古人员前去清理。简报分为：一、墓葬结构，二、出土器物，三、小结，共三个部分。有照片、手绘图。

据介绍，墓葬为砖室结构，由墓道、墓门、甬道和前、后室组成。该墓早年被盗，仅出土陶器、铜器、铜钱等计 31 件。其年代简报推断为十六国时的五凉时期。简报称，武威曾是前凉、后凉、南凉、北凉的都城所在，尤其前凉，在武威建都长达 76 年（301 ~ 376 年）之久。

简报指出，这座墓葬的发现为研究这一时期的生产、生活、经济以及丧葬习俗等提供了实物资料。

915.甘肃武威发现北凉"临松令印"

作　者：甘肃武威文管会　黎大祥
出　处：《文物》1997 年第 9 期

1982 年武威市文物管理委员会征收文物，发现铜印 1 枚，现藏武威市博物馆。简报配以照片等予以介绍。

据介绍，该印铜质，重 50 克，正方形，边长 2 厘米。带纽，鼻纽。印面刻"临松令印"白文。武威发现的这枚"临松令印"，当为北凉统治时期，张掖郡属临松县令之印。

东晋隆安元年（397 年），原后凉吕光尚书段业在沮渠蒙逊的怂恿下，背叛吕光，建立北凉，定都建康（今甘肃高台县南）。东晋隆安五年（401 年），沮渠蒙逊杀段业，自称凉州牧，定都张掖。蒙逊为北凉王后，曾率步骑 30000 人，一举攻克姑藏（今武威市），东晋义熙八年（412 年），北凉的都城由张掖迁姑藏，改元玄治，沮渠蒙逊自称河西王，统治整个河西一带。439 年北凉为北魏所灭，传三主，享国 43 年。在北凉统治全盛时期，辖武威、张掖、敦煌、酒泉、西海、金城、西平 7 郡。临松县当时虽属张掖郡管辖，但姑藏为北凉的都城所在，因此该印有可能在这一时期遗落武威。

简报称，北凉迁都姑藏后，仅统治 27 年，时间短暂，遗物极少，史志记载又略，

"临松令印"的发现，是研究这一时期的建置、官置以及历史的珍贵实物资料。

张掖市

916.甘肃高台骆驼城画像砖墓调查

作　者：张掖地区文物管理办公室、高台县博物馆　施爱民等
出　处：《文物》1997年第12期

1994年7月，甘肃省高台县公安局破获一起盗掘骆驼城墓葬画像砖案。张掖地区文化部门立即派人协同高台县博物馆，对被盗掘出土的画像砖及现场进行了调查。简报配以照片予以介绍。

据介绍，该墓位于高台县骆驼城乡西南6公里处，北距骆驼城故址2.5公里，南距312国道4公里。现场有东西向排列的3座墓，墓与墓间距5米左右，现存封土堆高出地面约1～1.5米，墓群周围是平坦的大漠戈壁。画像砖出自中间1墓。该墓是1座由墓门、甬道、前室、中室、后室组成的砖室墓。坐南面北，墓室全为穹隆顶，三室平面均呈方形，室与室之间有拱形甬道相连。墓顶东侧有一盗洞，盗洞是由东侧另1墓葬的后室（为穹隆顶双室砖墓，已遭盗掘）掘进该墓的。后室东壁下部、西壁下部尚存未盗走的画像砖各3块。这批画像砖共有58块，现全部被高台县博物馆收藏。骆驼城画像砖墓的时代，简报推断应在曹魏时期。

简报称，高台骆驼城彩绘画像砖与此地的其他魏晋墓的画像砖一样，从一个侧面向我们展示了魏晋时期河西政治、经济、文化的发展状况，对研究这一时代的生活习俗、绘画艺术都具有重要的意义。

917.甘肃高台县骆驼城墓葬的发掘

作　者：甘肃省文物考古研究所、高台县博物馆　吴　荭
出　处：《考古》2003年第6期

骆驼城古城址位于甘肃省高台县城西南20公里处的骆驼城乡，史载，骆驼城始建于汉武帝元鼎年间，魏晋因之。东晋咸康元年（335年），前凉分置建康郡，后凉因之。沮渠蒙逊迁姑臧后，仍置建康郡。北周时郡废，并入张掖。唐武则天证圣元年（695年）置建康军，代宗大历元年（766年）陷于吐蕃，城废。

2001年6、7月，考古人员对高台县骆驼城遗址及墓葬区进行了清理发掘。此次

对城址的发掘主要在北城进行，发掘面积 1200 平方米，详情另文报道。在古城址周围砾石戈壁滩中分布有四大墓群，即土墩墓群、骆驼城南墓群、五座窑墓群、黄家皮代墓群，共计墓葬 3000 余座。其中土墩墓群位于古城址西南 1 公里处的西滩村，在国营生地湾农场附近 9 平方公里的范围内，共有墓葬 23 座，墓葬均有高大的方形夯筑封土台。骆驼城南墓群位于古城址南 2 公里的戈壁滩上，墓群东西长 9 公里，南北宽 3 公里，有古墓 2000 余座。五座窑古墓群位于古城东北部，分布面积达 20 多平方公里，有 1000 多座墓葬。黄家皮代墓群亦位于古城北面。此次发掘的 6 座墓中，M3、M6 塌陷，无法清理，实际清理 4 座墓，分别为土墩墓群中的 M2 和骆驼城南墓群中的 M1、M4、M5。

简报分为一、M1，二、M2，三、M4，四、M5，五、结语，共五个部分。有手绘图、摹本。

据介绍，此次发掘的 4 座墓葬位于骆驼城遗址周围，简报认为其年代应与城址年代相当，为魏晋至十六国时期；从墓葬规模与结构看，大型砖室墓 M1、M2 的墓主人应是有一定经济实力与社会地位之人；M4、M5 规模较小，结构简单，随葬品数量亦少，墓主人可能为贫民。

简报称，骆驼城墓葬群是魏晋至十六国时期甘肃河西地区较为重要的墓葬，此次发掘对于进一步研究河西地区魏晋至十六国的历史、经济、军事及绘画艺术都具有一定的意义。

918.甘肃高台地埂坡晋墓发掘简报

作　者：甘肃省文物考古研究所、高台县博物馆　吴　荭等
出　处：《文物》2008 年第 9 期

2002 年 11 月，甘肃省高台县博物馆在县城西北罗城乡河西村地埂坡发现被盗墓葬数座，并上报有关部门。2007 年 8 ～ 11 月，考古人员对墓葬进行了清理。此次共清理被盗墓葬 5 座，分别编号为 M1、M2、M3、M4、M6。简报分为 M1、M2、M6 和结语共四个部分，配以彩照、手绘图，先行介绍其中的 M1、M2、M6。

据介绍，墓葬均为前后双室，其中 2 座墓由原生黄土雕出仿木结构的梁架、屋顶、立柱、斗拱等，M1 顶部有彩绘的莲花和四神。简报推断 3 墓的年代均为西晋，仅知 M6 墓主人可能是"樊字遂"，此人文献不载。

简报指出，此批墓葬从建筑结构到墓室壁画都与以往河西地区发现的魏晋墓不同，尤其是面阔一间、进深三架椽的仿木结构更是首次发现，具有较重要的学术意义和研究价值。

平凉市

919.甘肃泾川南石窟调查报告

作　者：甘肃省博物馆
出　处：《考古》1983 年第 10 期

泾川南石窟位于泾川县东 7.5 公里城关公社下蒋家大队，在泾河的北岸。现为甘肃省省级文物保护单位。南石窟当地人叫佛爷寺。坐北面南，开凿于泾河沿岸底层岩崖之上，距地面高约 5 米。简报配以手绘图、照片予以介绍。

据介绍，根据《南石窟寺之碑》的记载，南石窟开创于北魏永平三年（510 年），它和开创于北魏永平二年（509 年）的庆阳北石窟同为泾州刺史奚康生创建，2 窟之间相距约 45 公里，它们是一对南北对应的石窟。从那时起就叫南石窟。南石窟现存的规模，仍以奚康生创建的那个窟最大（今编号为 1 号窟）。北魏创建之后，唐代有些扩建，但规模不大。现编号共 5 个窟龛，北魏洞窟 1 个（1 号窟），其次为唐代开凿的 1 个中型洞窟，而这个洞窟的造像被后代改制成十六罗汉，今名罗汉洞（4 号窟）。其余为唐代摩崖小龛，都风化严重，造像漫漶不清了。值得庆幸的是南石窟 1 号窟保存基本完好，简报重点介绍了这个窟。

简报称，1 号窟坐北向南，是 1 个大型的七佛窟。窟高 11 米、宽 18 米、深 13.2 米，平面呈长方形。在台基之上雕七身立佛，分布情况是正壁 3 身，左、右壁各 2 身，南壁（即门壁）两侧各雕 1 弥勒菩萨。窟内占主要位置的是 7 尊大佛及 2 尊弥勒菩萨，以及 14 身胁侍菩萨（1 身已毁）。造像宏伟，每身立佛高 6 米左右，弥勒菩萨高 5 米左右，胁侍菩萨高 3.5 米。窟门外有 2 个力士。窟顶、顶坡及身光之间的空隙处都布满浮雕，因石质风化已全部损毁。东、西、北壁顶坡雕大型佛传故事，靠近门壁的全部风化掉了，靠近正壁（北壁）的保存一部分，面积 50 多平方米。简报称，像这样大型的佛传故事，是比较罕见的。

920.甘肃泾川王母宫石窟调查报告

作　者：甘肃省博物馆　张宝玺
出　处：《考古》1984 年第 7 期

王母宫石窟位于甘肃省泾川县西郊 0.5 公里，讷河和泾河交汇处的宫山脚下。

它和高峰山上的嵩显寺（建于北魏永平二年）遥相呼应，同为北魏时期所开创。

王母宫石窟为一般人习惯的称呼，它又叫大佛洞或千佛洞，是一个大型中心柱式佛窟，内有北魏、北周、隋代残佛像多身，都是后来被移置进来的。泾川县博物馆收藏的石造像，也有一部分是王母宫遗址出土的。大佛洞窟顶由于长期掉块，已不规整。现该窟北壁全残，造像不存。西壁残缺严重，现存的是后代重修后的龛形及造像。南壁保存较好。窟内保存较好的造像也都经过后代重修，在石雕上敷以泥塑。但有些敷泥已剥落了，又显出原作，因而知北魏造像都是石雕像。窟门处现有明、清时期所建的三层楼，原来的窟门早年就倒塌了。在修建上述三层楼时，在接近中心柱的前壁处砌墙，另设门道通入窟内。简报分为：一、窟形及造像布局，二、造像风格及年代的推断，共两个部分。有手绘图。

据介绍，大佛洞坐西面东，窟高 11 米、宽 12 米、深 8 米（因砌墙不是全深），平面呈方形。从造像风格来说，王母宫石窟应早于创建于北魏永平二年（509 年）和三年（510 年）的南、北石窟的七佛窟；从造像风格的演变上来看，王母宫石窟已具有"褒衣博带"的某些特点，但不及南、北石窟的明显。且与南北石窟尽力夸大衣褶的做法不同。王母宫石窟使用了平行阶梯式衣纹，这是较早的特点。从窟形上看，王母宫石窟和庆阳北石窟北一号窟相同。王母宫石窟，窟形、造像布局、造像风格比较接近云冈第六、九、十窟，更多地接近第六窟，简报推断，王母宫石窟可能创建于北魏孝文帝太和末年，到宣武帝景明、正始、永平之际。以开创于 6 世纪初的可能性最大，和龙门石窟创建时间相距不远。

921.庄浪龙眼山摩崖造像

作　者：刘玉林

出　处：《考古与文物》1987 年第 6 期

1983 年 11 月，考古人员对庄浪县陈家堡龙眼山摩崖石刻造像进行了调查。简报分为三个部分予以介绍，有手绘图。

据介绍，陈家堡龙眼山造像位于庄浪县东北通化公社陈家堡村的陈家沟，地处庄浪县与宁夏回族自治区交界处。沟内溪水淙淙，林木茂密，道路崎岖难行，人迹罕至。龙眼山距陈家沟口 1 公里许。中部有天然石穴，经人们略加修凿后在其中塑像。现留泥塑和壁画残迹者凡三窟，均为近代遗迹。右侧一小窟，方形，内立清代和民国时期碑刻四方。山崖上亦散见到一些清代碑石，大都字迹难辨。庙宇残迹甚多，均为清代和民国时期的废墟，这里不予介绍。早期遗物在沟底部位，现存摩崖石刻造像 3 尊，砖塔 1 座，上部洞窟外壁有摩崖题刻 1 则。龙眼山造像应属于北魏晚期造像，大约在宣武帝延昌前后是比较合适的。砖塔则为唐僖宗文德年间所建。

酒泉市

922.新发现的北魏刺绣

作　者：敦煌文物研究所
出　处：《文物》1972 年第 2 期

1965 年 3 月，为配合莫高窟加固工程，在 125～126 窟前清理发掘中，发现古代刺绣品残块若干。刺绣残缺较甚，现存部分仅为其原状之一小部分。从残存部分约略可以推知，刺绣从上而下应包括以下几部分：横幅花边；一佛二菩萨说法图；发愿文 1 方和供养人。其中花边、发愿文及女供养人部分残存较多。简报推断为北魏遗物，有照片。

923.敦煌晋墓

作　者：敦煌文物所考古组　马世长、孙国璋
出　处：《文物》1974 年第 3 期

敦煌佛爷庙—新店台墓群，分布着数以万计的古墓。1960 年，考古人员在新店台发掘了 2 座墓葬，在义园湾发掘了 5 座墓葬，简报分为：一、墓葬形制，二、随葬器物，三、年代推新，四、小结，共四个部分予以介绍，有手绘图等。

据介绍，7 座墓均为单室墓，有的带耳室、小龛。其中 4 座墓曾被盗。出土有陶器、铜器、金饰、钱币等，其中 1 件钵，上有墨书，简报录有全文。由铭文知死者为敦煌大族氾心窋。其夫张弘，或战死异乡，并未与氾心窋合葬。

此 7 墓均为西晋时期墓葬。

924.敦煌佛爷庙湾五凉时期墓葬发掘简报

作　者：甘肃省敦煌县博物馆　韩跃成、张　仲
出　处：《文物》1983 年第 10 期

在敦煌县东南佛爷庙湾有 1 处规模较大的古墓葬群，分布着数以万计的古墓葬。其中除零散埋葬者外，有许多聚族葬。聚族葬周围有坟圈，坟圈用沙石围成，力呈方形，并留一开口处，作为坟圈门。极少数的坟圈门侧尚存用土坯砌成的双阙。1980 年 5 月，

在县城东南 9 公里，北距安敦公路 7 公里处的鸣沙山北麓佛爷庙湾头层台子，又发掘了 3 座墓葬（编号为 80·D·F·M1～M3）。简报分为"墓葬的形制和结构""随葬器物""墓葬时代和墓主人身份""结语"，共四个部分。有照片、手绘图。

据介绍，M1 和 M2 在同一坟圈内，M3 在另一坟圈内。M1 最大，封土形成高大的沙丘，墓道堆成长形沙棱，曾被盗。3 座墓均为沙砾岩洞室墓。3 墓共出土随葬品 65 件、货币 6 枚、丝织物残片等。其中 M1、M3 出土陶器上有墨书、朱书，简报录有全文，中多缺字。据此知 M1 为西凉、北凉时墓葬，M2 为北朝时墓葬，M3 为前凉、后凉时墓葬。

925.甘肃酒泉西沟村魏晋墓发掘报告

作　者：甘肃省文物考古研究所　马建华、赵吴成
出　处：《文物》1996 年第 7 期

酒泉果园乡西沟村位于甘肃省酒泉市西北 7.5 公里，在北大河的西北，南距兰新公路约 5 公里。1993 年 8 月至 11 月，考古人员在此发掘清理了魏晋时期的墓葬 7 座，包括较为大型的墓葬 3 座，其中 2 座是画像砖墓。中型的"吕"字形砖室墓 3 座，小型的竖穴土坑墓 1 座。简报分为：一、地理位置与发掘经过，二、墓葬形式与结构，三、随葬器物，四、画像砖内容简介，五、结语，共五个部分。有照片、手绘图。

简报称，此批墓葬年代最早的为 M7，此后依次为 M5、M6、M1～M4。M7 的墓主人似在军队任过下级官职。简报指出，自西汉晚期以来，各地大墓已绘有壁画。至东汉中晚期，随着豪宗大族厚葬之风的发展，丧家广受赠赠，宾客上冢墓，要进入墓内，所以其中的壁画也"竞为华观"。曹魏以后提倡俭葬，中原地区在当时的中央政权的直接控制下，厚葬之风有所收敛。但河西地区，山高地远，虽亦被禁，但不彻底，故在晋末河西地区形成了独树一帜的画像砖墓。酒泉西沟魏晋墓画像砖的总体构图有序，依画像砖的内容，安排位置高低，以构成远近透视效果。画像砖墓中的远景内容如树林、生活在山麓旁的畜牧部族往往放在墓前室各壁的上部位置，墓主人的生活起居图一般放在较为醒目的墓壁中部，下部通常是炊厨和农耕。

926.甘肃安西旱湖垴墓地、窑址发掘简报

作　者：甘肃省文物考古研究所　李永宁、李明华
出　处：《考古与文物》2004 年第 4 期

2001 年 7～9 月，为了配合疏勒河流域土地开发暨移民安置工程，甘肃省文物

考古研究所对安西县旱湖垴遗址土地开发范围内所涉及的墓葬和窑址进行了清理发掘，共清理墓葬 21 座、窑址 2 座。简报分为：一、墓葬形制与结构，二、随葬器物，三、窑址，四、结语，共四个部分。有手绘图、照片。

据介绍，本次发掘的墓葬和窑址位于布隆吉乡双塔村东南 13 公里，北为安西总干渠，南为疏勒河西干渠，东北 9 公里为布隆吉乡政府。本次发掘的 21 座墓葬中，西干渠七支渠西有 16 座，支渠东有 5 座。M11、M16 为丘形砾石封土。除 M3、M9、M11、M13 外均被盗。除 M7、M15、M19、M20、M21 外，其余墓葬均有随葬品出土。仅 M12、M13、M16 发现有棺椁、人骨痕迹。墓葬可分为土洞墓和砖室墓两类。21 座墓葬中，共出土随葬器物 103 件，以陶器为大宗，余为铜器、铁器、银器、石器等，另有钱币 277 枚。共发现并清理砖窑址 2 座，简报推断墓葬时代为曹魏早期。在渠东、渠西的墓葬中心区各发现有 1 座窑址，窑址中均为碎砖块，从残存的颜色、形制、尺寸看与墓葬所用砖一致，简报推断此 2 座窑址是为该家族墓地墓葬用砖所设。

927.甘肃酒泉孙家石滩魏晋墓发掘简报

作　者：甘肃省文物考古研究所　赵吴成、周广济
出　处：《考古与文物》2005 年第 5 期

孙家石滩墓群位于酒泉东洞乡西 7 公里、西汽东输管线南侧，北距石灰窑村北仅 1 公里。此次发掘共清理墓葬 3 座。简报分为：一、墓葬形制，二、随葬器物，三、结语，共三个部分。有手绘图。

据介绍，孙家石滩发掘的 3 座墓葬，除 M1 为土洞单室墓外，M2、M3 为双室砖墓。筑墓形式是魏晋时期常见的，但均比河西走廊其他地区所发掘的魏晋时期砖室墓小巧。在河西走廊中西部地区，汉晋时期的墓葬，一般东汉墓葬中多木器，且有一定的组合规律；这 2 座砖室墓，为魏晋时期的筑墓式样；陶器形制，如罐、盆、壶也是河西走廊地区西晋墓常见的形制。但随葬木器的种类及组合规律，又有东汉风格。因此，简报推断墓葬年代很可能在西晋早期。

928.甘肃酒泉三坝湾魏晋墓葬发掘简报

作　者：甘肃省文物考古研究所　赵吴成、周广济
出　处：《考古与文物》2005 年第 5 期

在甘肃酒泉丰乐乡三坝湾共发掘 10 座墓。但由于历代盗掘和坍塌严重，随葬品

全无。其中20031FSM10墓室保存较好。简报分为：一、墓葬形制，二、随葬器物，三、结语，共三个部分。有手绘图。

据介绍，M10为长台阶墓道的双室砖墓。该墓早期被盗，为三人合葬，中为男性，左右为妻妾。随葬的3件碗均放置在3位墓主小腿中央。南侧女墓主头部发现有铜簪。

根据墓葬形制和出土遗物，简报推断M10应该属魏晋时期的墓葬。

929.甘肃玉门官庄魏晋墓葬发掘简报

作　者：甘肃省文物考古研究所　谢　焱、李永峰
出　处：《考古与文物》2005年第6期

玉门官庄古墓群位于玉门镇西北16.5公里的柳河乡官庄村南1公里、玉门镇农垦局西干渠南400米的戈壁滩上。墓群范围东西长约1000米、南北宽约300米，面积约30万平方米。为配合西气东输管道工程建设，考古人员于2003年7月对管线所涉及的该墓葬区的北部边缘地带进行了考古发掘。此次发掘共清理墓葬5座，出土陶器、铜器、铁器、木器等30余件。简报简报分为：一、2003GYGM1，二、2003GYGM2，三、2003GYGM4，四、结语，共四个部分。有手绘图、照片。

据介绍，在玉门官庄此次发掘的这5座墓葬为西北地区较常见的墓葬类型。简报推断这批墓葬的年代应在西晋晚期至十六国时期的4世纪中叶。墓主人可能为一般的中、小地主。2003GYGM1出土的棺板纸画是甘肃省境内迄今发掘的墓葬中出土年代最早的纸事，为一般工匠所绘。

930.甘肃玉门金鸡梁十六国墓发掘简报

作　者：甘肃省文物考古研究所　吴　荭、王永安等
出　处：《文物》2011年第2期

于2009年2～4月，考古人员对西气东输二线工程管线经过的玉门市清泉乡金鸡梁及其附近的墓葬进行了清理发掘。简报分为：一、墓葬形制，二、葬具及葬式，三、随葬器物，四、结语，共四个部分。有彩照、手绘图。

据介绍，墓群分布在茫茫戈壁上，3座、4座或5座墓葬组成一组，呈南北向一线分布，地面未发现茔圈。共清理墓葬24座，分为砖室墓、砾石洞室墓、砖石混合墓等几种类型。在个别木棺盖板内绘有伏羲女娲图像。随葬器物以陶器为主，另有少量铜器、铁器、竹木器、丝织品、刻画砖等。在木棺挡板及出土的木封检、文

字砖上分别有"建兴""升平"纪年文字，可确定这批墓葬的年代为十六国前凉中晚期。简报推测墓主人有可能是在当地比较显赫的赵氏家族成员。简报指出，这批墓葬有明确的纪年，不仅丰富了河西地区十六国墓葬的考古资料，对认识判断河西十六国墓葬的特点、丧葬习俗等具有十分重要的意义，同时可以通过比较，认识东晋、十六国墓葬的共性与差异，并揭示出相互间的影响等问题。

庆阳市

931.庆阳寺沟石窟"佛洞"介绍

作　者：邓健吾
出　处：《文物》1963 年第 7 期

庆阳寺沟石窟，位于甘肃省庆阳县西峰镇西北 20 余公里处。开凿在蒲河东岸"寺山崆"红砂岩的石崖上，南北长 110 米，大小窟龛有 280 多个。其中营造年代最早、规模最大和保存最为完整的当属窟群正中的"佛洞"（第 165 号窟）。其次是"菩萨洞"（第 240 号窟）和"罗汉洞"（第 222 号窟）。整个窟群窟龛的分布较乱，尤其是北魏以后开凿的很多小龛，似无统一计划，但从造像的艺术风格来判断，显然是以"佛洞"为中心，逐渐向两侧发展，直到南端才开始在高处开窟，形成了现在所见的三层规模。简报分为三个部分予以介绍，有照片。

据介绍，此窟应为北魏奚康生平定刘惠汪起事后作为新任泾州刺史，为安抚民心而开凿。奚康生，《魏书》有传。此窟风格与龙门、巩县石窟有相似之处，甚至不排除部分工匠即从洛阳调来的可能性。具体营造时间应在北魏永平年间。

932.甘肃正宁县出土北周佛像

作　者：甘肃省正宁县文化馆　陈瑞林
出　处：《考古与文物》1985 年第 4 期

1984 年元月中旬，正宁县罗川乡聂店队三年级小学屋檐下出土了北周宇文邕保定元年（561 年）石雕释迦佛像 1 躯，质地为富平石（黑色杂白碎石）。佛立于莲花座之上，身高 160 厘米，面相丰颐，神态端静。佛座高 47 厘米，上雕双圆莲花，花瓣上翻，座正面有二护法狮，座身磨光，四面有镌文。简报配以照片予以介绍。

简报抄录了佛像四周所有铭文。其中大量带有官职、身份的供养人名单，很有价值，对于考证当时官制等均有价值。铭文中有保定元年纪年。"保定"为北周武帝年号，保定元年为561年。

933.甘肃宁县出土北朝石造像

作　者： 甘肃省宁县博物馆　于祖培、张陇宁等
出　处：《文物》2005年第1期

1999年5月，甘肃省宁县县城所在地新宁镇新宁村一村民在维修窑洞崖面时，在距地表下2米处发现一批佛教石刻造像及残块。接到报告后，考古人员前往现场进行了抢救清理。简报分为：一、出土地点及现场清理情况，二、主要造像介绍，三、初步结论，共三个部分。有彩照、拓片。

据介绍，宁县城是历史上豳州、宁州古城，城内历代遗存丰富。这批石造像出土地点在明代老城内南城墙北约40米处，是1处距地表深2米、直径2米、深1米的土坑式窖藏。出土时造像与土黏结为一体，非常坚硬。共清理石造像及残石100余块。经整理拼对，这批石造像共有基本完整者89件，包括佛头像、菩萨像（包括头像）、背屏式造像、龛式造像、造像碑和造像塔。除几个体形较大的佛头像、菩萨头像外，多数为小型造像。其中背屏式造像41件，龛式造像30件，立姿单身菩萨像2件，造像碑、造像塔各1件。题材主要为一佛二菩萨。造像中最高71厘米，最低23厘米。造像用料均为本地灰白砂岩。雕刻采用浅浮雕、高浮雕和圆雕三种技法。1件造像碑正侧面和造像塔底座刻有纪年铭文题记。根据部分造像残留的彩绘情况，知其原来色彩主要有白、黑、红、蓝四色。个别造像还残留贴金。施彩方法为白色作底色，红色作背光和像身，黑色作头发，蓝色间作光环。

简报称，这批集中出土的石造像，数量较大，题材较丰富，部分造像雕刻工艺精湛。以北朝造像为主，还有少量隋唐作品，其中立姿菩萨像、背屏式造像和造像碑最具特色。是西北地区早期佛教造像的重要发现。

简报指出，这批石造像出土地点北距原普照寺（今为宁县印刷厂）200多米，历史上曾称普照寺一带为大钟巷。出土这批石造像的地点或为这些佛寺遗址所在。这批石造像大部分曾遭人为破坏，有些损害程度严重。从现场清理中散乱堆放的情况分析，这批造像很可能是毁佛时埋入，埋藏时间应在唐代，至于毁佛原因是政治原因导致的毁佛事件还是战乱所致尚无法判定。

934.新发现的北魏《大代持节豳州刺史山公寺碑》

作　者：兰州大学敦煌学研究所、甘肃省宁县博物馆　吴　荭、张陇宁、尚海啸
出　处：《文物》2007年第7期

2004年7月，甘肃省宁县人民医院基建工地出土1座石碑，碑残断，仅存上半部，保存相对完好。与石碑同时出土的还有3块莲花柱础石。但因出土地点遗迹被破坏，且被后代墓葬打破，无法判定此遗址是否为一建筑基址，也不能确知石碑与遗址之间的关系。简报分为：一、石碑，二、与碑文相关的问题，共两个部分。有照片、拓片。

据介绍，碑仅存上半部，但其断裂较为规整，不似随意打断，且碑侧还残留有较为整齐的打凿切割痕迹，推测碑的下半部是被有意取下而做他用。碑青石雕琢凿而成，圆额，碑首饰三条并行的双龙头，龙头垂饰于碑两侧。碑残高1.35米、宽1.1米、厚0.37米。碑额篆刻"大代持节豳州刺史山公寺碑颂"，共3行13字。字径3厘米，中有界格。碑四面均刻有文字。碑阳分上下两部分，上部碑文完整，共27行，满行21字，共511字，中有方格。内容主要记述了北魏正始元年（504年），时任豳州刺史的山累以祖父、父亲及其本人名义为孝文皇帝立追献寺之事迹。文中追忆了孝文皇帝的英明睿智，山氏家族沐皇恩，历侍三朝，出牧汾蕃，迁任豳州，建造禅堂，立碑纪念的事迹。上部碑文下方残存39字，内容似记述山累之家世渊源。

碑阴亦以阴线刻将碑分为上下两部分。上部中央开一尖拱形小龛，龛内原有雕造，已毁，从残迹看为一佛二菩萨。龛外两侧刻发愿文18行，左侧10行，右侧8行，文首刻有"开皇六年"（586年）题记，其他内容为佛社内部分首领题名及邑生名。下半部以双阴刻线将碑面上下分为四栏，每栏27行，雕刻各地方官吏官名及其姓名，其中第四栏仅残存官名。

碑左、右两侧亦以双阴刻线将碑面分为四栏，每栏10行，题刻地方官吏之名。从内容及文字风格看，碑阳与碑阴下半部及两侧面是一完整的内容，应为北魏正始元年（504年）所刻。碑阴上半部小龛及其两侧纪年、题名，与小龛同时期，为隋开皇六年（586年）。

简报讨论了此碑出土的地点及历史建置。宁县自古被视为关陇要塞，三秦屏障。汉时属凉州。此碑碑主叫"山累"，史书无传。从碑文看，山氏祖孙三代皆在北魏军中任职。其祖父曾任羽真散骑常侍、安南将军、殿中尚书、泰山公。其父任安南将军、吏部尚书、泰山公。山累自任持节督豳州诸军事、冠军将军、豳州刺史。山累侍奉北魏三代皇帝，被委以重任。从碑文中可知山累在出任豳州刺史前曾于汾州戍边。或许正因有这样的经历，碑文中保存了大量职官与地理方面的信息。简报用

表格形式，归纳了碑文中的职官信息。另外，碑文中提到大量姓氏，正可与姚薇元先生《北朝胡姓考》、马长寿先生《碑铭所见前秦至隋初的关中部族》相印证。进一步证实当时宁县一带胡人杂居，且以氐、羌族为主。

另外，此碑碑阴上部小龛两侧的题名除明确记载了开龛的年代外，还为我们了解当时的佛教结社情况提供了一定的信息。简报指出，佛教结社由出家的佛教信徒组成，是以造像活动为中心的佛教团体，最早出现于东晋南北朝时期。它刚出现时并不以社为名，而称为邑、邑以、邑会等，直到隋唐时才称为"社"。南北朝时期的佛社功能主要分两类：一、组织开窟、造像、造塔等活动；二、从事造像之外的其他佛事活动。到唐及五代时期，佛社功能除了组织开窟、造像、造塔等活动外，还进行一些互助性的经济活动。此碑碑阴佛龛及其两侧的题名既反映了当时当地佛社组织成员开龛造像的情况，同时也可看出佛社组织社员从事一些相关的佛事活动。此碑铭中见到的佛社首领有香火主、佛堂主、菩萨主、邑主、都化主、灯明主、斋主、檀越主等。从这些名称判断，他们在佛事活动中应承担一定的责任与义务。属于同时期的隋开皇元年（581 年）泾川李阿昌造像碑（现藏于甘肃省博物馆）供养人题名中，亦有像主、浮图主、都邑主、化主、都化主、都维那、典录、斋主等。

简报附有碑文全文。

定西市

陇南市

935.晋归义羌侯印与晋归义氐王印

作　者：甘肃省博物馆　薛英群
出　处：《文物》1964 年第 6 期

1959 年 3 月，由中国人民银行甘肃省分行交给甘肃省博物馆"晋归义羌侯印"和"晋归义氐王印"各 1 方，印金质、方形，上各有跪羊式单孔纽一，羊的形象生动、体态匀称，单线条构成的眼、眉、耳、毛等宛然如生。印面为阴刻小篆。两印各重约 150 克。该两印均系甘肃省西和县出土，出土时间在 1948 年年底左右。简报配以拓片予以介绍。

据介绍，羌、氐系北方大族，一般古史称氐、羌为同源。"归义"两字见于《史记·滑稽列传》"远方当来归义",同时见于汉印,可见"归义"一词实始于汉代,其实质上当然是中央统治者对边境上无法实力控制的少数民族部落的一种羁縻怀柔政策而已。简报认为该两印是晋武帝泰始六年(270年)以后颁发给甘肃西和礼县一带居住的氏、羌族部落酋长的。

临夏州

936.炳灵寺石窟老君洞北魏壁画清理简报

作　者:甘肃省博物馆、炳灵寺石窟文物保管所　张宝玺、李　现、王万青

出　处:《考古》1986年第8期

炳灵寺石窟,是我国古代石窟艺术中的一件珍奇瑰宝。关于炳灵寺石窟早期窟龛规模问题,远在5世纪初的一些史籍中,就已有所谓"唐述窟"和"时亮窟"的记载。如《水经注》卷二《河水》及其中所引《秦川记》(据《王氏合校水经注》本)载,就有相关记载。根据古人提供的线索,考古人员考察了姊妹峰(又名老君峰)下1个已废弃的洞窟——老君洞,并于1981年11月和1982年10月两次对该洞进行了考古清理工作。简报配以照片、手绘图予以介绍。

据介绍,老君洞位于姊妹峰侧面的一处绝壁上,高于地面约60米。老君洞是1个方形半中心柱窟,穹窿顶,高5.8米、宽7.8米、深2.8米。所谓半中心柱窟,就是在正面窟壁正中突出一定的方柱状的厚度,其形如中心柱,但又与正壁相连。这种窟的形制,和敦煌莫高窟北魏早期的259窟大体相同。窟的正壁两侧各开出二层佛台,现存有近代造像3身,右左壁(南壁和北壁)壁面平直,其上施垩作画,没有开龛造像的痕迹。窟内周壁有台基高1.7米。

简报断定,该窟的创建应在北魏或北魏之前;创建时应是佛窟,后被改为道观。清理过程中发现有壁画20平方米左右及唐、明、清及近代人写的若干条题记。

同刊同期有李现先生《炳灵寺石窟老君洞早期壁画的清理和科学保护》一文,可参阅。

甘南州

937.甘南发现铁蹼足器

作　　者：甘南文化馆　李振翼
出　　处：《考古与文物》1987 年第 3 期

1980 年，甘南藏族自治州粮站平整后院东北部的山坡地时，在距地表 1 米多深处，挖出铁蹼足器 2 件，陶瓶 6 件。简报配以照片、手绘图予以介绍。

据介绍，计铁铸六足蹼足器 1 件、铁铸五足蹼足器 1 件。四耳陶瓶、双耳陶瓶等 6 件，2 件已破碎。简报称，铁蹼足器在纹饰上反映受到了中原地区青铜礼器的影响，而蹼足则是它独特风格之表现。陶瓶具有魏晋以来的风格。简报初步判断应为十六国时期少数民族的遗物。

青海省

西宁市

938.青海西宁波斯萨珊朝银币出土情况

作　　者：王丕考
出　　处：《考古》1962 年第 9 期

1956 年青海西宁出土的一批波斯萨珊朝银币，是在建设工程中发现的。简报配图予以介绍。

据介绍，发现的地点在五六十年前是一个积水的凹坑。现今地势仍较周围为低。发现一个小罐，小罐内绝大部分装的是银币，估计在 100 枚以上；另外还有近 20 枚铜币，内有开元通宝、王莽时的"货泉"。银币经中国科学院考古研究所夏鼐先生研究，判定为波斯萨珊朝卑路斯（457 ~ 483 年）银币（见《考古学报》1958 年第 1 期，后收入《考古学论文集》）。出土时铜币绿锈很重，而银币仅有些许灰锈，有的还有银色光泽，光亮得像新的一样。

939.青海西宁市发现一座北朝墓

作　　者：卢耀光、尚杰民、贾鸿键
出　　处：《考古》1989 年第 6 期

1985 年 12 月，位于西宁市的青海省砖瓦厂在取土过程中挖出 1 座古墓。简报配以照片、拓片予以介绍。

据介绍，墓室为竖穴土坑，木棺 1 具，出土文物有龟纽铜印，印文为"凌江将军印"5 字。角质匣、龙凤象牙梳、鸟形金牌饰、镶金蚌耳杯各 1 件及钱币等。由残留骨骼观察，墓主人为一成年男性。

简报称，该墓出土随葬品不多，但都十分精致。金制联体鸟形牌饰，别具一格；将军之衔更证明了墓主人的身份。"凌江将军"之职，《魏书·官氏志》中作"陵江将军"，为五品中；《宋书·百官志》中作"凌江将军"。大约同时的一些史书中亦见"陵江将军"之称。但究竟哪个陵江将军战死或葬于青海无载。据以上情况，该墓之时代当定在十六国北朝时期。

海东地区

海北州

黄南州

海南州

果洛州

玉树州

海西州

宁夏回族自治区

银川市

石嘴山市

吴忠市

固原市

940.宁夏固原北魏墓清理简报

作　者：固原县文物工作站　韩孔乐、韩兆民
出　处：《文物》1984 年第 6 期

1973 年夏，铁路部门在固原县城东雷祖庙村附近勘探时发现 1 座古墓。1981 年 10 月下旬至 11 月中旬，考古人员对此墓进行了清理。

简报分为：一、墓葬形制，二、随葬器物，三、棺板漆画，四、结语，共四个部分。有照片、拓片、手绘图。

据介绍，此墓由斜坡墓道、甬道、墓室组成。2 具木棺已因水浸而散乱，墓主人男性居左，女性居右，骨架均已腐朽，尚存少许头发，葬式均为仰身直肢。此墓虽未被盗掘，但已受到一些破坏。墓中出土了棺板漆画、波斯银币及铜器、陶器等珍贵文物。墓中所出的 1 枚波斯银币，经夏鼐先生审定，为波斯萨珊朝卑路斯(459～484 年) B 式银币。它的出土为研究中西交通史提供了新的实物资料。

该墓的年代，简报推断为北魏时期。棺板壁画上有佛教内容，值得注意。

941.固原县新集公社出土一批北魏佛教造像

作　者：固原县文物站　黄石林
出　处：《考古与文物》1984 年第 6 期

1981 年固原县新集公社新集大队农民李富仑在住宅周围栽树时，发现一批佛教造像。在一不规则的土坑内，出土 7 件造像和 1 尊铜造像。简报配以照片予以介绍。

据介绍，造像上有的有铭文，铭文中有"建明二年"纪年，应系北魏建明二年（531 年）。此批佛教造像，简报推断为北朝遗物。

942.宁夏固原北周李贤夫妇墓发掘简报

作　者：宁夏回族自治区博物馆、宁夏固原博物馆　韩兆民等
出　处：《文物》1985 年第 11 期

1953 年 9 月至 12 月，考古人员对固原县南郊乡深沟村的 1 座古墓进行了发掘。经发掘清理得知此墓为北周柱国大将军大都督李贤夫妇合葬墓，葬于北周天和四年（569 年）。此墓虽经严重盗扰，但仍出土了金、银、铜、铁、陶、玉等各种质地的随葬品三百余件，其中鎏金银壶、金戒指、玻璃碗等具有非常珍贵的文物价值。在墓道和墓室内还绘有壁画多幅。简报配以手绘图等予以介绍。

据介绍，李贤夫妇合葬墓位于深沟村南约 500 米的圪垯梁地，墓葬由封土堆、墓道、天井、过洞、墓室等几部分组成，墓中壁画填补了我国北周绘画史上的空白，为探讨隋唐墓壁画提供了宝贵的资料，并为研究古代建筑史、古代服饰、北周府兵制度等提供了新资料。壁画、陶俑中一些人物体态丰腴，面相饱满，为隋唐的陶俑、人物画开了先河。特别值得一提的是，墓葬出土的鎏金银壶、金戒指、玻璃碗等文物，据夏鼐、宿白等先生鉴定，是从西方传入的手工艺制品。这几件文物有可能是北周皇室对李贤的赏赐。据史书记载：从北魏末年至北周时期，波斯遣使来华有数十次之多。也有可能是李贤从商人手中所得，因为李贤曾任过河州（洮州）总管和瓜州、原州刺史，这一地区是通往西域的门户，又是中西交通线上的重镇。

简报称，固原在北朝时期非常重要，是北魏王朝的重镇之一。宇文泰先后派遣宇文导、李贤等亲信为都督。因此，固原地区留下了比较丰富的北朝文物。今后随着这一地区的开发，将会发现更多的北朝文物，为北朝文物考古与历史研究提供了更多的资料。此次发现的李贤墓志及其妻吴辉墓志，就保留了不少珍贵的史实。

简报录有 2 志志文全文。

943.彭阳新集北魏墓

作　者：宁夏固原博物馆　罗　丰等

出　处：《文物》1988年第9期

1982年夏，考古人员在彭阳县（当时属固原县辖）西南的新集乡石洼村发现2座古墓。1984年3月，对墓葬进行了发掘。简报分为三个部分予以介绍，有照片、手绘图。

据介绍，新集乡石洼村墓地坐落在当地人称为"圪垯梁"的北山上，距乡政府所在地约2.5公里。墓葬地处山坡中央，坐北朝南，2墓封土东西间距约为8米。西侧的编号为M1，东侧的编号为M2。此次发掘主要收获出自M1，故重点介绍M1。M1全长44.76米，由封土、墓道、过洞、天井、甬道和墓室六部分组成。封土周长69米、残高6.2米。此墓虽多次被盗，但仍出土不少随葬品，尤其是陶俑，经修复后可复原的就有100多件。

M1、M2的年代大致相同，都应是北朝早期。M1、M2的墓主人，简报认为均应为北凉时期当地的军事首领。

简报称，M1出土的"胡俑"、众多乐俑，是难得的实物资料，应予重视。

944.宁夏彭阳红河乡出土一批石造像

作　者：杨　明

出　处：《文物》1993年第12期

1985年冬，宁夏彭阳县在修筑彭（阳）平（凉）公路时，在距红河乡政府500米处的红河岸边发掘出一批石造像，立即报告了县文物工作站，工作站将出土石造像全部收回入藏，并对现场进行了考查。发现出土石造像的周围土层里有破碎的陶片、灰层，推测可能为一遗址。简报配以照片予以介绍。

简报介绍，这批石造像为白泥石质、红沙石质、沙岩质等。简报称，此次彭阳出土的这批石造像虽无明确纪年，但其中部分造像从形制和衣饰特征看亦当为北魏前后之作，如01号和02号（另外几件作品时代尚难断定）。从作品有精有粗的情况分析，可能既有专门工匠所为，亦有一般佛教信徒或初习者所作。

945.宁夏固原县发掘一座北周墓

作　者：李进增、耿志强
出　处：《文物》1994 年第 5 期

1993 年五六月间，在固原县南郊乡发掘一座北周墓。该墓为斜坡墓道土洞墓，墓道长约 50 米，有 5 个天井，深 12 米多，洞室近方形，边长 4 米以上。在甬道、天井壁面上均有壁画，但只有 1 幅保存下来。这座墓早年被盗，随葬品仅存 50 多件陶俑。

946.宁夏固原县出土的铜鍑

作　者：固原县博物馆　姚蔚玲
出　处：《考古》2001 年第 11 期

铜鍑是北方系青铜器的代表器物之一，因它适应于北方游牧民族的马上生活，多出土于内蒙古等地。近年来，在宁夏固原县境内曾屡有出土，几件比较有特点的，简报配以手绘图、照片予以介绍。

据介绍，由于铜鍑是一种便于携带的炊器，它流行的时间较长，从西周末一直延续至南北朝时期。1982 年宁夏固原县河川乡出土的铜鍑，简报推断为东汉之际遗物；彭堡乡大湖滩水库工地出土铜鍑，简报推断为秦汉之际遗物；河川乡同南郊乡峡口村出土的铜鍑 2 件，简报推断似为西汉晚期至东汉时期遗物，只是后 1 件似早于前 1 件。与寨科乡出土的铜鍑一同出土的还有陶罐、金耳环、金戒指、金项圈。简报推断这件铜鍑为北魏时期器物。

947.宁夏彭阳县出土北魏贠标墓志砖

作　者：杨宁国
出　处：《考古与文物》2001 年第 5 期

北魏贠标墓志砖，1964 年出土于宁夏回族自治区彭阳县彭阳乡姚河村，现为宁夏固原博物馆调藏。墓志砖呈长方形，砖右侧面竖题"兖岐泾三州刺史新安子贠世墓志铭"。志文以魏体竖书阴刻，凡 7 行 116 字，除上部 1 字残损外，其余基本完好。简报迻录全文。简报配以拓片予以介绍。

据介绍，据墓志可知，贠标，字显业，平凉郡阴盘县（今甘肃平凉市东曹湾村）人。出身宦门望族，曾任兖、岐、泾三州刺史，赐爵新安子，是位文韬武略兼具的显赫人物，卒于北魏景明三年（502 年）。志文称贠标为"楚庄王之苗裔"，其曾祖父曾任镇西将军刺史。《通典·职官志》云："镇西将军为四镇（东、南、西、北）将军之一，汉刘表置，魏时因之，官阶二品；冠军将军官阶从三品。"父子2人史书均无传。

简报称，志文虽很简略地记叙了负标的籍贯、家世和生平事迹，但仍是研究北魏时期宁夏彭阳历史、地理弥足珍贵的文字资料，父子2人可补史书之阙。

中卫市

新疆维吾尔自治区

948.新疆北部的岩画

作　者：克由木

出　处：《文物》1962 年第 7、8 期合刊

1960 年，考古人员在北疆调查中发现了很多岩画，简报配图予以介绍。

据介绍，发现岩画的地点有：尼勒克县红光牧场东南 15 公里处、霍城县北的"干沟"、额敏县伊米里河卡拉伊米里支渠的山坡上、裕民县西南约 50 公里"红石头泉"、博尔塔拉蒙古自治州温泉县东北约 50 公里的穹库斯太和卡拉士柏，在阿勒泰县还发现有石人，昭苏县阿克亚孜河岸上，有蒙文、藏文文字及佛教像，除了最后 1 处是元代作品外，其他石人和岩画应是十六国北朝至隋初时期雕刻的。据史料记载，六七世纪时，有一部分突厥部族曾在阿勒泰山定居，可能这些石人和岩画就是这些部族遗留下来的文化遗迹。

乌鲁木齐市

克拉玛依市

吐鲁番地区

949.吐鲁番北凉武宣王沮渠蒙逊夫人彭氏墓

作　者：吐鲁番地区文物保管所　柳洪亮等

出　处：《文物》1994 年第 9 期

1979 年 4 月下旬，在阿斯塔那古墓群发现 2 座古墓，同年 7 月进行了清理，编

帛为 79TAM382、M383。M382 材料已发表在《文物》1983 年第 1 期。M383 发现
帛书 1 件，出土时卷成小卷，已朽，当时没有条件展开，遂妥加保管。后承新疆维
吾尔自治区博物馆技术室帮助展开，并予装裱。由帛书内容知道，墓主是北凉武宣
王沮渠蒙逊的夫人彭氏。简报分为：一、墓葬形制，二、出土遗物，三、结语，共
三个部分。有照片、手绘图。

据介绍，彭氏墓是 1 座斜坡墓道洞室墓。从残存迹象看，原应是在生土台面铺苇席，
上置棺木。墓内有成年女性干尸 1 具，保存不好，身首已分离。出土随葬品共 17 件，
其中帛书 1 件、画像 1 幅、丝织品 5 件、铜器 2 件、铅器 5 件、木器 3 件。帛书中
的“大凉”指北凉。“大且渠武宣王”指北凉的奠基者沮渠蒙逊，《晋书》《宋书》
《魏书》等史籍均有传。《宋书·大且渠蒙逊传》记：“匈奴有左且渠、右且渠之官，
蒙逊之先为此职，羌之酋豪曰大，故且渠以位为氏，而以大冠之。世居卢水为酋豪。”
《魏书·沮渠蒙逊传》记：“延和二年（433 年）四月，蒙逊死，遣使监护丧事，谥
曰武宣王。”帛书中正作“大且渠武宣王”，证明史载不误。

简报称，帛书有确切纪年。北凉长期奉行北魏正朔，北凉承平十六年岁在戊戌，
当北魏太安四年十二月十八日，当公元 459 年 2 月 6 日。另外，沮渠蒙逊有几位夫人，
史书不载。墓主人肯定不是《晋书·沮渠蒙逊传》所载文武兼备的孟氏。彭氏夫人
的身世还有待研究。

950.新疆吐鲁番地区阿斯塔那古墓群西 408、409 号墓

作　者：吐鲁番地区文物局　李　肖、张永兵等
出　处：《考古》2006 年第 12 期

2004 年 6 ～ 7 月，吐鲁番市阿斯塔那古墓群西区 2 座古墓遭到不同程度的
破坏，其中 M408 被盗，M409 坍塌。考古人员对两墓进行了抢救性发掘。简报
分为：一、地理位置，二、墓葬形制，三、出土遗物，四、结语，共四个部分。
有手绘图等。

2004 年，考古人员对阿斯塔那古墓群西区 2 座墓葬进行发掘（M408、
M409）。墓葬形制均为斜坡墓道攒尖顶墓，随葬品有陶器、木器、串饰、银钗、铜钱、
海贝、纺织品、文书等。墓室后壁有壁画，几乎占据整个后壁，长 2.09 米、宽 0.68
米。为 1 幅仿布壁画，在壁画的四角绘有黑色的四角形，象征着画布的挂索。

画面可分为三大部分，从右至左依次反映的内容为庄园田地、墓主家族、庄园
日常生活和男主人的戎马生涯。依据画面内容，定名为“庄园生活图”。墓室内棺
板放置凌乱，尸体身首异处。简报推断，从墓葬形制结构、随葬品特征来看，这两

座墓葬的时代为十六国时期。

M408 墓室后壁出土的"庄园生活图",反映了十六国时期高昌地区庄园经济的一些侧面,庄主的日常生活,特别是标注有"北斗""三台""日像""月像"等名称的天象图,为研究当时人的宇宙观和精神世界提供了新的资料。可参见李肖先生《吐鲁番新出壁画"庄园生活图"简介》(载《吐鲁番学研究》2004 年第 1 期)一文。

951.新疆鄯善县吐峪沟石窟寺遗址

作　者：中国社会科学院考古研究所边疆民族考古研究室、吐鲁番学研究院、
　　　　龟兹研究院　陈　凌、李裕群、李　肖等

出　处：《考古》2011 年第 7 期

吐峪沟石窟位于新疆东部吐鲁番鄯善县吐峪沟乡麻扎村,地处火焰山东段腹地,南邻洋海坎,北通苏贝希,自古以来即为连通火焰山南北的 1 条重要通道。百余座洞窟连续分布在吐峪沟东西两侧的断崖上,是新疆东部开凿年代最早、规模最大的佛教石窟遗址群,也是古代丝绸之路上 1 处重要的佛教地点。吐峪沟石窟是佛教石窟寺艺术由西域向内地传播的关键节点,对研究我国古代佛教石窟的发展演变具有重要的意义。

自 19 世纪中叶起,外国探险家纷纷涉足吐峪沟。2010 年,我国考古人员对新疆鄯善县吐峪沟石窟寺遗址进行发掘,清理了 50 多处洞窟和许多窟前遗迹,以及 1 处地面佛寺。新发现壁画面积约 200 平方米,还出土大量文书残片。吐峪沟石窟均是多层式的组群布局,新清理的两处礼拜窟应开凿于公元 5 世纪前后,大体相当于魏晋时期。吐峪沟石窟寺遗址的发掘为研究古代佛教石窟等提供了宝贵的新资料。简报分为:一、遗址概况,二、沟东区北部石窟群,三、沟西区北部石窟群,四、沟东区南部地面佛寺,五、结语,共五个部分。有彩照、手绘图等。

952.新疆鄯善县吐峪沟东区北侧石窟发掘研究

作　者：中国社会科学院考古研究所边疆民族考古研究室、吐鲁番学研究院、
　　　　龟兹研究院　陈　凌、李裕群、李　肖

出　处：《考古》2012 年第 1 期

尽管吐峪沟石窟备受国内外学术界关注,但此前却未曾做过科学的考古发掘。为配合丝绸之路申遗和吐峪沟崖体加固工程,考古人员对吐峪沟石窟进行发掘清理。

2010 年春季的发掘工作自 3 月 11 日起至 5 月 6 日止，历时 58 天。发掘面积总计约 2500 平方米，共发掘清理洞窟 50 余处。除洞窟之外，还清理出许多重要的窟前遗迹，包括窟前殿堂、地面、门道、踏步等。新发现壁画面积总计约 200 平方米。出土了数量相当多的多种语言文字的文书残片，还有绢画、木器、石器、陶器等，收获颇丰。此外，还利用 2010 年春季发掘沟东区石窟群的间隙，对沟西区北侧进行重点调查，并于 2010 年冬季和 2011 年春季对该区域进行了发掘。关于沟东区北侧石窟发掘情况，简报分为：一、编号说明，二、地层堆积，三、遗迹，四、遗物，五、结语，共五个部分。有手绘图。

据介绍，除发现大量遗迹、遗物外，K18 应是这组窟群的中心建筑。简报推断，石窟开凿于公元 5 世纪前后。简报认为，吐峪沟东区北侧石窟的发掘为研究古代佛教石窟、吐鲁番地区历史文化等提供了新资料。

哈密地区

和田地区

阿克苏地区

953.新疆拜城克孜尔千佛洞新 1 号窟

作　者：朱英荣

出　处：《文物》1984 年第 12 期

新疆拜城克孜尔千佛洞是我国著名的石窟建筑群。20 世纪初以来，已有编号的 230 多个洞窟，绝大多数已在国内外做过不同程度的介绍。50 年代末，韩乐然先生在克孜尔千佛洞谷西区从 47 号窟到 77 号窟这一区域下面的流沙覆盖部分，即 67 号窟的左下方，发现 1 个新的石窟（当时定为新 1 号窟，现在编号为 69 号窟），窟内尚存部分塑像和壁画，壁画颜色仍十分鲜艳。这一发现，给我们这样一种启示：与新 1 号窟平行的这一线部位，可能还存在着未被发现的石窟。1973 年，考古人员结合清除流沙的工作，对新 1 号窟的周围进行清理，果然在紧靠特 1 号窟的西面发现了 1 个新窟，编号为克孜尔千佛洞新 1 号窟。简报分为：一、位置，二、形制，三、壁画，四、塑像，五、小结，共五个部分。有照片、手绘图。

据介绍，新1号窟是1个中心柱形窟，窟分前后两室。前室稍后部分凿出中心方柱，柱的正面开有佛龛，龛内原来塑有佛像，现已不存。前室的窟顶坍坏，左右两壁的壁画已不存，但壁上可见残留木橛朽迹的窟窿。壁基凿有台阶，仍明显可辨。当年在此台阶上应塑有立佛像。沿新1号窟中心方柱两侧开出东西两甬道，可进入后室。新1号窟的全部精美遗迹均保存在后室中。后室的东甬道残损，但甬道顶和甬道口尚保存一部分壁画；西甬道保存较好，甬道两壁的壁画尚残存，但甬道顶的壁画已不见。石室后壁凿出一台，上有佛像。此窟的开凿年代约相当于南北朝时期(5～6世纪之间)。同刊同期有许宛音先生《克孜尔新1窟试论》一文，认为此窟开凿年代在公元500～600年之间，可参阅。

954.新疆库车友谊路魏晋十六国时期墓葬 2007 年发掘简报

作　　者：新疆文物考古研究所　于志勇、田小红、党志豪、吴　勇等
出　　处：《文物》2013 年第 12 期

2007 年 7 月，在新疆阿克苏地区库车县友谊路的建设工程中发现了一批古代墓葬，考古人员对 10 座墓进行了发掘，取得了重要成果。分为四个部分予以介绍，配有多幅彩照和手绘图。

第一部分"地理位置"介绍说，墓地位于新疆库车县友谊路南端，地处克孜勒塔格山南、库车河出山口南面的角砾石冲积扇上。此次发掘的 10 座墓编号为 M1～M10，墓室上部的土层已遭破坏，故墓葬的开口位置与墓道的尺寸不详。

第二部分"墓地概况"介绍说，墓葬有竖穴土坑墓、瓮棺墓、砖室墓，其中砖室墓均自原戈壁砾石地表向下挖长方形或圆形竖穴坑，然后修建墓道、砖砌墓室，距现地表 7～10 米竖穴土坑墓有 2 座，均为长方形竖穴墓坑，单人葬，无葬具，随葬陶罐、铜钱。

瓮棺墓有 1 座，系在建好的墓坑内用残破的大陶瓮作为葬具，内葬儿童 1 人，瓮棺两端用陶盆封堵，随葬陶明器等。

砖室墓有 7 座，其中竖穴砖室墓有 2 座，斜坡墓道砖室墓有 5 座。竖穴砖室墓的平面呈长方形，均为单人葬，随葬陶器或陶明器。斜坡墓道砖室墓分为斜坡墓道单室砖室墓、斜坡墓道双室砖室墓两种。斜坡墓道砖室墓均为多人多次合葬，个体多者可达 10 个以上，多为仰身直肢葬。随葬器物以陶器和铜器为主。

第三部分为"典型墓葬"，重点介绍了 M1、M3 和 M8。

第四部分为"结语"，称此次发掘的砖室墓是近年来新疆地区汉晋时期考古的

重大发现，初步推断这批墓葬为中原内地汉式风格的墓葬。推断这批砖室墓的年代为魏晋十六国时期，即3～4世纪。砖室墓的墓主可能是来自甘肃河西地区的豪族或是受到汉地文化影响的龟兹贵族。

简报指出，在此次发掘的10座墓中，分布较集中的斜道砖室墓可能属于一个茔区。多人多次合葬的现象值得进一步思考。砖室墓中出土了与甘肃河西地区魏晋时期墓相同的随葬器物，同时也出土了具有龟兹地域特色的器物。库车古称龟兹，为汉唐时期西域绿洲城邦大国，优越的自然环境和地缘优势，奠定了它在新疆地区乃至整个欧亚大陆文化交流方面的特殊地位。对于汉晋时期的中原王朝，征服龟兹并有效实施治理，就能够控制西域绿洲城邦诸国。这批砖室墓的发现，为研究新疆地区汉晋时期的历史、文化提供了重要的实物资料。

喀什地区

克孜勒苏柯尔克孜自治州

巴音郭楞蒙古自治州

昌吉回族自治州

博尔塔拉蒙古自治州

伊犁哈萨克自治州

955.新疆巩留县发现一件青铜武士俑

作　者：伊犁文物管理所　翰　秋
出　处：《文物》2002 年第 6 期

1999 年 8 月，巩留县文化局、巩留县公安局联合收缴 1 件青铜武士俑，据称是当地一牧民在自家冬窝子打院墙取土时挖出的，现收藏于伊犁哈萨克自治州博物馆。简报配以照片予以介绍。

据介绍，俑下肢残缺，残高 21.5 厘米，重 875 克。头戴锥形帽，背负月牙形曲首扁平器（过头顶与帽顶连为一体），方圆脸，目圆睁，高鼻，八字须，挺胸阔背，双肩有配饰，着束腰紧身衣，胸前挽一领结，腰间系带，双手紧握向前伸出，造型逼真，有神勇之气。从装束和姿态看，应为武士形象。此俑与 1991 年新源七十一团渔塘遗址发掘出土的跪式青铜武士俑（现藏新疆维吾尔自治区博物馆）极其相似，二者应同属公元 5 世纪至 3 世纪遗物，即中原魏晋南北朝时期。

塔城地区

阿勒泰地区

石河子市

阿拉尔市

图木舒克市

五家渠市

香港特别行政区、澳门特别行政区、台湾省

参考文献

一、参考文献分为上编、中编、下编。

二、上编收录本书收录的考古核心刊物（以《北京大学中文核心期刊目录》2011年版考古学科为准，略加调整）。中编系非核心刊物及以书代刊的连续出版物、某一地区考古成果汇编等举要。下编是面对非考古专业读者的相关书籍。

三、上编依《北京大学中文核心期刊目录》2011年版给出顺序排列；中编依通行的省市自治区直辖市顺序排列。省市自治区下排列不分先后。

上　编

1.《文物》

创刊于 1950 年，国家文物局主管，文物出版社主办。初名《文物参考资料》，1959 年改为《文物》。1971 年曾停刊一年。现为月刊。

2.《考古》

创刊于 1955 年，由中国社会科学院考古研究所主办。1955～1959 年，用《考古通讯》的刊名，1955～1957 年为双月刊，此后改为月刊，1966 年 6 月至 1971 年 12 月停刊，1972～1982 年为双月刊，1983 年至今为月刊。有《考古（1955～1996 年）》《考古（1997～2003 年）》两张全文检索光盘出版。2007 年 3 月起，实行双向匿名审稿。

3.《考古学报》

创刊于 1936 年 8 月，由国立"中央研究院"历史语言研究所主办，刊名《田野考古报告》，列为专刊之十三。第二册（1947 年 3 月出版）更名为《中国考古学报》，至 1949 年共出版四册。第四册出版于 1949 年 12 月，由中国科学院历史语言研究所主办。1950 年 8 月 1 日，中国社会科学院考古研究所成立（当时为中国科学院所属研究机构），继续主办，于 1950 年 12 月出版第五册。自第六册（1953 年 12 月出版）更名为《考古学报》至今。1954 年变更为半年刊，1956 年变更为季刊，1960 年又变更为半年刊，1978 年起改为季刊，每年 1、4、7、10 月的 30 日出版。2007 年 3 月起，实行双向匿名审稿。

4.《考古与文物》

1980 年创刊，陕西省考古研究所主办，季刊。1982 年改为双月刊。该刊曾编有若干期《考古与文物》辑刊，多为研究性文章；还编有《考古与文物丛刊》，为不定期刊物，有少许发掘报告，但内容较宽泛，古文字学、古人类学等方面文章均收。

5.《中原文物》

河南省博物馆主办，1977 年创刊时名为《河南文博通讯》，1981 年改名《中原文物》，季刊。2000 年改为双月刊。有《〈中原文物〉十五年叙录（1977～1992）》一书。

6.《北方文物》

黑龙江省考古研究所、考古学会主办，1981 年创刊，初名《黑龙江文物丛刊》，季刊。

7.《华夏考古》

河南省考古研究所、河南省文物考古学会主办，创刊于 1987 年，季刊。

8.《四川文物》

四川省文物局主办。1984 年创刊，双月刊。出版有《〈四川文物〉二十年目录索引（1984～2003）》。

9.《江汉考古》

1980 年创刊，先以不定期形式共出了五期（至 1982 年底为止）。从 1983 年第 1 期（即总第 6 期）起改为季刊，向国内外公开发行。1989 年第 3 期起，由湖北省文物考古研究所主办。

10.《农业考古》

1981 年创刊，为国内外唯一的专门发表有关农业考古学研究成果的大型学术刊物。原主办单位为江西省博物馆、江西省中国农业考古研究中心。1985 年由江西省社会科学院历史研究所和江西省中国农业考古研究中心主办；1994 年起由江西省社会科学院和中国农业博物馆联合主办；2003 年起由江西省社会科学院主办。双月刊。

11.《文博》

1984 年 7 月创刊，陕西省考古研究所主办；陕西省博物馆、秦始皇陵兵马俑博物馆参办。双月刊。

《文博》虽未列入 2011 年版《北京大学中文核心期刊目录》，但考虑到该刊的质量及陕西省作为文物大省的地位，此次仍然予以收录。

中　编

1. 北京市

《考古学社社刊》

北京燕京大学考古学社编，1934 年创刊，1937 年停刊。

《考古学集刊》

中国社会科学院考古研究所主办，1981 年创刊，科学出版社出版，年刊。自第 16 期开始以专业论文为主。

《考古学研究》

北京大学考古文博学院、中国考古学研究中心编，16 开平装，科学出版社、北京大学出版社不定期出版。

《北京文物与考古》

1983 年创刊。

《北京文博》

北京市文物事业管理局主办，1995 年创刊，季刊。

《北京考古》

北京市文物研究所编，北京燕山出版社 2008 年始不定期出版。

《三代考古》

中国社会科学院考古研究所夏商周考古研究室编，16 开平装，科学出版社不定期出版。

《中国道教考古》

线装书局不定期出版。

《中国古陶瓷研究》

紫禁城出版社出版的连续出版物。

《石窟寺研究》

中国古迹遗址保护协会石窟专业委员会编，文物出版社不定期出版。

《中国大遗址保护调研》

中国社会科学院考古研究所文化遗产保护研究中心编，科学出版社 2011 年始不定期出版。

《文物研究》

科学出版社连续出版物。

《九州》

商务印书馆连续出版物。

《古脊椎动物学报》

中国科学院古脊椎动物与古人类研究所主办。1957年创刊时为英文版，季刊，1959年创刊中文版。1961年英文、中文版合并，1966年停刊，1973年复刊。

《文物资料丛刊》

《文物》编辑委员会编，文物出版社不定期出版。

《古代文明》

北京大学中国考古学研究中心编，文物出版社不定期出版。

《古代文明研究》

中国社会科学院考古研究所、古代文明研究中心编，文物出版社不定期出版。

《中国盐业考古》

科学出版社不定期出版。

《科技考古》

中国社会科学院考古研究所编，科学出版社不定期出版。

《水下考古》

国家文物局水下文化遗产保护中心编，上海古籍出版社2018年出版第1辑。

《中国国家博物馆馆刊》

创刊于1979年，初名《中国历史博物馆馆刊》。原为半年刊，一年两本。1999年改名《中国历史文物》，2002年改为双月刊，2011年改为《中国国家博物馆馆刊》，并改为月刊。

《首都博物馆丛刊》

首都博物馆主办，北京燕山出版社2007年始不定期出版。

《中国文物报内部通讯》

1991年7月创刊，不定期出版。

《陶瓷考古通讯》

《玉器考古通讯》

《古代文明考古通讯》

以上三种"通讯"，均由北京大学文博学院主办。

《青年考古学家》

北京大学文物爱好者协会会刊，1988年创刊。科学出版社出版。每年一册。

《故宫博物院院刊》

故宫博物院主办，1958年创刊，双月刊。

《中国文物科学研究》

国家文物学会、故宫博物院主办，2006 年创刊。

《中国历史文物》

国家博物馆主办，双月刊。

2．天津市

《天津博物馆集刊》

天津博物馆编，天津人民出版社出版，1998 年第一辑出版。

《天津考古》

天津市文化遗产保护中心编，16 开精装，科学出版社不定期出版。

《天津博物馆论丛》

科学出版社不定期出版。

《天津文博》

天津市文物博物馆学会编，1986 年创刊。

3．河北省

《文物春秋》

河北省文物局主办，创刊于 1989 年，双月刊。

《河北省考古文集》

河北省文物研究所编，科学出版社不定期出版。

4．山西省

《三晋考古》

山西省考古学会、山西省考古研究所主办，1994 年创刊。年刊，现由上海古籍
出版社出版。

《山西博物馆学术文集》

山西人民出版社不定期出版。

《晋中考古》

文物出版社不定期出版。

《运城地区博物馆馆刊》

运城地区博物馆主办。

《北朝研究》

中国魏晋南北朝史学会、大同平城北朝研究会编，16 开平装，科学出版社不定
期出版。

《文物世界》

山西省文物局主管，1987 年创刊，双月刊。

5. 内蒙古自治区

《内蒙古文物考古》

内蒙古文化厅、内蒙古考古博物馆学会主办，1981 年创刊，半年刊。

《草原文物》

内蒙古自治区文化厅、内蒙古考古博物馆学会主办，1984 年创刊，1997 年由年刊改为半年刊。

《鄂尔多斯考古文集》

伊克昭盟文物工作站 1981 年创刊。

《内蒙古包头博物馆馆刊》

内蒙古包头博物馆主办，2000 年创刊。

6. 辽宁省

《辽宁文物》

辽宁省博物馆主办，1980 年创刊。

《辽海文物学刊》

1986 年创刊，辽宁省博物馆、文物考古研究所主办，半月刊。

《辽宁考古文集》

辽宁省文物考古研究所编，16 开平装，科学出版社不定期出版。

《辽宁省博物馆馆刊》

辽海出版社不定期出版。

《沈阳故宫博物院院刊》

沈阳故宫博物院主办，1995 年创刊，半年刊。

《沈阳考古文集》

沈阳市文物考古研究所编，科学出版社 2007 年始不定期出版。

《大连文物》

科学出版社不定期出版。

7. 吉林省

《东北史地》

吉林省社会科学院吉林省高句丽研究中心主办，2004 年 1 月创刊。

《博物馆研究》

吉林省博物馆学会、吉林省考古学会主办，季刊。

《边疆考古研究》

吉林大学连续考古研究中心编，科学出版社不定期出版。

《亚洲考古》

吉林大学边疆考古研究中心编，科学出版社出版。该刊为英文版。

8. 黑龙江省

《黑龙江文物丛刊》

1985 年创刊，季刊，现已改名为《北方文物》。

《昂昂溪考古文集》

科学出版社 2013 年版。

9. 上海市

《上海博物馆馆刊》

创刊于 1981 年，上海人民出版社出版。后改名《上海博物馆集刊》，年刊。

《上海文博论丛》

上海博物馆主办。2002 年创办，季刊。

《文物保护与考古科学》

上海博物馆主办，1989 年创刊，现为双月刊。

《出土文献》

清华大学出土文献研究与保护中心编，2010 年创办，每年一辑。

10. 江苏省

《东南文化》

南京博物院、江苏省考古学会主办，1975 年创刊时名为《文博通讯》，1985 年改为《东南文化》。

《南京博物院集刊》

南京博物院主办，文物出版社出版。

《无锡文博》

1990 年创刊，季刊，原名《无锡博物馆通讯》。

《扬州文博》

扬州市博物馆主办，1990 年创刊，1992 年停刊。

《江淮文化论丛》

扬州市博物馆编，文物出版社不定期出版。

《徐州文物考古文集》

徐州市博物馆编，科学出版社不定期出版。

《苏州文博论丛》

苏州市博物馆编，文物出版社不定期出版。

《文博通讯》

江苏省考古学会编。1975 年创刊，1985 年改名为《东南文化》。

《江阴文博》

江阴市文物管理委员会编，半年刊。

《常州文博》

常州市博物馆编，1993 年创刊，半年刊。

11．浙江省

《东方博物》

浙江省博物馆主管，创刊于 1997 年，季刊。

《杭州文博》

杭州出版社不定期出版。

《浙江省文物考古所学刊》

科学、文物出版社不定期出版。

《宁波文物考古研究文集》

宁波市文物考古研究所、文物保护管理所编，科学出版社不定期出版。

《东方建筑遗产》

宁波报国寺古建筑博物馆编，科学出版社的连续出版物。

《绍兴市考古学会会刊》

绍兴市考古学会编，不定期出版。

12．安徽省

《安徽省考古学会会刊》

安徽省文物考古研究所、考古学会编，16 开平装，1985 年创刊，为科学出版社出版的连续出版物。

《安徽文博》

安徽博物院、安徽省博物馆协会主办，1980 年创刊。年刊。

《徽州文博》

黄山市博物馆协会主办。

《文物研究》

安徽省文物考古研究所编，科学出版社不定期出版。

13．福建省

《福建文博》

福建省博物馆主办，1979 年创刊，半年刊。

《东南考古研究》

厦门大学出版社不定期出版，涉及东南亚国家考古成果。

14. 江西省

《南方文物》

江西省文化厅主办，江西省博物馆、江西省考古研究所编辑出版。原名《江西文物》，1992 年改称《南方文物》，季刊。

《江西省博物馆集刊》

江西省博物馆主办，文物出版社不定期出版。

15. 山东省

《东方考古》

山东大学东方考古研究中心编，16 开平装，为科学出版社推出的连续出版物。

《齐鲁文物》

山东省博物馆编，科学出版社不定期出版。

《海岱考古》

山东省文物考古研究所编，科学出版社不定期出版。

《胶东考古》

《齐鲁文博》

齐鲁书社不定期出版。

《山东省高速公路考古报告集》

科学出版社不定期出版。

《济南考古》

济南市考古研究所编，为科学出版社的连续出版物。

《青岛考古》

青岛市文物保护考古研究所编，为科学出版社出版的连续出版物。

16. 河南省

《河南博物馆馆刊》

1936 年创刊，河南博物馆编辑出版，16 开，计已出版了 11 册。除了考古成果，还收录了动物、植物、矿物等方面的成果。

《中原文物考古研究》

大象出版社不定期出版。

《河洛文化论丛》

北京图书馆出版社不定期出版。

《动物考古》

河南省文物考古研究所编，文物出版社不定期出版。

《文物建筑》

河南省古代建筑保护研究所编，科学出版社不定期出版。

《郑州文物考古与研究》

郑州市文物考古研究院编，科学出版社不定期出版。

《郑州商城考古新发现与研究》

河南省文物考古研究所编，中州古籍出版社出版。

《洛阳考古》

洛阳市文物考古研究院编，中州古籍出版社出版的系列出版物，2017 年以来已出版十余册。

《洛阳文物钻探报告》

洛阳市文物钻探管理办公室编，文物出版社不定期出版。

《开封考古发现与研究》

开封市文物工作队编，中州古籍出版社 1998 年出版。

《开封文博》

开封市博物馆主办，1990 年创刊，半年刊。

《殷都学刊》

安阳师范学院主管，1980 年创刊，季刊。

17．湖北省

《楚文化研究论集》

荆楚书社不定期出版。

《荆楚文物》

荆州博物馆编，16 开平装，科学出版社 2013 年始不定期出版。

《襄樊考古文集》

襄樊市文物考古研究所编，科学出版社 2007 年始不定期出版。

《鄂东北考古报告集》

湖北科学出版社 1996 年版。

《三峡考古之发现》

湖北科学技术出版社推出的连续出版物。

《湖北库区考古报告集》

国务院三峡工程建设委员会办公室、国家文物局编，科学出版社 2003 年始不定期出版。

《武汉文博》

武汉市文物管理处研究室编，1988 年创刊，季刊。

《清江考古》

湖北省清江隔河岩考古队、湖北省文物考古研究所编，科学出版社 2004 年出版。

《湖北南水北调工程考古报告集》

科学出版社不定期出版。

《葛洲坝工程文物考古成果汇编》

武汉大学出版社出版。

《长江文物考古简讯》

长江流域规划办文物考古队编，1958 年创刊，月刊。

18. 湖南省

《湖南省博物馆馆刊》

岳麓书社不定期出版。

《湖南考古辑刊》

岳麓书社不定期出版。

19. 广东省

《广东文物》

广东省文化厅、广东省文物博物馆学会主办，1996 年创刊，半年刊。

《广东文博》

广东省文物管理委员会主办，1983 年创刊，不定期出版。

《艺术史研究》

中山大学艺术史研究中心编，中山大学出版社出版，每年一本。

《华南考古》

广州市文物考古研究所等编，文物出版社 2004 年始不定期出版。

《羊城考古发现与研究》

广州市文物考古研究所编，文物出版社 2005 年始不定期出版。

《广州文博》

广州市文物局等编，1985 年创刊，文物出版社不定期出版。

《珠海考古发现与研究》

广东人民出版社 1991 年版。

《深圳文博论丛》

深圳博物馆编，文物出版社不定期出版。

20. 广西壮族自治区

《广西考古文集》

广西文物考古研究所编，文物出版社不定期出版。

《广西文物考古报告集》

广西壮族自治区文物工作队编，广西人民出版社 1993 年出版的一册汇集了 1950 ～ 1990 年的考古调查、考古发掘报告等。

21. 海南省

《海南省博物馆研究文集》

科学出版社不定期出版。

《西沙水下考古》

中国国家博物馆水下考古研究中心、海南省文物保护管理办公室编，科学出版社不定期出版。

22. 重庆市

《长江文明》

中国三峡博物馆主办，2008 年创刊，季刊。

《重庆库区考古报告集》

重庆市文物局、重庆市移民局编，科学出版社出版，大体每年一卷。

《大足学刊》

大足石刻研究院编，重庆出版社不定期出版。

23. 四川省

《四川考古报告集》

文物出版社不定期出版。1998 年出版第 1 集。

《南方民族考古》

四川大学博物馆、成都民族文物考古研究所编，1987 年创刊，中间因故停刊，2010 年复刊。科学出版社不定期出版。

《成都文物》

成都文物管理委员会主办，季刊。

《成都考古发现》

成都市文物考古研究所编，科学出版社出版，大体一年一册。据称自 2001 年以来，20 年间发表了 425 篇报告。

《四川古陶瓷研究》

四川省社会科学院主办，不定期出版。

《川南文博》

四川省宜宾市博物馆主办，1985 年创刊。

24. 贵州省

《贵州省博物馆馆刊》

贵州省博物馆主办，1985 年创刊，1988 年停刊，1992 年与《贵州文物》合并，改名《贵州文博》。

《贵州文物》

贵州省文管会主办，1982 年创刊，1992 年停刊。

25．云南省

《云南文物》

云南省博物馆主办，1973 年创刊，1987 年停刊。

《云南考古文集》

云南民族出版社出版。

《茶马古道研究集刊》

云南大学出版社不定期出版。

26．西藏自治区

《西藏文物考古研究》

西藏自治区文物保护研究所编著，平装 16 开，科学出版社 2014 年始不定期出版。

《西藏考古》

四川大学出版社 1994 年始不定期出版。

《西藏文物通讯》

西藏自治区文管会主办，1981 年创刊。

27．陕西省

《周秦文明论丛》

三秦出版社不定期出版。

《西部考古》

三秦出版社出版的连续出版物。

《史前研究》

陕西省考古研究院、西安半坡博物馆主办，1986 年创刊，季刊。

《秦文化论丛》

西北大学出版社出版的连续出版物。

《陕西省历史博物馆馆刊》

西北大学出版社出版的连续出版物。

《陕西博物馆馆刊》

三秦出版社不定期出版。

《宝鸡文博》

1991 年创刊，不定期出版。

《秦陵秦俑研究动态》

秦始皇兵马俑博物馆主办，1986 年创刊，季刊。

28．甘肃省

《敦煌研究》

《西北民族研究》

《陇右文博》

甘肃省博物馆主办，1996 年创刊，半年刊。

《简牍学研究》

西北师范大学、甘肃省文物考古研究所编，甘肃人民出版社 1997 年开始出版。

29．青海省

《青海文物》

青海省文化厅主办，1988 年创刊。

《青海考古学会会刊》

青海省文化厅文物处、青海省考古学会主办，1980 年创刊，1985 年停刊。

30．宁夏回族自治区

《宁夏社会科学》

《西夏学》

宁夏大学西夏学研究院主办，半年刊。

31．新疆维吾尔自治区

《新疆文物考古研究所丛刊》

《新疆考古》

新疆社会科学院考古研究所主办，后改为《新疆考古研究资料》，不定期出版。

《新疆文物》

《西域文史》

北京大学中国古代史研究中心、新疆师范大学西域文史研究中心合办，16 开平装，由科学出版社不定期出版。

《吐鲁番学研究》

吐鲁番地区文物局编。

32．香港特别行政区、澳门特别行政区、台湾省

《香港文物》

香港古物古迹办事处出版。

《香港考古学会专刊》

《"国立"台湾大学考古人类学刊》

1953 年创刊，年刊。

《台湾省博物馆季刊》

创刊于 1948 年，现存 4 期，已停刊。

《故宫文物月刊》

台湾"'国立'故宫博物院"出版，1983 年创刊。

下　编

欲了解最新的考古成果、考古文献，有两套书是必须知道的：一套是《中国考古学年鉴》，自 1984 年以来每年一册，欲了解上一年度（如 2019 年出版的年鉴，反映的是 2018 年的信息）的考古成果、考古书籍、考古论文等，这是最权威的工具书之一；另一套是《中国重要考古发现系列》，这套书的优点是图文并茂，反映的就是书名所示年度的重要考古发现。如 2013 年出版的《2012 年中国重要考古发现》，说的就是书名所示 2012 年的事情。这两套书，均由文物出版社出版。

更深入一些的书籍，有三套书应该提到：

第一套是文物出版社出版的《中国文物地图集》，这套书按各省市自治区分册，如重庆分册、河北分册等。优点是将考古发现与地图结合，可以直观地看到某一地区考古发现的多少，但欲进一步了解，仅靠此套书是无法解决的。所以正确的使用方法是：将此书与其他书结合起来阅读。

第二套是《中国考古集成》（中州古籍出版社 2006～2007 年版），此书实际上就是将散见各处的考古文献汇集一处，这对使用者而言当然是极为便利。不过窃以为如改为《中国稀见考古文献集成》，或许更实用一些。

第三套是《中国考古学》，此为集中全国专家编写了十余年之久的国家项目，专业性较强。计划分为 9 卷，目前"新石器时代卷""秦汉卷""两周卷""三国两晋南北朝卷""夏商卷"等册已出版。全套书要出齐恐怕尚待时日。《考古》杂志 2011 年第 7 期有相关书评，有兴趣的话可以找来看看。

如果没有时间去浏览这些大套书的话，先看一些概述、综述性质的书是一个不错的选择。这里仅介绍国家文物局主编的《中国考古 60 年（1949～2009）》（文物出版社 2009 年版）一书。这部书是按省市自治区分开叙述的，囊括了 1949 年后几乎全部重大考古发现，有文有图，执笔者多为各省（自治区、直辖市）的考古专家，文简意赅，缺点是没有给出参考文献，无法以此为线索扩大阅读。当然，依照以往的惯例，可以预料日后会有《中国考古 70 年（1949～2019）》一类的书出版，希望那时会有所改进。文物出版社 2009 年出版的《中国文物事业 60 年》一书，或可视作《中国考古 60 年（1949～2009）》一书的姐妹篇，也可参阅。书中除了港澳台以外，各省（自治区、直辖市）均列有专节。另外，国家博物馆编、中华书局 2012 年出版的《文物史前史·彩色图文本》等，已出齐 10 册，几可视为中国考古的图片专辑。

陈淳先生的《考古学研究入门》（北京大学出版社2009 年版）、李朝远先生的

《青铜器学步集》（文物出版社2007年版）、刘凤翥先生的《遍访契丹文字话拓碑》（华艺出版社2005年版）等，当为比较专业的"入门"类书。四川文物考古研究院编过一本《少儿考古入门》（文物出版社2013年版），那是明言给中小学生看的。其实，一些大家写的集子，可读性颇强，不妨也当作入门书来读。如严文明先生的《足迹：考古随感录》（文物出版社2011年版）、苏秉琦先生的《中国文明起源新探》（辽宁人民出版社2009年版，三联书店2019年新版）、李零先生的《入门与出塞》（文物出版社2004年版）、赵青芳先生的《赵青芳文集·考古日记卷》（文物出版社2011年版）、罗宗真先生的《考古生涯五十年》（凤凰出版集团2007年版）、石兴邦先生的《叩访远古的村庄》（陕西师范大学出版社2013年版）、杨育彬先生的《考古人生——杨育彬回忆续录》（科学出版社2021年版），等等。一些考古工作者亲力亲为的记载，也十分生动有趣。如王吉怀先生的《禹人絮语——考古随笔记》（中国社会科学出版社2017年版）、罗西章先生的《周原寻宝记》（三秦出版社2005年版），等等。事实上，此类书几乎已成为近几年的一个出版热点。如《了不起的文明现场：跟着一线考古队长穿越历史》（三联书店2020年版）、《我在考古现场：丝绸之路考古十讲》（中华书局2021年版）、《考古中国——15位考古学家说上下五千年》（中信出版集团2022年版）等，均很受欢迎。

这里要特别推荐李伯谦先生《感悟考古——写给青年学者的考古学读本》（上海古籍出版社2015年版）一书，这是考古大家唯一一本明言写给青年学者的考古学入门读本。另外，李学勤先生的《李学勤讲演录》（长春出版社2012年版），也是深入浅出的大家之作。陈洪波先生《中国科学考古学的兴起：1928～1949年历史语言研究所考古史》（广西师范大学出版社2011年版）、《中国文物研究所七十年（1935～2005）》（文物出版社2005年版）、《记忆：北大考古口述史》（北京大学出版社2012年版）、《考古研究所编辑出版书刊目录索引及概要》（四川大学出版社2001年版）等是众多考古机构类书籍中最值得推荐的几本。读此会对中国最高考古机构及最早的考古教育院系有一个基本了解。文物出版社2010年还出版过一本《春华秋实：国家文物局60年纪事》，读一读，对中国大陆最高文物考古行政部门，也会有所了解。学术史、研究史方面的书自也不应忽视。这方面的书籍应提到陈星灿先生的《中国史前考古学史研究：1895～1949》（三联书店1997年版）、《20世纪中国考古学史研究论丛》（文物出版社2009年版）、黄继秋先生的《百年中国考古》（江苏人民出版社2013年版）、李学勤先生的《20世纪中国学术大典·考古学、博物馆学》（福建教育出版社2007年版）等。最新的书籍，当然是王巍先生主编的《中国考古学百年史（1921～2021年）》（中国社会科学出版社2021年版）共12册，据称共有276名专家参加了此书的写作。

有几部书较有特色，但很难归类：一是国家文物局第三次全国文物普查办公室编的《三普人手记：第三次全国文物普查征文选集》（文物出版社2009年版），可一见奋战在文物普查一线的文保工作者的酸甜苦辣；二是中国文物保护基金会编的《天职——从"文保市长"到"文保书记"》（文物出版社2009年版），可了解地方官员的无奈与奋争；三是何驽先生的《怎探古人何所思：精神文化考古理论与实践探索》（科学出版社2015年版），不是讲考古的思想史，而是从考古材料出发研究思想史；四是《梁带村里的墓葬：一份公共考古学报告》（北京大学出版社2012年版），它是从一个村庄微观角度，讲述考古学。

最后应介绍文献学及工具书方面的书籍。首先应提到张勋燎、白彬先生编著的《中国考古文献学》（科学出版社2019年版）。至于工具书，有《中国考古学文献目录（1949～1966）》（文物出版社1978年版）、《中国考古学文献目录（1971～1982）》（文物出版社1998年版）、《中国考古学文献目录（1983～1990）》（文物出版社2001年版）等，虽说尚未构成一个完整的考古文献"数据库"，但总算有胜于无。期待着国家文物局相关数据库建设早日完善。还有一些小型的更专业的书目，如叶骁军编的《中国墓葬研究文献目录》（甘肃文化出版社1994年版），赵朝洪先生的《中国古玉研究文献指南》（科学出版社2004年版）。这些书目都很不错，但如不及时修订容易过时。史前方面，还有几部研究史和文献目录应该提到：吕遵谔先生的《中国考古学研究的世纪回顾——旧石器时代考古卷》（科学出版社2004年版）、严文明先生的《中国考古学研究的世纪回顾——新石器时代考古卷》（科学出版社2008年版），是很好的研究史专著。缪雅娟先生的《中国新石器时代考古文献目录（1923～2006）》（中州古籍出版社2014年版），为我们提供了该领域的专业目录。后两书的内容，从时代看有的已进入夏商甚至更晚的时期。

辞典方面，仅介绍三部：一部是上海辞书出版社2014年出版的《中国考古学大辞典》，由中国社会科学院考古研究所所长王巍先生主编。条目拟定者多为相关领域专家，历时7年编成。正文收有条目5000余条，附录中有"中国考古学大事记（1899～2012）"等也都很实用。这部辞典，可以看作是考古学领域的"牛津双解辞典"，颇具权威性。另一部是罗西章、罗芳贤父女二人编著的《古文物称谓图典》（百花文艺出版社2013年版）。李学勤先生在序中称此书"别出心裁，与众不同，是一部新颖又有重要应用价值的著作"。共收录各类文物（图）3553件（组），下分20大类，再依时代排列。此书的图片印制等尚有提升空间，期盼第三版时会更臻完善。第三部是文物出版社2012年出版的《常见文物生僻字小字典》，很实用。

报纸方面，应提到国家文物局主办的《中国文物报》周报。当然，最快捷的还是互联网。较权威的有中国社会科学院考古研究所的中国考古网（http：//kaogu.

cn）、中国考古网微信（zhongguokaogu/ 中国考古网）、中国考古网新浪微博（http：//e.weiho.com/kaoguwang）。

各地区也有一些不错的考古史及考古丛书等。

如北京市，推荐宋大川先生主编的《北京考古发现与研究（1949～2009）》一书，科学出版社 2009 年版，上、下两册。如觉此书太厚，可参见同一作者的《北京考古史》（上海古籍出版社 2012 年版）一书。另外，上海古籍出版社 2011 年出版的《北京考古工作报告（2000～2009）》，计 12 册，可视为北京考古事业的一个大型文献数据库。《北京考古集成》（北京出版社 2005 年版）15 卷也已出齐。

河北省，推荐河北省文物研究所编著的《河北考古重要发现 1949～2009》（科学出版社 2009 年版）一书。分旧石器时代、新石器时代、夏商周、秦汉、魏晋北朝、隋唐五代、宋辽金元明，共七个部分进行介绍。另有《河北文物考古文献目录》（河北人民出版社 2020 年版）。

山西省，山西是文物大省。相关书籍不少。从非专业人员阅读兴趣考虑，首先推荐《发现山西：考古人手记》（山西博物院、山西省考古研究所编，山西人民出版社 2007 年版）一书。该书 16 开一册，仅 175 页厚，插图 213 幅，记叙了山西省芮城县西侯度、清凉寺，吉县柿子滩、沟堡，绛县横水墓地，曲沃县羊舌墓地，黎城县西周墓地，侯马市西高祭祀遗址，大同市沙岭北魏壁画墓，太原市北齐徐显秀墓的考古发掘始末。读此一书，对山西省比较重要的考古发现，都会有一个初步的印象。《有实有积：纪念山西省考古研究所六十华诞集》（山西人民出版社 2012 年版）也可参考。

内蒙古，有《辽西区青铜时代考古文献选编：回眸药王庙、夏家店遗址发掘六十周年》（科学出版社 2020 年版）一书，把相关的考古发掘报告及研究论文集中于一书，使用起来当然很方便，何况收入的考古发掘报告又做了修订。

黑龙江省，可参阅黑龙江省文物考古研究所编《考古·黑龙江》（文物出版社 2011 年版）。

上海市，张明华先生《考古上海》（上海文化出版社 2010 年版）、上海博物馆编《上海市民考古手册》（北京大学出版社 2014 年版）等均可一阅。

浙江省，可参阅浙江省文物局编《发现历史：浙江新世纪考古新成果》（中国摄影出版社 2011 年版）一书。马黎先生的《考古浙江：历年背后的故事》（浙江古籍出版社 2021 年版），用浅白有趣的文笔，讲述了近十年来浙江省的考古工作，正好可与上一本书在时间上衔接起来。《浙江考古（1979-2019）》（文物出版社 2020 年版）汇集了相关最新成果。

安徽省，可参阅《流金岁月——安徽省文物考古研究所 50 年历程》（安徽省文物考古研究所 2008 年版）。

山东省，山东省文物考古研究所编《山东 20 世纪的考古发现和研究》（科学出版社 2005 年版），可作为了解山东省考古事业的一部入门书，但缺点是缺少近十年来的内容。

河南省，河南省是文物大省。可以推荐的书不少。如文物出版社 2011 年出版的《历程：洛阳市文物工作队三十年》，读来并不枯燥。同类书尚有《岁月如歌——一个甲子的回忆》《岁月记忆：河南省文物考古研究所 60 年历程》，均由大象出版社 2012 年出版。国家图书馆出版社 2009 年出版的《洛阳古墓图说》一书，以图解方式介绍了新石器时代至明代的古墓。《河南文博考古文献叙录（1986～1995）》（中州古籍出版社 1997 年版）、《河南新石器时代田野考古文献举要（1923～1996）》（中州古籍出版社 1997 年版），虽稍显过时，但仍不失为两部有价值的文献目录。

北京图书馆出版社 2005 年始陆续出版的《洛阳考古集成》，为 16 开多卷本，已出版"原始社会卷""夏商周卷""秦汉魏晋南北朝卷""隋唐五代卷"及"补编"等，汇集了近五十年来相关考古资料，可视为考古重镇洛阳的一项大型文献基本建设。

湖北省，楚文化研究会早在 20 世纪 80 年代即编有《楚文化考古大事记》，可作为工具书使用。

湖南省，文物出版社 1999 年出版有《湖南省考古五十年》一书，可参阅。

广东省，广东省文物局编《广东文物考古三十年》（暨南大学 2009 年版）一书，附有"广东省文物考古调查发掘简报、报告目录（1978～2008）"，可以视作广东省考古文献的入门目录之一。文物出版社 1999 年出版的《广东省考古五十年》一书也可参看。

近年来，不少经济大省纷纷推出本省文物、考古的集大成丛书，广东省自然也不例外。科学出版社近年所出《广东文化遗产》，下分"古墓葬卷""塔幢卷""石刻卷""近现代重要史迹卷""古代祠堂卷"等，广东相关文献，几乎全部囊括在内。

广州市文物考古所有《广州考古六十年》（广东人民出版社 2013 年版）一书，可了解广州市考古工作的情况。

重庆市，文物出版社 1999 年出版的《重庆市考古五十年》一书，可作为入门书来看。此后的考古发现，可参阅《重庆文物考古十年》（重庆出版社 2010 年版）。

四川省，比较值得推荐的有《巴蜀埋珍：四川五十年抢救性考古发掘纪事》（天地出版社 2006 年版），此书为四川省文物考古研究院编著，读者阅后对四川省1949～2005 年间重大考古发现会有一个总体的印象。

贵州省，今有贵州民族出版社 1993 年版《贵州田野考古 40 年》一书，可参阅。

西藏自治区，夏格旺堆先生的《西藏考古工作 40 年》（文物出版社 2013 年版），是了解西藏自治区考古工作的一部综述类著述。

陕西省，陕西省是我国文物大省，从出版角度看，2006 年成立的陕西省考古研究院在全国各省市自治区中可以说是做得最好、最有规划的。该院已出版的丛书计有：

——"陕西省考古研究院田野考古报告丛书"，已出版五六十部；

——"陕西省考古研究院学术专题研究丛书"；

——"陕西省考古研究院专家学术研究丛书"；

——"陕西省考古研究院文物精品图录丛书"；

——"陕西省考古研究院译著丛书"。

陕西省考古方面的书籍众多，在此仅介绍《三秦 60 年重大考古亲历记》（三秦出版社 2010 年版）一书，此书 16 开，554 页厚，收文 71 篇，图文并茂，还有一些专业名词解释等小贴士，便于初学者阅读。读后对 20 世纪 50 年代的半坡遗址，60 年代的蓝田猿人、70 年代的秦兵马俑坑和周原遗址，80 年代的法门寺地宫、汉唐帝陵和陪葬墓，90 年代的汉阳陵陪葬坑、周公庙遗址、梁带村芮国墓地等均会有所了解。文章中不乏考古人员的发掘过程、生活细节、真实想法等，读来颇为生动、形象。陕西省文物局、考古研究院编《留住文明：陕西"十一五"期间基本建设考古重要发现（2006～2010）》（三秦出版社 2011 年版）当然是更专业的综述了。尹申平、焦南峰先生主编的《薪火永传：纪念陕西省考古研究院 50 周年（1958～2008）》（三秦出版社 2008 年版），读后对陕西省考古最高学术机构陕西省考古研究院会有一定了解。罗宏才先生的《陕西考古会史》（陕西师范大学出版社 2014 年版），也可参阅。

工具书方面，《陕西考古文献目录（1900～1979）》仍有一定使用价值。《陕西文物年鉴》（陕西人民出版社）是少数几个出版有文物年鉴的省、市中最为实用的。

甘肃省、青海、宁夏，有李怀顺、黄兆宏著《甘宁青考古八讲》（甘肃人民出版社 2008 年版），介绍了甘肃、宁夏、青海从旧石器时代到明代的考古情况。另有《青海考古 50 年》（青海人民出版社 1999 年版）一书，也可参阅。

新疆维吾尔自治区，2015 年由新疆美术摄影出版社、新疆电子音像出版社、美国克鲁格出版社联合出版《西域文物考古全集》一书，共有"研讨与研究卷""精品文物图鉴卷""不可移动文物卷"三大卷 39 分册，是新疆维吾尔自治区文物局完成的对近万处文物资料的整理汇编，是以新疆 88 个县、市的不可移动文物资料为基础，融汇了多年来新疆文物考古取得的主要成果。按照古遗址、古墓葬、古建筑、石窟寺及石刻、近现代重要史迹及代表性建筑、文物等类别的体例依次汇编。这些细致的工作，不仅为新疆不可移动文物保护规划的制定、进一步的考古发掘提供了科学依据，更为西域古代文化的研究提供了全面和系统的资料。

香港特别行政区，商志（香覃）、吴伟鸿先生的《香港考古学叙研》（文物出版社 2010 年版）在回顾香港考古发现、考古发掘的过程中，不时加入自己的研究观点，可作为了解香港特别行政区考古事业的首选书。

澳门特别行政区，郑炜明先生的《澳门考古史略》（澳门理工学院 2013 年版）是了解澳门特别行政区考古事业的一部好书，只是在中国内地不太好找。

台湾省，有陈光祖先生主编、臧振华先生编著的《台湾考古发掘报告精选（2006 ～ 2016）》。又有李匡悌先生编著的《岛屿群相：台湾考古》（台湾"中央研究院"历史语言研究所 2018 年版）一书，分章叙述了台湾的考古学史、史前考古、田野考古、环境考古、科技考古、动物考古、历史考古、水下考古等。

中国考古学会有《中国考古学年鉴》，已如前述。河南等地考古机构也有《考古年报》，一年一册。博物馆方面，有《中国国家博物馆年鉴》《中国博物馆年鉴》。

后 记

　　考古发掘报告，包括前期的勘察报告、调查报告、钻探报告、航拍报告、试掘报告，中期的清理报告、发掘报告，后期的实验报告、整理报告、保护报告等，是我国几代考古工作者辛勤劳动的结晶，是我们认识考古学术成果的唯一文字凭证。考古发掘报告，反映的是祖先留下的珍贵遗产，而考古发掘报告本身，也已成为一座取之不尽、用之不竭的学术宝库。这座宝库，应该说不仅仅属于考古学界，甚至应该说不仅仅属于学术界，而应属于全体国民，属于人类文明。

　　然而，令人遗憾的是，多年以来，国人对考古发掘报告的了解和利用实在是太有限了。考古学"是 20 世纪中国学术界成绩最突出，对人类历史贡献最大的学科之一"。（陈星灿著《考古随笔（二）》，文物出版社 2010 版，第 251 页），历史学号称与考古学的关系"特别密切和重要"（赵光贤著《中国历史研究法》，中国青年出版社 1988 年版，第 29 页），但《中国古代史史料学》（安作璋主编，福建人民出版社 1994 年版，第 91 页）一书，对古代陵墓、建筑遗址、遗迹及相关实物等考古材料不还是以一句"因涉及考古学的专门知识，这里不再作介绍"交代了吗？究其原因，主要在于考古发掘报告专业性强，佶屈聱牙。考古学家俞伟超先生甚至说，他当年对斗鸡台的考古报告都"很难看得懂"，直至 1954 年"在陕西宝鸡发掘时，在当地琢磨才明白的"（曹兵武编著《考古与文化续编》，中华书局 2012 年版，第 330 页）。考古名家尚且如此，遑论其他？唯其如此，如果有一部通俗易懂而又信息量大的集中介绍考古发掘报告的工具书，不是多少能解决点问题吗？我个人以为，这一工具书最好是有提要的，仅仅是一部考古发掘报告的书目、篇名目录，对"数据"的"发掘"程度是不够的。人们需要了解：在哪儿、什么时候、发现或发掘出什么、这些遗迹或遗物有何特别之处、有何重要意义等基本信息。只有通过对这些基本信息的揭示，人们才会对考古发掘报告有一个大体了解，才谈得上去进一步利用。但这么多年了，却未见这样的工具书问世。诚如章培恒先生所言："要踏踏实实地、系统地研究某一门学问，非有这方面的较为完整的目录书指示门径不可。倘若没有

/

呢？那就得自己动手去编。"（《日本现藏稀见元明文集考证与提要·序》，岳麓书社 2004 年版）这，也正是我们编纂《中国考古发掘报告提要》这一工具书的初衷和目的。如果说，《四库全书总目》囊括了大部分古典文献；那么，《中国考古发掘报告提要》则涉及主要的考古发现与考古发掘，只有既掌握了古典文献的基本内容，又了解了考古发掘的基本事实，才有可能真正融会贯通，将王国维先生的"二重证据法"落到实处。从这一角度看，将《中国考古发掘报告提要》视为"地下的《四库全书总目》提要"似无不可，尽管二者的作者水平与学术地位不可相提并论。

在工作开始之前，征求了多位不同学科、不同专业的专家、学者们的意见。有意思的是，持反对意见的人主要集中在考古圈内，考古圈外的人却大多表示赞同。反对的意见主要出自三点考虑：

一是"网上都有"。的确，不少刊物现已在网上可查全文。但经过逐刊、逐年、逐期的查寻发现，并非"网上都有"，有的刊物网上查不到，有的刊物缺年少期。更重要的是，仅在网上浏览，是无从享受纸本工具书的解说、集中、分类、检索等功能的。从务实的角度说，上网查询，毕竟是要产生费用的，有时一篇文章反复翻阅，既不方便，也不经济。这时恐怕即使是考古圈内的人，也会想要有一部工具书，有个基本了解后再有目的地上网查找相关文献，线上线下，相辅相成，岂不是事半功倍？

二是"大多知道"。这里所说的"大多知道"，是指某一地区的考古人员，对本地区的考古文献是很熟悉的。比如北京市的考古人员，对北京市这一亩三分地都挖出过什么，可以说是如数家珍。即便如此，仍然会让人产生以下推论：一是就算是对本地区的考古文献烂熟于胸，有一部工具书辅助查寻，又有什么坏处呢？二是谁真能保证当地考古人员人人都能对本地区的考古文献十分熟悉呢？三是考古这门学问和别的学科一样，少不了比较，仅仅是熟悉本地考古文献，是做不了什么大学问的。王巍先生不就讲过："考古资料如汗牛充栋，不仅业外人士很难了解其全貌，就连从事考古学研究的学者，对自己研究领域之外的考古成果也往往知之不多。"（《中国考古学大辞典·前言》，上海辞书出版社 2014 年版）四是考古圈以外的人，当然不可能做到"大多知道"。

三是"量太大了"。认为考古报告成千上万，编起来不胜其烦。其实不正是因为太多太繁，才有必要编纂相关工具书吗？马云讲未来的资本不是土地，不是金融，而是"大数据"。从做学问的角度讲，只有掌握了某一门学科的"大数据"，才有可能做出大学问。

与考古圈内形成鲜明对比的是，考古圈外的人却大多表示赞同，认为有这么一部工具书，对于查找和理解考古发掘报告是颇有益处的。北京大学李零先生早就谈到：考古圈内人"除了'报告语言'就不会说话"，而"圈外人看考古报告又如读天书，不知所云，不但不知道怎样找材料，也不知道怎样读材料和用材料"（《说考古"围城"》，载《读书》1996 年第 12 期）。复旦大学葛兆光先生则说："当外行人读他们的报告时，要么觉得他们的话让人难懂，要么觉得他们是在自言自语。""考古可以不断地挖出新的遗址，发现新的文物，但是无论如何，这只是学科内的事情。"（《槛外人说槛内事》，载《读书》1996 年第 12 期）其实这些学者，还是很关注考古发掘的。例如文献学家周勋初先生，就说他"喜欢看考古发掘方面的介绍"（《艰辛与欢乐相随——周勋初治学经验谈》，凤凰出版社 2016 年版，第 3 页）。但喜欢是一回事，能否真正看懂又是一回事。许宏先生不就讲过："考古学给人以渐渐与世隔绝的感觉。甚至与这个学科关系最为密切的文献史学家，也常抱怨读不懂考古报告，解读无字天书的人又造出了新的天书。"（王巍主编《追迹：考古学人访谈录 II》，上海古籍出版社 2015 年版，第 170 页）如果说，《四库全书总目》提要让人们对那些陌生的古代文献有了一个基本了解；那么，《中国考古发掘报告提要》也不过是想让人们对这些号称"天书"的考古发掘报告有个大致印象，仅此而已。

对于编纂《中国考古发掘报告提要》的看法不同，或许也是因为考古圈内、圈外对于考古发掘报告的关注点不一样：

首先，考古圈内更关注的是相关考古报告何时发表，是否规范。如郑嘉励先生指出："就考古工作者的职业道德而言，积压的考古资料必须适时发表。"（《浙江汉六朝墓报告集·后记》，科学出版社 2012 年版）张文彬先生也谈到："在我看来，客观、完整、及时将重要的考古资料公布于世，让学界鉴赏、研究，这是文物、考古工作者的天职，也是文物考古界的职业道德。恪守这个职业道德，对于我国考古学研究水平的提高乃至整个考古事业的发展，都是十分重要的，切不可等闲视之。"（《鹿邑太清宫长子口墓·序》，中州古籍出版社 2000 年版）而考古圈外更关注的，主要是已出版、发表的考古发掘报告如何利用。

其次，考古圈内更关注史前及夏商周三代考古，现在不少大学还是史前、三代考古各设一个教研室，其后的各朝各代统设一个"汉唐宋元考古教研室"。这是因为中国考古学诞生于 20 世纪 20 年代那个落后、屈辱的时代，"中国考古学一开始的主要工作，就是要寻求中国人类繁衍不息，中国文化源远流长，中国文明连接不断的证明"（王煜主编《文物、文献与文化——历史考古青年论集·序言》第一辑，上海古籍出版社 2017 年版）。以求重建民族自尊心和自信心。加之中国考古学源自欧洲，而欧洲"考古学要解决的主要是人类起源、农业起源、文明起源这三大问题"。（同前引文）不要说中世纪及近现代考古，就是古希腊、古罗马，在很长一段时间都"显然不是欧洲考古学的主要阵地，甚至更多的关注来自艺术史的学者"（同前引文）。这对中国考古学不可能没有影响。所以考古圈内不少人对战国以后的所谓"历史时期考古"兴趣不大。而考古圈外呢，自然更关注与自己搞的那一段所谓"断代史"有关的史料。

这么说，并不是说考古圈内的人都反对这个事，考古圈外的人都赞成这个事——不是这样的。考古圈外有的也颇不以为然，考古圈内的人也有的认为很有必要。如老考古人苏秉琦先生神骥出枥，指出考古学"新趋势的特点是向多学科、大众化发展。考古学的发展需要多学科素养的人来参加，社会上各行各业的人都能从这门学科中找到他们感兴趣的知识或材料，事实上还远远没能做到这一点，这主要是由于我们的工作还有许多薄弱环节"（《苏秉琦文集》（三），文物出版社 2009 年版，第 113 页）。苏秉琦先生这里所说的"我们"，应该是指考古学界。而自说自话、外人难读的考古发掘报告，理应属于"薄弱环节"之一，既然是薄弱环节，当然就有待改进和提高了。否则的话，就如同另一位老考古人张勋燎先生所指出的："如果搞其他学科史的人感到我们的历史时期考古对解决他们的问题完全没有帮助，那我们就是在玩古董，而不是研究考古了。"（《中国历史考古学论文集》下册，科学出版社 2013 年版，第 261 页）

不过，考古圈内和考古圈外在一个问题上的看法却惊人地一致：那就是都认为考古发掘报告花费了这么多的时间、精力和金钱，不好好利用，实在可惜。李伯谦先生曾讲过："我深知一部考古报告的诞生十分不易，从田野调查、发掘到室内资料整理、编写报告，一环扣一环，不知有多少人为此付出了辛劳和汗水。"（《大冶五里界·序》，科学出版社 2006 年版）。郭德维先生也曾谈到："凡整理过报告的人都知道，这是一项极其繁杂、十分琐碎的工作，既费神又费力，且短期难以完成，如果不是有很强的事业心，不下狠心用很长时间坚持做，是绝对做不好的。"（《随州擂鼓墩二号墓·序》，文物出版社 2008 年版）。宋建忠先生则感叹："常言道：巧妇难为无米之炊，但考古工作的现状常常是'好米难遇巧妇'，现在是物欲横流的时代，考古发现层出不穷的时代，人心浮躁不安的时代，现实的情况往往是'发掘抢着做，报告无人理'。因此，即使是一个重要的考古发现，报告的出版也常常是遥遥无期"。（《汾阳东龙观宋金壁画墓·序》，文物出版社 2012 年版）安金槐先生更直言："考古报告的出版是个大问题""编一本考古报告是要费大劲的""所以编考古报告要有点吃亏的精神"（曹兵武编著《考古与文化续编》，中华书局 2012 年版，第 359～360 页）。考古发掘详报时隔一二十年甚至更长时间才得以出版的例子比比皆是。如张忠培先生在《元君庙仰韶墓地》一书封三上写道："一九五九年写成初稿，二十四年后才贡献给读者。"（高蒙河《张忠培先生六十年学术论著要目编纂札记》，载《庆祝张忠培先生八十岁论文集》，科学出版社 2004 年版）王益民先生在《丁村旧石器时代遗址群》一书后记中，开篇即说此书费时 20 年。然而，好不容易有人不计名利将报告写了出来，又费尽千辛万苦申请到了经费，总算幸运地得以出版，命运又如何呢？除了图书馆、博物馆采购一些外，大都流往图书大集，成了打折书。北京大学陈平原先生讲："就拿我来说，明明知道正在削价出售的考古报告很有学术价值，可就是没有勇气把它们抱回家，原因是读不懂。"（《文学史家的考古学视野》，载《读书》1996 年第 12 期）季羡林先生也曾讲道："往往有这种情况，中国考古工作者发掘的某个地方，经过艰苦的劳动和细致的探索，写出了发掘报告，把发掘的情况和发掘出来的实物都加以详尽、准确、科学的描述，有极高的水平，但是往往不把这些发掘结果应用到历史研究上来。结果给外国的历史学家提供了素材。他们利用了这些素材，证之以史籍，写出了很高水平的历史专著。"（转引自张保胜《张懋夫妇合葬墓·序》，科学出版社 2017 年版）然后国内学界再"出口转内销"。这实在是一件令人深感悲哀的事情。

说完了考古圈内外关于考古发掘报告及《中国考古发掘报告提要》的看法，再来说说考古发掘报告本身。关于这一问题，比较令人感触的有两点：一个是"量"与"质"，一个是"繁"与"简"。

先说"量"与"质"。先说"量"。自 20 世纪 20 年代至今，究竟有多少考古发掘报告，谁也说不清楚。不仅考古圈外的人说不清，考古圈内的人也说不清，王巍先生曾谈到，1949 ~ 2009 年这 60 年，"公开出版的考古发掘报告已达 300 余部"（《新中国考古六十年》，载《考古》2009 年第 9 期）。可也有人说如今"每年出版的考古报告多达百册以上"（《新世纪的学术期刊的繁荣发展——纪念〈考古〉创刊 50 周年笔谈》，载《考古》2005 年第 12 期）。以书的形式出版的考古详报并不算多，都有不同的数字，更不用说以文章形式发表的考古简报了。

《中国考古发掘报告提要》收入的考古发掘报告，从收录标准看是偏宽的，不是仅收狭义的"考古发掘报告"，从篇幅来看，既收动辄几十万字的考古详报，也收几千字上万字的考古简报，还有几百字的所谓"微简报"。之所以连"微简报"也尽量予以收录，有两个原因：一是考古发现（发掘）本身就比较简单：或许只是发现了一件青铜器，或许就是发掘出一处窖藏；二是正是因为考古发掘过程简单，很大可能仅有此一介绍，除此再无音讯。但即使是这种"微简报"，也有可能蕴藏着丰富的信息（如某种文化的"边疆"在哪）。金泥玉屑，不可小视。

《中国考古发掘报告提要》收录了以书的形式出版的考古详报和在核心期刊（以《北大中文核心期刊目录》2011 版考古学科为准，略加调整）发表的考古简报、微简报共计 13000 多种。在非核心期刊和以书代刊的考古文献上发表的考古报告，估计还有四五千种，公正地说，这部分发掘报告的学术价值大多略逊一筹，计划日后以《中国考古发掘报告提要·补编》的形式出版。如此，仅是 20 世纪 20 年代末至

2015 年，已出版和发表的考古发掘报告，就几近 20000 种，差不多是《四库全书总目》所收书的一倍了。这个数字看似可观，其实仍只是我们这个五千年文明古国考古成果中的一部分。众所周知，祖先留下的遗迹、遗物，已发现的只是其中的一部分；对这一部分进行了清理、发掘的又只是其中的一部分；已发掘的这一部分中，写有考古发掘报告的又仅是其中的一部分；写有考古发掘报告能正式发表的，又只是其中一部分。不是有学者指出，"十个考古发掘项目中，只有四五个发表了简报或者报告"吗？甚至一些名列"全国十大考古新发现"的考古发掘，也尚未发表考古报告。（张庆捷《考古发掘报告积压的问题》，载 2011 年 9 月 23 日《中国文物报》）所以我们今天能够看到的考古发掘报告，看似珠渊瑶海、宏富之极，其实已是经过层层递减，实在是弥足珍惜。

再看"质"。既然是中国考古发掘报告，自然和别的事情一样，必定会带有中国特色。其表现之一，就是质量参差不齐。不像发达国家，考古报告的整体学术水平相对比较整齐。质量不一的一个重要原因，是时代造成的。张在明先生曾讲过："我们干考古时间长了，也有一种自豪感，我们是文科里边，理工科因素最多，科学性最强、最严谨的一门学科。比起哲学、文学、历史，还是比较自豪的。"（张在明《科学的态度，历史的真实——在全国文物普查培训班上的发言》，载《文博》2008 年第 1 期）但从事这一"科学性最强"的人又如何呢？不去提中华人民共和国成立初期留用的盗墓人员（参见《长沙砂子塘西汉墓发掘简报》，载《文物》1963 年第 2 期），也不提"大跃进"时由 8 位刚从中学毕业的姑娘组建的"刘胡兰"考古队（参见《河南南召二郎岗新石器时代遗址》，载《文物》1989 年第 7 期），"文化大革命"后期和改革开放之初的"亦工亦农学员"（参见《河北磁县东魏茹茹公主墓发掘简报》，载《文物》1984 年第 4 期），就是到了 20 世纪 80 年代末 90 年代初文物普查时，张在明先生不还在说，"中国就是这样的现实，大部分普查队员就是这样一个业务水平。当时陕西省上了 1000 多人，省上真正业务好的，懂考古的，上的人并不多"，甚至出现"照出来的胶卷大部分废了"，因为有时"镜头盖没打开，照完了，回来一冲是空的"，以致陕西省"90% 以上文物点都没有照片"（同前引文）。文物大省陕西省尚且如此，别的省区可想而知。近一二十年，考古队伍中的高学历人员多了许多，考古报告的质量有所提升，但仍然存在诸多问题。比如董新林先生谈到的"有意无意加以取舍，不按单位发表资料，使得资料零散"的问题，恐怕就不在少数（"期刊建设与考古学的发展暨纪念《考古》创刊 500 期学术研讨会"纪要，载《考古》2009 年第 5 期），而"资料完整不完整，是评判考古报告的质量高低的第一标准"（李伯谦《郑州大师姑·序》，科学出版社 2004 年版）。看来，的确如张忠培先生所言："中国考古学的成长史，离不开整个社会条件的制约。"（《中国考古学：走近历

史真实之道》，科学出版社 1999 年版，第 43 页）

应该指出，考古发掘报告在近年来有很大的进步，从量来说，取得国家专项资金支持得以出版的考古发掘详报越来越多，当然印量都不高，甚至有的书已出，考古圈内都不太了解（参见《考古》2011 年第 7 期载《中国考古学》一书书评），从质来说，海外学者曾批评："中国大陆在考古研究上不会问问题，即使问，也问得有限。有资料与有问题是两回事，如果只有资料而没有或问不出好的问题，资料也失去意义。"（许倬云《历史分光镜》，上海文艺出版社 1998 年版，第 297 页）而近年来出版的考古发掘报告，应该说已越来越善于问问题了。

再说"繁"与"简"。早在 20 世纪 80 年代，尹达先生就曾提出考古发掘报告"太简化，简化到史学家不能使用的程度"（《尹达同志谈考古学研究》，载《中原文物》1982 年第 2 期）。黄宽重先生则抱怨：考古发掘报告"偏重于墓葬结构、形制、出土陪葬物品的种类式样，如漆器、瓷器、石器等，特别着重于器物、墓室形制的描述，并讨论其意义。报告中虽然也注意到买地券，以及考订墓葬年代等等问题，却多忽略墓志资料"（《宋代的家族与社会》，国家图书馆出版社 2009 年版，第 15 页）。而墓志又恰恰是治史之人最需要的，着实令人恼火。王益人先生也指出已发表的旧石器时代考古发掘详报："可读的信息量实在太少，一个遗址出土几千件标本，读者只能看到十几件甚至一两件石器标本的插图和照片。难道这些标本就能代表这个遗址的所有信息吗？这绝不是我们想要的，也不能再走这样的老路了。"（《丁村旧石器时代遗址群：丁村遗址群 1976 ～ 1980 年发掘报告·代后记》，科学出版社 2014 年版）如此看来考古发掘报告似乎是越全、越厚越好。而当下 80、90后的网友，又大多认为如今的考古发掘报告太过繁琐，不忍卒读。如有一位名叫王悦婧的网友提到初读考古发掘报告的印象："在刚开始阅读时，我深刻体会到了阅读的艰难，很多专业术语一知半解，而且有很多的疑问和不理解。"（王悦婧《阅读考古发掘报告的几点心得体会》，载 http：//www.do-cin.com/D-8333.6897.htm1）似乎考古报告越通俗，越简单为好。

那么，考古发掘报告的量与质的问题、繁与简的矛盾是否能有一个兼顾呢？我个人认为，撰写提要，恰恰就是一个比较好的解决方案。只有通过撰写提要，才能为考古发掘报告算一总账，知道还有哪些重大考古发掘迟迟未出报告，以致国家文物局不得不将其列入"限期整理"名单（参见《长治分水岭东周墓地》文物出版社 2010 年版，第 4 页）；只有通过撰写提要，才能分辨出哪些报告已不堪使用，需要出版修订本、增订本（参见霍东峰、华阳《也谈考古报告的编写》，载《内蒙古文物考古》2007 年第 2 期）；也只有通过撰写提要，才能使"繁"与"简"的矛盾得以平衡，需要更多信息的读者，可以沿着提要的线索去查找更多的资料；需要一般了解的读者，或许阅读几百几千字的提要就得以了解相关信息了。

尽管考古发掘报告尚存在着这样那样的问题，但诚如有学者指出："从某种意义上说，现今研究中国的古代历史和文化，如果离开考古学及其研究成果，是很难进行的。"（张之恒主编《中国考古通论》南京大学出版社2009年版，第38页）而对考古学成果的利用，抛开考古发掘报告，也是不现实的，同样是很难进行的。《輶轩语》曰："无论何种学问，先须多见多闻，再言心得。"欲了解考古成果、考古材料，一本一本、一篇一篇地去读考古发掘报告，当然是一个办法，但先行阅读考古发掘报告提要，也应不失为一种事半功倍的选择吧？如袁珂先生所言："积累应当说是做学问的基础，没有积累，任何学问也做不起来。"（《袁珂神话论集·代序》，四川大学出版社1996年版）《中国考古发掘报告提要》，只能说是考古发掘报告"提要学"的最初一点积累吧。也算是为贯彻习近平总书记提出的"建设中国特色、中国风格、中国气派的考古学"的指示，所做出的一点努力吧。

至于编纂此书的难处，先抛开编者的学术水平等主观因素不说，客观上的困难至少有三：

一是几无借鉴。此书的编纂属于首创，考古发掘报告的提要怎么写，谁也不知道；这么多提要依照什么原则进行编排，谁也没干过。只能是摸着石头过河，摸索着干。王杰先生曾指出："万事开头难，前人没有做过，第一次来做此事，自然就难。"（《楚都纪南城复原研究·序》，文物出版社1992年版）确是深知甘苦之言。而只要是首创之举，恐怕都难称完美。这在目录学史上不乏其例。比如《书目答问》，被称作是首部"面向广大读书人的，把书目与读者的密切关系放在首位"的杰作，但"《答问》体例不一，仓促之迹比比皆是"（《增订书目答问补正·前言》，中华书局2011年版）。这里要提到张在明先生在谈及考古文物普查图集时曾引用过的一个外国笑话，说是一个火车站火车老晚点，旅客们埋怨说，要列车时刻表有什么用？站长说，没有列车时刻表，你怎么知道列车晚点多少？张先生说："可是我们50多年了，连个列车时刻表都没有。文物事业的火车，就是在没有时刻表的情况下，跑了50多年。"（同前引文）蠡测其意，张先生意思是说，文物普查图集，也是类似列车时刻表这么一项基本建设。而《中国考古发掘报告提要》，不也应算是一项基本建设吗？何况是出于编者少数人之力，错讹肯定是还要超过文物普查图集，但正如张先生所言，"有了文物图集至少有了靶子，有靶子可打呀，没有文物图集，你连靶子都没有"（同前引文），编者不揣简陋，编纂《中国考古发掘报告提要》，实在是任重才轻，操刀伤锦；也不过是想给学界提供一个"靶子"吧，甚望高明缺者补之，误者正之，日后也有类似《四库全书总目提要补正》《中国丛书综录补正》一类专著问世，使其更趋完善，更便使用。

二是工程浩大。工作量有多大，可有个参照。《〈中原文物〉创刊十五年叙录（1977～1992）》（河南省博物馆 1993 年 6 月自印本）一书收录了 1500 余条 25 万字，每条都有提要。该书前言称："《中原文物》编辑部的全体同志，在完成自己繁重的本职工作之余，为编写这本书，不辞劳苦，牺牲了业余时间，经过一年的艰苦努力，克服经费上的困难，自筹资金，终于使此书出版发行了。"《中国考古发掘报告提要》所收是《中原文物》提要数倍，且参编人员也均为利用业余时间工作，这么一对比，其工作量之大，即可思过半矣。

原稿堆积如山

三是经费紧张。《中国考古发掘报告提要》是在未及申报任何项目，没有一分钱科研经费的情况下干起来的，经费之紧张自不待言。中国科学院院士叶大年先生常常开导学生们，要记住拿破仑的名言："先投入战斗，然后见分晓。"（日新编著《听大师讲学习方法》，天津社会科学出版社 2004 年版，第 126 页）这件事也是"先投入战斗"，困知勉行，干起来再说。

或许正是因为有这些难处，才会留下诸多遗憾：

从"量"来说，未能一步到位，收录的书籍肯定有遗漏，收录的文章更是缺少了非核心期刊和以书代刊这一块。估计还会有几千种。计划仿照《四库全书存目丛书》的先例，以补编形式出版。

从质来说，未能更臻完善。记得曾在《北京晚报》上看到北京大学考古系的同学写的文章，将发掘的先民住宅用今天的"两居室""三居室"来打比方。我们这部提要虽说也尽量往"浅白有趣"努力，但似乎尚无法做到如此直白。另外，不少重要的学术信息，也实在是无暇一一查找对应到位，这都只能是留下遗憾了。

这么一部有着诸多遗憾和不足的资料，为什么仍要野人献曝、布鼓雷门呢？这实在是因为我坚信考古发掘一定会有着学界急需的营养。诚如陈星灿先生所言："考古学是一门让人难堪的学问。它的发展日新月异，足以动摇被世代奉为金科玉律的东西。"（《考古随笔（二）》，文物出版社 2010 年版，第 149 页）不要说三星堆、红山、陶寺等足以改写上古史的考古发现，就是中古史，不少考古发现也一样会促使我们重新思考以往的一些"定论"。比如胡宝国先生就注意到："根据传统史料，到处都是豪族，到处都有豪族的影响，但在造像记中，我们又几乎看不到豪族的踪影。"（胡宝国著《将无同：中古史研究论文集》，中华书局 2020 年版，第 383 页）这至少会促使我们重新审读以往的文献记载，以求更加贴近历史真相。

还有几点需要特别说明一下：

一是大的原则是依时间排列。征求了不少人的意见，都愿意从最便利的途径得知某一朝代（如汉代）已发现了多少手工业遗址，已发现了多少皇陵。《中国考古学》系列，倒是依时间排列的，但那是考古学的专业书，圈外人看起来还是费力，何况还未出齐。

二是附录中的"参考文献"，列举的是一些最基本的书刊，注明的也是一些考古界最熟知的事实，算是照顾考古圈外的普通读者吧。

三是总主编刘庆柱先生统筹全局，负责大政方针的把控，已是千钧重负，尽管先生向来虚己以听，闻过则喜，但作为后学，已然兼葭倚玉，何忍再让先生推功揽过，分损谤议。故而收录之遗漏、分卷之可议、校读之疏忽等种种具体问题，理应由本人引咎自责，抉误补阙。

四是本《提要》总索引，待《补编》《续编》《外编》等出齐后，再统一编一个涵盖整个《提要》系列的总索引。

最后想说的是：编纂过程虽然充满艰辛，但好在有许多前辈、朋友的支持和帮助，大家一起来克服困难。要感谢中国社会科学院考古研究所、北京大学文博学院、北京大学图书馆、首都师范大学图书馆、文物出版社、科学出版社、中国大百科全书出版社、中华书局以及河南、山西、陕西等地考古部门的支持与帮助，要感谢傅璇琮前辈的肯定与提携，要感谢中国文史出版社的各位领导，各位编辑、印制、发行老师和项目负责人窦忠如先生，要感谢关心此书出版的范纬女士、卢仁龙先生，还有许多师友，恕不一一列举大名了。没有大家的支持和鼓励，这件事情是不可能做成的。

丁晓山

2016 年 8 月于首都师范大学

2021 年 10 月改定